LES FORTUNES
DE LA GLOIRE

CENDRINE DE PORTHAL

LES FORTUNES DE LA GLOIRE

Le roman de John Law

ACROPOLE

216, boulevard Saint-Germain
75007 Paris

Un livre présenté par Hortense Chabrier

Si vous souhaitez être tenu régulièrement
au courant de nos publications,
envoyez vos nom et adresse en citant ce livre aux
Editions Acropole
216, boulevard Saint-Germain
Paris 7ᵉ

H 60-2096-0

TABLE

TROISIÈME PARTIE

« Law, né pour gagner tout homme et troubler toute femme. »

MICHELET.

« Un plus grand ministre
que Richelieu et que Mazarin. »

LORD STANHOPE.

AVANT-PROPOS

Par le ton et par la forme, ce livre est un roman ; par le fond, fort peu. Je dois donc préciser que, dans ces pages, l'Histoire n'offre pas seulement un décor ; elle est la trame du récit. Les apports romanesques, très limités, furent d'abord de donner un prénom (Nathalie de.), un visage et une âme à l'inconnue qui, à partir de 1716, a certainement suscité un repliement, un silence, une énigme dans une existence jusque-là tapageuse et tout extérieure, au moment même où le beau Law devint un homme public, célèbre, fêté, adulé. Certains propos du Régent, de Saint-Simon, et des faits précis permettent de penser qu'il y a un mystère dans sa vie. Ce mystère ne peut être que l'existence d'un grand amour, et j'ai cherché à me représenter ce qu'avait pu être son essence et sa vérité profonde au regard du caractère et de l'existence de John Law. C'était le seul moyen de combler un vide qui, sans cela, eût été inexplicable. Néanmoins, tous les faits auxquels cette femme est mêlée sont rigoureusement authentiques.

Trois autres personnages imaginaires, très secondaires et dont les interventions sont brèves, se trouvent également mis en situation dans la vérité de l'Histoire : le Chevalier de la Mer, Paméla de Tiffery et Chardonnet ; ils incarnent des types très caractéristiques de cette époque : les hommes de l'Aventure, les faiseuses d'affaires louches, les agents doubles et triples qui exploitaient une situation internationale enchevêtrée et dangereuse.

Quant à Johanna Merkus, il paraît certain que Law, fort jeune, exilé, isolé, surveillé, ne parlant pas le néerlandais, ne parvint à connaître les secrets bien gardés de la Banque d'Amsterdam, à entrer en contact avec un réseau de correspondants européens, à l'utiliser et à rétablir aussi rapidement sa fortune, que par l'entremise d'une femme qui se trouvait à même de lui apporter de telles informations. Etait-ce la femme d'un banquier rencontré à Londres, ou sur le bateau, s'appelait-elle Johanna Merkus ? D'aucuns l'ont affirmé. En tout cas, ce ne fut qu'une brève liaison, à laquelle John Law souhaita vite mettre un terme.

Pourquoi cette part romanesque que certains apprécieront et que d'autres regretteront ?

Ce fut le *choix d'une approche*, la seule qui permettait de serrer d'assez près une personnalité aussi singulière que celle de John Law, de la « fouiller », de la pénétrer, de l'interroger et de poser sur des faits précis des questions essentielles qui autorisent certaines réponses, lesquelles, pour être prudentes, n'en sont pas moins éclairantes. Il m'a paru impossible de parvenir autrement à prendre la mesure de cet homme et de son destin, de se faire une idée juste de ce que l'on en connaît, d'évaluer tout ce qui échappe encore... C'est dans cette voie seule que l'on pouvait pousser l'investigation psychologique jusqu'au point où, parfois, elle parvient à ouvrir les portes les plus solidement fermées.

Pour essayer de traiter ce sujet dans sa vraie dimension, il fallut encore faire un autre choix, et celui-là tout à fait capital : ne pas séparer l'Histoire du Système de l'histoire de son auteur et du contexte politique international.

Les biographes de John Law ont fait le contraire.

On trouvera donc ici deux tentatives particulières, qui s'inscrivent néanmoins dans un courant très récemment affirmé, et révélateur de la manière dont on conçoit aujourd'hui le roman *dans* l'Histoire, mêlé aux conséquences de la simultanéité d'événements historiques.

Ainsi son expérience financière et politique et sa vie personnelle se jouèrent-elles dans un même temps à Paris, en Louisiane, à Londres, à Madrid, à Venise et sur la route des Indes...

C. de P.

Ce Système embrassait tout le corps de l'Etat, la terre et ses productions, les bâtiments, les chemins, les rivières, les deux mers, la navigation, en un mot les fonds et la superficie. Il remuait le travail, l'industrie et l'imagination des hommes. Il donnait le mouvement à toutes choses.

Il s'étendait sur toutes les nations étrangères, même les plus reculées et intéressait les quatre parties du monde.

On conviendra du moins que voilà une grande et noble idée et qu'il y avait plus à espérer de la tête qui l'avait conçue que de celles qui n'avaient enfanté qu'une banqueroute.

PREMIÈRE PARTIE

LA PRISON DE KING'S BENCH

Une nuit de 1695, dans la prison royale de King's Bench, à Londres, un condamné à mort voyait avec une angoisse sans nom l'ombre envahir sa cellule. Il se demandait s'il serait pendu avant le lever du jour et il tremblait de détresse et de froid.

Son extrême jeunesse — il avait vingt-quatre ans —, sa parfaite beauté et l'étincelle de génie qui l'habitait ajoutaient grandement au pathétique de sa situation et lui enlevaient toute résignation.

Les grands gibets qui, quelques années plus tôt, épouvantaient l'enfant qu'il était alors surgissaient dans sa mémoire. Leurs silhouettes noires se dressaient à contre-jour dans le ciel où le vent des Orcades pourchassait sans relâche des nuages toujours fuyants. On pendait nuit et jour dans l'enclos du Parlement d'Edimbourg dans lequel s'enchâssait la vaste maison de ville de son père. C'était la dure époque où le roi Charles II persécutait sauvagement les prêcheurs presbytériens. Pendaison, flagellation, oreilles coupées clouées au pilori étaient autant de spectacles révoltants et cruels qui l'avaient empli d'horreur. Celui des pauvres corps qui se balançaient au bout d'une corde dans l'aube livide ou dans l'ombre du soir l'obsédait depuis lors comme un pressentiment... Brutalement, l'absurde condamnation avait précisé la menace : maintenant c'était son tour.

— Et je suis innocent ! hurla-t-il soudain.

Puis le silence un instant rompu retomba dans l'étroit cachot de pierre. Un silence de tombe, implacable et glacé, en vérité, au fond duquel ne s'éveillait nul écho.

Innocent ? L'était-il vraiment ?

Les juges d'Angleterre ne lui reprochaient qu'un duel datant du 9 avril 1694 ; il avait eu, il est vrai, la bonne fortune d'occire son adversaire, mais il avait couru les mêmes risques que sa victime et cela, pour l'honneur !

Pouvait-il, lui, John Law [1], baron de Lauriston, gentilhomme écossais,

---

1. Prononcer Lass. Law se prononce Lâ en écossais, mais l'orthographe exacte du nom était primitivement Laws. Saint-Simon, qui entendait John Law prononcer son nom « Lass », l'écrivait ainsi.

laisser cet infâme Wilson entretenu par les femmes tenir des propos bassement injurieux contre sa maîtresse ? Oh ! ce n'était pas une bien précieuse conquête que cette aimable bourgeoise mal déguisée en courtisane et qui charmait ses trop nombreux loisirs.

Peut-être, après tout, l'avocat envoyé par son ami l'écrivain Daniel Defoe n'avait-il pas tout à fait tort lorsqu'il prétendait que derrière toute cette affaire il convenait d'apercevoir le hideux visage de Blunt.

Une fois de plus, Law essayait de démêler les fils ténébreux de l'histoire qui l'avait conduit à transformer Wilson en cadavre et à devenir lui-même un mort en sursis.

Se pouvait-il que Blunt ?...

Blunt... Defoe, le fou, l'extravagant Defoe, qui avait par treize fois fait fortune et s'était ruiné tout autant, le connaissait bien et assurait qu'il avait imaginé et tendu le piège. Blunt pratiquait le change et l'usure sur une grande échelle, mais une ambition extravagante et de vastes desseins avaient travesti ce misérable en tartufe anglican. Il préparait un coup fourré magistral pour faire passer le pouvoir aux mains des whigs, parti protestant qui était aussi celui des banquiers et des spéculateurs rêvant d'étouffer le parti tory, catholique, plus ou moins « jacobite », où se regroupaient entre autres les partisans de Jacques Stuart, détrôné et réfugié en France. Ce renard de Blunt savait donc tout autant parler de la vertu sur le ton de la plus austère prédication que gruger le matelot de la Tamise arrivé des terres lointaines et qui changeait ses monnaies étrangères, ou qu'un pauvre écrivain vagabond comme Defoe ou même que tel grand seigneur qui venait de jouer toute la nuit au pharaon contre John Law de Lauriston — et cela ruinait son homme, chacun le savait dans ce monde de financiers et de joueurs impénitents. Non point que Law trichât, mais il avait un secret au jeu du pharaon et aussi un certain génie de la mathématique.

Law soupira ; il emporterait avec lui ce fameux secret qui aurait pu lui assurer une vie si belle.

Se pouvait-il que Blunt... ?

Blunt le haïssait ; il lui déplaisait au suprême degré que Law s'intéressât comme lui aux problèmes de finances et cela avec une culture, des dons et de puissants appuis qui pouvaient permettre au jeune Ecossais de le gagner de vitesse.

Law, en effet, avait fait la connaissance d'un de ses compatriotes, Paterson, qui prétendait avoir découvert le mécanisme secret de la Banque d'Amsterdam et qui avait décidé de fonder un établissement financier sur le même principe.

Il n'était bruit que de cela à Londres et la rencontre des deux Ecossais n'était point faite pour apaiser Blunt. Celui-ci voyait régulièrement le jeune *laird* de Lauriston dans les maisons de bière, autour des tables de jeu et dans les cercles de gens de finance et l'entendait exposer sans méfiance des idées originales et fort surprenantes.

Paterson venait d'ouvrir sa propre banque à Londres, dans l'hôtel des Epiciers, en plein quartier du Pulty. Il n'en fallait pas davantage pour créer une effervescence parmi les familiers de Change Alley où évoluaient aussi Blunt et le jeune baron de Lauriston, parmi les agioteurs frénétiques qui finançaient la chasse épuisante contre les marins français : Jean Bart, Duguay-Trouin, Forbin, Cassard et Tourville. Là couvait le feu de la vieille haine que les Anglais vouaient à la France, ce royaume dont chaque port lâchait ces singuliers oiseaux de mer qui osaient attaquer les navires anglais !

Il se jouait à Change Alley, en marge de la guerre, de fameux combats, des coups de bourse sans pareils, des paris et des rafles incomparables.

Un garçon bien doué comme John Law avait beaucoup à apprendre de tels exemples, de tels contacts. Fils d'un riche orfèvre et financier écossais, issu d'une illustre famille, apparenté par sa mère à la maison ducale d'Argyll, il menait grand train ; s'il s'était une fois endetté gravement, sa mère avait aussitôt remis ses affaires en état, ce qu'elle n'eut pas à faire deux fois, le jeune mathématicien ayant trouvé entre-temps le secret du pharaon, devenu fameux à Piccadilly.

Cette notoriété s'expliquait d'autant plus aisément que toutes les nations subissaient alors une étrange épidémie : la fièvre du jeu. Les célèbres loteries d'Italie auxquelles participait toute l'Europe, les paris de guerre en Angleterre, les spéculations financières et les cartes partout trahissaient la fureur de chercher fortune. C'était une immense et hasardeuse ruée vers l'or. L'incertitude même et ses périls en faisaient l'irrésistible attrait.

Or voici que, par une sorte de coup de génie, John Law semblait réduire les risques. Voilà qui intriguait, fascinait les belles que n'intéressait guère le visage de fouine au teint bilieux de Blunt. Il en allait tout autrement quand paraissait le jeune seigneur de Lauriston, qui semblait né pour « gagner tout homme et troubler toute femme ». Elles l'avaient surnommé « Jessamy John » — Jasmin John.

Tant de succès l'avait grisé et rendu imprudent. Et voici qu'à cette heure il se trouvait dans le cachot des condamnés à mort.

Soudain, un sursaut le mit debout. Il secoua la chape de torpeur et d'angoisse qui, avant la corde de la potence, l'étranglait. Grand, mince, racé, son animalité inconsciente lui communiquait une étrange séduction. Des cheveux blond-roux, les siens et non point crins de perruque, retombaient sur son cou où toutes les forces de ce long corps nerveux, de ces larges épaules semblaient s'être nouées. Ses yeux clairs, pénétrants, animaient d'une vie intense ses traits fins et spirituels. Un reste d'enfance demeurait dans la moue de ses lèvres ; les ailes palpitantes du nez trahissaient l'ardeur, la sensibilité et l'audace. Une extrême vivacité sous une apparente nonchalance créait en lui un contraste dont on subissait le charme. Sa voix, disait-on, était prenante. La devise de sa famille était « Ni obscur, ni humble ». Tout un programme.

John Law de Lauriston traîna un moment sur le carrelage du cachot ses fers pesants, éveillant un bruit sinistre. Il s'arrêta, incapable de se résigner :

il fallait tenter quelque chose. Peut-être était-il temps encore de sauver sa vie, son secret et ses idées avec lesquelles il pensait soulever le monde.

Elisabeth Villiers, la maîtresse du roi Guillaume III, l'avait fait gracier une première fois, bien que Wilson eût jadis été son amant. Cependant la famille de Wilson, conseillée disait-on par Blunt, avait obtenu qu'il demeurât en prison et elle fit appel du jugement.

John Law condamné une seconde fois, Elisabeth Villiers était parvenue à lui remettre une grosse somme d'argent pour acheter ses gardiens, du somnifère pour endormir les plus récalcitrants et une lime avec laquelle il avait réussi à scier quatre barreaux de sa cellule, aidé en cela par son compagnon de captivité, Charles Knollys. Ce dernier était également coupable d'un duel. La tentative d'évasion découverte, les prisonniers avaient été séparés et mis aux fers.

D'un geste violent, John Law tira l'unique escabeau devant la table vétuste sur laquelle se consumait une chandelle. Il fallait écrire à Elisabeth et obtenir de l'avocat, s'il lui était donné de le revoir, qu'il transmette le message.

Il traça rapidement ces mots :

Mon cher Cœur,

Nous avons vécu, vous et moi, un conte de fées, vous en souvient-il ? Il commença en ce soir de mai, sur le Mall où vous passiez avec votre masque de velours noir, dans le carrosse du roi. Vous m'avez un jour éloigné parce que j'avais découvert à qui appartenait cette voiture et d'où me venait ma maîtresse. Depuis lors, j'ai erré, solitaire, et j'ai compromis ma vie pour moins que rien... Le conte de fées s'est poursuivi cependant lorsque, du fond de ma prison, je vous ai fait tenir le diamant que vous m'aviez donné, et lorsque, à ce signe, il me fut accordé de vivre. Mais voici que je suis de nouveau condamné et je me demande, dans ces heures de silence et d'attente, si le conte est terminé ou près de l'être, et comment il finira.

Je serre dans mon pourpoint ce billet que vous m'avez fait parvenir lors de mon arrestation. Vous me disiez que les femmes d'Angleterre ne laisseraient pas périr « le plus séduisant cavalier des îles »... Flatteuse ! Et pourtant, comme j'ai besoin de vous revoir encore... La vie, Elisabeth, a le goût de votre nuque blonde et de mes vingt ans. Elle m'échappe ce soir, et il me semble qu'en vous écrivant, je la retiens comme une femme par un pan de sa robe, une robe que vous porteriez pour danser une pavane où se feraient vis-à-vis les vivants et les morts.

Entrerai-je parmi ceux-ci tout à l'heure ?

S'il devait en être ainsi, je ne voudrais pas emporter avec moi mon fameux secret et, pour me faire enfin pardonner d'avoir un jour violé le vôtre, je vais vous donner le mien...

A cet instant, un grincement le fit sursauter ; déjà une lueur rousse révélait davantage le grabat, la table boiteuse, le sol gluant du cachot. Law se sentit pâlir, se leva, recula ; une lanterne se balançait devant lui. Un officier l'élevait maintenant jusqu'à la hauteur du visage du prisonnier ; cela fait, il repoussa doucement la porte.

— Habillez-vous vite... et sans bruit.

— C'est... c'est le moment ? murmura Law d'une voix blanche.

— Pour ne point demander votre grâce une seconde fois, on vous fait évader, répondit le messager. Dépêchez-vous...

Sous le choc, Law sentit le sang lui affluer au visage ; ses oreilles bourdonnaient et cette chaleur était la vie même, la bonne vie, sa folle vie qui revenait à lui... L'officier eut tôt fait de le libérer de ses fers ; le prisonnier replia la lettre qu'il venait d'écrire, la glissa dans son pourpoint, puis il jeta sur ses épaules un manteau et suivit l'inconnu tout au long des sinistres couloirs et des escaliers sans fin. Devant eux s'ouvraient, mystérieusement, toutes les portes. Rapidement ils furent dehors sur un chemin de ronde, dans un brouillard déprimant. Law humait avec délices le grand air, lui qui ne connaissait plus depuis des semaines que la suffocante odeur du cachot.

— Nous avons endormi les gardiens, murmurait son guide, mais il va falloir sauter dans l'obscurité au bas de ce mur de trente pieds... Un carrosse avec des gens sûrs vous y attend. Si vous ne vous tuez pas en tombant...

— Je vous dois toute l'obligation du monde, sir, répondit Law. Je vais tenter ma chance.

L'officier s'inclina et s'effaça littéralement dans la brume.

Law grimpa sur le parapet. C'était le saut dans l'invisible... Il hésita un instant, le temps d'une pensée pour le pauvre Knollys, et il se lança.

La gifle humide et glacée de l'air, un vide brutal au creux de l'estomac, puis un choc rude et une douleur fulgurante furent les sensations qu'il garderait de cet élan vers la liberté. Il parvint à ne pas laisser échapper une plainte.

Plié en deux sur lui-même, il pétrissait de ses mains fiévreuses sa cheville blessée et se demandait ce qu'il allait advenir de lui lorsqu'il se sentit entouré d'ombres.

— Ne craignez rien, chuchotait une voix, nous allons vous soutenir et vous aider à monter en voiture. Etes-vous sérieusement blessé ?

— Je ne le pense pas, mais je suis assez mal en point, sir...

Vers quoi le conduisait-on ? Il éprouvait une certaine ivresse à l'ignorer... C'était le jeu du destin.

Il se hissa à l'intérieur du carrosse qui partit aussitôt de toute la vitesse de ses quatre chevaux.

L'aube se levait sur les campagnes du Sussex poudrées à frimas, et révélait le visage tendu et pâle du compagnon de voyage qui avait pris place aux côtés de Law. Le froid intense augmentait la douleur que lui causait son entorse.

— Nous serons bientôt arrivés et vous pourrez être soigné convenablement, assurait l'inconnu. Un bain d'eau salée et un bon bandage vous soulageront.

— Dieu vous entende ! soupira Law. Devrai-je demeurer longtemps dans la retraite où vous m'allez cacher ? demanda-t-il anxieusement.

— Tout dépend du résultat de mes négociations avec les capitaines de navire... Je crois parvenir assez rapidement à vous faire quitter l'Angleterre.

Le silence retomba. Law se décida enfin à poser la question qui le hantait :

— Est-ce Lady Villiers qui vous a personnellement chargé de...

— Chut ! fit l'inconnu sans le laisser achever. Cette dame m'a prié de vous mander de ne jamais prononcer son nom et vous requiert sur l'honneur de ne jamais avouer que c'est elle qui vous a fait évader.

— Vous lui direz, reprit vivement Law, que je m'engage à respecter sa volonté. Dites-lui aussi... — et sa voix se troubla — que je n'oublierai jamais.

Une inclinaison de tête et un regard lui signifièrent que son message serait transmis et qu'il fallait en rester là.

Déjà l'équipage quittait la grand-route et s'engageait dans un chemin creux. Quelques instants plus tard, il s'arrêtait devant un porche en pierre au-delà duquel se dressait, au fond d'une cour étroite, un petit manoir de granit flanqué d'une tour ronde.

— C'est ici, fit l'inconnu. Vous y serez à l'abri. Pour moi, je repars d'un trait pour Newhaven... Laissez-moi vous aider à descendre.

Déjà le cocher avait sauté de son siège et ouvrait la portière. Soutenu par les deux hommes, Law traversa péniblement l'espace qui le séparait de la porte du logis. Celle-ci s'ouvrait aussitôt et une vieille paysanne parut sur le seuil.

— Il est blessé ! s'exclama-t-elle, et elle s'effaça pour laisser entrer les voyageurs dans une salle voûtée ; au fond d'une haute cheminée de pierre brûlait un grand feu.

— A bientôt. Nous n'avons pas un instant à perdre ! murmura le messager d'Elisabeth Villiers avant de sortir, suivi du cocher.

Law se retrouva seul, assis sur un escabeau devant le feu. La chaleur détendait ses membres et apaisait en effet son mal.

Devant lui, sur une longue table de chêne, la servante disposait déjà le couvert pour le thé.

— Je crois qu'il faudrait d'abord que je soigne ma cheville malade, dit-il doucement.

— Vieille bête que je suis ! J'aurais dû y penser ! grommela la bonne femme et sa figure fendillée comme une pomme saisie par le gel s'éclaira d'un sourire édenté.

— Comment vous appelle-t-on ? s'enquit-il.

— Janet.

Il se troubla : c'était le nom de sa mère. Quand la reverrait-il ?

— Vous êtes seule ici ?

— Que non pas, sir ; il y a aussi mon mari Abel, et ma fille Violette.

— Mais... qui m'offre cette généreuse hospitalité ?

— Le maître n'est pas là... il nous a recommandé que tout soit à votre convenance ; je ne dois pas vous en dire plus.

Et elle disparut.

Quelques instants plus tard, le jeune homme vit apparaître une fille longue et fine dont la coiffe blanche se mirait dans une bassine en cuivre qu'elle portait à bout de bras.

— Violette ? fit-il en souriant.

— Oui, sir... et elle déposa la bassine à ses pieds.

Elle allait et venait, silencieuse, glissant vers lui, à la dérobée, de longs regards ; les ailes de son bonnet apportaient la seule gaieté de ce décor d'une austérité conventuelle.

Il se laissa soigner avec un plaisir extrême. Que cela était bon, après l'infernale solitude du cachot !

— Votre thé sera froid, je vais en refaire, dit Violette après avoir terminé le pansement.

— Si vous voulez, approuva-t-il en souriant, soudain saisi par la sensation de n'avoir pas éprouvé cette douceur depuis longtemps.

Les heures passèrent à manger, à dormir, à deviser de banalités reposantes sur le temps, les cultures et l'élevage des volailles avec Janet et le vieil Abel.

Dehors, les brumes marines déposaient sur les lèvres un goût de sel ; il eût aimé en retrouver la saveur sur la bouche de Violette dont la frêle silhouette mettait un printemps dans cet hiver.

A quelques jours de là, celle-ci déposa devant lui un numéro de *La Gazette de Londres*. Il ouvrit le journal et lut à voix haute, sans broncher :

Le capitaine John Law, Ecossais, dernièrement détenu à King's Bench pour meurtre, âgé de vingt-six ans, homme fort grand, mince, à cheveux roux, d'une belle prestance, taille dépassant six pieds de haut, le visage marqué de petite vérole, avec un grand nez arqué, la voix basse, l'accent du Nord, a réussi à s'échapper de ladite prison. Quiconque s'en emparera, de sorte qu'il puisse y être ramené, recevra une somme de cinquante livres sterling payable immédiatement par le gouverneur de King's Bench.

— Et on vient de l'arrêter alors qu'il chevauchait en direction de la Tweed ! lança Violette négligemment.

— Quoi ! dit Law.

— Oui, poursuivit-elle en continuant à peler des châtaignes. On a arrêté un grand homme roux de vingt-six ans, marqué de petite vérole et qui correspondait bien à ce signalement. C'est l'aubergiste du village qui l'a su par un voyageur qui arrivait de Londres.

Ils éclatèrent de rire ensemble.

« Voilà bien, songeait Law, la rouerie féminine ! » Grâce à ce subterfuge d'Elisabeth, il pourrait en toute sérénité sortir de sa cachette : nul ne songerait en le voyant qu'il pût être le John Law correspondant à ce signalement.

Il sut, par cet incident, que les serviteurs qui l'entouraient n'ignoraient rien de lui ni de sa situation, et il en éprouva une sorte de réconfort. Il ne lui restait plus qu'à patienter jusqu'au retour du messager parti pour Newhaven, puis il quitterait les Iles Britanniques. Pour combien de temps ? Il entendait sans cesse prononcer autour de lui ce prénom de Janet, celui de sa mère qu'il ne reverrait sans doute pas de longtemps, sa mère tenue dans l'ignorance de ses malheurs et qui l'attendait paisiblement à cette heure, lui, son fils préféré, au château de Lauriston où se célébraient les noces de son frère Andrew. Il revoyait Lauriston avec sa tour ronde, ses deux tourelles à la mode du siècle passé et la pièce secrète construite de manière que l'on entende distinctement ce qui se disait au-dessus et dans laquelle il aimait à se glisser avec ses frères. Soudain, le rire léger de ce temps-là naquit dans sa gorge serrée et le surprit.

Vers quoi allait-il ? Il eût aimé se réfugier à Paris où son père, voilà bien des années, était allé se soigner et mourir. Il se sentit assailli par des souvenirs d'enfance, par leur dissolvante douceur qui le déchirait. Le contact et les liens avec une maison joyeuse où évoluent huit enfants ne se rompent pas aisément. De cette bande turbulente il était l'aîné, le chef incontesté et admiré pour les succès qui avaient fait de lui le mathématicien phénomène du collège d'Edimbourg, un champion d'escrime et de paume sur les vieux courts de Watergate, près du palais d'Holyrood. Il avait disputé là de fameuses parties, et puis le goût précoce des femmes et le besoin d'indépendance qui en découlait, plus encore le sentiment qu'il n'y avait plus rien à apprendre pour lui à Edimbourg, l'avaient incité à partir pour Londres.

Il se remémorait le charivari que ses frères et sœurs avaient réservé à son vieux professeur de mathématiques lorsque le bonhomme vint trouver ses parents pour leur suggérer, si leur fils aîné rendait l'âme avant l'heure, de lui faire ouvrir le crâne afin de voir ce qu'il contenait et comment s'opéraient ses fulgurants calculs ! Le « clan » Law avait réagi avec sa vitalité et son humour naturels. Ce fut un beau tumulte dans la cave de leur maison de ville où les enfants avaient établi leur quartier général !

Leur père, William, était issu d'une longue lignée de pauvres pasteurs de village qu'avait engendrée un cadet de la famille des Lew de Lawbridge et de Bogness, libres barons dès avant le règne d'Alexandre III, roi d'Ecosse [1]. Frustré par le droit d'aînesse, il avait dû chercher dans l'état ecclésiastique un honorable gagne-pain. William Law, lui, avait pris le métier noble d'orfèvre qui permettait d'ajouter aux activités artistiques des opérations financières telles que le prêt, le change et la banque. En France, les derniers-nés de grande famille, également dépossédés par leurs aînés, préféraient sombrer dans la misère plutôt que de tenir boutique ; souvent ils rejoignaient la classe paysanne pour s'y fondre définitivement. En Angleterre, pays de négociants, les cadets de l'aristocratie ne considéraient nullement que s'adonner au commerce, grand ou petit, était manquer à sa dignité et à son rang. Or c'étaient en effet les orfèvres qui devenaient les dépositaires de la richesse des marchands : enfermée dans leurs coffres,

---

1. 1260, époque de Saint Louis. Archives publiques d'Ecosse et documents de la famille de Lauriston.

n'était-elle pas de la sorte à l'abri du feu et des voleurs ? De tels dépôts faisaient de ceux qui les détenaient les trésoriers et les maîtres des villes. Cet état de choses, dont on se plaignait, révélait combien serait nécessaire la création de banques nationales, tant en Angleterre qu'en Ecosse.

L'orfèvre Law avait épousé une héritière, Janet Campbell, de la maison d'Argyll. Comme beaucoup de cadets de famille, il avait senti s'éveiller en lui de grandes ambitions ; il avait alors appris à se battre avec les seules armes de son intelligence et de son esprit d'entreprise. De tels mécanismes intellectuels donnent à la vie un attrait puissant auquel on ne renonce pas aisément. Sans nul doute, la descendance de l'orfèvre d'Edimbourg en était-elle marquée, John Law le premier et le plus profondément.

C'était une bien agréable position que celle de William Law ; elle attirait dans son logis un va-et-vient permanent de personnages pittoresques, dans la peine ou la joie, qui venaient solliciter un prêt ou acheter des œuvres d'art.

Parmi ceux-ci, le gai cortège des fiancés charmait les enfants et apportait une bienheureuse diversion à tous les drames qui les entouraient. D'un bout de l'année à l'autre, on voyait des amoureux choisir parmi les créations de l'artiste des théières et des plats d'argent. Les pièces étaient ensuite remises et payées dans la taverne où l'orfèvre et sa famille étaient conviés à porter un toast aux futurs époux et à entendre la touchante histoire de leurs accordailles. Le jeune John fut ainsi bercé de contes d'amour... mais il rêvait d'autres rumeurs, celles que font la puissance et la gloire.

Le « clan » Law aimait aussi courir aux cérémonies publiques pour prendre conscience de la dignité dont était revêtu William Law, car il avait le droit d'y paraître en manteau écarlate, coiffé d'un chapeau galonné d'or, une canne à la main. « Nec obscura, nec ima », « Ni obscure, ni humble ! » Cette fière devise surmontait les armes de la famille qui étaient d'hermine à bandes de gueules accompagnées de deux coqs ayant pour cimier une tête de licorne. C'est en 1683 que William, dont la fortune était alors considérable, acheta pour son fils aîné la baronnie de Lauriston-Castle, située aux environs d'Edimbourg, sur les bords de la Clyde.

John avait laissé à son frère Andrew le soin de prendre la charge paternelle d'orfèvre et de financier et voici qu'à cette heure, dans la grande salle de Lauriston, Andrew épousait la fille du comte de Melvil, la gentille Bethia, leur amie d'enfance.

Bethia, Bethia, était-ce bien vers Andrew que coulaient vos longs regards ?

Une fois de plus, Law s'arracha à ce passé si proche, si palpitant de présences et de chaleur et, devant l'inconnu des jours à venir, une sorte de faiblesse le prit.

Pour se ressaisir il évoquait sa vie libre et fastueuse d'homme précocement lancé dans le monde, son existence à Saint-Gilles-au-Champ, bourgade proche de la cité de Londres où habitaient les personnes de qualité. Il évoquait ses joyeuses relations avec Thomas Neal qui y donnait le ton. Thomas Neal était directeur de la Monnaie, grand animateur des loteries et des jeux de hasard, « groom porteur », écuyer et bouffon de finances de Sa Majesté. Par lui, il fut introduit dans les milieux de la Cour et dans la maison de jeux de Nicholson, sise au fond de la cour des Trois-Rois. Là, il avait rencontré Blunt pour la première fois, là encore il avait cherché, mis au point et trouvé son fameux secret et s'y était ruiné une fois [1].

Péniblement et non sans revers effroyables, il avait pas à pas découvert que « lorsque 7 est le chiffre principal et 4 le hasard, les chances contre le joueur sont de 2 et ainsi de suite proportionnellement ».

Law revoyait aussi les « bagnios » de Saint James où il découvrait parfois, parmi les prostituées du lieu, de grandes dames qu'il avait rencontrées ailleurs ! A ce souvenir et pour se donner de l'assurance, il éclata de rire. Il était un homme, que diable ! et n'avait pas à s'attendrir comme il venait de le faire.

Violette le regardait :

— Qu'avez-vous, sir ? demanda-t-elle.

Il pensa : il y a bien longtemps que je n'ai pas lutiné une fille !

— Quelqu'un t'a-t-il jamais embrassée, Violette ?

Elle rougit et il vit ses cils battre au bas de ses paupières baissées.

Il se pencha sur elle, baissa la voix et pria doucement :

— Ne viendras-tu pas me retrouver ce soir ?

Elle se leva, fit comme si elle n'avait pas entendu, mais il connaissait les Anglaises et la regarda s'éloigner en souriant...

Ce fut le lendemain que le messager d'Elisabeth revint de Newhaven. Au diable les amours rustiques et fraîches comme l'aube qui les avait désunies, il n'y avait pas à tergiverser. Law quitta sans regrets la maison secrète qui lui laisserait pourtant plus tard, beaucoup plus tard, le souvenir tenace d'une halte poétique et tendre.

Dans le soir venu, son compagnon et lui s'éloignèrent, sombres cavaliers que balayèrent et emportèrent l'ombre et le vent venu de la mer. Ils atteignirent bientôt le port. Devant eux, un vaisseau noir surgit de la brume. Derrière eux, parmi le petit peuple grouillant des matelots, des hommes sans visage cherchaient John Law pour le pendre.

Navires en partance et potences munies de cordes de chanvre se profileraient toujours à son horizon ; sa vie, toute sa vie se jouerait entre ces silhouettes tourmentées. Quel était donc ce destin-là ?

Les cavaliers s'étaient immobilisés. Un long sifflement glissa sur l'eau noire et les deux hommes virent émerger du brouillard un canot qui se dirigeait vers eux.

— C'est pour vous, murmura l'inconnu. Ce vaisseau vous emmènera à Amsterdam. Vous trouverez à bord des vêtements et de l'argent. Lorsque vous serez parvenu au terme de votre voyage, le capitaine vous remettra deux lettres, l'une pour vous, l'autre pour Sir Mathew Prior, secrétaire de notre ambassade à La Haye, qui remplace présentement l'ambassadeur absent.

---

1. C'est ainsi qu'il conçut une martingale dont s'inspira Edmund Hoyle pour rédiger sa doctrine du calcul des probabilités.

Law eut un geste qui trahit son appréhension.

— Ne craignez rien, reprit l'Anglais, ceci n'est pas un piège. Ce diplomate a pour mission de vous faciliter toutes choses et de vous assurer un emploi. Votre voyage est payé. Ne parlez à quiconque de ce qui vous est advenu. Je passe pour votre parent. Bon vent, sir !

Le mystérieux personnage s'éloigna. Law lui fit un geste de la main...

Il était seul dans la nuit, sur ce quai glacé, et libre !

C'est alors qu'importune, imprévue, l'image d'un matin d'été à Lauriston l'assaillit ; il entendait la voix de sa mère appeler les enfants au détour d'une allée, un cytise égrenait sur le sable sa poussière de soleil... Tout cela n'était pas si loin derrière lui, au-delà des remparts de brume, qu'il ne puisse l'atteindre en peu de jours. Ses vingt-quatre ans hésitaient entre cette enfance si proche et l'aventure ; de cette dernière, le cordage que des matelots venaient de lancer à ses pieds semblait être l'énigmatique symbole. Presque machinalement, il le saisit, l'attacha à une borne et se laissa glisser jusqu'à la mer qui allait l'emporter vers l'avenir...

Les femmes d'Angleterre n'avaient point laissé périr Jessamy John, le plus séduisant cavalier des îles !

LA HOLLANDE

Sollicité par les cris et les appels des matelots qui effectuaient les manœuvres de l'appareillage, le vent de mer s'empara des voiles et leur communiqua sa vie et son élan. Imperceptiblement d'abord, puis avec aisance, bientôt avec une surprenante légèreté, le navire prit son rythme de coursier.

Newhaven et ses lumières s'éloignaient. Dans un balancement profond, le bateau, tous feux éteints, traçait sa route nocturne au milieu des périls. A la proue, la voix d'une vigie modulait une chanson marine dont les enchaînements nostalgiques parvenaient par bribes au jeune Ecossais penché au bastingage. Le cœur étreint, il regardait s'éloigner les lueurs dansantes et frêles avec lesquelles s'évanouissaient, dans l'immensité de la nuit, les Iles Britanniques et son court passé.

Il avait embarqué à jamais sur le vaisseau de l'aventure et n'allait pas tarder à s'en apercevoir.

Autour de lui glissaient des ombres et les conversations allaient bon train. Une voix à l'accent étranger dominait toutes les autres. Bientôt les yeux de John Law s'habituèrent à l'obscurité ; une pâle lune d'hiver se levait sur la mer et il distingua un homme aux yeux clairs à fleur de tête, à la panse ronde ; son visage semblait avoir été modelé pour quelque farce énorme dans un bloc de beurre fin. Ses vêtements robustes et lourds, ses phrases traînantes achevaient de camper son personnage de voyageur hollandais. Il parlementait d'un air important et jovial, empressé à persuader tous et chacun qu'il connaissait la mer, les vents et le trajet Newhaven-Amsterdam mieux que le capitaine du navire lui-même. Tout en extériorisant une énorme gaieté, il prédisait aux mornes passagers qui l'écoutaient bouche bée les pires catastrophes :

— Notez bien que nous nous en tirerons peut-être encore cette fois-ci ! J'ai fait le voyage dix fois et il ne m'est rien arrivé, mais — il baissa subitement la voix et prit des airs de conspirateur — n'oubliez pas que ce bâtiment est plein à craquer d'espions jacobites ! Autant dire qu'il est chargé de barils de poudre, car si les corsaires français ont mission de faciliter ou de précipiter le voyage de l'un d'eux vers la France, ils nous prendront à l'abordage, sans vergogne ! D'autant que les cales sont pleines de fourrures et de goudron !

Les malheureux voyageurs échangeaient des regards atterrés. Ravi, l'homme éclata de rire. Law, désireux de se fuir lui-même, vint se mêler au groupe.

— N'oubliez pas, poursuivait le Hollandais, que depuis neuf ans la France est une forteresse assiégée et que la mer est la seule voie par laquelle, grâce à ses corsaires, il lui est possible de se procurer des armes et tout ce qu'elle ne produit pas ! Vous ne savez pas, vous autres, bonnes gens, le trafic qui se fait par ici. La base d'opérations pour les corsaires français est la Norvège ; nous allons donc suivre le chemin même que prend leur contrebande de guerre !

— Comment se fait-il que les navires hollandais et les nôtres, qui constituent des flottes plus importantes que tous les vaisseaux de France réunis, n'y mettent pas bon ordre ! grognait un marchand de Londres qui crevait de peur.

— Ouais ! lorsque nos vaisseaux tentent de bloquer ces convois à Hambourg, on voit surgir des brumes et foncer sur eux les navires de guerre de la marine française, escortés de tel ou tel de ces fameux corsaires ; ils font un dégât énorme et repartent avec un beau butin ! Ils opèrent d'ailleurs de la même façon quand il s'agit de s'emparer d'un chargement qui ne leur est pas destiné. Tenez, voici juste un an, en février, Jean Bart est tombé par ici sur une flotte de cent bâtiments hollandais formés en convoi marchand et encadrés de vaisseaux de guerre. Il en a coulé un grand nombre, s'est emparé des autres et a ramené toutes les marchandises en France ! Et l'affaire de Newcastle où, avec le chevalier de Forbin, il s'empara de douze navires anglais qu'il ramena à Bergen ! Tous les navires destinés à la France, qu'ils viennent de la Baltique ou de Scandinavie, se groupent, voyez-vous, dans les ports abrités de Flekker ou de Marstrand. Au-delà, vers Dunkerque, c'est l'aventure de la Course qui commence et nous entrons justement dans ces parages.

— Mais comment Jean Bart saurait-il que notre bateau ou que tel autre transporte ceci ou cela ? demanda un autre voyageur extrêmement déprimé.

— Il correspond avec les ambassadeurs de son pays qui entretiennent des agents secrets partout ! s'esclaffa le gros homme. C'est comme cela que cette

28

damnée nation résiste depuis la formation de la Ligue d'Augsbourg [1], voici tantôt neuf ans, à une coalition européenne, à un blocus impitoyable qui n'empêche pas, dit-on, les belles diablesses de Paris de faire la nique aux femmes du monde entier avec leurs robes d'or, leurs cuisiniers de mitonner des sauces sans pareilles et Versailles de donner aux autres cours d'Europe des airs de parlement de province !

Ce n'était pas la première fois que John Law entendait tenir des propos semblables sur la France. Ils formaient le fond des conversations qui se poursuivaient à Change Alley ou chez Nicholson. Au récit de ces exploits, il en était venu à éprouver secrètement une attirance pour ce peuple aventureux qui tenait en échec l'Europe liguée contre lui, pour ces marins hardis et ces subtils pirates qui déconcertaient les Excellences dans leurs chancelleries. Paris ! Plus vivement que jamais resurgit en lui l'envie d'y aller.

Sur le vaisseau de l'exil où la vigie guettait l'apparition des corsaires et dont les passagers étaient terrorisés à l'idée d'entendre les cris d'abordage des marins picards ou malouins, le futur maître de la France rêvait au redoutable royaume.

— Et vous dites que ce bateau est plein d'espions ? demanda d'une voix tremblante une femme serrée dans sa mante, arc-boutée contre le vent.

— Bourré ! affirma le Hollandais avec satisfaction. Et cela vaut, croyez-moi, un chargement d'explosifs !

Effarés, les passagers se dévisagèrent avec méfiance puis se dispersèrent prestement, la mort dans l'âme. Seul, Law demeura. Le Hollandais s'approcha de lui et se présenta avec la hâte de quelqu'un qui veut trouver sans tarder un compagnon de hâbleries :

— Merkus, banquier à Amsterdam.

Il saisit la main du jeune Ecossais et la secoua à la manière des bouffons qui viennent de faire une cabriole.

Law sursauta : Amsterdam, la Banque dont Paterson prétendait avoir violé le secret !

— John Smith, dit-il en manière de présentation.

— Qu'est-ce que je disais ! s'écria Merkus en riant de plus belle. Nous n'avons à bord que des John Smith !

— Comment cela ? dit Law inquiet.

— Je fais souvent le voyage, comprenez-vous ? Dans mon métier, jeune homme, on connaît son monde ! Hé hé ! Vous allez à Paris, n'est-il pas vrai ?

— Ce bateau n'a-t-il pas mis à la voile pour Amsterdam ?

— Allons, allons ! Ne prenez pas pour un dadais le banquier Merkus !

1. Rappelons que les Provinces-Unies des Pays-Bas, dont la Hollande était la plus importante, occupaient une position prépondérante dans le plan de défense élaboré par Guillaume II, prince d'Orange, contre les ambitions de Louis XIV. En 1686, trois ans avant d'avoir été appelé à monter sur le trône d'Angleterre, Guillaume III, alors Stathouder de l'Union des Provinces-Unies, avait formé la confédération d'Etats européens dite Ligue d'Augsbourg. L'Angleterre, après sa révolution, y adhéra et participa à la lutte épuisante engagée contre la France.

Tous les John Smith vont à Amsterdam et, de là, ils filent sur Paris. C'est la route normale que prennent les agents du roi Jacques qui font le va-et-vient entre Londres et Saint-Germain !

— Ainsi, murmurait Law, rêveur, tous ces gentlemen discrets que nous voyons errer ici et là sur le pont sont vraiment, d'après vous, des agents jacobites ?

— Ah, savez-vous, vous jouez à merveille les innocents, jeune homme !

Sous l'avalanche des bourrades amicales et dans les cascades d'un nouveau rire sonore accompagné d'onomatopées inimitables, Law sembla se réveiller et se demanda comment il ferait pour vivre longtemps avec ce personnage.

— Mais, au fait, jeune homme ! J'ai dans ma cabine du pâté de grives, un cochon de lait et de la bière ; venez, vous me raconterez toutes vos histoires à dormir debout !

Law suivit aussitôt le gros homme qui, happé par le tangage, trébuchait entre les paquets de cordages. Le rejoignant, il lui lança :

— Dieu ait en sa sainte garde le roi Guillaume et sa belle maîtresse, Lady Elisabeth Villiers ! Je ne suis pas un agent jacobite, bien que la cause du roi Jacques m'ait toujours inspiré de la sympathie ! Je vais en Hollande dans l'espoir de développer mes connaissances déjà sérieuses en matière de finances et de banque.

Merkus jura de plaisir et s'enfonça par une écoutille à l'intérieur du navire qui fleurait bon la résine et le goudron. Rejeté de droite et de gauche par le roulis, il parvint à une porte de cabine sur laquelle son nom s'inscrivait à côté de celui de « John Smith » qui le suivait toujours.

Il se déclara enchanté du hasard et à peine installé devant la table étroite qu'éclairait une lampe à huile, il demanda :

— Vous appartenez donc à notre honorable corporation ? (Il tira de son sac un quartier de viande, le brandit et le tendit fièrement à Law.) Dieu vous bénisse ! Si vous êtes sérieux et travailleur, je vous ouvrirai toutes les portes, y compris celle de ma maison !

Il ne croyait pas si bien dire.

Merkus jura encore et, après s'être signé fort dévotement, il attaqua, d'une poigne solide et d'une dent acérée, une épaule de son cochon de lait.

— Oui, disait sa bouche grasse et embarrassée de lambeaux de viande, c'est autre chose que de courir de misérables petites intrigues politiques ! La bonne politique, la vraie, la grande, celle qui balaie tout et qui a toujours le dernier mot, c'est nous, gens de finances, qui la faisons, savez-vous, jeune homme ?

Law s'arrêta de manger et le regarda. Sous cette apparence extravagante, il découvrait la sagesse, l'astuce, l'audace de cette race de financiers et de marchands qui, en marge de ses bonhomies de kermesse, poursuivait avec ténacité de longs desseins.

Cependant, le navire filait en haute mer. En dépit des sinistres prévisions de Merkus, le voyage s'effectua paisiblement. Law avait observé longue-ment, avec une vive curiosité, le comportement des John Smith qui se livraient entre eux à d'interminables conciliabules et le tenaient en grande méfiance, car il passait pour Anglais en dépit de son fort accent écossais. Le Hollandais, par contre, ne le lâchait guère, heureux d'avoir trouvé un compagnon passionné par sa science et déjà fort averti lui-même. Law mesura vite que le gros homme pouvait lui apprendre beaucoup car il était extrêmement bavard, et le servir plus encore, aussi l'entourait-il de prévenances.

A l'arrivée, comme prévu, le capitaine convoqua le jeune Ecossais et lui remit deux lettres. Lorsque le navire entra dans le port, Law ouvrit celle qui lui était adressée. Quelques lignes d'une écriture inconnue suivies d'une signature illisible l'informaient qu'il était attendu à l'ambassade d'Angleterre et qu'il y trouverait un emploi de commis, sous l'autorité et le contrôle de Sir Mathew Prior.

Me voici donc aux travaux forcés et en résidence surveillée, conclut-il. Enfin, nous verrons bien !

Pensif, il replia le message et regarda grandir à l'horizon les façades austères du grand port hollandais. Dans le petit matin blême, une impression de profond dépaysement le saisit. Aussi accueillit-il pour la première fois sans exaspération secrète la bourrade et le rire brusque d'un Merkus tout heureux de retrouver sa ville.

— Vous venez avec moi à la maison, savez-vous ? Vous verrez Johanna, c'est une bonne femme, dit-il en hochant la tête et en évoquant de ses deux mains les proportions d'une vaste poitrine. Une bonne femme, répéta-t-il avec conviction, comme il eût dit un bon pain ou un bon chaudron.

Ils doivent être taillés tous les deux sur le même modèle, pensa Law.

— Excusez-moi, répondit-il, mais je suis chargé de mission à la résidence anglaise de La Haye où je dois me rendre immédiatement. Je viendrai certainement vous voir sous peu.

— J'y compte, jeune homme ! J'y compte !

Le bateau accostait au milieu des cris. Matelots et passagers se bousculaient, se chamaillaient, se prenaient les pieds dans les cordages et les sacs amoncelés sur le pont. En bas, au long du quai, une foule dense gesticulait, lançait des appels et s'efforçait de prendre d'assaut le navire maintenant immobile. Law disparut fort discrètement dans ce brouhaha.

Il trouva aisément une chaise de poste qui prit à vive allure la route de La Haye. Chemin faisant, alors qu'il commençait à ressentir la fatigue du voyage, il vit voltiger des flocons de neige de plus en plus serrés qui bientôt tourbillonnèrent en tous sens devant ses yeux fatigués.

Le soir même, il se présentait devant Mathew Prior.

Séduisant, suprêmement élégant, cachant adroitement sous les aspects d'une nonchalance impertinente une redoutable activité, fantaisiste mais régnant sur des dossiers rigoureusement tenus, distingué diplomate, agent secret et poète, le jeune secrétaire d'ambassade qui reçut John Law le dérouta quelque peu.

Le ton comminatoire du message dont il avait pris connaissance le matin l'avait préparé à un autre accueil.

— Je vous attendais, monsieur, en écrivant quelques vers de ma façon...

Tenez ! Ils pourront justement vous informer de la vie que nous menons ici. Ils auront ainsi, je l'espère, le bonheur de vous dérider car je n'ai point, à vous voir, le sentiment que ce premier contact avec les Pays-Bas vous ait séduit.

La voix, ironique, avait des inflexions féminines. Prior s'éloigna du magnifique bureau devant lequel il se tenait et d'un geste invita John Law à s'asseoir auprès du feu.

Le jeune Ecossais s'inclina très bas et se laissa tomber sur le fauteuil qu'on lui offrait. La pièce décorée en rouge et or était fastueuse, la flamme ardente du foyer, réconfortante.

Mathew Prior appela un laquais :

— Je crois qu'il nous reste encore de quoi boire ? dit-il simplement.

Law crut qu'il avait mal entendu.

Déjà Prior avait saisi son poème demeuré sur la table et, un sourire moqueur au coin des lèvres, il se prit à le lire tout bonnement en faisant les cent pas :

> *Tandis qu'au labeur assidu, je mêle un plaisir bien gagné*
> *Et compense en un jour les travaux de six autres*
> *Dans une chaise hollandaise un beau samedi soir,*
> *Un Horace à main gauche, une nymphe à ma droite,*
> *Aucun mémoire à rédiger, pas un courrier à expédier*
> *Qui pourrait gêner dimanche les plaisirs de l'amour ?*
> *Pour elle, ni visites ni réunion de thé*
> *Ni les ennuyeux récits d'un fâcheux réfugié ;*
> *Cette nuit et la suivante seront siennes, seront miennes ;*
> *A la bonne ou mauvaise fortune abandonnons la troisième ;*
> *Tel dédaignant le monde, supérieur au Destin*
> *Je roule carrosse, professionnellement solennel,*
> *Et ne suffit-il point aux joies d'une journée*
> *De rêver à ce qu'en eût dit Anacréon ou Sapho ?*
> *Quand le brave Vandergoes et sa prudente dame*
> *Contemplant mon triomphe, accordent sur-le-champ*
> *Ce que dussiez chercher dans le pays entier*
> *Où pas un homme ne trouveriez*
> *Aussi béni des cieux que le secrétaire anglais[1] !*

— Je me sens, monsieur, gagné à la diplomatie ! s'écria Law en se redressant. Voilà un beau programme !

— Meilleur que celui qui vous était proposé à la Tour de Londres ! dit Mathew Prior avec une moue irrésistible qui acheva de mettre le nouveau venu à son aise.

On apportait des flacons. Prior empoigna une bouteille de gin, emplit deux gobelets d'argent, tendit l'un à Law et ayant pris l'autre, vint à son tour s'asseoir au coin du feu :

— J'ai retenu pour vous un logement qui je l'espère vous plaira ; mais je

1. Mathew Prior.

ne sais pas du tout comment vous ferez pour le payer, car je n'ai présentement pas une guinée en caisse pour rétribuer vos services.

Law écarquilla les yeux.

— Oui, reprit avec son flegme superbe le poète diplomate, mes appointements sont en retard de plusieurs mois. Jusqu'à présent, je me suis assez bien tiré d'affaire en empruntant aux uns et aux autres. Ceux qui m'ont avancé de l'argent et qui n'ont pas été remboursés — comme le brave Vandergoes dont je parlais à l'instant — sont les seuls à en éprouver de l'inconvénient, mais les personnes aussi obligeantes étant assez rares, je commence à être à mon tour quelque peu ennuyé...

Il décroisa les jambes, reposa son verre et poursuivit, imperturbable :

— Il existe une grande correspondance entre l'estomac et le cœur : ce dernier prend assez communément de l'humeur si le premier a faim, et il est grand temps de songer à tels amis que je possède à Whitehall quand la famine triomphe visiblement sur les joues de mes deux laquais et sur les côtes saillantes de mes deux chevaux [1]. Mais je crois que vous êtes un homme de ressources, fort capable, m'a-t-on dit, de vous débrouiller vous-même ?

Law ne put s'empêcher d'éclater de rire. Prior qui vivait d'humour, d'amour et d'eau fraîche l'entendit avec satisfaction s'écrier aussitôt :

— Voulez-vous dîner avec moi ce soir, nous parlerons de tout cela ?

A vrai dire, Law n'avait d'autres fonds que la somme qui lui avait été remise sur le bateau et qu'il avait déjà entamée, mais il savait déjà qu'entre l'argent et lui existaient de mystérieuses correspondances et que son fameux secret lui en procurerait autant qu'il en voudrait.

Quelques instants plus tard, Mathew Prior et lui se réconfortaient dans une taverne où la broche tournait pour eux. C'était une auberge hollandaise, opulente, aux murs recouverts de faïences de Delft bleues et blanches, égayée de tulipes flamboyantes et de grasses servantes aux coiffes battantes. Une bière légère coulait à flots et incitait aux confidences :

— Ainsi donc, disait avec son impavidité ironique Mathew Prior, vous comptez consacrer davantage vos loisirs à la Banque d'Amsterdam qu'aux nymphes de La Haye ? Vous préférez à l'amour les mathématiques ? En fonction des instructions que j'ai reçues à votre sujet, je ne peux que m'en féliciter, c'est de tout repos !

— Cela dit, à quoi comptez-vous m'employer ? s'enquit Law avec quelque inquiétude, le chargé d'affaires britannique lui paraissant un peu fol.

Une flamme d'intérêt dans ses yeux clairs, il suivit la volte-face subite qui s'opéra sur la nonchalante personne de son interlocuteur. Celui-ci se pencha brusquement vers lui et, soudain précis, serré, comme à l'affût, murmura :

— La Haye est devenue le centre de la diplomatie européenne. Les Provinces-Unies des Pays-Bas occupent une position prépondérante dans les plans stratégiques de Sa Majesté pour lutter contre le roi de France. Les représentants de la Ligue d'Augsbourg tiennent ici leurs assises. Nous avons

1. Mathew Prior.

donc à faire face à des tâches diverses et complexes. Le contrôle des passeports n'est qu'un aspect fastidieux, superficiel et d'ailleurs absorbant, de nos activités. Il y en a d'autres... Mais n'avez-vous pas, m'a-t-on dit, des sympathies pour la cause jacobite ?

Law se remémora ce qu'il avait appris du bavard Merkus sur les John Smith :

— Je dois présentement trop d'obligations à notre souverain pour que l'on puisse me soupçonner de manquer à son service, répondit-il ; et il ajouta : Les sympathies que j'ai pu avoir pour le malheureux Jacques Stuart viennent de la pitié qu'inspire sa position et de l'attachement que j'éprouve en tant qu'Ecossais à son illustre maison, mais je n'ai jamais été mêlé à des complots politiques. J'admire donc que l'on ait pu faire état auprès de vous d'un sentiment aussi nuancé !

Prior lui jeta un regard aigu et sentant que Law disait vrai, eut un geste d'insouciance :

— Ne vous encombrez pas de cela...

— Si je comprends bien, poursuivait Law, La Haye est un grand damier sur lequel se joue, en ce moment, une partie européenne, et c'est vous qui poussez le pion de l'Angleterre ?

— Vous comprenez bien, fit Prior en hochant la tête.

Law le dévisagea : il était à peine plus âgé que lui. Le jeune laird de Lauriston médita quelques instants sur l'étrange déroulement de circonstances qui, du cachot de King's Bench, l'avait amené en quelques jours à traiter dans une taverne hollandaise le premier diplomate de la Couronne d'Angleterre, trouvé affamé à La Haye !

Ce n'était que le début du singulier destin de l'Ecossais.

LE CARREFOUR DES ENFANTS PERDUS

Law évoluait comme il le pouvait dans la ville saturée d'émigrants et d'aventuriers, dans un univers semé de points d'interrogation et de problèmes à résoudre.

Comment, dans cette nation austère, fréquenter les maisons de jeu publiques et gagner trop souvent sans risquer un scandale dont il ne pouvait faire les frais, dans sa délicate position ?

Comment découvrir les cercles de jeu privés ?

Comment avoir recours à ce genre de ressources sans connaître la langue du pays ?

Comment, alors, payer son logement et se nourrir ?

Comment, enfin, découvrir le secret de la Banque d'Amsterdam qui suscitait à n'en pas douter la prodigieuse prospérité qui s'étalait autour de lui et fournissait le nerf de cette guerre qui faisait rage ?

A quelles activités occultes se livrait Mathew Prior et risquait-il lui-même d'y être mêlé un jour ?

Tout le temps qu'il ne passait pas à d'insipides travaux d'écriture dans les bureaux de la résidence anglaise, il consacrait ses prodigieuses facultés d'assimilation à l'étude de la langue hollandaise.

Sitôt achevées les péripéties de l'évasion, du voyage et de la découverte, l'heure des regrets était venue. Avec un certain froid à l'âme, Law évoquait son beau logis de Saint-Gilles-au-Champ, ses objets familiers qu'il avait fallu abandonner à jamais. Il regrettait moins sa vie oisive d'alors, tout entière vouée à la galanterie, au jeu et aux spéculations de l'esprit. C'était là une étape franchie ; tout retour en arrière lui paraissait impossible. Un feu nouveau brûlait en lui : soif d'apprendre et, plus encore, de mener à bien sa tâche d'homme, de transformer ses idées en réalisations concrètes, de les imposer, de se battre pour elles, de conquérir au soleil une place de premier plan...

Un après-midi, alors qu'il tournait et retournait un des nombreux papiers de la Banque d'Amsterdam arrivés à la résidence, il fut appelé dans le bureau de Mathew Prior.

— Je suis satisfait, dit celui-ci. Vous êtes travailleur, fort tranquille et fort discret ; j'ai peur que vous soyez moins satisfait de moi, tout au moins sur le plan financier ! Comment vous en tirez-vous ?

— Mal, avoua Law.

— Je vais vous faire attribuer une maigre avance sur de maigres fonds qui viennent de me parvenir.

— Elle sera la bienvenue, car je compte me rendre sous peu à Amsterdam pour retrouver un banquier avec qui j'ai voyagé jusqu'ici. Il pourra, je crois, me donner les introductions indispensables pour me permettre d'assurer ma subsistance.

— Ah ! Je vois ! Un brave Vandergoes ! Mais soyez prudent, conseilla Mathew Prior, et surtout n'ayez pas d'histoires car j'ai reçu des ordres précis vous concernant. Il m'est, il est vrai, difficile de les appliquer dans l'état où me voici réduit. Vous avez d'ailleurs gagné ma confiance et je vais vous en donner la preuve...

Law tenta de placer une formule de remerciement mais Prior poursuivait :

— ... Vous allez partir sur-le-champ à Amsterdam et me rendre un service.

Law retint son souffle. Allait-il savoir ?

Prior hésitait encore, puis, prenant ses risques, il poursuivit :

— Le Pensionnaire [1] m'a accordé l'honneur d'une longue audience, dans le but de rechercher les meilleures méthodes pour faire échec à l'action des coquins qui arrivent de France afin de passer en Angleterre... Et ce n'est pas

1. Le Grand Pensionnaire : premier fonctionnaire des Provinces-Unies des Pays-Bas, responsable de la diplomatie et des finances.

tout. Il nous faut aussi identifier et arrêter les filles qui transportent des lettres cachées dans leur corps à baleines [1]... ou un peu plus bas.

Law haussa les sourcils :

— Entendez-vous que j'aille récupérer là ces messages ?

Prior éclata de rire :

— N'exagérons rien, quoique... en dépit de votre présente sagesse, je sais combien votre pouvoir est grand auprès des femmes et le leur sur vous...

Il tâtait le terrain, mais son détachement parfaitement étudié ne trompait pas le jeune Ecossais.

— Voyez-vous, disait-il, j'ai beaucoup de difficultés avec tous ces agents de liaison clandestins qui circulent entre les ports hollandais et anglais porteurs de communications secrètes, affublés de déguisements variés et qui utilisent les cachettes les plus invraisemblables. Je suis totalement démuni de fonds, je manque de personnel. Ainsi je viens de recevoir le signalement d'un prélat qui sera à Amsterdam demain...

— Vous voulez que je file un évêque ! s'effarait Law.

— Que vous retrouverez peut-être sous l'aspect d'un bordelier et qui n'est jamais entré dans les ordres ! Il s'agit d'un personnage considérable... du duc de Berwick en personne, fils naturel de Jacques II, apparenté au duc de Marlborough, mais qui sert, comme vous savez, dans l'armée française. L'affaire est d'importance et des plus délicates. Marlborough n'est pas tout à fait sûr...

Law ouvrit de grands yeux. Se pouvait-il qu'un grand chef militaire anglais...

— C'est un homme étrange, sa femme l'est plus encore... et puis, je ne sais rien de précis, s'impatientait Prior. Il se peut qu'il s'agisse seulement d'une créature de Berwick qui n'embarquera peut-être même pas pour Newhaven et se contentera de rencontrer un émissaire de Marlborough ! Je travaille dans des conditions effroyables. Je vous emploierais d'ailleurs plus volontiers sur les traces des femmes...

— Pardon, dit Law d'un ton sec, les hommes font la guerre et sont en guerre, mais ne comptez pas sur moi pour vous livrer des femmes.

— Bien, dit l'Anglais impassible. Ce que j'ai à vous demander aujourd'hui est fort simple : il s'agit de porter un message concernant ce voyageur aux autorités d'Amsterdam afin qu'elles enquêtent à bord des navires en partance et dans toute la ville.

— Voilà qui entre parfaitement dans les attributions d'un secrétaire de vos commandements, répondit le jeune Ecossais d'un ton qui ne laissa aucune illusion à Prior.

— Décidément, la diplomatie et la politique ne vous passionnent pas ?

— Cette diplomatie-là est une bien petite porte pour entrer dans la politique !

— Il en est qui, par cette petite porte, trouvent le chemin de la grande.

— Sans doute, mais je dispose d'autres entrées que celle-là.

1. Corset.

— Vraiment ? dit Prior interdit.

Law sourit et s'inclina.

— Je partirai dès que vous m'aurez remis vos instructions.

Et il sortit, laissant le diplomate rêveur.

JOHANNA

Le lendemain, en fin d'après-midi, Law galopait sur l'un des chevaux étiques de la résidence anglaise et se trouva, tel Don Quichotte sur Rossinante, devant les moulins d'Amsterdam. Il franchit la porte de Muyden, passa devant la Tour des Harengs et longea des rues bordées de façades élégamment contournées en forme de chapelles espagnoles.

Sous la lumière du premier printemps, la ville lui parut tout autre qu'au jour de son arrivée. Elle était bien ce « magasin de l'Univers » qui devait frapper Voltaire quelques années plus tard. Y avait-il plus de mille vaisseaux dans le port comme celui-ci devait l'affirmer ? Law ne chercha pas à détailler exactement la forêt mouvante de mâts et de haubans qui par les canaux pénétrait jusqu'au milieu de la foule. Parmi les cordages et les amoncellements recouverts de grosse toile, allaient et venaient les marchands d'Amsterdam, subtils initiateurs de tout ce mouvement et de toutes les aventures qui commençaient et finissaient là.

Dans la lumière grise et violette du soleil couchant, la demeure du banquier Merkus se reflétait avec précision dans l'eau noire d'un canal. John Law sauta à terre ; il attacha son cheval à l'anneau de fer scellé à droite de la porte et souleva le heurtoir de bronze. Le bruit qui s'ensuivit n'avait pas fini de résonner dans ce qui devait être un corridor assez vaste que la porte s'ouvrait.

Le jeune Ecossais fut introduit dans un de ces extraordinaires intérieurs hollandais dont Rembrandt a peint la pénombre quiète, paix des profondeurs où évoluent entre chien et loup de belles recluses. Le crépuscule d'un printemps acide se mourait au-dehors avec quelque langueur ; près d'un feu qui jetait des lueurs sur un dallage blanc et noir, entourée de lourds meubles cirés et de toiles rapportées des Indes, se tenait assise une silhouette féminine vêtue de noir.

Law vit d'abord un front immense, lisse et bombé, émergeant des plis d'une coiffe compliquée, symphonie d'ivoire et de mousseline qui s'harmonisait avec une ronde corbeille de jacinthes blanches posée sur le marbre de la cheminée. Sans savoir bien ce qu'il faisait, trahi par sa trop longue et trop récente sagesse et par son animalité naturelle qui simplifiait jusqu'à la candeur ses rapports avec les femmes, il saisit vivement les deux mains de celle-ci et les porta à ses lèvres.

Les paupières jusque-là baissées se levèrent sur un pâle regard qui se posa sur lui avec effroi. Il le compara in petto à celui d'Ophélie.

37

Il avait suffi à Johanna de se trouver face à face avec Jessamy John en un moment propice de son destin pour qu'elle entrât dans sa vie et jouât, sans y penser, sans le vouloir, un rôle décisif.

Songe-t-on jamais à ce qu'il adviendrait de l'humanité si la seule beauté, si rare, servait au diable ? Dame Nature, humoriste par nécessité, nous mystifie souvent en parant de charmes, visibles de nous seuls, certains visages. Ainsi n'y a-t-il pas que les oiseaux pour arborer la parure d'une étrange séduction à l'époque des amours, le temps d'une saison.

La beauté n'a de réalité qu'aux yeux des poètes.

Jessamy John, assis aux pieds de Johanna, ayant découvert que la dame parlait l'anglais, pétrissait toujours de ses mains brûlantes les petits doigts froids qu'il avait saisis. Il la faisait rire aux éclats en lui racontant comment les belles dames de Londres s'habillent pour danser aux bals du roi et comment elles trompent leurs maris.

Hélas, Maître Merkus était absent et jamais, au grand jamais, aucun cavalier de cette apparence n'avait approché de si près la petite et ronde Johanna, qui n'avait d'autre beauté que la transparence de son teint.

Enivré par cette chaleur, cette douceur, cette féminine présence, toutes choses dont il venait d'être privé depuis si longtemps, Law oublia les finances et la Banque d'Amsterdam ; il en oublia même la mission de Mathew Prior. Dieu aide le roi Jacques ! pensa-t-il lorsque passa fugitivement dans son esprit ce souvenir fâcheux.

Mais le petit dieu ailé, qui serait si souvent et sans qu'il le cherchât le précieux auxiliaire de Jessamy John, allait lui venir en aide.

— Johanna, murmurait-il tendrement.

— John ! répondit-elle de même.

Et ils se prirent à rire ensemble une nouvelle fois.

Dame Merkus fut facile comme le sont les femmes vouées au foyer lorsqu'il leur advient d'être brusquement l'objet de ces parodies de la passion que joue subtilement le désir pressé et décidé d'arriver à ses fins. Lucrèce, en dépit de la légende, se laisse toujours violer ; chargée par ces tempêtes, elle ne résiste pas.

« A vaincre sans périls, on triomphe sans gloire », songeait Law tout en mesurant d'une main impatiente les généreuses proportions de sa conquête ; les belles rouées de Londres étaient moins naïves et connaissaient les règles de ce jeu qu'elles menaient souvent selon leur volonté, laquelle n'était pas toujours la sienne, bien qu'il eût rencontré peu de cruelles !

Johanna fut éblouie de voir se substituer soudain à son univers d'encaustique et de cuisine, aux appétits d'un mari qui ne s'inquiétait ni d'être un amant ni d'être un amoureux, la délicieuse comédie de l'amour, l'attrait de l'aventure, le sentiment d'entrer dans les grands remous fascinants de la vie.

Quand l'aube fit jouer dans les vitres ses éclats de lumière, il fut temps pour Jessamy John de s'éclipser sans bruit. Il se faufila dans le petit matin froid, fort satisfait, bien décidé à s'occuper aussitôt de choses sérieuses et à solliciter de Mathew Prior quelques jours de congé.

Il retrouva son cheval transi et résigné, et découvrit sans peine une hôtellerie confortable, nantie de bonnes écuries. Une fois installé, il rédigea sur-le-champ un message pour informer la résidence anglaise qu'il ne reparaîtrait pas de quelque temps et s'en fut le remettre à l'hôtel des postes.

Le lendemain lui parvint une invitation à dîner pour rencontrer quelques financiers de la ville qui parlaient anglais.

Deux jours plus tard, revêtu d'un habit de taffetas cannelle brodé d'or qu'une main amoureuse avait choisi et fait placer dans le coffre trouvé à bord du navire, il se rendit chez les Merkus.

A sa vue, Johanna fut au comble de l'émotion : lorsqu'il s'inclina, impassible et cérémonieux, la jeune femme eut le sentiment de n'avoir jamais rien connu de plus délicieux que l'existence, à la barbe de tous, d'un captivant secret entre elle et cet étranger. D'un bref regard, à la dérobée, se dire de temps en temps mille folies, puis jouer le jeu de l'indifférence ; le bel amusement, en vérité !

Merkus, lui, retrouvait avec son enthousiasme naturel son « John Smith » ; mais au moment des présentations aux autres convives, le jeune Ecossais tint à remettre les choses au point et à s'excuser :

— Pardonnez-moi, dit-il. De graves raisons, personnelles et non point politiques, m'avaient entraîné à vous cacher mon identité véritable. Il est temps que je me démasque : John Law, baron de Lauriston, gentilhomme écossais.

Johanna crut défaillir. Ainsi donc elle était la maîtresse d'un baron de Lauriston, elle, une petite bourgeoise d'Amsterdam !

Les commerçants et financiers graves et bedonnants qui se trouvaient là s'inclinaient profondément et Merkus demeurait stupéfait.

Fin, élancé, ironique, semblable à une lame d'épée, Jessamy John, fort conscient de l'effet produit, s'amusait prodigieusement. Mais il était de trop vieille lignée pour en tirer quelque suffisance, à la manière de tant de Français qui, petits traitants ou trafiquants la veille, devenaient gentilshommes le lendemain après avoir acheté à un Etat ruiné titres et charges.

Merkus avait aussitôt adopté un langage fleuri et se livrait à des ronds de jambe au-dessus desquels les rotondités de son corps semblaient flotter dans les airs.

Tout ce beau monde fut invité à passer à table. Sur une nappe où un repassage frais avait laissé des plis raides et nobles, un plantureux repas était servi.

Law l'attaqua en même temps que son enquête sur la Banque d'Amsterdam en témoignant d'un bel appétit pour l'un et pour l'autre.

— Votre banque garde-t-elle l'argent que vous y déposez, messieurs ? demanda-t-il soudain.

Dans les ronds visages hollandais, les sourcils prirent de la hauteur.

— Comment en serait-il autrement ? s'écria Merkus.

— Que croyez-vous donc ? s'indignait Maître Van Groot. Nous changeons chaque année les quatre bourgmestres gouverneurs afin d'éviter que, avec le temps, ils ne soient tentés par quelque combinaison malhonnête.

Lorsque les nouveaux gouverneurs de la Banque reçoivent le trésor, ils prêtent serment de le garder fidèlement et, auparavant, ils ont contrôlé tous les livres !

— Bien plus, ajoutait Stassen, lorsque les pièces ont été retirées des coffres en 1672, elles portaient la trace du feu qui avait détruit la Banque peu après sa fondation !

— Ne vous fâchez pas, messieurs, reprit Law, mais j'étais persuadé que votre banque faisait travailler cet argent, qu'elle l'utilisait pour aider le négoce... Ce qui — du moins le croyais-je — aurait dû rapporter des bénéfices autrement considérables que les commissions fort minces qu'elle prélève sur les mouvements de fonds et sur la garde de vos florins !

— Y pensez-vous ! protesta le financier Amsden, cependant que les autres convives, inquiets, observaient l'Ecossais.

— Que voulez-vous dire ? demanda Merkus.

Law prit le temps de glisser un regard vers Johanna qui l'écoutait bouche bée et poursuivit rêveusement :

— La Banque a la possibilité d'aller plus loin, beaucoup plus loin... Votre Compagnie des Indes néerlandaises ou vos jardiniers de Haarlem qui vendent à toute l'Europe les oignons de tulipes dont ils firent jadis l'objet d'une mémorable spéculation, pourraient recevoir des papiers de banque gagés non plus sur les espèces contenues dans les coffres mais sur vos riches comptoirs, sur votre flotte commerciale active et bon marché, sur vos productions florales... Souvenez-vous du temps où vos parents vendaient leur maison et se ruinaient pour acheter, vendre et revendre des oignons de tulipes qu'ils n'avaient jamais vus !

— Mais cette « tulipomanie » nous a ruinés ! maugréèrent les amis de Merkus.

— Ce n'était qu'un essai maladroit, dit Law toujours pensif, mais combien riche d'enseignements ! Grâce à cette expérience, vous avez été les premiers à créer des compagnies dont les actions sont négociables en bourse. C'est ainsi que sont nées votre Compagnie des Indes, vos papeteries, vos raffineries de sucre, ne l'oubliez pas ! Le peuple assez bien doué, assez imaginatif et hardi en matière de finances pour avoir conçu et réalisé de si grandes choses n'a point dû en rester là...

Les Hollandais se turent, flattés. Law jugea adroit de continuer dans cette voie et de revenir à l'attaque d'une manière plus voilée :

— L'étranger que je suis, messieurs, ne peut être que fort impressionné par l'abondante prospérité de votre pays pourtant peu fertile. La richesse coule à flots en dépit de ce que vous coûte la guerre et le taux de l'argent est raisonnable, ce qui fait la force de votre monnaie. Vos entreprises de commerce, vos fabriques produisent assez pour fournir d'abondance votre nation et vendre à l'étranger. Tout cela étonne, émerveille, intrigue...

Les faces rondes dodelinaient maintenant de droite à gauche et se rengorgeaient de plaisir. On entendait des grognements satisfaits, des onomatopées un peu gutturales mais qui exprimaient à n'en pas douter un vif contentement.

— Ach ! savez-vous. C'est le sens du commerce que nous avons bien, nous sommes sages, prudents, travailleurs, honnêtes, disaient-ils en chœur, récitant la litanie de leurs mérites avec conviction et gravité.

Law, un imperceptible sourire aux lèvres, faisait mine d'approuver d'une inclination de tête. Puis il enveloppa Johanna du regard et vit qu'elle était en proie à une sorte de malaise... un débat de conscience peut-être. Cela était évident : elle connaissait le secret de la Banque.

Son attention, à nouveau banalement courtoise, revint aux gros ventres qui s'écartaient lourdement de la table ; le repas ayant pris fin, Law se leva, bien décidé à poursuivre pour le reste de la soirée son opération « séduction » sans viser d'autres buts désormais inutiles.

Le lendemain, en attendant l'heure du rendez-vous fixé par Mme Merkus, il s'en alla rôder sur la place du Dam où se trouvait le Poids.

Le Poids remplissait une fonction essentielle à la Banque d'Amsterdam. Comme celle-ci n'attachait aucune crédibilité aux indications de valeur gravées sur les pièces, toutes les monnaies étaient pesées. Cette précaution était indispensable car chaque principauté ou royaume, si petit soit-il, frappait sa propre monnaie et le rapport de l'argent à l'or ne cessait de varier à cause de cette surproduction. Law admirait beaucoup ce procédé parce qu'il conférait aux effets de la Banque d'Amsterdam une réputation de sécurité et de stabilité qui faisait toute leur valeur ; il jugeait néanmoins qu'une monnaie assainie et sûre ne suffisait pas à soutenir le développement d'un Etat moderne.

La place du Dam était, à n'en pas douter, l'endroit le plus pittoresque et le plus singulier d'Amsterdam. On y trouvait une foule d'étrangers et de marchands qui entouraient les caissiers particuliers de la Banque. Celle-ci ne possédant pas de caisse pour payer au comptant, utilisait ces intermédiaires qui mettaient à la disposition de ses clients des papiers de banque, monnaie de compte appelée florin-banco, contre des espèces, ou inversement. C'était un vaste marché de l'argent qui se tenait en plein air ; au milieu des conciliabules, on voyait passer de main en main du papier, des monnaies d'or et d'argent, des ducats, des florins, des livres, des rixdallers et des louis, car toutes les capitales d'Europe utilisaient la Banque d'Amsterdam.

Law s'efforçait de saisir des propos qui puissent l'éclairer sur ce qu'il désirait connaître, mais en dépit de ses progrès dans l'étude de la langue néerlandaise, il n'en avait point encore assez l'usage pour comprendre le sens des conversations menées à mots couverts. « Qu'importe, songea-t-il, j'en saurai tout à l'heure davantage. »

Dans la soirée, il se dirigea vers la demeure de Johanna. Merkus, bien entendu, n'était pas là.

Elle le fit vivement monter dans une pièce retirée de sa maison où l'on accédait par la chambre de la servante dévouée et complice. Johanna avait assez bien aménagé ce réduit pour qu'il leur fût possible de s'y abriter en tout agrément et en toute sécurité. Law subit l'assaut des questions et de l'admiration suscitées par la révélation de sa véritable identité. Il y répondit de son mieux. Lorsque Johanna apprit les raisons pour lesquelles il voyageait incognito et sut qu'il avait été l'amant de la maîtresse du roi d'Angleterre, elle se sentit investie par procuration de la grandeur royale ; envolée vers l'empyrée, elle fut dans un éblouissement tel que Jessamy John jugea le moment venu d'obtenir d'elle n'importe quoi...

— Vous comprendrez, dit-il en la faisant défaillir sous un baiser fort tendre, vous comprendrez que, en dépit de ma situation de proscrit, je doive recouvrer rapidement une situation qui corresponde à mon rang. Je ne saurais demeurer longtemps un petit commis de la résidence anglaise. Vous pourriez m'y aider puissamment en m'apportant une information dont j'ai grand besoin.

— Moi ! dit-elle en se troublant encore davantage.

— Oui, vous. Si je connaissais le mécanisme secret de la Banque d'Amsterdam, je pourrais en tirer un immense pouvoir...

— Un immense pouvoir ! répétait-elle en écarquillant les yeux.

Elle se voyait déjà partageant cette gloire dont la nature demeurait imprécise à ses yeux, mais dont déjà elle ne doutait pas.

— Çà, John, que voulez-vous savoir ?

— Elisabeth Villiers et d'autres femmes de Londres et d'Edimbourg m'appelaient Jessamy John, dit-il avec un irrésistible sourire plein d'ironie et de mélancolie.

Elle s'essaya à prononcer le mot étranger, mais son rude accent lui enlevait sa douceur.

— Que voulez-vous savoir ? répéta-t-elle, inquiète.

Il la tenait étendue dans ses bras, nue et frissonnante dans sa chemise de lin blanc. Il l'apaisa d'un mot et d'une caresse distraite :

— Peu de chose, murmura-t-il avec détachement. La Banque garde-t-elle l'argent qui lui est confié ? D'où tire-t-elle sa puissance financière ?

— Mais je ne dois pas parler de ces affaires-là ! soupira la pauvre Johanna. Est-ce bien un moment que celui de l'amour pour parler de finances ?

— C'est au moment de l'amour qu'il convient de donner des preuves d'amour ! répliqua-t-il avec chaleur.

Alors elle céda, facile en tout, amoureuse, emportée :

— La Banque garde l'argent, mais sa richesse vient de ce qu'elle l'utilise à jouer sur les différents cours des monnaies.

— Mais comment s'y prend-elle ?

— Elle a des observateurs et des agents sur les diverses places d'Europe ; mon mari a lui-même des correspondants dans toutes les capitales et il n'est point le seul... et puis il y a La Haye.

— La Haye ?

— Tout ce mouvement de diplomates, d'émissaires, d'hommes d'Etat autour du siège de la Ligue, voilà où se procurer vite les informations concernant certains événements qui font varier le cours des monnaies étrangères, ce qui permet de savoir que telles monnaies vont monter ou descendre, et donc d'acheter ou de vendre rapidement.

— Si je comprends bien, il n'y a pas que la Banque qui spécule, ses clients aussi ?

— Certes, mais pas tous, ces choses doivent rester très secrètes.

— Ne craignez rien, mon cœur !

Le dévouement des femmes est sans limites, s'émerveillait-il sincèrement en étreignant sa maîtresse.

A quelques jours de là, John Law de Lauriston revint à La Haye, décidé à établir un va-et-vient avec Amsterdam.

Prior était plein de compréhension pour les obligations de l'amour. De plus, il ne pouvait rien imposer à un commis qu'il ne rétribuait pas et qui devait chercher ailleurs ses moyens d'existence. Law voulait bénéficier de son séjour à La Haye et des moyens que lui offrait la résidence anglaise pour pénétrer dans les cercles politiques et se procurer les fameux renseignements qui, en effet, circulaient dans la ville et en faisaient le meilleur poste d'observation d'Europe.

Confiant dans son destin, Law ramassa les quelques florins qui lui restaient et, revenu à Amsterdam, commença à spéculer avec une base de départ si infime qu'elle fit sourire le premier caissier auquel il s'adressa.

Prior lui fit une seconde avance, tout aussi modeste que la première, pour l'aider à subsister.

Peu à peu, Law s'aperçut que, à elle seule, Johanna possédait des informations plus sûres et plus rapides que celles qu'il glanait dans les couloirs de la Ligue et en très peu de temps, grâce à elle, il réalisa des opérations fructueuses.

Il s'enquit alors des cercles de jeux, s'y introduisit avec prudence et compléta les gains de ses spéculations par l'application infaillible de son secret au pharaon.

En quelques mois, il retrouva l'aisance de naguère. Prior, impressionné, admit dès lors qu'il prît de plus en plus de champ avec les paperasses de la résidence.

Bientôt, Law loua de confortables logis dans chacune des deux villes, entretint un laquais et des chevaux bien nourris et rapides. Il comblait sa maîtresse de présents somptueux, traitait superbement son mari et de nombreux financiers et marchands dans les auberges les plus réputées, cependant que, à La Haye, il commençait à jouir d'une grande considération auprès du corps diplomatique.

Tout cela ne l'empêchait point de se livrer à des études approfondies en vue de travaux personnels auxquels il songeait déjà.

Il avait rétabli une correspondance avec Lauriston Castle et recevait de sa mère des nouvelles toujours impatiemment attendues. Elle avait le don et le privilège de le remettre en contact avec des éléments authentiques et profonds qu'il savait bien, en ces jours incertains, n'atteindre que par elle. « Les canards sauvages sont passés, écrivait-elle, et les grands feux crépitent dans nos cheminées ; à chaque instant je vous attends, comme Bethia attend son premier-né, mais je vous ai déjà mis au monde et vous êtes vivant quelque part sur la terre et je ne peux pas vous serrer dans mes bras... »

Reverrait-il jamais Lauriston ? Les appels de la vie apaisaient bien un peu son cœur inquiet : tout changerait un jour, les hommes et les circonstances qui lui étaient hostiles, et il reviendrait sans crier gare dans la demeure paternelle. C'est lui alors qui prendrait dans ses bras le corps léger qui contenait pour lui toute la douceur du monde.

William, son frère préféré, venait d'ouvrir une banque à Londres. John s'empressa de le mettre au courant des opérations de change qui s'effectuaient à Amsterdam et lui proposa d'être son correspondant. L'Europe devint dès lors pour les deux frères un grand tapis vert sur lequel ils feraient rouler leur argent d'une ville à l'autre. Dès que John serait informé qu'une variation de monnaie pourrait se produire dans tel pays, il y enverrait aussitôt des ordres à son représentant, lequel serait toujours muni de florins-banco, ces espèces fortes de la Banque d'Amsterdam qui faisaient prime partout ; vendues et rachetées sur place, par le jeu du change elles prendraient alors une valeur double. Et il y avait aussi de jolis bénéfices à réaliser sur les effets publics. Mais qui se chargerait de ces tractations ? Les correspondants de Merkus, dont Johanna lui avait donné les adresses et qui acceptèrent tous, dès ce moment, de travailler secrètement pour lui. Parmi eux, celui qui l'intéressait le plus était le Français, un certain Bourgeois, qui se révélait actif et intelligent. La France étant dans une grande détresse financière, sa monnaie se prêtait particulièrement à ce genre d'opération.

Jessamy John, avant de partir à la conquête d'un avenir — il ne savait encore lequel — édifiait sa fortune et complétait ses vastes connaissances. Il aurait eu tout loisir de s'établir en Hollande comme il eût pu jadis s'installer à Edimbourg et se contenter d'une existence large et facile, mais, tout comme en Ecosse au temps de sa prime jeunesse, il étouffait sur cette scène des Pays-Bas, trop étroite pour lui.

La riche et sévère Hollande, ses marchands ronronnant dans leurs habits fourrés et devant leur perpétuelle écuelle de lait, l'exaspéraient maintenant qu'il n'avait plus rien à apprendre d'eux. Et voici que Johanna, elle aussi, lui inspirait peu à peu un insurmontable ennui.

Deux ans passèrent ainsi, dans une sorte de fièvre d'étude, d'incertitude, d'attente impatiente.

Dès la fin de l'hiver 1697, John Law sentit que des temps nouveaux étaient proches. La France et l'Angleterre entamaient de difficiles négociations en vue d'aboutir à un traité de paix. Depuis longtemps, l'Ecossais avait aidé Mathew Prior à rétablir ses finances ; en retour, celui-ci le tenait d'heure en heure au courant des pourparlers qui influaient sur le cours des monnaies. Law envoyait des ordres à des correspondants, dépêchait des courriers en tous sens, réalisait des gains considérables. Cette activité tombait à point pour le retenir à La Haye et lui permettre de prendre quelque distance avec sa maîtresse.

La santé de Merkus, jusque-là robuste, avait soudain fléchi au point que ses jours semblaient comptés, et Johanna s'était mis en tête de se faire épouser par Law aussitôt qu'elle serait veuve. Elle ne percevait pas que les différences d'âge, de milieu, de culture, d'intelligence creusaient un gouffre entre eux, sans parler de leur disparité physique par trop éclatante.

Dès lors, il arriva souvent que Law se rendît à Amsterdam sans qu'elle en fût informée.

Merkus baissait chaque jour.

Les pourparlers anglo-français traînaient en longueur.

Les négociateurs parlementaient interminablement à Ryswick, petit village situé à quatre kilomètres de La Haye, sur la route de Delft.

Prior affirmait cependant que Louis XIV voulait en finir avec une guerre qui durait depuis onze ans. La santé déclinante du roi d'Espagne était à l'origine d'une nouvelle partie diplomatique. L'électeur de Bavière et l'Empereur étaient déjà assis autour du tapis vert de la succession d'Espagne, et le roi de France avait hâte d'aller y occuper sa place et de battre les cartes dont l'atout était son petit-fils, le duc d'Anjou.

— Il n'est donc pas question que la France se trouve encore en guerre au printemps prochain, disait Prior. Elle vient d'ailleurs de nous adresser des propositions très intéressantes que nous accepterons probablement.

— Pensez-vous vraiment que vous allez enfin aboutir ? demanda Law anxieusement.

— Je le crois.

Le 27 août, Jessamy John se rendit encore une fois chez la pauvre Johanna ; ce devait être la dernière, mais ils l'ignoraient l'un et l'autre. Comme à chacune de leurs rencontres désormais, il la trouva de plus en plus agitée. Résigné, il s'attendait aux habituelles remontrances sur son manque d'empressement, auxquelles succédaient invariablement des considérations sur l'état de Merkus et sur la nécessité d'envisager sans tarder leur union prochaine. Il fut étonné de ne rien entendre de la sorte. Johanna, muette sur tout cela, semblait en proie à une secrète exaltation.

— Qu'avez-vous donc ? lui dit-il en la prenant dans ses bras. Vous voilà bien troublée, quel secret vous tourmente et vous brûle ?

Elle noua ses lourds bras blancs autour de son cou :

— Je viens d'apprendre un grand événement, John ! La place de Namur est tombée aux mains des armées anglaises ! Comme dit Merkus, c'est la première fois qu'un maréchal de France remet une ville entre les mains d'un ennemi !

D'un bond, Law sauta hors du lit.

— Où allez-vous ? cria-t-elle, alarmée.

— Vous me le demandez ? Mais à la résidence anglaise !

A son tour, Johanna se leva prestement et tomba à genoux devant lui :

— Si vous apportez cette nouvelle ce soir à La Haye, je n'ai plus qu'à me tuer !

Surpris, il lâcha le pourpoint qu'il s'apprêtait à enfiler :

— N'est-ce donc pas une rumeur que chacun connaît en ville ce soir ?

Touchante et presque gracieuse sous l'averse de sa chevelure pâle éparpillée sur sa chemise de lin blanc, Johanna demeurait immobile ; des larmes coulèrent entre ses cils blonds. Elle dit enfin :

— Que non pas ! Il s'en faut de quelques jours avant que cette nouvelle ne parvienne ici.

— Mais, alors, d'où la tenez-vous ?

Elle baissa un peu plus la tête. Il s'approcha d'elle, prit son visage entre ses mains, le releva doucement :

— Les agents secrets de la Banque ? interrogea-t-il. Il y en a donc aussi sur les champs de bataille, aux armées ?

— Surtout, n'en dites rien ! supplia-t-elle d'une petite voix brisée.

— Il faut quand même que je parte à l'instant pour faire, moi aussi, et sans tarder, l'opération financière qui se négocie certainement à cette heure au bénéfice de la Banque et des banquiers d'Amsterdam. Je reviendrai bien vite.

Johanna n'osa protester et le regarda partir les yeux noyés, prise soudain d'un obscur pressentiment.

— Jessamy John ! murmura-t-elle enfin.

Mais il ne l'entendait plus, déjà loin, à jamais.

Le soir même, le jeune seigneur de Lauriston transmettait la nouvelle sous le sceau du secret à un Mathew Prior stupéfait.

— Voilà qui va me permettre de parler haut à Ryswick, s'écria-t-il. J'y cours ! La fin de la guerre est proche !

John Law, lui, passa la nuit à envoyer des ordres à ses correspondants financiers.

Dans les jours qui suivirent, il reçut bon nombre de messages éplorés de Johanna. La situation sentimentale de Jessamy John devenait intenable et risquait de se répercuter à brève échéance sur ses affaires. L'influence des Merkus était considérable dans les milieux financiers d'Amsterdam, et Law avait tout à redouter de ce qui se produirait le jour où Johanna passerait du désespoir au ressentiment.

La mi-septembre était là. John Law, réfléchissant à ses ennuis, marchait de long en large dans le cabinet de Prior, puis il s'arrêta soudain.

— Que prévoyez-vous ? demanda-t-il à l'Anglais.

— La signature d'un traité en bonne et due forme d'ici quatre ou cinq jours.

— Et puis ?

— Mon départ pour Londres, dit Prior en poussant un grand soupir de satisfaction, et, sans doute, l'envoi à Paris d'une importante mission diplomatique dirigée par Lord Portland, que je rejoindrai sans tarder... Ah, Paris, mon cher, Versailles ! Le ton, l'air, la tournure des femmes de là-bas ! Vive la paix, croyez-moi ! Mais à propos, vous parlez remarquablement le français, mieux que personne ici, m'a-t-on dit ? Seriez-vous disposé à faire partie de cette éventuelle mission diplomatique ?

Law le regarda, interloqué.

Prior comprit aussitôt et fit claquer légèrement ses doigts :

— Ne vous souciez pas de votre petite affaire de King's Bench ! Votre présence restera officieuse et lorsque l'on est entré dans le réseau de mes agents secrets, on ne dépend que de moi. Avez-vous une objection personnelle à formuler contre ce projet ?

— Aucune, répondit Law en frémissant de joie.

— Je croyais pourtant que...

— Je souhaite quitter la Hollande de toute urgence et pour toujours, dit le jeune Ecossais, catégorique comme on l'est à vingt ans. Et depuis longtemps, je désire aller en France.

— Mais vos affaires ? s'étonnait Prior.

— Je peux les poursuivre partout en Europe. J'accepte donc votre proposition ; mais que tout cela reste fort secret et entre nous.

— J'allais vous faire la même recommandation, répondit Prior. Je n'informerai que Lord Portland, à qui je procure un attaché de qualité.

Les deux jeunes gens se séparèrent et Law s'en fut préparer ce qui lui apparaissait comme son vrai départ vers la vie.

Le soir même, rappelé par Prior, il revenait à la résidence anglaise :

— Je m'en vais à Londres sur l'heure, lui confia le jeune diplomate. Le traité sera effectivement signé d'ici quelques jours. Lord Portland vous recevra demain.

Le 20 septembre 1697, aux premières heures de la matinée, le traité fut paraphé à Ryswick. La France perdait toutes ses conquêtes des vingt dernières années, hormis Strasbourg, consentait à reconnaître Guillaume pour roi d'Angleterre et à ne plus soutenir la cause du prétendant Stuart. Portland fit en hâte ses bagages ; il prenait rang d'ambassadeur et préparait une entrée solennelle dans Paris. Il fallait impressionner les Français : on prévoyait six carrosses, douze chevaux menés à la main, douze pages, cinquante écuyers et une suite nombreuse et magnifique de gentilshommes. Il fut décidé que Law partirait en éclaireur très rapidement [1].

Jessamy John avait renoncé aux inutiles débats d'une séparation, qui n'apporteraient que peines et rancœurs supplémentaires à une Johanna incapable de le comprendre. Il s'éloignerait donc sans la prévenir.

L'heure du grand départ ayant sonné, comme il se glissait discrètement hors de son logis de La Haye, il se trouva nez à nez avec un valet de Merkus qu'il connaissait bien. Celui-ci lui tendit un ultime message de Johanna : « Venez, je vous en prie, il agonise... »

Law froissa le papier, saisi d'un frisson au contact de ce billet qui tentait de le retenir dans ce monde étroit et confiné — un monde incarné par cette femme qui cherchait à le happer au moment même où il prenait son vol. Une brève seconde, il comprit pourtant, de toute sa sensibilité en éveil, qu'il laissait derrière lui un désarroi réel ; mais le redoutable instinct de vivre l'empoigna et l'emporta.

Le valet venu d'Amsterdam attendait toujours, immobile devant lui.

— Il n'y a pas de réponse, lui dit Law avec douceur, comme s'il s'était adressé à travers lui à Johanna elle-même.

1. On ignore le rôle que Law joua à ce moment. On sait qu'il précéda de peu l'arrivée de la mission anglaise à Paris.

Le valet s'effaça dans l'ombre du soir.

Un brillant attelage attendait le jeune seigneur de Lauriston qui entendait comme dans un songe les chevaux taper du sabot, hennir, et claquer les fouets des postillons.

Ce soir-là, John Law commença l'interminable voyage qu'il allait poursuivre jusqu'à ne plus savoir s'il était Ecossais, Italien, Français ou Anglais. Ainsi, moralement, intellectuellement, affectivement, allait-il devenir, bien avant l'heure, un citoyen de l'Europe.

LADY CATERINA

Une main gantée de blanc poussa légèrement une grille mouillée qui s'ouvrait sur un parc endormi. Une allée s'étendait sous une voûte de feuilles dorées qui tombaient en tourbillonnant pour former un chemin de mélancolie. Il venait de pleuvoir et le lumineux soleil d'octobre se posait à nouveau sur cet univers végétal, humide et brillant. La grille se referma dans un grincement et un lièvre détala. Un jeune homme drapé dans un manteau rouge, une plume blonde à son chapeau, avança à pas lents sous les arbres.

De temps à autre, il s'arrêtait, charmé. Depuis l'Ecosse, il n'avait plus vu de paysages aussi poétiques que ceux d'Ile-de-France. Il avait à dessein laissé son équipage à l'entrée de la propriété afin de pénétrer dans cette subtile et profonde harmonie sans la troubler.

Le jeune *laird* de Lauriston s'arrêta encore. Au lointain de l'allée, un cerf passait en bondissant. Law sourit. Il se serait bien attardé à cette promenade, mais il était attendu. Knollys, son infortuné compagnon de la Tour de Londres, toujours incarcéré mais avec lequel il avait pu malgré tout correspondre de loin en loin, l'avait chargé d'aller voir sa sœur mariée en France : Lady Caterina Seignieur habitait cette propriété, proche de Saint-Germain-en-Laye, et il avait annoncé sa visite.

Brusquement, il se trouva devant la maison. C'était un pavillon de chasse sans apparence en dépit de l'allure seigneuriale des allées et des bois qui l'entouraient.

Law savait que la famille de Knollys était accablée par de grands revers. Charles Knollys, qui revendiquait le titre de comte de Bambury, se prétendait le descendant direct de Sir Thomas Boleyn, père d'Anne Boleyn, seconde femme d'Henry VIII. Accusé d'avoir tué un de ses beaux-frères en duel, il avait entamé d'autre part un long et difficile procès pour établir sa filiation noble. La légitimité de son père était en effet mise en cause, car celui-ci était venu au monde alors que le grand-père de Charles et de Caterina avait quatre-vingt-cinq ans ! Le frère et la sœur se ruinaient pour soutenir cette cause et pour obtenir que Charles fût alors jugé par la chambre des Lords dont on pouvait espérer qu'elle se montrerait plus compréhensive que la cour de King's Bench. La chambre des Lords venait cependant de retirer à Knollys le droit de se faire appeler comte de Bambury comme son grand-père et se refusait à le juger. C'était cette pénible nouvelle que Law était chargé de transmettre à Lady Caterina.

Il soupira et, sans enthousiasme, s'avança vers le perron de la maison. Un valet qui le guettait ouvrit la porte et, après l'avoir débarrassé de son chapeau et de son manteau, l'introduisit dans une pièce assez sombre qu'éclairaient de jaune et de roux de grandes fleurs d'arrière-saison et les lueurs dansantes du feu de bois. Un bruit de soie le fit se retourner. Une jeune femme mince vêtue de taffetas topaze le regardait avec hauteur.

Law se souvint de toutes les divagations du pauvre Knollys sur ses prétentions nobiliaires qui l'avaient diverti jadis, mais il comprit instantanément que Lady Caterina prenait ces problèmes sur un autre ton. Il s'inclina très bas.

D'un geste, elle l'invita à s'asseoir et prit elle-même place dans le coin le moins éclairé de la pièce.

Au moment précis où Law remarquait la pureté de son profil, il lui sembla que quelque chose de singulier paraissait sur l'autre partie de son visage ; mais soudain, un regard bleu et dur le fit sursauter, s'empara de lui et le subjugua.

— Eh bien, monsieur ? dit une voix sèche.

Il s'aperçut alors qu'il n'avait encore rien dit.

— Pardonnez-moi, madame, je suis chargé par mon ami Charles Knollys de...

— Par le comte de Bambry, le reprit-elle d'un ton sans réplique.

— C'est que, justement... murmura Law, fort mal à l'aise.

— Quoi ! dit-elle en se levant avec une majesté naturelle qui étonnait et charmait. Est-ce que la chambre des Lords... ?

— Hélas, madame ! répondit Law précipitamment.

Il s'émerveillait de la rapidité de perception de cette femme dont la haute silhouette semblait soudain vibrer comme un jeune arbre dans un tourbillon de vent. Se levant, il s'approcha vivement d'elle :

— Lady Caterina... murmura-t-il.

Elle se retourna alors comme si cette voix avait été un geste audacieux qui l'eût surprise et troublée et, pour son malheur, elle vit Jessamy John avec son air boudeur, son sourire ironique et sensuel, ses cheveux dorés tombant sur son habit couleur d'automne.

— Que dites-vous ?

— Rien ou pas grand-chose, affirma-t-il, mais je déplore d'être le messager d'une si fâcheuse nouvelle. Ne serai-je pas toujours pour vous celui qui vous apporta cette déception ?

— Je ne sais, murmura-t-elle. Cela est sans importance, je suppose.

Elle le toisa de nouveau avec une hauteur qui frisait l'impertinence.

Jessamy John n'avait jamais rencontré une femme qui le traitât de la sorte. Il eut une envie irrésistible de la vaincre, de la réduire, de la séduire. Qu'avait-elle donc sur le visage ? Qu'importe ! Elle avait une allure de reine, une superbe chevelure châtain que retenait une fontange d'or, des yeux d'acier, des lèvres minces et serrées qu'il désirait soudain entrouvrir... Cabrée sous l'offense dont il venait de l'informer, elle se repliait dans son immense orgueil.

— Lady Caterina, laissez cela. Monsieur le comte de Bamburry plaidera certainement devant la cour de King's Bench pour faire rectifier son état civil ; il a un excellent avocat et finira par avoir gain de cause...

Lorsqu'elle entendit désigner son frère par le titre si âprement revendiqué, un sourire furtif parut sur les lèvres de Caterina Seignieur. Elle jeta sur John Law un regard provocant et dur.

— Ne restez pas debout, je vous prie, dit-elle de sa voie aiguë.

En prenant un siège près d'elle, l'espace d'un instant, il se revit aux côtés d'une autre femme, près du feu, dans la pénombre. Etait-ce un avertissement ? Il se moqua de lui-même. Celle-ci l'étonnait, l'amusait, l'excitait un peu, c'était tout.

— Vous êtes, je crois, à Paris depuis peu ? s'enquit-elle avec indifférence.

— En effet, je suis arrivé en France quelques jours avant Lord Portland. Mais, attaché à sa personne en raison de ma connaissance de la langue française, je me trouve ici dans des conditions fort agréables. J'ai pu être reçu d'emblée par tout ce qui compte dans la capitale du royaume.

— Vraiment ? fit Lady Caterina avec un intérêt soudain qui éveilla l'attention du subtil Ecossais.

D'un bref regard jeté autour de lui, il mesura à quel point la hauteur et les prétentions de cette femme étaient disproportionnées avec son train de vie et ses moyens matériels. Ce salon, à peine éclairé, était peu et pauvrement meublé ; l'usure de la soie qui recouvrait les sièges était, à elle seule, un aveu. Sous le regard brillant qui le fixait, il poursuivit :

— J'ai rencontré entre autres un surprenant personnage qui m'intrigue un peu : M. le marquis de Ferriol, maintenant ambassadeur de France auprès de la Sublime Porte.

— Vous avez approché les Ferriol !

— J'ai eu l'honneur de disputer une partie de pharaon avec Son Excellence l'autre soir.

Un instant éblouie, elle se domina et ajouta sèchement :

— Les bruits les plus fâcheux courent sur lui.

— Je sais, dit-il en souriant. Sir Mathew Prior m'a raconté des histoires extravagantes.

— Il est, paraît-il, plus turc que le sultan lui-même, continuait-elle. Il achète des esclaves !

— Belles à ravir, ajouta-t-il en souriant toujours.

— Cela n'empêche point sa famille d'être ici parmi les plus recherchées ! Je vous félicite de vos brillantes relations !

Il perçut une ironie qui le laissa perplexe.

— Je ne le mérite nullement, répondit-il avec désinvolture. La noblesse française complètement ruinée est fort avide et accueille à bras ouverts les étrangers qui jettent avec facilité sur ses tables de jeu de grosses sommes d'argent.

Il rit, gêné par cette déclaration quelque peu ostentatoire, mais Lady Caterina demeura impassible.

— Il paraît pourtant, reprit-elle aussitôt, que rares sont ceux, parmi les membres de l'ambassade de Lord Portland, qui peuvent mener grand train.

— C'est exact, mais cette mission diplomatique ne représente pour moi qu'un passe-temps auquel je consacre une part relativement modeste de mes activités. Je suis financier et je traite des affaires dans les principales villes d'Europe.

Il la vit sursauter et s'en amusa.

— Comme M. Samuel Bernard ! s'écria-t-elle.

— Je n'ai ni son âge ni son expérience, madame.

Caterina était dès lors vaincue, réduite, séduite. Une flamme monta dans les yeux clairs de Jessamy John, cette flamme même à laquelle ne résistaient guère les belles qui se trouvaient sur son chemin. Il était à l'âge où la vénalité des femmes divertit.

Cependant, celle-ci savait aussi étonner et subjuguer ses partenaires au point de leur faire oublier cette ombre étrange qui marquait, comme une brûlure, la moitié de son visage, et qu'avec adresse, elle dérobait sans cesse à leur regard. Comme une souveraine qui met fin à une audience, elle se leva. Décontenancé, il en fit autant. Elle avait retrouvé toute sa hauteur, toute sa froideur, et dans un silence trop lourd, elle laissait peser sur lui un regard provocant jusqu'à l'indiscrétion.

Abandonné à lui-même alors qu'il croyait, qu'il savait cette femme à sa merci, John Law ne put que s'incliner et prendre congé. Irrité, excité, il lui dit cependant en français :

— Vous reverrai-je, madame ?

Elle lui répondit du même ton avec quelque ironie :

— Peut-être, monsieur ?

Il se retrouva dans l'allée, assailli par les senteurs et les brumes du crépuscule, déconcerté et, pour une fois, plus séduit qu'il n'avait séduit.

Ils se revirent, en effet, mais ce ne fut ni si rapide, ni si aisé que Jessamy John le supposait en la quittant ce soir-là. Il lui envoya en vain des invitations diverses qui avaient pour but de l'entraîner dans la vie mondaine et insouciante qu'il menait alors. Il continuait à jouer sur le cours des monnaies et des effets par l'entremise des agents de Merkus, devenus officiellement les siens, et à travailler en liaison avec la banque londonienne de son frère William. Son activité professionnelle était néanmoins beaucoup moins intense qu'au moment de la signature du traité de Ryswick. La détente internationale influait sur le monde de la finance et Law pouvait rendre à Lord Portland les quelques services que l'on attendait de lui, tout en veillant à ses affaires et en menant une vie de plaisir. De plus, les tractations financières n'étaient pas difficiles à Paris ; on pouvait gagner beaucoup d'argent et son agent parisien, Bourgeois, le servait efficacement. Enfin, le jeu faisait fureur dans les beaux hôtels de la capitale, où l'on avait en quelques jours adopté et fêté le jeune Ecossais.

Les femmes, comme l'argent, étaient en France aisées à apprivoiser ; la vivacité, l'élégance et la séduction couraient les rues. Peu enclines aux passions et aux sentiments, ces jolies filles importunaient et attachaient peu. Law subissait violemment l'attrait de cette existence sans heurts et sans problèmes, qui, après l'ennuyeuse Hollande, le fascinait au point de lui faire perdre de vue ses projets et ses ambitions. A Paris, on pouvait, à vingt-six ans, se contenter, lui semblait-il, de vivre pour le plaisir.

Seule, dans cette facilité générale, Lady Caterina eut l'astuce de lui résister. Comme elle ne voulait pas montrer au grand jour la tache de vin qui recouvrait une partie de son beau visage et comme elle ne voulait pas davantage faire apparaître sous les lustres des salles de bal la pauvreté de ses toilettes et la médiocrité de ses rares bijoux, elle se fit une admirable parure de mystère et d'ombre. Elle prit le pli de ne recevoir le jeune baron de Lauriston que le soir tombé, dans sa demeure perdue au fond du grand parc boisé et en friche, qui contrastait violemment avec les jardins à la française d'alentour si bien peignés et tondus, ce qui ajoutait à l'exceptionnel et au charme de ces entrevues. Dans ce décor sauvage et pauvre, John Law retrouvait le climat poétique de l'Angleterre et de l'Ecosse, qui leur était commun, ce qui ajoutait à tant d'attraits.

Caterina Seignieur tissa de la sorte un conte, à la manière de Mme d'Aulnoy ou de Charles Perrault, dont elle l'enchanta peu à peu. L'attentive araignée file ainsi sa toile au jour le jour. Les semaines et les mois défilèrent dans leur fuite incessante ; l'ambassade de Lord Portland repartit. Law resta.

Lady Caterina avait imposé d'abord le ton de l'amitié et n'accepta de recevoir John Law que de loin en loin. Puis l'amitié se fit imperceptiblement plus tendre, troublante, énervante. La confidence s'y glissa, subtile. Jessamy John y apprit l'existence d'un mari chagrin dont on n'avait cure. La raison de ce séjour à Saint-Germain était bien celle dont il se doutait : la proximité de la cour d'Angleterre exilée qui traînait après elle quelques fidèles désargentés, pétris d'orgueil et d'ambition.

Cependant, Lady Caterina fit mieux. Violente, âpre et brutale par nature, elle se contraignit encore sur un autre plan et sut, sans alerter la méfiance de Law, éveiller ses ambitions de naguère et le tourner à nouveau vers la recherche de l'argent et du pouvoir. Il lui exposa ses idées et ses songes hardis. Elle s'enflamma :

— Se peut-il que vous perdiez ainsi un temps précieux à des riens ?

— Je croyais en effet, en Hollande, que je ne pourrais jamais revenir à ce qu'avait été mon existence de Saint-Gilles-au-Champ, et puis, Paris...

— Il faut quitter Paris !

Il sursauta et s'entendit répondre, comme malgré lui :

— Sans vous, c'est impossible...

Disant cela, il prit en un instant conscience de la place qu'elle tenait désormais dans sa vie. Il se tut, interdit, et elle se garda de rompre le silence.

— Vous ne dites rien ? demanda-t-il enfin.

Elle eut un indéfinissable sourire.

— Lady Caterina, si je quittais Paris pour Gênes par exemple, oui pour Gênes et pour Venise qui sont de grands centres financiers, dotés de banques rivales de celle d'Amsterdam et dont je me suis promis d'étudier les principes, si je quittais Paris, partiriez-vous avec moi ?

Nerveuse, elle quitta son coin d'ombre, erra, sembla flotter dans le clair-obscur.

Deux ans avaient passé depuis leur première rencontre. Jessamy John avait vu les pluies de printemps et d'automne battre les petits carreaux de ces fenêtres qui le fascinaient. Il avait vu les violents crépuscules d'été y mourir en brûlant les vitres d'un dernier éclat et, comme ce soir-là, l'ourlet de la neige y tisser une irréelle beauté. Au milieu des fêtes et des plaisirs de la vie parisienne, sous l'éclat des grands lustres de cristal, il avait été peu à peu hanté par ces fenêtres que parait seul un ciel mélancolique. Il s'était pris de plus en plus souvent à murmurer en lui-même : « Demain soir, j'irai à Saint-Germain. » Son cœur alors battait plus vite.

Vint le temps où chaque crépuscule vit poindre sa plume blonde au lointain des frondaisons désordonnées. Captivé peu à peu par les songes que formait son puissant mécanisme intellectuel à nouveau éveillé, il venait penser tout haut devant cette auditrice à demi invisible qui l'écoutait moins et le comprenait moins encore qu'il ne le pensait. Il se prenait de la sorte à ses propres rêves. Ainsi avait grandi dans cette demeure la fleur d'illusion. Tel Renaud, Jessamy John se perdait dans les jardins maléfiques d'Armide.

Ce soir-là, un monde féerique entrait en métamorphose ; la nuit d'hiver descendait sur les arabesques de givre et de glace dessinées au long des magiques fenêtres vers lesquelles se perdait son regard. Le siècle nouveau naissait à peine, le destin tournait une page et violentait les images du passé. Lady Caterina s'approchait de lui, tendue, contenue :

— Partir ? Quand ?

D'une voix changée par l'émotion, après un bref silence, il murmura :

— Quand vous voudrez.

— Ce soir.

Il ne répondit rien, d'abord. Une vague le soulevait, l'emportait, l'étouffait. Il dit enfin :

— Je serai là à la mi-nuit. Le temps de faire établir des passeports à cette heure et de prendre quelques dispositions d'affaires.

— Rien ne vous est impossible.

Le ton était sans réplique, altier comme elle.

— Où faudra-t-il vous prendre ?

— Ici, je serai seule et prête.

D'une main qui tremblait légèrement, il prit la sienne qui ne tremblait pas, la tint un instant serrée puis la baisa furtivement et s'en fut.

Dans le soir tôt venu, la neige tourbillonnait plus serrée. Il se hâta.

Quelques instants plus tard, les fouets de son attelage claquaient dans le silence ; les chevaux lancés ventre à terre vers Paris préludaient à l'enlèvement nocturne, le carrosse glissait sur le givre avec un bruit de soie déchirée.

L'ITALIE

Le chaud soleil d'avril se glissait à travers les volets à demi fermés. Les rayons dans lesquels dansait une poussière lumineuse descendaient sur le carrelage frais d'une salle basse où John Law de Lauriston, assis devant une table, faisait grincer fébrilement sa plume d'oie au long d'une page blanche. D'innombrables feuillets recouverts de son écriture cursive s'amoncelaient auprès de lui. Les cris perçants d'un bébé parvenaient sans interruption d'une pièce voisine. Jessamy John s'arrêta, se prit la tête à deux mains un moment, puis, songeur, se mit à contempler ces rais de lumière dans lesquels voletaient à présent deux abeilles égarées, dont le bourdonnement se mêlait au chant des cigales qui bruissait alentour. Des vers des *Géorgiques* lui revinrent en mémoire :

Les abeilles d'Hybla, par leur léger murmure enchanteront les saules qui bordent ton jardin...

L'Italie... la terre latine, quelle révélation bouleversante, brutale, pour le jeune Ecossais ! La fleur d'illusion, rapportée du Nord obscur et brumeux, s'était ici flétrie très vite, irrémédiablement. Il avait découvert bien tard, trop tard, la lumière, la beauté des femmes et les décors magiques qui lui donnaient le sentiment insoutenable d'avoir vécu jusque-là dans la nuit, d'avoir été frustré d'une part essentielle de sa jeunesse. Et la lumière était descendue, brillante et cruelle, sur le visage marqué de Caterina. L'incomparable féminité des femmes latines, leur charme et leur douceur s'étaient mesurés à l'acier dont était faite l'Anglaise, et l'usure des jours avait eu tôt fait de percer la gaine qui en dissimulait la dureté, à Saint-Germain.

Un temps, il avait vacillé entre l'anéantissement de ce en quoi il avait cru et la vision d'enchantements insoupçonnés. Et puis ses redoutables forces vives, comme en Hollande, l'avaient ressaisi. De Gênes, il partit, seul, pour Venise et rattrapa les années perdues dans les brumes. Invoquant Lucia et ses tresses d'or, Cecilia avec ses yeux de nuit et la fascinante dona Béatrice riant derrière son petit masque de velours noir, il murmura, se souvenant de ce regard : *Dolce color de orientale zaphiro*[1].

Caterina avait alors utilisé le grand moyen des femmes qui ont l'esprit médiocre : l'enfant. John Law put mesurer combien elle l'aimait peu. Une amoureuse se fût livrée à quelque violence ou l'eût ému par sa détresse et se

1. Dante, *La Divine Comédie.*

54

fût sans doute éloignée pour le laisser respirer, vivre et trouver sa part de joie terrestre. Chercher à attacher celui ou celle qui n'aime pas n'est que la brutale affirmation de l'âpreté ou de l'absence de sens commun, et témoigne souvent de l'une et de l'autre. C'est le signe irrécusable que la vie du cœur n'est point en cause là où elle devrait tout régir. Ce sont parfois — pour les mal mariés — les considérations sociales qui se substituent fâcheusement à celles de l'amour ; il y a là viol et péril, alors que l'on croit généralement forcer le destin et assurer la stabilité du couple. De tels comportements deviennent de vertueuses folies ; mais alors surviennent de redoutables heurts avec les réalités de ce monde, qui entraînent souvent fort bas ceux-là même qui rêvaient de se maintenir trop haut. Morale tout illusoire, en vérité, inacceptable pour ceux qui ne peuvent en être dupes. Tel était bien le cas de Law.

Un petit garçon appelé John venait donc de naître dans sa maison. Il lui ressemblait et le fascinait. Cependant, conscient du piège, Law se refusait à entreprendre une procédure d'ailleurs difficile, mais possible dans l'Eglise anglicane, pour faire annuler le mariage de Lady Caterina, et il ne voulait pas envisager de l'épouser. Comme cela se voit en pareil cas, il n'était pas revenu vers elle mais s'était jeté à corps perdu dans l'étude ; à nouveau l'ambition l'avait repris. Quant à Caterina, avec l'illogisme de certaines femmes, elle supposait que cet homme de trente ans trouverait désormais chez lui un intérêt suffisant pour le captiver tout entier et, en même temps, elle le décourageait par son incompréhension et son étroitesse de vues chaque fois qu'il tentait, comme à Saint-Germain, de se confier à elle. Elle ne se méfiait point que Law atteignait cet âge qui est celui de la véritable majorité chez l'homme, et qu'un être nouveau et différent était en train de naître de la brillante chrysalide qu'elle avait si aisément capturée dans sa toile d'insecte avide. Trois ans avaient passé depuis l'enlèvement de janvier 1700, et ils en étaient à l'incompréhension.

Les études de finance et d'économie, qui désormais occupaient l'esprit du jeune Ecossais, l'avaient déterminé à venir s'établir à Turin, dans ce logis charmant que Caterina détestait en raison de sa simplicité campagnarde et de tous les inconvénients propres à ces installations de fortune.

A Gênes et à Venise, Law s'était encore considérablement enrichi et elle rêvait d'une existence stable dans un somptueux palais. Reçu par le duc de Savoie et par l'ambassadeur de France, le jeune seigneur de Lauriston les avait conquis à ses idées et il s'occupait à jeter les bases d'une organisation nouvelle de ces pays, espérant ainsi leur rendre les plus grands services et obtenir dans l'un ou l'autre une position de premier plan, à sa mesure.

L'enfant criait toujours. Au comble de la lassitude, le jeune homme se leva, ouvrit la porte de son cabinet et demanda calmement :

— N'y aurait-il pas moyen de faire taire ce marmot ?

Une longue silhouette mince se dressa devant lui et une voix sèche répondit :

— Essayez vous-même !

Il battit en retraite dans la pièce qu'il venait de quitter ; Caterina l'y suivit.

— Comment voulez-vous que je travaille ? se plaignit-il.

Elle eut un rire moqueur :

— Pour ce que vous faites !

— Vous savez bien que je dois remettre dans quelques jours ce mémoire à l'ambassadeur de France.

Elle le considéra, exaspérée :

— Croyez-vous vraiment que vous allez persuader le roi de France de revenir sur la révocation de l'édit de Nantes ? Vous feriez mieux de vous occuper davantage de vos affaires que de tourner comme vous le faites au maniaque réformateur de gouvernements qui n'attendent pas après vous !

— Il est impossible, répondit-il, qu'une situation aussi contraire au sens commun se maintienne longtemps. Ce plan peut éclairer Louis XIV, et son ambassadeur accepte de le transmettre à M. le marquis de Chamillart.

S'approchant de sa table, il tapota ses papiers du revers de la main et reprit :

— Voyez-vous, Caterina, en rappelant les excellents ouvriers protestants qui travaillent ici, il y a là de quoi faire renaître l'industrie française dans la vallée du Rhône et dans les provinces lyonnaises du Forez et du Beaujolais ; je pense aux fabriques de drap et de soieries, aux moulins, aux boulangeries, aux pépinières...

— Et quoi encore ! s'écria-t-elle, railleuse. Mais quel homme êtes-vous donc, John ? Oubliez-vous que l'Europe est de nouveau en guerre contre la France à cause de cette maudite succession d'Espagne, et que les Français sont nos pires ennemis ?

— Que m'importe ! Seuls le bonheur des peuples et leur prospérité m'intéressent... Remplacer les soldats par des ouvriers qui, la richesse de leur travail donnée, rentrent le soir au logis, remplacer les champs de bataille par des champs de blé, ajouta-t-il, rêveur.

Elle le toisa avec mépris :

— Vous êtes en train de devenir, avant l'âge, un de ces radoteurs comme on en voit dans les chancelleries, qui viennent proposer des machines volantes et des carrosses sans chevaux !

— Le duc de Savoie ne pense pas ainsi, répliqua-t-il sèchement.

— Du moins le croyez-vous !

— En ce cas, m'aurait-il communiqué tant d'informations sur l'administration et les ressources de ses Etats afin que je lui soumette des idées nouvelles ?

— Vous n'êtes arrivé, jusqu'à présent, qu'à susciter la méfiance du ministre des Finances du duc Victor-Amédée !

— N'est-ce point, hélas, la preuve que je ne radote pas ?

— Le duc de Savoie en agit-il autrement avec les importuns ? dit-elle avec hauteur, et elle sortit.

Law fit quelques pas pour calmer son impatience puis se rassit et s'efforça, bien que l'enfant criât toujours, de retrouver le fil de ses pensées. Il s'était à peine remis à écrire qu'un laquais entra et lui tendit un pli. C'était une lettre d'Edimbourg. La hâte maladroite qu'il mit à la décacheter trahit son émotion.

Une fois de plus, le destin de John Law marchait devant lui, plus vite que lui, l'entraînait, l'emportait. Cette lettre remettait en question toute son existence présente et tout son avenir, son désir secret de se fixer en Italie, de ne plus quitter jamais ces jardins enchantés où il avait appris les leçons du soleil et de la lumière. Pourtant il était un endroit dans le monde qui ne ressemblait à aucun autre, lieu unique qui, au cœur même des brumes, lui était aussi un lumineux royaume : le pays d'enfance. Là, les formes, les odeurs, les sons vibraient d'une existence profonde qu'il était seul peut-être à percevoir mais qui l'avait envoûté à jamais et voici qu'on l'y appelait, qu'on le conviait à retrouver l'oiseau laissé dans un bosquet de Lauriston, l'allée où s'effaçaient les traces des jeux anciens et le vert marécage où il s'en allait piper les grives. La lettre venait de sa mère et était un tendre appel au bel enfant habité de songes, riche de tous les dons, appel lancé avec anxiété parce qu'il se faisait tard dans sa vie. Elle l'informait qu'elle venait de tester pour que Lauriston Castle, qu'elle lui avait repris jadis par prudence, au temps de sa jeunesse orageuse, en échange d'une somme d'argent considérable, lui revînt après sa mort.

Par cette lettre, l'Ecosse aussi l'appelait. Ses frères, William, le banquier, de passage à Edimbourg, et Andrew, l'orfèvre, l'informaient que leur pays traversait une crise financière sans précédent qui ne manquerait pas de le livrer complètement à l'Angleterre. Des troubles graves éclataient déjà. Le gouvernement aux abois cherchait des solutions neuves et des collaborateurs avertis en matière de finances. Leur cousin, le jeune duc d'Argyll, représentait justement la reine d'Angleterre au Parlement ; John, par lui, pouvait rentrer en grâce auprès de la cour de Londres et imposer ses conceptions nouvelles.

Ses frères, le clan Law, croyaient en lui comme autrefois. Il se leva : dans son esprit, les idées tourbillonnaient, se superposaient, s'opposaient. Il se reprit à marcher de long en large dans son cabinet ; au bout d'un moment, il appela un laquais et le pria d'aller chercher Lady Caterina.

Elle arriva, étonnée :

— Eh bien, qu'y a-t-il encore ?

— Ceci...

Il lui tendit la lettre. A mesure qu'elle lisait, il observait le changement qui s'opérait sur son visage ; comme il l'avait prévu, une sorte d'aménité s'y glissait peu à peu.

— Qu'en dites-vous ? demanda-t-il.

— Que Lauriston Castle sera une demeure plus digne de nous que cette masure, et qu'il est convenable que nous nous y établissions.

Comme il se taisait et la regardait à son tour, ironique, elle poursuivit sans se troubler :

— En admettant que nous partions maintenant, comment comptez-vous régler les problèmes que soulève notre situation ?

57

Persifleur, il lui lança :

— Je vous ferai passer pour ma femme. Commencez vos préparatifs !

Et il sortit, la laissant hérissée mais triomphante : il l'emmenait dans sa famille, dans sa demeure, avec un enfant ; n'était-ce pas là un pas décisif vers le mariage ?

— Cette bataille sera gagnée ! murmura-t-elle entre ses dents.

Ce langage était celui des épouses légitimes et des vieux militaires.

LE PAYS D'ENFANCE

« Law, né à Edimbourg, dans la positive Ecosse des Basses-Terres, eut le génie superbe et désintéressé de la haute imagination gaélique. Avec un don étrange de rapide calcul, une infaillibilité de jeu non démentie, le pouvoir d'être riche, il n'estimait rien que l'IDÉE.

« Il était visiblement né poète et grand seigneur. Par sa mère, disait-on, il descendait du Lord des Isles. Il fut l'Ossian de la Banque. »

MICHELET.

Le vent de mer courait dans un ciel de novembre, le soir tombait sur Edimbourg. Dans la grande salle de Lauriston Castle, une vieille dame se tenait, droite et raide, au bout d'une longue table, dans un fauteuil à haut dossier. En face d'elle, à l'autre bout de la table, un fauteuil semblable demeurait vide. Le couvert était dressé pour le thé ; les gelées d'airelles et les fruits confits présentés dans des coupes de cristal brillaient entre les candélabres d'argent à la lueur des bougies. Les laquais attisaient le feu qui faisait sommeiller des levrettes sous le manteau de la cheminée de pierre. Au-delà des fenêtres qui dominaient la Clyde, apparaissaient dans la nuit, une à une, les lumières de la ville. Des ombres s'allongeaient sur les tapisseries qui recouvraient les murs de scènes de chasse à courre patiemment brodées à la manière des verdures des Flandres. La vieille dame demeurait immobile ; seule la rougeur de son visage habituellement pâle trahissait sa grande émotion.

Un bruit se fit dans la cour, le son des voix l'informa de l'arrivée de ses enfants : c'était Agnès Hamilton, sa fille aînée, suivie de son mari. Peu après celle-ci l'embrassait et prenait place auprès d'elle. Bientôt ce fut le tour de Janet Hay de Latham et de son époux, d'Andrew et de sa femme Bethia et, enfin, la gentille Lilias, William, Robert et Hugues, qui n'étaient pas encore mariés, vinrent reformer le « clan Law » autour de la table. Le fauteuil du maître de maison était toujours vide.

— Ils devraient être là ! s'inquiéta la vieille dame.

— Des contretemps sans importance peuvent survenir en voyage, il ne faut point vous soucier d'un léger retard, mère, dit William.

Comme il la voyait angoissée, il alla vers elle, lui prit la main et la baisa. Elle sourit, se pencha en avant et regarda le cercle animé que formaient ses enfants : ils étaient tous beaux, racés et possédaient cette puissante ardeur à vivre, cet esprit frondeur et aventureux qui entraînaient la vieille dame et lui conservaient le sourire jeune et complice qui glissa sur ses lèvres. D'eux tous, cependant, John avait été le plus séduisant, le plus intelligent ; elle soupira :

— Aura-t-il conservé son charmant visage et sa belle allure ?

Ce ne fut qu'un cri : en pourrait-il être autrement ! Le fin visage de Mme Law de Lauriston se fit grave :

— Depuis la dernière fois que je l'ai embrassé, il a subi l'affreux sort des condamnés à mort, puis celui des évadés, des exilés...

— Mais il a l'âme forte et l'esprit agile ! dit Andrew.

— Il y a douze ans que je ne l'ai tenu dans mes bras, murmura la vieille dame qui ajouta, inquiète : Et cette femme qu'il nous amène, comment sera-t-elle ?

— Belle ! s'écria Hugues.

— Douce et avenante ! ajouta Robert.

— Quant au bébé, s'écriait Lilias, ce sera sûrement un vrai Law, solide et brailleur, qui sous peu cassera tout ici ! Pour le faire taire, je lui chanterai la chanson de la sorcière Deborah que nous aimions tant : « *Just tell me, my little heart !* » (« Dites-moi un peu, mon petit cœur ! ») ajouta-t-elle avec un éclat de rire qui fit danser les boucles rousses dénouées sur ses épaules et pétiller ses yeux verts.

Cependant le lourd carrosse de John s'approchait d'Edimbourg. Penché à la portière, il s'efforçait de retrouver dans l'ombre du soir ses itinéraires anciens. Au fond de la voiture, une nourrice fredonnait en berçant l'enfant, et cette mélodie italienne qui cheminait à travers les bruyères d'Ecosse couchées par le vent exprimait tout l'insolite de sa vie. Il eut envie de se tourner vers Caterina, muette et fermée, et de lui dire : « Ne seriez-vous point émue si vous retrouviez le murmure du vent d'Ouest dans un boqueteau d'Angleterre ? » Il n'en fit rien cependant, parce qu'il entendait encore résonner le rire qu'elle avait eu à la lecture de la lettre du marquis de Chamillart. Le ministre français louait les mérites du projet, mais regrettait que la guerre ne permît point de l'exécuter et espérait l'examiner à nouveau en des temps meilleurs. Une courtoise fin de non-recevoir qu'il avait attendue cinq mois avant de se mettre en route. Bien décevant avait également été le comportement du duc de Savoie. Par l'estime et la confiance qu'il témoignait à Law, il avait fait naître en lui de grands espoirs. Victor-Amédée l'avait laissé s'engager dans un travail considérable dont ensuite il ne fit rien ; Law venait ainsi de commencer son combat contre les stratégies de la grande peur, celle qui s'empare si vite des médiocres, toujours solidement établis autour de tout pouvoir. Il venait de commencer à les effrayer.

Il se retrouvait donc quelque peu brisé, sur ces chemins venteux où avaient couru ses vingt ans. Déjà la vie l'avait atteint. Il avait trente ans et, en dépit de sa réussite financière, le sentiment de ses échecs le hantait : échec de sa vie privée, impossibilité de parvenir à l'accomplissement personnel que lui procurerait l'application des théories financières qu'il élaborait et auxquelles il croyait passionnément. De graves atteintes, en vérité. Que de temps écoulé loin de l'Ecosse, de ces jardins clos, de ces faubourgs, de ces ruelles dont il connaissait chaque recoin, loin des tourelles de Lauriston dont soudain le tournant d'un carrefour révélait les lumières tremblantes ! Son cœur battit plus vite.

— C'est là... murmura-t-il d'une voix blanche.

Caterina se pencha vivement.

— On ne voit rien, répliqua-t-elle.

Caterina ne voyait jamais rien.

Maintenant, le sable de l'allée crissait sous les roues du carrosse. Les masses sombres des grands bosquets se dressaient devant eux, Law eût voulu les dégager de cette ombre qui le séparait encore des fraîches images de jadis, les étreindre comme des êtres aimés. A ce vœu secret répondit la lune d'automne soudain levée ; alors, il se souvint de la ronde ancienne, de la chanson de la sorcière Deborah qu'il dansait avec Bethia, là, autour de la pièce d'eau à la surface de laquelle s'allumaient des reflets : « *Just tell me, my little heart...* »

Dans la grande salle, là-bas, on commençait d'entendre le roulement de l'attelage qui approchait. Quelques instants plus tard, des pas, des cris joyeux de servantes émurent la vieille dame et mirent les enfants debout ; avant qu'ils aient eu le temps de s'élancer vers les voyageurs, la tenture de la porte se souleva lentement et, pétrifiés, ils virent apparaître le visage défiguré de Caterina qu'animait un regard brillant et glacé. Dans l'instant, John, qui la suivait, passa inaperçu, sauf pour sa mère. Cette fois ce fut lui qui la berça dans ses bras. Après un embrassement bouleversé et silencieux, il lui désigna Caterina, puis l'enfant porté par la nourrice.

Caterina avait une longue et douloureuse habitude de l'effet qu'elle produisait. Cette mutilation qui l'atteignait dans sa beauté, dans ses moyens de plaire, était plus effroyable à endurer que toute autre ; la secrète usure des infirmes la gagnait et la durcissait davantage à chaque épreuve nouvelle. Les deux femmes échangèrent un baiser froid. Nulle jeune fille n'avait jamais paru assez belle à Janet Law pour devenir la femme de John, et une sorte d'humiliation l'envahit. Quant au « clan Law », il se remettait mal du choc subi et entourait gauchement John et le bébé. La vieille dame essayait de concentrer sur lui toute son attention, cependant que John s'efforçait à la gaieté, d'un grand rire désenchanté. Il avait pris Lilias par la taille, puis il alla vers Bethia qui se troublait comme autrefois parce qu'il semblait plus beau encore et infiniment plus séduisant qu'il ne l'avait jamais été. Il serra chaleureusement les mains de Hay de Latham qu'il voyait pour la première fois, et de Hamilton, qui l'avait connu enfant. Il embrassa ses autres sœurs, William, son collaborateur, et ses jeunes frères Robert et Hugues.

— Allons, Jessamy John, prenez place, dit une voix tendre. On apporte le thé et vous devez avoir faim.

Il se retourna ; sa mère lui désignait, à l'autre bout de la longue table, la place du maître de maison. Un peu ému, son sourire boudeur aux lèvres, il s'y installa. La mère et le fils échangèrent alors un indicible regard.

— Puissiez-vous, dit Mme Law, demeurer là aussi longtemps que je vivrai.

Peu à peu, la chaleureuse vitalité du clan Law reprit le dessus et domina la gêne que suscitaient Caterina et son silence. Bientôt elle se sentit absorbée, oubliée et, en dépit de l'irritation que provoquait en elle ce manque d'égards, elle en ressentit un certain apaisement.

Dans le même brouhaha que jadis, John retrouvait une incomparable chaleur. Les questions fusaient de toutes parts : Lilias voulait entendre le récit complet de ses impressions de condamné à mort et celles de son évasion. William attendait des informations sur la banque de Gênes et sur celle de Venise ; Bethia et Agnès l'interrogeaient sur les Parisiennes et sur les modes italiennes ; ses beaux-frères espéraient des nouvelles politiques ; Robert et Hugues lui parlaient de bateaux, de voyages et de corsaires. John, lui, riait enfin de bon cœur et s'efforçait de répondre à chacun.

Le thé pris, la vieille dame se tourna vers Caterina et dit doucement :

— Vous devez être fatiguée et ce bébé a besoin de silence ; je vais vous conduire à vos appartements.

Caterina se leva vivement et, avec soulagement, suivit la mère de John dont l'élégance et la distinction lui inspiraient quelque considération.

Elle fit annoncer peu après par une de ses chambrières italiennes que, trop éprouvée par le voyage, elle demeurerait toute la soirée chez elle.

Cette nuit-là, John fut ainsi totalement livré aux forces vives du pays d'enfance.

Quelques jours plus tard, comme il commençait à peine à défaire ses bagages sans cesse bouclés et rebouclés depuis neuf ans, sa situation familiale lui parut inextricable. Sa mère ne s'habituait pas aux manières de Caterina et la déception de Turin le faisait hésiter à participer au redressement de l'Ecosse, comme l'y invitaient Andrew et William. La crise qui couvait en lui éclata.

Ce fut naturellement la brutale Caterina qui la déclencha. Un après-midi, alors qu'il se trouvait dans le cabinet de travail que sa mère lui avait aménagé avec amour dans une tourelle de Lauriston et qu'il s'efforçait d'y voir clair en lui-même, elle entra comme la tempête et l'apostropha :

— Savez-vous ce que je viens d'apprendre ?

— Dieu seul le sait ! dit-il, résigné.

— Les lois écossaises interdisent aux enfants illégitimes d'hériter de leur père. Si vous veniez à disparaître demain, votre fils et moi, nous serions à la rue !

61

— Vous êtes bien renseignée ; comment avez-vous fait ?

— Croyez-vous que je passe ma vie à rêver ?

— Je vous affirme que je n'ai jamais rien pensé d'aussi extravagant !

— Votre mère croit-elle vraiment que je suis votre femme ?

— Ne vous traite-t-elle pas comme telle ? Cela doit vous suffire.

— Et si cela ne me suffisait pas et que j'aille m'en expliquer avec elle et avec vos frères et sœurs ? Le beau scandale, en vérité !

— N'allez pas plus loin ! dit-il en donnant un coup de poing sur la table et en se levant. Je viens de prendre une décision qui mettra un terme à d'aussi beaux projets.

— Laquelle ? demanda-t-elle, haletante.

— Pas celle que vous croyez ni aucune autre que vous ayez jamais prévue...

Elle attendit, prête à livrer combat.

— Mon cousin le duc d'Argyll s'est entremis pour obtenir de la famille de Wilson qu'elle retire sa plainte contre moi. Par ailleurs, le roi Guillaume avait, avant sa mort, remis ma peine ; mais si je me rendais aujourd'hui en Angleterre, je pourrais encore être arrêté sous l'inculpation d'évasion. Je vais donc, par l'intermédiaire de Lord Portland, adresser une supplique à la reine Anne pour achever de régler cette affaire, en raison de mon désir de prendre du service dans les armées anglaises. Afin d'empêcher la France de s'emparer de l'Espagne et de ses possessions, les alliés viennent de proclamer roi d'Espagne Charles, fils de l'Empereur germanique Léopold Ier : Marlborough va tenter de chasser les Français des Pays-Bas espagnols, mais une armée de Louis XIV se lance déjà sur la route de Vienne. Pour être plus certain de voir agréer ma demande, je préciserai que je subviendrai à mes dépenses dans les camps [1].

Elle pâlit, recula d'un pas, se sentit perdue :

— Cela veut dire, répliqua-t-elle d'une voix mal assurée, que vous renoncez à vos affaires financières, à votre prospérité et que vous allez dilapider ce que vous possédez aux armées ?

— Parfaitement.

— Nous avez-vous fait traverser l'Europe pour prendre une détermination de ce genre ? Etes-vous revenu vous installer dans votre pays, votre demeure, votre famille pour les quitter à peine arrivé ? Vos ambitions politiques, votre désir de réussir ici ce que vous avez manqué en Piémont et en France, ne vous occupent donc plus ?

— Voilà un langage que je n'ai plus entendu depuis Saint-Germain ! répondit-il d'un ton coupant. Il est bien temps de vous en souvenir et de me le tenir à nouveau ! Rappelez-vous seulement que votre seule chance de demeurer ici en paix, alors que je me trouverai en un lieu où vous ne pourrez me suivre, sera de ne susciter nul scandale.

1. En raison de l'importance psychologique de cette démarche, nous croyons utile de préciser que la pétition originale de Law adressée à la reine Anne est conservée dans le dossier de Lord Portland, à Wellback Abbey.

— Je m'étonne vraiment que vous songiez à vous battre contre la France ! dit-elle encore, se dérobant. Je vous ai sans cesse entendu blâmer l'attitude de l'Angleterre vis-à-vis de cette nation !

— Eh bien, ne vous étonnez point. Rien n'a plus pour moi de sens ni d'attrait. Me voici prêt à proclamer que cette guerre est la plus juste des guerres !

D'évidence, il fallait composer.

— Allez-vous risquer votre vie sans avoir pris pour votre fils la moindre disposition ?

— Je verrai ce que je puis faire en ce sens. Allez, maintenant, j'ai besoin d'être seul, dit-il rudement.

Caterina sortit lentement, majestueuse comme toujours. Rentrée dans ses appartements, elle se livra à une crise de fureur dont ses servantes italiennes firent les frais, puis elle se calma et se prit, elle aussi, à méditer.

Le résultat de ces réflexions n'allait pas tarder à se révéler : on la vit peu, on l'entendit moins encore. Son infirmité lui avait donné une tendance naturelle à vivre repliée sur elle-même, à fuir le monde. Son caractère difficile, sa dureté, sa médiocre intelligence n'inspiraient à personne le désir de la délivrer de cet isolement volontaire, qu'elle ne rompait que lorsque son instinct se réveillait pour attirer une proie. Dans cette retraite, elle tissa à nouveau une toile pour capter Law ; il n'était pas dupe, mais elle savait être aussi adroite qu'elle pouvait être maladroite lorsqu'elle n'y prenait pas garde : elle avait un corps admirable, des sens violents et elle était sa maîtresse. Un lent et difficile combat s'instaura ainsi, secrètement, dans l'ombre de cette paix factice descendue sur Lauriston Castle.

Law avait envoyé à Lord Portland son message pour la reine, et il attendait la réponse. Il subissait en même temps, au jour le jour, d'autres assauts contre sa détermination qui aggravaient la crise profonde qu'il traversait : assauts de sa tendresse pour sa mère qu'il faudrait quitter encore, assauts de l'amour naissant entre son fils et lui dans la découverte qu'ils faisaient l'un de l'autre, assauts d'Andrew et de William qui s'efforçaient de le retenir et de l'intéresser aux grands problèmes de l'heure. Bien que l'Angleterre et l'Ecosse aient été réunies sous la même couronne, chacun des deux pays conservait un gouvernement séparé et un commerce indépendant. Les désastres économiques qui accablaient l'Ecosse et des menaces de révolution avaient suscité la création d'un parti politique qui voulait obtenir la liberté du commerce entre les deux pays. Les ministres de la reine Anne ne répondaient pas à cette demande dans l'espoir d'obtenir, à la faveur des circonstances, une annexion pure et simple.

— Vous voyez le péril, John, disait William en hochant la tête.

— Ah, si, lorsque votre ami Paterson s'est lancé dans cette folle aventure de l'isthme de Darien [1], les récoltes n'avaient pas été si déficitaires en Ecosse et la balance commerciale plus encore ! soupirait Andrew.

— Croyez-vous, répliquait William, que les colons écossais décimés en

1. Panama.

Nouvelle-Calédonie par la famine, les épidémies et les Espagnols fussent ressuscités pour autant ?

— Quoi qu'il en soit, la Banque et la Compagnie écossaises fondées par Paterson, qui pourtant créa la Banque d'Angleterre, ont fait faillite, poursuivait Andrew. Leur papier, acheté par toute la population, est juste bon à allumer le feu ; la monnaie est rare, le travail plus encore, les affaires et le commerce sombrent. Hormis quelques privilégiés dont nous sommes, la misère est partout et l'on vient de m'informer qu'aux portes d'Edimbourg, des groupes de paysans se forment depuis peu, le soir ; des commis, des petits artisans de la ville les rejoignent, et une marche sur le Parlement se prépare.

— Comment en serait-il autrement ! s'exclamait William. Les manufactures ferment parce qu'elles n'exportent plus, le revenu des terres n'est pas payé, les monnaies étrangères sont préférées à la nôtre, l'argent fuit, deux cent mille pauvres réclament du pain. Vous ne dites rien, John ?

— Quelle curieuse aventure que celle de Paterson, murmura ce dernier, rêveur. C'était là cependant une entreprise passionnante, qui, bien menée, eût dû réussir. Nous avions jadis, lui et moi, échangé bien des idées sur l'intérêt d'une compagnie montée par actions, capable d'exploiter les richesses d'outre-mer, et soutenue par une banque ; il a eu, lui, les moyens de réaliser ce projet, et il l'a gâché...

— Il s'était pourtant embarqué lui-même à la tête de ses pionniers ! affirmait Andrew.

— C'est le tort qu'il eut ! dit John vivement. Sa place était dans les bureaux de sa Compagnie à Edimbourg et à la tête de sa Banque.

William approuva d'un signe de tête.

— Voyez, continua Andrew, notre sécurité même est en jeu. Demain, une révolution aussi terrible que celle d'Angleterre peut éclater à Edimbourg. Le Parlement accepte de recevoir et d'examiner les propositions les plus insensées pour remédier à nos malheurs, et vous qui avez été écouté et apprécié par le duc de Savoie, par un ambassadeur de France et par le marquis de Chamillart, contrôleur des Finances du roi Louis XIV, vous qui vous êtes rendu célèbre ici par vos dons dès votre jeune âge, vous ne dites rien, vous ne faites rien !

John partit d'un grand rire amer.

— Rien ! répéta-t-il d'un ton sans réplique. Je n'ai guère envie de jouer encore les radoteurs et les maniaques.

Le venin distillé par Caterina le brûlait.

Cette lutte dissolvante se poursuivait ainsi et Lord Portland ne se hâtait pas de répondre. Jamais John Law ne s'était trouvé de la sorte, inactif et désemparé. Il laissait à William le soin entier de mener leurs affaires communes. Celui-ci, atterré, essayait d'amener à Lauriston Castle les jeunes leaders de la politique écossaise : le brillant duc d'Argyll dont le charme et la bravoure suppléaient au manque de profondeur, le comte de Roxburghe qui appartenait à une formation politique fort dangereuse, surnommée « le Squadrone volante » parce qu'elle intervenait en groupe dans les assemblées.

Elégants et superficiels, Roxburghe et ses partisans se faisaient les champions du rattachement de l'Ecosse à l'Angleterre. Le jeune comte amenait à Lauriston Castle son ami George Baillie de Gerviswood. George Lockart de Carnwath, chef du parti jacobite et camarade de jeunesse de John, se joignait à eux, ainsi qu'un autre de ses amis d'enfance, John Darlymple, comte de Stairs. John les écoutait, souriait. Parfois, violemment tenté de se jeter dans leurs débats, il se retenait, serrait les dents.

Une fièvre le dévorait pourtant. Trois mois avaient passé en conflits secrets et en incertitudes. Un soir, Caterina vint à lui, un sourire de triomphe sur ses lèvres minces :

— John, je dois vous annoncer un heureux événement...

Il leva vivement les yeux de dessus le livre qu'il lisait :

— Qu'est-ce que vous dites ?

— Nous allons avoir un autre enfant.

— C'est impossible !

— Les hommes sont extraordinaires ! dit-elle finement.

— Vous me mettez une seconde fois devant le fait accompli !

— Vous m'y avez aidée, et j'aurais souhaité un autre accueil.

— Bon, vous allez avoir un enfant, et après ?

Cependant que Caterina battait prudemment en retraite, John demeura là, foudroyé.

Le printemps passe dans cette éprouvante instabilité. Puis, le 13 août 1704, près du petit village de Blenheim, en terre d'Empire, Marlborough qui « s'en va-t-en guerre, Mironton, mironton, mirontaine... », fait prisonniers les quatre cinquièmes de l'armée française. A la nuit tombée, cependant que, au sud de l'Europe, d'autres soldats anglais s'emparent de Gibraltar, il envoie ce message à sa femme, la redoutable Sarah, favorite de la reine Anne :

« Je n'ai pas le temps d'en dire davantage, mais je vous prie de présenter mes devoirs à la reine. Monsieur de Tallard (le maréchal) *et deux généraux* (français) *sont dans ma voiture... »*

« C'est la première fois depuis Azincourt qu'une armée anglaise remporte une telle victoire sur le continent [1]*... »*

Autour de Law, la situation se détériorait de plus en plus vite, tant sur le plan social et politique que sur le plan familial. En dépit de sa retraite, de sa discrétion et de son état, Caterina n'inspirait qu'antipathie et méfiance à Janet Law et à ses enfants, qui discernaient en elle la cause profonde du désarroi de John. Lui, affectait de ne s'occuper que de l'administration de ses terres et des embellissements du parc de Lauriston. Ce fut sous les voûtes solennelles d'une de ses allées, un matin d'été qu'il s'y promenait, obsédé par

1. J. Thorn.

le sentiment du temps perdu, convaincu que son existence ressemblait à une mort prématurée, que John vit venir à lui, seul pour la première fois, son fils, égaré, hésitant, enivré par ce premier voyage vers l'inconnu. L'enfant, en l'apercevant, cria de joie et courut vers lui de son pas mal assuré. John se baissa, lui tendit les bras, et plongea son regard dans le sien : l'un et l'autre découvraient un monde. C'était leur premier tête-à-tête, ineffable. Autour d'eux, le vent des Highlands murmurait d'indicibles choses dans les grands arbres de Lauriston. Les fils capricieux de la vie s'emmêlaient au-dessus de leurs têtes rapprochées comme les feuilles innombrables qui se rejoignaient en bruissant, silencieux dialogue qui marquerait John à jamais.

Un mois plus tard, dans sa farouche solitude, Caterina accoucha d'une fille à laquelle elle donna presque son nom : Marie-Catherine.

Au début d'octobre, la réponse de la reine et une lettre de Lord Portland arrivèrent enfin : c'était un refus, daté du 5 septembre 1704. Lord Portland informait John que cette décision avait été dictée à la reine par son Premier Ministre, Lord Godolphin, whig et proche de Blunt.

— Encore la valetaille ! murmurait Law en tournant et retournant les messages devant William qui avait l'air délivré d'un grand poids. Voilà qui est étrange, cependant ! Quels peuvent être les mobiles de Godolphin ?

— On peut supposer, au moment où l'Angleterre se propose d'annexer l'Ecosse, que les ministres anglais craignent que votre départ pour l'armée ne soit une feinte, avança William, et que, l'union des deux couronnes accomplie, on ne vous retrouve en état de jouer un rôle.

— Je me suis retiré du monde depuis un an, réfléchit Law, j'ai refusé obstinément de participer à la vie politique et j'ai quitté Londres à vingt-quatre ans. Je sais bien que les whigs, et Blunt parmi eux, gouvernent aujourd'hui l'Angleterre...

— Comptez aussi avec Paterson et Chamberlen, dit William. Je venais justement vous avertir que Paterson a remis au Parlement un ouvrage qu'il a écrit voici déjà quelques années et auquel il a joint un mémoire. Il propose la création d'une compagnie commerciale qui ferait revivre l'entreprise du Darien, encouragerait les manufactures et donnerait du travail à tous ceux qui en cherchent, en finançant les entreprises de travaux publics. Il pille vos idées, et votre présence en Ecosse l'empêche de dormir, tout autant que Chamberlen, qui a lui aussi son projet, et qui est soutenu par Godolphin.

Law le regarda, songeur. A cet instant, Andrew entra en coup de vent.

— John n'ira pas à l'armée, la reine refuse ! lui cria William.

— Dieu soit loué, John ! Savez-vous ce qui se passe ?...

Law attendit d'apprendre comment le destin allait une fois de plus l'entraîner mystérieusement là où il ne voulait pas aller.

— Il y a une ruée de toute la population sur la Banque d'Ecosse pour convertir les billets en argent, continuait Andrew. La Banque va être obligée de suspendre ses paiements et de fermer ses portes. C'est la catastrophe !

— Je n'ai pas encore eu le temps de vous dire, expliqua William, que le Conseil privé de la Banque s'est réuni hier matin pour prendre les dispositions afin de remédier d'urgence à une situation que vous connaissez :

la balance commerciale est gravement affectée par l'arrêt des exportations, et les réserves d'or et d'argent, accumulées sous les voûtes de la Banque, sont presque épuisées. Vous aviez approuvé les mesures précédentes qui consistaient à mettre en circulation des billets d'une livre sterling. La quantité de ces billets correspondait à une partie de la demande de monnaie, ils pouvaient permettre de conserver le crédit et d'attendre des temps meilleurs. Or la décision d'hier a ruiné ces espérances : dans l'après-midi, la Banque annonçait par voie d'affiches son intention de porter à six shillings les couronnes qui ne valent que cinq shillings et demi ! Il n'est donc pas étonnant que le public se presse aujourd'hui aux guichets pour changer des billets contre des couronnes revalorisées et qui peuvent l'être encore !

— C'est à peine croyable ! dit John. Mais il fallait recourir au procédé inverse : annoncer une diminution de la monnaie afin qu'elle retourne à la Banque ! Aujourd'hui la foule ferait la queue devant ses guichets pour rapporter les couronnes de cinq shillings et les échanger contre des billets qui vaudraient davantage !

— C'est une idée absolument nouvelle, John, dit William, une expérience jamais tentée et qui vaudrait de l'être. Vous devriez en écrire.

— Ecrire ? Peut-être... Depuis longtemps, je pense à rédiger sur ces problèmes un ouvrage qui réunirait mes travaux antérieurs. Il faut bien que je fasse d'autres projets, maintenant. Comme mes théories vont à l'encontre de toutes les traditions, ce sera un livre révolutionnaire.

— Mettez-vous sans tarder à l'œuvre, John, car le temps presse.

— Je vais y réfléchir.

Ses frères le quittèrent ce soir-là pleins d'espoir. Quelques heures plus tard, à la lueur des bougies qui brûlaient dans des candélabres d'argent frappés aux armes des Law de Lawbridge et sur lesquels se lisait la fière devise « Ni obscure, ni humble », l'aîné de la famille traçait un titre en haut d'une page blanche : *Money and Trade considered with a proposal for supplying the nation with money.*

La plume d'oie grinça légèrement, hésita, puis reprit sa course sûre au long du papier. John Law de Lauriston entrait dans l'Histoire.

Un an et demi plus tard, au soir du 28 juin 1705, il se trouvait avec ses frères au château d'Holyrood, dans le magnifique cabinet du duc d'Argyll. Une tumultueuse séance au Parlement, très attendue par tout le pays, venait de prendre fin. Le jeune duc, nommé commissaire de la reine d'Angleterre, avait prononcé au nom de celle-ci un discours pour recommander la désignation d'interlocuteurs capables d'entamer des négociations, afin d'étudier le projet d'une union encore plus étroite entre l'Ecosse et la Grande-Bretagne.

Les frères Law, le visage tendu, écoutaient leur parent :

— Ce fut un beau tumulte ! affirmait Argyll ; soucieux il ajouta :

Le Parlement va aborder la semaine prochaine un débat sur les propositions contenues dans le livre de John. (Il prit sur son bureau un document et le tendit à son cousin :) Voici le pamphlet que Paterson vient d'adresser à tous les membres de l'Assemblée ; il réfute point par point le contenu de votre ouvrage. Il faudrait que vous trouviez rapidement un moyen de défense efficace.

Andrew s'était emparé du document. John le laissa faire, eut un geste vague, un sourire ironique, et dit :

— Voici donc que j'ai l'honneur de porter ombrage au fondateur de la Banque d'Angleterre qui fut mon ami !

Argyll posa la main sur le bras de John Law. Ils étaient jeunes et charmants tous deux, typiquement Ecossais, et se connaissaient depuis l'enfance :

— Ne vous tourmentez pas trop, c'est la rançon du succès : votre livre a fait grand bruit ! J'ai bien en main ici un des agents confidentiels de Harley [1] ; par lui, je vais faire adresser les détails de votre projet au secrétaire d'Etat qui, peut-être, se rendra compte de l'écrasante supériorité de votre travail. Et je vais adresser le même document à Lord Godolphin. Comptez aussi sur l'appui de Stairs, très bien en cour à Londres.

— Je vous ai une infinie obligation pour tant de loyale amitié, répondit John. Mais je vous demande de vouloir bien renouveler, à cette occasion, ma supplique à la reine !

— Quoi ! s'écria William, en même temps que l'on tente de vous mettre en état de réformer les finances et le commerce de votre pays ?

— Si l'on n'obtient pas l'un, on obtiendra peut-être l'autre, ou tout au moins la facilité pour moi de séjourner sans crainte en Angleterre ! dit Law, un éternel petit sourire froid aux lèvres.

— Je ferai comme vous le désirez, assura Argyll.

Les jours qui suivirent parurent pesants aux habitants de Lauriston Castle.

William et Andrew multipliaient les démarches pour s'opposer à Paterson, mais John, qui eût pu bien davantage en raison de la notoriété que lui valait la publication de son livre, demeurait à nouveau frappé d'inertie.

Depuis le retour à Lauriston de son frère aîné, William avait fait un va-et-vient constant entre Londres et Edimbourg pour tenter d'arracher John à ses états dépressifs et pour essayer de le fixer à Lauriston. Cependant, n'habitant plus l'Ecosse, il n'y avait plus l'entregent de naguère. Quant à Andrew, de graves difficultés l'opposaient depuis peu à sa mère [2], à tel point que celle-ci en était venue à le déshériter et que le crédit du jeune homme en était atteint. L'antipathie réciproque qui séparait Caterina de la mère de John ne faisait qu'ajouter au nombre des divisions familiales qui faisaient régner à Lauriston une atmosphère hostile et triste. Un tel climat, après avoir enlevé à Law son enthousiasme naturel et jusqu'à son goût de lutter et de réussir, ne permettait pas de transformer cette demeure en un foyer chaleureux et en un lieu de rencontres où les théories du précurseur auraient pu se transmettre et s'imposer.

1. Qui allait devenir Lord Trésorier d'Angleterre, avec le titre de comte d'Oxford
2. On ignore lesquelles.

Quelques jours plus tard, le Parlement réuni et convenablement circonvenu par Paterson déclarait que « le projet de John Law de Lauriston mettrait toutes les ressources du royaume dans la dépendance du gouvernement et qu'établir de force l'usage du papier-monnaie n'était pas digne de la nation ».

La séance terminée, le duc d'Argyll, Lord Roxburghe et le jeune comte de Stairs, suivis par William et Andrew, se rendirent à Lauriston Castle. Ils surprirent John Law relisant et méditant les pages de son livre.

— Je n'avais aucune illusion sur l'issue de ce débat, dit-il amèrement. Je crois, voyez-vous, que je parle un langage que ne peuvent encore entendre les hommes de ce temps. J'ai fait ce qu'il y avait de plus sage : écrire un ouvrage. Un livre peut être compris par les hommes de l'avenir, j'en écrirai d'autres...

— La fin de l'indépendance est plus que jamais souhaitable ! dit sombrement Roxburghe.

— Je pense, dit John, que la prochaine session du Parlement sera consacrée à cette importante question ?

— C'est en effet ce qui est prévu, répondit Stairs. Il ajouta : Comprenez que nous n'avons que cette alternative : la guerre civile ou l'annexion.

— Ceci ne me concerne plus, fit John douloureusement. L'annexion n'est plus en effet qu'une question de temps et, dès lors, me voici de nouveau obligé de partir pour l'exil afin de ne pas tomber entre les mains de la justice anglaise.

— Vous allez nous faire souhaiter que la reine vous accorde ce que vous lui avez encore demandé ! s'écria William.

— Mais elle ne me l'accordera pas, répondit John. Pas plus que ses ministres ne s'intéresseront à mes écrits.

— Vous êtes déplorablement pessimiste ! protesta Argyll.

— Oui, car j'apprends à connaître les hommes.

Les partisans de John Law le quittèrent fort tard. Après leur départ, il se glissa dehors. Le parc tout entier s'animait dans la belle nuit d'été. Se méfiant de son destin, agité de sombres pressentiments, il venait lui faire ses adieux. Il vivait un drame, le plus grand sans doute, hormis la mort : quitter son pays et sa demeure sans espoir de retour. Partout désormais sur la terre, il serait un proscrit, un fugitif, un étranger.

Le pays d'enfance continuerait à vivre loin de lui, à se faner à chaque automne, à renaître sous les averses de mai, à s'animer mystérieusement dans les nuits de juillet semblables à celle-ci... « *Just tell me, my little heart !...* » Sa mère vieillirait encore, passerait sans qu'il soit là, et son fils cesserait de découvrir, dans ce jardin promis à l'abandon, les éternelles beautés de ce monde. Le « clan Law » se déferait à jamais. Oppressé, John interrompit sa marche. Devant lui, l'étang, où les fées d'Ecosse déroulaient leurs voiles de brume, brillait de tous les prismes de la nuit. Un rossignol chanta dans les bois.

Il avait tant de fois ici fredonné avec Bethia une ancienne ballade qui lui revenait par bribes qu'il croyait encore entendre la voix pointue de la petite fille :

> *J'irai à l'aventure, reposant parmi les ruines...*
> *Quand donc, vents d'automne, soufflerez-vous ?*
> *Ce ne sont ni le givre glacé, ni les neiges si blanches*
> *Ni les vents de froidure qui me font pleurer.*
> *A travers mes larmes, je souris à mon passé*[1]*...*

Une douleur aiguë le traversa et le raidit. Des sentiments nouveaux l'envahirent, que ne lui avaient inspirés ni l'amitié des siens, ni la tendresse maternelle, ni les amères déceptions. Là, dans ce jardin frémissant, parmi les fantômes d'enfance, montèrent en lui la colère et la détermination : il forcerait le destin, réussirait ailleurs, verrait les parlementaires d'Edimbourg à ses pieds. Un autre homme — celui qui douloureusement naissait du jeune *laird* de Lauriston — sortit des bosquets d'ombre. D'un pas ferme, John Law s'éloigna des eaux dormantes et des brumes où, mystérieuse chrysalide, il était venu accomplir son solitaire envol.

PARIS

Une chaise de poste cahotait durement sur les pavés de Paris. Elle avait franchi à vive allure la barrière du Nord et venait de traverser les deux armées ennemies qui se faisaient face dans les Flandres. Au terme de l'aventure, elle s'engageait dans les rues noires qu'éclairaient mal les rares lanternes, lueurs vacillantes qui se balançaient au milieu d'un fil tendu entre deux maisons et qu'un petit vent froid faisait grincer. A chacune de ces oasis de lumière, l'attelage ralentissait comme pour reprendre espoir et reconnaître sa route, puis repartait dans les ténèbres.

C'était une nuit d'hiver, avec tous ses prestiges, givre aux glaces de la voiture et flocons dansants qui s'épaississaient de minute en minute. Paris dormait dans son passé. Ses lendemains vivaient peut-être déjà dans le regard inquiet de l'étranger qui cherchait son chemin sous la neige dans l'obscurité des rues.

Le fanal de l'équipage éclairait de reflets mouvants les pavés humides, déjà blanchis par endroits. Ils étaient semblables à ceux de Londres, d'Amsterdam, d'Edimbourg, de Dresde, de Budapest ou des places de Venise sur lesquels le voyageur avait jeté le même regard. Il arrivait de Bruxelles, après avoir traversé les décors et les périls de la guerre. Pendant des jours et des nuitées, il avait mangé et dormi dans cette voiture glacée. Une chevauchée sans fin l'emportait ainsi depuis quinze ans. Sa main se crispa légèrement sur le pan de son manteau rouge sombre. Pourtant,

1. *Ballades d'Ecosse,* traduction d'André David.

songeait-il, il faut que de ces pavés-là je fasse lever... Une sorte d'angoisse le prit ; il ouvrit la portière et cria au cocher :

— Je crois que nous voici perdus !

« Perdus ! perdus ! » Le mot s'évanouit dans le silence neigeux de la ville aussi morte que les campagnes qu'il venait de traverser dans la grisaille de novembre. Le cocher, en dépit de l'insécurité des rues de Paris, immobilisa un instant ses chevaux pour rassembler ses souvenirs. L'étranger qu'il transportait venait jouer sa dernière carte dans la capitale endormie d'un royaume épuisé.

Le xviiie siècle et la Révolution venaient d'entrer dans Paris.

Un éclair balaya la chaise de poste : c'était la lanterne qui annonçait l'entrée de la rue de Tournon, où se trouvaient les meilleurs hôtels. La voiture s'arrêta devant une porte charretière blanche, trapue, flanquée de deux bornes. Personne en vue ; nul ne semblait veiller. Le cocher flamand se mit à crier à plein gosier des onomatopées traduisibles par les seuls valets, mais, déjà, son client avait sauté à terre. Un laquais à demi endormi se mit en devoir d'ouvrir le lourd vantail, cependant qu'à grand bruit l'équipage s'engouffrait sous le porche pour gagner la cour enneigée et les écuries.

Abandonnant à son sort cette chaise de poste louée à prix d'or, le nouveau venu secoua ses bottes sur les marches du perron de pierre en haut desquelles apparaissaient, derrière une porte vitrée, une bougie et un bonnet.

— Entrez vite, monseigneur, il fait si froid ! dit une petite voix, et la flamme trembla.

Au-delà de la faible lueur jaune, un magnifique foyer de braise témoignait que des bûches brûlaient là en quantité convenable. Le jeune homme s'en approcha vite, jeta son feutre gris sur une table et laissa son manteau d'incarnat entre les mains de la petite servante. Il portait légèrement ses trente-huit ans, l'âge où l'homme n'est plus l'adolescent attardé qu'il a été si longtemps et entre dans les années du défi de la vieillesse. Il eut ce sourire aigu et doux qui lui avait valu tant de fortunes et pas mal d'infortunes, puis jeta ses gants sur la table.

— Bonsoir, dit-il enfin avec un fort accent. Je suis John Law, baron de Lauriston, gentilhomme écossais, et je désire une chambre confortable avec du feu, beaucoup de feu s'il vous plaît !

Il vit aussitôt s'épanouir en révérence un frais jupon lilas. Il regardait avec curiosité cette petite personne, en fanchon de mousseline et bonnet léger, si différente des grasses servantes d'auberges flamandes, des souillons vénitiennes ou des majordomes en jupons d'Allemagne ou d'Angleterre. Il lui paraissait fort singulier que cet être paré de fanfreluches ait pu résister au morne désespoir de la ville. N'étaient-ce pas bien là Paris et le peuple déconcertant aux pensées rapides et vives qu'il croyait seul capable de le comprendre ? La jeune fille mettait du bois sur les braises, rapprochait du feu un fauteuil à haut dossier et une table à pieds torses qui supportait deux chandeliers d'argent.

— Si monseigneur veut bien patienter quelques instants, nous allons préparer son appartement.

71

— Puis-je avoir une chope de vin chaud et une écritoire ?

Elle disparut dans un envol de jupons à la recherche de l'un et de l'autre, les rapporta bien vite puis disparut à nouveau. John Law se laissa tomber dans le fauteuil et tendit ses doigts gourds à la flamme. Il jeta autour de lui un coup d'œil rapide qui lui permit d'apprécier l'ordonnance de la salle, la propreté des bahuts à caissons et des armoires à la mode du précédent règne, l'éclat des bouilloires et des chocolatières d'argent ; une odeur de cire agréable et fraîche se mêlait aux senteurs résineuses que dégageait le feu de bois et au parfum de vin chaud. John Law se représenta la désolation du dehors, le vent, la neige qui devait s'épaissir lentement, la tristesse de la ville. Il se remémorait la folle équipée qu'il venait de vivre, elle lui apparaissait maintenant sous un jour plus net.

Il avait traversé les armées de John Churchill, duc de Marlborough, et du prince Eugène, fils de la folle Olympe Mancini qu'avait aimée Louis XIV en son printemps. Tous deux assiégeaient Lille. Ce petit-neveu de Mazarin, que liait encore au roi un souvenir d'amour, se battait contre la France pour le compte des Impériaux. Exilé avec sa mère, gravement compromise dans l'affaire des Poisons, il prenait âprement sa revanche.

Louis XIV avait accepté pour son petit-fils la couronne d'Espagne, que l'Empereur d'Allemagne revendiquait pour l'archiduc dans le dessein de reconstituer l'empire de Charles Quint qui eût à nouveau enserré la France. Le vieux roi avait donc repris les armes, et la guerre battait son plein.

Le prince Eugène avait accordé un laissez-passer à John Law, sans se douter qu'il envoyait ainsi à Louis XIV le moyen de triompher de toutes les armées du monde. Sans ce sauf-conduit, en effet, jamais l'Ecossais n'aurait pu parvenir jusqu'à Paris ; les Anglais ne le lui eussent pas accordé. De plus, leur présence aux côtés des troupes impériales constituait pour lui un danger certain.

Mots de passe, silhouettes des sentinelles ennemies, fuites dans le brouillard, passages de gués, lenteur des relais, orage de l'artillerie, appels déchirants des blessés, visages multiples de la misère et de la mort, angoisse, froid, tout prenait d'assaut la mémoire du voyageur et s'enchevêtrait pour créer de nouveaux souvenirs qui s'ajoutaient à tant d'autres. La fatigue tomba lourdement sur lui : il fallait encore tourner une nouvelle page de son destin. Quelle serait la prochaine ? Tout en faisant rouler la plume entre ses doigts, il demeurait pensif en regardant la flamme.

Etait-il possible qu'il eût mené ici même quelques années plus tôt, une existence brillante et facile ? Il y avait subi aussi, il est vrai, cette sorte d'envoûtement qu'il avait appelé son amour pour Caterina. Mais quel feu avait entre-temps ravagé ce pays, cette ville et cet amour ? Tout n'était plus autour de lui que ruines et cendres. Il se demandait si Bourgeois n'avait pas l'esprit égaré pour l'avoir persuadé de venir à Paris à tout prix et en un tel moment.

Il s'était éloigné de Lauriston sans avouer à sa mère que le second refus de la reine Anne, qui l'obligeait à partir, lui enlevait tout espoir de retour. De tels adieux en de telles circonstances l'avaient profondément atteint. A son départ d'Ecosse il s'était installé à Bruxelles, qui paraissait le meilleur poste d'observation d'Europe pour saisir la première occasion qui s'offrirait d'appliquer les théories financières qu'il avait élaborées peu à peu et qui commençaient à former un système cohérent.

Le duc de Savoie, Victor-Amédée, qui entretenait toujours avec lui, de loin en loin, une correspondance intéressante, et Bourgeois, le plus avisé de ses collaborateurs, lui avaient bien affirmé que la France était pour lui le terrain d'expérience idéal. Comment n'avaient-ils pas compris qu'il serait vain d'expérimenter des techniques économiques et financières nouvelles dans ce royaume ruiné et désemparé ? John Law savait aussi qu'on est vite oublié à Paris : que restait-il des relations nouées autrefois ? Et puis, il n'avait été connu que comme un jeune homme insouciant, attaché à la mission diplomatique de Lord Portland...

De nouveau, ce furent le doute et la lassitude. Se lever, partir, prendre les routes qui descendent vers le Sud et la lumière, vers l'Italie qu'il avait aimée. Venise en un instant devint son seul regret ; l'odeur de ses eaux et son ciel irisé venaient à lui dans l'éclat d'or et de pourpre que laissaient traîner ses crépuscules sur les palais où s'allumaient les torches du carnaval. Il entendait les longs cris des bateliers, il voyait le balancement de leur fanal et se laissait à nouveau pénétrer par la musique que leur langue semblait puiser dans une mélancolie que traversait le rire d'une dogaresse en robe d'or... Venise !

Depuis qu'il l'avait quittée, il cherchait de ville en ville le climat de banqueroute qui lui permettrait d'appliquer ses théories et de transformer la vision de l'Economie, comme Copernic et Galilée avaient changé celle du Monde. Et voilà qu'il venait frapper aux portes vermoulues du plus magnifique royaume, où dépérissait un peuple léger certes, mais plus vif que d'autres à saisir les jeux de l'esprit. Seraient-ce ces Français aigus et souples qui le suivraient et auxquels il donnerait la suprématie du monde, la seule véritable, celle de l'argent ?

Comme en réponse à cette interrogation, le jupon lilas de la petite Parisienne lui faisait à nouveau la révérence :

— La chambre de monseigneur est prête !

— Comment t'appelles-tu ? demanda Law.

— Manon, monseigneur.

La sonorité étrangère, très douce de ce nom, chantait en lui.

— Manon, répéta-t-il, c'est un nom pour l'amour.

Mais une fille de Paris ne se trouble pas pour si peu. Ramassant la plume d'oie, elle s'enquit en souriant :

— Monseigneur n'écrira plus ce soir ?

— Je n'ai pas encore commencé, Manon... J'ai rêvé.

Alors, elle se mit à rire franchement.

Les Françaises ne rêvent pas beaucoup, c'est bon signe, pensa Law et, à traits rapides, il traça quelques lignes pour convier le sieur Bourgeois à venir le rejoindre le lendemain. Puis il pria Manon d'envoyer un messager à son correspondant dès la première heure. Elle promit de lui dépêcher un petit

Savoyard du quartier, dévolu à cet office. Ensuite, elle plaça devant lui un gros registre, en accompagnant d'un sourire une explication délicate :

— Les malheurs de la guerre nous obligent, monseigneur, à ces petites formalités. Veuillez coucher là votre nom, indiquer d'où vous venez, ce que vous faites et quel est l'objet de votre voyage.

Law, étonné, fronça les sourcils et feuilleta le gros livre. C'était, à n'en pas douter, un registre de police. Il réfléchit, embarrassé, puis d'un trait, écrivit : « John Law de Lauriston, gentilhomme écossais, financier, domicilié à Bruxelles, venu à Paris pour traiter des affaires. »

— Voilà qui est fait, dit-il, en se levant pour suivre le long d'un corridor glacé le jupon lilas et un flambeau d'argent.

A regret, il prit possession de son luminaire et se retrouva seul dans une vaste chambre que ne parvenait pas à réchauffer un feu récalcitrant. « Paris », murmura-t-il en évoquant la taille ronde et menue de Manon.

DANS LES COULISSES

Law dormait encore profondément dans sa chambre de l'hôtel du Suisse quand l'exempt chargé de relever les registres des hôtels des rues de Seine, de Tournon et de Buci — les meilleurs de la capitale — franchit la poterne enneigée du Grand Châtelet. Il gravit l'escalier de pierre qui menait vers le fameux cabinet noir du lieutenant de police ; il poussa la lourde porte qui le séparait de cette pièce d'un autre âge, voûtée, sinistre, où, en dépit de l'heure, des fonctionnaires dépouillaient des dossiers, classaient des fiches, interrogeaient les agents lancés sur la trace de tous les espions que l'ennemi lâchait sur les routes de France. Il s'avança vers le commis qui d'ordinaire recevait ses rapports et bougonna :

— Pas grand-chose, cette nuit, avec ce temps ! Juste un étranger au Suisse.

— Fais voir !

L'exempt lui jeta la copie de la déclaration de Law. Le commis sursauta :

— C'est incomplet ! Domicilié à Bruxelles, moi je veux bien... Tu ne t'es pas demandé comment il avait parcouru les Flandres ? Tu n'as pas cherché dans ta petite tête comment on traverse en chaise de poste les lignes ennemies, l'armée du roi et les champs de bataille ? On va voir cela de plus près : il n'est pas possible qu'un attelage soit venu de là-bas sans être repéré. Ce serait la fin de tout !

— Veux-tu que j'aille m'informer ? demanda l'exempt dans un large bâillement.

— Trouve-moi plutôt les gars qui sont arrivés des Flandres dans la nuit.

— Je préfère ça ! Ils ne sont pas loin.

Quelques instants plus tard, l'exempt ramenait du service de renseignements qui se trouvait à côté un jeune garçon au visage mince, drapé dans un manteau gris.

— Tu connais ça ? fit le commis en lui tendant la copie de l'exempt.

— Arrivé à minuit trente, à la barrière du Nord, venu directement de Bruxelles, répondit laconiquement l'agent.

— Ah bon ! fit le commis satisfait. Et par quel moyen ?

— Laissez-passer du prince Eugène et... de l'argent, beaucoup d'argent, pour surmonter les autres difficultés.

— D'où lui viennent tous ces louis ?

— Du jeu et des spéculations. Suspect, très suspect. A été plus ou moins un agent secret anglais. C'est pourquoi nous nous sommes inquiétés de lui à Bruxelles.

— Qu'est-ce qu'il fait là-bas ?

— On ne sait pas. Il vit avec une femme qui n'est pas la sienne, et deux enfants. Elle, c'est une méchante créature avec la figure tachée de vin, acariâtre, hautaine, dure... il se peut qu'il ait voulu la fuir. Il est coutumier du fait. Le ménage va au plus mal et il n'a jamais voulu l'épouser.

— Qui est-elle ?

— Lady Caterina Seignieur, une Anglaise de haute naissance, qu'il a enlevée à son mari.

— Diable ! Et quoi encore ?

— C'est don Juan en personne ; les femmes, l'argent viennent à lui comme par un tour d'enchantement.

— Dangereux ?

— Je ne sais pas encore... Je vous ai donné des renseignements de chambrière, soutirés par un cocher flamand et obtenus à la suite de notre accord avec la Compagnie des Coches de Bruxelles, qui lui a loué son attelage. Il faut le « travailler » un petit peu.

— Parfait, suis-le...

L'agent s'inclina. Le jour se levait.

Un peu plus tard, à l'hôtel du Suisse, Law, en culotte de velours bleu de France et chemise de linon, achevait de se faire accommoder par un barbier lorsque le sieur Bourgeois se fit annoncer. Il le fit prier aussitôt d'entrer.

Bourgeois était le commis d'un de ces traitants qui faisaient partie de la horde de courtiers, vendeurs, vérificateurs, contrôleurs, mesureurs, compteurs, auneurs, qui s'était abattue comme un vol de sauterelles sur la viande, les œufs, la volaille, le poisson, les grains, le bois, le charbon, les tissus, les boissons, le foin, les chandelles, le sel et les sacrements ! Ces forbans appliquaient deux ou trois fois les taxes, dont une fois seulement au bénéfice de l'Etat, dépouillaient les commerçants, favorisaient les trafics clandestins, supprimaient la liberté des transactions, enchérissaient le prix de la vie et appauvrissaient le peuple. Ils tenaient bureaux d'affaires, achetaient et revendaient, avant qu'ils ne soient arrivés au port, les navires qui faisaient voile vers les comptoirs de l'Inde et, surtout, ils pratiquaient le commerce infernal des billets au porteur. Ainsi Bourgeois était-il rompu aux finances depuis de longues années. Il connaissait dans tous ses tours et ses détours cette faune très particulière.

Il s'inclina fort bas devant l'Ecossais. Vêtu de futaine brune, cossu, malin, il incarnait le type même du petit-bourgeois de Paris. Dans son visage rond, la ruse et la bonhomie s'équilibraient : il avait le nez retroussé, le teint fleuri des gens qui ne craignent ni la bonne chère ni les vins capiteux, les yeux bleus de faïence, une perruque courte et hirsute ; celle-ci laissait voir les oreilles décollées qui devaient servir d'appui naturel à la plume d'oie du bureaucrate.

Avec bonne humeur, Law congédia le barbier ; il avait retrouvé son optimisme et son audace :

— Prenez un siège, monsieur Bourgeois. Je suis à vous tout de suite...

L'Ecossais se pencha vers le miroir et, d'un geste rapide qu'accompagnait avec élégance le mouvement des larges fronces de sa chemise, il prit la brosse d'argent et la passa sur ses cheveux blonds.

— Je suis à vos ordres, monsieur, dit Bourgeois en s'asseyant.

Law s'était redressé, et enfilait une robe de chambre de velours cerise doublée de fourrure rousse... Il en noua la ceinture et se mit à arpenter la chambre. C'était une vaste pièce un peu solennelle qu'égayaient tant bien que mal un feu de bois, les toiles de Perse à fleurs brunes qui drapaient le lit et la faïence de la toilette décorée de bouquets aux tons vifs. Law interrompit sa marche, sembla mettre de l'ordre dans ses pensées, puis regarda fixement le commis :

— Monsieur Bourgeois, comme je vous le disais hier, c'est à votre appel que j'ai quitté Bruxelles, avec tous les risques que comporte la traversée des champs de bataille.

— J'en conviens, mais comment avez-vous fait pour franchir tant d'obstacles sans histoires ?

— Je n'en reviens guère moi-même, dit Law en souriant. Mais, à vrai dire, j'en ai vu d'autres... Vous connaissez les grandes lignes de mon projet. Qu'en pensez-vous ?

— Je vous l'ai écrit, les circonstances vont vous servir, assura le petit homme. Cependant, il ne faut pas nous dissimuler que nous n'allons pas, du jour au lendemain, faire triompher de si grandes nouveautés !

— Il faudra bien que le roi de France entende raison lorsqu'il sera acculé à la famine et à la banqueroute... et cela ne saurait tarder à en juger par l'aspect de vos armées, de vos soldats, de vos campagnes, de vos villes.

— Je me doute, monsieur, que vous avez dû voir d'étranges choses ! dit Bourgeois en levant les yeux au ciel.

Il eût aimé interroger le voyageur, qui ne lui en laissait guère le temps :

— Il me faut Paris, le roi et la France, mon cher Bourgeois. Non point pour en user à ma convenance, mais pour leur apporter ce qui leur manque, oh combien ! cette puissance que le royaume est en train de perdre.

— Ma foi, monsieur, repartit Bourgeois, vous ne croyez pas si bien dire.

Il est bien certain que nous sommes, après plus de quinze ans de guerre, aux dernières extrémités.

— C'est bien !

— C'est bien ?

— Naturellement, ce n'est pas cela que je veux dire, ou du moins pas dans le sens où vous l'entendez ; mais voilà d'excellentes conjonctures pour que je puisse rendre à la France les plus grands services du monde.

— Vous n'aurez pas à patienter longtemps ; c'est d'ailleurs pour cela que je vous ai appelé. Mais, pour l'instant, la parole est aux diplomates... Je crois que l'on s'apprête à négocier secrètement en Hollande avec le Grand Pensionnaire.

— Connaissez-vous quelque circonstance que ce soit où le dernier mot ne reste pas aux gens de finance, monsieur Bourgeois ? Après les batailles, c'est nous qui gagnons ou perdons la paix. N'est-ce pas nous qui tenons le monde ?

— Sans doute, monsieur !

Un éclair était passé dans les yeux du commis. Cet homme qui avait une si grande idée de la finance lui plaisait, mais n'était-il pas naïf ? Croyait-il vraiment qu'on l'attendait et ignorait-il à quelles puissances d'argent il allait d'abord se heurter ?

— Vous connaissez, monsieur, les gens qui, plus que jamais, règnent ici, dit-il. Je veux parler de M. Bourvalais, secrétaire du roi et véritable soutien de l'Etat, de M. Samuel Bernard, dont on peut dire qu'il est aujourd'hui l'un des plus grands financiers d'Europe et sans l'aide de qui Sa Majesté ne pourrait faire face à bien des échéances, de M. Prondre, qui a pour gendre M. de La Rochefoucauld ; M. Crozat est aussi un personnage considérable ; et combien d'autres pourrais-je citer, qui tiennent tous les pouvoirs et tous les biens, y compris ceux qui appartenaient jadis au sang et à l'honneur puisque, de nos jours, tout se mêle et tout s'achète.

— Tout se vend, le coupa Law, glacial.

— Si vous voulez, reprit le commis avec un indéfinissable sourire. Un titre de marquis et des armoiries coûtent peu, la première soubrette enrichie se fait appeler Madame, titre réservé autrefois chez nous aux femmes des chevaliers, et, à l'aide de gains ou de larcins subtilement accomplis, on peut acheter le quart d'une province. Rien n'est plus simple que de marier ses enfants à la Cour, où l'argent est rare. On bénéficie alors de très grands moyens et de très grands appuis ; savez-vous que le comte d'Evreux a épousé Mlle Crozat...

Law avait cessé de marcher de long en large pour savourer toute la finesse de ce discours. Il souriait, il riait presque... Toute sa fatigue de lutteur l'abandonnait.

— Je ne suis pas si simple, monsieur Bourgeois, que d'ignorer tous ces potins, qui d'ailleurs courent l'Europe, et je connais leur importance. Mais, voyez-vous, affamer un peuple, le ruiner, le traquer jusqu'à l'église, le réduire à l'anarchie, au désespoir, voler l'Etat, ce sont là des solutions à court terme, monsieur Bourgeois, et tout cela n'ira pas loin, vous le savez aussi bien que moi. Mon système à moi est basé sur la richesse, la prospérité, l'honnêteté, la fortune de tous et pour tous.

— Où voulez-vous en venir, monsieur ?

Law hésita. Il mesurait parfaitement ce qu'il risquait en dévoilant bien plus que ses projets immédiats. Cet homme, ce soir, demain, pouvait mobiliser contre lui les grandes forces occultes de Paris. Il fallait, comme autour du tapis vert, abattre d'un coup la bonne carte et gagner aussitôt. La réussite n'est-elle pas faite de parties ainsi remportées une à une ? Il se campa devant Bourgeois, le regarda dans les yeux et déclara :

— Ce que je veux ? Remplacer tous vos traitants par une Banque d'Etat.

— Etatiser l'argent ! dit le commis en sursautant.

— Etatiser le crédit, l'instaurer sous l'autorité d'un roi caissier...

— Qui videra la caisse ! acheva Bourgeois dans un rire spontané.

— Qui défendra la caisse et la maintiendra aussi farouchement qu'on défend et maintient une riche province pour les revenus qu'elle fournit à l'Etat.

Il se rapprocha de Bourgeois et poursuivit :

— Comprenez-moi bien, il faut avant tout faire face à un problème de numéraire. Vous connaissez assez bien le métier pour savoir parfaitement que la politique de raréfaction de l'argent et de spéculation que pratiquent vos maîtres, si elle emplit provisoirement leurs coffres, condamne leur système à mort à plus ou moins brève échéance. (Il se fit passionnément persuasif :) Vous savez bien qu'ils ont perdu, que demain ils se trouveront devant le vide d'une situation inextricable. Ils vont chavirer et disparaître. Vous savez bien que l'argent est trop cher et trop rare et que ce n'est pas l'argent qui doit être cher, mais le travail des hommes ! Vous savez bien que les productions et les manufactures seraient susceptibles de beaucoup d'accroissement si vous aviez du numéraire pour employer les individus et vous savez, encore mieux, que seule une Banque d'Etat peut assurer avec intégrité cette délicate circulation de la monnaie et du crédit, et soutenir une politique de hauts salaires basée sur un numéraire abondant. Il n'existe pas plusieurs politiques génératrices de consommation, de productivité et d'abondance. Il faut que le loyer de l'argent soit très bas, et seul, un roi caissier peut louer l'argent à un taux raisonnable, parce que son intérêt n'est pas d'ordre privé, mais lié tout entier à la prospérité de son royaume [1]. Ce sont là des évidences et l'heure est venue où elles vont s'imposer. Il est temps pour vous de changer de camp, monsieur Bourgeois !

Pour le coup, Bourgeois arrondit ses yeux pâles et ses sourcils entreprirent une ascension étonnante. Law reprenait de son ton sec :

— Vos hommes d'affaires manquent de réalisme ; ils ne voient rien, et surtout pas ce grand pays qui est entre leurs mains et dont ils pourraient tirer mieux qu'une fortune provisoire et menacée : d'inépuisables richesses ; ce sont des sots ! Etre malhonnête et déloyal coûte cher, très cher à ces

1. *Mémoires* et écrits de John Law de Lauriston.

postes-là, vous m'entendez ! Beaucoup plus cher que n'auront d'argent pour en payer un jour le prix vos Crozat, vos Bourvalais et vos Samuel Bernard !

— Monsieur, monsieur ! murmurait le commis, effaré.

— La fortune, monsieur Bourgeois, ce n'est pas le numéraire, l'or et l'argent qui dorment dans vos coffres ; la fortune, monsieur Bourgeois, ce sont les champs, les fabriques, les manufactures, la force et l'intelligence d'un peuple [1]. Oui, c'est cela, la fortune, et l'avenir. Vos misérables traitants, vos hommes d'affaires sont le présent seulement, et la banqueroute !

Derrière les prunelles bleues et mobiles du petit homme, sous son crâne rond, se levait une tempête qui ne s'apaiserait pas de sitôt. Intelligent et avide, il prenait la mesure de John Law, de son intelligence, de la justesse et de la qualité de son projet. Un instant plus tôt, il ne savait pas s'il servirait ce nouveau maître ou s'il le trahirait. Maintenant, il croyait en lui.

— Alors, Bourgeois, que pouvez-vous pour moi ? reprit Law, avec un charme insinuant, par une de ces brusques volte-face qui faisaient partie de sa séduction.

Le petit homme eut un clignement d'œil :

— Vous faire connaître un gentil couple d'aventuriers bien introduits parce qu'issus d'une bonne maison de Provence : le chevalier de Sabran et sa sœur. Lorsqu'ils arrivèrent de Toulon, désavoués semble-t-il par leur illustre parenté et peu argentés, je leur rendis quelques services de ma compétence ; ils n'ont rien à me refuser. Pour quelques louis, ils vous introduiront chez la Duclos, comédienne fort en vogue ici, chez laquelle se pressent, pour jouer un jeu d'enfer à l'abri du lieutenant de police, de puissants personnages que vous avez rencontrés jadis. Vous les retrouverez et vous pourrez tenter de les gagner à vos idées.

— Combien ?

Bourgeois sursauta. Holà ! Cet étranger y allait rondement !

— Que sais-je ! Quatre ou cinq louis.

— Où trouverai-je ces gens ?

— Ce soir, à votre porte, vers... vers dix heures.

— J'y serai. Je savais bien que vous mettriez Paris à ma porte, monsieur Bourgeois !

LE JEU

Ce soir-là, à dix heures, le chevalier de Sabran et sa sœur descendirent d'un branlant carrosse de remise devant l'hôtel du Suisse. C'étaient de ces jeunes dévoyés comme il en était tant dans la capitale. Beaucoup de prétentions et peu d'argent, beaucoup d'ambitions et peu d'intelligence, une

1. John Law.

grande fainéantise et peu d'imagination en faisaient ces éternels figurants qui vont et viennent avec superbe, sur les pavés de Paris, vivant d'expédients, de libertinage et de mots creux.

Le chevalier était enrubanné comme un œuf de Pâques et habillé comme les singes savants de la foire Saint-Germain où il passait sa curieuse vie de sot. La demoiselle portait avec grâce une fontange hélas démesurée, et trop de mouches assassines sur une joue fraîche ; mais elle avait le nez petit, l'œil de velours, les boucles brunes, la bouche charnue, toutes choses qui eussent paru infiniment plaisantes si un certain négligé, fort affecté par surcroît, n'eût communiqué à toute sa personne, comme à celle de monsieur son frère, un air de malpropreté qui rebutait extrêmement.

Law les toisa froidement et sans précaution inutile, leur tendit une bourse qu'ils acceptèrent avec désinvolture en l'invitant aussitôt à les suivre :

— Allons, monsieur ! s'écria le chevalier, pressons, Mlle Duclos nous attend. Elle est de mes amies et apprécie fort mes vers, car je fais des vers... Tout Paris est chez elle, vous en êtes désormais, par nos soins !

Quelques instants après, le trio se dirigeait vers la maison de la comédienne qui habitait tout près de la rue des Marais [1] — expliquait le chevalier — à quelques pas de la maison où Racine, dont elle était devenue la magnifique interprète, était mort quelques années plus tôt. Aux cahots du carrosse vétuste, le chevalier racontait encore que la Duclos, non contente de tenir tous les soirs au Théâtre-Français, faubourg Saint-Germain, les grands rôles tragiques qui lui permettaient d'assurer avec brio la succession difficile de la Champmeslé, en tenait le jour et dans le privé de fort scabreux. Divers scandales suscités par son caractère volcanique l'avaient mise fort à la mode.

— Paris est une drôle de ville ! dit John en souriant. Si je comprends bien, pour y réussir, il faut y faire du bruit, de quelque manière que ce soit, frapper l'imagination, éblouir, créer une mode !

Tout en philosophant de la sorte, ils étaient parvenus devant une belle demeure. Des laquais superbement galonnés, portant chacun un candélabre d'argent où brûlaient des bougies, attendaient les invités sous le porche. L'un d'eux se détacha et guida les nouveaux venus au long d'un escalier de pierre orné d'une admirable rampe de fer forgé. Ils montèrent ainsi un étage, puis parvinrent dans l'antichambre où Law se défit de sa cape rouge, de son tricorne et de son manchon de martre, avant de pénétrer dans une grande pièce ornée de marbres et de motifs en bronze doré. Il s'arrêta, saisi : ainsi la détresse et les ruines pouvaient aller de pair dans ce curieux pays avec un tel étalage de luxe. Entre quatre hautes fenêtres aux rideaux de damas blanc s'épanouissaient, dans des caisses d'argent, comme à Versailles, de magnifiques orangers. Une nombreuse et douteuse assistance soupait sous les lustres de cristal, ou se bousculait quelque peu autour des tables chargées de friandises. De jolies filles riaient à gorge déployée — et on ne saurait mieux dire —, serrées de fort près par des petits-maîtres ; le vin de

1. Actuellement rue Visconti.

80

Champagne coulait à flots et des gelées de fruits emplissaient des coupes transparentes, allumant des feux de pierre précieuse parmi les victuailles.

Law pensa à la boue, au sang, aux râles, au froid dans les Flandres en guerre ; mais son attention fut vite captée par quelques groupes plus silencieux qui, tout au fond de la pièce, cernaient les tapis verts où glissaient les cartes... Là se libérait une passion et se menait aussi une lutte hasardeuse contre la misère qui régnait sur la ville du luxe et de l'insouciance. De ce cercle se détachait une belle fille, par trop semblable aux modèles chers à Rubens, qui vint au-devant du nouveau venu. C'était Marie-Anne de Châteauneuf, dite Duclos, la maîtresse de ces lieux et de quelques perruques qui s'agitaient non loin de là. Son œil bovin s'enflamma à la vue de Jessamy John ; elle savait qui il était, car elle s'était fait conter quelque peu son histoire et elle l'attendait. Tout de suite et avec force cajoleries, elle le poussa vers les tables de jeu.

— Messieurs ! cria-t-elle, je vous amène le plus fameux joueur d'Europe, monsieur le baron John Law de Lauriston, d'Edimbourg, célèbre à Londres, Amsterdam, Bruxelles, dans tout l'Empire et dans la République de Venise pour ses gains sans pareils !

Des exclamations discrètes saluèrent cette apostrophe, de profonds saluts s'échangèrent. Cependant, le duc de Gesvres, souvent rencontré autrefois, se porta au-devant de Law et l'accueillit d'un :

— Vous voilà donc revenu parmi nous ?

— Ne dit-on pas, monsieur — continuait la Duclos en s'adressant à Law — que vous jouez jusqu'à cent mille livres et que, votre main ne pouvant tenir cette quantité d'or, vous venez de faire frapper à votre usage personnel des jetons de dix-huit louis ?

Law renversa sur le tapis vert le contenu d'une bourse de soie :

— Les voici... dit-il simplement.

Avec admiration et curiosité, chacun s'emparait des jetons, les tournait et retournait en tous sens.

— Voilà qui est remarquable ! dit le duc de Gesvres. Je suis impatient, monsieur, d'être de nouveau votre partenaire !

Il désignait à Law une place en face de la sienne :

— Monsieur Law sera notre banquier !

Law sursauta et acquiesça. D'un geste qui trahissait l'habitude, on pourrait dire le métier, il saisit les deux jeux de cartes, distribua l'un, battit l'autre. Cette vélocité surprit moins que la finesse de sa main, la beauté de l'améthyste qui l'ornait et la splendeur de la manchette en point de Bruges qui balaya le tapis vert. Avec un bruit d'aile, les cartes volaient de-ci, de-là, puis retombaient dans un petit claquement mat. Les joueurs misaient gros. D'un coup d'œil glissé entre ses paupières mi-closes — c'était son expression lorsqu'il se livrait à ses fulgurants calculs —, Law vit s'entasser les louis d'or à côté du valet de cœur et de la brune dame de pique, l'âme de ces jeux d'enfer, à laquelle il portait une singulière préférence.

— A vous, monsieur de Lauriston !

Et voici que du premier coup, il abattait la reine de pique, en compagnie de la dame de carreau. Il commençait par un doublet, les trois quarts de la mise lui revenaient donc.

En face de lui, le duc de Gesvres le regardait avec admiration. Les unes après les autres, les cartes tombaient dans le silence. Parfois un murmure, une demi-exclamation...

— As partout !

Law songeait, maintenant. Le jeu se déroulait tout seul, comme prévu, suivant ses infaillibles prévisions ; à la vue des jetons d'or qu'il jetait négligemment et de tous ceux qu'il ramassait, une grande émotion sentimentale envahissait Mlle Duclos. Il le remarqua, sourit et abattit deux nouvelles cartes :

— Trèfle et cœur, sept et dix ! annonça monsieur le duc de Gesvres.

Le trèfle et le cœur, les cartes de l'argent et celles du Tendre ! pensait Jessamy John, toujours souriant. Toute la philosophie de la vie ! Pas tout à fait, corrigea-t-il en observant la comédienne qui s'appuyait familièrement à l'épaule du duc, cependant que ce puissant personnage souriait, béat, presque reconnaissant.

« Sur ce monde vaniteux et fatigué par trop d'excès, le prestige des comédiennes doit être grand », pensait Law.

— Valets partout ! criait le duc.

Mlle Duclos applaudit.

— C'est le banquier que vous applaudissez, mademoiselle, ne put s'empêcher de murmurer Law, mais elle ne comprit pas.

Les comédiennes, pensait-il à nouveau, non seulement tirent un piment extraordinaire d'être sous les feux de la rampe le point de mire de tous et subissent ainsi une merveilleuse idéalisation, mais elles apportent ce rare adjuvant d'être, sous l'œil de tous, désirées par tous. Et, comme chacun sait, le désir d'un homme pour une femme s'accroît en progression géométrique de celui des autres hommes pour la même femme !

Son immuable sourire trahit soudain une certaine lassitude. Le jeu se prolongeait, s'enfiévrait, on parvenait au vingt-sixième coup.

— A fond de taille ! criait Gignoux, l'acteur.

— Je double la mise, dit Law à mi-voix.

Un silence tomba sur le groupe.

— Fort bien, murmura le duc.

Jessamy John regarda la Duclos : elle se pâmait. Cette maîtresse-là, songea-t-il, sera sans doute une bonne référence pour moi au débotté de Bruxelles.

Il connaissait les comédiennes. N'étaient-elles point d'agréables compagnes, beaucoup moins ennuyeuses « après » que la plupart des femmes ? Celle-là avait, par surcroît, certainement une tendance très divertissante à vous servir à tout bout de champ le paroxysme du troisième acte...

— Cœur, cœur ! hurlait le marquis d'Asson.

Puis on n'entendit plus rien : les petits tas d'or fondaient à vue d'œil. Aux tables d'amour, le vin et la torpeur de l'aube mettaient une sourdine ; une pâle lueur s'accrochait aux rideaux glacés de blanc, les bougies s'étiolaient dans les candélabres. Dans ces fantasmagories, les joueurs pâlis, les yeux cernés, les manchettes et les coiffes chiffonnées, les perruques débouclées, ressemblaient à des marionnettes après le spectacle.

Un bruit d'aile, deux petits claquements mats, un cri rauque, un tabouret qui roule à terre à grand bruit : la scène changea d'un coup... Les joueurs criaient, s'agitaient, admiratifs ou furieux, un brouhaha insolite transformait ces personnages, qui, tout à l'heure, s'exprimaient courtoisement, en bateleurs mal embouchés tels qu'on en pouvait voir chez Ramponneau à la Courtille. Que se passait-il ?

John Law venait de tailler une énième fois à fond et de terminer par un doublet qui lui permettait de rafler les mises des joueurs. Or ceux-ci avaient jeté sur le tapis tous les louis qu'ils avaient dans leur bourse ; beaucoup avaient même engagé les pièces d'or qui dormaient chez eux dans leurs coffres.

M. le duc de Gesvres, très pâle, se leva. La Duclos abordait Jessamy John avec un air langoureux et de profonds balancements de l'arrière-train. D'un pas lent, le duc contourna la table et se dirigea vers l'Ecossais qui, d'un air distrait, ramassait l'or épars sur le tapis.

— Je suis obligé de vous féliciter, dit le duc. Nous vous ferons tenir le reste demain matin... C'est la plus grande défaite que j'ai jamais subie !

Law eut un geste évasif.

— Laissons cela, monsieur le duc.

Celui-ci eut un haut-le-corps : il ne s'agissait point que l'on semblât mésestimer sa fortune et sa noblesse, d'autant plus qu'elles étaient d'aussi fraîche date que celles de M. Jourdain... Les Gesvres n'étaient hier que les Potier, fourreurs, devenus de grands seigneurs à la mode de ce temps-là.

— Que croyez-vous donc, monsieur !

Law comprit qu'il avait commis un impair. Comme il s'était levé, il s'inclina avec courtoisie. Cette aisance plut. Le duc de Gesvres regarda longuement Law, le salua et sortit. Il entraîna à sa suite tous les joueurs dont beaucoup, victimes du fameux secret de l'Ecossais, observaient celui-ci avec moins d'aménité. Les Sabran, qui s'étaient tenus en retrait près des soupeurs, s'éclipsèrent comme les comparses d'une comédie lorsque leur rôle est achevé. Les valets emportaient les flambeaux consumés. Law sourit à la Duclos qui lui tendait une coupe de vin doré et ce sourire-là, admirable langage international, se passait de commentaires [1].

Jessamy John remettait à Paris ses lettres de créance.

1. 1707 ou 1708, sur ces dates on ne dispose que de documents imprécis.

LE MARCHÉ DE L'AMBASSADEUR

Un an avait passé. Law était allé rejoindre pour quelque temps Caterina et ses enfants en Italie, au cours de l'été. L'automne venu, ils se séparèrent à nouveau : Law prit la route de Paris, et sa famille celle de Bruxelles.

Il avait loué l'hôtel de Vieilleville, acheté un carrosse, et une livrée nombreuse l'escortait en tout lieu ; son élégance faisait le reste. Dans le Tout-Paris, se propageait un engouement pour ce magicien qui courtisait la dame de pique, pour ce don Juan qui fascinait les femmes, qui semblait posséder quelque source d'or mystérieuse et des secrets de fortune auxquels il faisait volontiers de troublantes allusions.

Tout en se pavanant dans les salons, John Law abordait brusquement tel ou tel personnage, le stupéfiait par l'exactitude de ses informations, la hauteur de ses vues, leur audace, et retenait définitivement son attention. Il frappait les imaginations... mais d'autres l'avaient fait et le feraient avec tellement moins de moyens et de génie personnel !

Le duc de Gesvres, après Marie-Anne Duclos dont il s'était vite lassé, l'avait introduit dans la compagnie des personnages les plus considérables. Toute la Cour défilait alors dans les grandes demeures parisiennes. Contre Versailles, capitale politique, Paris se voulait capitale de l'esprit. L'entourage de Sa Majesté recherchait, sur les bords de la Seine, La Motte, Fontenelle, secrétaire perpétuel de l'Académie des sciences, auteur des fameux *Entretiens sur la pluralité des Mondes habités*, et les artistes qui tentaient d'immortaliser le passage léger d'une société sur l'aile du temps. Les uns et les autres étaient familiers de l'hôtel de Gesvres. Ils venaient de l'hôtel voisin, sis rue Neuve-Saint-Augustin, qui appartenait au marquis de Ferriol, ambassadeur de France en Turquie et dont les jardins communiquaient avec ceux du duc de Gesvres et avec ceux de l'hôtel du maréchal d'Huxelles. Ces trois demeures formaient un assez joli nœud d'intrigues et de galanteries, et l'amour sautait allégrement les palissades des jardins français.

Dans l'hôtel de l'ambassadeur, toujours absent, résidait son frère, haut magistrat, aussi vieux que sourd, et sa belle-sœur, l'une des sémillantes sœurs de l'abbé de Tencin, maîtresse en titre du maréchal d'Huxelles dont le crédit à la Cour était considérable. Cette jolie femme avait pu ainsi grouper autour d'elle un monde divers et bigarré, composé de grands seigneurs, d'artistes, d'ecclésiastiques, de diplomates étrangers et tout ce monde-là gagnait tout naturellement l'hôtel de Gesvres et ses tapis verts.

Mme de Ferriol avait deux fils et élevait de surcroît deux petites filles au sujet desquelles tout Paris s'agitait. On murmurait fort que c'était un grand scandale que, dans la capitale de Sa Majesté Très Chrétienne, la femme d'un Président au Parlement élevât deux esclaves achetées chez les Barbaresques et ce, à l'usage personnel d'un ambassadeur de ladite Majesté ! Mais l'ambassadeur était loin, les petites filles grandissaient sagement, les mauvaises langues se turent. La plus jeune d'entre elles partagea, à huit ans, des amours enfantines avec l'aîné des fils du duc de Gesvres ; tout le monde s'en amusa, sauf l'ambassadeur qui eut la folie d'en prendre ombrage depuis Constantinople, puis tout rentra dans l'ordre. Or, voici qu'un beau soir où Law s'en venait souper chez les Ferriol, de compagnie avec le marquis d'Effiat, la duchesse de Mazarin, la comtesse de Boufflers, la marquise de Lambert et le duc de Saint-Simon, voici qu'un coup de tonnerre remit tout en question et jeta les Ferriol dans une tempête dont Paris et Versailles allaient se divertir pendant huit jours.

Dès l'abord de l'hôtel brillamment illuminé, John Law perçut quelque chose d'insolite : les laquais, au lieu d'attendre sous le porche, s'oubliaient jusqu'à former des groupes affairés et caquetants, ce qui communiquait aux candélabres, partant aux lumières, des oscillations et des mouvements inhabituels et fort surprenants. Les invités descendaient de carrosse au milieu de l'inattention générale et voyaient des chambrières en bonnet se faufiler en tous sens, des jeunes gens aller et venir fébrilement, cependant que nul ne songeait à les accueillir ou à leur faire escorte. Ils se saluaient dans un profond ébahissement ou se faisaient aborder de la manière la plus inusitée et la plus cavalière par des : « Vous êtes au courant ? » ou bien : « On vous a dit ? »

L'arrivée de Law dans les grands salons lambrissés de marbre vert, où entrait, par les portes-fenêtres ouvertes sur les jardins, la douce nuit de printemps, passa complètement inaperçue ; dans l'ombre, quelque part sous les arbres, un invisible musicien jouait à la guitare une prenante mélodie dans le style italien. Law en fut ému. C'était Venise qu'il retrouvait là, surgissant d'un parterre de Le Nôtre... Ce ne fut qu'un instant ; il se reprit très vite pour dévisager et reconnaître un étrange personnage, un poivrot magnifique en habit de cour et haute perruque qui, tournant le dos à l'assemblée bourdonnante, oscillait du chef en regardant aussi du côté d'où provenait le chant de la guitare et qui murmurait :

— Evidemment, c'est par les jardins que cela s'est fait.

— Je ne crois pas, monsieur, dit Law, exaspéré et voulant en finir.

Le grand seigneur se retourna, stupéfait, vers celui qui osait l'aborder ainsi ; mais ce soir-là, tout était tellement extraordinaire ; la curiosité l'emporta :

— Vous... vous avez des lumières particulières ? s'enquit le marquis d'Effiat.

— En beaucoup de choses, oui, monsieur, affirma Law qui commençait à s'amuser prodigieusement. A vrai dire, poursuivit-il, que voyez-vous là qui puisse étayer vos déductions ? Que voyons-nous là ? Une guitare, et encore est-elle dans l'ombre ; donc nous ne la voyons même pas ! Une guitare, autant dire l'amour !

— Eh bien, monsieur, nous y voilà !

— Ah, nous y voilà ? Ah, c'est l'amour ! dit Law intéressé.

— Oh, parfaitement ! Et que vouliez-vous que ce soit ?

— Je ne vois personnellement aucun inconvénient à ce que ce soit l'amour qui est, à vrai dire, un de mes très fidèles partenaires ! Donc il a encore fait un mauvais coup, là, dans ce jardin ? Je connais ses façons... L'important, voyez-vous, est de savoir lequel des deux aime le plus : elle ou lui ? Car il y en a toujours un des deux qui...

— Elle a fait cela pour échapper à son « aga », comme elle dit.

— Pardon ? dit Law étonné. J'ai beaucoup voyagé, mais ce terme me demeure étranger, il appartient à quel langage ?

— Au turc, monsieur.

Law sursauta. Cette affaire demeurait obscure.

— Au turc ? Si vous voulez, allons-y !

— Comment, si je veux ? s'étonnait Effiat qui était un sot.

— Ne faites pas attention. Donc, nous en étions au turc !

Effiat retrouvait péniblement le fil de son discours et la guitare égrenait toujours dans l'ombre ses notes de velours.

— Oui, au turc... Elle n'a pas voulu coucher avec lui, voilà !

La figure d'Effiat s'éclaira ; il partit d'un grand rire, et donna une tape amicale sur l'épaule de Law. Pardi, c'était cela !

Law éclata de rire à son tour.

— Evidemment ! s'écria-t-il, comprenant de moins en moins, c'est cela ! C'est lumineux, mais pourquoi donc ?

— Voulez-vous mon avis, monsieur ?

— Certainement.

— Eh bien, c'est parce qu'il l'a achetée, dit Effiat en confidence.

— Qui ?

— Elle...

— Il l'a achetée, elle ?

— Oui.

— Grand Dieu, où cela ? demanda Law.

— Au marché.

— Comment au marché ? Où cela ?

— En Perse, dit Effiat.

— Oh !

— Vous n'êtes donc pas au courant ?

— Si ! oh, si ! dit Law en s'enfuyant à toutes jambes.

Il aborda précipitamment la spirituelle Mme de Lambert et s'enquit :

— Madame, je vous en prie, parlez-moi de cette personne qui a été achetée au marché, en Perse, qui n'a point voulu, enfin oui, coucher avec un Turc et à laquelle est advenue quelque mésaventure dans ce jardin de Paris. La société française est vraiment bien surprenante !

Celle qu'allait immortaliser Lesage dans son *Gil Blas de Santillane* eut un joli rire :

— Que faut-il vous en dire ? Seize ans, le regard de Circé, un esprit singulier, un charme contagieux, une énigmatique sagesse, une sensibilité vive qui se dérobe fort et des desseins bien formés, bien arrêtés. Et tout cela vient de se faire enlever sans amour, par un sot riche à crever qui, de la sorte, l'a soustraite aux droits qu'entendait exercer sur elle M. de Ferriol, ambassadeur à Constantinople.

— Lequel l'avait achetée en Perse...

— Vous y êtes ! Un an plus tard, il a acheté une seconde petite fille, qu'il fait également élever par sa belle-sœur, laquelle prépare ainsi à ses vieux jours un agréable gynécée ! Aujourd'hui, Mme de Ferriol, plus morte que vive, s'attend à être déshéritée par l'ambassadeur et chassée de l'hôtel de Ferriol. Elle en veut au duc de Gesvres qu'elle accuse d'être complice de l'escapade, car la fugitive n'a pu s'échapper sans être vue que par ces jardins et cette porte, c'est évident...

Law hocha la tête. Il se sentait obscurément troublé par la fatalité qui pesait sur ce destin comme sur sa propre vie et qui semblait les marquer tous deux pour l'aventure. Pour la première fois de son existence, il entendait parler d'une histoire aussi folle que la sienne, et c'était celle d'une femme.

La marquise de Lambert continuait :

— Ce qui est fâcheux en l'occurrence, c'est qu'il est impossible de s'adresser au lieutenant de police pour rattraper la belle, car tout aussitôt elle parlerait, et le scandale serait inouï ! Imaginez la Maintenon apprenant qu'un ambassadeur de Sa Majesté possède des esclaves en plein Paris ! La belle aventure ô gué ! la belle aventure ! murmura la marquise, relevant d'un geste ravissant sa robe de brocart d'or.

Elle allait s'éloigner, quand John Law la retint :

— Accordez-moi encore quelques instants, madame. Je crois que j'ai un conseil à vous demander.

Elle le regarda, soudain attentive, cependant que Jessamy John observait en connaisseur l'ébauche de cette jolie fuite, d'un mot arrêtée.

Bien qu'ayant déjà un certain âge, Mme de Lambert était une exquise créature, mais, comme le disait Fontenelle son ami, sa maison demeurait la seule qui se fût préservée de la maladie épidémique du jeu, ce qui en rendait l'accès plus difficile à John Law. Cette aimable femme avait gardé des débordements de sa mère, Mme de Courcelles, que ce polisson de Tallemant des Réaux se plut à conter, un goût violent pour la sagesse souriante, que l'indépendance de son veuvage ne troublait pas. Bien qu'elle se fût ralliée au parti des Modernes en embrassant la Querelle [1], Lesage la raillait d'être « grippée de philosophie ». Elle tenait bureau d'esprit et Marivaux trouvait chez elle son style : on y verrait le marivaudage succéder à la préciosité. Il faudrait que je l'approche davantage, songeait Law, c'est là un type de femme qui ne se trouve qu'ici ; de surcroît, sa demeure est, dit-on, devenue une succursale de l'Académie et elle-même tient la plume, sans prétention, mais pour son plaisir.

— Eh bien, monsieur ?

Mme de Lambert se sentait enveloppée par l'insinuant regard bleu. La

1. On sait que la Querelle des Anciens et des Modernes opposa les esprits de novation à ceux qui mesuraient la qualité d'une œuvre littéraire à son bonheur d'imitation des œuvres de l'Antiquité.

guitare poursuivait toujours sous les lourds ombrages du jardin ses capiteuses modulations.

— Sortons, voulez-vous ? Nous serons mieux pour parler dans l'allée, proposa l'Ecossais.

Sans mot dire, elle le suivit. Sa robe balayait à présent le perron de marbre. Jessamy John se sentait vivre dans la compagnie des femmes, quand elles avaient de l'esprit. De celle-ci, il attendait soudain mieux qu'un conseil. Parfaitement conscient de ses moyens et de l'effet qu'ils produisaient sur la marquise de Lambert comme sur toute autre, il fut bientôt, au détour des bosquets pleins de clarté de lune, sur le pied de lui parler d'abondance de ses idées et de ses projets. Le conseil vint soudain, de lui-même, et le laissa surpris et attentif.

— Il n'y a qu'une personne, en ce royaume, susceptible de vous comprendre et de vous aider : M. le duc d'Orléans, neveu de Sa Majesté.

— Vous pensez vraiment que M. d'Orléans puisse entendre des propos si hardis ? La Cour de France paraît si éloignée de telles manières de voir, trop nouvelles en vérité pour avoir démontré ce qu'elles valent.

— M. d'Orléans remonte un courant contraire à celui de la Cour.

— Vraiment ? s'étonna Law.

En quelques mots, elle le mit très finement au fait de la position de celui que le peuple adulait comme le jeune héros national :

— A son chapeau, nous croyons voir flotter le panache du roi Henri, son arrière-grand-père. Lors de ses rares apparitions aux armées, il se couvre de gloire. Au mois d'octobre, contre l'avis de tous et au son des violons qu'il avait commandés par avance pour célébrer la victoire, il prit l'imprenable Lérida. Mon fils était à ses côtés. Notre prince est beau, plein de génie et de dons, mais le roi a grandi dans les troubles suscités par la faction d'Orléans ; le souvenir de la Fronde le hante. Il voit avec angoisse que ni son fils, ni ses petits-fils ne pourront se mesurer, sur quelque terrain que ce soit, avec ce prince fait pour soulever les peuples, pour charmer aussi bien les femmes que les philosophes, les artistes que les savants, et il se défend péniblement de l'aimer. Il a cru de son devoir de faire payer à M. d'Orléans chacune de ses victoires par des mois de disgrâce, d'éloignement, d'inaction. Il l'a atteint au cœur, ce cœur aventureux qui porte en lui toutes les ardeurs et toutes les soifs. Contraint à l'oisiveté, le prince devient le spectateur désespéré de désastres militaires qu'il pourrait éviter. Il subit l'ingratitude et l'injustice qui dévorent les jeunes hommes de cette trempe comme un incendie.

— Mais, s'étonnait Law, il est cependant le gendre de Sa Majesté !

— On lui a fait en effet épouser de force la fille préférée du roi et de Mme de Montespan, et je vous assure que cela n'arrange pas ses affaires ! Elle cabale contre lui avec sa sœur, la redoutable duchesse de Bourbon, et avec son frère et sa belle-sœur, le duc et la duchesse du Maine. C'est ainsi que M. d'Orléans en est venu à prendre le contre-pied de tout ce que dit, fait ou pense la Cour, et qu'il se plaît à scandaliser même ceux qu'il aime, comme le duc et la duchesse de Bourgogne et le duc de Saint-Simon. Il se montre plus impie qu'il ne l'est dans sa souriante incrédulité, se roule dans le vice, se commet avec des charlatans qui lui font voir le diable, dit-on, et quoi encore !

— Y a-t-il là de quoi satisfaire un jeune héros ?

Mme de Lambert sourit avec une nuance de mélancolie et ajouta :

— Il lui restait à courir la suprême aventure... Il se prit à aimer une fille qui ouvrait à peine les yeux sur le monde. Depuis neuf ans, il ne vit que par elle, que pour elle ; ils ont un fils — elle hocha la tête — mais son étrange destin le poursuit.

— Que voulez-vous dire ?

— Le bruit court, reprit-elle, qu'il est actuellement cerné de pièges : le clan des enfants de la Montespan, entre autres la duchesse de Bourbon, qui le hait pour l'avoir trop aimé, l'accusent dans l'ombre de comploter en Espagne pour s'emparer du trône de Philippe V.

— Il est certain, dit Law, qui était au courant de toute la politique européenne, il est certain que les grands d'Espagne témoignent sans discrétion qu'ils sont prêts à le préférer à Philippe V et à son rival autrichien, tous deux sans génie, inféodés l'un à Versailles, l'autre à Vienne. Philippe d'Orléans est, lui aussi, le petit-fils de Philippe IV, mais il saurait gouverner et se battre ! De leur côté, les Anglais entrent pasionnément dans ces vues. Lord Stanhope, chef du nouveau parti de la finance, est un ami personnel de M. d'Orléans qui, on le sait à Londres, dit bien haut qu'il apprécie ses principes libéraux. Les protestants n'ignorent pas qu'il se déclare opposé aux aberrations de la révocation de l'édit de Nantes, aux lettres de cachet et aux dragonnades ! souligna Law qui appartenait à l'Eglise Réformée.

— Mais, affirma Mme de Lambert, M. d'Orléans est généreux et loyal, il ne trahira jamais son neveu le roi d'Espagne ! Rien n'est aussi loin de lui et pourtant, la calomnie fait son chemin.

— Si je vous entends bien, dit Law atterré, la seule personne susceptible de s'intéresser à mon projet est fort mal en cour ?

Elle s'arrêta encore, posa la main sur le bras de l'Ecossais et dit doucement :

— Voyez toujours M. d'Orléans. Lorsque le roi qui a soixante-dix ans n'y sera plus, il restera la seule tête pensante de ce royaume...

— Mais comment l'aborder ?

— Par l'abbé Dubois.

— L'abbé Dubois ? Son ancien précepteur qui vint à Londres ?

— Oui-da ! Il fut aussi son compagnon d'armes et son complice, aussi acharné à courir aux côtés de son maître sus à l'ennemi que sus aux jupons des grasses luronnes de Flandre et d'Italie. D'un héroïsme et d'un dévouement sans bornes, il sauva M. d'Orléans sur les champs de bataille de plus d'un mauvais pas où l'avait attiré son audace, et il le retint au bord des pentes au bas desquelles le désespoir et le vice menacèrent un temps de le précipiter.

— Un ange gardien, en somme ! dit Law en riant.

— Comme vous y allez !

A son tour, la jolie femme éclata de rire.

— Si vous le connaissiez ! reprit-elle ! Apre, ambitieux, il rêve de destins fabuleux pour son prince, c'est-à-dire pour lui-même ! Il fut à Londres, chez Stanhope, fêté, adulé, reçu par les plus grands, lui, le fils d'un petit médecin ou d'un petit apothicaire de Brives, que l'on traite ici comme un faquin. Il en a conçu un orgueil immense et un empressement très vif à servir l'Angleterre qui ouvre aux hommes de sa sorte tant d'horizons inespérés !

— Je sais, reprit Law, qu'il s'était glissé, avec l'appui du duc d'Orléans, parmi les négociateurs chargés par le roi, à la veille de la succession d'Espagne, d'étudier la sauvegarde d'un équilibre européen.

— C'est alors que notre abbé profita de ses prodigieux succès pour parvenir jusqu'au roi d'Angleterre ; il lui rappela les droits de M. d'Orléans, petit-fils d'Anne d'Autriche, et lui démontra que l'élection de ce prétendant éviterait les conflits inévitables entre Versailles et Vienne qui pourraient enflammer l'Europe. Vous voyez que les rancœurs du roi d'Espagne ont de lointaines racines semées par Dubois, avec sans doute l'assentiment de M. d'Orléans qui, à cette époque où les jeux n'étaient pas encore faits, n'avait point le sentiment de trahir qui que ce fût en posant une candidature légitime.

Law prenait la mesure de ces problèmes, admirant qu'ils lui fussent si aisément présentés, au cours d'une conversation rapide et légère.

Il sourit, hésita, puis se décida :

— Et comment aborder Dubois ?

Elle répondit finement à son sourire :

— Voyez ce vieux brigand d'Effiat qui vous a si fort diverti tout à l'heure avec l'histoire de la jeune esclave circassienne des Ferriol. M. d'Effiat est l'ancien favori du père de M. d'Orléans. Il fut même accusé d'avoir joué un rôle dans la mort affreuse de Madame Henriette [1]. Il fait en quelque sorte partie du mobilier de la maison d'Orléans : mais s'il a peu de crédit auprès du prince, il peut vous ouvrir la porte de l'ancien précepteur avec lequel il fait assaut, dit-on, de politesses et de bons offices inavouables !

— Je vous rends mille grâces, madame, dit Law en s'inclinant. Pourrai-je, en reconnaissance de tant d'esprit et de sagesse, vous aller présenter quelque jour mes hommages ?

Elle le regarda. Le séduisant étranger souriait toujours dans l'ombre. Ce regard si sûr, si calme, vacilla, se détourna.

— Je vous recevrai, dit-elle simplement, et elle s'éloigna, laissant derrière elle son parfum léger et le froissement de sa longue traîne sur le sable.

Jessamy John demeura seul un moment, en proie à de profondes réflexions, puis il réapparut dans les salons de marbre où la fête continuait. Il se mêla aux groupes empressés qui réclamaient des tables de jeu. A peine

---

1. Henriette d'Angleterre, première épouse de Monsieur, frère de Louis XIV et père de Philippe d'Orléans.

dressées par les valets, elles furent prises d'assaut. Il se retrouva assis à l'une d'elles. Machinalement il prit les cartes, découvrit la dame de pique. Le regard de Circé, songea-t-il : une fleur noire... cependant que les cartes glissaient à une vitesse vertigineuse entre ses doigts.

Vers la place demeurée vide en face de lui, se dirigeait le maréchal duc de Noailles, suivi de toute une escorte caquetante. Law se leva, salua, se rassit ; le duc répondit avec lourdeur, et les deux hommes se dévisagèrent.

Pour la première fois, ils se trouvaient face à face ; pour la première fois, ils allaient jouer l'un contre l'autre : ce ne serait point la dernière... Law, pourtant si sûr de lui, si excité qu'il fût de se trouver à la table d'un grand seigneur jouissant de toute la confiance de Sa Majesté, éprouvait un certain malaise au contact du maréchal. Noailles n'était pas beau ; bien que très jeune, il avait des mains et une corpulence de paysan qui contrastaient singulièrement avec ses manières féminines et ses propos mignards. Le petit duc de Saint-Simon, qui ne se gênait pas pour lui faire grise mine, disait à qui voulait l'entendre — et Law l'avait entendu — que Noailles était « la copie la plus fidèle, la plus exacte, la plus parfaite du serpent qui tenta Eve, renversa Adam et, avec elle, perdit le genre humain... ».

Law, en distribuant les cartes à la brillante assemblée maintenant réunie, observait son adversaire, en prenait la mesure comme l'on fait avant de se lancer dans un grand dessein. Voilà bien, songeait-il, un imbécile dangereux avec lequel il faudra sans doute compter quelque jour.

— Cœur et pique ! criait Noailles, roi et dame !

Les mêmes mots, le même envol, le même bruit léger au ras du tapis vert, les cœurs battants, le jeu... Law se souvint de ce premier soir chez la Duclos, si loin déjà.

— As partout !

Le jeu enfiévrait de son magnétisme tous ceux qui avaient trouvé en lui le piment capable de relever âprement la monotonie de leur morne existence. Le goût du risque et l'appât du gain faisaient courir des frissons sur leur peau. La vie coulait enfin plus vite au bord du temps. L'aventure, si puérile fût-elle, leur communiquait une attente délicieuse, une anxiété délectable. L'effondrement lui-même avait des relents de chute et de péché, des séductions de vertige, la victoire, une ivresse à nulle autre comparable.

Seul, Law, qui avait fait entrer le hasard dans la rigueur mathématique, n'éprouvait ni frissons, ni inquiétudes, ni délices. Il n'y avait pour lui ni risques, ni inconnu. Il gagnait sa vie avec adresse, prudence et science ; lui, qui mènerait des parties qui se dérouleraient à l'échelle du monde, n'était pas joueur. Il abhorrait le risque et rêvait d'administrer avec sagesse de vastes empires.

Les valets passaient maintenant des vins frais et forts qui allaient monter à la tête des joueurs, hormis à celle de Law, qui était sobre.

— A fond de taille ! criait Effiat qui avait son compte.

Sur les marches de marbre rose qui descendaient vers les jeux d'eau et les jardins où la guitare s'était tue enfin, la marquise de Lambert s'était assise et étalait sa robe d'or. Fontenelle, son vieil ami, lui murmurait à l'oreille on ne sait quoi qui la faisait sourire et charmait aussi Couperin, le musicien, qui se tenait là, complétant autour d'elle, avec un autre jeune garçon, une cour admirative.

— Quoi ! s'écriait Mme de Lambert en désignant celui-ci de son éventail. C'est donc Rameau qui jouait de la guitare tout à l'heure ?

— Je cherchais, je composais, madame...

— Je croyais entendre une musique italienne. Qu'était-ce donc ?

— Un projet... une mélodie pour la nuit...

— Comme c'est intéressant et nouveau, cette émotion-là, murmura Mme de Lambert avec l'attention concentrée qu'elle portait à ces sujets. Est-ce à Dijon que vous trouvez de telles inspirations ?

— C'est à Paris, pour l'heure, madame, et à vos pieds...

La conversation prenait un tour banal que noyait par bouffées la rumeur du jeu.

— Je double la mise ! disait, au milieu du brouhaha, une voix au ton glacé, à l'accent britannique.

— Quel homme surprenant que cet Ecossais, murmura Mme de Lambert.

A l'aube, comme à l'habitude, Law, impassible, ramassait les mises et s'apprêtait à se dérober aux rumeurs qui saluaient son succès, lorsque Effiat, se pendant à son bras avec l'élan amical du poivrot satisfait, lui fit une proposition qui retint son attention :

— Venez avec nous chez la Fillon : c'est la première procureuse de Paris... Des filles qui ont au moins quinze ans de métier ! Monseigneur le duc d'Orléans y venait jadis, avant Mme d'Argenton, et Dubois doit y souper, à cette heure, car — Effiat eut un clignement d'œil — il est le bon ami de la dame !

A HUIS CLOS

Leurs équipages les déposèrent peu après dans une rue silencieuse, devant une bâtisse de fort médiocre apparence. Ayant tambouriné à l'huis, ils furent introduits par une carabosse digne des contes de M. Perrault. Elle brandissait une lanterne sourde qu'elle éleva vivement à la hauteur de leurs visages ; mais déjà, Effiat la bousculait et entraînait son compagnon dans une salle basse, mal éclairée, au fond de laquelle s'ouvrait une porte ; de là s'échappait un rai de lumière plus vive, des cris et des chants. La carabosse au visage anguleux, au torse dévié, agitait ses oripeaux bariolés auxquels il ne manquait que des grelots pour la transformer en folle. Elle se penchait déjà pour formuler ses louches propositions, mais Effiat la repoussa à nouveau d'un geste brutal puis, d'un pas incertain mais d'une volonté ferme, se dirigea, toujours suivi de Law, vers la porte du fond, l'ouvrit et fit un geste à Law qui attendit. Effiat disparut un instant et revint avant que la sinistre hôtesse ait osé entreprendre l'étranger. Law fut alors introduit dans le décor violent des fêtes galantes de bas étage où s'était tellement complu le neveu de Sa Majesté.

La salle voûtée dans laquelle ils pénétraient témoignait, de toutes ses clés de voûte, de ses ogives, de ses torchères de fer où brûlaient d'énormes cierges, que l'on se trouvait là dans quelque couvent désaffecté, ce qui communiquait aux deux lits d'apparat tendus de soie et aux rideaux défraîchis et douteux une singulière apparence, d'autant que, sur le bord de chacun d'eux se pâmaient un quidam et quelque Marion ou Ninon, coiffe en bataille, jupon troussé.

Law n'était point l'homme de ces parties et s'y trouver mêlé de la sorte, tout de go, fit naître en lui quelques instants de profond malaise. Non loin de là, autour d'une table ronde, se célébrait un autre culte : il ne s'agissait plus, comme chez la Duclos, d'embarquement pour Cythère, mais bien plutôt de quelque débarquement en un royaume barbare... Une ébriété collective mêlait, dans une houle fort étrange, corsages dégrafés et pourpoints tachés de vin, perruques oscillantes et coiffes penchées, gestes désordonnés et voix glapissantes. L'odeur qui émanait d'un tonnelet en perce et celle des viandes tournées en broche, que les chiens volaient sous le manteau de la cheminée au nez des buveurs, se mêlaient à celles qu'exhalaient ces corps échauffés, ces vêtements épars. Dans ce magma suffocant et ce tintamarre d'enfer, Law chercha avec stupeur l'homme de qui il attendait la claire compréhension qui devait l'aider à bouleverser l'économie française et européenne.

Il aperçut bientôt dans la mêlée une soutane courte qui virevoltait, un abbé efflanqué, simiesque, et toute son attention se concentra sur son visage qui ne pouvait passer inaperçu ni s'oublier : « Sous sa vilaine petite perruque blonde qui pointait curieusement en avant, s'abritait le mufle d'une fouine ou d'une furieuse taupe capable de percer dans la terre ces trous subits qui mènent on ne sait où [1]... » Ses traits trahissaient le flair et la ruse ; un bégaiement démentait curieusement le regard vif, pétillant, endiablé, qui louchait sur le sein d'une fille dépoitraillée d'une poigne ferme révélant, sous l'aspect chétif, une personnalité de soudard. Avec des bourrades, il jouait avec la belle comme avec une poupée de son, cependant que, plaisamment, elle poussait les hauts cris. C'était là son amie, sa comparse, la célèbre Fillon [2].

Résigné, Law décida de s'approcher avant que le galant ne pousse plus loin son entreprise. Prévenu par Effiat, Dubois consentit à remettre celle-ci à plus tard et mesura le nouveau venu du regard en vrille froid et soupçonneux de ses petits yeux. Il l'entraîna pourtant à l'écart, lui fit servir

1. Michelet.
2. Quelques religieuses et quelques ecclésiastiques dévoyés qui gravitaient autour de la cour de France à cette époque furent ainsi mêlés au destin de Law. Ce furent là de malheureuses exceptions parmi quelques autres qui ne portent nullement témoignage de ce qu'était et de ce que fut toujours l'Eglise de France. On sait d'ailleurs que « l'abbé Dubois » n'était pas prêtre puisqu'il n'avait reçu que la tonsure.

du café par une drôlesse de la compagnie, l'observa et attendit. Pour la première fois de sa vie, Law faillit se trouver décontenancé. Aborder une conversation d'économie politique en de telles circonstances était chose délicate [1] ! Au même instant, le bruit caractéristique d'un vomissement troublait l'air et les esprits, cependant que, à quelques pas, un cavalier et une péronnelle affalés sur un tapis semblaient parvenus aux dernières tendresses. Le sens de l'humour sauva Law. Il saisit le comique de la situation et ce fut avec une parfaite bonne humeur et un rire mal contenu qu'il entra dans son sujet par le biais d'une conversation sur le jeu, laquelle lui parut la plus facile à mener dès l'abord chez la Fillon. Il étonna l'abbé en lui montrant ses fameux jetons. Il lui fut aisé ensuite de relier cette ingénieuse trouvaille à l'idée du papier-monnaie et à ses idées de finances, dont l'exposé fit ouvrir à Dubois des yeux démesurés. Fort de sa conversation avec Mme de Lambert, Law entretenait le fils de l'apothicaire de Brives d'un système qui portait en lui le germe d'une révolution sociale, propre à faire la fortune de tous les citoyens, sans distinction de naissance. Il annonçait un règne nouveau où l'or coulerait à flots, où les plus énormes spéculations seraient possibles.

— En somme, monsieur, conclut Dubois, vous êtes, selon le bruit qui court à Paris, un joueur impénitent qui se veut muer en un réformateur solide et désintéressé et vous venez m'expliquer cela au bordel ! Voilà qui va enchanter M. le duc d'Orléans à qui vous brûlez, je crois, d'exposer vos idées.

Il s'interrompit. Law sentit peser sur lui le regard de Dubois, son grand partenaire de l'avenir, qui murmurait maintenant à son oreille :

— Vous serez convoqué cette semaine au Palais-Royal !

Law s'inclina, ébloui, et s'en fut précipitamment.

LE LABORATOIRE DU DUC D'ORLÉANS

> « La richesse peut être une création de la foi. C'est l'idée intérieure qui faisait le génie de Law, sa doctrine secrète qui éleva une théorie de finance à la hauteur d'un dogme : le mépris, la haine de l'or. »
>
> MICHELET.

Où est M. d'Orléans ? Est-il dans l'atelier d'Antoine Coypel, son peintre ordinaire, en train de peindre lui-même les aventures de Jason et de Médée ?

1. 1708.

Travaille-t-il avec le miniaturiste Arland, ou s'occupe-t-il à graver une scène des dernières vendanges de Fontainebleau ? Travaille-t-il à la partition de son opéra, *Penthée ?* Est-il dans sa bibliothèque, plongé dans les œuvres des philosophes, discourant sur les théories de Leibniz avec cette simplicité que ne trouble « nulle trace de supériorité d'esprit ou de connaissance, raisonnant comme d'égal à égal avec tous et donnant toujours de la surprise aux plus habiles [1] » ?

Non, M. d'Orléans est en manches de chemise dans son laboratoire. Là, il est heureux de seconder le grand chimiste allemand Homberg dont il partage les recherches passionnées.

Près de lui, une enfant aux yeux brillants, aux joues enfiévrées se mêle aux manipulations qui salissent les mains et le visage, dérangent la coiffure et l'ordonnance des atours ; une petite fille chiffonnée, hirsute, fanatique, au regard étrange, se meut parmi les senteurs âcres, les vases, les cornues, les alambics, tout le surprenant décor. Elisabeth d'Orléans, qui a onze ans, ne quitte plus son père. N'a-t-il pas, quelques années plus tôt, utilisé sa science pour l'arracher à une redoutable maladie et aux non moins redoutables médecins ?

Demeuré seul jour et nuit au chevet de sa fille, il sut, seul, vaincre le mal. Jamais de mémoire d'homme on n'avait vu un prince s'occuper lui-même d'un enfant. Le duc d'Orléans passait, il est vrai, pour fou, et ce laboratoire auquel il consacrait le plus clair de son temps achevait de le perdre dans l'esprit de la Cour.

Law devait toujours se souvenir de l'instant où la petite Elisabeth lui avait ouvert la porte avec précaution et où il avait vu ses yeux durs et hagards se poser sur lui. Il venait de traverser un décor des mille et une nuits, une enfilade de galeries et de cabinets aux murs desquels s'alignait l'une des plus belles collections de tableaux d'Europe, pour trouver, au seuil de l'antre poussiéreux d'un alchimiste, cette Cendrillon au regard mauvais et troublant. Il s'incline pourtant très bas. Sans mot dire, d'un geste impérieux, Mlle d'Orléans lui fait signe d'entrer. Le duc lève la tête, repose le pilon avec lequel il s'apprêtait à broyer une substance bizarre, attrape un torchon et, en s'essuyant les mains, regarde s'avancer l'inconnu. Homberg, silencieux, continue son ouvrage.

— Je vous attendais, monsieur, dit Orléans avec cette chaleur et ce charme qui devaient conquérir à jamais John Law.

Celui-ci observe avec curiosité l'arrière-petit-fils d'Henri IV, le héros que lui avait dépeint Mme de Lambert : en ce beau garçon, l'élégance française se mêle à la lourde sensualité allemande qu'il tient de Madame sa mère, mais ses traits sont fins, admirablement réguliers, et ses yeux ont l'éclat de l'intelligence.

Familièrement, il offre à Law une mauvaise chaise de paille et s'assied sur une autre, toute semblable, à côté de lui.

1. Saint-Simon.

— Vous avez, dit-on, monsieur, trouvé le moyen de fabriquer la pierre philosophale, le vieux rêve d'or des alchimistes ?

Jamais Law n'avait vu, posé sur lui, regard aussi chaud, aussi prenant. Son Altesse royale écoutait maintenant avec attention les propos de l'Ecossais ; une passion contenue communiquait à celui-ci une éloquence incisive que, plus que tout autre, Philippe d'Orléans était à même de goûter. La franchise du ton et des intentions le frappait et son esprit subtil saisissait parfaitement l'idée de Law, pourtant si neuve pour lui : convertir les dettes de l'Etat en papiers de banque, non pas garantis par un numéraire improductif, mais par la confiance, règle d'or du crédit. Law poursuivait son idée prodigieuse :

— « Il faut étatiser l'argent et le crédit, monseigneur, au moyen d'une Banque royale dont Sa Majesté serait le caissier, le maître. Seul le roi, dont l'intérêt personnel est entièrement lié à la prospérité du peuple et non à celle des grands de ce monde, peut assurer l'abondance du numéraire et peut louer l'argent à un prix très bas. Alors deviendrait possible la politique des hauts salaires qui entraînerait tous les citoyens à consommer et toutes les manufactures à produire [1]. »

Philippe d'Orléans était aussi étonné que l'avait été Bourgeois, mais ce langage d'homme d'Etat créait dans l'esprit de l'arrière-petit-fils d'Henri IV des résonances plus profondes. Law s'emparait à jamais de cet esprit si bien fait pour le comprendre et le suivre ; il le sentit et se livra tout entier :

— « Comprenez-moi bien, monseigneur, lorsque je préconise de hauts salaires... Les hommes sont d'un grand prix ; je ne parle pas de ce que l'Etat se soutient par eux contre ses ennemis, mais à l'égard de leur travail. Un ouvrier qui gagne vingt sous par jour améliore le produit qu'il fabrique de trois ou quatre livres, car celui qui l'emploie et le marchand qui vend au détail gagnent. Supposons qu'il améliore le produit seulement de deux livres et qu'il travaille deux cents jours par année ; cet homme doit être estimé dix mille livres au denier vingt-cinq, et il les vaut comme les terres. Il vaut aussi cher que la terre qui est considérée comme un bien et, lui, peut défendre l'Etat ; la terre produit mais ne se défend pas... »

— Quel est donc ce langage, murmurait Philippe d'Orléans, et d'où venez-vous pour le faire résonner au milieu de nos désastres et de nos conflits ? Mais la dette, le milliard de dette de l'Etat, l'immédiat, le drame ?

— « Transformez ces dettes en actions d'une vaste compagnie de commerce qui englobierait toutes les petites compagnies existantes et créez une Banque royale. L'Etat doit tenir l'argent et le commerce. » Pourtant, je vois que le mécanisme du système n'apparaît pas encore clairement à Votre Altesse royale. Me permet-elle d'aller plus avant ?

— Je vous en prie.

— « Cette Compagnie ne serait composée que des actionnaires, c'est-à-

1. Dans cette scène, toutes les répliques de Law lui appartiennent en propre et sont tirées de ses écrits. De là, leur style et leur tournure. Le premier, Law utilisa la formule adoptée depuis par les hommes d'affaires américains : « Un homme vaut tant... »

dire des créanciers de l'Etat, lesquels ne changeraient qu'autant que les actions changeraient de main, de sorte que l'on peut dire que ce seraient les actions seules qui formeraient la Compagnie... »

— Mais, interrompit le prince, que vaudraient ces papiers qui ne seraient que des créances de l'Etat ?

— Très cher, très vite, dit Law en se penchant vers lui : « La Compagnie serait administrée par les plus habiles négociants du royaume. Si elle possède un capital de départ que pourra lui fournir la Banque et si on lui donne quelques vaisseaux, bientôt ses profits distribués aux actionnaires, répandus dans toute la France, y feront revivre l'industrie et l'agriculture. L'argent enfin circulera, le numéraire de plus en plus nombreux permettra des plantations et des fabriques nouvelles, bientôt il faudra songer à exporter, à organiser une nouvelle politique commerciale, à aménager les richesses nationales ; il faudra dès lors créer des services de renseignements et de recensement. »

— Et la Banque ?

— « La Banque, en faisant valoir les sommes que les particuliers lui porteront, pourrait à elle seule rembourser en vingt-cinq ans la dette de l'Etat. Elle pourrait immédiatement se substituer aux traitants qui dévorent le royaume et elle entraînerait la suppression de la Ferme générale [1]. Il faut supprimer la Ferme générale, monseigneur ! — Law se faisait persuasif, presque pathétique — et la remplacer par une organisation d'Etat, dépendante de la Banque et fort simple, qui permettrait une réduction massive de l'impôt, lequel écrase présentement le peuple, l'industrie, le commerce et l'agriculture !

« Daignez considérer, monseigneur, que vouloir établir ou soutenir des impositions contraires au commerce, c'est prendre sur son fonds pour sa dépense courante... Il faut enfin, monseigneur, que l'imposition soit générale et proportionnée aux facultés des contribuables ; les exemptions et les privilèges sont des abus contraires au bien général de l'Etat, et même à l'intérêt des privilégiés.

« Le roi a été ruiné de la sorte, en raison des avances faites dans les guerres passées par les gens d'affaires, car le roi leur payait de trop gros intérêts ; on leur donnait en paiement des papiers qui perdaient jusqu'à quatre-vingts pour cent ! Les traites qu'on leur cédait, pour moitié ou pour le tiers de la valeur du produit, ont coûté des sommes immenses au peuple, dont il n'est entré que la moindre partie dans les coffres du roi, en sorte qu'on ne saurait rendre à Sa Majesté et à l'Etat un plus grand service qu'en lui donnant les moyens de se passer de pareilles avances. »

— Je vous entends bien, dit Philippe, dont l'attention était égale à l'éloquence de l'Ecossais ; mais vous connaissez la puissance des privilégiés ? La noblesse, la vraie, l'ancienne sera la plus facile à convaincre...

— « Il suffirait, en effet, monseigneur, de lui offrir quelques compensa-

---

1. On sait que la levée de l'impôt était affermée à des particuliers, les fermiers généraux, qui écrasaient le peuple, trafiquaient honteusement et volaient l'Etat.

tions morales, quelques droits honorifiques, par exemple : les gentilshommes auraient seuls la permission de porter l'épée ! »

Philippe d'Orléans se prit à sourire ; mais déjà il redevenait grave pour écouter la démonstration passionnée de Law.

— « N'oubliez pas que contre un gentilhomme ou un ecclésiastique qui se plaindra parce qu'il entend mal ses véritables intérêts, il y aura cent personnes, commerçants, artisans ou paysans, qui béniront la main royale qui les aura délivrés de la misère ! N'oubliez pas que ceux qui vivent de leurs rentes sont nourris et vêtus du produit du pays, du travail du peuple qui compose la partie la plus considérable : c'est lui qui soutient l'Etat, la noblesse et les autres citoyens, c'est de son travail que sortent toutes ces richesses. Dans le système que je propose, il n'y aura plus de charges à supporter ni par le commerçant, ni par l'ouvrier, ni par le laboureur, puisque, dans ce système, ils trouveront une simplicité, une LIBERTÉ et une ÉGALITÉ qui leur procurera à tous une augmentation de biens plus forte que la taxe qu'ils auront à payer. »

— Vos idées me touchent, répéta Philippe. Je les crois justes et telles qu'il en faut concevoir pour faire de la bonne politique. Mais votre système est basé, si je vous suis bien, sur le principe d'un roi caissier ?

— « En effet, monseigneur, car le roi, encaissant lui-même et plus aisément les impôts, pourra en laisser le produit à la Banque qui répartira ces fonds et en fera valoir ce qui pourra être conservé, de telle sorte que la confiance, base essentielle du crédit, sera vite rétablie ; le crédit, sans lequel rien ne pourra se faire dans les temps qui viennent !

« Méfiez-vous, monseigneur, de ces temps qui viennent ; regardez du côté de l'Angleterre : vous la verrez seule capable de faire présentement le commerce de toute l'Europe et très attentive à profiter de la négligence de ses voisins pour venir à bout de ce grand dessein. » (L'ombre de Blunt plana soudain, s'insinuant entre eux.) « Sa puissance est faite de l'instauration du crédit. Si la France ne se détermine pas d'établir le crédit pour augmenter la quantité de la monnaie, les ouvriers abandonneront le pays pour chercher de l'emploi chez l'étranger, les manufactures tomberont entièrement et l'Etat sera en danger de périr. Un peuple qui se servirait d'armes à feu n'aurait pas plus d'avantages dans ses guerres contre un peuple armé d'arcs et de flèches que les Anglais n'en ont sur les Français en matière de commerce ! »

Le duc d'Orléans s'était levé et marchait de long en large. Homberg, arraché à ses spéculations scientifiques par ce visionnaire, observait maintenant ces deux hommes. Il demeurerait avec l'enfant folle le seul spectateur de cette scène où, dans le décor d'un laboratoire où devaient être enfantées les lointaines métamorphoses du xxᵉ siècle, venaient de prendre corps les théories modernes du crédit qui achèveraient de rejeter le vieux monde hors des frontières du temps.

Philippe d'Orléans murmura :

— Transformer le créancier de l'Etat en actionnaire d'une compagnie d'Etat, supprimer la Ferme générale et les traitants ? A tous ces problèmes insolubles, apporter de claires solutions et situer le travail du peuple à sa véritable place, c'est-à-dire l'une des premières dans le royaume... (Il arrêta sa marche devant Law et ajouta à voix plus basse :) Oui, quel homme êtes-vous donc, monsieur ?

Law se campa face à lui, le forçant à s'immobiliser, à le regarder :

— « Ah, monseigneur, ce grand royaume bien gouverné serait l'arbitre de l'Europe sans se servir de la force. C'est sur un commerce étendu, sur le nombre et la richesse des habitants que la puissance de la France devrait être fondée. Que Votre Altesse royale daigne considérer QUE LE MOYEN LE PLUS SUR POUR CONSERVER LE ROYAUME EN PAIX EST D'ETRE EN ETAT DE FAIRE LA GUERRE. La France, bien gouvernée, sera tellement respectée par les autres puissances qu'elles n'oseraient entrer dans des alliances qui pussent lui faire le moindre ombrage. La France peut entretenir trois cent mille hommes par terre et trois cents vaisseaux par mer sans surcharger les peuples ; au contraire, la France serait alors la retraite des heureux et l'asile des malheureux... »

Le duc d'Orléans s'était en effet immobilisé, captivé.

— Quelle que soit la hauteur de vos vues, dit-il, je vous suis, monsieur ; j'admire votre foi et j'en viens aisément à la partager. Mais les obstacles sont immenses et, contrairement à ce que l'on croit généralement, le peuple, premier bénéficiaire de ces grands changements, leur serait à mon avis tout aussi hostile que les hommes de finances qui en deviendraient les victimes.

M. le duc d'Orléans n'était point, quel que fût son génie, de la race des meneurs d'hommes, mais il devait méditer la réponse qui lui fut faite avec une sorte de vibrato qui dégageait l'amertume et le désenchantement d'une douloureuse expérience :

— « La plupart des hommes sont peuple, sont enfants dans les établissements nouveaux, monseigneur, et il faut les mener par l'autorité au point où la raison met tout d'un coup les hommes éclairés, les hommes faits... »

Law hésita, hocha la tête ; à la griserie qui suivait la péroraison succédait, avec les signes de la fatigue nerveuse, une légère émotion qu'il domina de ce sourire aigu qui prolongeait en lui sa lointaine adolescence. Détendu, il ajouta :

— « Que Votre Altesse royale ne soit pas en peine du succès que j'ai l'honneur de lui proposer ; ce n'est pas le meilleur comédien qui joue le plus grand rôle, c'est celui qui le joue le mieux. Je connais mes forces et j'aime trop le repos pour m'engager dans une affaire que je n'entends pas à fond. Mes idées sont simples ; les principes sur lesquels je les travaille et les conséquences que je tire de ces principes sont justes. Je supplie Votre Altesse royale de faire attention à ce que j'ai l'honneur de lui représenter et, si elle juge bon de m'employer, de vouloir bien me soutenir contre les ennemis du roi, de Votre Altesse royale et de l'Etat, la jalousie, la prévention et l'intérêt particulier, que je puisse travailler avec profit pour l'Etat et avec honneur pour moi, car plus je puis rendre service, plus je m'attends à trouver d'opposition... »

Ces mots, ces quelques mots qui rappelaient à Philippe d'Orléans ses propres enthousiasmes et l'iniquité des cabales qui l'accablaient, le touchèrent aussi vivement que l'exceptionnelle qualité des propos qu'il venait d'entendre.

— « Je suis prêt, ajoutait Law, si j'obtenais du roi le privilège de créer une banque, à alimenter celle-ci avec mes fonds personnels et j'abandonnerais à Sa Majesté les trois quarts des revenus de l'établissement. »

— Et pourquoi donc ? s'étonna le prince, soudain méfiant.

Law observa un court silence puis répondit :

— « Pour le plaisir profond de faire mon grand œuvre, de créer, en beaucoup plus perfectionné, un organisme tel qu'il en existe déjà en Angleterre et en Hollande. Je le doterai de surcroît d'un système de finances qui n'a point son pareil ailleurs et qui donnera à ce royaume le pas sur toutes les autres nations. »

Law attendait, le cœur battant, que le duc eût cessé de fixer le carrelage grossier. Il leva enfin les yeux :

— Je vais faire préparer une lettre pour vous introduire auprès de M. le contrôleur général des Finances. Je la signerai demain soir. Vous pourriez commencer par exposer votre système à M. Desmarets, neveu de Colbert, qui sera tôt ou tard appelé à succéder à M. le marquis de Chamillart.

— Je remercie Votre Altesse royale, commença Law, ému d'être arrivé si vite à ses fins.

— Je compte vous revoir, monsieur, l'interrompit Philippe, mais j'espère repartir à l'armée. (Une ombre douloureuse modifia furtivement son sourire.) Vous arrivez, m'a-t-on dit, des Flandres ; vous concevez aisément que notre place est ailleurs qu'ici... Espérons que des temps meilleurs permettront sous peu ce nouvel entretien. D'ici là, le secrétaire de mes commandements, M. l'abbé de Thésut, se tiendra à votre disposition pour tout ce qui pourrait faciliter votre tâche.

L'entretien s'acheva ainsi et de telle manière que Law, dans ses prévisions les plus optimistes, n'avait osé l'espérer en entrant chez la Fillon. Mme de Lambert, comme quelques autres femmes, avait joué, en traversant son destin d'un pas léger, un rôle capital.

LA GUERRE DES FEMMES

La situation de la France s'aggravait et se détériorait de jour en jour.

La rencontre de Philippe d'Orléans et de John Law de Lauriston, si semblables par tant de points, si bien faits pour se comprendre et pour renverser les principes politiques qui gouvernaient le pays, ne pouvait alors représenter guère plus que le geste du semeur confiant au vent et à la terre une poignée de graines.

Desmarets, Chamillart, tout comme le duc d'Orléans et les grands généraux des armées en présence, étaient placés sous l'entière dépendance des quelques femmes qui se trouvaient pour un moment « au gouvernail du monde » : la Maintenon et la duchesse de Bourgogne à Paris, la princesse des Ursins [1] et la reine d'Espagne, sœur de la duchesse de Bourgogne, à Madrid, la reine Anne d'Angleterre et Sarah Marlborough, sa redoutable favorite, à Londres.

Louis XIV vieillissait. De leur regard sceptique et froid, Philippe d'Orléans et John Law assistaient aux premiers désastres.

« Cette horrible guerre se meut dans la sphère ondoyante du sentiment. Au hasard des amours, des amitiés de femmes, du flux et du reflux de leur humeur, de leur santé. Politique oscillante, plus capricieuse en ses alternatives que le caprice de la mer.

« Elle effraye par sa mobilité sur le choix de nos généraux... Nulle part, ils n'ont le temps de poser le pied. Dès qu'ils commencent à s'établir et à organiser, quelque raison de cour, quelque intérêt de cœur, un soupir, un souffle de femme les enlèvent de là et les envoient à l'autre pôle.

« Les chefs militaires suppléent aux moyens qui manquent par d'heureux coups, de brillantes folies. Au défaut de solde et de pain, ils paient de chansons et font rire la mort.

« Quand nos misérables recrues arrachées du village, dans un hiver du Rhin, sans habits, sans souliers, arrivent en pleine Allemagne, qui les sauve du désespoir ? Un général immuablement gai, qui boit avec eux quelque peu d'eau-de-vie et siffle des airs d'opéra. Aux plus âpres gelées, ils ne voient que le soleil et disent : c'est le temps de Villars... Un instinct qui dort dans nos veines gauloises se réveille parfois aux grandes misères pour nous donner des forces inattendues d'audace ou de patience [2]. »

Une folie de la duchesse de Bourgogne et de la Maintenon, soutenues par leur pieuse coterie, envoie au commandement de l'armée des Flandres le duc de Bourgogne. Le prince doit acquérir sur les champs de bataille le prestige martial qui lui manque. Sa faible constitution, son caractère effacé, timide, dévot et sensible l'ont toujours tenu à l'écart des activités militaires. Pour le guider et le soutenir, « l'énorme, le cynique, le crapuleux Vendôme », qui mène à Versailles mille intrigues contre lui mais qui sait se battre. Si parfaitement opposés, ces deux hommes ne peuvent que se paralyser l'un l'autre et, devant eux, Marlborough et le prince Eugène auront beau jeu pour culbuter les armées aux frontières et envahir la France. L'Espagne, alors, sera abandonnée, perdue.

Philippe d'Orléans reprend en catastrophe la route de Madrid. Parviendra-t-il à chasser les armées impériales et anglaises de la péninsule avant la défaite qui s'annonce au nord ?

Mme des Ursins était bien incapable de préparer une campagne de cette envergure. En arrivant, Philippe ne trouva rien. Tout était à faire, il y fallait

---

1. Première dame d'honneur de la reine d'Espagne, chargée par Louis XIV de maintenir le couple royal dans une soumission stricte à ses directives ; elle était toute-puissante à la cour de Madrid.

2. Michelet.

des semaines, des mois, des jours et des nuits. Un soir de dépression, le jeune prince, qui aimait oublier dans le vin les déceptions et les angoisses de la vie, se laissa aller en joyeuse compagnie. L'exaspération qui couvait en lui se délivra. Il leva son verre et déclara :

— Messieurs, je vous porte la santé du c... capitaine et du c... lieutenant !

Il ne se passa que peu de temps avant que le capitaine, Mme de Maintenon, et le lieutenant, Mme des Ursins, en fussent informés.

Dès lors, les deux « fées » allaient tisser leurs mauvais enchantements. A Versailles, la recommandation de Philippe d'Orléans devint dangereuse.

John Law n'avait plus qu'à prendre, une fois de plus, le chemin de l'exil. Il appréciait trop cependant l'existence de célibataire qu'il menait, à l'abri de l'influence démoralisante de Caterina, pour renoncer à son installation parisienne. L'incertitude dans laquelle il se trouvait depuis des années, et qui lui imposait des déplacements constants, avait fini par le rendre instable et nerveux ; il ne pouvait non plus échapper à l'obligation de garder des contacts avec les différents agents qui travaillaient pour lui en Europe. Toutes ces raisons le décidèrent à ne faire qu'un court séjour à Bruxelles pour voir ses enfants. Il se rendit ensuite pour ses affaires à Venise et à Turin, puis à Gênes. Il réalisait ainsi un désir longuement contenu. Dans la lumière et dans le calme d'un pays qu'il aimait, il trouva le climat idéal pour rédiger son second livre, *Mémoire sur l'usage des monnaies*. C'était là un véritable cours d'économie politique. Tout en y travaillant activement, il précisait les plans de son vaste « Système » de Finance et reprenait en main la conduite de ses affaires.

Les contacts avec son frère William, toujours à Londres, s'établissaient difficilement, depuis la reprise des hostilités entre l'Angleterre et la France. Leur collaboration s'était, de ce fait, distendue en attendant des jours meilleurs et John ne pouvait compter que sur lui-même. Pourtant des spéculations particulièrement heureuses achevèrent d'édifier sa grande fortune.

Il avait déniché, au bord de la mer, une maison rustique où à nouveau, parmi les murmures d'abeilles et les réminiscences virgiliennes, il aimait à méditer. C'était là pourtant une retraite quelque peu austère. Il y apprit, non sans appréhension, le désastre d'Oudenarde ; de fait, il venait de dédier son livre au prince de Conti qui devait le communiquer au duc de Bourgogne. Or on pouvait craindre, après pareille défaite, que le crédit du jeune prince se trouvât diminué.

Les nouvelles d'Espagne, en revanche, étaient surprenantes. Law les suivait attentivement ; elles parvenaient vite à Gênes grâce au va-et-vient des navires. Les maisons de jeu, la banque municipale, les tavernes du port où les marins parlaient d'abondance à qui payait à boire recevaient quotidiennement la visite de « l'Anglais » désinvolte et curieux.

Law apprit ainsi que Philippe d'Orléans venait de reprendre aux troupes anglaises la ville de Tortosa défendue par son ami Stanhope ! La Comédie ne s'arrêtait pas là : on s'attendait que Philippe V soit entraîné dans la débâcle française, et les Grands d'Espagne se réjouissaient ouvertement à la pensée d'échapper à la tutelle de Versailles. Non qu'ils voulussent pour autant se mettre sous celle de Vienne en offrant leur royaume à l'archiduc ! Law entendait répéter les propos mêmes de Mme de Lambert dans les cercles fermés de la Finance : la noblesse d'Espagne, avec l'accord des Anglais, offrait le trône de son pays au duc d'Orléans qui ressuscitait les exploits de la reconquête.

— Sait-on ce que va faire le prince ? questionnait Law. Je le crois incapable de trahir son neveu.

— Ma Signor, si le roi d'Espagne disparaît de la scène politique... Après son départ, il n'y a plou trahison à loui succéder ! lui répondait subtilement son interlocuteur le plus fidèle, le signor Favalli.

Devrais-je aller planter ma tente en Espagne ? se demandait Law, perplexe. Dans le même temps, il apprenait que Flotte, le secrétaire du duc d'Orléans, allant au camp de Stanhope pour négocier un échange de prisonniers, y avait été traité comme un ambassadeur et en avait rapporté une lettre pour les plénipotentiaires anglais et hollandais, réunis une fois de plus à La Haye, afin d'y débattre des conditions de paix.

— Ma, le duc n'a pas voulu transmettre la lettre ! affirmait le signor Favalli. Il savait que les Anglais posaient sa candidature à la couronne d'Espagne, et son neveu règne encore !

Qu'y a-t-il de vrai dans tout cela ? se demandait Law. Cependant qu'octobre allongeait déjà ses ombres fraîches sur les jardins d'Italie et qu'il parvenait aux dernières pages de son ouvrage.

Un soir de novembre, le signor Favalli lui dit en souriant :

— J'ai oune nouvelle pour vous : Monsignor lé douque d'Orléans vient dé réprendre la route dé Versailles. Toute l'Espagne en est agitée ; c'est oune capitaine arrivé cé matin dans lé port qui mé l'a dit.

— Ce capitaine a quitté Barcelone depuis combien de temps ?

— Six jours environ...

Law sursauta.

Trois jours plus tard, il reprenait à son tour le chemin de la France.

Après s'être livré tout entier à une de ses crises d'isolement et de travail intellectuel intensif qui le prenaient parfois et qui transformaient pour un moment don Juan en ermite, le temps de l'action s'annonçait à nouveau pour lui. Bourgeois, d'ailleurs, le pressait de rentrer, et l'Ecossais sentait que sa fortune était attachée à celle du duc d'Orléans. Dès son arrivée à Paris, il tenta, en vain, de le rencontrer.

Le jeune prince se débattait dans une situation plus que difficile.

LE CORSAIRE

Ce fut bientôt Noël. Morne Noël de guerre et de misère, qui n'éveillait aucune lueur de joie. Après une héroïque défense de plusieurs mois menée par le vieux Boufflers, la citadelle de Lille venait de tomber aux mains de Marlborough et du prince Eugène. La France et son vieux roi ployaient sous le poids de la détresse.

Pour John Law, l'éternel exilé, il n'y avait non plus aucune fête dans cette ville désolée où il était un étranger. Le visage de sa mère, les paysages de l'Ecosse, son univers d'enfance quitté à jamais enchantaient sa solitude et la faisaient en même temps plus lourde et plus douloureuse. Il pensait à ses enfants et à Caterina, toujours agressive, mais qui s'inquiétait à Bruxelles.

Law s'en fut dans une taverne de la rue de Seine, avec le projet bien arrêté de boire. Il fuyait ce soir les cafés élégants du quartier, tel le nouveau Procope qui attirait tout Paris, ne se sentant point d'humeur à rencontrer quelqu'une de ses brillantes relations. Cela ne semblait point à redouter, dans la salle basse où il pénétra après avoir descendu trois marches usées et glissantes. Une atmosphère lourde le saisit, où se mêlaient des relents de cuisine et une odeur indéfinissable, amère, qui lui rappela celle des maisons de bière de Piccadilly. Tout au fond de la pièce, assez vaste et mal éclairée par des chandelles de résine, au fond d'une grande cheminée, un feu de bois répandait une clarté plus vive et réconfortante. Le centre de la salle était occupé par deux tables longues autour desquelles ripaillait un petit monde interlope, pittoresque et triste, composé de bouquetières spécialisées dans la pêche aux naïfs, de marchandes à la toilette aptes à vanter les charmes de péronnelles à peine débarquées de leur province, d'espions de police, de militaires, de bateliers, de vagabonds du fleuve tout proche. Deux servantes en bonnet blanc virevoltaient entre convives et cuisine. John Law, qui s'était assis dans un coin devant une petite table à trois pieds, appela l'une d'elles et lui commanda un pichet de bourgogne doré.

Ce fut là qu'il rencontra pour la première fois un personnage extraordinaire, qui le surprit d'autant plus qu'il ne savait point que ce genre d'individu se trouvait à Paris, et en plus grand nombre qu'on ne le croit généralement. En fait, il venait d'être abordé de telle manière, à la fois si noble et si insinuante, qu'il se trouva pris aux rets de ce charme latin auquel sa nature enthousiaste était particulièrement sensible. Sans qu'il pût dire par quels mots, par quelle formule l'inconnu s'autorisa à prendre place en face de lui, en moins de temps qu'il n'en faut pour le dire, sa solitude et sa mélancolie fondirent comme neige au soleil, et il se trouva emporté, subjugué par la plus chaleureuse et déconcertante présence qu'il eût jamais rencontrée.

Après qu'il eut commandé avec entrain toute une bouteille de ce bourgogne capiteux comme un parfum, son « self control » britannique

104

l'obligea à détailler ce convive inattendu surgi de la nuit. Il devait avoir dans les quarante-cinq ans environ. De taille moyenne, râblé, vif et mesuré à la fois, le personnage ne manquait point d'allure. Son habit de velours noir paraissait fastueux et n'était pourtant relevé, avec quelque superbe, que par un manteau couleur de feu et un manchon de martre dorée, souple et moelleux. Cet examen rapide laissa l'Ecossais perplexe :

— Se peut-il, monsieur, que vous soyez Français ?

— J'ai cet honneur ! répondit avec aisance l'inconnu.

— J'aurais parié que vous étiez Florentin, peut-être Romain ?

— Il n'en est rien.

A vrai dire, l'homme avait, sous ses cheveux de nuit, tout à fait l'air d'un sénateur romain de la décadence. Il sourit avec ambiguïté — savait-il sourire autrement ? — et ses lèvres brunes soulignèrent d'un trait onduleux des dents éblouissantes de gitan. S'il y avait en lui du baladin magnifique, il se trouvait aussi du grand seigneur. Ses yeux couleur de bronze enfoncés dans leurs orbites concentraient en eux toute la puissance et le rayonnement de ce visage.

— A qui ai-je l'honneur ? commença l'Ecossais.

L'inconnu l'interrompit d'un éclat de rire, ce qui était curieux ; emplissant les verres à ras bord, il porta un toast vibrant à la santé du vieux Boufflers qui venait d'être fait duc par Sa Majesté et ajouta :

— Quant à moi, appelez-moi... — il hésita une seconde — le Chevalier de la Mer, si vous voulez ! C'est, à tout prendre, ce que je suis !

Law tenta encore de faire le tour du personnage, puis accepta d'un sourire ce nom de fantaisie, empanaché, extravagant, qui venait de lui être lancé comme un masque de carnaval. A son tour, il se présenta avec plus de franchise et de simplicité.

— Vous êtes donc arrivé à Paris depuis peu, monsieur ? poursuivait le Chevalier. Vous êtes venu chercher le triste spectacle d'un peuple qui lutte désespérément pour son existence et qui pue déjà la gangrène ?

— Je dois dire, répondit Law, que j'ai vu, en traversant vos campagnes, des paysans réduits à l'état de bêtes, mourant de faim et de froid.

— Que voulez-vous, ils sont traqués par une marée de fonctionnaires tatillons qui s'appliquent à faire peser uniquement sur eux les taxes et les impôts ! Il y eut pourtant un homme, dans ce pays... l'homme de toutes les grandes occasions, de tous les dévouements !... Il s'appelait Vauban. (Il s'interrompit, hocha la tête pensivement et poursuivit :) Il voulait n'imposer que ceux qui, par leur fortune, peuvent supporter cette charge... Il a échoué, naturellement. Trop d'intérêts privés se sont ligués contre lui et les ennemis de la France ont acculé depuis longtemps le roi à ne point pouvoir se fâcher avec les financiers.

— Pardonnez-moi, monsieur ! s'écria Law. Mais la responsabilité de votre souverain me paraît lourde, en cette affaire, et voilà qui justifie tant de murmures que j'entends contre lui.

L'inconnu devait l'étonner encore ; il eut un geste léger qui avait du panache, et qu'il ponctua d'un rire clair :

— Mon Dieu, monsieur, notre roi vient d'engager ses pierreries et sa vaisselle pour soulager le peuple de Paris, et ce n'est pas la première fois qu'il a recours à ces extrémités. Jadis, il a bien souvent engagé les fonds du royaume… C'était alors pour animer cette grande fabrique d'art que fut Versailles ! Il a pressuré la canaille pour commander des palais, des tableaux, des jardins et des fêtes immortelles à des architectes, des sculpteurs, des peintres, des jardiniers, des danseurs, des comédiens et des écrivains. Nous sommes gouvernés par un poète, ne l'oubliez pas, sous peine de ne rien comprendre à ce qui se passe en ce royaume ! Voilà qui est tout à la fois admirable et fâcheux, vous en conviendrez. Personnellement, j'ai par tempérament assez d'entraînements de cet ordre pour être plein d'indulgence à l'égard de ce mécène qui assure de la sorte à mon pays une gloire qui s'affirmera dans l'avenir comme celle de la Grèce et de Rome, et par les mêmes moyens. Vous n'avez jamais vu le Parthénon dans le soleil, monsieur ? Moi, oui. Eh bien, la Grèce, c'est le Parthénon ; la France, c'est Versailles !

— Je n'avais surtout jamais vu sous ce jour le roi de France ! s'émerveillait Law. (Il pensait avec inquiétude qu'il lui serait bien difficile de parler de finances avec un tel interlocuteur.) Et je comprends fort bien et partage vos sentiments pour l'art et les artistes. Il faut bien convenir cependant que les peuples, comme les enfants, s'accommodent mieux du train de vie d'un bon artisan que de celui d'un poète !

— Sans doute, monsieur, et c'est dommage ! Or nous voilà en des temps singuliers. A la ville comme à la campagne, la population, cernée par les innombrables commis chargés d'appliquer des taxes qui frappent même les sacrements, se passe de mariage, de baptême, voire d'enterrement. De sorte que l'on ne sait plus qui naît qui meurt, et que nous glissons dans l'anarchie. Les troupes, les officiers même, vendent leurs armes pour manger. Paris est la proie du jeu, du libertinage et du trafic de finances, de charges et d'emplois ! Sur les grandes misères planent toujours les oiseaux de proie. C'est ainsi qu'une armée de petits commerçants, de commis enrichis de fraîche date achètent au roi — qui a besoin d'argent pour mener la guerre — droits, privilèges et titres de noblesse, lesquels les dispensent aussitôt de payer l'impôt !

— Eh ! c'est là un cercle vicieux, soupira Law.

— Pis encore ! dit le Chevalier, intarissable. Il n'y a pas plus fanatique que ces gens-là lorsqu'ils entrent dans la Ferme générale pour pressurer les malheureux et fausser les rapports que demandent la Cour et le contrôleur général des Finances. Mais quoi ! comme le dit M. Desmarets : dès que Sa Majesté crée un office, Dieu crée un sot pour l'acheter ! Et nul n'aurait cru que la Providence pût se complaire si généreusement en une telle industrie !

Law sourit mais se prit à réfléchir. Il comprenait soudain les silences et les omissions de Bourgeois sur ce sujet brûlant qui représentait le problème numéro un de la France.

— Pourtant, reprit le Chevalier en faisant tourner son pichet de vin, pourtant, la misère aidant, le jour vient où il ne va plus être possible

106

d'imposer de nouvelles affaires extraordinaires aux provinces, ni de trouver des acquéreurs d'emplois, ni de doubler ou de tripler les emplois existants parce qu'ils l'ont déjà été, ni d'obliger ceux qui les ont achetés à accepter des cascades d'augmentations et de droits supplémentaires pour une charge qu'ils ont déjà payée plusieurs fois ! La crise est totale ; les financiers, les gros hommes d'affaires surnagent encore, mais l'asphyxie les prendra à la gorge comme les autres. Ces créations d'offices ont gagné la société et l'étouffent à la manière d'une tumeur maligne. Ce fut d'abord, figurez-vous, une attaque locale presque insensible et puis le mal s'est étendu et maintenant tout est pourri. N'en doutez pas, l'anarchie et la révolution sont entrées dans ce royaume... Mais il n'y a pas que ce pays ! Pendant que se déroule ici la sinistre vente à l'encan de tous les pouvoirs et de tous les vieux patrimoines, savez-vous ce qui se passe aux Indes, en Amérique, et au Sénégal ? Je connais les Indes et l'Amérique et le Sénégal, moi, monsieur ! Pouvez-vous imaginer un instant, en cette nuit d'un Noël de désastre et de misères, que ces pauvres Français hâves, pâles et glacés y possèdent des territoires bien plus grands que ceux de cette nation, et où dorment les fortunes de Golconde ? C'est le monde, monsieur, qui pourrait être notre royaume !

A ces mots, John Law frémit. Il oubliait soudain que, quelques instants plus tôt, cet homme lui apparaissait comme un masque brillant surgi d'un carnaval vénitien ; il venait de reconnaître en ce singulier personnage un aventurier de haut vol.

— Avez-vous séjourné à Londres ? demandait l'inconnu. Au cours de certaines missions, j'ai été informé des affaires d'Angleterre : j'ai fréquenté les forbans de Change Alley.

— Ah bah ! Vous avez donc connu ce renard puant de Blunt ! s'écria l'Ecossais. Qu'est-il devenu ?

— Ce qu'il devient ? répéta le chevalier en se penchant. (Une douleur aiguë sembla traverser cet être si léger, si impertinent, si extérieur d'apparence.) Eh bien ! Je vais vous le dire... Il faut que cela se sache ! Il devient notre plus dangereux ennemi.

— Allons donc ! murmura Law.

Et il lui sembla réentendre la voix nasillarde dans la maison de bière de Piccadilly : « Hurrah ! un monde nouveau va naître où l'argent sera maître ! Il verra se multiplier nos vaisseaux. Une époque incomparable s'ouvre devant nous... »

— L'Angleterre, murmura Law, troublé. Est-ce que son projet de Compagnie des Mers du Sud sur le modèle de la Compagnie néerlandaise...

— ... Est sur le point d'aboutir ? acheva le chevalier. N'en doutez pas, monsieur ! C'est là un véritable complot contre la France et une manœuvre financière admirable qui va tirer la Banque d'Angleterre de ses difficultés, mettre au comble de la puissance la marine anglaise et achever de réduire à merci nos vaisseaux fantômes.

L'évocation de la lutte séculaire l'exaltait. Il poursuivit plus bas, et son propos, auquel sa voix chaude communiquait une ardente persuasion, devait frapper Law à jamais :

— Pour bien comprendre ces choses, disait-il, il faut avoir vu le monde, le vaste monde, monsieur, et cela est impossible au commun des hommes. Sa Majesté elle-même n'a plus ni les bateaux ni les hommes qui les montaient pour l'informer. Que savez-vous de ce qui se passe à Pondichéry ou à Fort-Dauphin ?

— Fort peu de chose, avoua Law, captivé. Mais, comme j'ai le privilège de rencontrer quelqu'un qui puisse m'en parler, je vous prie instamment de m'instruire. Vous ne sauriez croire à quel point ce sujet m'intéresse. Depuis quelque temps déjà, j'ai élaboré un système de finances avec lequel je peux donner à une nation la suprématie sur toutes les autres et, puisque je ne suis point parvenu à imposer mes vues dans mon pays ni, à vrai dire, dans aucun autre, je souhaiterais ardemment apporter à la France mon expérience et mes possibilités.

Le chevalier écoutait avec un étonnement non dénué d'ironie ces propos. Cet homme était-il fou, animé d'un orgueil insensé ? Etait-ce un maniaque possédé par une idée fixe ? Mais Law, emporté par la confiance qu'il avait en l'excellence de son système, dévoré par une impatience trop longtemps contenue — le bourgogne aidant — en exposa l'essentiel.

A mesure qu'il parlait, le chevalier le regardait de plus en plus intensément : Non, cet homme n'était pas un fou !

— C'est de la taille de Blunt ! dit-il enfin.

— Pardon ! coupa Law. Blunt a repris pour son compte et pour celui de l'Angleterre les idées que j'ai vainement essayé de faire prévaloir à Change Alley, voilà quinze ans. Mais vous savez bien qu'il ne suffit pas de piller les idées des autres, il faut encore être capable de les utiliser !

— A première vue, vous êtes un autre homme que Blunt, dit lentement l'inconnu en l'observant. Et nous avons outre-mer un empire qu'il faut arracher aux griffes de l'Angleterre, qu'il faudrait opposer à celui de l'Angleterre ! Des bateaux, nous en aurions aussi, poursuivit-il comme s'il pensait à voix haute. Ils naîtraient spontanément, si un sang neuf redonnait vie aux arsenaux. Ah ! vous ne savez rien de nos ports, de nos quais, dont s'éloignent désespérés les premiers marins du monde. Vous ne savez rien de nos chantiers, du petit peuple admirable de nos ingénieurs, de nos ouvriers, prêts à faire surgir une forêt de mâts, vous m'entendez ! Et la course serait belle vers les mers du Levant...

Law redevenait précis, serré, homme d'affaires :

— Comment est la situation là-bas, par-delà les mers ?

L'inconnu se rejeta en arrière, son éternel sourire de gitan au coin des lèvres et répondit, comme s'il s'agissait de la chose la plus drôle du monde :

— Effroyable ! Les établissements du Bengale échappaient jusqu'à présent à la crise française, grâce à des hommes de génie ; l'un d'eux vient de mourir, et l'autre, d'être évincé par un incapable et un fripon, envoyé de Paris par la direction de la Compagnie des Indes. Et pourtant, si vous connaissiez les villes du Coromandel : Chandernagor, Pondichéry ! Ici, on crève de faim, mais là-bas, nous avons les marchés du Siam, de Cochinchine, du Tonkin, de la Chine ! Là-bas, nous tenons les Anglais et les Hollandais en

échec pour quelque temps encore ! Il en va de même en Amérique :
M. d'Iberville a descendu le Mississippi jusqu'à son embouchure...

— Le Mississippi ! répéta Law, fasciné.

Ce mot passait-il pour la première fois ses lèvres ? En tout cas, ce ne serait
pas la dernière.

— ... et nous bloquons désormais les Anglais dans leurs colonies,
poursuivait le Chevalier. Ils sont faits comme des rats ! Voyez ! s'écria-t-il en
montrant les buveurs. Ici, nos filles se vendent pour manger, et là-bas, nous
occupons les bords du golfe du Mexique et nous pourrions commercer avec
le Pérou !

Ces noms inconnus emplissaient le cœur de Law l'insulaire d'une chanson
marine. Les deux hommes se remirent à boire, vidèrent en silence un pichet,
puis deux.

— Le golfe du Mexique, la Louisiane, l'Eldorado ! Lorsque vous irez à
Versailles, monsieur, reprit le Chevalier, lorsque vous verrez ce chef-d'œuvre
dans sa jeune majesté, vous penserez que le souverain qui l'habite règne sur
le Coromandel, et sur le golfe du Mexique, sur l'Amérique, les Antilles et
l'Afrique. L'Afrique ! je pourrais vous en conter jusqu'au jour ! Tout un pays
auquel il faut faire rendre de l'or, du blé, des pierres précieuses...

A l'horizon de Law, les grands voiliers du destin se profilaient déjà,
comme au cœur de l'été les formes, parfois, s'annoncent par leur ombre sur
le sable.

— Monsieur, s'écria-t-il un peu ivre, je suis habile au jeu et, en
attendant de mener cette partie-là à l'échelle du monde, j'en voudrais jouer
une avec vous pour parier qu'il y a fort à faire et que nous le ferons peut-être
ensemble, pour une part.

Prestement, il tira des cartes de sa poche, les battit, tendit la moitié du
jeu au Chevalier, abattit la dame de pique.

— A Golconde ! s'exclama-t-il.

— As partout ! A la France ! A ses fortunes, répliqua son partenaire,
auquel le vin communiquait aussi une ardeur excessive.

— A ses mines d'or ! cria encore Law devant le petit peuple misérable,
ébahi, qui, cette fois, prêtait attention à ces curieux personnages et
s'approchait d'eux.

— A sa flotte, la plus grande flotte des mers ! poursuivait le Chevalier en
abattant le roi.

— A ses arsenaux, à ses chantiers, à ses fabriques, à ses banques, à ses
comptoirs ! poursuivait Law avec son regard de visionnaire.

— Ah çà, ils sont fous ! murmuraient les faméliques guenuches et les
maigres compères qui faisaient cercle autour des joueurs.

— A la prospérité, à l'avenir ! ajoutait Law, inspiré.

Puis, prenant conscience de l'attention dont il était l'objet, il comprit
qu'il n'était pas possible de demeurer là. D'un bref revers de main, il balaya
le jeu sur lequel son partenaire méditait, jeta un louis d'or sur la table et
entraîna le chevalier, fendant la petite foule, passant devant tous les visages

tendus, aux yeux brillants et avides dans lesquels se reflétait encore le pouvoir des mots magiques.

Soudain, au-dehors, une force invisible plaqua les deux hommes contre la porte de la taverne. Le Chevalier jura et Law ressaisit prestement les plis de sa cape : voilà que sur lui s'agrippaient comme des griffes les crocs torturants du gel. Un hurlement déchirant se répercuta dans la rue absolument vide. On eût dit qu'un loup était entré dans la ville...

Les deux hommes se regardèrent, effarés ; ils tentèrent d'avancer : une force étrange les saisit au ventre et aux reins, et les ploya ; par un effort de volonté, ils parvinrent à prendre du champ : personne. La menace s'était évanouie au ras du sol où soufflait la bise.

Quelques pas plus loin, dans le travers du ruisseau glacé, sous la lanterne médiane, une forme était étendue. Les deux hommes s'approchèrent : c'était le maigre corps d'un loqueteux qui déjà se raidissait et dont la main crispée se refermait sur un flacon de vin pris par le gel. Silencieux, le chevalier et Law échangèrent encore un regard : une telle chose était-elle possible ?

C'était la première victime du loup Hiver ; ce ne serait pas la dernière. Le souffle du génie lui-même serait atteint dans la poitrine d'un jeune homme de vingt-cinq ans, Antoine Watteau, qui n'en guérirait jamais.

Le froid, le grand froid de 1710 s'abattait sur la ville.

LE GRAND HIVER DE 1710

L'époque du grand ravage, de la grande épreuve était venue. Elle s'abattait sur la France exsangue qui entrait en agonie. En proie à son ambition désespérée, à sa solitude et à ses songes, John Law se trouva pris dans ce cataclysme. Ses rêves allaient-ils mourir, comme le petit singe au pourpoint bleu et à la toque de plumes blanches de la foire Saint-Germain, que l'on venait de trouver inanimé entre les bras du montreur de marionnettes, lui-même trépassé sous un masque de carnaval ?

Mort aussi le rat blanc de Laponie qui dansait la sarabande espagnole, mortes les guitares foraines et les grelots d'Arlequin, muets les violons ; la mort courait la ville comme au temps des pestes légendaires, et le massacre des innocents abattait par milliers sur le chemin des Sept Douleurs des pleureuses inconsolables.

La guerre elle-même reculait aux frontières devant ce combat qui fauchait vingt-quatre mille Parisiens en quelques jours et en envoyait dix mille à l'Hôtel-Dieu. Jusqu'aux perdrix et aux lièvres que l'on trouvait inanimés dans les champs, auprès du voyageur égaré ou du laboureur tombé de faiblesse qui ne se relevaient pas. Les loups, accourus en bandes, se chargeaient des survivants. Comme le feu, la gelée brûlait les maigres récoltes qui avaient résisté aux malheurs des temps et pétrifiait les rivières jusqu'à leur embouchure.

Ce fut en ces jours d'apocalypse que survint un événement qui acheva de provoquer la stupeur dans un pays où les jansénistes étaient nombreux et fervents : le pillage de Port-Royal-des-Champs par ordre du roi, l'abbaye détruite à la poudre noire, les corps des religieuses arrachés à leurs tombes, les vivantes dispersées.

Que pouvait espérer ici un protestant ? Tapi contre la cheminée de son logis où brûlaient en vain des forêts, Law, angoissé, coupé des siens par le désastre, menacé dans sa vie de hasard, sentait une fois de plus vaciller en lui tous ses projets et jusqu'à ses raisons d'espérer. Son existence se réduisait à un problème, à une idée fixe qui le hantait tout le jour : trouverait-il le soir devant la table de jeux les hommes et l'argent qui lui permettraient de subsister ? Les louis se raréfiaient à une cadence vertigineuse. Les opérations financières devenaient impossibles et, la France étant assiégée de toutes parts, les fonds de l'étranger n'arrivaient plus. Quelque soir, devant les tables de jeu, Law serait seul. La pièce de Lesage, le fameux *Turcaret* que redoutait Bourgeois, âme damnée des gens de finances, venait de lever son rideau devant une salle vide. Le babil léger des deux jeunes femmes occupées de fanfreluches et d'argent qui forme les premières répliques résonnait étrangement dans ce silence glacé et dans cette misère. Quant à Samuel Bernard, que prétendait viser l'auteur dramatique, il était réduit à la faillite. Avec le froid, et, à sa suite, la dysenterie, la banqueroute faisait en effet rage dans Paris, mais cette dernière ne frappait que les financiers et ne les tuait pas, bien au contraire. Savamment préparée, elle les mettait à l'abri de leurs créanciers en détresse et ajoutait aux désespoirs de la ville.

Que devenaient Caterina et les enfants à Bruxelles ? Et le Chevalier de la Mer ? Etait-il mort ou vif ?

Quant aux belles relations de Law, elles n'osaient plus se risquer dehors et se terraient chez elles. La seule personne qu'il vît, à ce moment, bien qu'elle se fît rare, était Bourgeois. Ils avaient alors des controverses passionnées au cours desquelles Law utilisait et commentait les informations que le Chevalier lui avait fournies sur l'état du royaume ; mais le petit homme, fanatisé comme l'étaient alors les traitants, lui opposait cette vérité aussi formelle que l'autre :

— Allons donc, monsieur, la France devient un grand Etat moderne ! Vous avez sous les yeux la preuve que nous avons créé une bourse où se déterminent chaque jour, par le libre échange, les cours des effets. Nous avons vu se constituer des compagnies de finance et de commerce, nous nous lançons même dans ces entreprises d'assurances que l'on appelle le Prêt à la Grande Aventure et nous mettons par la loterie l'instinct du jeu au service du Trésor !

Law écoutait sans répondre le son étrange que rendaient ces propos, d'ailleurs parfaitement véridiques eux aussi, dans ce temps où s'accrochait en grappe, à la porte de chaque demeure, un troupeau noir, hâve, de morts-vivants qui demandaient du pain.

Or ce fut dans ces jours de désespoir que naquit à Versailles un petit garçon promis à de grandes espérances. C'était le second fils de la charmante petite duchesse de Bourgogne [1], à laquelle il restait si peu de jours à vivre.

A quelque temps de là, le pain manqua tout à fait ; même avec de l'argent, on n'en trouvait pas. Les moulins à eau ne pouvaient plus tourner et certaines provinces n'avaient plus aucune réserve. Dans un effort ultime, Desmarets, qui venait d'être appelé au contrôle général des Finances, pilote désespéré qui commandait pendant ce naufrage, donna l'ordre de faire voiturer le froment qui s'accumulait encore dans certaines régions pour tenter une juste répartition. Ce fut le signal de la révolte.

Un soir, Law, emmitouflé dans sa robe de chambre doublée de fourrure, entendit sonner le tocsin à Saint-Germain-des-Prés cependant que, sur les routes, le peuple attaquait les convois de blé pour tenter de les retenir et les piller. A Paris, on prenait d'assaut les boulangeries. On avait mobilisé en hâte les soldats du régiment des Gardes qui partaient aux barrières pour empêcher les pauvres de banlieue d'entrer dans la ville, cependant qu'au pont de Sèvres, l'armée arrêtait de justesse une marche sur Versailles, sinistre et menaçant cortège qui s'était promené dans les rues, le désespoir aux lèvres, marée des profondeurs que chasse la tempête.

Law l'entendit battre les murs de sa maison vide, sans amis, sans laquais même, où subsistaient encore par miracle un feu et une chandelle. Ce soir-là, il n'attendait plus rien. En se remémorant quelques vers de Shakespeare, il cherchait à exalter, à réveiller en lui cet esprit d'aventure qui avait été si longtemps le sien et qui seul convenait décidément à son destin et à sa situation présente :

> *Chantez le houx vert, oh ! chantez le houx !*
> *L'amitié n'est souvent qu'un leurre*
> *Tous les amoureux sont des fous.*
> *Chantez le piquant feuillage du houx*
> *Car notre vie est la meilleure...*
>
> *Gèle, gèle, âpre vent du ciel,*
> *Tu n'as point d'aiguillon cruel*
> *Comme l'amour trahi, l'amour sans espérance.*
> *Durcis les eaux, glace la mer,*
> *Tu seras toujours moins amer*
> *Qu'une implacable indifférence.*
> *Chantez le houx vert, oh ! chantez le houx.*

Soudain, comme au temps de ses vingt ans, un immense besoin d'amour l'envahit.

Un coup frappé à sa porte le fit sursauter. Qui donc pouvait bien franchir tant d'obstacles pour venir jusqu'à lui ? Une erreur sans doute... Il se leva pourtant, prit sa chandelle, traversa les grandes pièces glaciales, à peine meublées, où il avait souhaité donner des fêtes sans pareilles, et ouvrit la

---

1. Le futur Louis XV.

porte. Un messager couvert de neige qu'il identifiait mal dans l'obscurité lui tendit un pli. Il n'y avait pas de réponse. Law n'insista pas, referma la porte. A la lueur de la chandelle, il vit un cachet qui le fit pâlir ; il s'empressa de le faire sauter et de lire les quelques lignes qui lui étaient adressées : c'était une convocation du contrôleur général des Finances ! Le duc d'Orléans, bien qu'il ne puisse le recevoir, lui témoignait de la sorte qu'il ne l'oubliait point, et l'heure était peut-être venue où Desmarets cherchait d'autres solutions que celle que pouvait lui proposer un Bourvalais. Law sentit se cabrer comme un pur-sang son capricieux destin.

« Demain j'irai à Versailles ! » murmura-t-il. Et à ce seul nom, toute la misère qui l'entourait se métamorphosa. Il entendait à nouveau la voix profonde du chevalier lui dire : « Vous irez à Versailles et vous penserez qu'en sa jeune majesté, ce palais abrite le souverain du Coromandel et du golfe du Mexique... » Non, non, il n'y avait pas que la solitude, la faim, le froid, la dysenterie et la banqueroute, il y avait encore dans le monde des rives éblouissantes où accostaient, en virant sous le vent, de longs navires chargés de perles.

Tout au fond de l'avenue triomphale, le palais étincelait sous une chape de glace, telles ces demeures enchantées des vieux contes français. Çà et là, il rompait de manière admirable la symphonie en blanc majeur qui l'enveloppait de toutes parts, et surgissait, par places, de sa coque de givre, rose et nu, comme la promesse d'un matin ou d'un printemps. Pur, harmonieux jusqu'à la musicalité, il incarnait la jeunesse, la puissance et la majesté ; il portait, encore neuf en sa dure matière, le sceau que lui avait imprimé un prince de vingt-cinq ans, charmant et amoureux, qui pouvait se dire par surcroît le plus grand roi du monde, Louis XIV. De l'autre côté, dans le jardin de cristal qui continuait ce chef-d'œuvre, autour du parterre que nivelait et idéalisait la neige, une chaise cahotante montée sur roues avançait, poussée par deux laquais emmitouflés jusqu'aux yeux et que le gel intense faisait sautiller comme des grives. Contre le haut dossier, une forme écroulée, un visage impassible : le roi. Imperturbable, solaire, il reprenait ses promenades ; il ne les avait interrompues pendant les pires intempéries que par égard pour ceux que leur service forçait à l'accompagner. Parvenu au-dessus du bassin de Latone, il immobilisa d'un geste le siège roulant. Il reprit l'éternelle contemplation des lignes admirables qui traçaient pour les siècles le paysage inspiré de sa vie intérieure, apaisant comme le chant d'une symphonie dont il ne se lassait pas. De même, tout à l'heure, en rentrant, s'enfermerait-il comme chaque jour pendant une heure avec ses vingt-quatre violons. Le poète vieilli ne connaissait plus, depuis de longues années, que ces fêtes solitaires. Et puis, le roi reprendrait son laborieux, son quotidien travail ; avec Desmarets, usé, à bout de forces, il ferait face aux messages de détresse qui lui parvenaient de tout le royaume, et à ses ennemis, ceux de l'extérieur qui l'assiégeaient de toutes parts et ceux de l'intérieur. La chaise s'ébranla de nouveau.

Ses ennemis ? Le pire d'entre eux, mais le plus honnête, M. le duc de Saint-Simon, se sentait obligé d'avouer :

« Parmi des adversités si longues, si redoublées, si intimement poignantes, sa fermeté demeure tout entière. C'est ainsi qu'il mérite du consentement de toute l'Europe le nom de Grand, nom qui devient en ces derniers temps le vrai nom justement acquis de ce prince qui laisse voir sa simplicité, la grandeur de son âme, sa fermeté, sa stabilité, son égalité, un courage à l'épreuve des plus épouvantables revers et des plus cuisantes peines, une force d'esprit qui ne se cache rien, qui voit les choses comme elles sont, qui de là s'humilie sous la main de Dieu, conserve son extérieur dans tout l'ordinaire de sa vie, avec une égalité si simple et si peu affectée que l'admiration qui en naît à tous ceux qui le voient en public et en particulier leur est tous les jours nouvelle. »

La petite chaise roule un peu plus vite, s'approche du palais. De l'autre côté de celui-ci, par-delà la cour de marbre, tout au bout de l'avenue de Paris, s'efforce un carrosse, l'équipage de Law, petit point noir qui grandit à l'horizon. Deux mondes semblent ainsi un instant marcher l'un vers l'autre, mais ils ne se rencontreront pas. L'Ecossais, étreint d'un trouble inattendu, se penche pour mieux voir : le spectacle est d'une déconcertante grandeur et John Law est soudain possédé par la troublante certitude qu'en dépit des armées qui l'assiègent comme une forteresse, en dépit de ses ruines, de ses famines, de ses morts, la France demeure le centre du monde. L'ordonnance magnifique de la ville royale, tant de solennelle beauté offraient un contraste inoubliable avec toutes les autres images que lui avait offert ce pays désolé. Versailles dressait comme un défi son impavidité, et affirmait ainsi comme un secret de puissance.

— Voilà, songea-t-il, voilà bien de quoi rabattre tout l'orgueil des Impériaux !

Le carrosse franchit aisément la grille du château — tout le monde entrait, ici — et cahota sur les pavés. Là-bas, tout au fond de l'esplanade, se dessinait à peine sous la neige le délicieux perron de marbre où Molière, les nuits d'été, jouait ses impromptus. La voiture tourna sur la gauche pour s'arrêter sous une voûte, devant une entrée secondaire. Law entrait maintenant dans la maison du roi. Elle était vide et nue. Un laquais imposant mais vêtu de loques qu'il portait avec superbe, le guida à travers des pièces glaciales dont les meubles avaient été vendus. John Law de Lauriston, qui possédait, lui aussi, sous sa flegmatique apparence, le cœur exalté d'un poète, la générosité et la fierté d'une vieille race et cette forme d'esprit qui porte à la grandeur et au sens de l'Etat, pénétra chez le ministre. Jusque-là, il n'avait voulu que réussir n'importe où, là où ce serait possible, un plan de finance qui le passionnait. Mais voici que venait de naître en lui, à jamais, un attachement sentimental pour la France.

Dans une petite pièce dont les fenêtres étroites s'éclairaient des lueurs froides de la cour de marbre, Desmarets l'attendait, assis devant un magnifique bureau, seule élégance du lieu. C'était un homme dans la force de l'âge, que le maniement des affaires avait marqué sans toutefois lui avoir enlevé une aptitude naturelle à comprendre les problèmes humains. Il était vêtu d'un habit rouge sombre ; son visage un peu fort s'abritait sous les cascades sans grâce d'une abondante perruque châtaine. Il représentait assez bien la lignée de ces grands commis venus de la bourgeoisie, rusés, souples et laborieux, que le roi préférait à tous autres dans les affaires de l'Etat.

A l'arrivée du visiteur de bonne apparence, drapé de velours gris rehaussé d'argent qui le saluait profondément, il se redressa, lui désigna un siège. Absorbé dans ses pensées, il l'écouta d'abord distraitement. Que disait donc cet étranger que le duc d'Orléans avait désiré qu'il revît ? Il proposait de remplir les caisses de l'Etat sans avoir recours aux moyens habituels des taxes, de l'impôt, des créations d'offices et des affaires extraordinaires ? Desmarets était justement en train de tourner et de retourner dans sa tête le problème insoluble que posait l'effondrement du crédit, les financiers harcelés, poursuivis par leurs créanciers et incapables de faire à l'Etat de nouvelles avances. Il sortit de ses limbes :

— Que dites-vous, monsieur ?

— Je répète à Votre Grandeur ce que j'eus déjà l'honneur d'exposer à monseigneur le duc d'Orléans : la monnaie n'est qu'un moyen de transmission. Elle n'a pas de valeur en elle-même, alors qu'importe qu'elle soit en or, en argent, en papier ou en billets de banque ?

— Mais, monsieur, votre papier n'aura de valeur que s'il est gagé sur quelque chose !

— Mais, Votre Grandeur, le billet de banque sera gagé sur la richesse de la France... (Desmarets sursauta.) ... et cette richesse n'est pas, poursuivait Law, telle quantité d'or à laquelle vous rêvez ; la richesse de la France est faite de ses champs de blé, de ses vignes, de son cheptel, de ses manufactures, de ses sociétés d'affaires qui peuvent renaître, de ses forêts qui sont inépuisables. Elle est faite de sa force d'âme et de sa dignité. Il faut créer une banque royale pour donner leur essor à tant de possibilités.

Desmarets fixa attentivement son regard sur Law, semblant enfin l'apercevoir tout à fait. Il eût fallu le temps de réfléchir à ces questions, mais il était débordé, sollicité, emporté. De toute façon, cet étranger n'apportait pas une solution capable de résoudre les problèmes des prochaines vingt-quatre heures, et il n'avait pas le temps de l'écouter aujourd'hui davantage. Après un court silence, il reprit :

— M. le duc d'Orléans, en me priant de vous recevoir, m'a parlé à nouveau de vos idées, qui ont frappé Son Altesse royale. Elles sont neuves, hardies, ce qui n'est pas pour me déplaire. Toutefois, je n'en mesurais pas tout à fait la portée. Nous aurons un autre entretien plus long, beaucoup plus long et, d'ici là, j'aurai parlé de vous au roi.

L'audience se terminait sur cette grande promesse. Law se leva, salua et sortit, escorté par les quatre petites flammes d'un porte-flambeau, quatre étoiles dans la nuit qui était venue recouvrir le monde incertain et troublé.

Dans l'antichambre, il se heurta à un jeune homme d'une trentaine d'années qui semblait pressé et nerveux et que l'on introduisait à son tour chez le ministre. Singulier personnage, fruste et plein de superbe tout à la fois, qui s'excusa d'un coup de chapeau un peu excessif à la manière ancienne. Les deux hommes se dévisagèrent un instant, là, dans ce corridor de Versailles. Ils ne devaient jamais se revoir et, pourtant, le sort les pousserait par la suite l'un vers l'autre. L'homme pressé s'appelait Bienville, et son destin recouperait plus tard celui de John Law, dans l'estuaire du Mississippi. L'un après l'autre, en ce même jour, ils étaient venus parler d'un mystérieux avenir à Desmarets, qui ne pouvait les entendre.

Law rentra chez lui, persuadé que Louis XIV le ferait appeler sous peu. Son enthousiasme naturel embellissait son entretien en réalité assez vague avec Desmarets. Il croyait encore aux promesses, ce qui était assez surprenant pour un homme qui avait déjà fait un assez long chemin et qui avait été mêlé à pas mal d'affaires, y compris des affaires de justice.

Seul, son système pouvait à cette heure tirer la France de l'impasse ; un esprit plus averti eût trouvé dans les paroles dilatoires de Desmarets une raison de perdre tout espoir, mais Law, comme tous les sentimentaux, gardait au profond de lui une certaine naïveté et il ne faudrait rien moins que l'épreuve du pouvoir pour le guérir de ce mal.

Comme en un long cri, l'Histoire du monde nous apporte de page en page le déroulement de cet interminable drame. Nous y voyons s'éteindre dans l'inégal combat les flammes solitaires de l'intelligence. Lutte parfois brève, souvent pathétique. Une voix crie dans le désert, sans éveiller d'écho et retourne au néant. La masse recouvre de son flux l'aire de ce débat violent et cruel, comme ces mille corps à corps très obscurs d'insectes et d'oiseaux que la nature impassible ensevelit. La masse est reformée, rien à signaler, les sots tiennent solidement les leviers de commande ; un sûr instinct les groupe, les allie, jusqu'à leur permettre de former un ciment solide, pratiquement invincible.

Puissance internationale, les sots avaient envoyé John Law d'un bout à l'autre de l'Europe sans le retenir nulle part. Ne disait-on pas, cependant, que les Français étaient le peuple le plus spirituel du monde ? Et Versailles ne venait-il pas de parler à la sensibilité de l'Ecossais un langage éloquent ? Il n'en fallait pas davantage pour l'abuser. Pourtant, en France comme ailleurs, les hommes qu'il fallait n'étaient jamais là où il le fallait.

Pour l'heure, ce Desmarets, tout rusé qu'il fût, ne pouvait certes pas jauger le personnage qui s'était présenté à lui avec son système de finance — un de plus ! — et en parler au roi de façon convaincante. La seule chance de Law demeurait Philippe d'Orléans qui, lui aussi, faisait partie... des « autres », de ces autres que l'on pourrait appeler la grande minorité — grande non point par le nombre, mais par la qualité. Law, persuadé de l'évidence logique de son système, n'en jugea pas ainsi.

La vie renaissait peu à peu dans Paris, et chez Monastérol, envoyé de l'électeur de Bavière, chez Poisson, rue Dauphine ou dans les fastueux hôtels qui rouvraient leurs portes, John Law de Lauriston retrouvait ses partenaires

116

devant les tables de jeu. Des courriers de l'étranger parvenaient à nouveau à faire circuler des fonds, l'argent revenait.

Mais voici qu'éprouvée par les rigueurs d'un tel hiver et par l'angoisse qui s'abattait sur toute l'Europe, se méfiant des emballements d'un homme qu'elle ne voulait pas perdre et qui pourtant ne lui inspirait ni confiance, ni considération, ni estime, Caterina annonçait son arrivée. L'incertitude et les périls suscitaient le désir de se grouper, de s'unir, de se serrer les uns contre les autres. La dure Anglaise et Law lui-même ressentaient eux aussi ce besoin. De frêles espérances s'animaient, informulées, dans leur cœur solitaire.

Il partit la chercher en Flandres. Voyage hâtif, furtif, plein de menaces et de craintes. En dépit des négociations, les combats pouvaient se rallumer d'un instant à l'autre.

BLUNT JOUE

Caterina pénétra dans le bel hôtel encore à moitié vide qu'avait loué son compagnon. Sa haute taille drapée dans une mante jaune, elle parcourut d'un pas ferme les vastes pièces lugubres aux vitres sales, dont les boiseries ouvragées laissaient filtrer une odeur d'humidité parfaitement déprimante. Sur son maigre et beau visage creusé par la fatigue, la tache de vin était plus présente que jamais sous les dentelles du capuchon qui la voulait cacher. La visite faite, sans mot dire elle toisa Law, puis laissa tomber :

— Vous êtes fou.

— Probablement, mais vous, vous êtes très Anglaise, répliqua-t-il, lassé.

Il constatait, une fois de plus, qu'entre Caterina et lui il n'y avait plus depuis longtemps d'autres relations que stratégiques... Mais, de sa part à elle, en avait-il jamais été autrement ?

— Que pensez-vous faire ici ? poursuivit-elle. Gouverner la France, sans doute ?

Il lui jeta un regard chargé de tout l'essentiel de ces discours qui ne relèvent pas de la parole. Les longues épreuves de ses errances à travers l'Europe, si contraires à la vocation féminine, avaient marqué profondément Caterina. Aucun souvenir d'amour ne l'avait-il visitée, en arrivant à Paris ?

John Law, atteint, se détourna sans répondre. Il aperçut alors, écroulées sur des coffres au milieu de la pièce, deux servantes consternées ; l'une berçait sa fille, l'autre le petit John qui pleurait en suçant son pouce. D'un pas nerveux, Law franchit l'espace qui le séparait de ces deux êtres, sous les regards réprobateurs qui le suivaient.

Dans ces pièces vides, froides, poussiéreuses, il avait médité des conceptions nouvelles et grandioses, il avait aussi rêvé de fêtes, de luxe et d'amour... Jessamy John s'arrêta, avec l'envie de pousser ces femmes dehors ; mais l'opération magique accomplie en la personne de son fils le cloua sur place. Le mirage de ce reflet de lui-même, si pâle, si vague, projeté plus avant dans le temps, une fois de plus le posséda tout entier. L'amour paternel, le plus généreux des sentiments, car il ne s'étaye que sur un acte de foi, l'emplissait de nouveau. Il se pencha, prit le petit garçon dans ses bras et l'emporta dans le seul coin d'appartement chaud et vivant dont il avait fait la caverne de ses songes.

Le temps passa. Celle que l'on appelait Mme la baronne de Lauriston avait fini par s'organiser tant bien que mal pour le répit que lui promettait le compagnon de sa vie. Lui pratiquait, sans que son courage faiblît, l'ascèse des longues attentes.

Il jouait toujours et regardait d'un œil parfois inquiet le printemps blessé de cet hiver-là, qui se glissait le long du fleuve, réveillait le petit peuple des bateliers, faisait fleurir des mousses légères autour des lavandières et, plus loin, renversait des filles au fond des tartanes et des bateaux plats entre le Pont-Neuf et le Petit-Pont. Cet avril incertain ressuscitait les cris de Paris : celui de la marchande d'anguilles qui frétillait plus que sa marchandise, celui du porteur d'eau, ceux de la bouquetière, de la marchande de noisettes ou de coco, du puisatier ou des marchands de chansons.

Les chansons... L'une d'elles courait les berges au bord desquelles dansaient les mâts aux voiles pourpres triangulaires. C'était un nostalgique refrain, dont les bribes parvenaient au promeneur, décousues, obsédantes :

> *Belle, si tu voulais, Belle si tu voulais...*
> *Dans le mitan du lit*
> *La rivière est profonde lon la...*

Un peu plus haut, en aval de ce même fleuve, un printemps semblable fit naître jadis le poème déchirant de Tristan et d'Yseult... Rêve de mort sur les morts ; et voici que la France perdit son dauphin. La petite vérole se ranimait, elle aussi. Le vieux roi, les yeux pleins de larmes, se raidissait pour faire face. Le drame allait être à sa mesure, tel que l'auraient aimé les poètes de sa jeunesse.

Law attendait toujours. Informé par Bourgeois et par les potins qui circulaient dans les milieux de finance, à l'hôtel de Soissons ou dans le monde des Gesvres, des Ferriol, des Effiat, il suivait avec une attention passionnée les négociations de Hollande qui entraient dans une phase décisive. Le président de Rouillé venait de partir, portant le message de la douloureuse capitulation du vieux roi.

— C'est pour tout cela, répétait Law, que les choses traînent en longueur ; il faut attendre que les négociations s'achèvent, ce qui ne peut plus tarder maintenant. Attendre, toujours attendre...

On apprenait bientôt que les bases de paix imposées par la coalition étaient telles que Rouillé s'attendait à être rappelé sur-le-champ. La France, exsangue, fut envahie à nouveau par l'angoisse. « Elle subissait la plus cruelle humiliation qu'elle eût connue depuis Pavie [1]. »

1. Ph. Erlanger.

A Versailles, le Roi réunit un dramatique conseil. Le soir, dans Paris, on savait que le ministre de la Guerre et celui des Finances avaient déclaré être sans ressources et qu'en écoutant le duc de Beauvilliers dépeindre la détresse du pays, le duc de Bourgogne avait pleuré.

La Hollande exigeait Lille et Tournai, les Anglais voulaient détruire Dunkerque et réclamaient Terre-Neuve. L'Empire demandait l'Alsace et Strasbourg, enfin les membres de la coalition prétendaient enlever la couronne d'Espagne à Philippe V et obliger le vieux Louis XIV à combattre à leurs côtés son petit-fils. La France se verrait alors accorder une trêve de deux mois, au-delà de laquelle aucune garantie ne lui était donnée. Si Philippe V n'était pas détrôné, les huit nations lanceraient leurs armées sur Paris.

Louis XIV retrouva alors la dimension de son image. La France se défendrait : on rappela en hâte les troupes qui se battaient en Espagne sous le commandement du duc d'Orléans et la nation se prépara à tenir le pari désespéré du dernier combat.

Law était partagé entre son angoisse et la résonance des grands noms qu'avait jetés dans sa mémoire un soir de tristesse et de délire le Chevalier de la Mer dont il ne savait plus rien : Coromandel, Chandernagor, Pondichéry, Indes, Louisiane, Mississippi...

En tout cas, Blunt, lui, ne rêvait, ne pensait qu'à ces contrées, et jusqu'à l'obsession. Du royaume de France en ruine, il voulait saisir la meilleure part : celle de la mer et de l'aventure.

C'est là que commença, en Occident, la guerre aujourd'hui perdue pour la domination du monde.

Blunt régnait sur Change Alley. Vers ce temps-là, il prit tout à fait la tête du jeune parti anglais de la Banque qui représentait une force nationale, farouchement chauvine, ce qui ne l'empêchait pas de spéculer sur la guerre.

Parfaitement informé de ce qui se passait à Paris, il dépêcha un agent de renseignements, Jacques Twain, vers un lieu de la capitale pour le moins inattendu : le couvent de la Madeleine de Tresnel, situé rue de Charonne, au faubourg Saint-Antoine. C'était une maison d'éducation pour jeunes filles.

Jacques Twain était en fait un agent double. Il servait avec un inégal dévouement le lieutenant de police français, d'Argenson, et Blunt, l'Anglais, et avait ses grandes et ses petites entrées au couvent de la Madeleine, où il était accoutumé de joindre l'un de ses deux maîtres, le marquis d'Argenson.

Ce dernier n'avait point encore élu domicile à titre permanent dans cette retraite, mais l'abbesse du lieu, la belle Mme de Veni, avait déjà levé pour lui ses voiles et il ne se passait pas de jour qu'il ne la vînt caresser. Peu à peu, il trouva commode et discret de convoquer là ses sbires. Le profanateur de Port-Royal-des-Champs pouvait se permettre, en d'autres couvents, d'autres libertés.

Twain pénétra donc dans le vestibule désert. Il hésita ; il ne désirait ni se faire remarquer, ni troubler les ébats de l'abbesse et du lieutenant de police. Il en était là de ses réflexions lorsqu'un petit visage se montra à l'huis d'une porte. Voyant un beau cavalier à la perruque blonde, drapé dans un manteau bleu sombre, la jeune personne se montra tout à fait : c'était une adolescente, au charme acide, au regard effronté, à l'œil moqueur ; son fourreau gris de pensionnaire et la hauteur de sa fontange l'allongeaient et accusaient sa maigreur. Telle quelle, Marie de Vichy, qui allait désoler quelques années plus tard ce bon M. du Deffand, retint par les prémices de sa beauté le regard de l'Anglais. Elle s'en aperçut et sourit :

— Vous cherchez quelqu'un ? dit-elle à mi-voix, comme un enfant pris en faute.

— Oui, M. d'Argenson.

— Je ne sais si vous pouvez l'aller trouver en ce moment sans déranger beaucoup Mme l'abbesse, répondit-elle avec un sous-entendu qui fit rougir l'étranger tandis qu'elle restait imperturbable.

— Il faut pourtant que je lui parle ce soir même.

— Fort bien, je vais prévenir ses gens.

Et avant que l'Anglais ait pu s'y opposer, elle ouvrit la porte par laquelle elle était venue et cria à la cantonade :

— Allez prévenir votre maître qu'un envoyé de Lord Godolphin l'attend !

Au nom du premier ministre anglais qui l'avait bel et bien envoyé en secret, l'étranger pâlit :

— Que dites-vous ?

— Ce qui se peut concevoir, monsieur, rétorqua-t-elle. Un Anglais d'Angleterre se distingue à dix lieues !

Et s'enfuit avec grâce celle qui possédait déjà esprit aigu et bon bec de Paris.

A cette incroyable nouvelle, murmurée derrière la cloison qui séparait d'un couloir l'alcôve de Mme l'abbesse, d'Argenson se trouva catapulté hors du lit, enfila ses chausses et bondit dans le parloir. Voyant Twain, il éclata de rire ; la plaisanterie lui parut bonne. Twain protesta : il ne l'avait pas appréciée.

— Eh bien, qu'y a-t-il ? interrogea le lieutenant de police, redevenu sec et impérieux.

— Il y a dans Paris un agent secret de l'Angleterre qui intrigue à la Cour, se joue du duc d'Orléans et de Desmarets... Il faut que vous l'expulsiez dans les quarante-huit heures, sans cela je ne réponds de rien.

— Peut-on le prendre sur le fait ?

— Non, c'est impossible pour l'instant et puis, il faut agir prudemment : il s'est fait des amitiés puissantes et ce n'est point l'heure d'offenser gravement l'Angleterre ; les négociations pourraient s'en ressentir.

— Alors, attendons.

— Il nous échappera.

— Ah diable ! et sous quel prétexte l'expulser ?

— Vos gens le filent depuis son arrivée. Il joue un jeu d'enfer, malgré l'ordonnance de police, et laisse régulièrement sans un sol ses partenaires. C'est un forban.

— Voilà qui facilite les choses !

— Vous trouverez là son nom, son adresse et les renseignements de vos agents, dit Twain, lui tendant un pli.

D'Argenson éclata de rire à nouveau.

— Eh bien, notre pécore avait raison, c'est bien pour Lord Godolphin que vous êtes venu ce soir.

Jacques Twain, décidément, n'aimait pas cette plaisanterie-là. Il salua, impassible, et sortit.

BLUNT GAGNE

L'on était ainsi parvenu aux jours les plus longs de l'année. Dans un de ces subtils crépuscules de juin qui font la profondeur et le secret des parcs de Lancret et de Watteau, Law revenait de sa seconde visite à Desmarets. Le ministre l'avait informé sèchement que le roi ne voulait rien savoir d'un protestant. Law avait compris qu'entre l'envoi de la convocation et cette visite à Versailles, il s'était produit quelque intervention dont il cherchait en vain l'origine. Il était évident qu'on ne l'avait point fait venir de Paris à seule fin de lui transmettre ce refus, qu'il eût été si facile de lui faire parvenir sous pli cacheté. Le temps avait dû manquer pour lui adresser le contrordre. Le carrosse roulait bruyamment sur les pavés de Sèvres, dans les touffeurs d'une approche d'orage. Law se revoyait quelques heures plus tôt, alors qu'il accomplissait ce trajet en sens inverse et avec tant d'espoir. Il avait l'habitude des déceptions, des humiliations, mais celle-là l'atteignait davantage. Il avait tellement cru en ce pays, en ces hommes ! Vers quels lieux du monde pourrait-il se tourner, à présent ? Et puis l'âge, peut-être... Il lui venait un subit désir de repos et de stabilité. Il ne pouvait même plus songer à cultiver les fleurs de son jardin de Lauriston puisque, là comme ailleurs, il n'avait pu désarmer ses ennemis. La défaillance ne dura qu'un instant. Le lutteur se reprit et décida : « Voilà une cabale dont j'aurai bien le fin mot ; je vais m'adresser sans plus tarder à M. l'abbé de Thésut et l'on verra. »

Mais quand sa voiture parvint à son hôtel, il se sentit à nouveau saisi par l'accablement : il avait oublié Caterina qui l'avait vu partir triomphant, sûr de lui et qui ne croyait pas à la partie qu'il jouait...

Le carrosse roula sous le porche et s'arrêta dans la cour. Law en descendit lourdement et se dirigea sans empressement vers la porte vitrée qui ouvrait sur l'escalier de pierre. Comme il en montait les degrés, il entendit une porte s'ouvrir bruyamment à l'étage supérieur et des cris perçants retentirent en même temps qu'il vit surgir Caterina. Elle dévalait l'escalier à sa rencontre, blafarde, hors d'elle et criait en brandissant un papier :

— Ils nous chassent, John !

Elle tomba dans ses bras en sanglotant et toute l'aigreur que Law éprouvait à son sujet disparut. Une nouvelle catastrophe s'abattait sur eux et le besoin de consoler cette femme qui partageait déjà depuis longtemps ses incertitudes et les épreuves de son fâcheux destin l'emporta. Il caressa ses cheveux en désordre, son front brûlant et demanda doucement :

— Que dites-vous là ?

— Une ordonnance du lieutenant de police... arrivée... tout à l'heure... Nous avons quarante-huit heures pour quitter cette France qui est assiégée comme une citadelle !

Elle suffoquait. Law la tenant toujours enlacée, s'enquit :

— Donnent-ils une raison ?

— Que vous jouez trop et trop bien. Lisez !

Elle lui tendit le pli signé par d'Argenson. C'était là un discours aussi bref et aussi implacable que celui de Desmarets... la source en devait être la même. Caterina le regarda, hostile, furieuse :

— Bien entendu, votre Desmarets, lui aussi, vous a mis à la porte !

La vraie Caterina reparaissait. En John, l'attendrissement d'un instant s'éteignit mystérieusement, comme parfois meurt le feu d'une étoile. Elle poursuivait un monologue que son compagnon se garda bien d'interrompre :

— Me chasser, moi, une dame, parente de la reine Anne Boleyn ! Ils sont beaux, courtois et honnêtes, vos Français ! Ne vous ai-je pas sans cesse mis en garde contre eux ? Ne sont-ils pas nos ennemis héréditaires ? Vous m'entendrez, maintenant !

Malgré l'inutilité d'une protestation dont il était parfaitement conscient, Law ne put s'empêcher de répliquer :

— Parlez pour vous qui êtes anglaise et laissez-moi en paix.

— Vous oubliez que la réunion de l'Ecosse à l'Angleterre est chose faite. N'êtes-vous pas un Britannique ?

Law eut un geste évasif.

— Mais qu'est-ce que vous êtes donc ? Quel est votre pays ?

Law était arrivé au palier du premier étage. D'un regard douloureux, il considéra un admirable portulan qui, sur le mur, en face, lui offrait sa rose des vents, ses frontières bleues et ses caravelles :

— Mon pays, répondit-il lentement, c'est le monde...

— Qu'est-ce que cette chanson-là ! hurlait Caterina qui se remit à fondre en larmes. Belle patrie, en vérité, et vous allez voir comment elle va nous recevoir ! Où irons-nous maintenant ?

— En Italie, répondit-il. Vous savez bien que l'Italie ne nous chassera pas. Nous n'avons pas un instant à perdre, faites vos paquets ; pour moi, j'ai à réfléchir à tout cela et à prendre quelques dispositions.

— Comment, vous repartez ? s'étonna-t-elle en le voyant redescendre l'escalier.

— Je serai peut-être absent longtemps ; ne vous inquiétez pas, et préparez tout.

Law fit atteler de nouveau promptement et se fit conduire chez le duc d'Orléans. Il n'avait pas voulu informer Caterina de cette nouvelle démarche dont il ignorait quel pourrait être le résultat. Il savait que le prince était absent de Paris mais il comptait sur l'abbé de Thésut ou sur Dubois.

Il ne trouva ni l'un ni l'autre au Palais-Royal mais obtint la faveur de les attendre. Attendre, attendre toujours...

Dans une galerie qui donnait sur le jardin, John Law, comme une ombre, allait et venait à la lueur des flambeaux. Il arrêta ce va-et-vient de bête en cage et se laissa tomber dans un fauteuil. Il lui semblait soudain qu'il ne pouvait plus vivre à ce rythme-là, que quelque chose allait se rompre en lui... Et les heures coulèrent lentement, une partie de la nuit. Le temps se jouait de lui : il était maintenant trop tard pour tenter d'intéresser à son sort l'une ou l'autre de ses relations. Il ne lui restait que quelques heures pour aller réveiller Bourgeois, le charger de liquider ses affaires et pour prendre une chaise de poste en direction du Havre où il trouverait bien quelque bateau en partance pour Gênes.

Quarante-huit heures pour quitter la France ! Il venait d'en perdre deux ou trois et combien lui en faudrait-il pour atteindre les frontières hérissées de canons et de mousquets prêts à faire feu ? John Law secoua un laquais endormi et se fit reconduire à la porte du palais.

Dans le bourdonnant matin de juin se répandaient déjà sur les pavés de Paris des cargaisons luxuriantes de choux, de carottes et de fleurs lorsqu'une chaise de poste franchit les hauteurs de Sèvres... le chemin de Versailles, et du vieil espoir. La voiture ralentit l'allure au bout de la grande avenue de la ville royale et s'engagea sur la route de Normandie ; John Law n'aperçut que de loin le palais couleur de rose, estompé par les premières brumes de chaleur, impénétrable et féerique. A ses côtés, Caterina, en capuchon de voyage, ne cessait d'invectiver. Peut-être avait-elle raison... En face d'eux, les enfants ouvraient de grands yeux apeurés.

Puis la distraction du paysage qui défilait derrière la vitre et la chaleur déjà vive finirent par vaincre Caterina et elle se tut. Law, qui n'avait pris aucun repos depuis la veille, somnolait. Ils traversèrent plusieurs villages et, peu à peu, de l'un à l'autre de ces misérables hameaux, une rumeur grandissante, insolite, réveilla les voyageurs endormis.

La matinée était déjà avancée lorsqu'ils pénétrèrent dans une grande bourgade où l'agitation leur parut à son comble. Femmes et enfants en haillons, toute la population était dans les rues ; les maigres troupeaux avaient pris possession de la route étranglée entre les maisons, de sorte qu'il était à peu près impossible d'avancer. Tant bien que mal, la voiture se fraya un chemin jusqu'à la grand-place mais là, un rassemblement obligea le cocher à immobiliser l'équipage.

Law ouvrit la portière et alla se mêler aux paysans hâves, squelettiques et vêtus de loques. C'étaient les rescapés du terrible hiver, des famines, des épidémies, de la misère, semblables aux effrayants modèles que Jacques Callot avait choisis, soixante ans plus tôt. Un cercle se formait autour d'un cavalier, lui aussi revêtu de loques ; mais à leurs couleurs et à leurs formes, on pouvait reconnaître la casaque de la maison du roi.

— Une cinquième armée marche contre le prince Eugène et les

Hollandais ! criait-il. C'est le maréchal de Villars qui la commande et le maréchal de Boufflers est avec lui ! Nous n'avons pas de vivres, pas d'argent... nous n'avons que notre passé et notre sang !

Une clameur avait fait écho aux deux noms devenus, au plus noir de la détresse, symboles d'espoir : « Vive le roi, vive Villars et Boufflers ! » répondait le peuple d'ombres.

— Et puis, poursuivit le cavalier, nous aurons l'or et l'argent qui vont arriver des Indes !

Les Indes ! Ce mot se ficha dans l'esprit de Law, éblouissant et douloureux.

Le soldat du roi, venu d'on ne sait où, repartit sur la route du Nord...

Ce spectacle, qui à cette heure devait se reproduire sur les places de toutes les petites villes de France, allait devenir pour Law un inoubliable souvenir. Les Indes... l'argent des Indes... Ne venait-il pas de jouer et de perdre sa dernière carte ici, en France, où tant de misères côtoyaient tant d'espérances ? Il quittait ce peuple et ce royaume, plus que jamais persuadé que là seulement se pouvaient accomplir de grandes choses. A pas lents il regagna l'équipage, qui l'emporta au large de l'Europe et de son destin.

Deux jours plus tard, à Londres, dans le sévère hôtel de Piccadilly où depuis peu, s'assemblaient chaque semaine Blunt, dévotieux renard à tête de fouine, cheveux plats, habit noir, et les superbes amiraux de Sa Majesté la reine Anne pour de singuliers conciliabules, un émissaire rendait compte du succès d'une importante mission : John Law de Lauriston avait quitté la France.

Blunt trouva immédiatement le verset de la Bible qui convenait à la circonstance et les marins anglais éclatèrent de rire : Dieu ! Que ces Français étaient donc légers et faciles à berner ! Les corsaires et les grands navires à pavillon blanc continueraient à couler bas sur toutes les mers où se livrait la plus insaisissable des guerres.

A quelque temps de là, dans un douloureux crépuscule des Flandres, sous la pluie cinglante, des soldats qui montaient au combat croisèrent un de ces regards qui expriment l'âme d'un peuple, sa force et son génie : celui de Watteau. Malade et pauvre, son balluchon sur l'épaule, le jeune peintre quittait Paris afin de rentrer chez lui, à Valenciennes ; là-bas flambaient des villages qui s'appelaient Courtrai, Rosebecque, Bouvines, Rocroy, Denain, Fontenoy... Devant lui, qui s'était arrêté sur le bord du chemin, défile dos voûté, sacs lourds, bottes pesantes de glaise, la troupe qui se détache en silhouettes livides sur un horizon d'encre. Il voit tout : « Cette file d'hommes harassés luttant contre le vent, contre la boue, la petite mare frémissante, le saule décapité, le frisson qui court sur le chaume, courbe les têtes, transit les membres, cette colonne en marche contre les éléments hostiles et l'avenir douteux... » Une pensée naît alors en lui : « Nul n'a songé à regarder et à peindre celui-là dont on ne parle pas, celui-là qu'on ne connaît pas, le bonhomme qui gagne les batailles et meurt inconnu... Voilà mon personnage [1] ! » s'écrie-t-il.

Ils avaient été par milliers, à Ramillies, à Oudenarde, à Malplaquet ; pour ceux-là, le but était Denain où, le 24 juillet 1712, Villars rendrait la France à son destin. Chemin faisant — et quel chemin ! — ils avaient fait ainsi éclater et jaillir le génie de Watteau [2].

IL COURT, IL COURT, LE FURET...

Au seuil du grand salon de Mme de Tencin, Marivaux éclata de rire :

— Tiens, tiens, l'abbé, vous fréquentez donc aussi ce mauvais lieu ! On complote ?

Le petit abbé Prévost rougit et quitta vivement son fauteuil :

— Je viens de renoncer à la vie religieuse et je vais m'engager sous les ordres du maréchal de Villars, monsieur ! Je venais faire mes adieux à la chanoinesse qui a bien voulu s'intéresser quelque peu à moi.

— Vous feriez tous deux un joli couple de défroqués, dit Marivaux en lui posant amicalement la main sur l'épaule. Mais vous n'êtes pas de taille, mon ami ! Si vous m'en croyez, ne disputez pas cette terrible nonne à M. d'Argenson qui aime oublier dans ses bras Mme de Veni... ce qui ne déplaît pas tellement à Son Excellence Mathew Prior, l'amant en titre ! C'est un délicieux poète, vous savez ? Et quel diplomate ! Nous lui devons de ne plus avoir les Anglais dans la coalition. Evidemment, vos amis de la Cour de Saint-Germain deviennent du même coup nos ennemis... Que voulez-vous, l'abbé, ce sont les jeux de la politique !

— C'est une situation de comédie italienne à faire perdre le peu de latin que je n'ai pas oublié ! dit le petit abbé.

— On ne saurait mieux dire... et si l'on ajoute que Milord Bolingbroke a été aussi l'amant de la Tencin !

— C'est vraiment de l'anglomanie...

— Bolingbroke tentait de persuader le Prétendant [3] de se faire protestant pour succéder éventuellement à sa sœur, la reine Anne... Peut-être auriez-vous pu vous charger de cette conversion puisque vous êtes expert en religion et que vous voulez du bien à ce prince !

— Vous vous moquez, monsieur. Et vous parlez bien légèrement de secrets d'Etat !

1. Louis Gillet.
2. De cette rencontre sont nées les scènes militaires, qui ont révélé Antoine Watteau.
3. Jacques, dit le Prétendant ou le Chevalier de Saint-George, fils de Jacques II, tentait de recouvrer le trône d'Angleterre depuis la mort de son père, survenue en 1701. On sait que ce dernier avait été détrôné par son gendre, Guillaume d'Orange, époux de sa fille Marie, mort en 1702, sept ans après sa femme, sans laisser d'enfants. Jacques II s'étant converti au catholicisme et ayant élevé son fils dans cette religion, ce fut sa fille Anne, demeurée protestante, qui fut appelée à régner sur l'Angleterre à l'âge de trente-sept ans.

— Mais, mon cher abbé, nous vivons dans la comédie et les coups de théâtre abondent ! Rien n'est invraisemblable aujourd'hui ! La reine Anne chasse sa furieuse maîtresse, Sarah Marlborough, et s'éprend d'une femme de chambre qui rappelle les tories au pouvoir ! Bolingbroke passe du lit de la Tencin au fauteuil de Premier Ministre d'Angleterre. Il nous dépêche l'abbé Gauthier pour nous offrir la paix et Mathew Prior, qui a tant lutté contre les jacobites, pour négocier avec le Prétendant ! Et Prior remplace Bolingbroke dans le lit de la Dame ! La reine d'Espagne meurt, Mme des Ursins vacille au pied du trône et cherche une autre reine pour un roi dévot qui se meurt d'abstinence ! Nous avons vu trépasser les uns après les autres les héritiers de Louis XIV, et le dernier va suivre, dit-on. Nous avons assisté à la renonciation de Philippe V à la couronne de France...

— Renonciation qui lui fut imposée par les Anglo-Hollandais qui menaçaient de reprendre les combats malgré les pertes que leur ont infligées nos soldats à Malplaquet ! Ah, si l'on avait tenu bon !

— Ta, ta, ta, l'abbé ! Jamais l'Angleterre n'aurait admis que l'Espagne et la France ne forment qu'un royaume ! Si vous êtes de ceux qui détestent M. d'Orléans, et croient que le royaume de France revient de droit divin à Philippe V, vous voici obligé de voir en le Régent, désigné par le traité d'Utrecht comme l'héritier présomptif du petit dauphin si menacé, le représentant d'une dynastie indépendante et française, et l'arbitre de l'équilibre européen ! C'est admirable. En vérité, on a envie d'applaudir comme à la comédie, mais attendons l'acte suivant ! Ici même, dans cet hôtel, dans ces cabinets délicieux et secrets, se poursuivent d'extraordinaires intrigues.

— Je répète que vous m'allez faire perdre mon latin, monsieur ! dit le petit Prévost, songeur.

— Que voulez-vous, reprit Marivaux en riant, Prior a trouvé à occuper, au sortir de son couvent, la belle et scélérate religieuse Tencin... dans les services secrets anglais. Connaissez-vous son frère, l'abbé de Tencin ?

— Un peu...

— C'est un drôle ! Avec son teint fleuri, ses yeux vifs, sa lèvre gourmande, il n'était point homme à laisser moisir dans un cloître une belle fille, enfermée là malgré elle, et qui était capable de lui servir d'appât comme de pêcher en eau trouble ! C'est avec l'aide de Fontenelle, qu'elle encourage comme elle sait le faire, qu'il a obtenu sa sécularisation. Et puis... ma foi, on dit que le frère initia la sœur à bien remplir les services qu'il attendait d'elle, et que, depuis, elle le préfère à tout autre ! Quant à lui, il attend de son savoir-faire la fortune et le chapeau de cardinal !

En parlant ainsi, Marivaux allait et venait. Soudain, il s'arrêta, regarda le très jeune homme qui venait à peine de renoncer à la soutane des jésuites et qui paraissait mal à l'aise :

— Vous vous étonnez peut-être, s'enquit avec prévenance le bavard, qui n'avait que quelques années de plus que son interlocuteur, que je tienne ici de tels propos ? Mais rien de tout cela n'est secret ! affirma-t-il avec un toupet désarmant. Et toutes ces situations extravagantes me divertissent prodigieusement. Je n'aime rien tant que de voir Mme de Tencin tenir ici concile en mère de l'Eglise, entourée d'ecclésiastiques, d'agents anglais et d'amants judicieusement choisis. Lorsque sa charmante sœur, Mme de Ferriol, est de la partie, accompagnée des belles petites esclaves circassiennes qu'elle a élevées pour les mettre dans le lit de son beau-frère l'ambassadeur, il y a de quoi transporter au septième ciel des jeunes gens qui, comme vous et moi, s'intéressent aux mœurs des hommes et songent à en écrire !

— Quelle famille ! soupirait Prévost. Mais vous exagérez un peu, surtout en ce qui concerne les Circassiennes des Ferriol ! On dit que Mme de., depuis son mariage, ne met plus les pieds ici, ni ailleurs ; elle a su échapper à l'ambassadeur et elle fuit le monde.

— Oui-da ! s'écria l'incorrigible Marivaux, et elle a eu la chance de perdre son imbécile de mari aux armées !

— Ce qui fait bien votre affaire, à ce que l'on prétend !

— Eh ! eh ! pas si naïf, pour un clerc ! Je pense que nous allons rencontrer tout à l'heure le chevalier Schwaub, un Bâlois, qui travaille aussi pour l'Angleterre... entre autres. Vous voyez ce que je veux dire ?

— Je vois...

— Il y a un petit mystère de cette maison, et il m'occupe particulièrement l'esprit en ce moment. Je grille d'envie de savoir si John Law de Lauriston, le financier, que nous verrons également, je suppose, est oui ou non un agent anglais !

— Il est donc de nouveau à Paris ? Je le croyais à La Haye.

— Il y était en effet le mois dernier. Bien qu'il possède grand train là-bas, à ce qu'il paraît, il court sans cesse comme un furet à travers toute l'Europe, ce qui m'intrigue. Il vient d'acheter un des plus beaux hôtels de Paris, place Louis-le-Grand [1]. C'est un personnage fascinant ! M. le duc d'Orléans est, paraît-il, subjugué par lui et l'a fait rappeler à Paris par Desmarets. La Tencin en est folle, le bruit court qu'ils sont au mieux...

— Lui aussi ! Toujours l'anglomanie !

— A vrai dire, j'en doute fort et voilà encore qui excite ma curiosité ! Il connaît Prior depuis vingt ans, il a travaillé avec lui. Il sait donc tout ce qu'il convient de ne pas ignorer sur les activités de cette femme. Il est évident qu'il s'en méfie et, s'ils ont couché ensemble, ce fut en tout cas sans lendemain. Tout le monde connaît aujourd'hui les théories et les ambitions de cet Ecossais qui ne doit vouloir rien compromettre et joue ici un jeu subtil, brûlant ; mais lequel ?

— Le furieux entraînement que l'on éprouve actuellement à Paris pour tout ce qui vient de l'autre côté de la Manche doit bien le servir !

— Certes, et soyez bien certain qu'à l'origine de cette manie, se trouve l'extraordinaire besogne de Prior. Avez-vous entendu comment le peuple lui attribue tout le mérite de la paix d'Utrecht parce qu'il en fut le négociateur et le signataire ? « La paix à Mathieu », comme on dit à la Courtille et dans les faubourgs !

1. Actuellement place Vendôme.

— Si pourtant la reine Anne n'avait pas changé ses amours et rappelé les tories, avec ou sans « Mathieu » il n'y aurait probablement pas eu de victoire à Denain, et Dieu sait ce que nous aurait encore coûté la guerre de succession d'Espagne !

— Soyons justes, l'abbé, il y a eu aussi les faits d'armes de nos soldats à Malplaquet et la fripouillerie des Marlborough ! Mais croyez-moi, qu'il s'agisse des Stuart, des tories ou des whigs, je suis persuadé, comme la majorité des Français, que les réconciliations entre la France et l'Angleterre ne seront jamais que trompeuses et de courte durée !

Il s'interrompit brusquement. Une voix masculine, claire, avec de légères inflexions féminines qu'accusaient encore un accent britannique et une certaine suffisance, résonnait dans le vestibule :

— C'est chose inconcevable, disait Mathew Prior à Schwaub, un de ses agents secrets qui le suivait, que de voir combien les Français se détestent et raffolent de nous ! Oh, pardon ! s'exclama-t-il en souriant et en apercevant Marivaux et le petit Prévost.

— C'est en effet inconcevable, Excellence ! dit Marivaux avec une tranquille impertinence, avant d'échanger un profond salut avec Prior.

A ce moment, une porte s'ouvrit et Alexandrine de Tencin parut dans son habit de chanoinesse gris et noir qui contrastait de la manière la plus étrange avec son visage. Marivaux, une fois de plus, admirait « son cou flexible et long aux courbes insinuantes, sa bouche assez grande, mobile, expressive et fraîche, ses yeux légèrement troubles qui traduisaient avec vivacité l'impression du moment. Sur sa physionomie sans cesse renouvelée, on sentait passer l'âme la plus agile qui fut jamais[1]. »

Prior prit la main de cette sirène et, plongeant son regard dans le sien, il la baisa longuement.

— J'ai à vous apprendre une grave nouvelle, commença-t-il.

A cet instant, la voix d'un laquais annonça, à l'autre bout du salon :

— Monsieur le baron de Lauriston !

Après avoir disparu de la scène française côté jardin, John Law reparaissait côté cour, rappelé par le contrôleur général des Finances. Retour plein de dignité et d'incertitudes, en dépit de ce que l'on en disait si légèrement. Il s'avançait d'un pas mesuré vers cette femme qui courait à lui, l'œil brillant. Il n'était plus le benêt des pénombres d'Amsterdam ou de Saint-Germain : il n'ignorait plus que l'Angleterre, en tant que nation, lui avait déclaré la guerre à lui, John Law, ni que Prior cherchait à l'enrôler à nouveau dans son réseau pour le neutraliser dans l'immédiat, et peut-être pour se servir de lui par la suite. Un sourire froid traduisait sa méfiance.

— Son Excellence allait justement nous apprendre une nouvelle d'importance ; approchez, monsieur, puisque vous êtes des nôtres... dit Alexandrine, posant sur sa main des doigts brûlants.

Law ne répondit pas et regarda Prior. Il le connaissait assez pour deviner, sous son indifférence apparente, une ombre certaine.

1. Marivaux.

128

— Sa Majesté la reine vient de mourir subitement, dit lentement Prior qui dissimulait mal son trouble. Il ajouta : Les whigs brandissent déjà l'acte de succession qui désigne l'Electeur de Hanovre.

— Le cousin issu de germain de M. le duc d'Orléans, précisa la Tencin en souriant à John Law de Lauriston qu'elle savait bien en cour de ce côté-là.

— Les whigs, mes implacables ennemis, au pouvoir ! murmura Law.

— Ils vont annuler le traité d'Utrecht, dit Prior, et nous accuser de trahison, nous qui l'avons négocié ! Bolingbroke est déjà en fuite ; je l'attends d'un instant à l'autre... Je crois, monsieur Prévost, qu'il faudrait porter très vite ces désastreuses nouvelles à Saint-Germain.

— En effet, dit Prévost qui s'éclipsa aussitôt.

Au ton que prenait la conversation, Marivaux jugea que sa présence était superflue. Il prit congé ; on ne le retint pas.

— Ainsi donc, tous nos plans sont déjoués ! La couronne échappe au Prétendant ! s'écria la Tencin. Mais le Stuart demeure une menace entre nos mains et nous l'utiliserons, si les whigs remettent en question le traité d'Utrecht et reforment une coalition avec l'Empereur !

— Vous parlez, madame, comme Louis XIV en personne ! dit Schwaub, ironique. Il est certain que la position du nouveau roi d'Angleterre George Ier ne va pas être très solide : il n'aura pour lui ni la majorité des tories, ni l'aristocratie, ni l'Ecosse. Qu'en pensez-vous, monsieur ? dit-il en s'adressant à Law.

— Il se peut que le roi George et son cousin le duc d'Orléans fassent quelque jour alliance, répondit Law, qui ajouta : Je vais, pour le principe, renouveler mes démarches pour obtenir le règlement de la fâcheuse affaire qui m'empêche de revenir en Angleterre.

— Vous l'obtiendrez moins que jamais ! assura Prior.

— Qui sait, fit Law songeur, j'ai pris maintenant quelque importance. Je viens d'être rappelé par le duc de Savoie pour gérer les finances de son pays, et par le contrôleur général des Finances de la France pour envisager des projets d'envergure. Il faudra donc que l'Angleterre abatte ses cartes dans la partie qu'elle joue contre moi.

— Méfiez-vous, reprit la Tencin, vous savez parfaitement que Samuel Bernard a proposé, en 1709, un projet assez semblable au vôtre... Desmarets vous rappelle pour plaire au duc d'Orléans, mais en même temps, il facilite la création de la banque de Samuel Bernard !

Law sut demeurer impassible. Il n'ignorait rien du projet de Samuel Bernard, mais il ne pensait pas qu'il eût des chances sérieuses d'être réalisé. Schwaub ne fut pas dupe du calme souriant de son interlocuteur et pas davantage du geste insouciant qu'il fit en guise de réponse à la chanoinesse.

— Les agents de renseignements ont du bon ! dit-il en hochant la tête.

— Eh bien, dit Law, s'il le faut, je me mettrai au service du duc Victor-Amédée. Grâce à vous et aux autres négociateurs d'Utrecht, dit-il en se tournant vers Prior, il s'est enrichi de la Sicile et se trouve aujourd'hui à la tête d'un royaume. Voyez quel bel ouvrage vous avez fait !

— Trêve de plaisanterie ! dit l'Anglais. Mon successeur à Paris sera vraisemblablement votre ami de jeunesse, Lord Stairs.

Law, cette fois, fut sincèrement étonné.

— Parfaitement, reprit Mathew Prior, et il est de ceux qui, comme moi, estiment que votre place est dans votre pays, à vous occuper des finances de l'Angleterre et à veiller sur ses intérêts. Malheureusement, cette évidence ne s'impose pas à tout le monde. Il fera sans doute tout pour vous faire rentrer en grâce et pour obtenir votre rappel à Londres, mais je crains qu'il n'aboutisse à rien. Lord Halifax était des nôtres, au temps de Ryswick, à La Haye, souvenez-vous-en ; il vous tient aussi en grande considération, mais...

— Mais il y a Blunt ! dit Law en éclatant de rire. Est-ce à vous qu'il faut apprendre qu'il y a des Blunt partout dans le monde : ici, à Versailles, à la cour de Savoie, en Hollande, et en Espagne donc ! Si vous m'en croyez, Prior, et quels que soient vos talents et vos mérites de diplomate, souvenez-vous que vous êtes poète, consacrez-vous aux muses et cultivez votre jardin. J'ai furieusement envie de cultiver le mien et c'est là, au fond, la raison profonde qui m'incite à demander encore ma rentrée en grâce.

Mme de Tencin réagit avec vivacité :

— Je n'en puis entendre davantage ! Eh quoi, vous parlez d'aller servir le duc de Savoie, puis de planter vos choux ! Je peux beaucoup ; je vous concilierai l'Angleterre et vous mettrai ici, là où vous devez être, si vous consentez à m'accorder quelque crédit et quelque amitié.

Elle allongea légèrement vers Jessamy John son long cou flexible, le visage tout animé. Voyant des sourires paraître sur ces visages d'hommes, elle murmura :

— La politique n'est-elle pas aux mains des femmes ? La Maintenon chez nous, Mme des Ursins en Espagne, la reine Anne et sa favorite, jusqu'à cette heure, en Angleterre ! Nous verrons autre chose ici.

— Par vos soins ? s'enquit Prior en lui prenant la taille.

— Qui sait ! dit-elle, et son visage devint dur et immobile, de pierre.

En sortant de chez la Tencin, Prior et Law renvoyèrent leur équipage et gagnèrent à pied les berges de la Seine, toutes proches. Le beau soir d'été descendait en flamme vers la colline de Chaillot et bleuissait la cité ; une ombre chaude noyait la foule qui, à cette heure, se retirait et rendait ces lieux à la mélancolie. Les deux hommes s'accoudèrent un instant au bord d'un parapet.

— Vous souvenez-vous de votre premier départ pour Paris ? dit soudain Prior.

— Comment l'oublierais-je ? murmura Law. Que de choses depuis, que de visages, que d'amours, que de haines...

Ils se turent. Ce fut alors que Prior lui demanda :

— Connaissez-vous Mme de., la plus jeune des deux esclaves de Ferriol ?

— Non, pourquoi ?

— Parce que je pensais à passer chez elle ce soir et nous y eussions été ensemble.

— Pourquoi ce soir ?

— Parce qu'elle a une âme et de l'esprit.

— Cela existe ? Je croyais qu'un corps suffisait, et j'ai déjà entendu dire qu'elle en avait un qui méritait qu'on y allât voir.

— Ne croyez rien et oubliez ce qu'on vous a dit. Vous la verrez un jour... (Prior se redressa et le regarda longuement.) Vous la verrez, répéta-t-il, et ce sera bien singulier.

LE COUP D'ÉTAT DE PHILIPPE D'ORLÉANS

Le duc d'Orléans venait de se glisser dans un de ces réduits obscurs qui doublent à Versailles les chambres d'apparat. Il referma avec précaution la porte secrète pratiquée dans les boiseries ouvragées de la chambre attitrée de Monsieur, frère du roi — devenue sienne depuis la mort déjà lointaine de son père, qui ne l'occupait que lors de ses rares apparitions dans la demeure royale. Il posa le candélabre qu'il tenait à la main sur un cabinet de Chine, regarda autour de lui, craintif, douloureux. Il venait y chercher l'apaisement de quelques instants de calme et de méditation. Et voici qu'en ce lieu l'assaillaient de toutes parts des souvenirs redoutables : c'était ici que, cinq ans plus tôt, en janvier 1710, son vieil ami Saint-Simon l'avait investi des heures durant pour l'arracher à Marie-Louise d'Argenton. La Maintenon, qui fit les beaux jours de l'hôtel de Ninon de Lenclos à la place Royale, et le roi, qui tint harem à Versailles, lui avaient imposé de renoncer à ce sentiment de pureté, de fidélité, de passion, avant de consentir au mariage de sa fille Elisabeth avec le duc de Berry, troisième fils du Grand Dauphin.

Il avait cédé, et cette soumission lui laissait à elle seule une amertume, une lassitude plus lourdes encore à supporter que la révoltante tyrannie du couple royal ; c'étaient les raisons profondes, secrètes, cachées de cette soumission qu'il tentait d'oublier dans le vin, l'accord des violons et la compagnie des filles d'Opéra. Un rire singulier le secoua : quel bon père, en vérité, il fut là ! Sacrifier son amour pour permettre à sa fille d'épouser le frère du duc de Bourgogne et du roi d'Espagne et de s'approcher ainsi des marches du trône ! Il revoyait Elisabeth, arrogante, triomphante, dans la chapelle royale, aux côtés de cet imbécile de Berry. « Que de sottises que tout cela ! » murmura-t-il en passant nerveusement la main sur son visage, comme pour dérober son regard à toutes les ombres qui s'agitaient dans cette alcôve. Il lui semblait à nouveau entendre Saint-Simon lui parler de vertu ; le petit duc croyait alors l'assister en un simple débat d'amour, incapable qu'il était d'imaginer que la vertu, la vraie, eût consisté à maintenir le lien qui lui avait permis de trouver, auprès de Marie-Louise, l'équilibre heureux d'une union bien assortie. Mais il était déjà trop tard.

Où était, à cette heure, dans cette nuit d'été, celle qui avait été la dame de ses pensées ? Où s'effaçaient, à l'usure des jours, ce visage et ce souvenir ? Les ombres du cabinet obscur lui livraient à présent l'ancien printemps : « Une brise langoureuse berçait les feuillages de Saint-Cloud, les jets d'eau illuminés dansaient leurs rondes fantastiques, les labyrinthes éveillaient des fragrances [1] » :

> *Je ne voudrais pas être roi*
> *Sans vous, Philis...*

Et voici qu'il s'approchait du trône et que Philis était loin, à jamais. Aujourd'hui comme au moment de la rupture, à cet exquis visage se substituait la dure fascination de sa fille Elisabeth, cette sirène créée pour sa tentation et son malheur, et pour le consoler de tant de maux, de renoncements, d'abandons et de désillusions, de scepticisme, de cynisme et de froid à l'âme.

Philippe arrêta son va-et-vient d'angoisse, écouta un cartel égrener quelque part dans le château les heures lourdes de l'Histoire.

C'était le 29 août 1715. Il était onze heures du soir, le roi allait plus mal et venait de perdre connaissance.

Depuis quatre jours, le duc d'Orléans soutenait une lutte sans merci pour défendre, non pas une légitime ambition dont il était détaché, mais son honneur même. Il n'en fallait pas moins pour réveiller en lui cette audace, cette combativité qui faisaient revivre en son âme le souvenir du grand roi Henri. Les épreuves qui l'avaient ces dernières années irrémédiablement marqué, brisaient cet être sensible, le rendaient indifférent au souci de revendiquer la régence.

Il avait, en dépit des reproches de son fidèle Saint-Simon, laissé Mme de Maintenon tisser sa toile et obtenir du vieux roi épuisé qu'il envisage de confier la régence au roi d'Espagne et la garde du futur Louis XV au duc du Maine. C'était livrer le royaume de France au pouvoir d'un souverain étranger, et l'enfant-roi, à celui d'un prince né bâtard, ce qui était peu de chose, mais idiot, ce qui était plus grave. Jusqu'au bout, cependant, et quel que fût son affaiblissement, Louis XIV devait conserver le génie politique auquel il était parvenu en ces dernières années, et il se reprit. Il tint tête à l'incroyable meute de furies que composaient la Maintenon et les filles de la Montespan, et aussi la puissante troupe des sots, fortement représentés à leur côté. Tout ce beau monde obtint pourtant de lui qu'il ajoutât un codicille à testament et c'est pour cela qu'il avait convoqué, le 25 août, dans la nuit, son neveu Philippe.

Les deux hommes ne s'étaient point parlé depuis tel jour tragique où le duc d'Orléans, accusé d'assassinat par la coterie des légitimés, était venu demander au roi d'être conduit à la Bastille et mis en jugement.

Ils se retrouvèrent face à face. Cette fois, ce n'étaient plus les relents de l'ignominieuse calomnie qui mettaient entre eux des ombres, mais la mort. « L'odeur qui précisait le néant de toutes choses » les enveloppait. Philippe voyait comment le roi dominait cette déchéance : ce visage gris, défait, cette

1. Ph. Erlanger, *Le Régent*, Gallimard.

bouche édentée, devaient à jamais demeurer en sa mémoire dans leur dernière majesté. Le moribond, d'un geste, lui fit signe d'approcher ; la balustrade de bois doré était ouverte ; Philippe s'avança lentement vers le grand lit à colonnes et entendit :

— « Vous ne trouverez rien en mon testament dont vous ne devriez être content. »

Ces paroles imprévues passaient en sifflant légèrement dans le souffle qu'exhalaient les lèvres du malade, séchées par la fièvre.

« Je vous recommande le dauphin, servez-le aussi fidèlement que vous m'avez servi. Travaillez de votre mieux à lui conserver son royaume. S'il venait à manquer, vous seriez le maître. Je connais votre bon cœur, votre sagesse, votre courage et l'étendue de votre esprit. Je suis bien persuadé du soin que vous prendrez pour la bonne éducation du dauphin et que vous n'omettrez rien pour le soulagement des peuples de mon royaume... J'ai fait les dispositions que j'ai cru les plus sages et les plus équitables pour le bien du royaume, *mais comme on ne saurait tout prévoir, s'il y a quelque chose à changer ou à réformer, l'on fera ce que l'on trouvera à propos.* Vous allez voir un roi dans la tombe et un autre dans le berceau. Souvenez-vous toujours de la mémoire de l'un et des intérêts de l'autre... »

Le roi s'interrompit, car il voyait cette chose surprenante, des larmes : de grosses larmes douloureuses de soldat et d'enfant.

Où étaient donc celles de Mme de Maintenon, celles de ses filles tant pardonnées, celles du duc et de la duchesse du Maine, celles du roi d'Espagne ? Seuls, le comte de Toulouse sans doute et Philippe... Philippe, le vainqueur de Lérida, qui recevait si mal le choc de la confiance retrouvée et de la justice après les pires épreuves, Philippe !...

Le roi, dans son silence, et Philippe, dans un sanglot, prenaient la mesure du temps à jamais perdu, des irrémédiables erreurs, du crime des sots.

Comme M. d'Orléans se retirait en cet état et traversait l'Œil de Bœuf, Villeroi l'entraîna vers le cabinet du conseil où les légitimés lui mirent sous les yeux le fameux codicille par lequel Louis XIV confiait le commandement de la Maison civile et militaire du petit roi au duc du Maine et à Villeroi. Le stratège vit le piège : régent sans les réalités du pouvoir, sans autorité, il se trouverait à la merci de ses ennemis et en état continuel d'être arrêté. La manifestation officielle de cette dernière méfiance du roi, certainement inspirée dans un moment de faiblesse physique — l'entretien dont il sortait n'en était-il pas le témoignage indiscutable ? — accréditerait à jamais les calomnies dont il était l'objet.

Fort des paroles du mourant, le duc d'Orléans rallia ses partisans. Le codicille était éminemment attaquable ; la Couronne était un prêt et non un bien personnel ; en aucun cas, le roi ne pouvait en disposer, moins encore grever d'une servitude l'autorité de son successeur. Pourtant, devant quelle autorité convenait-il de demander l'annulation de cet acte ? Il repoussa l'idée, chère à Saint-Simon, de convoquer à cet effet une assemblée de ducs et pairs, car il craignait de trouver parmi eux trop de tenants d'une politique opposée aux idées qui allaient faire de lui le premier chef d'Etat moderne.

Un même souci lui fit éliminer l'idée de convoquer les états généraux. C'est alors qu'il imagina une autre procédure : celle qui devait paralyser la monarchie jusqu'à la fin du siècle.

Pour assurer l'indépendance de la France, pour éviter que l'enfant-roi ne devienne une arme aux mains d'une faction politique, pour assurer sa liberté d'action, Philippe d'Orléans en appela au Parlement. Réduite à l'impuissance par Louis XIV, cette assemblée demeurait dans l'ombre un corps turbulent, ombrageux, plus farouchement attaché à la défense de ses privilèges qu'aucun grand seigneur. Elle camouflait sans vergogne, sous des revendications de liberté, sa volonté de domination. Philippe pensa qu'il ferait ensuite rentrer dans le rang ces robins indociles ; il se trompait.

Il fut décidé que le lendemain de la mort du roi, le jour suivant peut-être, devant le Parlement rassemblé avec les princes et les pairs, Philippe jouerait son va-tout.

Depuis quatre jours, Philippe d'Orléans préparait son coup d'Etat et, à cette heure, il attendait ses conjurés. Un grincement de ferrure, les froufrous d'une soutane les annonçaient déjà. Il se retourna : Dubois était devant lui et dans la pénombre apparaissaient tour à tour Saint-Simon, Noailles et Canillac.

— Où en sommes-nous ? demanda le duc d'Orléans.

— D'Argenson exécute vos ordres, répondit Noailles. Tous les courriers sont arrêtés, aucun ne quittera Paris tant que Sa Majesté est en vie.

— Je crois en effet qu'on peut être sûr du lieutenant de police, dit Philippe avec soulagement. Ainsi le roi d'Espagne, ignorant l'état où nous voilà, ne hâtera point ses préparatifs, laissera fuir l'occasion et nous n'aurons point à prendre les armes contre lui... mais oui, monsieur le duc ! dit-il en voyant sursauter Saint-Simon, qu'il savait déchiré entre ses scrupules de légitimiste et son patriotisme qui, pour une fois, ne s'accordaient pas.

— Où en sont donc vos tractations avec la Cour et les pairs ? ajouta-t-il.

— Euh... murmura Saint-Simon avec mépris, vous savez comment vont les choses à Versailles. Avant-hier, le roi déclarait à quelques-uns : « Suivez les ordres que mon neveu vous donnera. Il va gouverner le royaume. » Une heure plus tard, on ne serait point parvenu à ramasser une épingle tombée à terre dans vos appartements, tant s'y pressaient de gens qui, la veille encore, vous couvraient d'affronts, vous, un petit-fils de France ! Puis, ce matin, le roi allait mieux. Tout ce beau monde s'est envolé à nouveau et nous nous sommes retrouvés seuls, vous et moi, comme aux plus mauvais jours. Ce soir, le roi allant plus mal, on s'écrase à nouveau dans votre antichambre, on tremble de n'être point de la nouvelle Cour. La vieille Guenippe [1] vient de partir précipitamment à Saint-Cyr, laissant, pour vous fuir, Sa Majesté dans l'état où elle se trouve, ce que l'Histoire ne lui pardonnera pas. Le bruit court que Mme des Ursins s'en va chercher protection contre votre juste colère auprès du pape !

1. Mme de Maintenon.

— Voilà ces vieilles fées moins glorieuses que lorsque j'étais à Madrid ! dit Philippe, haussant les épaules.

— Seuls les Bourbon-Condé ne sont pas à votre porte ce soir, reprit Saint-Simon.

Ce fut au tour de Philippe de sursauter cependant qu'une flamme montait à son visage :

— Eux ! s'écria-t-il. Ils préparent leur Saint-Barthélemy et se tiennent pour assurés que je n'en réchapperai point comme le roi Henri !

— Allez, allez, monsieur, ricana Dubois, les mousquetaires noirs sont aux ordres de M. de Canillac...

— C'est-à-dire aux vôtres ! repartit vivement Canillac.

— Oui, coupa Philippe, mais le duc du Maine est colonel général des Suisses, et les gardes obéissent à sa créature, le duc de Guiche.

— Voilà qui est réglé, dit modestement Dubois en baissant les yeux et en affectant de jouer avec la croix d'argent qui, Dieu sait pourquoi, ornait sa poitrine de soudard et d'intelligente canaille.

— Que voulez-vous dire ? interrogèrent Saint-Simon et Noailles en même temps.

— Le commandant des Helvètes jalouse fort M. le duc du Maine, et j'ai eu le bonheur de pouvoir l'affermir dans cette position, d'autant plus intéressante pour nous que ses troupes, au cas où il faudrait en appeler aux armes, n'obéiraient qu'à lui. J'ai d'autre part vu longuement M. le duc de Guiche.

— Combien, comme dirait M. Law ? ricana Noailles.

— Six cent mille livres, répondit sans sourciller Dubois.

— C'est énorme ! s'exclama M. d'Orléans.

— Cela représente le montant de ses dettes, répliqua Dubois, toujours impavide ; avec cela, il vous est acquis, monsieur.

— M. d'Argenson, ajouta Noailles, répond aussi du guet, de tous les archers de Paris.

— Quant au Parlement, ajouta Dubois en reniflant fortement, si le président de Mesmes reste dévoué au duc du Maine, nous avons négocié avec son adversaire, l'avocat général Joly de Fleury et nous avons encouragé ses espérances.

— Je crois que tout est prêt ! s'écria Saint-Simon, fébrile.

Philippe, soucieux, arrêta d'un geste le torrent d'éloquence qu'il sentait prêt à jaillir du petit homme :

— Ne vous attardez pas ici... Dans ce palais, les murs ont des oreilles et des yeux ; il est souhaitable que vous regagniez chacun vos postes d'observation et de combat. Bonsoir, mes amis. Si le roi allait plus mal, Canillac viendrait sans tarder m'avertir.

Les quatre hommes s'inclinèrent, sortirent et Philippe se retrouva seul. Le cartel sonnait à présent minuit. Il reprit son va-et-vient. Demain, peut-être à l'aube, il faudrait, comme à Neerwinden, comme à Lérida, prendre d'assaut la position qui, cette fois, se trouvait être le royaume de France, l'héritage de ses ancêtres. Oui, c'était une veillée d'armes, oppressante, exaltante... Mais voici que la ferrure de la porte secrète grinçait à nouveau. Qui osait, à cette heure où il n'attendait plus personne, s'introduire ici ? Canillac peut-être, si le roi... Il se retourna et demeura cloué par la stupeur.

Ce visage diabolique, fascinant, qui se détachait de la boiserie et riait entre les ors éteints était, oui, à n'en pas douter, celui de sa dangereuse belle-sœur, la fille aînée de Louis XIV et de la Montespan, la sifflante vipère qui, depuis des années, menait au combat le parti de ses ennemis : la duchesse de Bourbon. Le regard myope de Philippe distinguait maintenant la splendeur d'un habit de cour en satin blanc, les diamants qui scintillaient dans la pénombre, courant sur la robe, ruisselant sur le cou d'amazone, les seins demi-nus. Dissimulait-elle le poignard ou le poison ? Que de fois n'avait-elle pas cherché à l'atteindre ! Allait-elle réussir cette fois ? Comme elle était belle, en dépit d'une silhouette légèrement déviée, et comme il l'eût aimée, préférée à sa pâle et insipide épouse, cette Mélusine à la crinière sombre, au regard étincelant, majestueuse comme ces « souveraines des mers qui vous doivent porter » qu'évoquait Racine. Elle appartenait à la race maléfique et ensorceleuse des Mortemart, dont était aussi issue Elisabeth, mais elle substituait aux candeurs trompeuses de leur teint de blondes l'éclat qui, par Louis XIV, lui venait d'Espagne et de Florence. Philippe, comme au jour de leurs quinze ans, où elle brûlait pour le prince charmant qu'il était d'une passion qui s'était tournée en haine, en demeurait bouleversé.

Elle se détacha de la boiserie, s'avança. Sa petite tête était ornée d'une coiffure de déesse grecque, épinglée elle aussi de diamants. Il la vit mieux. Mais ce pas en avant soulevait, comme une poussière qui monte à la gorge, étouffe, oppresse, les cendres encore chaudes des trahisons. Il les revoyait toutes : la tragique arrestation, en Espagne, de Flotte, son secrétaire, incarcéré par Mme des Ursins à l'instigation de la Maintenon et de la duchesse de Bourbon, pour se saisir de ses papiers. Ainsi avait-on découvert la lettre encore cachetée de Lord Stanhope pour les négociateurs de La Haye et un mémoire révélant que, au cas où l'on obligerait Philippe V à se démettre, la noblesse espagnole ferait appel à lui, Philippe d'Orléans, pour conserver cette couronne à un Français descendant de Charles Quint. De là, l'accusation de comploter contre le roi d'Espagne, son neveu, bien qu'il n'eût point voulu faire remettre à leur destinataire ce document dont il connaissait la teneur.

Sa femme, qui venait à cette époque d'accoucher, se trouvait au plus mal et une seconde accusation prit son vol, flèche partie de ces belles mains qui, en cet instant, tourmentaient une fleur d'été : la duchesse d'Orléans se mourait empoisonnée, disait-on, par les venins distillés dans le laboratoire d'Homberg et de son mari. Le crime devait permettre à Philippe d'épouser la reine d'Espagne, veuve de Charles II, dont les trésors lui procuraient les moyens d'abattre Philippe V ! Aussitôt après, il empoisonnerait à son tour sa seconde épouse pour faire monter sur le trône Mme d'Argenton ! Fort heureusement, Mme d'Orléans se remit, mais le chancelier avait tout de même, à l'instigation du Grand Dauphin et de la faction qui le menait, reçu l'ordre de préparer sa mise en jugement... La mise en jugement du petit-fils de Louis XIII !

Le redoutable et séduisant visage était maintenant tout proche du sien et entre eux, dans la lueur du candélabre, Philippe croyait voir bouger les ombres de tant de morts, et d'abord son amour pour Marie-Louise d'Argenton — il connaissait trop l'origine de la mesure qui l'avait sacrifié. Et puis ce qu'avait tué en lui la rumeur de l'inceste : c'étaient ces lèvres-là, qui avaient répandu, à la cour et dans l'Europe entière, le secret dont il eût voulu souffrir ou mourir seul : l'attrait puissant qu'Elisabeth exerçait sur lui.

Et enfin, les ombres des grands morts royaux : le duc et la duchesse de Bourgogne, le dauphin, le duc de Berry, le duc d'Alençon... « Tous ces morts, madame, entre vous et moi, songea-t-il, tous ces regards que vous m'avez accusé d'avoir éteints à jamais ! » Il revit la conjuration : les médecins — Fagon à moitié aveugle, soutenu par Boudin, d'une insigne ignorance — ouvrant les pauvres corps et criant au poison. Le chirurgien Maréchal, l'honnête, le savant Maréchal, en affirmant qu'il s'agissait de fièvre et d'épidémie, l'avait sauvé, lui, et ses amis les chimistes Homberg et Feuguière en qui le peuple ne voyait que des sorciers.

Entre cette femme et lui, n'y avait-il pas encore les cris de haine que le peuple proférait au passage des carrosses de la maison d'Orléans ? Il se revoyait, fou de douleur, allant supplier le roi de les mettre en jugement, Homberg et lui. Et, jusqu'à cette heure, n'avait-elle pas fait tragiquement le vide autour de lui, écartant de sa personne, comme d'un pestiféré, les plus honnêtes gens, ceux qui préféraient offenser un petit-fils de France que de s'incliner devant un régicide, un assassin, perdu de crimes et de vices ? Cette redoutable femme n'avait-elle pas suscité la trahison chez lui, dans sa propre demeure ? N'était-elle point parvenue à le tenir à sa merci, par sa sœur, Mme d'Orléans, qui « espionnait Philippe sans vergogne, tentait de l'aiguiller à contresens et s'efforçait de gagner les orléanistes au parti opposé » ? Elisabeth elle-même, Elisabeth qui avait été son seul soutien au moment de la mort du duc et de la duchesse de Bourgogne, au temps de la terrible accusation, était aujourd'hui au mieux avec les mortels ennemis de son père !

— Monsieur, murmurait Mme de Bourbon, n'est-il point l'heure de faire la paix et de nous souvenir du temps que nous allions tête à tête écouter les gondoliers italiens chanter sur le Grand Canal ?

Depuis cette époque, elle lui avait fait gravir, d'étape en étape, un chemin de douleur et de haine au terme duquel il parvenait sans doute, en cet instant où il la voyait venir à lui, prête à négocier Dieu sait quoi, à pactiser...

Après un silence, il éclata d'un rire énorme, paillard, auquel elle ne s'attendait pas. Offensée, elle eut un mouvement de recul.

— Je ne me souviens de rien, madame ! s'écria-t-il. Vous savez bien que je suis parvenu à perdre la mémoire grâce au vin et aux catins, et c'est fort heureux pour vous ! Me voici donc, tout comme vous, prêt à rire du bien et

137

du mal, de l'honneur et de la félonie, du devoir et de la morale ! Vous voyez quel chemin j'ai fait et comme je deviens à même de vous comprendre. Que voulez-vous ? ajouta-t-il rudement.

Elle se mordit les lèvres et vit son regard. Madame la duchesse était femme à saisir dans les yeux d'un homme cette étincelle qui rallumait toutes celles qui l'habitaient elle-même. La disgrâce dont un instant l'avait frappée l'évocation de ses crimes s'évanouit.

— Eh, monsieur ! murmura-t-elle, reprenant avec maîtrise l'avantage dans ce silencieux combat. Eh, monsieur ! j'ai un fils...

— Violent, pervers et dénué de génie ! l'interrompit brutalement Philippe.

Il cherchait en vain la cible ; sourire aux lèvres, elle se déroba pour le réduire une fois encore à sa merci :

— Vous savez fort bien vous-même ce qu'il en est d'avoir des enfants de cette sorte, n'est-il pas vrai ? Et vous concevez mon inquiétude. La vôtre, en vérité, doit être lourde, à cette heure ; il vous faudra demain trouver une majorité favorable... Vous allez, dit-on, convoquer le Parlement pour faire annuler le codicille.

Comment savait-elle déjà ? Cette femme était diabolique !

— Si vous consentiez à réserver à monsieur le duc [1] une place, la première, au conseil de Régence, vous pourriez compter sur le secours de la maison de Bourbon-Condé.

Ainsi donc, pensait Philippe, elle vient trahir son frère, le duc du Maine, lui enlever les appuis de la faction de Bourbon-Condé qui lui sont indispensables pour tenir en échec le parti d'Orléans. Fallait-il donc qu'à l'heure de l'Histoire, son implacable ennemie fît pencher la balance du destin en sa faveur ?

Avec cette élégance et cette majesté qui faisaient partie de sa séduction, Philippe s'inclina, baisa la main de cet adversaire féminin doué de toutes les grâces, puis dit :

— Il me reste encore une parole, madame, et je vous la donne. Comptez sur moi.

— Comptez sur moi, monsieur.

Le buste ravissant s'inclina en une révérence qui livrait un peu plus de son épanouissement. La duchesse de Bourbon recula et, avec une vélocité féline, disparut derrière les boiseries dorées.

Le surlendemain, à huit heures et quart du matin, avec un grondement semblable à celui des marées, le roulement des tambours annonçait la mort du roi.

Douze jours plus tard, Philippe ayant réussi son coup d'Etat et sortant du premier Lit de justice que venait de tenir l'enfant de l'Europe, l'enfant-roi, « beau comme l'amour, en ses vêtements de deuil », entendit le peuple de France hurler sa joie et sa confiance autour de son carrosse. Ces cris en

1. Son fils, le duc de Bourbon, que l'on appelait monsieur le duc.

effaçaient-ils d'autres, ce baume ne descendait-il pas trop tard en ce pauvre cœur ?

Qu'importe : on lâchait des oiseaux dans le ciel, « toutes les geôles de France abaissaient leur pont-levis devant les débiteurs insolvables, et les protestants quittaient les galères ».

Le seul homme au monde capable de comprendre John Law de Lauriston devenait le maître de la France.

« LA TOILETTE [1] »

Si Louis XV on enterrait,
Philippe en France régnerait
Lan la Derirette,
Non pas le Philippe d'ici
Lan la Deriri...

Ces flèches-là commencèrent à sortir du carquois de la petite duchesse du Maine qui, dans son château de Sceaux, jouait sur des scènes en miniature des rôles inquiétants, ceux de la Grande Mademoiselle et des belles espionnes de jadis à la solde du roi d'Espagne.

Et pourtant, « le Philippe d'ici », en dépit du lit de justice et contre la plus élémentaire prudence, avait laissé aux légitimés de grands pouvoirs. Le 15 septembre 1715, une déclaration « royale » instaurait un nouveau régime politique : des conseils remplaçaient les ministres. Cette « polysyno-die », véritable renoncement au pouvoir absolu, représentait une tentative de gouvernement plus démocratique, ardemment souhaitée par le Régent en concordance avec les intentions exprimées jadis par le duc de Bourgogne, Fénelon et l'abbé de Saint-Pierre. Démocrate sincère, Philippe d'Orléans voulut mettre ses ennemis et ceux qui, simplement, pensaient autrement que lui aux côtés de ses partisans, à la tête du pouvoir exécutif dans le conseil de Régence. Celui-ci se composait de monsieur le duc (selon la promesse faite à la duchesse de Bourbon, sa mère), du duc du Maine et du comte de Toulouse (fils légitimés de Louis XIV et de Mme de Montespan), du chancelier Voysin, du maréchal-duc de Villeroi, du maréchal-duc d'Harcourt, du marquis Colbert de Torcy, surintendant des Postes, et du maréchal-duc de Tallard. Voilà pour les adversaires de monsieur d'Orléans. Il n'appela à siéger dans cette assemblée que trois de ses amis : le duc de Saint-Simon, Mgr de Chavigny, prélat « très saint et très sot », et le maréchal-comte de Bezons dont les gaffes devenaient légendaires.

La direction du conseil de conscience (ministère des Cultes) fut confiée, malgré une protestation de Rome, au cardinal de Noailles, janséniste

1. Tableau de Pater (musée du Louvre).

notoire ; celle du conseil des Affaires étrangères, au maréchal d'Huxelles, fort opposé au Régent et, par sa maîtresse, Mme de Ferriol, manœuvré par les Tencin ; celle du conseil de la Guerre, au maréchal de Villars ; celle du conseil de la Marine, au maréchal d'Estrées ; celle des Affaires du Dedans (ministère de l'Intérieur), au duc d'Antin, fils légitime de Mme de Montespan, demi-beau-frère de Philippe d'Orléans ; celle du conseil du Commerce, au marquis Amelot de Gournay, ambassadeur de France. Enfin, le plus important des conseils, celui des Finances, fut placé sous la contestable autorité du duc de Noailles.

Le Régent, enserré dans un étau, mettait en ligne tous ses moyens pour écarter le blocus dont la France se trouvait à nouveau subitement menacée par l'alliance de Philippe V et de l'Angleterre, dont le ressentiment s'annonçait terrible, en raison du soutien accordé au prétendant Stuart.

Paris savait vivre en marge de telles angoisses ; son apparente insouciance, son élégance inégalée, la parade, la fête perpétuelle et sous-jacente qui couraient ses rues en témoignaient. Paris, c'est toujours un peu le bal à la veille des combats.

En une soleilleuse matinée de cet automne 1715, deux jeunes gens bavardaient en franchissant le Pont-Neuf. Leur tricorne et leur cape de soie claire chatoyaient dans la lumière. Ayant abandonné leur équipage en raison de la douceur du temps, ils se dirigeaient sans hâte vers les frondaisons rougeoyantes et dorées du faubourg Saint-Germain. Au loin, sous les arbres, les cognées des bûcherons s'abattaient avec des bruits mats et réguliers, que répercutait l'air léger. On brûlait des feuilles mortes dans les jardins et d'odorantes fumées tournoyaient au-dessus des petits murs, le long des chemins qui, à partir du Bac, s'en allaient en détours capricieux vers les bois.

— Encore des arbres abattus, dit l'un des promeneurs qui s'appelait Arouet. Quel dommage !

— On construit tellement ici, répliqua son compagnon, le jeune comte d'Argental, l'un des fils de la marquise de Ferriol.

Grands, minces et séduisants, ces deux garçons en quelque manière se ressemblaient ; beaucoup d'esprit marquait leur visage.

— Est-ce encore loin ? s'enquit Arouet avec une curiosité mal contenue.

— Pas tellement, répondit d'Argental.

— Comment est la demeure ?

— Retirée et un peu étrange, comme elle.

— Permettez ! L'endroit est furieusement à la mode.

— Mais elle, point, et son hôtel n'est pas de ceux que l'on construit présentement alentour. Il date de bien des années et plus encore... peut-être du règne du roi Henri ! Il se cache dans un jardin profond dont elle cultive la sauvagerie et le mystère, à défaut de nobles parterres.

— Savez-vous que vous m'avez donné envie de la connaître depuis le collège ?

— Nous avons grandi ensemble.

— En somme, vous êtes son frère... incestueux ?

— Je ne demanderais pas mieux !

— Et elle ?

— Sa plus grande tentation est l'intelligence pure ; elle se dit sur le point d'entrer dans ses déserts glacés.

— Elle vous y retrouvera ! Y avez-vous si froid ?

— Moi, non, ni vous non plus, mais elle, oui.

— Elle en parle donc comme de se retirer au cloître ? N'est-ce pas surprenant ?

— Ne vous ai-je pas dit que tout en elle surprend ?

— Cette grille rouillée... est-ce là ?

— C'est là.

Au-delà d'une pièce d'eau et d'une pente légère, la tour d'angle de l'hôtel de Mercœur apparaissait peu à peu entre les branches des grands arbres incendiés de couleurs qui enserraient de leur lyrisme échevelé l'austérité de la façade. La porte monumentale franchie, le goût du siècle éclairait et adoucissait le logis. Après avoir traversé le vestibule aux dalles blanches et noires qui se reflétaient dans des miroirs de Venise cerclés d'or, d'Argental entraîna son ami vers l'escalier, dont l'admirable rampe de fer ouvragé se déployait comme une draperie. Parvenu au premier étage, il se dirigea d'un pas assuré ; une porte leur ouvrit l'intimité d'un charmant cabinet parme et jonquille où trônait une coiffeuse ornée de brocatelle. C'était dans de telles pièces, devant leurs boîtes de fards et leurs flacons d'eau de senteurs, que recevaient les femmes le matin. Quelques jeunes gens attendaient là, en bavardant, la maîtresse de ces lieux, Nathalie de. Celle-ci, dans le cabinet voisin, prenait son bain, sans doute dans l'une de ces baignoires jumelles — l'une pour les ablutions, l'autre pour le rinçage — dont M. le Régent avait lancé le goût et l'usage.

D'Argental remarqua un jeune garçon dont la sympathique face de carlin lui était connue :

— Monsieur de Marivaux ! Permettez que je vous présente mon ami, fort occupé de littérature, comme vous. Il pense à changer ce nom gris d'Arouet, qui est pour l'instant le sien, contre trois syllabes plus saisissantes...

— Lesquelles ? demanda Marivaux.

— Voltaire, répondit Arouet avec un sourire qui donnait l'impression de vouloir mordre.

— Alors l'abbé, vous voilà tout à fait défroqué, ce matin ! s'écriait d'Argental en prenant par le bras un autre garçon tout aussi jeune.

— Un nouveau séjour au cloître ne m'a point réussi, monsieur le comte, soupira l'abbé Prévost. Je reviens encore à l'armée ; j'y prends sous peu mes quartiers.

Nul ne fit attention à ses propos, car tous les regards s'étaient tournés vers Mlle Aïssé. Elle arrivait à son tour, escortée du frère du comte d'Argental, le jeune comte de Pont de Veyle ; très belle sous le grand capuchon de soie qu'elle rejeta sur ses épaules, elle découvrit tout à fait un profil et des yeux sombres « pleins de langueur » qui évoquaient des mondes lointains. Elle venait elle aussi, comme Nathalie, de l'inconnu et de la légende pour fasciner ces jeunes hommes d'Occident.

— Il n'est bruit que de vous dans Paris ! dit-elle en riant à Lesage, l'auteur de ce *Gil Blas de Santillane* qui venait de paraître. Tous ceux que vous avez peints dans ce livre tremblent de peur.

— Pourquoi donc m'ont-ils inspiré ! ricana Lesage.

D'Argental prit Aïssé par la taille :

— Mon cher Arouet, voici mon autre sœur... d'adoption. Vous l'aviez rencontrée, jadis, quand elle n'était encore qu'une enfant. Vous en souvenez-vous ?

— Oublie-t-on Aïssé ! « Aïssé de la Grèce épuisa la beauté [1] ! » Avez-vous beaucoup de sœurs de cette sorte ?

D'Argental eut un sourire froid et déclara :

— Ce jeune homme nous arrive, ma chère Aïssé, auréolé d'un assez joli scandale, ce qui plaît aux femmes... quand il s'agit d'amour ! acheva-t-il pour couper court aux protestations que suscitait déjà cette affirmation chez Aïssé.

— Vous en avez trop dit pour ne pas aller jusqu'au bout ! s'écriait Marivaux.

— M. de Marivaux aime à peser des riens dans des balances de toile d'araignée ! dit Aïssé en souriant.

Voltaire devait se souvenir de ce mot. Elle ajouta :

— Vous êtes donc un mauvais sujet, monsieur ?

— Moi ? J'arrive tout simplement d'un exil assez doux, mais où je m'ennuyais fort, dans les terres de ce bon M. de Caumartin.

— Où il fut expédié, corrigea d'Argental, après avoir mené en Hollande des amours par trop tapageuses, alors qu'il était page de M. le marquis de Châteauneuf !

Aïssé regardait le beau visage aigu :

— Un page... dit rêveusement Aïssé ; ce page-là lui plaisait.

Dans le sillage de Nathalie de., Aïssé, plus régulièrement belle, paraissait pourtant vite effacée. Trop naturelle et point subtile, elle n'entendait rien à ces jeux qu'une femme peut mener dans la compagnie des hommes. Faire tourner, virer, osciller, d'un regard, d'un geste, d'une parole, d'un sourire, d'un mouvement l'homme le plus froid ou le plus intelligent, voilà qui, pour un temps, peut apporter à une très jeune femme un incomparable divertissement et, si elle est intelligente, une dangereuse philosophie. Aïssé n'y songeait point et les hommes, loin de lui en être reconnaissants, se tournaient, fascinés, vers Nathalie qui exerçait sur eux la secrète revanche d'un cœur solitaire et acquérait de la sorte la redoutable expérience de leur faiblesse.

C'est ainsi qu'elle subjugua M. de. qui l'enleva au harem de M. de Ferriol et l'épousa. Lors de son retour en France, en 1711, l'ambassadeur ne trouva,

1 Voltaire, *Correspondance.*

pour partager sa couche, que la paisible, la tendre, la sage Aïssé, soumise, éperdue de scrupules divers, parfaitement contradictoires [1].

M. de. mort de la petite vérole aux armées, Nathalie se retrouvait, à vingt ans, riche et enivrée de son indépendance, cependant qu'Aïssé, dans un esclavage total, s'enivrait, elle, de son sacrifice. Elles offraient ainsi à ces jeunes hommes l'attrait de leur destin d'exception. Ils avaient entre vingt et trente ans et représentaient, sans le savoir encore, toute l'aventure du siècle.

Le petit abbé Prévost tournait cependant souvent vers Aïssé — qu'il appelait « sa jeune Grecque » et qui lui inspirait ses premières pages romanesques — son visage aux traits excessifs. Ce maigre cavalier tenait de l'herbe folle tourmentée par le vent. Déchiré entre un ardent mysticisme et on ne sait quel entraînement triste et passionné pour l'amour, il avait une fois de plus abandonné la soutane.

Voltaire s'était assis à côté de la jeune femme et son regard brillait. Sous les manières discrètes d'un exilé à peine revenu à Paris, il dissimulait mal les manifestations d'une originalité remuante, d'une avidité extraordinaire d'aller vite au faîte des honneurs, au meilleur des affaires et des intrigues. La finesse et l'impassibilité du comte d'Argental se mariaient bien à un tel tempérament. Ils s'opposaient l'un et l'autre à ce Marivaux, déluré et sensible, qui s'approchait lui aussi d'Aïssé. Il avançait en badinant et sans en avoir l'air, le nez retroussé au vent, et les enveloppait d'un regard chaud et vif, le discours toujours animé des mille trouvailles de son esprit ; pétulant pour ne point sembler timide, moqueur et cynique pour ne point paraître sentimental, M. de Marivaux l'était cependant et en souffrait.

A cette matinée d'automne, à sa lumière dansante que filtraient les rideaux de taffetas jaune, et à une telle assemblée, il fallait un peintre : Antoine Watteau arriva. Il se plaisait à retrouver à l'hôtel de Mercœur ceux qui parlaient son langage, celui des artistes, libre et chaleureux. Ce grand garçon élégant, maladif et mélancolique, se faisait suivre ce jour-là du petit Nattier, qu'il venait de retrouver chez son ami Gersaint, le marchand de tableaux. Le gentil Nattier, aussi célèbre que lui mais inapte à mener ses affaires, appartenait à une tribu d'artistes aussi connue par ses talents que par ses histoires de mœurs. Nattier, tête de bouffon aux yeux bridés et vifs, cachait, sous ces dehors sans prestige et quelque peu équivoques de surcroît, l'admirable observateur qui savait trouver sur le plus ingrat visage ce trait de l'âme qui lui communique d'indéfinissables beautés.

Enfin, la personnalité fort curieuse et fort différente de Lesage surprenait ; en toute sa personne, le dur relief des hommes de l'aventure s'était lentement sculpté. Il avait fait un mariage d'amour avec une fille très belle, aussi gueuse que lui et à qui il était fidèle. Enfin, pour ajouter à tant d'originalité, il ne vivait que de sa plume, ce qui déconcertait le petit monde des Lettres. Pour y parvenir, il n'avait pas hésité, après s'être brouillé avec les comédiens-français, à faire monter ses héros sur le tréteau des bateleurs.

1. Sainte-Beuve se refuse à croire que Ferriol ait violé Aïssé, mais tous les éléments historiques dont on dispose prouvent le contraire.

En dépit de sa carrière scabreuse, Mme de Lambert et Nathalie de. tenaient à son amitié.

Marivaux lui parlait de *Gil Blas* avec enthousiasme :

— Tout y passe, la gouaille des vagabonds, la pédanterie des commis, l'impertinence des comédiens, la vanité des parvenus, la mollesse des chanoines, la folie des poètes ! Tu t'es mis à l'école de Térence, d'Horace et de Molière, et tu as fait ton propre pas en avant !

— Que veux-tu dire ? interrogeait Lesage étonné. Tu ne prétends tout de même pas que je suis l'égal d'Horace ?

— Ces admirations traditionnelles sont abusives, dit Marivaux. Elles nous ont conduits aux pires excès du siècle dernier. Il nous reste pourtant bien des secrets à découvrir du côté de la connaissance des âmes, du réel, du naturel, de la chaleur et du sang des hommes et, à ce jeu de colin-maillard, Lesage, tu brûles plus que Racine, peut-être !

Les deux peintres, qui écoutaient, intervinrent avec fougue :

— N'est-ce point vrai aussi pour nous ? dit Nattier. Que valent ces allégories, ces renommées, ces gloires à l'antique qui, depuis cinquante ans, peuplent nos plafonds ? Sans parler de la mode des nymphes, des vestales et tutti quanti !

— La peinture, comme les autres arts, répliqua Watteau, n'a de valeur que lorsque, sous les images et les traits de la vie, elle sait faire jaillir une vérité plus vaste et plus lointaine que celle des apparences.

— N'est-ce pas la définition même de la poésie ? dit la voix de Voltaire.

— A ce compte, bougonna Lesage, je fais de la poésie dans les théâtres de foires ! Je ne m'en doutais pas !

— Eh bien, Watteau et moi nous te le démontrerons ! dit Marivaux enthousiaste. Tu retrouves la comédie italienne et, sous ses masques bigarrés, l'éternel visage de l'homme.

— Vous êtes ici nouveau venu, monsieur, dit Lesage en s'adressant à Voltaire, mais vous saurez vite que Mme de. défie, avec un naturel qui confond et enchante, les préjugés et les entraînements du bel air et de la mode. Elle ne donne jamais de fêtes, ne tient ni bureau d'esprit, ni tripot de jeu...

— Méfiez-vous, reprit Marivaux, de cet art subtil de l'amitié qui est le sien et de la manière dont elle sait inspirer aux hommes de l'amour !

— Et à travers cet amour, des idées audacieuses et des projets hardis ! murmura l'abbé Prévost.

Il y eut un silence ; Voltaire se balançait sur sa chaise.

— Je me demande, dit-il, comment les hommes de l'avenir jugeront les mœurs de la Régence, les façons de vivre, de sentir, de penser de ce temps de halte dans la pérennité de la monarchie ? Les jours que nous vivons au seuil d'un nouveau siècle sont à la seule mesure d'une enfance de roi... Nous sommes encore lourds de toutes les pesanteurs du passé et, entrés tardivement en possession de notre jeunesse, nous voulons vivre, aimer, créer du bonheur et du plaisir, de la beauté et de l'aventure. Comment les

144

hommes de demain nous jugeront-ils ? Je gage qu'ils n'y comprendront rien. La liberté qui marque nos amours ne durera pas...

— Certainement pas ! approuva l'abbé Prévost.

— Voyez comme déjà s'annonce autre chose, reprit Voltaire. C'est qu'il faut à cette liberté, pour qu'elle soit tolérable, la finesse et la clairvoyance que les civilisations ne rencontrent que sur quelques sommets, en fragile équilibre ; puis, irrésistiblement, ces civilisations s'engagent sur de nouveaux chemins de pente où elles doivent retrouver l'usage des masques taillés sur mesure et richement peints pour ne point sombrer dans la barbarie la plus rebutante... car l'instant privilégié qui sépare le flux du reflux est passé, et tous les périls sont là.

— Sera-ce de la sorte que s'enfuira le présent et que se transformeront les sociétés des XIXᵉ, XXᵉ et XXIᵉ siècles ? dit Aïssé songeuse.

Lesage se prit à rire et repartit :

— On peut se demander si nos descendants trouveront le Régent tellement civilisé, lui qui se moque si bien de ses maîtresses, qu'on les lui prenne, qu'on les lui rende, et qui couche avec sa fille ! Les plus malins se souviendront de la Bible, d'Abraham qui vendit sa femme au pharaon et en vécut un temps, ou des filles de Loth qui assaillaient leur père la nuit, et ils se diront que le début du XVIIIᵉ siècle a peut-être marqué le premier temps de la fin d'un monde...

— L'Histoire ne gardera de lui que le souvenir de ses erreurs d'alcôve et ne dira peut-être jamais ce que fut l'homme. Mais foin de l'avenir ! Quoi de neuf à Paris ce matin ? Qui m'apporte la nouvelle du jour ? demanda Aïssé.

— Moi, dit Nattier. Je viens de voir chez Gersaint le personnage dont toute la ville est occupée.

— Ah ! vous l'avez approché ? Quel homme est-ce donc ?

— Un séducteur, et mieux encore, je pense.

— En tout cas, il paraît que son projet n'a pas été approuvé par le conseil de Régence devant lequel il est allé le défendre hier aux Tuileries.

— Eh ! répondit Watteau, voilà qui ne l'empêche point de poursuivre magnifiquement son installation dans l'un des nouveaux hôtels de la place Louis-le-Grand et de convier les artistes à lui proposer des projets de décoration grandioses !

— Bien sûr, répliqua Lesage. Je crois que ce Turcaret a pour lui le duc de Noailles !

— N'en croyez rien, fit d'Argental. C'est le duc de Noailles qui a organisé contre lui l'opposition toute-puissante des financiers, Samuel Bernard en tête... lequel a, bien entendu, un plan semblable qu'il entend appliquer pour son plus grand profit. Vous savez bien que le duc accable de ses faveurs ceux qu'il souhaite perdre. Voyez son comportement avec M. le duc de Saint-Simon !

— Qui n'est pas dupe et le déteste ! dit en riant Aïssé.

— Aussi, reprit Pont de Veyle, M. Law de Lauriston, qui est subtil, se rapproche-t-il de Saint-Simon qui a de l'influence sur le Régent.

— Il n'est pas le seul, hélas, fit Lesage. Mais la position du Régent reste chancelante : le duc et la duchesse du Maine intriguent furieusement. Sceaux est le centre d'une cabale qui pourrait bien tourner au drame.

— Je ne sais pourquoi, dit Aïssé, toute l'Europe se tient pour assurée que le roi doit fatalement suivre sous peu le reste de sa famille à Saint-Denis.

— Cela est curieux, en effet, dit Watteau. Mais ceux qui ont accusé le duc d'Orléans d'avoir supprimé par le poison toute la famille royale trouvent logique de laisser entendre que le même sort est réservé au petit roi et rallument de la sorte des complots aux quatre coins de l'Europe. C'est ainsi que M. du Maine travaille fort assidûment pour cette canaille d'Alberoni [1] !

— Quelle est donc, au juste, la position du Régent vis-à-vis du Chevalier de Saint-George [2] ? demanda Voltaire qui se trouvait bien aise du tour que prenait la conversation.

— Incertaine, murmura l'abbé Prévost. S'enhardissant, il ajouta : George Ier est un usurpateur ; peut-être son cousin le Régent sera-t-il demain considéré comme tel : voilà qui, tôt ou tard, leur permettra de se comprendre et de s'unir.

— Vos pieux amis de la cour de Saint-Germain n'ont pourtant reculé devant rien pour s'assurer les bonnes grâces de M. le Régent ! lança Pont de Veyle. Ils lui ont d'abord envoyé Olivia Trant, cette Anglaise belle et galante qui vit à Paris de plus d'un métier et puis, l'affaire ayant échoué, une petite donzelle pure et intacte mais décidée à se faire violer pour la Cause !

Des éclats de rire saluèrent ce propos cependant que Lesage haussait les épaules :

— Comme si M. d'Orléans était capable de forcer une enfant ! Il s'est laissé tourner l'esprit par sa fille, sans doute, mais on ne l'imagine pas abusant de qui que ce soit ! Ces Anglais sont des sots.

— Tout cela, reprit Voltaire, ne nous éclaire pas sur les intentions de M. le Régent concernant le Prétendant. Les ports français sont pleins d'aventuriers dévoués aux Stuart, des navires chargés d'armes et de vivres s'apprêtent à larguer les amarres et à faire voile pour l'Ecosse qui est en rébellion ouverte. Torcy, le surintendant des Postes, est, paraît-il, du complot... Il y a peu de réflexion dans tout cela, et on oublie bien vite le traité d'Utrecht. Il n'est pourtant pas vieux, et il aura la vie dure, croyez-moi. Lord Stairs s'y est référé et une escadre anglaise est déjà devant Le Havre. Il faut donc, pour l'instant, que le Régent fasse désarmer les navires et maintienne le Chevalier de Saint-George dans son exil de Lorraine. Je sais que des bruits courent dans Paris...

— A la vérité, monsieur, répondit Pont de Veyle, le duc d'Ormond, chef du parti Stuart, a été reçu cette nuit au Palais-Royal. Et il paraîtrait que le Prétendant vient de quitter la Lorraine sous un déguisement, avec la protection du roi de France.

L'information fit sensation, mais l'on savait Pont de Veyle, qui voyait

1. L'abbé Alberoni mène alors toute la politique espagnole.
2. Le prétendant au trône d'Angleterre, Jacques Stuart, rival de George Ier.

sans cesse l'amant de sa mère, le maréchal d'Huxelles, président du conseil des Affaires étrangères, parfaitement informé.

— Voilà qui est fort grave, dit Lesage, qui exprimait l'inquiétude de tous.

— Il était cependant de l'intérêt évident de M. le Régent de s'en tenir à l'alliance anglaise qui garantit ses droits en France et ceux du roi George en Angleterre, remarqua Voltaire qui ne manquait ni de bon sens ni de sens critique, l'un et l'autre étant d'ailleurs de même nature.

— Mais Son Altesse royale a su voir plus loin que son intérêt personnel, reprit Pont de Veyle. Certes, un accord sincère avec George Ier fortifierait son prestige et nous donnerait des garanties, mais seuls le roi George et Stanhope y sont favorables ; tous les autres, à commencer par le Premier Ministre Townsend, nous haïssent et ne veulent pas de cette union. Par contre, le retour de Jacques Stuart sur le trône ramènerait tout un parti qui nous est favorable...

— Le jeu de M. le Régent est périlleux, approuva Marivaux. Et la situation du dedans est certes aussi détériorée que la situation du dehors.

— Il paraît, dit Aïssé, que M. le Régent compte beaucoup, pour la restaurer, sur les talents de M. Law de Lauriston dont j'entends dire les pires choses : qu'il est jacobite, qu'il est du complot d'Ecosse et qu'il faut l'abattre avant qu'il ne nuise et quoi encore ?

— C'est là le travail des espions de l'Angleterre, assura Marivaux. Lord Stairs les répand partout, sous prétexte de surveiller les allées et venues du malheureux Chevalier de Saint-George, depuis que sa tentative pour l'assassiner échoua grâce à Mme L'Hôpital, maîtresse de la Poste ! En fait, les agents anglais travaillent pour les financiers de la Cité de Londres et pour leurs amis français, nos Samuel Bernard et autres Pâris-Duverney. Ils ont le même intérêt à faire échec aux projets de M. de Lauriston et ils préparent un renversement des alliances au bénéfice de l'Angleterre, qui nous tiendrait en laisse, bien entendu.

— Et dire que la nuit où Lord Stairs arriva à Paris, il ne vit que M. de Lauriston et le vit longuement..., dit Pont de Veyle avec perplexité. A ce moment, il n'était question que du retour de ce financier à Londres ! Cet étranger est bien mystérieux, n'est-ce pas ? On raconte que Stairs et lui sont des amis d'enfance, et les voici au plus mal. Que s'est-il passé entre eux, cette nuit-là ? Nul ne le sait [1]. La politique les aura désunis... Sans doute M. de Marivaux vient-il d'éclairer notre lanterne, mais elle luit dans le brouillard anglais !

— Mais, dit en riant Lesage...

Il n'alla pas plus loin et se tut soudain : la porte du cabinet de bains venait de s'ouvrir.

---

1. C'est le second mystère de la vie de Law.

L'ÉCHIQUIER EUROPE

Les lueurs dorées de ce beau jour d'octobre 1715 flambèrent encore quelques heures, puis s'évanouirent dans les brumes du soir. Mélancolique crépuscule d'automne où les princes d'Europe poursuivaient des rêves singuliers.

Pourquoi rêvaient-ils, ces princes ? Parce qu'ils savaient que, à cette heure, les fenêtres de Versailles demeuraient plongées dans l'ombre, parce que le plus grand monarque du monde n'était plus, parce que du fond du vieux château de Vincennes, une dame âgée, la marquise de Ventadour, en grand souci, pouvait écrire à juste titre à une autre duègne, la marquise de Maintenon, au sujet du petit garçon qui incarnait la Monarchie française :

« C'est un enfant qu'il faut ménager car, naturellement, il n'est pas gai. On voudrait exiger de lui qu'il se présentât toujours avec la même égalité d'humeur ; vous savez, madame, combien cette contrainte est malaisée à tout âge. Vous vous moquerez de moi si je vous dis qu'il a des vapeurs ; rien n'est pourtant plus vrai et il en a eu au berceau. De là ces airs tristes et ces besoins d'être réveillé. On en fait tout ce qu'on veut, pourvu qu'on lui parle sans humeur... »

En Espagne, l'oncle du fragile petit garçon de Vincennes, Philippe V, était prisonnier de sa chambre d'amour, pleine « d'odeurs voluptueuses et de parfums d'église », où le retenait sa seconde épouse, la redoutable Elisabeth Farnèse, et se laissait dominer par d'inquiétantes chimères. L'abbé Alberoni, italien comme la reine, et son âme damnée, lui devait son règne étrange. L'un et l'autre poursuivaient pour l'Italie un dessein d'unité nationale, car la péninsule, après avoir été ravagée par les luttes incessantes de ses nombreux princes souverains, était devenue, depuis le XVIe siècle, un champ de bataille où s'affrontaient les puissances européennes.

Alberoni, nain « fourbe et fripon comme un valet de comédie », cherchait en effet à utiliser la puissante monarchie espagnole pour chasser d'Italie le cohéritier de Charles Quint, l'Empereur [1], qui s'était adjugé le Milanais et Mantoue. Il se faisait un jeu d'inspirer à Elisabeth Farnèse, princesse de Parme, une ambition forcenée pour l'établissement des enfants qui pourraient lui naître. Puisque le fils aîné de Philippe V et de sa première femme serait roi d'Espagne, elle réclamait par avance pour sa lignée « les provinces transalpines et les duchés de Parme et de Toscane, dont les dynasties allaient s'éteindre et que l'Empereur aussi convoitait ». Ainsi, dans l'éternel tête-à-tête que troublaient, seuls, Laura Piscatori, la nourrice

---

1. On sait que le seul empereur d'Europe, à cette époque, se trouvait à Vienne. La Marchia Orientalis ou Austria fut constituée par Charlemagne. Elle devint la partie allemande de l'empire de Charles Quint, qui la céda à son frère ; dès lors, celui-ci et ses héritiers prirent le titre d'empereurs germaniques, régnant sur des provinces allemandes appelées Österreich, altération d'Austria, Autriche en français.

italienne, ou le confesseur castillan, murmurait-on à l'oreille de Philippe V des noms légendaires et des propos hardis : il fallait brouiller l'Empereur et l'Angleterre, offrir à George Ier de si grands avantages aux dépens de l'Espagne qu'il laisserait faire ce que l'on voudrait en Italie.

Mais Philippe V, honnête et scrupuleux, refuse d'anéantir le commerce espagnol au profit des Anglais, de traiter avec les hérétiques. La reine Elisabeth se charge alors de vaincre les scrupules du roi ; elle ne cache point ses moyens : « Elle lui fait suivre un régime de viande, d'Alicante et d'épices, le prive de tout exercice, use de toutes les sinistres recettes qui avivent l'amour, puis le dompte par le refus et enfin par le plaisir violent, désordonné [1]. »

Dans la pénombre de l'alcôve royale, les clauses des traités se dissolvent : le petit-fils de Louis XIV et de Charles Quint ne renonce plus à ses droits à la couronne de France, comme il l'avait accepté à Utrecht, et il reprend à son cousin, l'empereur germanique Charles VI, ce qui lui a été attribué après les longues négociations de Rastadt : les Pays-Bas, le Milanais, Mantoue, les ports de Toscane, Naples et la Sardaigne.

Au palais impérial de Schoenbrunn, l'Empereur poursuit lui aussi des rêves audacieux : il conserve à Vienne un conseil des affaires d'Espagne, se juge pareillement spolié, réclame pour lui seul l'héritage. Ses rancunes s'épanouissent dans un grand dessein de rénovation de l'Empire : il développera ses industries, fondera des compagnies de commerce et leur ouvrira des débouchés sur la mer ; il reprendra la Sicile, réveillera Trieste et les ports italiens et délogera les Turcs des Balkans ; en même temps, il s'avancera en Bavière et s'opposera au roi de Prusse.

A quoi rêvait de son côté le prince de Hanovre qui régnait à Londres et à qui l'on préparait, entre les draps, au palais de Madrid, une si belle alliance ? Justement au maintien farouche des traités. Ceux-ci ne subordonnaient-ils point, pour une part, trop faible en vérité, mais pour une part tout de même, la France aux intérêts anglais ? N'empêchaient-ils pas la réalisation de la grande politique des derniers jours de Louis XIV, c'est-à-dire l'union de l'Europe contre l'Angleterre ? Bien que très germanique et vassal de l'Empereur, George Ier se trouvait contraint de poursuivre les préoccupations permanentes de la politique anglaise : domination, hégémonie des mers, abaissement de la France. Il tenait pourtant davantage à son électorat de Hanovre qu'à ce royaume d'Angleterre qui lui demeurait si étranger qu'il n'en parlait même pas la langue. Blunt et les whigs en profitaient. Cette bourgeoisie d'argent entendait construire une Europe nouvelle à sa ressemblance. Cependant, envers et contre tout, la France paraissait à George Ier une alliée nécessaire face à la menace que représentait pour le Hanovre le tsar qu'il redoutait et dont les hordes étaient toujours prêtes à envahir l'Allemagne.

L'Angleterre venait donc de se saisir « du sceptre tombé des mains épuisées de la France. Arbitre du continent, maîtresse des mers, elle avait

---

1. Michelet.

déjà posé les jalons essentiels de son empire : Gibraltar, Minorque, l'Acadie, la baie d'Hudson, Terre-Neuve, Bombay, Calcutta, Bencoulen (Sumatra). Le traité d'Utrecht consacrait son triomphe, et sur ses ennemis et sur ses alliés. Le Portugal la reconnaissait pour suzeraine et l'impératrice déchue de l'Océan, la Hollande, qui naguère envoyait régner à Londres son propre Stathouder, Guillaume d'Orange, ne paraissait qu'une barque voguant dans le sillage du puissant navire britannique [1]».

La France, de son côté, brandissait deux menaces qui rendaient tout accord délicat : l'héritier légitime du trône d'Angleterre, Jacques Stuart, dont elle semblait, chaque jour davantage, décidée à défendre la cause, et la construction clandestine du port de Mardyck, destiné à remplacer Dunkerque, détruit conformément aux traités. Cette création d'un nouveau repaire de corsaires était un défi d'autant plus insupportable que les traités d'Utrecht et de Rastadt entamaient à peine les colonies françaises. Le vieux roi Louis XIV, en dépit de ses revers et de sa situation tragique, avait atteint une bonne partie de ses buts politiques.

Enfin, à Londres, la passion tenait aussi la scène politique : deux Allemandes se partageaient le lit du roi lequel, par ailleurs, tenait la reine enfermée. George Ier poursuivait de sa haine le prince de Galles qu'il prétendait n'être pas son fils et, pour ajouter aux difficultés de cette alliance française qui l'eût rassuré, voici que Philippe d'Orléans offrait son appui et de l'argent à l'héritier du trône d'Angleterre ! Ce qui n'empêchait point l'astucieux prince français de dire au souverain anglais : « Garantissez-moi le maintien de la paix, et j'éloignerai le Prétendant et les amis du prince de Galles. » S'il n'avait tenu qu'à George Ier !

A l'autre bout de l'Europe, sous la tente de soldat qui était sa demeure favorite, le tsar Pierre le Grand, géant comme on en voit dans les contes d'enfants, rêvait, lui aussi, d'ouvrir des routes sans fin au commerce vers les mers libres. « Tirée à coups de knout d'un sommeil séculaire, la gorgone russe, famélique, titubante, couverte de sang, tendait vers ses voisins ses mains avides. Pierre, ayant répudié l'Asie, entendait s'unir à la grande famille occidentale... Il rôdait autour de l'Europe comme les ours blancs du Spitzberg viennent la nuit gratter à la cabane du pêcheur, grondant, montant dessus pour entrer par le toit [2]. » Lui aussi rêvait à l'alliance française et au petit garçon de Vincennes. La Grande Russie commençait à montrer au monde un visage nouveau et menaçant dont, seule encore, s'effrayait l'Angleterre.

Dans ce monde des neiges qui menaçait de déverser vers le sud ses masses faméliques, un autre « barbare » s'endormait pareillement, à même le sol de son pays dévasté par les Russes, contre lesquels il n'avait pas craint de porter les armes : le roi Charles XII de Suède. Alberoni, le conseiller de la reine d'Espagne, rêvait d'utiliser ce condottiere, cet étonnant pirate qui vivait sans amitié, sans amour, pour les seules joies de l'aventure et de la guerre. Grand, sec, nerveux, gants de buffle et grossier habit de drap bleu, il

1 et 2. Michelet.

n'était, au milieu de son redoutable parti d'hommes à tout faire, qu'un chef de guerre ou, mieux encore, un chef de bande. Lorsqu'il s'éveillerait demain, vers quel point de la rose des vents tournerait-il son regard et se mettrait-il en marche ? Vaincu, ruiné, il était acculé aux solutions extrêmes.

Ainsi allaient les nations, agitées par les remous profonds que créent les songes des conquérants, l'avidité et la peur. Seul, un homme, un apatride, un exilé portait en lui l'idée de l'Europe, le souci de sa prospérité et de son unité économique et politique : John Law.

LE TRIPOT DE LA RUE QUINCAMPOIX

En ce soir d'octobre 1715, John Law se dirigeait vers un tripot de la rue Quincampoix, à Paris. Les murs lépreux de cette taverne parvenaient mal à contenir la foule interlope et fiévreuse qui s'y pressait, bourdonnant comme une ruche en révolution. Suivi d'un autre homme comme lui vêtu de sombre, il parvint cependant à pénétrer dans la maison où la flamme de maigres quinquets à l'odeur écœurante s'efforçait de lutter contre l'ombre naissante. Des formes s'entassaient contre des comptoirs branlants et autour de tables de jeu tout aussi vétustes. Les deux hommes se firent connaître du tenancier, qui les attira à l'écart dans un coin plus obscur où il s'empressa de leur porter deux escabeaux et un petit banc sur lequel il disposa deux gobelets de vin. Cela fait, il chuchota :

— Quand il viendra, je vous installerai dans une chambre derrière où vous serez seuls.

Les nouveaux venus demeurèrent un instant silencieux. Ils regardaient les silhouettes s'agiter dans la faible lueur jaune ; le bruit, les cris les étourdissaient. C'était John Law de Lauriston et Bourgeois.

— Les tripots de Paris sont comme cette ville, bien particuliers, murmura Law avec un sourire empreint d'un soupçon de lassitude.

Sa vie d'éternel vagabond l'avait marqué sans altérer toutefois la beauté de son visage. Depuis cinq ans, il avait, entre ses séjours parisiens, traqué inlassablement la fortune à Venise, à Gênes, à Turin, à Florence, à Rome, à Brunswig, à Leipzig, à Dresde, à Weimar, à Vienne, dans le Wurtemberg, puis de nouveau en Hollande. Il lui arriva, comme à Paris en 1710, à la suite de gains considérables obtenus autour des tables de jeu et d'habiles spéculations, d'être brutalement banni après avoir été recherché et fêté. Il avait fait et défait ses bagages avec espoir ou désespoir, sans cesse harcelé par Caterina. Etait-il destiné à cette perpétuelle errance ?

A Gênes, il rencontra le prince de Condé ; à Florence, le grand prieur de Vendôme — petit-fils d'Henri IV — paillard et quelque peu escroc, « qui menait en Toscane le train de ses formidables beuveries ». Law lui prêta de l'argent et en obtint quelques appuis.

Comme un papillon de nuit qui bat des ailes contre toutes les vitres où brillent les lumières du repos et de la sérénité, il avait tenté de se fixer ici ou là et, pour finir, à La Haye, la ville de ses vingt ans. La Hollande lui avait jadis paru une scène trop étroite pour lui, comme lui avait paru insipide la douce Johanna ; voilà qu'il s'y retrouvait avec la féroce Caterina ! Telles sont les virevoltes de la vie. Aujourd'hui comme alors, le drame du duel ancien l'éloignait à jamais de Lauriston. Cet homme qui ne cessait de ramasser à pleines mains les ducats, les louis, les florins de toute l'Europe, ne parvenait pas à poser ses ballots d'émigrant, à installer ses enfants et leur mère dans une résidence définitive. A peine eut-il meublé un logis à La Haye que Desmarets, pressé par le duc d'Orléans, le rappelait en France et Victor-Amédée à Turin. Law ne résista pas. Il revint à Paris, rencontra l'abbé Dubois, obtint de ce dernier des assurances et des mesures qui annulaient celles que d'Argenson avait prises jadis contre lui. C'est alors qu'il acheta l'hôtel de la place Louis-le-Grand.

Ce soir-là, vingt-quatre heures après le premier échec que venait d'essuyer son projet de création d'une Banque royale, en dépit des invectives de Caterina, il ne se tenait pas pour battu et attendait encore Dubois à cet étrange rendez-vous :

— Alors donc, monsieur, vous croyez qu'il va venir ? s'inquiétait Bourgeois.

— Croyez-moi, dit Law, Dubois est une fripouille mais il lui arrive d'avoir le sens de l'Etat. C'est un aventurier, il est donc capable de sortir de la routine.

— Il l'a prouvé !

— Il n'a d'abord vu dans mes projets qu'un système qui lui permettrait de trafiquer un peu plus ! Je ne l'ai pas détrompé, cela lui a donné de l'éloquence auprès de son maître, lequel n'est point un homme d'argent, comme vous savez, mais un homme d'Etat conscient de la grandeur de mes idées et de mes plans. Ce Dubois, après avoir été convenablement repu — après seulement ! — pourra, lui aussi, être sensible à cette grandeur.

— S'il n'avait tenu qu'au Régent, affirma Bourgeois, votre projet eût été agréé hier au conseil de Régence !

— Sans doute ; après cet échec, il faut que je livre plus avant ma pensée et mes projets. Je reverrai donc souvent M. le duc de Saint-Simon. C'est un esprit assez fin pour reconnaître ses incompétences et aussi un homme de bonne volonté, vraiment noble et désintéressé. Ah ! mon ami, en face de ces Noailles, de ces Effiat, de ces ducs, de ces maréchaux, de ces maîtres de requête, de tous ces gens en place, je n'ai rien dans les mains et pourtant, j'entrerai dans la boutique et je la ferai sauter !

Bourgeois, stupéfait, tressaillit, se reprit et dit :

— Je crois bien, monsieur, qu'il n'est pas inutile que vous preniez aussi la mesure de ces autres seigneurs, moins gueux qu'ils n'en ont l'air et qui abondent ici, prêts à se dresser contre vous. Je puis vous assurer que tout ce joli monde de la finance mène le jeu et tire les ficelles de ces marionnettes dont vous parliez à l'instant.

— Je le sais bien, répondit Law. Les caisses sont vides et la place est à prendre ! Les financiers n'ambitionnent pas mieux que de tenir à leur merci les grands seigneurs qui n'ont plus la liberté d'agir à leur guise. Ecoutez-les, tous ces coulissiers, tous ces commis, de quoi parlent-ils ? Des banquiers, leurs maîtres, prêteurs de l'Etat, qui trafiquent des armes, des vivres, et de l'habillement des troupes, et qui, par-dessus le marché, escomptent les papiers du roi. Est-ce la peine de tenir entre ses mains l'argent, la plus puissante force de ce monde, pour n'en faire rien de plus grand, de plus admirable ? Voyez-vous, Bourgeois, je suis là, en face d'eux, comme un jardinier devant la vermine qui menace le jardin.

— M'est avis, reprit Bourgeois qui avait davantage prêté l'oreille aux discussions qui allaient bon train autour d'eux qu'aux paroles de Law, m'est avis qu'ils sont surtout occupés de votre échec d'hier ; ils supputent vos chances et votre faveur auprès de la Cour ! C'est là ce qui les met en rumeur.

— Ce n'est que le commencement, répliquait Law avec mélancolie quand un éclat de voix très proche lui coupa la parole.

— Les caisses sont vides ! s'écriait comme en écho à ses propos un quidam d'une cinquantaine d'années, efflanqué, le teint jaune, qui semblait s'être racorni dans les boutiques de la spéculation. Pour remettre le pays en marche, il n'y a que deux solutions...

— ... ou respecter les positions acquises par tant d'honorables combinaisons... coupa Law d'une voix tonnante.

Un silence se fit, et tous les visages se tournèrent vers lui.

— ... Est-ce là votre solution ? demanda-t-il. Ou changer complètement de théorie, de méthode et de personnel. C'est la mienne !

— Qui êtes-vous ? demanda une voix.

— John Law de Lauriston.

Un murmure s'éleva.

— Monsieur ! murmura Bourgeois, effrayé.

— Laissez ! répondit Law à mi-voix. Je sais que les espions de Blunt pullulent ici et je ne résiste pas au plaisir de le faire trembler dans ses chausses. (Puis, il reprit à haute voix :) Depuis que mes projets sont devenus publics, la guerre couve entre vous et moi ; si elle doit éclater un jour, ne faut-il pas que nous ayons préalablement parlé comme des gentlemen ?

Le maigre quidam au teint bilieux qui portait en lui comme un lointain reflet de Blunt s'approcha, salua furtivement Bourgeois et prononça d'un ton lugubre :

— Les affaires vont mal, monsieur.

— Et la France, monsieur ? lui retourna Law en éclatant de rire.

A ces mots, les sourcils du bonhomme prirent une hauteur exagérée. On faisait cercle autour d'eux comme s'il se fût agi de lutteurs dans l'arène.

— Mais, repartit l'homme de finances, qu'est-ce donc qui peut faire la santé de la France, si ce n'est le nombre des affaires excellentes qui peuvent s'y traiter ?

— L'aisance du plus grand nombre de Français possible, et non point votre seule prospérité et celle d'une poignée d'hommes de votre espèce !

Le bonhomme prit le temps d'observer John Law de ses petits yeux rusés. Son maigre visage se crispa légèrement et il ajouta avec condescendance :

— Je vois que M. de Lauriston est un funambule !

Des rires éclatèrent ; à travers le brouhaha, John Law cria :

— Oui, je suis un hurluberlu qui vous parle de l'Etat, à vous qui n'entendez que les affaires !

Cependant, un homme drapé dans une cape sombre et qui avait assisté sans mot dire à ce bref dialogue s'approcha de Law qui, à sa vue, se leva aussitôt ainsi que Bourgeois. Sans mot dire, les trois hommes traversèrent la salle, en butte aux ricanements narquois et aux plaisanteries, et s'enfoncèrent dans les profondeurs de la maison. John Law avait déjà rencontré Dubois deux fois, toujours dans des lieux interlopes, ce qui situait parfaitement le personnage : la première fois au bordel, chez la Fillon ; la seconde fois, dès son retour, un an plus tôt, dans une taverne tout aussi louche où l'abbé avait ses habitudes.

Le tenancier les introduisit dans une petite pièce dont les boiseries vermoulues dégageaient une odeur suffocante de moisissure. Dubois semblait ravi et humait avec satisfaction cette atmosphère de cave et d'égout. Le tenancier posa sur une table ronde un méchant quinquet, approcha des chaises et courut chercher du vin. Dubois tira son siège vers Law et le regarda sous le nez : il croyait respirer sur ses vêtements l'odeur de l'or qui le fascinait.

— Alors, dit-il en plissant son visage simiesque, que comptez-vous faire, à présent ?

— Préparer un nouveau projet capable d'accorder le goût que M. le Régent a pour mes idées et les craintes que ressent M. le duc de Noailles, en pensant que je peux réussir là où il va échouer.

Dubois ricana.

— J'ai voulu suivre la ligne droite, reprit Law.

— Quelle erreur ! ironisa Dubois.

— J'emprunterai donc les chemins tortueux.

— Voilà ! (Un geste bénisseur ponctua cette brève conclusion.)

— Mais comment M. le Régent pense-t-il éviter le naufrage, la banqueroute que ne cesse de lui conseiller M. le duc de Saint-Simon ?

— Nous faisons des économies ! protesta Dubois de sa voix de fausset en agitant ses mains débiles. Point de banqueroute, mais de véritables réformes économiques, tel le remboursement d'une foule de ces offices désastreux créés par le feu roi...

— Et comment, je vous prie ?

— Par un très juste emprunt que nous demanderons à ceux dont nous ne supprimerons pas les charges et qui, du fait de la suppression de celles des autres, verront augmenter considérablement leurs affaires.

— C'est bien pensé, mais cela ne suffira pas.

— Nous avons dépeuplé Versailles, supprimé la Cour régulière. Seulement, seulement, il y a les idées de M. le Régent concernant l'impôt, et elles sont discutables...

— Discutables ?

Le tenancier revenait avec le vin et, lorsqu'il se fut éloigné, Dubois reprit :

— Plus de vivres ou de fourrage enlevés par les troupes ; les agents qui accableront de frais les contribuables restitueront au quadruple et, fait sans précédent, on promet récompense aux receveurs qui poursuivront le moins ! Loin de s'appuyer sur les notables locaux, M. le Régent leur reproche leur répartition de l'impôt, leur entente avec les employés du fisc, les accuse de protéger les gens de condition et d'écraser les gueux ! Ne voilà-t-il pas qu'on en est à rappeler les intendants de province pour les contraindre à deux chevauchées [1] par an, afin qu'ils voient tout par eux-mêmes ! Pis encore, dit-il en se penchant davantage, on va envoyer dans les paroisses ! Enfin, M. le Régent crée des contrôleurs et des inspecteurs de finances pour vérifier les registres et les caisses. Ce n'est pas tout ! Mon bon maître reprend les idées de Vauban : il veut instituer l'impôt proportionnel, fort sur le riche et croissant avec les fortunes, et va le faire appliquer sous peu à Paris, en Normandie et à La Rochelle. Et il va élever le roi dans ces idées-là !

— Admirable ! s'écria Law.

— Ah vraiment ? répliqua Dubois avec une de ses volte-face habituelles de valet de comédie. Ne pensez-vous pas que toutes ces réformes d'apparence si contradictoire risquent d'être fatales, dans l'état d'extrême faiblesse où nous voilà ?

— Bien sûr, dit Law. Pour que le Régent puisse appliquer un tel programme, il lui faut de l'argent, beaucoup d'argent. Je peux, seul, lui en fournir. Il faut que je le revoie, que je lui parle ; je n'ai eu que de trop brefs entretiens avec Son Altesse royale. Dites-lui... (Il se reprit.) Non, pas tout de suite ; dans quelque temps, quand la situation aura sérieusement empiré et que M. le duc de Noailles sera parvenu au terme de ses vanités. A ce moment-là, vous m'obtiendrez ce que je ne peux obtenir par moi-même, c'est-à-dire mieux qu'une audience, de véritables séances de travail avec Monseigneur. Et, ajouta-t-il en regardant fixement Dubois, je manifesterai toujours reconnaissance et intérêt à ceux qui m'auront aidé.

— Est-ce là tout ce que je puis faire pour vous ? susurra Dubois avec un sourire fielleux.

— Oui, répondit brutalement Law à qui cet homme répugnait.

— Comptez sur moi !

Dubois eut un nouveau geste qu'il voulait rassurant et qui n'était qu'une pitrerie. Les trois hommes se levèrent, sortirent par une porte sur cour afin d'échapper à la foule, et Dubois s'éloigna pour retrouver son équipage, arrêté devant l'entrée de la rue aux Ours. Bourgeois, qui n'avait soufflé mot pendant cette conversation, se tourna vers Law avec un sourire complice :

— A bientôt, monsieur !

— Non, répondit Law, à un peu plus tard.

1. Tournée d'inspection pour surveiller la levée de l'impôt.

Ils se prirent à rire, se quittèrent et disparurent dans la froide nuit d'automne.

Quelques semaines après cette entrevue, un double coup de tonnerre devait précipiter les événements : Jacques Stuart, le triste chevalier errant que Roxburghe avait remis quelques semaines sur le trône d'Ecosse et lancé à la conquête de l'Angleterre, réembarquait pour la France après un désastre militaire. L'Angleterre signait enfin avec l'Espagne un traité de commerce sans précédent, par lequel les négociants anglais obtenaient aux Amériques des privilèges égaux à ceux dont bénéficiaient les Espagnols.

La position de la France redevenait aussi dramatique qu'en 1711.

John Law, qui n'avait pas cru au succès du Prétendant, apprenait le cœur serré que, à Edimbourg, les amis de Blunt, les whigs, ivres de vengeance, décapitaient, pendaient, déportaient...

Où étaient sa mère et ses frères et sœurs, à cette heure ?

LE TOURNANT

L'hiver passait. Caterina, qui s'était, tout au long de ces jours d'attente, livrée une fois de plus aux délices mêlées d'angoisses d'une installation, se demandait si celle-ci serait enfin la dernière. Dans les hôtels qui les avaient jusque-là abrités, les mille riens qui font un intérieur conservaient irrémédiablement un caractère provisoire. Ici, tout au contraire, le définitif s'insinuait partout en ce soin qui s'attachait au moindre détail. Nattier travaillait aux plafonds des pièces du bas, que Law destinait à la future banque. Caterina avait, non sans humeur, consenti à lui sacrifier le rez-de-chaussée, car il lui restait, aux étages supérieurs, de somptueux appartements. Ceux-ci s'ouvraient d'un côté sur un jardin, de l'autre sur cette place neuve, composée d'hôtels semblables et d'un dessin admirable, construits et habités par des gens de finance. Bourvalais, Crozat et sa famille étaient leurs voisins.

Ce climat nouveau remettait en question le problème délicat que posait l'étrange union de ce couple. Les enfants grandissaient, des jours meilleurs s'annonçaient : la position de John, en dépit du récent échec, pouvait bien devenir quelque jour plus ou moins officielle. Le « clan Law », qui avait échappé aux désastres de la guerre civile, renouait avec lui. La vieille dame de Lauriston Castle s'inquiétait de ses petits-enfants, John et Marie-Catherine, et son fils aîné, à travers tant d'épreuves, s'efforçait de l'entourer de tendresse. Autant qu'il le pouvait, il la tenait au courant de ses espoirs et de ses incertitudes. Il correspondait aussi avec William, projetait de l'associer plus étroitement à ses projets, de le faire venir en France. Celui-ci annonçait son prochain mariage avec Rebecca Deaves, de la noble maison de Percy. Toutes ces raisons militaient en faveur d'une régularisation de la situation matrimoniale de John et de Caterina. Il n'était que trop évident, cependant, que les longues séparations, au cours desquelles Jessamy John avait retrouvé les goûts et les habitudes de la liberté et Caterina celles de l'autoritarisme, avaient achevé de détériorer leur ménage. Ils vivaient comme deux étrangers sous le même toit. En réponse à une nouvelle tentative de Caterina pour le décider au mariage, John avait répondu par une décision fort bizarre, en un lieu et en un moment où un titre nobiliaire lui eût été des plus précieux : il venait de renoncer à utiliser son titre de baron de Lauriston et, déjà, dans Paris, on ne l'appelait plus que monsieur Law.

L'orgueilleuse Anglaise, qui s'était ruinée jadis afin de soutenir le procès entrepris par son frère pour revendiquer le titre de comte de Bambury et qui avait renoncé à son rang de lady dans le seul espoir de devenir baronne de Lauriston, ne le lui pardonnait pas. John avait visé juste : elle reculait à l'idée de n'être que Mme Law. Il fallait chercher une autre raison à cette attitude. John finit par l'avouer à Caterina :

— Vous m'accusez de faire en sorte qu'il vous devienne difficile de m'épouser ; mais essayez, pour une fois, si cela est possible, de me comprendre. Je me pose ici en réformateur. Et qu'ai-je en face de moi ? Une Cour assoiffée d'argent, qui ne recule devant rien pour mettre le pays à l'encan et me combattre. Je le sais, ce n'est là qu'une petite partie de l'aristocratie française, qui est, dans sa majorité, noble et désintéressée ; mais cette majorité est ici méprisée. Les hommes et les femmes que j'ai sous les yeux et qui disposent de tous les droits et de tous les pouvoirs me révoltent. Je dois m'opposer à eux totalement, les attaquer de front. Pour cela, je ne veux être que monsieur Law.

— Etes-vous républicain ?

— Pourquoi pas poète, tant que vous y êtes ! Ce n'est ni avec des mots ni avec des théories, si séduisantes soient-elles, que l'on mène sagement les hommes. L'Histoire nous l'apprend ; il n'y eut qu'une forme de gouvernement qui apporta aux peuples la prospérité, la justice et la paix : le principat de Rome et la succession par cooptation du siècle de Trajan — le plus capable est choisi par l'Empereur, qui le prépare à régner. Il est à peine croyable que des hommes aient eu, pendant près d'un siècle, pareille sagesse... Mais ce fut un siècle d'or !

Caterina haussa les épaules. Law se prit à rire doucement :

— Vous voyez, je radote toujours !

Elle se dispensa de répondre. Assise dans la pénombre de la plus belle pièce de sa demeure, Caterina se prit à écouter les cris des enfants qui jouaient à l'étage au-dessus, les pas des servantes et des laquais dans les étages. Lorsque la porte des cuisines s'entrouvrait dans le sous-sol, un tintamarre s'en échappait comme une bouffée de joie et montait, assourdi, jusqu'à la grande pièce d'apparat où le ronronnement du feu ajoutait à cette symphonie secrète, que seuls perçoivent dans toute sa suavité les cœurs inquiets. Elle venait, en ce soir frileux de février, étreindre et charmer cette femme très lasse, recroquevillée dans une haute bergère de soie brune, qui l'écoutait avec une attention pathétique.

A l'autre bout de la salle, accoudé à un bureau, Law, à la lueur d'un flambeau, faisait maintenant semblant de travailler ; lui aussi écoutait les résonances intimes et ténues de la quiétude.

Soudain, une porte s'ouvrit ; un laquais, magnifique dans sa livrée neuve, s'avança et tendit à Law un pli sur un plateau d'argent. Caterina s'était dressée, très pâle. Depuis longtemps, on ne pouvait plus porter une missive dans sa demeure sans qu'elle sentît son cœur se contracter.

— Qu'est-ce encore ? murmura-t-elle d'une voix blanche.

Déjà Law lisait : « *M. le Régent vous attend demain à trois heures ; M. le duc de Saint-Simon y sera. Il est indispensable que cet entretien ait lieu, vous savez pourquoi. Dubois.* »

Law sourit et Caterina se laissa retomber dans son fauteuil, le visage dur et fermé comme à l'habitude.

Le lendemain, à l'heure dite, John Law fut introduit dans les appartements du Régent qui étaient, avec la chambre conjugale du roi d'Espagne, un des deux points névralgiques de l'Europe.

Au palais de Madrid, la morbide fascination d'Elisabeth Farnèse achevait son œuvre : Philippe V, livré à la débauche morose et quotidienne, devenait un fantoche entre des mains expertes.

Au Palais-Royal, à Paris, plus souriante d'aspect mais plus tragique en réalité, la débauche était également souveraine. Philippe d'Orléans vivait au milieu d'un sérail de femmes folles. Son épouse, la duchesse d'Orléans, dernier fruit des amours orageuses de Louis XIV et de Mme de Montespan, s'adonnait à la boisson, peut-être pour avoir été épousée par contrainte. Le fils qui naquit de cette étrange union avait hérité quelques-uns des dons de son père ; mais les filles se révélaient étonnamment bizarres.

L'aînée, Elisabeth, duchesse de Berry, effrénée et brillante, se livrait aux pires orgies et témoignait de plus en plus d'un trouble violent de l'esprit. La seconde, Mlle de Chartres, était une encyclopédie tourbillonnante ; universelle comme son père, elle faisait de la littérature, se disait janséniste, pratiquait des arts divers, poursuivait des activités inattendues qui troublaient les habitudes de la Cour, comme celle de tirer des feux d'artifice. Mlle de Valois étonnait par ses caprices et ses extravagances. Mlle de Montpensier marchait sur ses traces. Quant à Mlle de Beaujolais, elle était encore au berceau.

Seule, Madame, la mère de Philippe, avait la tête fort bien faite ; elle représentait aux yeux de son fils le bon sens, de sorte qu'il l'aimait, la redoutait et la fuyait.

Comment Philippe d'Orléans, Régent de France, en était-il venu à éprouver une passion scandaleuse pour son enfant la plus folle, la duchesse de Berry ? Cette petite-fille de la Montespan et de Monsieur, frère du roi, inverti par goût, père de famille par devoir, portait aussi en elle ce sang de Bavière qui avait épargné la princesse Palatine, sa grand-mère paternelle, mais qui avait donné tant de maniaques, d'excentriques, de mélancoliques. Possédant, par contraste à sa malice et à sa violence, une sensibilité facile et toute d'apparence, Elisabeth fit croire à son père qu'elle le comprenait.

Dangereux mirage des ressemblances où se viennent si facilement abîmer les cœurs solitaires.

A son foyer, Philippe ne trouvait que le soutien de cette enfant fantasque qui devait un jour le trahir à son tour. Qu'importe ! Elle devint et resta sa confidente. Fière de cette amitié qui flattait son ambition maladive, Elisabeth voulut se mesurer à son père en toutes choses et jusqu'en ses débordements et ses beuveries. D'où ces étranges abandons « où l'on s'attendrissait, s'éblouissait, s'oubliait tout à fait [1] ».

Cela commença en 1710. La fin du monde semblait être aux portes du royaume, la mort était peut-être pour l'instant d'après ; l'exceptionnel et la terreur balayaient tout. Elle avait quatorze ans et lui trente-cinq. L'amour de Marie-Louise d'Argenton dominait encore ce sentiment infiniment trouble, mais allait en mourir bientôt. Mariée en ce temps-là au duc de Berry, petit-fils de Louis XIV, Elisabeth s'était trouvée veuve quatre ans plus tard. Depuis, Philippe demeurait enchaîné aux pouvoirs de sa fille, serf d'une démente qui divaguait de toutes les façons. Elle prit le ton de lui faire des scènes horribles pour des riens. Peu à peu, elle devait apporter à ses soupers intimes, où il n'eût d'abord souhaité que l'oubli des protocoles et la liberté de chacun, l'attrait terrible qu'ont souvent les demi-folles, la houle de ses débordements, et notamment sa nudité triomphante, dont la rumeur se répandait au-dehors et stupéfiait l'opinion. Ces soupers se terminaient à l'aube ; le Régent s'éveillait le cœur, l'esprit et le corps malades, un peu plus sceptique, un peu plus sombre chaque matin, et c'était le moment où il fallait se mesurer aux problèmes de l'Europe ; toute sa journée en demeurait marquée.

Tel il apparut à John Law en ce début d'après-midi de février 1716, dans ces petits appartements où le goût et le familier se mêlaient si bien que, hormis les fameuses collections d'objets d'art et l'apparat qui régnait dans les vestibules, on se pouvait croire chez un particulier.

Aucun des personnages présents, M. le duc de Saint-Simon, Dubois, John Law, pas plus que nul en France ou dans le monde n'ignoraient quoi que ce fût de ce qui s'y passait et s'y était passé. John Law observait le visage affaissé de Philippe d'Orléans qui venait d'entrer, le léger tremblement de ses mains, son regard éteint ; le changement qu'il constatait dans la personne du Régent depuis leur dernière entrevue le consternait. Il souhaita parvenir à l'arracher aux ridicules du gynécée et à l'abêtissement du vin. Après les salutations d'usage, ils s'assirent tous quatre autour d'une table ovale recouverte d'un tapis à franges de laine, sur lequel Law disposa ses dossiers. Saint-Simon, son loyal et amical adversaire, s'efforçait de dominer les tics d'une nature trop nerveuse et sensible. Il bombait le torse, tâchait de compenser sa petite taille par la superbe. Sous la perruque qui l'écrasait, son visage mobile d'inquiet était plein de feu et de gentillesse. Tout bonnement, il aimait les gens ou les détestait ; le Régent et John Law étaient

1. Michelet.

des premiers, Dubois de ceux qui ne comptaient pas, et Noailles, son ennemi, n'était pas là. Tout allait donc bien.

Pourtant le Régent demeurait perplexe. Après un silence, il jeta un regard sur chacun des trois hommes :

— Messieurs, dit-il lentement, je vous ai réunis car la situation est aujourd'hui plus grave qu'elle ne l'a jamais été depuis le début de ma régence. Nul n'ignore les périls qui nous menacent à l'extérieur ; quant à la situation intérieure, je la résumerai en ceci : le 2 septembre 1714, il restait dans le Trésor royal de quoi vivre trente heures ; nous nous trouvons à nouveau à ces extrémités, c'est dire que nous allons à de graves événements. En un tel moment, j'ai voulu vous entendre une fois encore sur un sujet qui me paraît mériter d'être approfondi. Je veux parler du nouveau projet de banque de M. Law, lequel me propose de remplir les caisses de l'Etat sans impôts ni emprunts nouveaux...

Il s'interrompit, hocha la tête, se tourna vers Saint-Simon et ajouta :

— La chose est considérable. Qu'en pensez-vous, monsieur le duc ?

— Je vous répète, monseigneur, s'écria le petit homme, que je n'entends pas grand-chose aux finances, mais cette idée de faire de l'or avec du papier n'est pas du sens commun ! Si habile que soit M. Law pour lequel j'ai de l'estime, il ne fera jamais assez d'argent pour payer les dettes du feu roi ; je crains bien que M. Samuel Bernard n'accepte pas d'être remboursé avec du papier ! Croyez-moi, monsieur, suivez les conseils que M. Desmarets donnait au feu roi, faites banqueroute !

Law répliquait déjà de sa voix impérieuse et nette :

— La banqueroute de l'Etat frapperait ceux qui possèdent peu. Quant à la finance, elle a pris, vous pouvez m'en croire, ses précautions ! Et les commerçants, allez-vous les ruiner et anéantir les fabriques par de tels procédés ?

— Oui, fulmina Saint-Simon, la fièvre de la spéculation, de l'enrichissement et la passion du jeu livrent la foule aux financiers, aux opérations de bourse, à l'aventure !

— Mais, répondit Law, le développement de la richesse est la fonction essentielle de l'Etat et pour obtenir cette richesse, l'abondance du numéraire est la condition du progrès, de la production et des échanges.

Il les ramenait subtilement vers l'essentiel de cet entretien tant désiré : son système.

— Or, poursuivait-il, qu'est-ce que le numéraire ? Une mesure des valeurs et un moyen d'échange... M. le duc de Saint-Simon n'est pas de cet avis ?

— Mais, monsieur Law, c'est la théorie mercantiliste que vous nous exposez là. Ce n'est pas une nouveauté, tous nos rois l'ont appliquée et...

Philippe d'Orléans l'interrompit :

— Voulez-vous, de grâce, monsieur le duc, laisser M. Law achever son propos ?

Saint-Simon pinça les lèvres mais s'inclina courtoisement :

— Je l'en prie...

— Je disais donc, reprit Law, que jusqu'ici, la monnaie était une mesure des valeurs et un moyen d'échange. Eh bien, messieurs, nous ne la considérerons plus désormais que comme un moyen d'échange. Regardez autour de vous : ce pays est bien celui de Jacques Cœur, de Sully, de Colbert ; c'est bien le même royaume qui a connu la prospérité, et pourtant ! Le bourgeois, le paysan, l'artisan n'achètent rien parce qu'ils n'ont pas d'argent ; comme ils n'achètent rien, les ateliers et les fabriques ne peuvent plus vendre leur production, et leur activité cesse. Alors le commerce s'arrête et la matière imposable disparaît. La pauvreté des particuliers fait l'indigence de l'Etat et l'abaissement de la nation. Il y a pourtant de l'or en France, mais quelle est son utilité s'il ne circule pas ? Ce qui fait la valeur de la monnaie, ce n'est pas le titre du métal mais la facilité et la rapidité avec laquelle elle circule. Au siècle dernier, M. Harvey a découvert la circulation du sang : eh bien, la circulation de la monnaie est aussi nécessaire à la vie de l'Etat que celle du sang l'est à la vie du corps. Nous devons donc accélérer la circulation monétaire.

— Je me rends volontiers à vos raisons, monsieur, répondit le Régent. D'autant que je connais les remèdes que vous proposez à nos maux. Les gisements d'or d'Amérique s'épuisent et tous les gouvernements souffrent de cette raréfaction.

— La monnaie, monseigneur, n'est qu'un moyen de transmission. Elle n'a pas de valeur en elle-même ; alors, que vous importe qu'elle soit en or ou en argent ? Bien au contraire, le papier lui est supérieur. Les billets circulent vite, chacun peut enrichir dix négociants en une journée, et ils sont facilement transportables sur soi. Le papier peut être multiplié à volonté, et répondra à tous les besoins de l'agriculture, du commerce et de l'industrie, à l'acquisition de tout ce qui est nécessaire à la vie. La facilité de sa circulation accroîtra la richesse.

— Allons, protesta Saint-Simon, votre papier n'aura de valeur que s'il est gagé sur quelque chose ! J'ai entendu parler de la Banque d'Amsterdam où les billets représentent l'or qui est gardé dans les coffres ; c'est sans doute ce que vous voulez faire ? Mais alors, que l'or soit dans ma poche ou à la banque, le résultat est le même ! Quoique, moi, je le préfère dans ma poche, monsieur Law.

— Comprenez-moi, monsieur le duc ! Pourquoi voulez-vous que la garantie de mes billets soit obligatoirement une masse d'or immobilisée dans les caves d'une banque ?

— Comment pourrait-il en être autrement ?

— C'est simple, monsieur le duc. Le billet de banque sera gagé sur la richesse de la France, qui n'est pas faite de telle quantité d'or qu'il vous plaira d'imaginer — il ne se lassait pas de redire ces choses —, la richesse de la France est faite de ses champs, de ses vignes, de son cheptel, de ses forêts. Elle est dans son commerce ; bien plus, monsieur le duc, elle est aussi dans la folie d'aventure qui peut germer dans une tête de Français sur les quais de Marseille ou de Mardyck. N'avancez pas à reculons dans l'Histoire en regardant le passé ! Regardez vers l'avenir, vers la mer, montrez aux Français

161

les Indes, la Louisiane et la Nouvelle-France [1] ; ils feront surgir des empires ! Et cela vaut mieux que tout l'or que peuvent contenir les coffres de France. Laissez les Français créer eux-mêmes la richesse dont leur monnaie sera le symbole, et l'or paraîtra dérisoire auprès d'un billet portant la signature de la France !

— Je souhaite que les événements vous donnent raison, dit Dubois.

Ses yeux brillaient, son visage s'animait sous l'émotion. Cet étranger venait de préciser en lui l'ambition, le projet qui allait le pousser au-delà de sa vénalité ; nul ne s'en doutait encore, le jour viendrait où il faudrait compter avec lui ; il serait premier ministre de cette France, de cet empire, et pour cela il deviendrait cardinal, comme Richelieu, comme Mazarin... Mais quelle distance il lui restait à parcourir, il en frémissait ! Fort bien, il franchirait tous les obstacles et tous les moyens lui seraient bons.

— Qu'importe ! murmura Law, comme s'il répondait à cette menace, à ce péril qu'il ne pouvait encore discerner. Même si le présent me donnait tort parce que tout cela est trop nouveau, l'avenir me donnera raison. L'usage du crédit est la plus formidable invention que l'on puisse offrir aux hommes. Le crédit bouleversera le monde et donnera à l'Europe une puissance qu'elle ne peut même pas imaginer aujourd'hui [2].

Chaque fois que Law exposait ainsi, avec cette assurance de visionnaire, ses idées, Philippe d'Orléans était ébranlé profondément, presque douloureusement : en regard de l'épreuve écrasante du pouvoir en un tel moment du destin de la France, tout avec cet étranger paraissait si aisé que la grandeur semblait à portée de la main.

— Laissez-moi votre rapport, monsieur, dit-il. J'ai bien compris vos vues. Je veux les faire approuver par le conseil des Finances.

L'instant était grave. Law avait gagné : le Régent et Dubois venaient d'opter pour son Système. Philippe d'Orléans ajouta :

— Les événements vont se précipiter ; nous verrons ensuite à réaliser tous vos plans le plus vite qu'il sera possible.

Une fois de plus, Law sortait d'un palais lesté d'une accablante espérance ; mais cette fois, il décida de la tenir secrète et de n'en point faire part à Caterina. Le Régent avait fait allusion à des événements qui devaient précéder la réalisation de son Système, celle-ci n'interviendrait donc que plus tard. Qu'allait-il donc se passer en France ?

Les portières de damas du Palais-Royal venaient de retomber sur les coulisses de la France, couloirs aux lambris dorés où un coup de théâtre continuait de se préparer dans l'exaltation, la fièvre et l'incertitude. Un personnage jouait dans cette ombre un jeu désespéré, où il risquait de laisser sa tête, et il le savait. Bourvalais, visage et symbole de cette classe bourgeoise que Louis XIV avait appelée aux affaires, solide, réaliste, dure au travail, acharnée à réaliser ses desseins, susceptible de s'élever aux lumières,

1. Le Canada.
2. John Law.

aux pensées, aux passions même, mais implacable quand ses intérêts étaient en jeu.

Pour l'heure, le Régent était conscient du danger ; il savait que la bourgeoisie, par la mobilisation des fonds du royaume, enserrait, étouffait, affamait le pays. Sans expérience politique, il engageait maladroitement le combat contre un adversaire redoutable.

La vieille noblesse d'épée, proche de ses origines terriennes, et la population des campagnes qu'elle dominait n'imaginaient pas d'autres sources de revenus que ceux de la terre, à quoi s'ajoutaient, pour les gens de cour, les largesses du roi. La bourgeoisie leur opposait sa raison, son argent, sa connaissance des affaires, son âpreté. Elle tenait le Parlement, les monopoles : Ferme générale, commerce des Noirs. A son avant-garde, couraient la bride sur le col ces chevau-légers que sont les financiers ; le goût du risque et de la puissance les animait, comme le vent de mer les voiles des navires et le cœur des vagabonds. Cahorsins, chevaliers teutoniques, Flamands, Vénitiens, Florentins, Hollandais, la grande aventure de l'argent faisait l'Histoire du monde.

Bourvalais avait autant d'envergure que Law mais moins de génie, bien qu'il eût d'extraordinaires talents ; « gros, rond, nez camard et épaté, jambes courtes, ventre de son, épaules larges, mine revêche, sourcils froncés et mains prêtes à faire le coup de poing [1] », cet homme, dans l'ombre chère aux financiers, possédait la réalité du pouvoir en France depuis le mois de février 1710, où une ordonnance avait fait de lui un secrétaire du conseil du roi, un directeur des Finances, garde et dépositaire des archives desdits conseils et commissions. En quelque sorte secrétaire général du gouvernement, il signait seul les baux des fermes générales, les traités des affaires extraordinaires, les rôles de recouvrement, les adjudications de fournitures et vivres aux armées de terre et de mer. Depuis lors, sa fortune était sans égale dans le royaume ; l'hôtel de la place Louis-le-Grand, l'admirable château de Champs-en-Brie et d'innombrables domaines en témoignaient. Ce qui permit à Saint-Simon de constater qu'il soutenait l'Etat « comme la corde, le pendu ».

Pourtant, en ce soir de février 1716, le petit duc qui ne l'aime pas cherche à lui rallier cette noblesse d'affaires qui commence à naître, consciente du pouvoir politique que prend la finance, effrayée d'une oisiveté forcée génératrice de mort.

Saint-Simon, le champion des privilèges du passé, l'ami du Régent, l'admirateur de Law, veut empêcher le complot et la révolution qui se préparent contre Bourvalais qu'il méprise, contre les financiers qu'il exècre, et la bourgeoisie qu'il redoute. Il sait que les révolutions violentes sont redoutables et que la sottise et l'indignité y prennent toujours le pas sur l'idée qui les a engendrées comme sur la justice qu'elles appellent. Il pense, comme le maréchal de Villeroi, qu'un gouvernement aussi nouveau ne peut sans danger stériliser du jour au lendemain les seuls canaux par lesquels

1. J. Saint-Germain.

l'argent entre dans les caisses du roi, que l'on ne peut attaquer avec de la poudre la finance et la Ferme générale et, par là même, la puissance renaissante du Parlement, mais il est seul ou presque de cet avis, et il est bien tard.

C'est la coalition des forces vives du pays contre Bourvalais et tous ceux qui, avec lui, ont mis au pouvoir « la fortune anonyme et vagabonde et qui, de la sorte, dans l'ombre, ont procréé ce monstre : *la forme moderne du Capital*[1] ».

Law vient de sortir du Palais-Royal. Bourvalais y entre. Informé heure par heure de l'évolution des esprits, il vient tenter une nouvelle parade d'une hardiesse extraordinaire. Il a déjà proposé de faire payer aux traitants une contribution volontaire et immédiate, susceptible d'apaiser les esprits et d'éviter que soient imposés des sacrifices beaucoup plus grands. Ce soir-là, tout d'exaltation et d'angoisse, dans un petit cabinet du Palais-Royal qu'éclaire mal un flambeau, il entrevoit le Régent et le duc de Noailles, président du conseil des Finances. Il s'est fait annoncer inopinément et a été reçu aussitôt. Le vieux lutteur serre les poings, avance son front de taureau devant ses deux magnifiques interlocuteurs, impassibles dans la pénombre où l'or et les pierreries de leurs habits scintillent doucement. Il est encore détenteur du pouvoir, de l'argent, mais eux sont les maîtres de l'Etat.

— La situation est terrible ! rugit Bourvalais. Il faut accepter sans tarder la proposition que je viens faire au nom de tous les dirigeants de compagnies.

— Les compagnies ? s'étonne avec une ironie glacée le duc de Noailles.

— Il y a eu certains abus, réplique sourdement Bourvalais. Oh, pas en si grand nombre que l'on veut bien le dire, mais...

— Ne vous défendez pas, monsieur, pas encore, dit le Régent avec hauteur.

Le rusé compère fait face :

— Me défendre, alors que je viens apporter à Votre Altesse royale une concrète et solide contribution collective de cent millions de livres !

L'argent n'est pas le bonheur, il est autre chose : le droit de vivre ou de mourir, la sève, la vie même, le sang... Le sang affluait maintenant au visage de M. d'Orléans. Dans sa détresse financière, l'énoncé de la somme fantastique fit choc.

— Regnault, le receveur des tailles de la généralité de Paris, poursuivait Bourvalais, fait ce soir une banqueroute de trois millions. C'est le signe avant-coureur d'une cascade de désastres qu'il faut conjurer à tout prix. A tout prix ! entendez-vous, monseigneur ?

— Allez, allez ! monsieur Bourvalais, ricana Noailles. Si vos amis nous proposent un petit cadeau de cent millions de livres, que ne pourrons-nous tirer d'eux en les traitant comme ils le méritent ! Leurs prétendues banqueroutes ne nous troublent point. Ils en font trop souvent et trop bien !

1. J. Saint-Germain.

Chaque fois que l'argent devient rare sur le marché, ils s'entendent secrètement entre eux pour se rendre insolvables !

C'est au tour de Bourvalais de blêmir. Cependant, il contre-attaque : à la force, il oppose de nouveau l'argent. Ces deux puissances, dans le réduit de ce petit cabinet éclairé à la lueur vacillante de bougies, s'affrontent brutalement :

— Prenez garde, monseigneur. Samuel Bernard, grâce aux affaires qu'il fait dans l'Europe entière, constitue, je vous le rappelle, un groupement de finances qui va fournir à Votre Altesse royale, tous les mois, les deux millions et demi de livres qui sont nécessaires à votre gouvernement !

— Le gouvernement du roi, monsieur, ne s'achète pas ! dit le Régent avant de s'enfoncer dans l'ombre où il disparut littéralement.

Noailles salua et guida Bourvalais vers la porte. Celui-ci descendit aussi vite que le lui permettait son embonpoint l'escalier du palais ; il se jeta dans sa voiture et, en dépit de la nuit et de l'hiver, son attelage prit à vive allure la route de Champs.

Ainsi commençait au Palais-Royal la tragédie des hommes de l'aventure et de l'argent.

Ce soir-là, pourtant, les flambeaux du bal de l'Opéra s'allumèrent. Ils formèrent bientôt ce buisson crépitant, cette haie de lumières et de chaleur, ce halo des nuits de plaisir qui escortait Mgr le Régent au rythme pimpant des menuets : que d'habits brodés d'or, d'argent, que de satin blanc, que de perles, que de feux pour atténuer sur un visage pensif l'ombre de l'Histoire ! Mais l'Histoire s'est incarnée, ce soir, et elle poursuit le prince ; elle est là, au milieu du bal et tournoie comme un songe mauvais. Vêtue de haillons sales, ses bas sont troués, ses souliers éculés, sa longue chevelure flotte comme celle des noyés et pourtant, sous ses oripeaux, sous le masque qui cache ses traits, on la devine jeune et belle... On crie, on s'exclame, tous s'écartent, le menuet se fige. Philippe s'approche lentement de l'inconnue :

— Qui êtes-vous ?

— Je suis la Misère, monseigneur, première dame du royaume.

Ce n'est qu'un incident que le menuet, réanimé, va balayer bien vite jusqu'aux confins de l'aube [1]...

1. Rapporté par Michelet et divers historiens.

LE POUVOIR ET L'AMOUR

> « Quel était l'intérieur de Law ? Si on le savait mieux, bien des choses obscures s'éclairciraient. Ce qu'on en sait, c'est que cet homme, jeune encore, tellement en vue et observé, fut en vain obsédé, poursuivi d'une foule de femmes vives et jolies, terribles. Il ne vit rien. La belle réputation de galanterie qu'il avait apportée disparut. »
>
> MICHELET.

> « Elle est le seul visage dans la grande mascarade, la seule clarté parmi ce peuple d'ombres, le seul arbre dans le désert... »
>
> SWINBURNE.

Le petit jour gris de l'aube commençait à révéler les rues tristes de la ville où l'épaisse boue noire du dégel dégageait brumes et odeurs fétides, lorsqu'une rumeur confuse s'étendit avec la rapidité d'un incendie. Sans qu'on puisse dire d'où elle était venue, ni comment elle se rallumait ici et là, faubourg Saint-Antoine, place Royale, place Dauphine, faubourg Saint-Germain, faubourg Saint-Honoré ou place Louis-le-Grand, voilà qu'elle embrasait la cité entière.

Le peuple de Paris se déversait dans les venelles glacées, tourbillonnait sous les lanternes, s'engouffrait sur les places, courait aux Tuileries et lançait comme un défi les flèches de sa gouaille légendaire :

> *Tous les maltôtiers de Paris*
> *Sont en grande tristesse*
> *De voir Miotte et Bourvalais pris*
> *Pour leurs grandes richesses,*
> *Dont on leur demande raison*
> *La faridondaine*
> *Pour les avoir si bien acquises*
> *Biribi !*

Le peuple de Paris faisait enfin sa révolution et avait à sa tête les gens du roi ! Derrière les procureurs à cheval et les beaux soldats aux baudriers

166

blancs, aux habits verts galonnés d'argent, sa cohorte frémissante s'en allait frapper aux portails majestueux des hôtels de finance :

— Ouvrez, au nom du roi !

Le peuple a subi les famines, les guerres, les hivers meurtriers, les exactions des collecteurs d'impôts, les angoisses d'une crise monétaire sans précédent et, maintenant, le Régent le venge, lui fait rendre justice ! Le Régent, c'est-à-dire le roi, ce petit garçon aux cheveux bouclés, aux grands yeux noirs, qui lui sourit de la terrasse de son jardin. Le roi, cet enfant sans père ni mère, devenu leur enfant à tous, héritier prédestiné qui les représente dans le vaste monde. Cet enfant-roi, qui, singulièrement, est aussi leur père et leur protecteur, doit leur garder de tels biens, la faridondaine ! Puisqu'il les a si bien acquis, Biribi !

Et l'on court à la Bastille, mon ami ! derrière les exempts et les gardes françaises, pour faire escorte aux financiers qui y pénètrent ! Le peuple monte la garde devant la forteresse, instrument de sa vengeance et de la justice du roi ! Les cloches sonnent à toute volée à Saint-Germain-l'Auxerrois et au Châtelet, des bruits circulent et ajoutent à l'agitation populaire :

— Bourvalais et Miotte ne sont pas encore arrêtés, mais comme tous les financiers qui sont encore en liberté et tous les Fermiers généraux, sous-fermiers, traitants et commis, ils ne peuvent, sous peine de mort, s'éloigner de plus d'une lieue de leur résidence !

— On n'a pas trouvé Bourvalais ; il est à Champs, fait comme un rat dans la souricière, car on vient d'interdire aux maîtres de poste de fournir des voitures et des chevaux à qui que ce soit !

— Les portes de la ville sont gardées !

Ces nouvelles sensationnelles éparpillent la foule qui se rue de tous côtés, soudain inquiète. Chacun pense aux problèmes personnels que pose ce verrou prestement mis.

Le carrosse de Law roule vers le Palais-Royal. Aux premières rumeurs, le sieur Bourgeois, tremblant, est venu frapper à sa porte. Law va demander un sauf-conduit pour son fidèle collaborateur ; il compte, à cette occasion, déverser sa bile sur Dubois, car une fureur sans nom l'habite. Non point qu'il ne tienne tous ces Turcaret pour mieux que gibiers de potence, mais il songe aux risques de l'entreprise. Il est certain qu'elle ne fera pas sortir l'argent des coffres secrets où il est enfoui, alors que la création de sa banque, en restaurant la confiance et en instaurant le crédit, eût obtenu autre chose que l'émeute, l'angoisse, la délation et le sang.

Une sourde activité règne à l'état-major de la révolution. Des gens pressés, silencieux, entrent et sortent du Palais-Royal.

Dubois reçoit en riant l'Ecossais :

— Nous préparons une chambre de justice, monsieur Law !

— Quelle folie que tout cela, répond-il. Au moment même où je viens vous proposer la confiance et le crédit, vous traquez le capital et le forcez à s'enterrer ou à sortir de France !

— Ne vous fâchez pas, réplique Dubois. Nous allons faire adopter votre projet, ce sera l'ultime manœuvre de Son Altesse royale !

— L'ultime manœuvre, murmure Law. Mais ne savez-vous donc pas où vous allez, avec votre infernale chambre de justice ? Vous voulez donc interroger Desmarets et les innombrables commis de M. d'Argenson ? Inquiéter des milliers de gens à Paris et en province ? Vous faites donc la révolution, la vraie, car vous y êtes, avec du sang, de la boue, et jusqu'au cou ! Je croyais que les deux tiers des magistrats du Parlement de Paris étaient les fils, les gendres, les proches parents ou les débiteurs des gens d'affaires ?

Dubois, qui s'était troublé, se reprit et ébaucha une de ses inimitables grimaces :

— Nous avons la complicité du président de Mesmes qui a beaucoup à se faire pardonner. (Il ajouta à voix plus basse :) A ses débuts, il logeait dans un galetas et n'avait ni cheval, ni mule pour circuler.

— Mais il doit sa charge de premier président à Bourvalais ! protesta Law.

— Qu'importe ! répliqua Dubois avec un froid sourire.

Law lui jeta un regard aigu ; puis, changeant brusquement de propos, il traita l'affaire du sauf-conduit de Bourgeois.

Sans s'attarder davantage, il revint place Louis-le-Grand, où il trouva le peuple ameuté devant l'hôtel de Bourvalais. Le carrosse de Law avançait péniblement et, derrière les vitres, l'Ecossais voyait défiler tous les visages de la haine. L'émeute évoluait vite ; le peuple devenait une foule, anonyme, aveugle, sans but et sans mémoire. Law prenait contact avec elle qui serait un de ses grands partenaires de l'avenir.

Il avait déjà senti le déchaînement de cette force aveugle en Ecosse, et dans des circonstances relativement semblables. Une angoisse secrète lui en était restée et voici qu'elle se réveillait, se précisait. S'il allait échouer, lui aussi, comme Bourvalais ? Il n'aurait même pas le secours des arrières que celui-ci s'était assurés, puisqu'il ne voulait rien faire dans l'ombre. Lui en serait-il tenu compte alors ?

Après bien des difficultés, John Law pénétra enfin sous le porche de sa demeure dont les valets refermèrent précipitamment les portes. Il monta prestement l'escalier, chercha Caterina et la trouva dans ses appartements, en proie à une de ses fureurs qui le lassaient chaque jour davantage. Devant Bourgeois effondré sur un tabouret, elle allait et venait, trop grande et trop maigre dans son habit de lin gris ; véritable Cassandre, elle proférait d'épouvantables prophéties :

— Voilà bien ce qui nous attend, dans un pays où l'on envoie au pilori, à la roue, à la potence, les gens d'affaires ! Et c'est ici, hurla-t-elle en voyant entrer Law, c'est ici que vous comptez vous occuper de finances et gérer celles de l'Etat ?

Il reçut l'orage avec indifférence ; sans mot dire, il remit à Bourgeois le sauf-conduit, ce qui fit bondir sur ses pieds le petit homme revigoré dans l'instant. Sans plus attendre, ils opérèrent tous deux une sortie précipitée, pour fuir au plus tôt les vociférations que Caterina glapissait maintenant en anglais. Les laquais d'antichambre, effarés, virent les deux hommes descendre précipitamment l'escalier, s'arrêter au palier du premier étage et respirer.

— Maintenant, murmura Bourgeois, plus un instant à perdre. Je cours aux nouvelles ; je vais à l'hôtel de Soissons et je reviens.

Law descendit au rez-de-chaussée, ouvrit une porte, la referma soigneusement derrière lui. Il se laissa pénétrer avec une jouissance infinie par le calme et le silence qui régnaient dans la grande pièce vide où le pâle soleil d'hiver venait d'entrer avec lui. Soudain, une rengaine à la mode sifflée tout en haut de l'échafaudage qui s'élevait vers le plafond lui rappela qu'il n'était pas seul. C'était une chanson qu'il avait déjà entendue :

> *Aux marches du Palais*
> *Aux marches du Palais*
> *Y'a une tant belle fille, lon la*
> *Y'a une tant belle fille...*

— Vous êtes donc venu malgré tout ce bruit, monsieur Nattier ? dit Law en levant la tête vers l'interlocuteur invisible qui sifflait dans les hauteurs.

Un grand tintamarre lui répondit. Nattier se mettait en devoir de descendre de ses planches.

— Ah ! monsieur, je suis bien aise de vous voir ! dit-il ; et il apparut.

Au-dessus de son visage bouffon, sa perruque à l'envers était presque aussi bariolée que la palette qu'il avait en main. Un grand tablier de peau, également multicolore, le drapait superbement. Law ne put s'empêcher de rire.

— Voici, continuait Nattier ; le grand problème du jour est le suivant...

Law esquissa un geste d'effroi : allait-on encore lui parler affaires, révolution, capitation ? Mais Nattier poursuivait :

— Il faut déterminer clairement, et nous ne pouvons plus attendre, si Daphnis rejoindra ou non Chloé au-dessus de la cheminée ?

Du coup, Law se reprit à rire et, d'un geste amical, saisit le petit peintre aux épaules :

— Ah ! monsieur Nattier, que j'apprécie donc les artistes ! Ils ont bien de l'esprit parfois sans le savoir et vivent dans un univers qui semble bonnement le paradis pour des hommes de finances et de gouvernement ! Voulez-vous ne pas me poser de problème aujourd'hui, de quelque nature qu'il soit, et me dire si vous ne connaissez pas d'autres gens occupés comme vous d'art et de choses éternelles et chez qui vous me pourriez conduire sur-le-champ ? Je ne peux pas me souffrir pour l'heure en cette maison. On crie dehors, on crie dedans... Sauvons-nous, voulez-vous ?

Nattier lui jeta un de ses regards pénétrants et dit lentement :

— J'ai bonne envie de vous conduire chez Mme de. ; elle m'a questionné sur vous et l'on ne voit chez elle que des gens qui manient la plume et le pinceau, des musiciens aussi...

Une étrange curiosité envahit Law. Les propos de Mme de Lambert et ceux de Mathew Prior lui revinrent en mémoire. Il se souvenait de ce soir-là, à l'hôtel de Gesvres où, pour la première fois, il avait entendu parler d'elle, et où le duc d'Orléans était entré dans son univers.

— Je fais atteler, décida-t-il brusquement. Allez vous accommoder et partons ; nous remettrons à demain le sort de Daphnis.

De nouveau, ils traversaient la foule qui vociférait. Nattier regardait, étonné, et murmura :

— Ce ne sont point là de beaux jours qui se préparent pour les artistes, monsieur. Il faut bien le dire, l'art, l'élégance, la beauté sous toutes ses formes vivent de la fortune. Mécène n'était pas cordonnier, que je sache !

— Sans doute, murmura Law. Mais il y a une façon de se comporter pour la finance et les financiers qui est absurde et condamnable ; l'autre, celle qui peut engendrer l'abondance générale, pourra-t-elle s'imposer ?

Il était dans un de ses mauvais jours où il doutait de tout et de lui-même, ce qui lui arrivait rarement et le troublait fort. Il gardait de tels moments une impression si vive que, pour y échapper, il se jetait ensuite dans des témérités qui étonnaient.

Ce fut dans cette incertitude de l'esprit qu'il pénétra avec Nattier dans un jardin touffu, devant la grille duquel son équipage s'était arrêté. Des senteurs douces amères de feuilles mortes et d'herbes brûlées et un calme profond donnaient l'illusion d'être loin de la ville. Le peintre et le financier remontaient l'allée qui bordait le miroir d'eau lorsqu'ils virent s'avancer en sens contraire un homme jeune, grand et mince, les cheveux flottants, qui tenait un manuscrit sous le bras.

— Monsieur Arouet ! murmura Nattier avec une admiration un peu équivoque. Vous partez quand nous arrivons ? continua-t-il d'une voix haute aux inflexions féminines.

— Ne vous plaignez pas ! répliquait Voltaire. Si vous étiez venus plus tôt, vous auriez dû subir la lecture du début de cette œuvre que Mme de. souhaitait connaître.

— Nous regrettons doublement, monsieur, dit Law courtoisement. A qui ai-je l'honneur ?

— Arouet, dit Voltaire en s'inclinant.

— Et monsieur John Law ! dit Nattier.

Cela suffit pour que Voltaire se redressât comme un pantin mécanique et fixât le financier de son regard brillant. Lui aussi connaissait l'odeur de l'or et elle lui était délectable.

— J'admire, monsieur, qu'en cette matinée de révolution, il y ait une retraite aussi paisible où l'on s'oublie à lire et à penser, dit rêveusement l'Ecossais.

— Mais, dit Voltaire avec une vanité satisfaite, nous étions seuls, Mme de. et moi, à nous oublier de la sorte, car les mouvements de la foule ont découragé ses visiteurs habituels.

— De quoi s'agit-il ? demanda Nattier en tapotant le manuscrit.

— D'une nouvelle version d'*Œdipe*, de laquelle j'attends... Il s'arrêtait, hésitant.

— La gloire et la fortune! Sans cela vous n'auriez pas vingt ans, monsieur, dit Law en souriant.

Les saluts échangés de part et d'autre, les visiteurs continuèrent leur chemin, Voltaire vers la grille, Law et Nattier vers un perron qui s'élevait jusqu'au niveau de trois portes-fenêtres.

De l'une d'elles, que Voltaire avait laissée entrouverte, s'envolait le récitatif d'une guitare; une voix chaude, qui surprenait par son intensité, reprenait la mélancolique chanson qui laissait flotter çà et là dans Paris sa trame vagabonde :

> *Dans le mitan du lit*
> *La rivière est profonde, lon la*
> *La rivière est profonde...*
> *Et là nous dormirons*
> *Et là nous dormirons...*
> *Jusqu'à la fin du monde, lon la*
> *Jusqu'à la fin du monde...*

En familier de la maison, Nattier acheva d'ouvrir cette porte et Nathalie apparut à Jessamy John entre la haute lueur dansante du feu de bois et la pourpre ardeur des corbeilles de tulipes, une guitare serrée contre elle, et la plus triste chanson du monde aux lèvres. Elle s'interrompit, étonnée, se leva et s'avança vers ses visiteurs. Sur sa robe de velours pivoine, flottait une chevelure fauve recouverte d'un voile d'or qui dessinait le contour oriental du visage aux pommettes saillantes. Elle évoquait les archipels lointains et les héroïnes aux noms sonores que Racine, après Ronsard, avait, quelques années plus tôt, redécouvertes. Law se rappelait les Vénitiennes en robes de dogaresse, la Cléopâtre de Shakespeare et ses songes d'adolescent.

Elle observait cet homme venu du Nord, sa haute stature, sa peau blonde, ses traits fins et durs, la clarté de ses yeux, la subtilité de son sourire. Nattier venait de prononcer son nom... Ce personnage aigu et nonchalant était donc John Law!

Il s'inclina très bas, se redressa, posa sur elle la transparence bleue de son regard. D'un geste et par quelques paroles si banales qu'elle ne les pourrait jamais retrouver au fond de sa mémoire, elle l'invita à s'asseoir et lui souhaita la bienvenue. Ils s'étaient assis. Les doigts de la musicienne égrenaient distraitement quelques notes sur la guitare, arpèges désenchantés qui sonnaient dans le grave, insolites et prenants. Par instants, l'un ou l'autre disait quelques mots, que Nattier essayait en vain d'élever aux normes d'un sujet de conversation; entre cet homme et cette femme, le présent était trop lourd et le passé trop dense pour qu'ils puissent échanger de vains propos. Peu à peu, la guitare se tut et, dans les longues parenthèses de silence, on entendit le vent se lever, heurter aux portes et s'engouffrer dans la cheminée, les flammes crépiter autour des bûches...

— Que disiez-vous, madame?

Peu importait, en vérité. Pour John Law, la découverte d'un profil, d'un

171

regard, d'une expression fugitive aux commissures des lèvres, d'un geste particulier, d'une chevelure, d'une main, devenait inoubliable.

Soudain, elle se leva, et dit :

— D'où venez-vous ?

Le petit Nattier vit alors naître sur ces deux visages le signe mystérieux du destin et se troubla. A peine remarqué et point retenu, il se leva, s'inclina et se retira doucement.

— Je viens de partout et de nulle part, répondit Jessamy John, la voix altérée.

— Comme cela est singulier, murmura-t-elle.

— Quoi donc ? eut-il le courage de demander, alors qu'il eût voulu simplement se saisir d'elle et l'emporter.

— Tout ce chemin que nous avons fait, vous et moi...

Cette fois, il ne posa pas de question ; les routes du monde ne les avaient-elles pas conduits l'un vers l'autre ?

Ils se turent alors, tout aux enchantements de ce silence né de la certitude que leur passé avait préparé cet instant. Ils revinrent s'asseoir près du feu. Combien de temps demeurèrent-ils ainsi côte à côte, dans la clarté des flammes ? Seule, l'entrée cérémonieuse des flambeaux leur donna la mesure des heures et du songe, et ils se regardèrent avec l'anxiété que l'on peut éprouver devant cette prise de possession auprès de laquelle la possession charnelle n'est rien, et qui est la destruction totale de ce qui a constitué jusque-là un univers personnel.

Alors, Jessamy John se leva, s'effaça dans l'ombre aux confins de laquelle les grands flambeaux d'argent dressaient leurs couronnes de lumière. Il partit comme un voleur, ne songeant point à dire quand il reviendrait, puisqu'il emportait tout et laissait tout [1].

L'ÉLOGE DE LA FOLIE

Quel est cet inconnu qui passe ?

C'était la question même qu'aurait pu poser à son propre sujet John Law qui, d'un pas incertain, s'efforçait de reprendre contact avec la vie, la ville et la révolution. Il s'était fait conduire aux abords de l'hôtel de Soissons et puis, ayant jeté un manteau sombre sur son brillant costume amarante, il s'efforça de remonter à pied le courant de la foule qui, ce soir, frappée de stupeur, paraissait morne, angoissée, atterrée.

Il lui semblait, en quelques heures, que l'univers venait, comme lui-

1. Comme nous l'avons signalé dans l'introduction de ce livre, il a été impossible, malgré des années de recherches, de trouver le nom de la femme dont la présence semble se révéler à chaque pas, à partir de cette époque, dans la vie de Law. C'est le troisième mystère de la vie de Law.

même, d'entrer en métamorphose. Il avait l'impression de se mouvoir dans un monde imaginaire où régnaient un visage et une présence, et il se sentait engourdi comme par la douceur d'un soir d'avril. Il en était là de ses découvertes lorsqu'un autre manteau sombre coudoya le sien. Law sursauta :

— Vous, ce soir !

— Je vous cherchais, murmura le Chevalier de la Mer, et je tentais ma chance en ce quartier où je pensais bien que l'événement vous conduirait d'un moment à l'autre ; mais n'y demeurez pas, faites-moi la grâce de me suivre !

Autour d'eux, des ombres filaient dans la nuit, les frôlaient et semblaient obéir à d'impérieuses inspirations qui les rejetaient ici et là, tournoyantes, mais en fait guidées par les exempts de police qui étaient chargés d'empêcher les attroupements et dont la seule apparition semait le désordre et une sourde panique.

— Il n'est pas nécessaire que d'autres que moi vous reconnaissent, ajouta le Chevalier.

— Que voulez-vous dire ?

— Que votre nom est sur toutes les lèvres. Votre chassé-croisé avec Bourvalais, au Palais-Royal, est déjà connu de toute la ville.

— Sauf de moi ! dit Law en riant.

Le Chevalier s'étonna de le voir rire si aisément. Etait-ce donc là l'homme d'affaires rassis et dur qu'il pensait retrouver ? A la lueur d'une lanterne médiane qui lui fit presser le pas, il le regarda encore. Qu'y avait-il de changé en lui ? Il lui apparut soudain plus jeune, plus vulnérable que jadis ; ce nouveau personnage rieur et pensif le surprenait. Il s'arrêta et, avec sa fougue habituelle, le prit par le bras :

— Qu'avez-vous à faire ici ? Je puis vous dire tout ce que vous voulez savoir sur ces canailles. Je viens de leur sonder le cœur, le foie et les entrailles !

— Oh ! oh ! ironisa Law, quelle besogne ! Et vous n'en êtes pas malade à crever ?

— Comment croyez-vous que les laisse l'arrestation de leurs maîtres, la saisie de leurs biens, la menace qui plane sur le plus petit d'entre eux ?

— Geignards, prêts à recommencer et à berner le gouvernement.

— Vous connaissez votre affaire ! dit le Chevalier en hochant la tête. On discute ferme dans les tripots sur les moyens de camoufler les bénéfices et d'organiser des spéculations. Ils veulent obliger le gouvernement à faire machine arrière, à cesser les poursuites et à remettre les vaincus du jour au pouvoir ! A ces beaux projets, tout comme le Régent, ils ne voient qu'un obstacle, qu'un adversaire sérieux : vous.

— Ah ! dit Law, c'est enfin la guerre ouverte ! J'ai déjà eu l'occasion de leur jeter le gant, et ici même ! (Il désignait d'un geste le bouge où il avait rencontré Dubois, quelques semaines plus tôt.) Merci ! ajouta-t-il, je n'ai en effet plus rien à faire ici, du moins pour l'instant. Avez-vous soupé ?

— A cette heure-ci, depuis longtemps ! s'exclama le Chevalier.

173

— En effet, où avais-je l'esprit, dit Law en riant. Je suis fou ce soir, monsieur, et heureux de l'être !

— Il n'y a que la folie qui vaille de vivre ; aussi bien vais-je vous le prouver, pour peu que votre soirée soit libre et qu'il vous soit agréable de la passer en ma compagnie.

John Law ayant protesté que rien ne lui serait plus agréable, le Chevalier lui déclara :

— Je reçois ce soir chez moi, à minuit, un agent secret des négociants malouins du Coromandel. Il arrive en droite ligne des Indes par le cap de Bonne-Espérance et Tristan da Cunha.

Le Chevalier de la Mer semblait toujours porter en lui le secret de ces noms au parfum enivrant et celui des routes vers la ligne fuyante des horizons.

— Vous serez demain au pouvoir, poursuivait-il, et vous pourrez ainsi recueillir des informations précieuses.

Comme il semblait certain de ce qu'il disait ! John Law se demandait s'il allait enfin atteindre ces rêves, pour lui tangibles, qui depuis trop longtemps le hantaient et le fuyaient tour à tour. Et voici qu'en cette nuit confuse de révolution, ils semblaient à portée de sa main : l'amour et le pouvoir lui étaient promis à l'aube, comme à vingt ans.

— L'informateur est sûr, continuait le Chevalier. Je l'ai eu à mon bord pendant des mois et nous avons fait du bon travail ensemble. C'est un traître-né, mais il sait aller profond et juste. Les marins de Sa Majesté ont eu souvent besoin des services de canailles de cette envergure !

Law sourit. Le Chevalier daignait enfin lever le plaisant masque qu'il avait revêtu. Dans l'obscurité, l'Ecossais essayait de dévisager cet homme qui appartenait à un passé fabuleux, à ces fameux corsaires de Louis XIV dont l'évocation seule faisait rugir ses compagnons de Change Alley et tous les marins des tavernes de Londres. Leur légende et leurs chants colorés, qui avaient emprunté aux balancements des gaillards d'avant un rythme fascinant, avaient longuement bercé ses années de jeunesse.

Les corsaires français ! Etait-il possible que l'on rencontrât de tels hommes et que l'on pût les avoir un jour comme capitaines, s'en servir comme des dés lancés dans la partie qui allait se jouer contre Blunt et l'Angleterre ? Voici qu'il suivait l'un d'entre eux dans cette nuit étrange. Où le menait-il ?

Le Chevalier s'en expliquait :

— D'ici minuit, je vous propose d'aller faire un tour dans l'un de ces bureaux de dénonciations qui, depuis quelques heures, se sont ouverts dans chaque quartier. Ce doit être un beau spectacle que de voir la haine et la délation fondre sur Paris comme la peste ou l'hiver de 1710 ! Vous souvenez-vous de cet homme mort de froid dans la rue, serrant sa fiole de vin gelée ? Avec ces tribunaux et les récits du Coromandel, je vous offre ce soir deux témoignages de la folie des hommes que vous apprécierez, je l'espère, à leur juste valeur.

Ils s'enfoncèrent dans le crépuscule. Il n'était plus pour Law que deux points de repère, deux étoiles dans cette nuit. L'une était cette couronne de lumière qu'il avait laissée derrière une fenêtre de l'hôtel de Mercœur ; l'autre, les lustres du Palais-Royal, sous lesquels le maître de la France, inattentif aux mornes distractions du plaisir, se libérait pour un soir des errements de l'esprit à jamais troublé qui le tenait en son pouvoir...

Ils n'allèrent pas loin. Au coin de la rue, dans un poste de guet, une méchante salle de garde venait d'être muée en tribunal de quartier. Quelques bancs avaient été groupés devant une table où siégeait un commis : la perruque en désordre, les yeux bouffis de sommeil, assisté d'un officier et de quelques mousquetaires gris, il faisait face comme il pouvait à un grand concours de peuple formé de curieux de tout acabit. Deux flambeaux, une écritoire, une plume d'oie, un gros registre, quelques dossiers composaient le matériel rudimentaire mis à sa disposition, mais il pouvait user d'une redoutable procédure créée en quelques heures pour rétribuer les auteurs des délations enregistrées. On allouait aux traîtres « le cinquième des amendes et confiscations adjugées à l'Etat et le dixième des effets cachés, recelés ou transportés frauduleusement ».

Devant lui, un grand gaillard de laquais déposait ; John Law et son compagnon, qui pénétraient avec difficulté dans l'assemblée bourdonnante, n'entendirent que les derniers mots de l'affaire prononcée à haute et intelligible voix par le greffier d'occasion :

— Je vous inscris pour mille livres. Vous recevrez mille livres !

Déclaration aussitôt couverte par un brouhaha inexprimable.

— Ma folle soirée commence bien ! murmura le Chevalier à l'oreille du financier.

Le laquais disparaissait à peine que l'attention se porta sur l'extraordinaire apparition qui surgissait dans le halo jaune des chandelles. C'était un couple étrange, composé d'un benêt qui n'avait pas trente ans, blond et pâle, non dénué de quelques prétentions, mais qui roulait çà et là des regards candides et comme apeurés, et d'une robuste commère d'une cinquantaine d'années au poitrail puissant, vêtue en carabosse d'oripeaux extravagants. Une bouche édentée au rire paillard, une tignasse emmêlée et malpropre, un œil concupiscent et un nez pointu dans un visage rond comme la lune ajoutaient à son caractère. Elle glapissait d'une voix éraillée aux intonations tour à tour gutturales et aiguës comme celles des jeunes garçons, ou mieux, comme celles des amateurs de bonnes bouteilles :

— Qu'est-ce que c'est que cette histoire ! Philippe est devenu fou !

— Qui est Philippe ? demanda le commis, surpris.

— Ton patron, l'ami ! répliqua-t-elle en lui appliquant une bourrade sur l'épaule, geste qui cloua de stupeur l'assistance, y compris les mousquetaires vers qui le benêt réconforté jetait un regard de triomphe.

— Eh là ! cria le commis qui n'avait jamais vu une gaillarde comme celle-là. Tenez-vous tranquille, la belle !

A ce mot, un éclat de rire collectif délivra la foule de son étonnement.

— Vous ne savez pas à qui vous parlez ! s'écria la maritorne.

Et au lieu de prendre les grands airs qu'on attendait avec de telles paroles, voilà qu'à son tour elle se prit d'un si gros rire qu'elle retourna en un éclair la situation ; la foule, interloquée, retint son souffle pour mieux entendre la suite.

— Eh bien ! dites-le-nous ! repartit le commis, que cet intermède divertissait et qui commençait à se réveiller.

Elle se rapprocha avec un certain balancement de son formidable arrière-train qui fit fuser quelques rires, et l'air rusé, railleur et paillard, elle lui déclara en plaquant les poings sur les hanches :

— Je m'appelle Pamela de Tiffery ! (Et elle ajouta avec un clin d'œil de mère maquerelle :) Tu demanderas au Régent qui je suis ! Est-ce que tu vas aussi sur ton gros registre coucher la Parabère, la Prie et la Sabran ? Alors, tout le harem du Prince s'y trouvera réuni ! Ce ne sera plus un in-folio mais un bordel... Seulement, méfie-toi ! (Le visage enluminé se durcit, l'œil se fit plus noir.) C'est moi qui compte, parmi toutes ces drôlesses ; les autres sont des culs, pas plus, tu entends !

— Qu'est-ce que vous chantez... s'écria le commis, effaré, pris d'une sourde inquiétude tant ces affirmations lui étaient assénées avec cette désinvolture et ce rien d'autorité qui rendent plausibles les plus surprenantes déclarations.

On savait le Régent bizarre, mais ses maîtresses en titre, auxquelles cette luronne s'identifiait, étaient jeunes et belles. Un charivari d'exclamations, de chuchotements agita l'assistance.

— Silence ! hurla le commis. Et celui-là, qui est-ce ? dit-il en désignant le benêt.

Le jeune homme s'avança, s'inclina et murmura d'une voix fluette :

— Brice Latournette, joueur de flûte traversière...

— Mon amant ! souligna d'une voix gutturale à l'accent triomphal l'inénarrable commère, cependant que la foule hilare trépignait de joie.

— Je n'y comprends rien ! cria le commis. En définitive, qui est votre amant ?

— Eh, jeune homme ! s'écria la luronne, railleuse. Trouveriez-vous par hasard le pluriel singulier ?

Ce fut un beau chahut dans la salle, cependant que le benêt se rengorgeait en jetant vers sa maîtresse des regards où s'exprimait la plus vive admiration.

— Je puis certifier que Madame est des intimes de monseigneur le Régent, crut-il bon de souligner, tout comme il aurait dit : Je suis chevalier de l'ordre de Saint-Louis, monsieur ! Comme elle m'honore également de ses faveurs, ajouta-t-il, mon attestation peut être prise en considération.

— Ah bien ! dit le commis interloqué. Mais pourquoi venez-vous m'affirmer que vous êtes cocu, monsieur ? Que voulez-vous que ça me fasse !

Une salve d'applaudissements souligna la bonne réplique, mais la dame prit sur-le-champ de la hauteur.

— Eh quoi, cria-t-elle. Ne fallait-il pas que vous sachiez qui je suis alors qu'un coquin m'est venu tout à l'heure dénoncer ! Je viens protester avant même que de courir au Palais-Royal.

— Ou d'aller à la Bastille ! cria un quidam déplorablement sceptique.

Elle se retourna comme si une vipère l'eût piquée au talon ; n'ayant point distingué l'auteur de cette apostrophe, elle reprit le fil de son discours.

— Vous allez retrouver cette infamie dans votre grimoire ; c'est un dragon qui m'a fait ça !

— Un dragon ! murmura le fonctionnaire ahuri. Qu'est-ce qu'il vous a fait, ce dragon ?

— Il m'a dénoncée comme ayant acquis de grands biens par divers trafics ténébreux et que je n'aurais point déclarés ! Tout cela est faux, monsieur. Chacun sait la grande bonté de M. le Régent et nul n'ignore, sauf apparemment vous, la faveur dont je jouis auprès de lui. J'ai usé de mon crédit pour rendre d'innombrables services, en particulier à ces malheureux officiers que ni l'honneur ni la bravoure ne font plus vivre. Sans protecteurs bien placés, ils ne peuvent faire valoir leurs droits. J'avais ainsi promis à ce dragon de le faire nommer major d'une place de guerre ; l'affaire traînant, il se venge.

Un subit éclair de mémoire sembla visiter le commis ; il feuilletait un dossier, en tira un parchemin et d'un geste bref, freina l'éloquence de son interlocutrice.

— Je suis au fait de votre histoire ; je vais vous donner connaissance de la déposition du dragon : il vous accuse d'avoir trafiqué des postes de lieutenants de cavalerie, de la halle couverte d'Angevilliers, du privilège des panières des boulangers de Gonesse...

— Brice ! Brice ! cria la dame, entendez-vous ? C'est faux !

— ... de la taxe des marchands forains, continuait le commis, imperturbable, du traité des juges subalternes, de l'affaire des boues et lanternes. Et aussi d'avoir établi et distribué des billets vantant l'agrément et le nombre des emplois que vous pourriez procurer ainsi que l'intérêt des affaires que vous pourriez négocier...

— C'est donc une de ces faiseuses d'affaires qui peuplent la Bastille, murmura le Chevalier à John Law qui s'amusait prodigieusement.

Dans cette journée mémorable, le peuple de Paris et les soldats du roi avaient conduit à la Bastille les gens de finance. Ce soir, il commençait à juger ces femelles virtuoses en affaires extraordinaires, que l'une d'entre elles vengerait, à la fin du siècle, en portant au trône le coup de grâce : Jeanne de la Mothe Valois qui, de toutes pièces, imaginerait l'affaire du collier de la reine !

Mme de Tiffery continuait à affirmer qu'elle n'avait pas touché un sol pour ces prétendues faveurs princières ; mais ce qu'il était facile de faire accroire à de crédules hobereaux, à des bourgeois bouffis de prétention, à des artistes naïfs, à de pauvres officiers, faisait rire aux éclats le peuple de Paris et le commis lui-même. Celui-ci, en dépit de la prudence naturelle aux gens de son espèce, ne parvenait pas à imaginer Philippe d'Orléans, dont le goût était connu, enlaçant cette guenon au nez pointu.

— En voilà assez ; rentrez chez vous, dit-il d'un ton bourru. Et si d'ici vingt-quatre heures, ordre ne nous est pas donné du Palais-Royal de vous laisser tranquille, vous irez rejoindre vos pareilles !

— Je ne veux pas que Philippe ni mes huit enfants, tous nés de pères célèbres, me voient suspectée par un tribunal de quartier ! hurla-t-elle ; puis se tournant vers son joueur de flûte : Brice, je vais me poignarder !

Et, alors que la foule se reprenait à rire, persuadée qu'elle ne disait que mensonges et hâbleries, on la vit avec stupeur tirer un poignard de son corsage et s'en donner trois coups dans le bras, près de l'artère. La vue du sang qui giclait de tous les côtés causa un affolement indescriptible. On s'empressait par-dessus les bancs renversés pour approcher la blessée à qui déjà un mousquetaire faisait un garrot. Cette femme capable de joindre le geste à la parole — et quelle parole ! — avait-elle donc dit la vérité ? Etait-il plus étrange en effet de coucher avec une harengère de son espèce qu'avec sa propre fille folle, et Mlle Chouin, qui avait été la maîtresse du Grand Dauphin, était-elle plus belle, plus jeune, plus plaisante que celle-ci ?

Nul ne pensa à observer Brice Latournette qui, pâle comme la mort, vivait dans une espèce d'extase une grande scène de ce roman où il se voyait le partenaire de Philippe d'Orléans, maître de la France.

John Law, qui n'en croyait pas ses yeux et ses oreilles, gagnait la sortie en compagnie du Chevalier lorsqu'un cri les cloua sur place.

— Demain, criait Mme de Tiffery, demain le Régent chargera John Law de mettre bon ordre à toutes vos folies, et alors, vous verrez ! Je connais Law depuis que j'ai l'âge de dix ans, et je vous en promets !

Les deux hommes sortirent précipitamment.

— C'est le commencement de la gloire ! constata le Chevalier.

— Savez-vous, dit Law en riant, qu'à un certain moment elle m'a presque convaincu ? Le Régent a fréquenté de tels lieux et de telles compagnies !

— Si vous connaissiez mieux Paris, monsieur, et les écuries du pouvoir, vous connaîtriez beaucoup de dames de Tiffery qui toutes, en réalité, portent un nom plus bref et savent mieux jouer le bel air que d'appeler M. le Régent par son nom de baptême.

— Peut-être, dit Law rêveur. Mais cette femme a tout de même quelque chose de particulier, du caractère, de la ruse, un génie personnel ; j'ai un certain pressentiment… De même que j'étais assuré de vous retrouver un jour, je pense que je la retrouverai sur mon chemin.

— Sait-on jamais ! dit le Chevalier. Mais d'autres histoires nous attendent : celles du Coromandel, et l'heure sonne où je dois retrouver l'envoyé des Malouins.

Quelques instants plus tard, les deux hommes se trouvaient dans le logis du Chevalier, sis rue de la Bretonnerie, face à l'horloge. Il occupait une partie d'un vaste hôtel, étrange demeure qui ajoutait encore au mystère dont s'entourait volontiers le personnage.

John Law, en y pénétrant, ne cacha pas sa surprise de trouver en ce lieu un raffinement qui évoquait les fastes du précédent règne. Glaces de Venise et cuirs de Cordoue, armes damasquinées et cabinets italiens, tapisseries des Flandres, toutes sortes de meubles précieux et d'objets délicats peuplaient ces pièces, éclairées de nombreux flambeaux d'argent, où n'apparaissaient nul laquais, nulle servante. Pourtant le feu rougeoyait et une collation de fruits, de confitures d'Orient et de vins attendait les invités. Tout était là original et délicat.

L'Ecossais détaillait chaque chose, mais très vite, son attention tout entière se concentra sur le troisième convive qui venait d'entrer. Il avait aperçu son semblable en assez grand nombre d'exemplaires dans les antres de finance et de justice. A combien de tabellions obscurs avait-il vu, sous le même vêtement noir, un corps également chétif et ce visage orgueilleux, barré d'une bouche sans lèvres, au dessin sinueux accusant la félonie, ce nez écrasé, volontaire, ces yeux à fleur de tête au regard d'acier, dans un faciès dur, craquelé, où la vie avait imprimé cent tavelures qui le faisaient ressembler à ceux des reptiles.

— Voulez-vous résumer la situation pour M. Law qui ne la connaît point ? dit le Chevalier en lui désignant un siège.

Au tressaillement imperceptible de l'homme, on vit que ce nom qui montait à l'horizon de Paris ne lui était pas inconnu. Un regard semblable à deux éclats de silex se posa sur Law. Sans préambule, d'un ton glacé, il commença son récit :

— Le fondateur de la ville de Pondichéry, monsieur, était un petit Français fort ordinaire d'apparence et qui s'appelait Martin comme tout le monde. Il possédait pourtant ce génie-là qui fait outre-mer notre renom et notre fortune. Directeur de la Compagnie des Indes, il assurait une prospérité remarquable à nos établissements du Bengale. Il pensait même à former son successeur et lorsqu'il vint à mourir, son premier commis, Dulivier, se montra en tout point digne de son maître, mais...

— Mais, coupa Law, les contrecoups de la crise économique française commençaient à se faire sentir là-bas...

— Vous l'avez dit, et la situation devenait difficile. Ce fut dans un tel moment que l'un des directeurs parisiens de la Compagnie, le sieur Hébert, décida d'aller se tailler sur le dos de Dulivier un royaume. Prendre la suite de Martin, travailler pour ses intérêts propres, trafiquer avec le nouveau Grand Mogol, c'est avec de tels projets qu'il s'embarqua pour le Coromandel...

— Sachez — car il faut connaître ses adversaires — ajouta le Chevalier, que cet Hébert est parti de rien. C'est un homme brutal, orgueilleux, ignorant, et aussi paresseux que vaniteux. Il ne respire que dans les pires intrigues où s'absorbent les qualités d'une intelligence cependant digne d'un meilleur champ d'activité.

— J'ai connu de tels hommes, fit Law en hochant la tête.

Il se demandait si, après tout, il n'eût pas été possible de dire à peu près la même chose de Blunt et même de Dubois, à cela près que l'ancien précepteur du Régent était fort cultivé et actif.

— A peine arrivé à Pondichéry [1], reprenait le voyageur, Hébert fit si bien que Dulivier donna sa démission. Désormais grand maître sur la côte du Coromandel, Hébert bouleversa de fond en comble tous nos établisse-

1. 2 juillet 1708.

ments, et bientôt, la Compagnie fut dans le marasme. La catastrophe fut complète lorsqu'il entra en conflit avec les seigneurs de ce pays et avec les jésuites...

— Il faut dire — souligna le Chevalier — qu'à son départ, la Cour l'avait chargé de veiller à ce que ces religieux ne se livrent à aucun acte d'intolérance vis-à-vis des indigènes et à ce qu'ils n'interviennent pas dans les affaires de la Compagnie des Indes !

— Certes, monsieur, mais il a appliqué ces ordres avec tant de superbe et de brutalité qu'il fut rappelé à Paris et que Dulivier revint en sauveur...

— Il dut se trouver devant une situation désastreuse ? interrogea Law qui suivait avec intérêt ce récit.

— Jugez-en : il fallait payer des dettes très lourdes tout en maintenant nos établissements...

— Et la crise s'aggravait ici !

L'agent approuva cependant que le Chevalier reprenait :

— Je vous l'ai dit, nos voiliers, les uns après les autres, disparaissaient à l'horizon et ne reparaissaient plus. Comment dès lors faire face à une telle situation ? Comment écouler les marchandises, réanimer les affaires ?

— ... Et s'imposer aux jésuites ! ajouta l'envoyé des Malouins. En effet, ils se mirent dès lors en tête de fermer les temples indigènes et se mêlèrent de vouloir interdire les cérémonies païennes. Ce fut un beau désordre qui faillit nous être fatal ! Les débardeurs du port cessèrent le travail, toutes les boutiques fermèrent, les hindous quittèrent la colonie en masse.

— Ces incidents sont-ils récents ? demanda Law.

— Ils datent de deux ans à peine, monsieur, et, en juillet 1715, nous avons vu réapparaître, au Bengale, Hébert en compagnie de son fils ! Il revenait, avec mission de laisser à Dulivier son poste et ses prérogatives, mais il s'était fait donner le titre mal défini de général de la Nation française, ce qui lui permit de se saisir de toute l'autorité civile et militaire.

— Un beau tour de passe-passe ! dit Law en riant.

— Sans doute, répliqua le voyageur. Mais voici que la tête lui tourne et que le désastre est imminent. Le forcené se livre à mille folies, intrigue sans retenue. Je vous apporte l'assurance que, par une brusque volte-face, il vient de passer un accord avec les jésuites pour se saisir des biens de la colonie et de la personne de Dulivier, et qu'il prépare de la sorte un véritable coup de force. Il faut savoir, continua-t-il en se penchant vers Law, que Dulivier a pour lui non seulement la population indigène, mais tous les négociants malouins, qui m'envoient ici pour jeter un cri d'alarme. Voyez les partis en présence ! A cette heure, un grave conflit les met peut-être déjà aux prises. On peut assurer que la vie même des établissements français du Bengale est en jeu !

Le Chevalier ajouta :

— La Compagnie des Indes développée, bien menée, nantie de solides bateaux et de quelques corsaires, pourrait à elle seule tirer le royaume de la triste situation économique où il se trouve !

— Mais c'est si loin, monsieur, les Indes ! soupira Law. Comment pourrais-je jamais faire comprendre à M. le Régent qu'il y a plus d'or à tirer de là que des coffres de Bourvalais et de Samuel Bernard, qui sont dans la ville ? Y parviendrai-je ? Pourtant, si demain je suis appelé au Palais-Royal, je vous promets de prendre en main les affaires de la Compagnie des Indes ; une partie de mon système est échafaudée sur l'activité de ces grandes compagnies où je vois les meilleurs intérêts de la France.

Le Chevalier se tourna vers le messager et dit :

— Il se peut donc, monsieur, que vous n'ayez pas perdu votre temps, ce soir.

Impassible, indifférent comme un avocat pour son dossier après la plaidoirie, l'homme s'inclinait, allait se retirer quand Law le retint d'un geste :

— Un instant, monsieur. Aurez-vous d'ici peu quelque autre nouvelle de Pondichéry ?

— Ce n'est pas impossible.

— Puis-je vous prier de venir me les porter dès qu'elles vous parviendront, en mon hôtel de la place Louis-le-Grand ? Je donnerai des ordres ; vous pourrez m'entretenir à n'importe quelle heure du jour ou de la nuit.

Le messager s'inclina et sortit.

— Qui le paie ? interrogea Law avec cette brièveté qu'il aimait en affaires.

— Le haut commerce de la colonie.

— Lequel a plus d'argent que le serviteur du roi qui dirige présentement la Compagnie des Indes ?

— Bien sûr ! dit le Chevalier en souriant. Du moins pour l'instant. Mais Hébert ne va pas tarder à reconstituer ses réserves en faisant rendre gorge à tous ces bons marchands. C'est pourquoi ils se sont cotisés pour acheter ce ruffian et l'envoyer ici.

Law hocha la tête ; son compagnon se leva. Sa superbe s'épanouissait dans ce décor où les ors, les pourpres, les velours chatoyaient.

— Laissez-moi vous montrer ce que j'ai rapporté du Coromandel, dit-il.

Il fit défiler devant Law des coupes où se mêlaient des saphirs de Ceylan, des perles couleur de lune et deux oiseaux d'or aux yeux de rubis... C'étaient là de merveilleux petits automates dont il remonta le ressort au moyen d'une clé qui crissait doucement avec un bruit de crécelle, et voici que les petits automates battaient des ailes, accompagnés par une musique aiguë et triste comme savent en moduler les flûtes dans ces nuits d'Orient que John Law ignorait mais qu'il pressentait si bien.

Dans les grandes pièces de l'hôtel de Mercœur maintenant plongées dans l'ombre, une silhouette tourmentée, aux longs cheveux épars, cherchait en vain le calme enfui et s'arrêtait, pensive, aux reflets profonds des miroirs de Venise qu'allumait la lune d'hiver.

Dans le même temps, au Palais-Royal, l'ivresse et la volupté avaient enfin soumis comme à leur habitude le cœur solitaire et le génie inquiet de M. le

Régent. C'était l'instant où, dans le petit cabinet rose et or, coulaient les vins de Tokay et de Champagne et tombaient les entraves... Autour de la table parée de vaisselle de vermeil, de cristaux, de dentelles précieuses et de fleurs, s'était assemblé le cercle enchanté des belles dont les grâces sensuelles transparaissaient sous les voiles soyeux de l'Inde qui les couvraient à peine. Les habits de velours aux tons ardents des Richelieu, Canillac, Nocé, La Fare, Brancas, Biron, Fargis et Riom leur formaient un écrin qui, peu à peu, les enserrait. Un dernier mot d'esprit fusait à l'égard de Mmes de Nesles et de Polignac qui, quelques jours plus tôt, se disputaient à coups de pistolet les faveurs de Richelieu ; mais déjà la Sabran et Elisabeth se défiaient, coupe en main, pour quelque tournoi bachique, cependant que la Parabère survenait, escortée de ses casseroles d'argent. Celles-ci contenaient les mets épicés qu'elle confectionnait elle-même, dans un cabinet voisin. La sauce de velours chauffait la gorge, brûlait le sang. Il fallait boire, boire encore ! Elisabeth, avec sa violence habituelle, dégrafait son corsage ; la Sabran, qui ne voulait être en reste de rien, en faisait autant. On applaudissait comme au théâtre lorsque le rideau se lève et un couplet de corps de garde saluait la double apparition...

Alors entrent en scène, « vêtus de leur seule jeunesse, des éphèbes et des nymphes habiles à reconstituer des scènes antiques... Phryné, Cléopâtre, Messaline s'enlacent au mépris de toute chronologie [1]... ». Elisabeth, tout à fait dévêtue, se joint à ces jeux que partage bientôt à son tour la Parabère ; Canillac cherche sa maîtresse et ne la trouve pas : c'est qu'elle disparaît à moitié sous le corps massif de La Fare ; il l'aperçoit enfin. Qu'importe ! « Nul ne sait plus à qui appartiennent ces gorges délectables, ces bouches humides [2]... » Une soudaine obscurité favorise les caresses anonymes, mais elle n'est pas telle, avec les jeux de lumière à travers les vitres, qu'elle ne permette de voir se détacher de la muraille, cariatides jusque-là impassibles, les gigantesques laquais galonnés d'or qui dépouillent en un tournemain leur livrée écarlate pour venir saisir de leur poigne plébéienne ces princesses de légende qui, aux lumières, ne voient en eux que des valets... Tous feux éteints, elles sont à eux, consentantes, abandonnées ; ils s'en saisissent âprement pour en jouir ; demain ou plus tard, ils s'en saisiront autrement, dans le sang et les charniers...

Tout au long de la galerie d'Enée, parmi les compositions de Coypel, les meubles et les objets d'art célèbres dans le monde entier, chemine lentement un homme seul. Son pas est lourd, incertain. C'est le Régent, qui regagne sa chambre. De son regard voilé, il se voit suivre l'imposant vestibule sur lequel s'ouvrent ses appartements. Le petit jour baigne déjà les douze fenêtres ; soudain — est-ce un mirage de l'ivresse ? —, il assiste à cette chose prodigieuse : la Diane de marbre qui dresse à côté de la porte sa froide nudité s'anime ; il n'a que le temps de lui tendre les bras, et la reçoit, chaude, nue, palpitante... Son lit est tout proche, il l'y porte... Véritable-

---

1. Philippe Erlanger, *Le Régent.*
2. *Idem.*

ment, il ne sait plus, ivre comme il est, s'il ne tient pas sous lui, à sa merci, la chasseresse des forêts mythiques et cela ajoute au goût violent qu'il prend à ce corps dont l'ardeur réveille ses folies anciennes...

La nymphe avisée éclate d'un rire léger comme les grelots de ce premier carnaval de la Régence qui commence à s'agiter dans Paris, au cœur de la révolution. C'est alors que Philippe d'Orléans reconnaît la religieuse Tencin, que son audace forcenée a conduite à partir de la sorte à la conquête du pouvoir... du moins le croyait-elle [1]. Dévorée d'impatience et d'orgueil d'avoir réussi à gagner le lit du Régent — ce qui n'était point cependant une difficile prouesse —, elle allait, dans sa précipitation, perdre d'un coup ce qu'elle avait obtenu par le charme de l'inattendu, de l'audace et de la fantaisie...

L'amant la tient encore serrée contre lui qu'il l'entend chuchoter :

— Songez-vous, comme on le prétend, à séparer de Rome l'Eglise de France, à soutenir les jansénistes contre les jésuites, à rappeler les protestants ?

Il s'écarte brutalement d'elle, dont la grâce féline l'avait pourtant pris, sent le piège et l'intrigue.

— Ah, madame ! dit-il en se levant et en passant une robe de chambre, je ne parle jamais de politique ni de religion avec les femmes... et surtout point sur l'oreiller !

Inquiète, elle le voit s'éloigner rapidement ; mais avant de disparaître, il se retourne pour lui lancer ce mot terrible :

— Que je ne vous voie plus ici !

Il ne restait plus à la belle qu'à récupérer sa femme de chambre et ses vêtements, que de nombreuses complicités chèrement acquises abritaient, non loin des appartements du prince.

Mme de Tencin ne s'en tint pas pour battue :

— J'aurai le pouvoir malgré lui ! pensa-t-elle très vite ; si ce n'est par le maître, ce sera par son ministre !

En un instant, elle se vit poussant ce vieux singe de Dubois jusqu'à un tel poste et prenant entière possession de lui.

— Dubois, d'Argenson, John Law ! murmura-t-elle. La belle conspiration, en vérité ! — et de nouveau, dans le petit jour gris, son rire léger fusa.

Les grelots du carnaval s'agitaient dans la ville et les masques allaient, pour quelques jours, brouiller les pistes, permettre les coups portés dans l'ombre et le déroulement des intrigues d'amour et de politique.

1. Michelet, Jacques Saint-Germain, etc.

LA TRÈS SINGULIÈRE FAMILLE DE TENCIN

Le lendemain, Law s'éveilla dans une grande confusion d'esprit, étonné de retrouver le décor familier de sa demeure. Comme après un long voyage, il reprenait contact avec les aquarelles de Rosalba rapportées de Venise et avec les boiseries sculptées aux tons d'ivoire qui ornaient sa chambre. Très vite cependant, il fut ressaisi par la sensation qu'une présence désormais, emplissait sa vie. En regard de l'intensité d'un tel sentiment, la femme qui l'inspirait paraissait soudain vulnérable, menacée. Le contact de la passion de l'homme, faite de ses élans primitifs, de ses rêves d'adolescent et de sa témérité intellectuelle, ne s'établit que périlleusement avec la femme, qu'habitent tant de fragiles espérances.

En une nuit, en un instant, il était donc passé d'une rive à l'autre de ce fleuve que beaucoup ne traversent jamais : celui qui sépare le pays des ombres sans couleur et sans chaleur des enfers anciens, de celui de l'amour.

Sa vie avait désormais un sens. Ce qui en lui était dispersion ou contradiction, devenait cohérence... Une femme, une seule, peut, dans une vie d'homme, créer une fois et une seule cet ordre profond, douloureux parfois, mais aussi définitif que les mécanismes de l'univers. Et pourquoi cela n'en ferait-il pas partie, n'obéirait-il pas aux mêmes lois, dans la nuit comme dans la lumière, dans les tempêtes comme dans la beauté des printemps et des automnes de bonheur ?

Il devait en être de même pour la femme. Comment savoir quoi que ce soit du sens de cette aventure unique, où tout est donné, où tout sera reçu ou refusé au fil des jours ? Etrange jeu de vérité où se révèle le meilleur des êtres, et le reste, évidemment, puisque les lois de l'univers sont aussi rigoureuses qu'étranges.

Courir tout de suite à l'hôtel de Mercœur ou prolonger, savourer même, le silence, l'attente, la contrainte qui étaient déjà plaisir d'amour ? C'est à cela que John Law allait probablement se déterminer, quand on gratta à la porte. Un laquais entra, porteur d'un pli de Dubois : Law devait se rendre dans l'après-midi chez Mme de Tencin qui — précisait l'abbé — venait de passer la nuit dans le lit de M. le Régent.

Law se méfiait de cette femme, mais elle était la sœur de Mme de Ferriol... Peut-être découvrirait-il dans son entourage quelque élément qui l'aiderait à déchiffrer l'énigme de la personnalité de Mme de. ?

Quant à cette histoire d'alcôve, mieux valait, dans la conjoncture présente, en avoir le cœur net. Law savait cependant que nulle femme au monde, hormis la duchesse de Berry, ne pourrait plus jamais se vanter de mener Philippe d'Orléans.

Au milieu de l'après-midi il se rendit à l'hôtel de Tencin, sis rue Saint-Honoré, près du cul-de-sac de l'Oratoire. Il fut assez surpris de trouver la dame au centre d'une assemblée d'ecclésiastiques. Il y avait là le nonce, le

« furieux Bentivoglio, ex-capitaine de cavalerie, qui avait fait à sa maîtresse une paire de petites filles qui commençaient à s'illustrer comme danseuses et mieux encore... l'une d'elles s'étalait aux vitres de la rue Saint-Nicaise par l'aspect le plus singulier. On l'appelait depuis la Constitution [1] ! » Il y avait aussi quelques jésuites, et Dubois lui-même. Law aperçut pour la première fois l'abbé de Tencin. Fontenelle et Bolingbroke semblaient comme perdus parmi tant de robes ! Le comte Hoym, qui arrivait de Dresde où il avait dû naître il n'y avait guère plus de vingt ans, mobilisait l'attention. Mme de Tencin était sensible à sa beauté et à sa fortune ; elle n'ignorait pas que ce jeune homme fort cultivé mêlait discrètement, aux fonctions diplomatiques officielles dont il avait la charge, des missions secrètes. Dubois allait l'introduire avec Schwaub au Palais-Royal.

L'entrée d'Aïssé et du comte d'Argental fut très remarquée. On savait que d'Argental écrivait pour le compte de sa tante, aidé, disait-on, par son ami Arouet, un aimable roman qu'elle s'apprêtait à signer. Et ce secret de polichinelle amusait tout Paris.

Law regardait avec stupeur Aïssé, cet oiseau blessé, évoluer dans cette assemblée de tartufes et de roués. Il y avait là aussi Pont de Veyle, sec et brillant comme tous les Ferriol ; il s'empressait autour de la redoutable Tencin et de son inénarrable frère, suivi par leur ami dévoué, l'aimable et léger Bolingbroke qui, peu de temps auparavant, présidait aux destinées de l'Angleterre. Dubois lui présenta l'Ecossais. Les deux étrangers ne dissimulèrent pas leur surprise et s'observèrent crûment. Ainsi donc, pensait Bolingbroke, voici John Law ! Mais l'activité de cet homme ne le concernait plus. Quant à l'Ecossais, il passa dans son regard de l'ironie et de la mélancolie. Puis il chercha à imaginer le personnage central de l'étrange famille de Tencin : Ferriol, l'ambassadeur qui, chaque soir, soumettait à ses désirs Aïssé, l'enfant inquiète qui tentait en vain de se rapprocher de Bolingbroke. Law, qui l'observait, ne put s'empêcher de murmurer à l'Anglais :

— Que craint-elle ?

— Hum ! répondit celui-ci avec son sourire vain. Le pire. Mme de Tencin est une diablesse !

— Mais encore ?

— Elle prépare une admirable combinaison dont Aïssé et vous-même êtes les atouts majeurs !

Law sursauta.

— Ne vous méprenez pas, poursuivit Bolingbroke ; il s'agit de mettre Aïssé dans le lit du Régent et vous-même au Contrôle général des Finances, ou à quelque poste semblable... N'oublions pas Dubois ni d'Argenson ! On désire évincer au plus tôt d'Aguesseau et Noailles.

— Cette femme est folle ! murmura Law. Ma fortune tient heureusement à d'autres moyens qu'au viol d'une petite fille ! Et ces révérends pères, sont-ils du complot ?

1. Michelet. Entendre par là que la demoiselle s'exhibait sous l'aspect... le plus dépouillé.

185

— Chut ! monsieur, il s'agit de manœuvrer le duc Régent par les femmes et de le ramener à la bulle et aux jésuites [1], qui promettent en contrepartie un chapeau de cardinal pour l'abbé Dubois et un autre pour l'abbé de Tencin !

— Il est vrai, conclut John Law en haussant les épaules, que nous sommes au temps du carnaval !

Mais il voulait en savoir plus long.

— Et qu'en disent Mme de Ferriol et Mlle Aïssé ?

— Mme de Ferriol n'en est point là à ses débuts avec Aïssé. Quant à celle-ci — le regard de Bolingbroke se voila légèrement et Law n'eût jamais pensé qu'une aussi vive émotion pût se révéler sur ce visage ironique — elle est le seul être que l'on puisse croire, même lorsqu'on a fait le tour des turpitudes ; mais ils l'ont soumise à tout... jusqu'au viol ! Elle a déjà assez souffert pour être résignée. Pourtant, depuis que ce beau projet est lancé, on mène un train d'enfer chez les Ferriol ! Mme de Parabère elle-même s'est mise de la partie, dans l'espoir que, à travers une enfant aussi malléable, elle continuera à jouer son rôle de sultane-reine. On compte beaucoup sur l'attrait que peut exercer le Régent sur cette malheureuse créature qui n'a connu de l'amour que les ébats de son vieil ambassadeur despotique et pervers...

— Tout cela est horrible ! murmura Law, écœuré.

— Horrible, répéta Bolingbroke, détaché.

Law le regarda, surpris. Il savait que Bolingbroke avait été l'un des amants de la Tencin et qu'elle avait essayé de l'utiliser pour tenter, par l'entremise de Dubois, de marier une des filles du Régent au Prétendant ! Il s'agissait alors de détourner Philippe d'Orléans de l'accord que lui proposait son cousin le roi George. L'hostilité de Bolingbroke révélait que Mme de Tencin et Dubois avaient dû changer de camp. Law posa une dernière question, celle qui lui importait le plus :

— Et Mme de., que pense-t-elle de tout cela ?

— Rien, absolument rien, pour la bonne raison qu'elle en ignore tout. Elle a tant de fois proposé à Aïssé de quitter l'hôtel de Ferriol et de venir vivre avec elle, qu'Aïssé n'ose pas lui avouer ses nouveaux tourments.

Law éprouva un soulagement : Mme de. n'avait rien de commun avec ces gens-là... Il insista :

— Ce refus est incompréhensible.

— Certainement, pour qui ne connaît pas Aïssé ; elle manque sans doute de caractère et son intelligence n'a point de commune mesure avec celle de Nathalie. Eperdue de remords et de scrupules, elle se croit pourtant liée à son ambassadeur et à sa famille par les devoirs de la reconnaissance pour ce qu'ils l'ont logée, élevée, nourrie, habillée...

— ... Achetée, enlevée, violée ! C'est une idiote ! s'écria Law.

_____

1. Il s'agit ici de la bulle Unigenitus qui condamnait, depuis 1713, le jansénisme, mais que la majorité du clergé refusait d'accepter. Les jésuites cherchaient à l'imposer avec acharnement.

— Oh, monsieur !

Law pensa : « Et vous, vous êtes peut-être un sot, à moins que... »

Son regard se porta sur Aïssé qui s'approchait enfin : elle était assez belle pour fausser le jugement d'un homme, mais il lui manquait tout ce qui communiquait à Mme de. un attrait violent.

— Excusez-moi, dit Law distraitement.

Alexandrine de Tencin se dirigeait aussi vers eux. Elle venait d'exhorter les ecclésiastiques, que Dubois régalait maintenant de l'histoire de la statue nue qui s'était animée au passage du Régent et de ce qui s'en était suivi. De gros rires paillards fusaient çà et là. Law saisit au vol le surprenant récit et en demeura confondu. Ondoyante, l'héroïne de cette aventure le tenait maintenant sous son regard :

— C'est bien d'être venu à nous, mais il faut que nous parlions seul à seule, très vite, dit-elle.

— Je le crois aussi, madame ! répondit Law en s'inclinant et en se disant qu'elle pourrait l'attendre longtemps. Mais souffrez que je me retire, une affaire pressante m'appelle.

Mme de Tencin dit dans un sourire :

— Je ne sais si elle est pressante ou pressée, mais elle a de beaux yeux !

Le visage de John Law se ferma. La conversation n'était plus badinage mais croisement de lames :

— De quoi parlez-vous, madame ? dit-il d'un ton neutre et froid.

— Apparemment de ma nièce adoptive, Nathalie de.

— M'a-t-elle fait l'honneur de vous entretenir à mon sujet ?

Le ton se faisait tranchant et dur.

— Croyez-vous que je piège les confidences pour connaître ce que j'ai besoin de ne pas ignorer ? répliqua Alexandrine de Tencin.

— Qu'avez-vous besoin de ne pas ignorer ?

— Tout ce qui désormais concerne John Law.

Il allait protester, mais Dubois arriva près d'eux, fit une pirouette et une grimace qui en voulait dire long. Le spectacle de ce singe en soutane baisant goulûment les bras et la gorge de cette chanoinesse en habit noir priva un instant Law de toute repartie. Il bredouilla, s'inclina et sortit précipitamment.

Tout au long des jardins du Louvre et sur les berges de la Seine, dans la nuit tôt venue, le carnaval allumait ses lampions et les masques couraient la ville. Depuis quelle époque n'avait-on point vu tant de folies dans l'air, de propos galants courir la chaussée, de rires éclater dans la nuit, de demeures illuminées ? Il semblait que tout à coup, ainsi que cela se voit dans *Le Diable boiteux* de Lesage, le Malin soulevait les toits, rendait les murs transparents et montrait le spectacle d'une nouvelle génération qui, en dépit des malheurs du temps, manifestait bruyamment ses reniements et ses espoirs. Une joie énorme, frénétique, s'était emparée de la ville. En une étonnante mutation, la France exsangue de Louis XIV devenait adolescente et frondeuse.

La Régence naît véritablement ce soir, pensa Law. Et il se souvint du

Paris qu'il avait connu quelques années plus tôt, accablé de détresse et de deuils. Tout se métamorphosait, autour de lui comme en lui-même.

« JUSQU'À LA FIN DU MONDE, LON LA, JUSQU'À LA FIN DU MONDE... »

> « John Law fut beaucoup plus beau qu'il
> n'est séant à un homme de l'être. »
>
> MICHELET.

Quelques espaces d'ombre séparaient Jessamy John, immobile dans la nuit, des fenêtres illuminées de l'hôtel de Mercœur.

En ce soir de carnaval, le peintre de *L'embarquement pour Cythère* avait conduit là une farandole de masques, personnages de la comédie italienne qu'il allait immobiliser à jamais, dans la brume des irréelles forêts nées de son imagination.

Dans la lumière des flambeaux, Jessamy John voyait Arlequin jouer de la guitare devant le dangereux visage de l'Amour et surprenait le regard de Watteau... Quelle était cette robe de soie blanche à paniers, dont le pli léger flottait derrière Nathalie de. comme un manteau de fée ? Une coiffure enfantine transformait son visage, et elle semblait soudain appartenir au monde imaginaire du peintre. Law n'avait encore jamais vu porter ces robes légères qui laisseraient le souvenir de leur grâce et de leur élégance inégalée. Il sortit de l'ombre et, comme il approchait de la porte vitrée ouvrant sur un petit salon, il pénétra dans l'enchantement créé par la mélancolie d'*Arianna* de Monteverdi, joué par des musiciens.

Nathalie brisa le songe de Watteau, écarta les masques qui l'entouraient et courut vers John Law. Elle tremblait. Etait-ce le froid de la nuit ? D'un geste impétueux il l'enlaça, la souleva de terre, hésita un instant, puis s'enfuit avec son fardeau. Il ne lui avait pourtant jamais dit qu'il l'aimait, et voici qu'il l'emportait à travers les jardins.

Elle se sentait envahie par la chaleur de ce corps contre lequel elle était pressée et s'y abandonna.

— Où allons-nous ?

— Au bout du monde, répondit-il en la déposant avec précaution dans la voiture qui attendait au fond du parc.

Il la couvrit de son manteau, cria un ordre bref au cocher et prit place à côté d'elle. L'attelage s'élança dans la nuit.

Il s'engageait maintenant à vive allure dans les rues de la ville. Sur les pavés, son roulement s'amplifiait comme les *forte* capricieux d'un clavecin et interdisait tout dialogue entre l'homme et la femme qu'il emportait ; mais avaient-ils quelque chose à se dire en cet instant ? Cette interrogation les absorbait l'un et l'autre. N'est-il pas des silences qui ont la valeur des plus rares musiques ?

Maintenant le *forte* s'apaisait. L'attelage prenait une route qui s'en allait vers la campagne. Bientôt il s'arrêta devant la grille d'un autre parc.

Jessamy John fit descendre Nathalie, regarda ses souliers de soie, puis de nouveau il l'enleva de terre. La tenant dans ses bras, il suivit à pas lents, sous le couvert des grands arbres, un chemin de clair de lune.

Il n'aimait pas qu'elle se tînt à distance ; il observa son visage aigu, ironique et triste : son front ravissant se détachait en demi-cercle parmi les boucles légères châtain aux reflets fauves, ses paupières allongées se levaient sur des yeux sombres éclairés d'or brun ; son nez enfantin et sa bouche au dessin subtil ne manquaient ni d'esprit, ni de grâce charnelle, ni de caractère.

— J'ai l'impression d'avoir fait une capture difficile et rare, dit-il avec un rire singulier, en regardant ce corps nu, long et galbé comme une amphore. Depuis longtemps je vous savais dans la ville, lointaine, inaccessible. Ai-je vraiment forcé la barrière de votre solitude ?

— Je vous savais aussi dans la ville, lointain, inaccessible... Que ferez-vous de moi ?

— Etes-vous à merci ?

— Non, pas comme une proie saisie !

— J'entends bien, par un amour donné. Recevrez-vous le mien ?

— Donner, recevoir... L'amour tient en ces deux actes-là, et si l'un fait défaut, l'amour est manqué.

— Recevoir l'amour, c'est lui faire place et s'engager tout entier, dit-il. Des deux démarches, n'est-ce pas la plus profonde et la moins aisée ? Car elle ne se fait point dans un élan comme le don, mais dans une réflexion, et là se voit le signe de l'échange qui accomplit et scelle l'union réelle de l'homme et de la femme.

— Mais pour vous, il est autre chose que l'amour en ce monde...

— Je n'en suis plus si certain, répondit-il en refermant sur elle la dureté de ses mains.

L'aube ne les pourrait séparer, ni la vie ni les hommes.

Aux premières lueurs du jour, ils regardèrent, étonnés, le décor de hasard que Jessamy John s'était assuré, grâce aux virtuosités de Bourgeois. Décor banal, mais riche et délicat, d'un pavillon de chasse. C'était une de ces folies que les financiers mettaient à la mode ; lits et rideaux de ce bleu qu'aimait Nattier, flambeaux d'argent, petits meubles légers, cheminée blanche, chambre en rotonde, tout cela resterait dans leur mémoire à jamais.

La forêt tout autour faisait entendre son chant d'hiver et jetait ses lueurs fauves dans le petit matin. Ils auraient sans doute oublié là longtemps les heures, et peut-être les jours, si, tôt dans la matinée, un exempt n'était venu remettre à Law un billet du lieutenant de police d'Argenson, celui-là même qui l'avait banni jadis, mais que Dubois et les Tencin venaient de lui rallier. Le billet était court :

« Pardonnez-moi, Monsieur, une indiscrétion professionnelle, mais je vais être dans l'obligation de fermer à nouveau aujourd'hui les barrières de Paris. Nous préférerions que vous soyez rentrés auparavant. Veuillez toutefois trouver ci-joint un sauf-conduit.

« Croyez-moi, Monsieur, votre humble et dévoué serviteur.

« D'Argenson, Lieutenant de Police. »

— Voilà donc, dit Law, la source d'informations de Mme de Tencin : la police !

— Vous connaissez Mme de Tencin ?

Ils se regardèrent, dégrisés. Cette simple question les rendait à cette société organisée, à laquelle il allait falloir intégrer tant bien que mal une passion qui en souffrirait dans son besoin d'absolu. Il allait falloir parler de Caterina et de tout ce qu'avait été la famille de Nathalie.

— Vous connaissez les Tencin, les Ferriol ? répétait Nathalie soudain assombrie. Je n'ai rien de commun avec eux.

— Je sais, répondit-il, fronçant les sourcils, tête baissée. Vous êtes indépendante, tout à fait indépendante.

Elle eut enfin le courage de demander d'une voix qui tremblait légèrement :

— Pas vous, n'est-ce pas ?

— Ecoutez-moi, dit-il en lui prenant la main. Il y a dans ma demeure une femme que je ne vois jamais, qui n'est pas ma femme et qui n'est plus ma maîtresse depuis longtemps. Je l'ai enlevée jadis à son mari et à une vie paisible, je l'ai entraînée dans les misères et dans toutes les migrations de l'exil ; elle est la mère de mes enfants ; ce n'est pas tout : son visage est gâté par une tache de vin et ce lui est une terrible infirmité. Elle me hait, mais je la respecte et je la plains.

— Que n'est-elle capable de bonheur et belle, répondit-elle de sa voix grave.

— Il n'y aurait en effet point d'obstacle alors pour séparer nos existences.

Ils s'enlacèrent de nouveau, pris de vertige devant ce sacrifice, devant ce monde de menaces qu'il fallait retrouver.

Quelques heures plus tard, leur attelage les ramena vers Paris qu'un nouveau raz de marée submergeait.

— Oh ! Oh ! dit Law en voyant le peuple se ruer, pris de panique, aux portes que barraient déjà des détachements d'archers. Oh ! oh ! le carnaval est mort, vive la révolution ! Pourquoi tremblez-vous, mon amour ?

— Tout à l'heure, dans un instant, il y aura cette foule et ces rumeurs entre vous et moi, nous séparant pour des jours peut-être.

— Avez-vous peur ?

— Non, j'ai froid à l'âme.

Il la serra contre lui, sans trouver rien à dire.

C'est elle qui ajouta ces paroles étranges, comme leur carrosse se frayait difficilement un passage en direction de l'hôtel de Mercœur :

— Demain, peut-être, cette foule sera de la partie que vous menez et nous nous mesurerons à elle, vous et moi...

— Peut-être, dit-il, la serrant plus fort contre lui.

L'approche du pouvoir, de ses gloires, de ses périls venait ajouter à l'amour des prolongements infinis qui prenaient soudain, comme dans un rai de lumière, le couple qu'ils formaient désormais. Ce n'était certes pas le banal vertige des honneurs qui les envahissait. Law savourait l'âpre joie que lui donnaient ces instants où ses songes d'adolescent devenaient réalité. Il ne mésestimait point pour autant les tourments, les responsabilités, les luttes de demain. Quant à Nathalie, elle était de ces amazones pour lesquelles la passion est d'abord faite d'admiration, puis de mesures prises tous instincts aiguisés, toute sagacité en éveil. D'un contrôleur des Finances, d'un tout-puissant ministre peut-être, elle n'attendait rien dans l'ordre des vanités ou de l'intérêt. Intensément, elle désirait voir comment il parviendrait à se dépasser lui-même et à l'emporter au-delà des ordinaires combats de la vie.

Il la laissa, frissonnante, trouva la force de s'éloigner d'elle et, au premier carrefour, fut empoigné à nouveau par l'événement qui s'écrivait en caractères d'affiches sur les murs de Paris.

Une ordonnance du lieutenant de police, placardée dans les rues et criée sur toutes les places, « interdisait à tous ceux qui se trouvaient mêlés à des traités de finance, de quitter, sous peine de mort, leur domicile, sans permission expresse du roi ».

« L'ordre s'applique aussi bien aux nobles qu'aux roturiers ! » clamait le héraut d'armes.

Il s'agit d'éviter que les suspects se concertent, dissimulent leurs biens ou s'enfuient, songea Law. Malgré cela, le peuple se rue aux barrières ! Lorsqu'il vit des sergents déménager des meubles et des hardes, il comprit mieux la situation. La justice saisissait donc... Il n'en revenait pas. La rumeur de la foule lui apporta pourtant la certitude que ce sort était réservé à tous les particuliers soupçonnés de servir de prête-nom aux financiers et que des bourgeois, des filles, des seigneurs désargentés, des prêtres même, se trouvaient ainsi livrés aux huissiers.

Le carrosse s'éloigna, gagnant les abords plus calmes des Tuileries et de la place Louis-le-Grand. Law, préoccupé, se demandait comment il serait possible au gouvernement d'empêcher désormais l'or de se terrer et de disparaître tout à fait et comment il parviendrait, après ces violences et ces désastres, à ramener la confiance indispensable à l'instauration du crédit.

A ce moment précis où des soucis d'homme d'Etat commençaient à s'emparer de lui, il sut qu'il n'était plus seul, et qu'à la solitude se substituait un autre tourment : l'absence.

La place Louis-le-Grand était déserte et sinistre. Law remarqua, devant l'hôtel [1] de son voisin, Bourvalais, un piquet d'archers. Il comprit aussitôt.

Parvenu sous le porche de son hôtel il descendit de son carrosse, s'élança vers son cabinet de travail et y trouva, comme prévu, Bourgeois qui l'attendait.

— Eh bien ? demanda l'Ecossais impatient.

— Eh bien, monsieur, les événements se précipitent. On vous fait place nette.

— Mais on rend la situation inextricable ! Bourvalais est à la Bastille, n'est-ce pas ?

— Il a été arrêté cette nuit, au moment où il tentait de sortir de Champs. On a mis ce matin les scellés sur son hôtel où l'on a, paraît-il, trouvé une quantité impressionnante de billets et d'effets négociables. Sa femme a été expulsée et n'a pu emporter que quelques hardes et quelques meubles d'usage : elle s'est, dit-on, réfugiée chez un commis de son mari, rue des Petits-Pères ; la chambre de justice lui alloue six livres par jour. (Bourgeois s'arrêta, hésita et reprit d'un air soucieux :) J'ai assisté à tout cela de cette fenêtre, en compagnie de Mme Law qui s'en est divertie un moment.

— Il n'y avait pas de quoi, dit sèchement Law.

— Mais son humeur chagrine est bientôt réapparue, poursuivit Bourgeois, et elle a crié que ce sort serait vite le sien.

— Vous a-t-elle demandé si vous saviez où j'étais ? s'enquit Law en haussant les épaules.

— Pas même, monsieur.

— C'est ce que je pensais, dit Law.

— Miotte est également arrêté, monsieur.

— Ils ne perdent pas leur temps !

— On l'a cueilli hier comme il sortait de chez sa maîtresse ; Bazin, un policier spécialisé, a sauté sur le marchepied de son carrosse, mais à cet instant, Miotte était parvenu devant son hôtel ; le portail s'est ouvert et ses domestiques, l'épée à la main, se sont élancés pour lui porter secours. Il a eu de la sorte le temps de se cacher. Bazin est revenu peu après avec un serrurier et vingt hommes armés de leviers, de pistolets, de piques et d'épées. Ils ont défoncé les portes et fouillé la maison. Finalement, ils ont découvert une sorte de guichet, fort bien dissimulé, qui donnait sur un escalier en bas duquel on trouva Miotte sur un tas de paille, suant de peur à grosses gouttes. A cinq heures, ce matin, muni de sa pipe et d'une provision de tabac, il a été conduit à la Bastille.

— Et maintenant ? interrogea Law nerveusement.

— Maintenant, monseigneur le Régent vient de lire, devant le Parlement en rumeur, un édit qu'il lui demande d'enregistrer.

Cependant que le commis s'efforçait de résumer ce qu'il avait pu apprendre et retenir du texte de l'édit, Law croyait voir Philippe d'Orléans charger la position avec le courage et l'absence de nuances des militaires. Il

1. L'actuel ministère de la Justice.

entendait sa voix bien timbrée proclamer, du même ton qu'il devait avoir pour haranguer les soldats :

« Il faut accorder aux peuples la justice qu'ils réclament, sévir contre les officiers comptables, munitionnaires ou autres, qui ont détourné les deniers publics, il faut s'attaquer aux gens qui ont prélevé des usures énormes... L'excès de leur luxe et de leur faste n'est-il pas la preuve de leurs malversations, leurs richesses ne sont-elles pas faites des dépouilles des provinces, de la substance des peuples, du patrimoine de l'Etat ? Les peines prévues par les anciens actes royaux, qui vont de la mort à la confiscation des biens, sont plus que jamais nécessaires et les restitutions exigées des coupables nous mettront en état de supprimer bientôt les nouvelles impositions et de rouvrir les sources de l'abondance [1]. »

Law, qui s'était mis à marcher de long en large, s'arrêta net en entendant Bourgeois répéter ces propos du Régent. N'était-ce point là, maladroitement présenté, mais présenté tout de même, sinon le mécanisme de son Système du moins l'esprit dans lequel il l'avait conçu et qui avait frappé le duc d'Orléans ?

— M. le Régent, dit-il en souriant, a une manière assez singulière d'instaurer un ordre de choses nouveau en matière de finances ! Il eût fallu dépenser cette énergie et cette autorité à utiliser autrement l'excellence de ses vues.

Et Law poursuivit en lui-même : « M. le Régent a besoin des services d'un homme de finances et d'une tête politique. »

Mais déjà une autre pensée s'insinuait en lui. Il n'entendait plus la fin du rapport du petit homme et il aurait été bien incapable de dire à quel moment Bourgeois prit congé. Il était tout entier à l'impatience de ne point sentir près de lui cette présence unique, devant laquelle il lui semblait désormais possible de penser tout haut. Il existait, si loin et tout près dans la ville, un être intelligent et tendre, brillant et subtil, dont l'esprit pouvait s'unir au sien. Il ferma les yeux. Il lui faudrait apprendre cette lutte de chaque instant, qui, après quarante années de solitude, se faisait violente : renoncer à la tentation de courir auprès d'elle et d'y demeurer.

Ce fut cependant vers le Palais-Royal qu'il se dirigea. Il y était attendu chez Dubois. Très secrètement, il grimpa vers la soupente qui servait de cabinet de travail à l'ancien précepteur de Philippe d'Orléans.

1. Philippe d'Orléans.

LA BANQUE

« On prit pour guide, pour maître, un
grand joueur heureux et qui gagnait toujours à tous les jeux, aux amours, aux
duels. Personnalité magnifique d'un brillant magicien qui, autant qu'il voulait,
gagnait, mais dédaignait l'argent, ensei-
gnait le mépris de l'or... »

« Qu'offrit-il ? Rien que l'espérance. »
MICHELET.

L'autorité et l'efficacité des Conseils se dissolvaient dans l'ardeur des
dissensions internes. Trois hommes se mirent alors au gouvernail, face à la
tempête : Philippe, l'arrière-petit-fils d'Henri IV, Dubois, le fils de
l'apothicaire de Brive et John Law de Lauriston, le fils de l'orfèvre
d'Edimbourg. Peu à peu, ils allaient, d'instinct, se partager la besogne : à
Philippe le pouvoir royal, à Dubois les Affaires étrangères, à Law les
Finances.

Le duc Régent et Law semblaient à ce moment extraordinairement
assortis : doués d'un esprit universel, ils joignaient aux qualités du cœur et
de l'esprit le courage désintéressé, l'audace, la beauté et le charme qui
emportent l'adhésion. Dubois apportait tous les défauts qui leur manquaient, mais, comme Law, il était lui aussi désormais possédé par un projet
qui grandissait et dont l'ampleur ne tarderait pas à se révéler menaçante,
périlleuse, accablante. A cette heure, le duc Régent et l'Ecossais ne
devinaient pas encore que l'abbé voyait passer et repasser sans cesse dans ce
palais qui avait été le Palais-Cardinal, une ombre en robe de pourpre : celle
de Richelieu.

En dehors des intrigues de Mme de Tencin, l'accord du triumvirat s'était
accompli de lui-même, gouvernement occulte où seules la valeur et les
capacités avaient placé les élus. La nécessité où se trouvait la Régence
d'accomplir un miracle à l'extérieur comme à l'intérieur, le résultat
incertain, inquiétant même, des mesures prises par le conseil des Finances,
avaient conduit à la création de la chambre de justice, et condamnaient
Philippe à une action rapide et directe. Ainsi se résigna-t-il à modifier sa
position vis-à-vis de l'Angleterre et, en dépit d'une situation fort compromise, il chargea Dubois de reprendre des négociations avec son cousin
George Ier.

Law, lui, édifiait rapidement un projet de banque privée de nature à
n'effaroucher personne et qu'un privilège royal accréditerait aux yeux du
public. Ce serait là un premier pas qui ne tarderait pas à entraîner la création

d'une Banque d'Etat et la mise en place de tout le Système qu'il avait proposé.

Tout en faisant front et en se battant, le dos au mur, sans faiblir, les trois hommes allaient à contre-courant des conseils, des ambassadeurs, de l'opinion et des intentions des chefs d'Etat étrangers : Torcy, surintendant des Postes et ambassadeur de France à Londres, le ministère anglais et son chef, Lord Townsend, allaient s'opposer à la mission de Dubois ; le conseil des Finances et son président contrecarraient celle de Law.

Pour l'heure, afin de résoudre le crucial problème financier par l'adoption du plan de Law, le Régent faisait le siège de chaque membre de son conseil des Finances.

— Dans ce but, déclarait Dubois à Law, M. le Régent a persuadé M. le duc de Saint-Simon de s'entretenir avec vous une fois par semaine. C'est le plus irréductible adversaire de votre projet, ajouta l'abbé en souriant, mais non point le vôtre. Il vous tient en grande estime et M. le Régent compte sur cette sympathie et sur votre adresse, sur votre art de plaire aussi, pour gagner la partie.

— Je m'y emploierai sans conviction, dit Law en riant. Car M. le duc de Saint-Simon a du caractère, ce qui est une bien grande qualité ; mais, comme il l'affirme lui-même, il n'entend rien aux finances.

Dubois haussa les épaules et se pencha sur le nouveau rapport que l'Ecossais avait élaboré suivant le désir du Régent et qu'il attendait fébrilement.

Cependant que dans ce réduit les deux hommes étudiaient, annotaient, modifiaient le texte, dans une autre partie du palais se poursuivait l'intrigue que menait l'incorrigible Tencin, son frère l'abbé, et... Dubois lui-même.

Le soir était tombé dans les appartements secrets ; les lueurs de quelques bougies commençaient à danser sur les soies roses, une main tirait les lourds rideaux sur la nuit, un feu de bois animait l'ombre. Sur une table, près du canapé, entre les fleurs des serres de Saint-Cloud et le seau d'argent, une flûte de cristal emplie de champagne. M. le Régent était seul — pas pour longtemps. Un rendez-vous galant l'attirait là à cette heure inusitée ; ces rencontres-là se faisaient d'ailleurs de plus en plus rares. Un travail intense, la fatigue, le surmenage, les soucis accablants, tous ces ennemis de la sexualité modifiaient ses habitudes d'antan. Il ne s'en plaignait pas, bien au contraire, n'ayant recherché en elles que l'oubli. Mais voici qu'on avait réveillé tant soit peu ses terribles appétits et les moins avouables, en lui promettant un régal de saveur assez particulière... Déjà Ibagnet[1] ouvrait la porte secrète qu'il défendait jalousement, pour laisser pénétrer une inconnue qui portait sur le visage le petit masque de velours noir dont ces jours de fête avaient revalorisé l'attrait et la commodité.

Surpris, le duc Régent distingua un regard intense qui filtrait par les découpes du masque et l'observait de manière inattendue. Le prince se reprit ; pourquoi cette hésitation à bousculer une fille venue pour cela ? Il

1. Valet de confiance du Régent.

s'approcha d'elle avec cette ardeur qui lui était naturelle et qu'une longue habitude des femmes avait cultivée jusqu'à lui inspirer machinalement les mots et les gestes de la galanterie. Avant qu'il ait pu la toucher, l'inconnue se déroba d'un mouvement si vif que la mante qui la couvrait tomba à terre et qu'il put admirer sa taille exquise. Interdit, il demeura sur place.

— Mais, madame ! murmura-t-il, étonné.

Et il eut soudain l'impression déconcertante qu'une flamme passait à travers le masque, venue de ce mystérieux regard. Il n'en attendait pas tant, habitué depuis longtemps à la coquetterie blasée de ses houris. Troublé, il s'approcha encore, lentement cette fois, la rejoignit, lui prit les mains — elles étaient glacées — enlaça avec douceur ce corps qui, oui, à n'en pas douter, vibrait de la tête aux pieds d'une manière qui ne trompait point. A cet instant, le masque glissa et Aïssé, sentant qu'elle allait sombrer dans le piège, se délivra d'un cri :

— Je suis venue me mettre sous votre protection !

Et les larmes, en un instant, roulèrent sur son visage.

Philippe recula. Il ne tenait plus qu'une des mains de la jeune femme ; la baisant, il murmura :

— Y a-t-il maldonne ? Que puis-je pour vous ?

— Dans l'intrigue qui m'a poussée jusqu'ici, je n'avais d'autre espoir que de faire appel à la générosité de Votre Altesse royale, répondit Aïssé désemparée.

Il s'éloigna pour contempler mieux cet étonnant spectacle. Etait-ce donc là l'esclave voluptueuse, la petite Circassienne cloîtrée par ce coquin de Ferriol et dressée aux pires soumissions, dont, lui avait-on dit, il pourrait user à sa guise ? Voici qu'elle trouvait pour lui, à travers ses larmes, un regard d'enfant. Où avait-il déjà vu semblable expression ? A nouveau, le lointain, l'ineffable printemps de Saint-Cloud qui avait jeté Philis dans ses bras s'éveilla de ses songes endormis.

Il eût peut-être pu aimer cette enfant singulière, sortie pure du lit de son sinistre amant ; il saisissait parfaitement combien il la troublait... Mais il n'était point capable de profiter de ce vertige alors que l'on faisait si désespérément appel à ce qu'il y avait en lui de plus tendre. Le sentiment qu'il était l'homme de toutes les occasions perdues l'envahit une fois de plus.

— Que puis-je pour vous ? répéta-t-il cependant que s'éteignait mystérieusement un éclat qui, quelques instants plus tôt, le brûlait de toutes ses séductions.

— Me laisser partir ! murmura Aïssé.

— Vous êtes libre, dit-il. Mais ne puis-je davantage encore ? Je connais votre situation et j'ai maintenant la conviction qu'elle vous est imposée plus que je ne le pensais auparavant. Je peux y mettre un terme.

— Non, monseigneur, s'écria-t-elle, épouvantée. Ne croyez pas cela ! Ne faites rien, ne dites rien, je dois tout à la famille de Ferriol !

— Ah, vraiment ! dit le Régent interloqué.

Déjà Aïssé souriait à travers ses larmes, rassurée, et lui faisait une profonde révérence :

— Je n'attendais pas moins, dit-elle, d'un grand prince dont l'honneur et la bonté sont la fierté de ce pays, et je lui garderai une éternelle reconnaissance.

— Et point autre chose ? dit-il, mélancolique.

Alors, elle lui jeta un indicible regard et s'enfuit [1].

A cet instant précis, Dubois, qui attendait devant la porte du Régent dans une grande agitation, bondit comme un diable hors de sa boîte et fut devant lui sans s'être fait annoncer. Philippe pâlit légèrement ; il savait ce que cela signifiait.

— Lord Stairs sort d'ici, annonça Dubois. Il est porteur d'un ultimatum : exiler le Prétendant Stuart au-delà des Alpes, chasser ses partisans et détruire Mardyck, sinon le roi d'Angleterre n'acceptera pas d'aller plus avant dans les pourparlers en cours.

— Je n'admettrai point que l'on m'oblige à quoi que ce soit avant qu'un traité en bonne et due forme ne soit signé !

— La situation est désespérée, monseigneur !

— Le courage paie toujours.

Dubois le savait : il n'en manquait pas.

— Le seul homme qui désire aussi sincèrement la paix que moi-même, poursuivit Philippe, est le Grand Pensionnaire. C'est là notre dernière carte à jouer dans l'extrémité où nous voici. Envoyez sur-le-champ un courrier à M. de Châteauneuf ; qu'il effraie les Hollandais en leur montrant les intentions de l'Empereur, celles du tsar et les dispositions de George Ier, et qu'il propose un pacte d'alliance !

Dubois s'inclina et sortit.

Law l'attendait dans son bureau. En quelques mots, l'abbé le mit au courant des secrets d'Etat et lui murmura :

— Faites-nous vite de l'argent, monsieur, beaucoup d'argent, car celui-ci est le maître de la guerre.

— Et le seigneur de la paix ! ajouta l'Ecossais.

Dans le même temps, à l'hôtel de Mercœur se préparait une autre scène bien étrange. Nathalie, pour tromper une attente qui la tourmentait, essayait ces parures nouvelles qui métamorphosaient les Parisiennes ; des ouvrières drapaient une étoffe légère sur les paniers d'une robe, lorsqu'un laquais vint lui annoncer qu'il avait introduit un visiteur dont le seul nom la fit pâlir.

Raidie, elle repoussa ses couturières, et sans prendre garde à sa tenue, traînant après elle le tissu déroulé, épinglé, en dépit des cris et protestations qu'elle suscitait, elle bondit dans le salon où l'attendait M. le marquis de Ferriol, l'ambassadeur. A sa vue, il se redressa et quelque chose de l'ancien séducteur passa sur sa personne et dans l'éclat de ses yeux verts toujours assez beaux.

— Vous ici ! s'écria-t-elle. Sortez !

1. Michelet, Sainte-Beuve, etc.

— Tout beau, ma tigresse ! dit-il, riant, cependant qu'il se rapprochait de son pas incertain d'infirme.

— Pourquoi cela, pourquoi ? répétait Nathalie. Je vous ai oublié ; je ne sais plus qui vous êtes ; je ne vous hais même plus, après vous avoir haï pendant des années. Allez-vous-en !

— Pourquoi me haïrais-tu, Aïscha ? Après tout, cela ne t'a pas si mal réussi d'avoir été élevée par nous, et tu n'as même pas eu à me donner ta virginité, comme Aïssé ! C'est d'ailleurs le regret de ma vie.

— Est-ce pour me dire cela que vous êtes venu jusqu'ici ? dit Nathalie d'une voix blanche. Il n'est plus temps de se perdre en regrets.

— Mais j'ai le droit de te parler, non ? De te regarder ? De te désirer, même, si cela me dit ! cria M. de Ferriol. Je t'ai tout de même tirée d'un mauvais pas, en 1697, à Tiflis, et je t'ai nourrie, élevée...

— ... Engraissée, préparée pour votre consommation ; viendriez-vous demander votre dû ?

— Pourquoi non ?

— Vous êtes fou !

— Pas tant que tu le crois.

— Aïssé ne vous suffit-elle pas ?

— Peuh, elle n'est pas très douée.

— L'inspiration doit lui manquer !

Il lui saisit les mains ; ses paumes à lui étaient fébriles, humides et chaudes. Elle se dégagea violemment.

— Ecoute-moi ! s'écria-t-il. On dit que John Law...

Elle pâlit davantage, recula de plusieurs pas.

— Faisons la paix, Aïscha. Tu seras peut-être demain dans les allées du pouvoir, comme l'on dit ; mais il ne convient pas que tu malmènes trop fort ta famille, car M. Law en a bien besoin. Mon excellente belle-sœur, ta mère...

— ... maquerelle ! ajouta Nathalie.

— Si j'étais aussi leste qu'il y a dix ans, seulement dix ans, tu m'entends, je te ferais payer ce mot... à ma manière !

— Mais vous ne l'êtes pas ! Et j'ai ici quelques solides laquais capables de vous remettre les idées en place !

— Tu demanderas à John Law quelques leçons de conduite, Aïscha. Il te dira comment il convient de traiter...

— La maîtresse du maréchal d'Huxelles, qui est, par ailleurs, haute et puissante dame de Ferriol, sœur d'Alexandrine de Tencin, elle-même maîtresse du bel abbé Dubois !

— Eh ! Eh ! encore une fois, réfléchis, ma belle !

— Que voulez-vous au juste ?

— Pour l'instant, rien de précis. Mais cela peut venir et j'ai jugé que l'instant était fort opportun de venir te retrouver...

Il ne put achever. Il venait de recevoir en travers du visage un vase de fleurs et battait en retraite sous l'averse ; comme il revenait de son étonnement, deux valets impassibles le guidèrent vers la sortie.

Nathalie rentra dans sa chambre et arracha d'elle tissu déchiré et panier chaviré. La dévouée Millet, sa suivante — cheveux gris, visage frais, mousselines pimpantes et regard malicieux — fit sortir les couturières, enveloppa sa maîtresse d'un vêtement léger et disparut sans mot dire.

Nathalie se jeta sur son lit, et enfouit son visage brûlant dans les oreillers. En elle se donnait libre cours une révolte incontrôlée d'adolescente. Ainsi n'entendit-elle pas quelqu'un entrer par la porte demeurée entrouverte, un pas dont le tapis étouffait la foulée rapide... Une main se posa sur ses cheveux :

— Je sais maintenant tout ce que vous êtes pour moi... dit une voix grave qu'elle reconnaissait.

Elle se retourna, se redressa bouleversée :

— Vous !... Mais comment êtes-vous arrivé jusqu'ici ?

— J'ai été introduit dans votre vestibule, je me suis approché de cette porte ouverte, je vous ai vue et je suis entré ! Mais comment et pourquoi suis-je déjà près de vous ? — il se rembrunit — c'est, à vrai dire, mon cœur, assez troublant. Je ne vois pas du tout comment je pourrais passer une journée sans vous ; ne vais-je pas vous importuner et troubler par trop les habitudes de votre demeure ?

— Elle est désormais la vôtre.

C'est alors qu'il observa sa chevelure en désordre, ses traits tirés, altérés.

— Que vous est-il arrivé ? J'aurais dû m'apercevoir tout de suite...

— Vous avez manqué de peu un visiteur de marque !

Il la regardait, indécis ; il ne s'était pas encore posé le problème de la vie privée de cette femme. Il se borna à l'interroger du regard.

— M. le marquis de Ferriol, ambassadeur de France ! répondit-elle avec une violence qu'il ne lui connaissait pas.

— Quoi ? Vous voyez donc parfois cet individu ?

— Jamais ! Je ne l'avais pas revu depuis l'âge de dix ans.

— Que voulait-il ?

Elle lui retraça l'étrange entretien qui l'avait bouleversée.

Law méditait sur ce caractère de femme si étranger à cette époque d'extrême civilisation où l'indifférence et la légèreté étaient tout. Il méditait sur les menées de la Tencin, cherchant à déceler les convoitises qui les inspiraient et les buts qu'elle visait.

— A quoi pensez-vous, Jessamy John ?

— A vous et à nous... Pourquoi n'étais-je pas à vos côtés pour vous éviter cette scène pénible et aussi pour pénétrer plus clairement les desseins de l'ambassadeur et de son clan ?

— Où étiez-vous donc ?

— Au Palais-Royal.

Voici qu'il la faisait entrer dans cette part essentielle de son destin que Caterina avait refusée.

— Tout est prêt ! disait Law. C'est maintenant une affaire de semaines, mais je m'engage dans une aventure sans précédent dont je mesure parfaitement le danger — il lui prit les mains et les serra. C'est pourquoi j'ai besoin de vous, de vous sentir près de moi, de vous parler et de savoir que vous comprenez.

Elle le regarda, étonnée.

— Une aventure sans précédent ? répéta-t-elle.

— Oui ; pour emporter l'adhésion du duc de Noailles et l'assentiment du conseil des Finances, je vais constituer une Banque, au capital de six millions distribués en 1 200 actions de 5 000 livres, payables par quart — un en espèces et les trois autres en billets d'Etat...

— Vous allez accepter quatre millions et demi de ces papiers complètement décriés ? Mais alors, vous n'aurez dans vos caisses que... 375 000 livres ! Comment allez-vous faire ?

— Tel est mon destin ; je ne puis réussir qu'en surmontant les pires difficultés et au prix d'audaces folles ! Je suis toujours acculé à jouer, moi qui ne suis pas joueur. Mais je réussirai cette fois encore. Je suis convaincu que le numéraire n'est pas seulement un signe, mais qu'il crée de la valeur et ces papiers seront vite revalorisés !

Il allait et venait, anxieux, angoissé même. Elle s'approcha de lui :

— N'allez-vous pas prendre de trop grands risques ? Ne faudrait-il pas attendre encore ? Les malheurs du temps amèneront les membres du conseil à faciliter mieux votre tâche, à vous laisser de meilleures conditions de départ... Rien ne presse... que de vous voir heureux !

Il s'arrêta, surpris, profondément troublé par cette sollicitude. Qu'était-ce donc que cela ? Bouleversé, il se pencha vers elle. Il lui fallait remonter très loin dans son passé pour retrouver semblable langage, de tels gestes et de tels regards — ceux de sa mère intervenant dans un de ces drames d'enfance vastes et complexes où se brisait son âme de huit ans. Depuis, il n'y avait eu que silence ou violences, obscurité et solitude ; mais se révélait, en cet instant, une autre douceur qu'il pouvait saisir. Ses bras avides se refermèrent sur Nathalie, cherchant à la rassurer, à se rassurer lui-même :

— Savez-vous comment je vais franchir l'écueil ? En rétablissant le crédit de la France sur le marché étranger. Le commerce extérieur est paralysé par la variation incessante du cours de la monnaie ; les banquiers de Venise ou d'Amsterdam n'osent plus présenter une lettre de change sur la France. Il suffira que l'on sache en Europe que, désormais, toutes les opérations peuvent être faites en écus de banque dont la valeur est stabilisée pour que nous gagnions la partie, vous et moi ! Trois mois ne se passeront pas avant que l'on n'assiste à de grandes choses.

Elle l'écoutait, croyait en lui, non point d'une manière irraisonnée, mais comme Philippe d'Orléans, parce qu'elle était saisie par le génie personnel de cet homme, par la grandeur et la hardiesse de ses vues. Cette intelligence féminine, que rien, en dépit des apparences, n'avait marquée ni façonnée, suivait celle de cet homme déjà mûr, à l'esprit prodigieusement agile et cultivé. Law sentait tout cela et en lui s'éveillait une sorte de fascination, la première de tant d'autres qui l'attendaient. Celle-ci cependant, née de la possession spirituelle et de la présence intellectuelle d'une femme aimée, demeurerait sans doute unique.

Après avoir longtemps parlé, pensé tout haut, posé ses problèmes, exposé ses craintes, écouté les réflexions de Nathalie, il s'interrompit soudain, la serra contre lui et murmura :

— Se peut-il que vous existiez, que vous soyez née un jour pour moi en ce monde ? Merci d'être vous ! (Le soupir qui accompagna ces derniers mots s'exhalait du profond de ses lassitudes et de ses solitudes.) Il me sera donc tout donné, reprit-il, y compris la femme à laquelle tout homme rêve au milieu de ses combats, de ses fortunes et de ses infortunes et qu'il rencontre si rarement, jamais le plus souvent.

Les jours qui allaient se succéder dans une activité dévorante, qu'accusait encore l'énervement de ce printemps naissant, préparaient pour Jessamy John d'ineffaçables souvenirs. Il courait tous les matins vers la soupente de Dubois, apprenait à connaître ses coéquipiers, s'enthousiasmait de trouver enfin en eux des partenaires à sa mesure, après vingt-cinq années passées à tenter de se faire entendre par des interlocuteurs aveugles et sourds.

Ses après-midi étaient consacrés à l'immense travail qui, dès cette époque, fut le sien. De ses entretiens réguliers avec Saint-Simon, il n'obtenait guère plus que de la sympathie ; mais le duc Régent gagnait un à un tous les membres du conseil de Régence et du conseil des Finances : ses beaux-frères, le duc du Maine et le comte de Toulouse, les maréchaux d'Harcourt et de Besons, le chancelier Voysin, l'ancien évêque de Troyes et Torcy lui-même. Il apparut de la sorte assez vite que l'approbation du projet par les conseils ne serait plus qu'une simple formalité.

Law n'hésita pas à précipiter les choses et à passer aux actes, c'est-à-dire à l'organisation de la banque qu'il avait étudiée, préparée, rêvée depuis vingt ans.

Il commença de former une équipe dont Bourgeois était la cheville ouvrière, c'est-à-dire le trésorier. Celui-ci lui avait amené un protestant nommé Vernezobre de Laurieu, ancien courtier, habile à tenir les livres, et deux caissiers, Pauterat et Rauly. Dubois lui recommanda un certain Du Revest et l'Ecossais désigna lui-même un inspecteur chargé de contrôler l'établissement futur : Fénelon, député du Commerce de Bordeaux.

Sous le prétexte que la place Louis-le-Grand se trouvait trop éloignée du quartier des affaires, mais en réalité pour gagner plus d'indépendance vis-à-vis de Caterina et justifier ses absences prolongées hors de leur commune demeure, il décida brusquement d'installer la banque ailleurs, bien qu'il ait fait exécuter d'importants travaux pour l'établir dans son hôtel. Il courait donc la ville à la recherche d'un autre local et finit par s'accorder avec le président de Mesmes qui lui céda son hôtel de la rue Saint-Avoix, proche de la rue des Lombards et de la rue Quincampoix. Cette combinaison permit à Law, moyennant un prix exorbitant, d'acheter en quelque sorte le premier président du Parlement, dont il allait avoir besoin.

Tout était réellement prêt. Comme prévu, le projet fut approuvé par le conseil des Finances et, le 2 mai, par le conseil de Régence, en dépit de l'opposition de M. le duc de Saint-Simon. Le Régent prenait le titre de Protecteur de la Banque. Le duc de Noailles envoya aussitôt, afin qu'elles fussent enregistrées par le Parlement, les lettres patentes que les Conseils venaient d'accorder.

Le nouvel établissement était une banque de dépôts, habilitée à échanger le numéraire qui lui était confié contre des billets, et à pratiquer l'escompte. Elle s'interdisait d'emprunter à intérêt et de faire aucun commerce, mais elle se chargeait d'effectuer, pour les particuliers, des mouvements de fonds et des paiements, soit en espèces, soit par virement, à raison de cinq sous de banque pour mille écus. Elle obtenait un privilège de vingt ans et le droit de fixer la valeur de ses billets en écus de banque « afin qu'ils fussent exempts de la variation ordinaire des monnaies ».

Avec astuce, le triumvirat avait décidé de lui donner le titre ambigu de Banque générale. Son capital de six millions de livres était représenté par douze cents actions de 5 000 livres chacune, payables par quart. Les répartitions semestrielles payables aux actionnaires étaient réglées par des assemblées générales, qui devaient se tenir deux fois par an. Les décisions seraient prises à la majorité des voix. Cinq actions donnaient droit à une voix, dix à deux, le pouvoir augmentant avec le nombre de titres.

Law avait souscrit lui-même une grosse somme et avait saisi cette circonstance pour reprendre une collaboration plus étroite avec son frère William. Il projetait de le faire venir à Paris et, en attendant, l'avait fait souscrire pour un paquet d'actions assez important, de manière que, à eux deux, ils fussent majoritaires. De son côté, le Régent faisait savoir aux financiers en détresse qui n'avaient pas mérité ce sort rigoureux qu'ils seraient laissés tout à fait en paix s'ils devenaient actionnaires de la nouvelle Banque.

Il n'en fallait pas davantage pour susciter un remous extraordinaire dans le monde de la finance, et une réunion secrète eut lieu à l'hôtel de Crozat, autre voisin de Law place Louis-le-Grand. Les trois frères Pâris, dont la fortune provenait du trafic des vivres de l'armée, avaient regroupé autour de Crozat des éléments divers qui, un jour, formeraient l'anti-Système. S'y retrouvaient ceux qui n'étaient pas encore à la Bastille et aussi certains amis de Blunt. Tous partageaient la même émotion, la même stupeur. A l'abri de rideaux de damas soigneusement tirés et dans l'éclairage médiocre de quelques bougies distribuées de manière que leur éclat ne filtre point au-dehors, des perruques s'agitaient et des orateurs péroraient.

— Il y faudra souscrire ! s'écriait l'aîné des frères Pâris, puisque M. le Régent nous force la main. Mais attendons la suite !

— Et préparons-la ! raillait un agent anglais.

— Law prétend qu'il lui suffit d'avoir en caisse le quart du capital appelé ; il lui restera donc 375 000 livres en espèces, c'est une plaisanterie ! fulmina Samuel Bernard, dont le regard d'aigle brillait dans l'ombre, suscitant la crainte, l'admiration, ou le respect, peut-être les trois en même temps.

Cependant que se formait ainsi le nœud de vipères, Law, dans l'immeuble voisin, écrivait personnellement à ses correspondants disséminés dans toute l'Europe, faisant grincer toute la nuit sa plume d'oie :

« Je sais que depuis des années, les négociants étrangers qui ont des relations avec la France n'osent plus passer de marchés et se font, dans leur propre pays, traiter de banqueroutiers à cause du remaniement constant de la monnaie qui se faisait ici. Désormais, il n'en sera plus de même, grâce à la Banque générale qui paiera en écus de banque d'une valeur invariable... »

Inlassablement, il reformait ces mêmes mots sur le papier et des plis s'amoncelaient pour Edimbourg, Trieste, Madrid, Amsterdam, Leipzig, Bruxelles...

L'aube le trouvait ainsi, pâle et incertain. Qu'attendait le Parlement pour enregistrer les lettres patentes sans lesquelles la véritable activité de la banque ne pouvait prendre son essor ? M. de Launay, directeur du balancier des médailles, avait déjà livré, le 4 mai 1716, une machine à imprimer les billets.

Enfin, le 22 mai, Law, rêveur, se trouva en possession de trois documents étonnants : les lettres patentes dûment enregistrées, une demande adressée au roi pour que le sieur Law ne pût tenir ladite Banque avant d'avoir obtenu des lettres de naturalisation et, enfin, le premier billet de banque, signé, visé et contrôlé par Bourgeois, Fénelon et Du Revest, et libellé ainsi :

« La Banque promet de payer au porteur, à vue, la somme de mille écus en espèces du poids et du titre de ce jour, valeur reçue à Paris, le... »

Un mot de Dubois accompagnait les lettres patentes, l'informant qu'il serait naturalisé français dans les trois jours.

Il fallait tout de même informer Caterina. Après avoir reçu tant de sarcasmes, il avait dédaigné de rechercher auprès d'elle un triomphe facile, une revanche puérile. Le succès de son compagnon n'avait fait qu'accentuer son abord hautain, et elle lui manifestait de plus en plus d'hostilité : n'avait-il pas forcé les faits à lui donner tort ? Quels que soient les avantages et les satisfactions qu'elle en tirait par ailleurs, elle estimait convenable de lui témoigner une extrême froideur. L'événement lui fournit une nouvelle occasion de protester :

— C'est un comble ! dit-elle d'une voix sourde. Me voici donc liée à un Français [1] !

— Liée, pas tellement... ne put-il s'empêcher de répliquer.

— Et mes enfants ! enchaîna-t-elle sans insister. Mes enfants aussi seront français, alors !

— Je le crois et je le souhaite ; j'aime la France comme une nouvelle patrie et maintenant je lui dois tout.

— Croyez-vous que des oreilles anglaises puissent entendre ce langage ?

— Je ne le crois pas du tout, n'en déplaise à la nationalité de vos oreilles ! dit-il en riant ; et il sortit.

Le petit jardin qui parait de sa vie secrète le cœur de sa maison abrita sa

1. Etait-ce la première fois ? On s'est demandé si son mari, M. Seignieur, n'était pas français ; mais l'orthographe de ce nom n'est pas certaine.

méditation puis, ayant pris goût à la soleilleuse douceur de ce matin de printemps, Law sortit pour flâner à pied, comme un bourgeois.

Une vapeur blonde noyait la ville, estompait ses tons d'aquarelle et laissait cependant sourdre la lumière. Law regardait autour de lui. Depuis combien de jours n'avait-il plus ce loisir ? Voici que la grâce et l'élégance de ces hôtels, les frondaisons des Tuileries toutes proches, éclairées de marronniers en fleur, le troublaient. « Me voici donc chez moi ? » pensa l'éternel exilé et une grande émotion le prit. Il évoquait les ruelles tristes d'Edimbourg, l'austère demeure familiale où le petit visage flétri de sa mère mettait une note poignante et tendre. Il revoyait, dans les bruines tenaces, le jardin de Lauriston qu'il avait aimé, où il avait rêvé de vivre paisiblement... L'étrangeté de la vie l'en avait chassé, le vouant à Paris qu'elle lui désignait comme une patrie.

Il se sentit réconcilié avec le monde, plein d'élans chaleureux. Paris était pour lui la ville de son amour, celle où, par une porte triomphale, ses rêves, en brillants cortèges, entraient dans le monde du réel. Il s'arrêta.

Sur une terrasse haute du grand jardin royal, les cris d'une ronde fusaient dans l'air léger comme des cris d'oiseaux ; à cet instant, dans un de ces mouvements incontrôlés de l'enfance, un petit garçon se pencha soudain sur la balustrade de pierre et s'y balança un instant, les pieds ne touchant plus le sol. Ses longs cheveux blonds retombaient autour de son visage. Il aperçut l'homme immobile qui le regardait et lui fit de la main un salut amical et malicieux.

Law enleva son chapeau...

Ce pays tout entier, qui devenait le sien, s'incarnait dans ce bel enfant insouciant, qui le saluait de ce geste ravissant. Le roi, cette entité pour laquelle il assumait déjà tant de tâches graves, le roi auquel il adressait d'humbles suppliques, au nom duquel et pour lequel demain il se battrait, était cet elfe qui déjà s'envolait sous les grands arbres en fleurs... La France avait alors pour elle de ces arguments puissants et singuliers, empruntés aux forces de l'amour et aux pouvoirs des poètes.

A ce même instant sortaient toutes fraîches de l'imprimerie les feuilles du *Mercure de France* et de *La Gazette* qui amorçaient contre Law une campagne de presse sans précédent. Il y était traité « d'aventurier écossais, grand jacobite ». Ses ennemis ne perdaient pas de temps.

Quant à lui, il demeurait immobile, le regard perdu dans le foisonnement des branches où, sur les traces de l'enfant, tournoyaient lentement des pétales de marronniers.

A peine les fraîches couleurs de ces petits candélabres blancs et roses s'étaient-elles éteintes, qu'un nouveau coup de tonnerre vint ébranler la France. Lord Stairs, l'ambassadeur d'Angleterre, sortait une fois de plus du Palais-Royal, incertain et déçu. Il y était pourtant entré, quelques instants plus tôt, plein d'arrogance, persuadé qu'il allait « terrifier le Régent et l'amener en chemise et la corde au cou vers le camp de son maître » ; mais il s'était trouvé devant le héros de Turin et de Lérida, qui s'était ri de ses armes. Elles étaient pourtant redoutables : George Ier, furieux de la volonté de la Hollande de s'unir à la France, venait de signer avec l'Empereur germanique un traité qui garantissait aux deux souverains « leurs possessions actuelles et les acquisitions qu'ils seraient amenés à faire d'un commun accord ».

A ce chantage, Philippe d'Orléans venait de répondre :

— Si le roi d'Angleterre est pour la guerre, le roi de France se défendra de son mieux !

Le roi de France, à cette heure, couché dans l'herbe très verte qui bordait le grand bassin des Tuileries, dirigeait de sa petite main ronde un minuscule vaisseau de haut bord. L'enfant cligna les yeux pour voir le soleil briller derrière les voiles, et le ciel et l'eau bleue s'opposer à leur blancheur ; il se prit à rêver. Le bateau glissait maintenant tout seul, poussé par une légère brise. La main enfantine s'immobilisait dans le songe. N'était-ce pas la flotte française qui défilait devant lui, en ordre de bataille, prête à défier l'Angleterre, qui, disait-on, la voulait réduire ? Un pavillon fleurdelisé faisait traîne avec majesté jusqu'au ras de l'eau. L'enfant le suivait des yeux avec amour. C'était son pavillon, sa marine ! N'était-il pas le roi ? Il avait chargé M. Jean Bart et M. de Forbin de mener cette flotte au combat, et les autres bâtiments battaient pavillon de M. de Cassard, de M. Duguay-Trouin et de M. de Tourville.

Dans ce même matin, là-bas, au port de Mardyck, montait la grande rumeur du chantier, dominée par la note ailée des ciseaux à froid taillant les blocs de pierre de la digue.

A Paris, l'ambassadeur d'Angleterre froissait entre ses doigts le texte de l'ultimatum.

Sous le regard de l'enfant habité par les songes, toute une flotte fantôme, montée par des vivants et par des morts, continuait à défiler dans le soleil...

ATTENTE ET PIÈGES

Cinq heures du matin. Le jour se lève sur Paris. Une alerte chanson peindra, à la fin du siècle, la ville à ces heures blêmes où Philippe d'Orléans, en robe de chambre, pousse la porte de son cabinet de travail.

> De la Villette
> Dans sa charrette
> Suzon brouette
> Les fleurs sur les quais,
> Et de Vincennes
> Gros Pierre amène
> Les fruits que traîne
> Un âne efflanqué.

Paris, cinq heures du matin. Le Régent aborde l'écrasant labeur qu'il ne quitte pas avant cinq heures de l'après-midi.

> *Déjà l'épicière*
> *Déjà la fruitière*
> *Déjà l'écaillère*
> *Sautent au bas du lit,*
> *L'ouvrier travaille*
> *Le fainéant bâille*
> *Et le savant lit.*

M. d'Orléans, lui, se penche sur les dernières nouvelles de la nuit, que le lieutenant de police vient de lui faire tenir. Ces heures qui précèdent sa toilette sont consacrées à son travail personnel. « Mon fils aime sa patrie plus que sa propre vie. Il travaille jour et nuit et y consume sa vie et sa santé », disait sa mère, restée dans l'Histoire par la verdeur de ses propos, l'acuité de ses observations, et sous son nom de jeune fille, dirait l'état civil républicain : la princesse Palatine.

La nuit a été courte et les aiguilles du temps tournent trop vite au cadran de ce cartel d'écaille et de bronze qui rythme pour le Régent la ronde des heures.

> *J'entends Javotte*
> *Portant sa hotte*
> *Crier : carottes !*
> *Radis et choux-fleurs !*
> *Perçant et grêle*
> *Son cri se mêle*
> *A la voix frêle*
> *Du noir ramoneur.*

Paris, cinq heures du matin. Un jour de plus, un jour à subir, un jour à porter !

> *Quand vers Cythère*
> *La solitaire*
> *Avec mystère*
> *Dirige ses pas,*
> *La diligence*
> *Part pour Mayence*
> *Bordeaux, Florence*
> *Ou les Pays-Bas !*

Fouette cocher ! Postillons, à vos attelages ! Un nouveau jour de la Régence se lève...

Dès l'instant où le Régent entre dans son cabinet de bains, il ne s'appartient plus. Il a pourtant bousculé tout cérémonial, mais sont admis à l'entretenir, jusqu'au bord des baignoires ou devant la table du barbier, tous ceux qui ont à lui parler secrètement : Dubois fort souvent, tel ou tel de ses secrétaires et le plus habituellement le lieutenant de police, et Torcy, le surintendant des Postes. Celui-ci lui apporte les informations qu'il a glanées dans les « cabinets noirs » où sont violées bien des correspondances privées. Noailles lui-même est admis à venir lui parler de la chambre de justice qui ne fait plus grand bruit, car elle s'enlise sous le flot immense de paperasses venues des quatre coins du royaume. La juste et noble révolution semble promise à cette fin ridicule.

Sa toilette achevée, M. le Régent reçoit les ministres, les ambassadeurs, les princes de l'Eglise, les magistrats et les innombrables quémandeurs qui se pressent dans ses antichambres, certains d'être toujours reçus et écoutés.

Le duc de Saint-Simon déplore le temps que le prince consacre au moindre d'entre eux. Il lui échappe que, bien souvent, cette extrême amabilité est un « rempart » derrière lequel s'abritent la pensée de l'insaisissable et le regard pénétrant du psychologue.

Les audiences se prolongent jusqu'à deux heures, puis « M. d'Orléans s'accorde un répit, tient une manière de cour et prend une légère et rapide collation. Autour de lui, les répliques volent comme des balles, les traits fusent, la langue française, arrivée à son point de perfection, étincelle de toutes ses paillettes [1] ».

Tôt dans l'après-midi, le prince préside le conseil de Régence, puis il se rend chez le roi.

Il s'est pris d'un sentiment profond pour le petit garçon désemparé de solitude, qui évolue dans un univers étrange et froid d'enfant-symbole ; il sait être son seul bonheur. De qui d'autre est-il le bonheur ? Aussi tiennent-ils fort l'un et l'autre à ces instants trop brefs et perçoivent-ils avec une inquiétude grandissante le luxe de précautions insultantes que Villeroi déploie autour d'eux, afin de justifier les abominables calomnies qui continuent à s'épanouir dans l'ombre.

Après cinq heures de l'après-midi, M. d'Orléans cesse d'être un chef d'Etat pour se muer en bon père de famille.

Il devient alors un modèle de vertus patriarcales, en vérité, car il s'occupe également de sa mère, de sa dolente épouse et de ses étonnantes filles. Une nouvelle princesse, Louise-Diane, vient même de naître au Palais-Royal ; elle n'agite pas encore le monde de ses caprices. Quant au fils du Régent, le duc de Chartres, il grandit sans génie et sans folies aux côtés de ses deux frères naturels : le fils de Marie-Louise d'Argenton, le futur chevalier d'Orléans, et le fils d'une aimable danseuse appelée Florence.

Le soir venu, que devient M. d'Orléans ? Lui-même, peut-être ?... même s'il s'adonne aux divertissements scabreux auxquels il associe sa fille Elisabeth. Il partage avec elle une autre vie, en marge des réalités quotidiennes, une vie qui lui permet d'assumer avec patience des charges et des devoirs qui sans doute l'écrasent.

Cependant les beuveries, les excès de toutes sortes, le manque de sommeil

_____
1. Philippe Erlanger, *Le Régent.*

l'alourdissent chaque matin davantage. Il ajoute encore à ses malaises en absorbant, après son bain, un épais chocolat.

Ce jour-là, comme les autres jours, M. le Régent était retombé, après cette collation matinale, dans une prostration profonde et il s'efforçait de prendre connaissance des dépêches que les messagers de la nuit avaient accumulées sur son bureau. Soudain, l'une d'elles le fit sursauter et réveilla en un instant toutes ses facultés. D'une main nerveuse, il agita la clochette qui lui servait à appeler le laquais de service.

— Va me chercher l'abbé! lui cria-t-il. Qu'il vienne sur-le-champ, en chemise, tel qu'il est!

Le soleil d'été brillait déjà avec une incomparable pureté sur les jardins du Palais-Royal. Philippe d'Orléans suivait de ses yeux fatigués son apparition éblouissante : c'était l'aube d'une victoire, gagnée par la ténacité, le courage, l'endurance, une victoire d'assiégé qui voit l'assaillant faiblir après un long siège.

Burlesque, le bonnet de coton de travers, drapé à la diable dans un manteau qui laissait voir ses maigres mollets poilus et nus, les pieds chaussés de savates, Dubois surgit, mal éveillé, les yeux écarquillés. Dans la tension du travail commun, toute étiquette tombait entre ces deux hommes qui n'étaient plus alors que deux compagnons d'armes.

— Qu'y a-t-il? s'informa Dubois, inquiet.

— Le tsar vient d'occuper le Mecklembourg, d'où il menace le Hanovre!

— Vous dites?

Dubois saisit le message que Philippe lui tendait, le lut avidement et s'écria :

— Je pars ce soir pour la Hollande! Dans quelques jours, le roi George d'Angleterre y débarquera pour voler au secours de sa patrie bien-aimée et je le saisirai au passage...

— Il faut aller très vite et très secrètement, approuva Philippe. Imagine le charivari que vont mener ici les Villeroi, Saint-Simon lui-même, tous les conseils, la cour et la ville, lorsqu'ils te sauront placé sur le chemin du roi d'Angleterre et en si bonne posture de réussite!

Dubois, surexcité, gambadait dans la pièce et, dans la tenue où il se trouvait, jouait à son maître la plus étonnante pantomime.

— J'aurai vingt costumes et autant de perruques de toutes les couleurs! Je serai Pasquin, et mon secrétaire Sourdeval sera Dorante! Sous un nom de rechange — que diriez-vous de Saint-Albin? — je deviendrai un valet capable d'abuser tous les aubergistes de La Haye chez lesquels il plaira à mon bon maître de gîter!

Le Régent riait maintenant aux éclats. Dubois, soudain sérieux, s'approcha de lui, frappa de son poing noueux sur la table et, le regard pétillant, s'écria :

— C'est magnifique! Une épée vient de nous tomber dans les mains, il ne nous reste qu'à nous en servir!

— Et nous en connaissons la manière! poursuivit le Régent. Pour peu que Law nous procure vite de l'argent!

Il faisait maintenant tout à fait chaud, bien que la matinée fût encore peu avancée. Sur le frais dallage blanc et noir des grandes salles désertes de l'hôtel de Mesmes, le soleil qui s'insinuait entre les volets entrouverts dessinait des flèches de lumière. Sous la voûte de l'entrée principale, le portier sommeillait. En haut du majestueux escalier à rampe de fer forgé, sur le palier du premier étage, deux laquais faisaient de même et, derrière l'une des portes qui s'ouvraient là, les commis somnolaient pareillement devant leurs grands livres où devaient s'inscrire une comptabilité en partie double et des états en colonne, comme cela se pratiquait dans les banques italiennes.

Pauterat et Rauly, les caissiers, et Du Revest, chargé du contrôle des billets, échangeaient de temps à autre un regard lourd de sens et trompaient le malaise de cette attente en taillant des régiments de plumes d'oie dont les copeaux volaient çà et là comme une pluie d'insectes. Dans un cabinet voisin, Bourgeois et Vernezobre murmuraient quelques propos à voix si basse qu'on n'en pouvait rien percevoir ; leurs hochements de tête traduisaient seuls l'inquiétude qui les habitait.

Cependant, sur ce palier du premier étage, les deux laquais s'éveillèrent, une mouche ayant arraché à l'un d'eux un juron sonore. Ils sursautèrent ; un même réflexe les pencha sur la rampe de l'escalier. Ils constatèrent presque ensemble : « Personne ! » Puis ils retombèrent avec un synchronisme parfait dans une invincible somnolence. Derrière la plus belle des portes dont, en principe, ils défendaient l'accès, deux hommes s'observaient : Dutot, jeune économiste intelligent et plein d'avenir, qui tenait un emploi de secrétaire des commandements, et son patron, le directeur de la Banque générale, John Law de Lauriston. Cependant que Dutot, pensif, faisait tourner entre ses doigts une plume neuve, Law arpentait la pièce magnifique qui lui servait de bureau. Nerveux, impulsif, il se livrait volontiers à ce va-et-vient.

Tôt dans la matinée, il avait été informé par Dubois de l'affaire du Mecklembourg et du départ incognito pour La Haye. Il se demandait si, à ce moment où l'on allait avoir besoin de lui, il serait en mesure de faire ses preuves ou si, au contraire, en dépit de ses promesses réitérées, de son assurance, il ne courait pas à un lamentable échec. Soudain, il s'arrêta. Dutot leva la tête et le regarda :

— Savez-vous pourquoi « ils » ne viennent pas ? dit enfin Law.

— Les billets...

— Exactement ! Il n'y a qu'en Suède, à Gênes, à Venise, en Hollande et en Angleterre que l'on sache ce qu'est un billet de banque, et votre presse a beau en imprimer à tour de bras... Ils ne savent pas davantage comment on utilise une banque de crédit ! Savez-vous, Dutot, qu'il va falloir envisager très vite d'initier, d'informer le public ignorant ? Il faudrait trouver des idées, comprenez-moi bien, de nombreuses idées pour vanter une institution comme celle-ci, pour la faire connaître et apprécier, pour frapper les esprits, et entraîner la foule comme malgré elle...

— Rien de semblable ne fut jamais entrepris ! s'exclama Dutot en tirant un journal qu'il dissimulait soigneusement jusque-là sous un gros livre comptable ; il n'en va pas de même en ce qui concerne la critique et la calomnie et les gazetiers à la solde de vos ennemis se chargent de tromper le public et de le décourager à votre endroit !

Law s'approcha, soucieux.

— Le Régent, dit-il, ne sait pas encore clairement ce que représente une gazette et n'en connaît pas le mode d'emploi. C'est pourtant assez simple ! Que raconte celle-là ?

— Elle affirme qu'on parle de la Banque comme d'une bonne plaisanterie et que toute la ville s'en gausse.

Law se saisit de la feuille et parcourut l'article perfide.

— Blunt a dû en corriger chaque virgule, dit-il à mi-voix.

Puis il saisit un des cordons qui agitaient une clochette sur le palier. Les deux laquais s'éveillèrent à nouveau et, gravement, après avoir ensemble rectifié l'équilibre de leur perruque et tiré sur leur habit, se présentèrent devant la porte directoriale, frappèrent, entrèrent, attendirent. Law, maintenant assis devant son bureau, griffonnait à la hâte ces quelques lignes :

Voici, mon cœur, un bien méchant papier... Tâchez, par Lesage ou quelque autre homme de lettres de vos amis, de me renseigner sur sa provenance. Vous ne sauriez savoir combien je vous aurais d'obligations. Ici, toujours personne. A tout à l'heure. Passionnément vôtre. John.

Il poudra la missive pour sécher l'encre, ferma le pli, y apposa son cachet et le remit ainsi que le journal aux deux valets impassibles.

— Que l'on porte l'un et l'autre sur-le-champ à Mme de., à l'hôtel de Mercœur, au faubourg Saint-Germain. C'est urgent.

Ils s'inclinèrent et sortirent.

Une heure plus tard, le laquais de Nathalie, Fifrelin, s'introduisait dans le cabinet parme et jonquille où sa maîtresse achevait sa toilette, entourée de sa cour habituelle. Il lui remit le pli de Law et l'exemplaire du *Mercure*. Derrière elle, les saillies fusèrent aussitôt :

— Voilà, si je ne m'abuse, le poulet d'un maladroit, car il vous assombrit singulièrement, ma chère ! railla Pont de Veyle.

— Madame est d'ailleurs fort mélancolique, murmura le petit abbé Prévost.

Et cependant qu'Arouet y allait de sa flèche, Marivaux se pencha vers elle :

— Dois-je comprendre ?

— Bien sûr, mon ami, vous devez toujours tout comprendre, vous... répondit-elle, l'enveloppant de son chaud regard.

— Par profession ?

— Par esprit et... par affection.

— Alors, cette lettre d'amour ? interrogea Lancret.

Nathalie se leva, se dirigea vers Lesage, lui montra l'article et l'interrogea. Pour détourner l'attention générale de cet aparté que la surdité naissante de Lesage rendait délicat, Pont de Veyle jeta de sa voix acide :

— Que devient notre chambre de justice ?

Un tollé lui répondit, duquel émergeait le ton coupant de son ami Arouet :

— Le président de Lamoignon a installé sur sa table des seaux d'argent ciselé dans lesquels rafraîchit la source jamais tarie des vins confisqués chez Bourvalais, ce qui fait que le bon peuple commence à le traiter, lui et ses pareils, de « gardes des seaux » !

— Ce n'est pas brillant ! soupira, parmi les éclats de rire, l'abbé Prévost.

— Nous avons vu, dit Marivaux, le collecteur de taxes Gruet, nu-pieds, en chemise, la corde au cou et torche en main, faire amende honorable devant Notre-Dame puis, devenu fou furieux, mettre le feu aux perruques des spectateurs avant que d'être mis au pilori, livré à la fureur du peuple, et envoyé aux galères.

— N'oublions pas l'arrestation et la vente aux enchères des biens de Paparel, le trésorier du roi qui avait si bien trafiqué de sa charge ! ajouta Nattier.

— Et combien d'autres, dit Watteau, méprisant. Sans parler de ceux qui, trop bien alliés, comme Prondre, Crozat, Samuel Bernard, et j'en passe, furent invités à se taxer eux-mêmes, ce qu'ils firent assez bien pour donner une grande idée de leurs affaires ! Ainsi donc, la mesure était adroite puisque, pour assurer tout à fait leur tranquillité, ils dénoncèrent ceux de leurs concurrents que l'on risquait d'oublier !

— Et maintenant toute la Cour, les maîtresses du Régent en tête, cherchent à faire commerce auprès des victimes désignées par la chambre de justice, de leurs moyens d'influence sur les magistrats, répliqua Marivaux. Si l'on est Mme de Parabère, qui mène le jeu, il suffit de demander une grâce ; nul n'osera la refuser. Et, si l'on est moins bien placé, on se résigne à partager les bénéfices !

— On assure qu'une seconde chambre de justice ne serait pas inutile pour faire rendre gorge à la première ! fit remarquer l'abbé Prévost, ce qui exprimait sans équivoque l'opinion générale.

— Voilà, murmura tristement Aïssé, comment vient à se perdre une institution qui avait donné tant d'espoir au peuple et à M. le Régent ! (La jeune femme tenta de changer le sujet de la conversation :) Savez-vous que le roi devient un petit garçon tout à fait polisson ? On m'a conté hier qu'il rencontra ces jours-ci M. de la Vrillère et lui demanda qui il était. M. de la Vrillère lui ayant répondu : « Votre secrétaire d'Etat, Sire ! », le roi le fit entrer gravement dans son cabinet et, en guise de mission, lui donna des noisettes à éplucher !

Tous rirent.

— Le pis, répliqua Nathalie qui rentrait dans le cercle, c'est que son entourage de vieilles barbes, Villeroi, Saint-Simon et Mgr de Fleury qui n'entendent rien aux enfants et ne voient en celui-là que la Majesté Royale, prennent ces farces au tragique et font courir sur lui les pires blâmes et les pires médisances !

— C'est ainsi, fit Marivaux, que toute la France, à la suite de ces vieux sots, jugera chacun de ses actes comme s'il avait trente ans. Vous savez bien que tous les barbons et toutes les duègnes du royaume ont failli prendre le deuil lorsqu'il s'écria devant l'évêque de Metz, Mgr de Coislin, qui venait lui présenter ses hommages : « Ah, mon Dieu, qu'il est laid ! »

— Le bonhomme se troubla moins, lui rétorqua Watteau. Je crois qu'il répliqua bonnement : « Voilà un petit garçon bien malappris ! »

— Que n'est-il, cet homme simple, le gouverneur du roi ! regretta Aïssé.

Cependant, après avoir hésité un moment, Nathalie entraîna Marivaux vers Lesage.

— Venez donc nous aider, dit-elle, à mettre un nom sur un article qui fait quelque bruit ce matin dans Paris. Vous connaissez beaucoup de monde, je crois, au *Mercure ?*

Marivaux s'approcha, prit le journal, le parcourut.

— Nous pouvons, Lesage et moi, éclaircir cette affaire ; je connais personnellement Lefèvre, le directeur, et aussi le directeur de *La Gazette,* arrière-petit-fils de Thoéphraste Renaudot et qui sait bien des choses.

Elle le regarda ; absence de rancune ? Espoir de rentrer en grâce ? N'était-ce point avec cette désinvolture que tous les hommes et toutes les femmes acceptaient ce genre d'infortune qu'un degré de civilisation et de raffinement extrême réduisait à rien ? Pourquoi n'était-elle pas comme eux, mais tout habitée de violence, de passion, d'inquiétudes, de folies en somme. John Law était-il ainsi ? Elle attira Marivaux dans l'embrasure d'une fenêtre où rayonnait la splendeur du jeune été :

— Monsieur de Marivaux, qu'est donc pour vous l'amour ?

D'un bref coup d'œil, il lui reprocha de n'aimer point les clairs-obscurs, les demi-teintes, les demi-mots, la pudeur, les chasses gardées de l'esprit, les entraînements paisibles, le bon goût, le silence ; en un mot, de n'être pas française. Enfin, il répondit :

— Un jeu de hasard, madame, où l'on joue à qui perd gagne.

Il lui en voulait donc un peu... Cela la rassura. Elle répondit cependant, et dit, ce faisant, le fond de son cœur :

— Je ne vous comprends pas.

— Cela est apparemment sans importance ! Vous ne m'avez pas répondu.

— A quoi donc ? dit-elle.

— Quand vous faut-il ces renseignements ?

— Très vite...

— Vous les aurez.

Il s'inclina, prit doucement la main qu'elle lui tendait, la baisa un peu trop lentement et sortit.

Les guirlandes vénitiennes de l'embarcadère du cours la Reine se balançaient dans le soir d'été aux branches des grands arbres. Une foule s'était postée alentour et sur la rive d'en face, pour voir le Régent, la duchesse de Berry et leurs invités monter sur un navire doré, paré de plus de cent lanternes, de bannières agitées par le vent, de fleurs et de feuillages, et qui devait glisser au fil de la Seine. Un souper et des musiciens italiens y attendaient les voyageurs. Ainsi voguerait la Cour de France, dont la singulière Elisabeth était devenue la reine. Des matelots de fantaisie et des laquais formaient la haie de chaque côté de la passerelle recouverte d'un tapis rouge qui s'allongeait jusqu'aux allées bordées de marronniers où s'arrêtaient les chaises et les carrosses. Des ambassadeurs, des princes du sang, des grands seigneurs et d'innombrables belles en descendaient. Le peuple les connaissait tous et, familièrement, les saluait de telle manière qui permettait d'évaluer la popularité de chacun.

La curiosité était grande, car on voulait prendre le bel air de la mode, voir comment désormais se gonflaient sur de légers paniers les robes nouvelles ; les habits des hommes eux-mêmes s'étaient allégés, affinés. Foin des vestes trop longues et trop lourdes, des perruques imposantes ! Les hommes portaient leurs cheveux retombant en plis naturels sur les épaules, comme des adolescents, les femmes, des coiffures enfantines de cheveux bouclés courts, ou relevés comme les petites filles qui jouent à la madame. Une volonté de jeunesse et de changement donnait à tous une allure si juvénile que les colifichets d'hier paraissaient parures de barbons et de mères-grand.

Mais voici qu'une musique étrange, argentine, s'élevait sous le couvert des branches. Une clameur lui fit écho et, très vite, le roulement d'un équipage et le martèlement de chevaux d'escorte se mêlèrent à ces rumeurs. En entendant résonner les timbales d'argent, toute la Cour qui, massée sur le pont du navire aux côtés du Régent, attendait la duchesse de Berry, s'agita. Villeroi s'approcha de Philippe qui ne dissimulait pas une vive contrariété.

— Voilà qui est inadmissible, monseigneur. Le droit aux timbales n'appartient qu'au roi !

— Inadmissible, en effet, monsieur.

Que lui importaient ces sottises ! Il était sans nouvelles de Dubois, les caisses de la Banque générale ne se remplissaient pas et les extravagances renouvelées d'Elisabeth ajoutaient des tracas inutiles à ses inquiétudes.

Insouciante du scandale, renversée parmi les coussins de son carrosse, « fraîche, débordante, tout en fossettes et en rondeurs comme une odalisque », elle faisait son entrée dans la fête. Son équipage aux harnais incrustés d'or, précédé de timbaliers, amusait la foule. Soixante gardes aux habits « couleur de biche », galonnés d'argent, la suivaient. Leur capitaine, le marquis de la Rochefoucauld, galopait à la portière du carrosse vers lequel il ne cessait de se pencher amoureusement. Il était l'amant d'hier, et point le seul, paraît-il...

— Oui-da! criait un malin. La petite-fille de Louis XIV ne dédaigne pas de jeter tour à tour le mouchoir à chacun de ces beaux gaillards qui l'escortent!

Et un autre de chantonner :

> La Messaline de Berry
> L'œil en feu, l'air plein d'arrogance,
> Dit en faisant charivari
> Qu'elle est la première de France.
> Elle prend, ma foi, tout le train
> D'être la première putain !

Des cris, des rires roulaient dans le grondement mourant de la cavalcade qui s'éloignait ; le cortège passait...

Elisabeth parut à la coupée du bateau. Elle avait grossi. Qu'importe ! elle foudroyait d'un regard d'impératrice la colère de Villeroi, le mécontentement de son père. Toute la cour ploya devant elle en de larges révérences où s'épanouissait la grâce des femmes, en ces saluts profonds où s'inclinait la morgue des hommes. Elle était satisfaite.

Cependant, aux abords du quai, la foule un peu calmée vit apparaître un autre équipage, sur lequel se concentra toute sa curiosité. Une couronne discrète paraissait aux parements de la livrée et au-dessus des armoiries qui ornaient les portières. Celles-ci s'ouvrirent sur une inconnue. Etait-il possible que le peuple de Paris ne connût point le visage, le nom et... bien autre chose d'une aussi belle dame ? Un murmure d'étonnement et d'admiration salua Nathalie quand elle posa son soulier de satin sur le bord du tapis rouge.

— C'est une étrangère ! souffla un gamin.

— Pour sûr ! approuva un mirliflore. On ne les fait pas comme ça chez nous... C'est dommage !

En entendant l'alerte réplique, Nathalie se tourna vers le flatteur et lui sourit ; ce comportement inattendu provoqua la réponse populaire : vivats, sourires chaleureux, œillades et baisers lancés du bout des doigts. Cette ovation dissipa un instant les préoccupations de Mme de., auxquelles s'en était ajoutée une nouvelle qui surpassait toutes les autres : une grande dame peut se trouver elle aussi en proie à des soucis qui sont ceux des boutiquiers malheureux lorsqu'ils guettent des acheteurs qui ne paraissent point. Voilà qui était réservé d'habitude à bon nombre de ces braves gens qui venaient ici oublier leurs peines et que Law s'était juré de tirer de leur marasme. Mais, pour que Law puisse y parvenir, il fallait que se présentassent des clients dans les bureaux magnifiques de la Banque.

Mme de., en grand habit de satin blanc, étincelante de diamants, parvenait à son tour à la coupée du navire. Comme elle se ployait en une

214

révérence profonde devant les princes, les musiciens répandirent dans le soir un chant de mélancolie.

La nuit était chaude, Paris s'associait à la fête. Insensiblement, la galère en miniature se détacha de la rive et les rames se mirent à frapper l'eau en cadence. Le bateau glissait maintenant sur le fleuve ; défilaient la colline de Chaillot et les villages riverains de Passy et d'Auteuil. Sur l'autre berge, par-delà l'hôtel des Invalides, c'était tout de suite la campagne, bocages, pâtures, haies, branches que berçait le soir d'été. Les violons racontaient fort bien ces choses.

Quelle est donc cette musique ? se demandait Law. Et il reconnut ce nocturne que composait Rameau dans les jardins de l'hôtel de Gesvres, le soir où Nathalie avait fui vers son destin. A cette heure, comme le Régent, il était là pour faire face, impassible, souriant. Son regard bleu, mobile et attentif, suivait le manège des espions anglais déguisés en valets et débrouillait le cheminement des complots que semblaient enlacer, comme en une figure de ballet, le va-et-vient des ombres et la gaieté légère, insouciante, de la fête de nuit. Il voyait d'Argenson s'entretenir amicalement avec Pâris-Duverney, d'Aguesseau avec Noailles, il observait les évolutions de tel charmant chevalier qu'il savait être un agent de Blunt et des banquiers anglo-hollandais... Levant son verre de vin de Tokay, il se prit à rire tout seul, puis but d'un trait.

Nathalie était retenue assez loin de lui par M. le Régent en personne. A sa vue, le maître de la France avait semblé plus ému qu'il ne consentait d'ordinaire à le montrer.

Tel le sol de l'embarcation qui se balançait doucement sous les pieds de John Law, le monde lui semblait mouvant et incertain sous ses pas. Lucide, calme, froid, il se disait qu'il savait nager et qu'il pourrait se tirer des pires naufrages... Mais voilà que Nathalie faisait sa révérence et s'éloignait du Régent ; elle s'approchait de lui, en un instant fut là. Sa voix murmura très bas :

— J'ai votre renseignement : c'est Lord Stairs qui a payé l'article du *Mercure*. Il a quelques écrivaillons sans talent à sa solde et...

— Est-ce M. le Régent qui vous a si bien informée ?

— Non, il m'a seulement accordé ce que je lui demandais : un entretien particulier.

— Dans le salon rose du Palais-Royal ?

— Dans le parc de Versailles, où il se rend mercredi dans l'après-midi.

— Qu'est-ce que cela ?

— Une idée qui m'est venue... Il faut que M. le Régent fasse un dépôt considérable à la Banque et, alors seulement, le public suivra. Cela, ajouta-t-elle, vous ne pouvez encore le lui demander vous-même et Dubois est loin ; d'ailleurs, il ne vous servira jamais tout à fait bien, souvenez-vous-en !

Quelle était donc cette autre femme qui naissait de la musicienne découverte un matin d'hiver ?

— Mais, murmura-t-il, savez-vous bien quel don Juan est M. d'Orléans et comment il vous regardait ?

— Croyez-moi, dit-elle en lui pressant la main, de lui à moi, ces joutes ne dureront guère. Je sais bien comment il fut avec Aïssé et vous m'en avez assez dit sur la qualité de son esprit. Par ailleurs, je connais les hommes... — elle eut un rire léger, un peu inquiétant — et je m'entends avec eux ! (Puis, redevenant grave — comme elle jouait de ces volte-face ! — elle dit encore :) Souvenez-vous aussi que je vous aime...

Saint-Cloud apparaissait déjà au détour du fleuve, Cythère noyée dans le bleu de la nuit et qu'un grand éclat rose incendia un instant, avec la première chandelle romaine qui, en une pluie d'étoiles, semblait retomber sur la cascade du bord de l'eau. Des cris et des rires fusèrent de toutes parts et couvrirent le chant des violons ; le cœur de Rameau cessa d'animer l'ombre. La fête s'en allait au large de la nuit.

A TRIANON

Une mélancolie se mêlait à la lumière de ces juillets d'Ile-de-France que désenchante trop tôt l'apparition discrète d'une fin prématurée. Le parc désert, abandonné, encore tout habité de ses hôtes d'hier, se troublait à cette heure du seul pas traînant d'un jardinier qui sait qu'il a tout le temps pour faire son ouvrage et que nul ne se penchera pour admirer la fleur éclose par ses soins. Le peuple de Versailles lui-même semblait bouder le grand jardin qui, aujourd'hui comme jadis, lui était accessible. Il savait ne plus y rencontrer le roi ou les belles de cour. A quoi bon alors se déranger, marcher sur les pavés pointus, dans la chaleur caniculaire ? De temps à autre, assis sur un banc où avait rêvé la jolie Fontanges ou sur tel autre où soupira Louise de la Vallière, un philosophe s'installait pour lire, une bouquetière pour se faire lutiner par son galant. Sur les traces effacées des petits princes défunts, quelques enfants couraient encore dans les allées entre les buis au parfum amer.

Au long de la terrasse qui relie Trianon au Grand Canal et surplombe l'eau moirée où jadis évoluaient les gondoles italiennes, Mme de. se promenait à pas lents, effleurant le sable des plis de sa robe de mousseline dorée. Une capeline de paille ornée d'une rose thé et de rubans gaufrés la parait de soleil. Les tons de sa toilette et son teint de brune se mariaient subtilement à ceux des frondaisons déjà touchées par les flammes de l'été. Elle s'accouda à la balustrade de pierre et son regard se perdit dans la contemplation des lignes auxquelles Louis XIV et Le Nôtre avaient communiqué cette harmonie. Un pas la fit se retourner : c'était le Régent.

Philippe, troublé devant ce visage auréolé de paille blonde, murmura :
— Ah ! Madame ! cette terrasse du Grand Canal, c'est toute ma jeunesse !
C'était là en effet que les filles de Louis XIV et de Mme de Montespan avaient mené le train de leur adolescence tapageuse en compagnie de leur

216

trop charmant cousin Philippe. Mais celui-ci se demandait si jamais apparition aussi séduisante lui avait été offerte en ce lieu ; il poursuivit :

— Le roi nous passait tout et se plaisait à nos folies, et nous avions seize ans !

Il lui sembla entendre encore monter de l'eau calme la romance vénitienne qui charmait les longs soirs d'été... La mort et la haine avaient fait le vide et le silence, dispersé la brillante assemblée et il se retrouvait seul avec cette inconnue qui ne pouvait pas savoir, à qui ce passé n'appartenait pas... que disait-elle, pourtant ?

— Le passé demeure présent, monseigneur, lorsqu'il fut fait de vie intense. Ici, toute cette vie morte qui bruit encore et que l'on ne voit pas est presque intolérable...

— Vous êtes très slave ou très orientale, madame, pour être ainsi en contact avec l'invisible.

Une brève enquête l'avait parfaitement informé des antécédents de Nathalie. Elle ne s'en étonnait pas.

— L'essentiel est invisible, monseigneur.

— On n'en est plus si certain lorsque l'on vous regarde, murmura-t-il en scrutant l'ombre que la capeline formait autour des yeux noirs qui l'observaient.

On disait cette femme cultivée comme les belles du précédent règne, ce qui l'excitait fort ; il savait que, comme lui, elle naviguait à contre-courant des opinions et des obligations du monde. On la disait de surcroît riche et désintéressée, énigmatique, amie des artistes, familière des écrivains pauvres comme Lesage ou l'abbé Prévost et... fort amie de Law.

Quel que soit l'intérêt que tout cela éveillait en lui, il avait décidé de l'aborder avec circonspection mais aussi avec les marques d'une considération que depuis longtemps il ne manifestait plus à aucune femme. Il se demandait ce qu'elle attendait de lui et redoutait qu'elle ne vînt, comme toutes les autres, solliciter places, honneurs, pensions, pour elle ou pour des tiers, ou bien... qu'elle postulât quelque privilège d'alcôve, un rang de sultane plus occupée de pouvoir et de politique que de plaisirs galants. Il avait peur qu'elle ne rompît de quelque manière le charme qu'elle suscitait, qu'elle n'abîmât l'idée que l'on pouvait se faire de sa personne.

Elle devina vite le sens de son silence et se troubla. Que faisait-elle là, muette, devant le maître de la France qui attendait qu'elle parlât ? Elle chercha à se rassurer : « Qu'ai-je à faire de lui ? songeait-elle. Je viens de si loin, il ne m'est rien, et je ne demande rien pour moi-même. » Alors, très calme, avec détachement et spontanéité, elle l'aborda de front :

— Je viens, monseigneur, faire auprès de Votre Altesse royale une démarche inhabituelle, de celles que vous n'aimez point, dit-on, que fassent vos sujettes. Mais je le suis si peu, étant née dans les monts du Caucase, et je ne viens servir auprès du duc Régent que les obligations de l'amitié et une cause qui est chère à Votre Altesse royale comme à moi-même.

Il eut un geste d'étonnement ; elle poursuivit :

— Un grand intérêt est en jeu pour le bien du royaume tout entier...

— Le royaume est en cet instant représenté par une bien captivante ambassadrice, madame ! (Comme il se méfiait de plus en plus des intentions de cette sirène, il ajouta d'un air ambigu :) Et que veut le royaume ?

— Une banque en pleine activité, monseigneur !

Pour le coup, Philippe fut ébahi.

— Par quel prodige, madame, êtes-vous venue jusqu'à Trianon pour m'entretenir de la Banque générale ? Y avez-vous quelque intérêt ?

— Aucun, monseigneur, et je ne poursuis ici nulle affaire personnelle.

— Je sais que vous êtes des amies de Law... (Son regard de myope se fit pénétrant et il poursuivit :) Mais je suppose que M. Law est assez grand pour faire ses commissions lui-même. A moins que ses difficultés présentes ne l'incitent...

— Il ignorait que je voulais voir Votre Altesse royale lorsque j'ai sollicité cet entretien ; il ignorait le dessein que j'avais formé...

Avait-il affaire à une folle ?

— Quel est ce dessein ? demanda-t-il froidement.

— Il est, dit-elle, de ceux très modestes que seule, peut-être, en de certaines heures troublées, peut former une simple femme. En effet, la liberté de l'esprit, la possibilité d'observer, d'écouter, de méditer, loin des épreuves du pouvoir ou des intrigues de la Cour permettent parfois de percevoir quelques faits, en apparence secondaires, mais qui ne le sont point autant qu'ils le paraissent. La Banque générale, monseigneur, est menacée de mort parce que le public a peur du billet de banque et n'en connaît pas l'usage ; parce que les financiers qui ont contrecarré les projets de Votre Altesse royale en faisant échec à la création d'une Banque d'Etat, font courir le bruit que votre gouvernement n'a pas voulu aller plus avant dans l'établissement d'un organisme douteux...

— Mais, protesta Philippe, je lui ai donné mon patronage !

— Ce n'est pas suffisant, monseigneur ! Le public constate que vous avez donné votre patronage, mais pas l'argent du roi ! La Banque attend son salut du retour des courriers qui ont informé les banquiers étrangers de la stabilité de sa monnaie, mais elle l'attend surtout du dépôt de fonds que Votre Altesse royale pourrait daigner lui confier à grand bruit.

Philippe la regardait, étonné. Il réfléchit un instant.

— Je le ferai... tout de suite, dit-il enfin ; vos paroles sont sensées et telles qu'on n'en attend guère d'une femme belle et galante... car vous l'êtes, il n'est point utile d'en conter à un homme là-dessus. Pourquoi donc êtes-vous venue m'entretenir de cela ? Et, ajouta-t-il en lui baisant la main, comme vous avez eu raison de le faire ! Etait-ce là ce dessein modeste dont vous parliez tout à l'heure ?

Redevenue maîtresse d'elle-même et de la situation, elle battit un peu en retraite et le voila d'une banalité :

— Les paroles de Votre Altesse royale me comblent de joie ; si ma démarche a pu la servir, me voici heureuse en vérité et...

— Est-ce vraiment pour me servir que vous êtes venue jusqu'à Versailles ?

Le prince se tenait devant elle et dans ses yeux naissait ce regard lourd, ce regard du désir qu'elle connaissait si bien. Elle allait poursuivre sa marche mais elle s'arrêta pour prendre la mesure de ce moment tout à coup immobilisé...

Quelle femme à sa place, en cet instant, n'eût vu surgir et passer sous les grands arbres la traîne de la Dame de Beauté, celle de Diane de Poitiers, l'ombre hautaine de la Montespan et le souvenir si proche de la toute-puissante Maintenon ? Elle savait que la place était libre et ce qu'il était possible de faire d'un homme de cette sorte, miné par l'ennui, par la sottise et la vénalité des femmes, par la solitude. Pour s'assurer de son empire, elle eut un petit rire acide qui ne livrait rien et qui attira Philippe tout près, trop près d'elle... De surcroît, il était beau ! Etait-elle tentée ? A cet instant précis, en lieu et place de la mélodie italienne de jadis, la romance de Paris partit d'un coup d'aile aux surfaces du Canal...

> *Belle si tu voulais*
> *Belle si tu voulais*
> *Nous dormirions ensemble lon la*
> *Nous dormirions ensemble...*

D'une voix basse et qui trahissait son trouble, Philippe d'Orléans murmura :

— Belle, si tu voulais ?

Que lui proposait-on ? En quelques secondes s'imposèrent à son esprit les orgies du Régent, sa dépravation, ses folies, puis, effaçant tout, le visage inoubliable de John Law, altéré par le travail, les veilles, les luttes et les angoisses.

Philippe lui saisit la taille ; il ne se croyait plus capable de ces emballements auxquels il avait été fort sujet.

— Belle, si tu voulais... répéta-t-il sourdement.

Quoi donc, songeait-elle, un empire ? Mais cet homme ne vaut pas cet empire ! Laissons cela aux affamées — je ne le suis pas : il n'y a rien d'aussi indépendant que moi sur la terre ! N'est-ce point là une mentalité d'affranchie ? Qu'importe ! De nouveau le visage bouleversant de Law s'interposa entre elle et lui, avec sa fatigue et son ironie, son acuité et sa tendresse. Celui-là valait beaucoup plus qu'un empire et même que le royaume de France ! « Mais c'est cela, l'amour ! » criait en elle une voix et cette évidence l'emplit de force. D'un mouvement brusque, elle se dégagea et fit face à Philippe d'Orléans :

— L'insolite de ma présence ici, monseigneur, n'est pas tel que Votre Altesse royale puisse s'en étonner. J'aime John Law et je veux l'aider de tout ce qui sera en mon pouvoir.

Il s'écarta, vieilli en un instant. Celle-là aussi lui échappait. Il parvint à se reprendre :

— Law est décidément un enchanteur, madame, puisqu'il sait captiver la fortune et l'amour.

Machinalement, ils reprirent leur marche et remontèrent côte à côte l'allée ombreuse qui menait vers Trianon. D'une voix encore altérée, Philippe poursuivit :

— Dites-lui que je ferai le dépôt demain ; qu'il tienne compte de vos avis, surtout. Quant à vous, venez souvent me voir pour me parler, de choses très graves, de finance même, si vous voulez. Vous êtes la seule femme du royaume à qui j'accorderai ce privilège.

— Merci, murmura-t-elle, gagnée par l'irrépressible émotion du prince.

— Voyez, madame, reprit-il en désignant la colonnade de Trianon, il me semble que Mme la duchesse de Bourbon, qui vous a ressemblé, va surgir avec le visage de ses quinze ans, poursuivie par le fantôme de mes seize ans. Nous tissons au jour le jour la trame merveilleuse et cruelle de notre passé ; je crains bien que nous ne venions de faire bien involontairement ce bel ouvrage, vous et moi, et que votre image m'attende à jamais, penchée sur la balustrade au bord de l'eau... Je l'y viendrai retrouver malgré vous.

Elle lui fit une silencieuse révérence ; une brise agitait les rubans de son chapeau et les volants de gaze de son corsage. Il la regarda disparaître aux lointains du vieux jardin enchanté. Le carrosse de Cendrillon l'attendait sous les branches.

LE MAGICIEN

Law attendait. Lorsqu'il vit Nathalie avec ses mousselines dorées et son grand chapeau clair, il garda son impassibilité.

— Que vous a-t-il proposé ? demanda-t-il, beau joueur sans illusions.

— Quelque suzeraineté sur le royaume de France... mais mon royaume est en vous.

La qualité de son rival donnait à Law la mesure de sa victoire. Il prit et baisa la main qui tremblait légèrement sur son bras. Mais déjà Nathalie continuait :

— M. le Régent fera le dépôt demain. Il faut que tout Paris le sache !

Law regardait le compagnon de lutte en robe à paniers qui entrait si efficacement dans le combat à son côté ; brusquement, la porte du bureau s'ouvrit. Dutot arrivait de l'hôtel des Postes où l'on venait de recevoir les courriers tant attendus, de Hollande, de Suède et des provinces de l'Empire. Il jeta sur une table les plis roulés. Nathalie guettait les expressions des deux hommes pendant qu'ils prenaient fébrilement connaissance des réponses que Law avait sollicitées au prix d'un travail écrasant. Et pour savoir à son tour, elle devait attendre que ces lettres soient lues... une éternité. Il lui semblait que l'air se raréfiait. Mais voici que, peu à peu, une joie intense éclairait les visages crispés. Law prit un des messages et le lui tendit :

— Voyez cela, vous qui vous battez si bien avec nous !

Elle découvrit alors les premiers signes annonciateurs d'une reprise du commerce extérieur de la France.

— Et demain, dit Law à Dutot, le Régent dépose ici de l'or du Trésor royal ! Faites répandre cette information à l'hôtel de Soissons et dans toutes les tavernes du quartier, rue des Lombards, rue Quincampoix, rue de Venise, partout ! (Il eut ce regard clair, étrange, qui parfois surprenait et poursuivit :) Ne vous semble-t-il pas déjà entendre naître le bruit des fabriques et des manufactures au travail et celui des troupeaux qui rentrent dans les étables ? Si vous n'entendez rien, mes amis, par Dieu, c'est que vous êtes sourds ! Terriblement sourds ! La France va s'éveiller, comme la Belle au Bois Dormant !

Ce disant, il tendait devant lui la main et la referma sur d'invisibles fortunes.

Le lendemain soir, il n'était question dans Paris que du dépôt du Régent. Brusquement, les gazettes avaient cessé leurs campagnes de dénigrement pour annoncer qu'un million de livres, appartenant au roi, venait d'être porté à la Banque générale et elles donnaient mille détails plaisants sur la manière dont on avait déchargé et compté cet or ; elles précisaient que cet établissement effectuerait sans frais, pour le compte de ses clients, des paiements dans n'importe quelle province du pays.

Law et ses collaborateurs travaillaient jour et nuit à mettre sur pied ce réseau.

Quelques jours plus tard, les deux valets qui, au premier étage de l'hôtel de Mesmes dormaient de concert, s'éveillèrent brusquement. Avec surprise et regret, ils virent s'avancer sur les degrés de l'escalier de pierre un quidam hésitant ; leur étonnement se changea en stupeur et en désapprobation lorsque s'agitèrent derrière la porte vitrée d'autres silhouettes... huit, dix, quinze personnes et d'autres encore prenaient d'assaut leur tranquillité. Il fallait se résigner. Hautains et cérémonieux, ils ouvrirent à deux battants les portes de la salle où les commis sursautèrent. La grande aventure commençait.

En quelques semaines, les dépôts quotidiens dépassèrent les paiements effectués. De l'étranger, arrivaient chaque jour les preuves que la Banque générale inspirait confiance. Paris allait devenir une place financière.

Law était en mesure de passer à la réalisation de la première étape de son Système de finances et de croiser le fer avec ses ennemis. A l'aube d'une nuit de travail, le Régent et lui en décidèrent. Par les fenêtres ouvertes du cabinet de Philippe, entraient les senteurs végétales des jardins du Palais-Royal dont la fraîcheur passait sur leurs visages fatigués. Philippe se pencha vers Law :

— Dubois a rencontré Stanhope dans une taverne hollandaise ; en un jour, il a changé pour trente ans la politique de l'Europe. Il était temps ! Le prince Eugène vient de battre les Turcs ; la coalition peut de nouveau étouffer l'Europe de toutes parts. Voilà qui va rendre les Anglais plus arrogants et, pourtant, le salut est plus que jamais dans l'alliance anglaise. Ah, si les whigs ne tentaient pas tout pour détruire le port de Mardyck !

— Cédez, monseigneur... Nous allons être en mesure de les défaire sur d'autres terrains, dit Law qui revoyait le visage singulier du Chevalier de la Mer.

— J'attends impatiemment Dubois qui est sur la route du retour, reprit le Régent. Je le renverrai aussitôt au Hanovre afin de poursuivre la négociation.

— Il faut appuyer celle-ci d'arguments frappants tels qu'en peuvent entendre les Anglais qui sont avant tout des marchands. Diminuons ce soir le taux d'escompte de trente à six pour cent. Les usuriers fermeront boutique, les fabriques produiront deux fois plus et pourront répondre à la demande étrangère que nous sommes parvenus à recréer, le change sera réévalué presque instantanément.

Les deux hommes, penchés l'un vers l'autre, se dévisagèrent en souriant.

— Allez, dit le Régent. Et pour peu que les hurlements du tsar dont ils ont si peur nous soutiennent et nous accompagnent... Il désirait venir à Paris...

— Quelle excellente idée ! dit Law.

Ils éclatèrent de rire et Law se retira pour courir à l'hôtel de Mercœur où il voulait passer deux heures avant l'ouverture de la Banque.

Le soir même, les ennemis de Law se regroupaient à l'hôtel de Soissons. Dans une grande anxiété, les usuriers s'organisaient tandis que l'artisan, le fabricant, le commerçant, croyaient rêver ou s'éveiller d'un mauvais songe...

Le lendemain, Dubois arriva au Palais-Royal avec les propositions de Stanhope :

— Tout tient à Mardyck, monseigneur, et on vous impose de chasser de France le Prétendant !

Philippe baissa la tête : bannir du royaume le pauvre souverain d'Angleterre exilé lui était infiniment plus pénible que de renoncer à Mardyck. C'était là l'épreuve suprême du pouvoir, ce sacrifice de toute humanité, de toute noblesse à la raison d'Etat. L'abbé lui rappela que Stanhope avait été un de ses amis de jeunesse et que le souvenir qu'il gardait des folles parties d'antan faisait de lui un partisan convaincu de l'alliance française !

— ... et un partisan désintéressé ! s'émerveillait Dubois qui ne l'était point tant. J'ai été jusqu'à lui proposer six cent mille livres et il a refusé !

Le Régent s'amusa un instant de l'étonnement du bonhomme. « Pour une fois, le voilà sincère ! » pensa-t-il ; puis il réfléchit et répondit :

— La France a d'autres arguments très convaincants ! Envoyez-lui donc une soixantaine de pièces de nos meilleurs vins de Champagne et de Bourgogne. Cela le confortera dans ces bonnes dispositions.

— Voilà, monseigneur, de la grande, de la subtile diplomatie ! dit Dubois en clignant de l'œil avec admiration. Il y aurait là toute une étude à faire, toute une école à créer où se pourraient former les ambassadeurs de France... Avec nos vins, notre cuisine, quelques rubans de Paris et de Lyon, les eaux de senteur de Grasse et un bataillon de Parisiennes, que n'obtiendrions-nous !

Dubois riait et le Régent, que poignait le sort du Prétendant et le renoncement à Mardyck, eut un pâle sourire. Néanmoins, les capiteuses bouteilles furent envoyées. Le champagne allait merveilleusement travailler à cette première entente, plus ou moins cordiale. Dubois ne passa que huit jours à Paris ; il repartit pour le Hanovre où Stanhope le logea dans sa propre demeure.

Le Régent avait sacrifié Mardyck, le Prétendant et, ce faisant, ses sentiments les plus chers, à l'intérêt supérieur du pays, c'est-à-dire à l'alliance anglaise.

Cependant, un mouvement économique contagieux, irrésistible, se déclenchait ; Law en était le maître. Le billet de banque courait la France.

> *Il court, il court le furet du Bois Mesdames,*
> *Il est passé par ici, il repassera par là...*

« Monnaie courante, sûre dans sa forme et commode à l'usage », il la faisait adopter par les Français à une vitesse prodigieuse. Les ventes à l'étranger se multipliaient et, comme prévu, le change remontait à notre avantage, les négociants spéculaient, les manufactures travaillaient, l'argent se prêtait et se plaçait au taux très bas dont la Banque se contentait elle-même. Comme les espèces augmentaient et circulaient et que l'usure avait disparu, on apportait volontiers ses fonds aux commerçants et aux fabricants pour qu'ils les fissent valoir. Tout cela, en un tournemain de l'enchanteur. Deux mois seulement avaient passé et l'automne de 1716 s'annonçait, magnifique, trop chaud, trop sec, trop riche de promesses.

On était ainsi parvenu aux premiers jours d'octobre et, un beau matin, le Chevalier de la Mer et l'envoyé des Malouins se présentèrent dans le cabinet de Law, à l'hôtel de Mesmes :

— Ne croyez pas, messieurs, que j'aie oublié mes promesses, leur dit l'Ecossais. S'il n'avait tenu qu'à moi, l'ensemble de mon Système serait déjà en place et vous savez qu'il englobe la mise en valeur des possessions françaises de l'Inde, de l'Amérique et du Sénégal, mais je suis contraint de procéder par étapes. Pour vouloir aller trop vite, j'ai failli tout perdre et me suis résigné à n'atteindre que des paliers successifs, à n'initier que peu à peu les esprits à tant de nouveautés. Le temps vient où je vais pouvoir entretenir utilement le Régent de mes vues sur le Coromandel. A propos, quelles nouvelles m'apportez-vous de là-bas ?

— De très mauvaises, monsieur, dit le Chevalier de la Mer.

— Dulivier vient de quitter la compagnie, enchaîna Pinsonnet, toujours sinistre et glacé. Hébert a fait arrêter un marchand malabar, un certain Nianiapa qui nous était tout acquis. C'était un bon serviteur de la France ; il avait rendu de grands services à la compagnie, mais se trouvait au plus mal avec les jésuites. Dulivier a voulu s'opposer à cette arrestation ; hélas, la situation s'était, entre-temps, complètement détériorée. Hébert et son fils tenaient déjà toute l'autorité civile et militaire. Dulivier a prévu la suite et a démissionné.

— Et quelle est la suite ? s'informa Law, qui prit une plume et une feuille de papier pour noter l'essentiel de l'entretien.

— Hébert met en coupe réglée la colonie et la compagnie. Il règne par la terreur, emprisonne, confisque les biens de ses adversaires, les déporte. Sûr de l'impunité, il refait ainsi sa fortune aux dépens des riches négociants de Pondichéry. Il est en train tout simplement de se comporter en pirate et de s'approprier nos comptoirs du Bengale ! ajouta le Chevalier de la Mer. Il faut, monsieur, il *faut* sans tarder armer contre lui des corsaires, sinon le Coromandel vous échappera et ne pourra jamais servir votre Système.

Un pli barrait le front soucieux de Law. Le Chevalier poursuivit :

— Nous voici prêts à partir là-bas. Je suis marin, j'ai commandé en mer et j'ai vécu l'aventure de M. de Tourville. Nous sommes à vos ordres.

— C'est bien, messieurs, dit Law. Je vous remercie ; je vais sans tarder informer M. le Régent et faire tout ce qui sera en mon pouvoir pour envoyer une expédition. Nous nous reverrons sous peu.

Les deux hommes s'inclinèrent et sortirent.

Ce jour-là, Aïssé et Nathalie cueillaient les dernières roses dans les jardins de l'hôtel de Mercœur. Le temps restait si chaud que les deux jeunes femmes allaient sans mante, en bonnets légers et tabliers de dentelle. Ces entretiens leur étaient doux. Malgré la divergence de leur caractère, elles se sentaient sœurs par la race, par un destin commun et parce qu'elles avaient grandi côte à côte. A la suite de discussions trop vives à ce sujet, elles ne parlaient plus de l'ambassadeur. Aïssé évitait, autant que possible, de son côté, d'évoquer Mme de Ferriol et sa terrible sœur que Nathalie détestait également. Aussi Aïssé fut-elle étonnée d'entendre Mme de. lui demander à brûle-pourpoint :

— Que devient Mme de Tencin ?

— Elle s'agite toujours pour la cause des jésuites et de la Bulle mais elle mène tant d'intrigues en même temps qu'elle finit, je crois, par s'y perdre elle-même et ralentit de la sorte ses entreprises.

— La sainte femme ! poursuivit Nathalie d'un ton léger. Si elle continue, elle risque fort de voir M. le Régent s'exaspérer au point de reprendre quelque jour les idées libérales qui lui sont chères en faveur des jansénistes, si nombreux dans ce pays, et des protestants, et nous verrons l'Eglise de France schismatique se séparer de Rome et chasser les jésuites !

— Ce serait horrible ! s'écria Aïssé.

Nathalie l'observa : comme elle était bien en main ! Par cette naïve, on saurait beaucoup de choses. Mme de. poursuivit, railleuse :

— Alors, que Mme de Tencin se décide à vivre en paix, si cela se peut, sinon, comment répondre de l'avenir de l'Eglise de France ! Entre-t-elle dans l'intrigue de Mme de Ferriol et du maréchal d'Huxelles contre la politique anglaise de M. le Régent, ou est-elle pour son ami Dubois ?

— En doutez-vous ? s'étonna Aïssé. Elle approuve M. l'abbé en tout, ce qui étonne à certains égards et divise fort les uns et les autres à son sujet.

— Voilà qui est excellent ! dit Nathalie et elle ajouta en riant : Prenez cette rose jaune, Aïssé ; attention... elle pique !

224

Elle lui tendait une fleur couleur de soufre, belle comme le matin. A cet instant, Nathalie aperçut Mlle Millet qui descendait quatre à quatre le degré de pierre. Elle tenait un pli cacheté :

— C'est de M. Law de Lauriston ! dit-elle dès qu'elle fut assez près pour se faire entendre.

Nathalie sentit naître une inquiétude vague en ouvrant la lettre :

Mon petit garçon est au plus mal ; le médecin du roi sort d'ici : c'est la petite vérole. L'épidémie est, paraît-il, dans la ville. Jurez-moi de ne pas sortir de chez vous. M. le Régent est pareillement au chevet de son fils. Nathalie, je ne sais plus souffrir sans vous et nous voici séparés pour combien de jours ? car je ne puis risquer de vous porter la contagion. Dès que je le pourrai, je vous rejoindrai. A bientôt, mon cœur. John.

— C'est bien, dit-elle d'une voix altérée ; puis elle s'éloigna, laissant les deux femmes perplexes.

Il lui semblait tout à coup que son jardin et sa demeure changeaient de proportions, devenaient immenses et vides ; le temps parcourait avec une lenteur désespérante leurs espaces désolés. Le soleil, la lumière et le triomphant automne devenaient sans objet. Elle se sentit sans pouvoir contre la force d'une vie organisée, construite en dehors d'elle, et contre cet enfant mourant. La vie ne lui offrait en cet instant aucune prise à laquelle elle pût se raccrocher. Des feuilles mortes tournoyaient sur le bassin comme un vol d'oiseaux de passage ; elle les suivit du regard. Combien de fois, combien de fois en vérité serait-elle ainsi exclue ? Ne pourrait-elle s'épanouir que dans l'espace étroit, étouffant d'une marge ? Un enfant mourant, son enfant... Comme elle aurait voulu s'agenouiller à côté de sa couche, prendre sa petite main brûlante, le rassurer, le veiller, le sauver... Mais non, c'était la place de sa mère... Sa mère ? Quel mot très doux, quelle puissance incertaine pour l'enfant volée de jadis. Un enfant ? Ses pensées tournaient court, mais elle se reprit. Elle savait le piège en elle. N'avait-elle pas tout analysé des ruses de la nature, de son vœu obscur et tenace de reproduction ?

Un enfant ? Elle n'était point de ces femmes qui cherchent à retenir un homme par ce lien ; son intelligence lui évitait même d'y penser et ses moyens personnels lui offraient d'autres pouvoirs. Elle savait qu'elle appartenait à la race des femmes florifères et non point à celle des femmes fructifères et cependant, en cet instant, elle sentait jusqu'au désespoir ses bras vides. Ainsi renaissaient en elle, inattendus, inopportuns, des souvenirs de son bref mariage. Son jeune mari éperdu d'amour, sachant bien qu'elle ne l'aimait pas et l'acceptant, pour l'arracher à tout prix à Ferriol... l'acceptant avec une de ces humbles douleurs qui naissent dans les cœurs simples et sensibles. Un « saint-bernard », en vérité. Quel couple auraient-ils formé ? C'est une question qu'elle se posait parfois dans cette demeure qui avait été la sienne et où ils avaient si peu vécu ensemble.

Penché sur le lit étroit aux rideaux de soie bleue où son fils luttait contre les ombres, John Law abordait lui aussi à certaines contrées de son univers intérieur. Là, près de lui, ce n'était pas la tendre Nathalie qui veillait et souffrait, mais Caterina avec ses airs de jugement dernier et sa sensibilité de timbalier. Vers son père, le petit malade tournait ses regards fiévreux...

Law revoyait le bambin qu'il était lors de sa première arrivée à Paris, dans les pièces désolées et poussiéreuses d'un logis de fortune, sage, résigné, suçant son pouce et, comme alors, il eût voulu l'emporter dans ses bras au bout du monde, pour le soustraire à tout ce qui était univers hostile, maladie ou mort. L'enfant avait grandi, il allait avoir treize ans ; fin et blond comme lui, gauche, maladroit et vif, il vivait le drame de ces papillons faits pour danser dans le soleil et que des doigts cruels paralysent. Devant lui, le lutteur, l'enchanteur capable de ranimer un vieux royaume, se sentait sans pouvoir, désespéré.

Dans une chambre tendue de soie blanche, au Palais-Royal, Philippe d'Orléans au chevet du duc de Chartres, son fils, éprouvait la même détresse. Lui qui autrefois avait veillé nuit et jour pour sauver sa fille Elisabeth, était cette fois désemparé : comment l'enfant-roi échapperait-il à l'épidémie ? Ses parents et ses frères étaient morts de cette maladie et le Régent imaginait le réveil des calomnies de jadis si le petit Louis XV venait à mourir en de telles circonstances et ce qui s'ensuivrait inévitablement : la guerre civile, les troupes espagnoles franchissant les Pyrénées, la France investie...

Ces angoisses n'étaient rien en regard de ce qu'il éprouvait à l'idée qu'il pourrait voir souffrir et mourir cet enfant que, dans le secret de son cœur, il en était arrivé à préférer à son propre fils. Maintenant, il n'avait plus au monde que deux passions : Elisabeth, hélas, et Louis XV ; le roi, au moins, répondait à cet amour. Des mesures inouïes venaient d'être prises pour l'isoler dans son palais et dans son jardin. Peu confiant dans la science des médecins, Philippe avait suivi son propre instinct d'homme de science et les conseils de Homberg. Leur premier désir fut d'envoyer le roi à Vincennes ou à Versailles, ou plus loin encore, mais les bonnes âmes auraient crié à la machination infernale, à l'enlèvement criminel, surtout si le malheur était venu frapper quand même l'enfant.

Il demeurait donc aux Tuileries, soumis à une véritable quarantaine. Nul n'en sortait, nul n'y entrait et les aliments venaient de fort loin chaque jour. Les cuisines étaient surveillées, les plats goûtés avant d'être servis.

Philippe regardait avec douleur la lente évolution du mal sur le corps fiévreux de l'héritier des Orléans et vivait ce double drame. Il avait été seul toute la nuit auprès du petit duc si fragile. Mme d'Orléans ne s'était montrée qu'au matin, un instant, bien qu'elle n'eût réellement aimé que ce fils, mais rien ne pouvait tirer de son apathie ni du cercle étroit de son égoïsme et de son orgueil celle que l'on appelait « Madame Lucifer ».

Tout le monde, Elisabeth la première, fuyait la contagion. Dubois était au loin et le duc Régent savait Law penché sur un autre lit. Alors qu'il sortait de chez son fils à pas lents, le dos voûté par la fatigue, pour aller prendre son chocolat matinal, son regard myope, fatigué, vit une silhouette chétive se précipiter vers lui.

— Ah ! mon ami des mauvais jours ! dit-il en souriant avec une certaine tendresse.

C'était en effet le seul ami qui lui fût resté au temps de l'accusation des poisons et qui s'apprêtait à faire face comme jadis à ses côtés : le duc de Saint-Simon.

— Vous ne craignez donc pas la petite vérole, monsieur le duc ? s'étonna le Régent.

— « Je crains davantage la lâcheté et l'avilissement du cœur, monseigneur [1] ! »

— Vous n'avez pas à les craindre, mon ami, car de tels maux ne vous peuvent menacer ; mais souffrez que quelqu'un qui vous porte affection vous intime l'ordre d'aller retrouver sur-le-champ Mme de Saint-Simon dont la compagnie vous est si chère, et de ne la point quitter jusqu'à nouvel ordre.

— Mais, monseigneur...

— Allez, c'est un ordre. Je ne puis me résoudre à risquer en d'inutiles imprudences un ami tel que vous.

Saint-Simon s'inclina, vaincu par la douceur de la voix et du regard du Régent. Ce soldat savait, à certains moments, trouver des armes presque féminines et du contraste qui s'opérait alors naissait un charme auquel on ne résistait pas. Après qu'ils eurent tout de même bavardé un moment — on n'arrêtait pas si aisément le bavardage de M. de Saint-Simon —, celui-ci se retira.

Quelques jours passèrent. On s'aperçut vite que l'épidémie n'avait pas la force qu'elle avait eue naguère ; les petits malades cessèrent de se tourner et de se retourner douloureusement dans leur lit. Le cauchemar s'éloigna.

Philippe d'Orléans et John Law se retrouvèrent, secrètement rapprochés par les angoisses qu'ils venaient de vivre auprès de leurs fils qui avaient exactement le même âge. Ils échangèrent tout d'abord des propos de nourrices, ce qui était assez étonnant dans le noble décor du cabinet du chef de l'Etat, puis ils revinrent aux affaires de la France.

Law venait de se reposer trois jours au pays de Tendre, à l'hôtel de Mercœur. Voyage incomparable où s'étaient réparées ses redoutables facultés de lutte et de travail. Nathalie l'avait accueilli comme s'il revenait des Amériques. Jour après jour, cet éloignement lui avait appris comment la vie perd ses brillantes couleurs, le jour sa lumière, le soleil sa gaieté et tout cela lui était tout à coup rendu. Elle fit ainsi un pas de plus sur le chemin de ce pays inconnu où il l'avait fait aborder, un pas qui avait son importance.

Law obtint facilement du Régent qu'ordre soit donné aux collecteurs d'impôts de faire leurs envois d'argent sur Paris en billets de banque et d'acquitter à vue les billets qui leur seraient présentés.

— Dans quelque temps, monseigneur, et le plus rapidement possible, il

1. Saint-Simon, *Mémoires*.

sera souhaitable que les comptables du Trésor puissent à leur tour accepter que les impôts leur soient payés de la sorte.

« Ainsi, estimait-il, dans peu de temps, tous les bureaux de finances du royaume seront des succursales de la Banque générale. » Pourtant, il observa que le Régent demeurait sombre et préoccupé. Le bruit courait que la duchesse de Berry se jetait tête baissée dans une liaison fort indigne d'elle.

Un neveu du célèbre Lauzun, aventurier de la pire espèce comme son oncle, avait littéralement envoûté la princesse folle et soudain elle se complaisait aux pires avilissements, se muait en esclave. Philippe vivait un drame infiniment complexe dans lequel il se perdait lui-même. Il souffrait et redoutait de terribles humiliations plus encore que d'inavouables rancœurs. Les communes orgies du père et de la fille avaient en effet créé entre eux des habitudes et peut-être des goûts que la présence de l'intrus risquait de modifier. Les regards des deux hommes se croisèrent. Philippe baissa les yeux. Law eût voulu pouvoir presser amicalement sa main, c'était impossible et... inutile. Il existerait toujours de l'un à l'autre une compréhension aiguë et informulée des choses essentielles. Il s'agissait pourtant là d'un domaine où Law renonçait justement à comprendre Philippe. Il devinait sa peine, mais la trouble vie privée du Régent, au sujet de laquelle Paris et l'Europe murmuraient, le déroutait et le confondait. Il ne participait pas aux fameux soupers et ne paraissait pas chez Elisabeth, au Luxembourg.

Bien qu'il fût accablé par ces problèmes familiaux et passionnels, le Régent entretint Law des inquiétudes que lui inspiraient les lenteurs des négociations de Dubois.

— En sortirons-nous jamais ! soupirait-il. Il n'y a que le roi d'Angleterre, Stanhope, l'abbé Dubois et moi-même qui souhaitions cette alliance.

— N'est-ce pas suffisant, monseigneur ?

— Oui et non. Lord Townsend et notre ambassadeur à Londres s'ingénient à brouiller les cartes. Ils exhument à plaisir toutes les arguties administratives pour retarder l'élaboration de l'accord. Dubois est reparti pour La Haye, persuadé que la partie était gagnée et voici que Londres, Paris et l'Europe entière se déchaînent ! Nous allons assister dans les jours qui viennent à une alliance des ministères britannique et français contre l'alliance franco-anglaise, ce qui sera un comble !

— Persévérez, dit Law d'une voix sourde. Vous savez si bien tenir tête, monseigneur, et braver l'opinion !

Le Régent le regarda avec sympathie :

— Hélas, soupira-t-il, il semble que ce soit là mon destin !

— N'est-ce pas le destin de tous les grands esprits ? répondit Law.

Il n'échappa point au duc d'Orléans qu'aucune flatterie de courtisan n'intervenait dans ce propos.

— Croyez-moi, reprit le prince. Il faut compter avec l'individualisme forcené des Français, source d'intrigues et de divisions... L'égoïsme et l'âpreté des Anglais font leur aveuglement politique... Et voilà qui suffit à compromettre la paix du monde pour des siècles. La géographie destine l'une et l'autre nations à une stratégie d'hégémonie. Elles vont s'affronter follement, obstinément. Elles portent en elles tous les périls, peut-être même la ruine de l'Europe. Ce sera sans doute l'Histoire de l'avenir. Imaginez une France et une Angleterre sensées ! Le monde se façonnerait bon gré mal gré à leur sagesse. Mais non ! Un Français égorgera toujours avec beaucoup plus de conviction un autre Français qu'un étranger, fût-il son ennemi héréditaire, son conquérant même ! L'âme, le génie de toutes les guerres civiles est en nous, il vit à l'état endémique dans chaque recoin de chaque bureau du gouvernement ; ne parlons même pas de ce qui se passe ailleurs ! Ainsi, tous les dons de la race s'effriteront de génération en génération et lorsqu'ils seront utilisés, ce sera le plus souvent au profit de l'étranger, en particulier de l'Angleterre. De même le peuple anglais soutiendra toujours, avec une unanimité qui crée sa puissance, les entreprises de son gouvernement, si stupides, si contraires à ses véritables intérêts soient-elles, pourvu qu'elles lui paraissent satisfaire son avidité, son sens autoritaire de domination et de conquête. Ainsi, mon cousin George et moi-même travaillons-nous, contre la volonté de nos deux peuples, à l'union de nos Etats, géographiquement nécessaire. C'est là en effet une nécessité dont la gravité échappera toujours à ces deux peuples, même lorsqu'ils scelleront les alliances en apparence les plus solides, auxquelles ils seront heureusement contraints de temps à autre par l'Histoire. Les Anglais seront toujours prêts à trahir et à dévorer secrètement leurs alliés de la veille. Quant aux Français, leurs divisions internes les empêcheront toujours de se défendre et de s'imposer. Sottise d'un côté, incapacité de l'autre, cela suffit pour vouer ce continent au sang et à la mort !

Law, pour toute réponse, murmura :

— Et le tsar ? Désire-t-il toujours venir à Paris ?

Le Régent prit un temps, puis dit :

— Vous avez raison, je vais m'en inquiéter. Ce doit être la bonne solution !

Law hésita, tapota de ses doigts nerveux le bureau du Régent devant lequel il était assis, puis il releva la tête et posa sur Philippe ce regard de visionnaire qui exerçait toujours sur lui un singulier pouvoir.

— Vous négociez à La Haye et à Londres, monseigneur, et vous avez une vue dure, réaliste et juste des relations entre l'Angleterre et la France... (Incisif, inspiré, stratège, le merveilleux lutteur fonçait :)... Pendant que vous hésitez et souffrez pour Mardyck et le Prétendant, l'Angleterre, en Amérique du Nord et aux Indes, vous vole un empire plus grand que celui de Charles Quint et les fortunes de Golconde ! J'ai des nouvelles du Coromandel : l'anarchie et la terreur règnent à Pondichéry. Je me fais fort de démasquer, sous la superbe de vos agents rebelles, la présence des amis de Lord Townsend. Votre Altesse royale n'ignore pas que je connais fort bien les gens de Change Alley. A cette heure, ils boutent le feu à nos comptoirs du golfe du Bengale et savez-vous, monseigneur, ce que représente le Bengale pour la prospérité de la France et celle de mon Système ?

Le Régent mesurait une fois de plus à quel point il était difficile de

229

s'évader du ronron de l'Europe, de travailler à l'échelle du monde : par habitude, il se laissait dominer par les soucis pressants d'une sorte de politique de clocher et ignorait tout, ou à peu près, des problèmes d'Amérique et de ceux du continent indien.

— C'est que, reprenait Law, l'Angleterre est d'abord une île ; elle a partie liée avec la mer et elle est poussée vers le progrès par un fort parti de gens de finances qui sait très bien que l'évolution économique des grands Etats dépend aujourd'hui de celles du commerce, de l'industrie, de la production et ne peut s'accomplir qu'à l'échelle d'un vaste marché, d'un grand empire marchand. Faites comme l'Angleterre, monseigneur, ayez deux politiques : celle d'ici que vous appelez à juste titre une politique de clocher et l'autre, celle de la mer ! Battez-vous et commercez en Asie, en Afrique, en Amérique. Sacrifiez Mardyck et construisez sur l'Océan un autre port pour les grands navires de commerce.

Il ouvrait le dossier enchanté où murmuraient des noms magiques. Le ressac de la mer des Caraïbes et celui de l'océan Indien venaient battre le bureau de marqueterie. Les rumeurs de la France renaissante, des fabriques, des manufactures en un instant ranimées, donnaient une force singulière à ces propos. Aux images des contrées inconnues où l'or et les épices, les pierres précieuses et les fruits luxuriants des terres fertiles se recueillaient à pleines cales, se mêlaient celles d'une France heureuse, comblée, dominant le vieux monde et régnant sur les mers, non point par la guerre, mais par la prospérité, la puissance économique, l'abondance et la paix.

Ce jour-là, Philippe d'Orléans et John Law demeurèrent seul à seul des heures durant ; les ambassadeurs et les ministres ne furent pas reçus.

Quelques jours plus tard, l'Europe apprenait avec stupeur qu'un traité secret avait été conclu entre George Ier et le Régent, et que le tsar Pierre le Grand s'apprêtait à partir pour Paris. Lord Townsend intriguait encore pour empêcher la signature du traité et l'adhésion de la Hollande, mais le voyage du tsar donna au roi d'Angleterre l'élan nécessaire pour exiger la démission de son Premier Ministre [1] qu'il remplaça par Stanhope.

Le 4 janvier 1717, le destin de l'Europe se joua dans le halo étroit qu'une bougie projetait sur une page manuscrite, entre trois silhouettes d'hommes, escamotées par l'ombre.

Minuit sonnait à tous les beffrois de Hollande. L'un de ces hommes dit alors à voix basse :

— « Votre voyage, monsieur l'abbé, a sauvé bien du sang humain et il y a bien des peuples qui vous auront obligation de leur tranquillité sans s'en douter. »

Dubois ne répondit rien à Lord Stanhope. Il prit place ; Lord Cadogan fit de même. L'abbé saisit la plume d'oie que lui tendait le Premier Ministre

---

1. En fait, ce titre n'existait pas encore en Angleterre ; celui qui exerçait cette fonction était nommé secrétaire d'Etat. Mais pour la clarté du récit, nous traduisons ce terme par celui de Premier Ministre.

anglais et, d'une main qui tremblait légèrement, apposa le paraphe par lequel la France brisait enfin le blocus qui l'étouffait. Derrière lui, Cadogan signa. La Hollande, quelques jours après, entrait dans cette alliance.

Lorsqu'il se retrouva seul, en dépit de l'heure, Dubois, après quelques instants de méditation, se jeta sur son écritoire et griffonna un de ces messages simples et brefs que l'Histoire garde en mémoire :

« J'ai signé à minuit. Vous voilà hors de page et moi, hors de mes frayeurs… ! »

Un messager partit sur-le-champ, dans la nuit, courant parmi les paysages poudrés de givre qui avaient été si chers à Breughel, pour porter au Régent la nouvelle tant attendue.

— Eh bien, monseigneur, voilà que s'accomplissent à l'extérieur et à l'intérieur les miracles que vous souhaitiez !

Law était de nouveau dans le cabinet du prince.

— Rien n'est encore fait, remarqua Philippe soucieux. Vous savez bien que le traité doit être ratifié par le Parlement anglais.

— Et Votre Altesse royale redoute l'opposition… mais je lui rappelle que les gens de finances sont souvent sensibles à certains arguments.

— Je ne puis acheter la moitié du Parlement britannique ! Quelle solution voyez-vous ?

— J'ai un frère qui est à Londres en ce moment et qui me transmet exactement toutes les informations qui peuvent me servir. Il m'a adressé ces jours-ci un visiteur de marque, Sir Thomas Pitt, gouverneur de la Compagnie orientale des Indes anglaises, qui a rapporté de Madras un diamant brut de la dimension d'une prune de reine-claude. Ce Pitt, en 1714, avait été à Fontainebleau pour proposer au feu roi d'acquérir ce joyau, mais le prix qu'il en demandait rendit l'achat impossible. A vrai dire, le vieux Pitt, depuis son retour des Indes, est entièrement dominé par le souci que lui cause cette affaire : il tremble d'être volé, assassiné même, et court l'Europe sous divers déguisements pour aller proposer son diamant à tous les princes en situation de l'acheter et, peu à peu, il devient fou en rêvant aux ivresses qu'il connaîtra lorsqu'il obtiendra la somme fabuleuse qu'il demande en échange de ce bijou. Or, monseigneur, Thomas Pitt, bien qu'étant le beau-père de Lord Stanhope, est un des chefs de l'opposition !

Ce Law était décidément prodigieux.

— Quel incroyable bonhomme que ce Pitt ! s'écria le Régent que l'histoire amusait ; il ajouta en souriant finement : A ma place, vous diriez, combien ?

— En effet, reconnut Law avec flegme. Eh bien, il faut compter deux millions de livres.

— Jamais Noailles et le conseil des Finances ne consentiront au versement d'une telle somme pour la ratification d'un traité qu'ils ont combattu par tous les moyens !

— Mais il faudrait, pour qu'ils s'y opposassent, qu'ils connussent la raison profonde de cet achat ! Que Votre Altesse royale ait l'air tout bonnement de vouloir enrichir le trésor royal d'une pièce unique…

231

— Au moment où les caisses sont vides, où le peuple commence à peine à sortir de sa misère !

— Voyons, monseigneur, le caprice, la fantaisie d'un prince, le souci de votre gloire, comme on disait au siècle dernier, ne voilà-t-il pas des prétextes que l'Histoire recueillera avec empressement ? railla Law.

— Bien entendu ! répondit le Régent qui goûtait ce langage amer, et les deux hommes se prirent d'un grand rire désenchanté. Ce n'est pourtant pas si simple, reprit le prince.

— J'entends bien, monseigneur, mais si, par exemple, M. le duc de Saint-Simon, qui est un membre influent du conseil de Régence, venait vous demander, vous supplier même de donner au monde ce témoignage de la grandeur du roi de France, s'il créait un mouvement favorable à ce dessein, si de la sorte ses conseils et la sottise des hommes, pour une fois en harmonie, servaient à quelque chose ?

Le Régent n'eut pas la force de protester contre cette nouvelle audace de Law. On se trouvait là entre gens intelligents. Quel repos, quelle commodité, et l'idée était merveilleuse !

— Je vois demain mardi, à midi, comme chaque semaine, M. le duc de Saint-Simon. Le nécessaire sera fait, assura l'Ecossais.

Quelques jours plus tard, Saint-Simon, ainsi qu'il l'écrivit lui-même, proclama « qu'il ne convenait pas à la grandeur du roi de France de se laisser rebuter par le prix d'une pièce unique dans le monde et inestimable et que plus de potentats n'avaient osé y penser, plus on devait se garder de le laisser échapper [1] ».

Toujours heureux de donner des leçons et de montrer qu'il pensait grandement, il chapitra le duc d'Orléans qu'il trouva plein de scrupules, et plaida la cause devant le conseil. L'ingénu mémorialiste écrivit encore :

« Je m'applaudis beaucoup d'avoir résolu le Régent à une emplette si illustre. »

Une fois acquis, le fameux diamant fut baptisé « Le Régent » et le Parlement anglais, whigs en tête, ratifia le traité.

— Passez muscade ! s'écria John Law en embrassant sa maîtresse lorsqu'il sut la nouvelle.

Puis faisant tourner devant Nathalie un globe terrestre, il lui demanda à brûle-pourpoint :

— Aimez-vous la géographie, mon cœur ? Pour moi, elle me fascine.

Son doigt doublait en cet instant le cap de Bonne-Espérance et remontait lentement vers les océans qui chantent au bout du monde...

---

1. Saint-Simon, *Mémoires*.

LE NAVIRE

Nous étions deux
Nous étions trois
Nous étions trois
Marins de Groix
Là Holà! Holà!...

Le chœur qui soulignait le point d'orgue et le prolongeait se perdit dans le vent, le cri des poulies et le claquement des voiles. Roulant bord sur bord dans la mousson d'été, le navire enfonçait lourdement son étrave au creux des vagues éblouissantes du golfe du Bengale. Depuis plusieurs jours, il louvoyait le long de la côte du Coromandel, avait doublé la possession française de Karikal ; déjà Pondichéry était en vue.

Toutes les vigies de la ville le signalèrent en même temps, y compris celle que le gouverneur avait postée, à son usage personnel, sur la terrasse de son palais. Et cette apparition à l'horizon de la mer survenait à la manière d'un coup de théâtre.

Pourtant, Hébert l'attendait...

Trois semaines plus tôt, un navire anglais qui faisait voile vers Madras avait reçu l'ordre de relâcher à Pondichéry pour l'informer. L'ambassadeur d'Angleterre à Paris, en l'occurrence Lord Stairs, lui faisait savoir que sa récente nomination de gouverneur était annulée et qu'un bâtiment français suivait de peu le bâtiment britannique, avec à son bord son successeur et une commission d'enquête composée des représentants de la compagnie et de représentants du roi ; celle-ci était chargée non seulement d'examiner de fort près son administration, mais de réviser les innombrables procès qu'il avait intentés. Comme le lui faisait remarquer Lord Stairs, la dénonciation venait des négociants malouins et indigènes.

Lorsque l'ambassadeur avait appris à Paris la mission de *La Railleuse*, le grand voilier qui s'enfonçait à cette heure dans la mousson, il avait murmuré : « John Law commence à nous importuner... »

Le gouverneur Hébert avait tissé de telles intrigues qu'il se croyait invulnérable et, en dépit de la stupeur momentanée que lui causèrent ces nouvelles, il reprit vite sa superbe. Cependant, les Anglais lui signifièrent qu'il était bon qu'il détruisît certains documents et qu'il en mît d'autres à l'abri.

Le gouverneur commença dès lors à se sentir déprimé ; aidé de son fils, il mit de l'ordre dans ses affaires qui en avaient grand besoin. Le navire anglais chargea à son bord quelques caisses et disparut. De nombreux maroquins bourrés de papiers prirent nuitamment le chemin du couvent des jésuites qui s'étaient faits, par aberration, les fidèles alliés de Hébert.

Ce bâtiment français, il l'attendait donc, sans parvenir à croire qu'il surgirait vraiment à l'horizon, surtout à cette époque de l'année où les voiles désertaient l'océan Indien. Dès la première tornade de la mousson, il s'était cru sauvé. Dès lors, il eut l'instinct de resserrer encore l'étau de fer qui écrasait la population ; il pensa à se venger d'une manière exemplaire de ceux qui avaient su faire entendre leurs plaintes jusqu'à Paris, mais son second instinct fut d'observer une certaine prudence et de se modérer. Il s'aperçut alors qu'il n'osait plus agir et fut saisi tout à la fois d'une sorte de terreur et d'une rancune féroce vis-à-vis des habitants de Pondichéry qui, de la sorte, tenaient en échec sa puissance.

C'est dans cet état d'esprit qu'il regarda grandir et approcher le vaisseau venu de France.

Les pauvres négociants qui, à chers deniers, s'étaient cotisés pour envoyer un émissaire à Paris, avaient, eux aussi, cessé d'espérer une apparition magique. Dulivier, que cachait la famille du malheureux Nianiapa et qui savait sa vie en danger, n'en croyait pas ses yeux.

C'était un grand garçon mince et souple, dont le visage, éclairé d'un regard vert, s'encadrait de cheveux déjà gris. Son intelligence avait fait de lui un solitaire au Coromandel, comme l'étaient Philippe d'Orléans et John Law à Paris. Il s'opposait à Hébert, court sur pattes, noir de poil comme un Auvergnat, et dont le teint cuivré se marbrait de couperose. Le seul point commun entre ces deux hommes était cette extrême vivacité de l'esprit qui avait allumé entre eux de mortelles étincelles.

Toute la population de Pondichéry semblait catapultée à l'extérieur de ses petites maisons blanches et déferlait comme un mascaret vers la digue. Pêle-mêle, Européens en tricornes, hindous et topas en turbans et longs pantalons blancs flottants, parias en loques, petites vaches zébus dont les beuglements dominaient la rumeur montante de la foule, femmes en voiles multicolores, enfants à moitié nus, tout un peuple se portait frénétiquement au-devant du navire. Entre les hautes herbes du jardin de Nianiapa, Dulivier rampait avec précaution ; il cherchait à s'approcher sans être vu du mur d'enceinte de la propriété qui dominait la mer, afin d'observer ce navire qui, après tout, pouvait n'être pas celui qu'on attendait. Il vit alors avec surprise se déployer sur l'avenue qui surplombait la grève l'immense mouvement d'un peuple mu à la fois par l'espoir et le désespoir. La mousson communiquait à ces scènes un accent qui les rendrait inoubliables. Toutes les cendres des grands bûchers funéraires de l'Inde semblaient s'être envolées des tours mortuaires pour ensevelir la ville sous une chape grise, lourde, dense et brûlante. La tornade soulevait des flammes invisibles qui léchaient les corps et s'engouffraient partout. Dans un monde lunaire d'une pâleur aveuglante, des silhouettes innombrables tourmentées par le vent tournoyaient et titubaient. On aurait dit des drapeaux en loques emportés par la tempête. Des pourritures inconnues s'exhalaient et des aigles pourchassés par la tempête planaient bas.

A quelques milles de la côte, le navire roulait maintenant sans pitié et n'avançait plus. Allait-il échouer si près de ce but longuement poursuivi, de port en port, de mer en mer, de continent en continent ?

Son front brûlant plaqué contre une vitre, Hébert le regardait monter et descendre dans les vagues hérissées d'écume. L'Océan Indien, comme si un dieu cruel ou quelque grand dessein l'eût habité, se jouait durement du premier navire de cette flotte fantôme que John Law allait armer pour soulever le monde, et que nul ne verrait jamais rassemblée, mais dont les mâts errants profileraient leur ombre sur son avenir tourmenté.

Le vent allait, le vent venait. Sombrerait-il là, le beau vaisseau venu de France ? Hébert suivait sa lutte et voyait évoluer sur la grève le cortège révolutionnaire que la tempête ne disloquait pas.

Quant à la place, elle était déserte. Ornée de trois côtés par de belles demeures dont l'ordonnance et l'élégance rappelaient celles de la place Louis-le-Grand à Paris, elle bordait le front de mer. Hébert avait aimé son palais dont il franchissait les portes en palanquin porté par quatre serviteurs noirs. Il avait rêvé de se tailler un empire sur cette côte inhospitalière du Coromandel balayée par les ouragans. Il se plaisait à parcourir en maître les immensités désolées du littoral où les trois cent trente mille dieux du culte de Brahma étaient vénérés sous les larges palmes des figuiers banians, dans des temples rouges qui se détachaient durement d'un univers de pierres grises et d'herbes sèches.

Au-delà, l'Inde fabuleuse abritait ses trésors. Des hauts plateaux du Dekkan auxquels on accédait par des crêtes semblables aux marches d'un escalier géant, on pouvait apporter vers les comptoirs français de la Côte la féerie des marbres, des quartz, de l'argent, des émeraudes, des améthystes, des grenats, et les moissons sans pareilles des hautes terres fertiles. Sur ce marché s'étaient abattues les serres de rapace d'Hébert et son âpre joie. Il avait ruiné la Compagnie des Indes, trahi la France, donné des gages à l'Angleterre dont il comptait aussi se jouer. Il avait poursuivi des desseins tortueux et mené des combats obscurs ; ses victimes tombèrent souvent sans le voir et sans comprendre qu'elles gênaient sa route insaisissable. Pris de front, face à face, allait-il échouer ? Dulivier s'était essayé à ce jeu dangereux et bien que Hébert n'aimât point ces duels au grand jour, il avait vaincu l'adversaire. Allait-il gagner pareillement cette nouvelle partie ? La mousson jouait pour lui, avec lui. Il fut saisi d'une véritable mégalomanie : n'était-ce pas la puissance de sa seule volonté qui barrait là-bas la route du navire ?

Soudain une grande oriflamme sombre se déploya en claquant dans le ciel et une gigantesque trombe d'eau s'abattit sur la ville, plaquant au sol bêtes et gens et creusant çà et là dans la foule comme de vastes entonnoirs béants et vides. Une sorte de vapeur monta de la terre surchauffée. Hébert, les yeux brillants, eut un frémissement. Mais le navire, soudain projeté en avant, voiles maintenant bien tendues, semblait poussé par quelque soufflerie diabolique surgie du fond de la mer. En peu de temps il fut dans la passe. La foule, à nouveau rassemblée, hurlait.

De la fenêtre de son salon aux boiseries dorées, Hébert, très pâle, regardait.

Du petit mur de pierre sèche du jardin de Nianiapa, Dulivier, souple comme un félin, venait de sauter à pieds joints ; il se dressait, le torse nu, ruisselant, criant lui aussi d'intraduisibles appels. Puis d'un autre bond souple, il fut dans la rue, mêlé à la foule, battu, emporté, roulant dans le délire de la tempête.

— Vive Dieu, messieurs ! s'écriait le Chevalier de la Mer à l'adresse du premier conseiller de la Prévostière — nommé gouverneur de Pondichéry, en remplacement d'Hébert —, de quelques officiers, du roi, de deux représentants de la Compagnie des Indes et de Pinsonnet qu'il avait à son bord. Vive Dieu ! Que dites-vous de cet équipage ?

Mais ces personnages ravagés par le mal de mer n'étaient point en état de lui répondre et comme il n'avait pas le loisir d'attendre leur approbation, tout le monde fut satisfait.

Quelques heures plus tard, sous les ors du soir tout séchait comme en un clin d'œil : ruissellements, flaques, bêtes, gens, et naissaient des orchidées dont les mauves se mariaient à tous ceux du crépuscule ; l'haleine fauve de l'Asie soufflait à nouveau sur la ville. Le Chevalier de la Mer, M. de la Prévostière et sa suite, remis des maux très grands qu'ils avaient soufferts dans un balancement singulier entre mer et ciel, se livrèrent de bonne grâce à ce peuple qui les voulait porter en triomphe. Ils parvinrent cependant à se soustraire à cet excès d'honneur et demeurèrent pensifs devant l'aspect de cette foule. Les trombes d'eau d'une violence inconnue en Europe avaient en effet, en quelques instants, ruiné, arraché, transformé en loques les vêtements de ces gens qui gesticulaient, hirsutes, dépenaillés, pâlis, devant les représentants du roi de France, lesquels se demandaient, atterrés, dans quelle misère étaient tombés ces sujets très lointains de Sa Majesté.

Raides, le visage fermé, les Français se présentèrent devant le palais du gouverneur, suivis par les acclamations de la population : les hindous espéraient que les envoyés du gouvernement français venaient défendre leurs libertés religieuses, gravement compromises par Hébert et les jésuites. Des milliers de turbans roses et jaunes délavés et des visages sombres se pressaient maintenant autour de la petite escorte française et l'enveloppaient d'une mélopée psalmodiée comme une prière, ce qui la déconcertait presque autant que la présence hétéroclite d'innombrables vaches qui beuglaient et crottaient autant que vaches peuvent le faire. La solennité de tels instants s'en trouvait fort compromise.

Le palais du gouverneur de Pondichéry ne pouvait que s'ouvrir devant les envoyés du roi de France. Hébert s'était ressaisi et les attendait de pied ferme en compagnie de son fils, gaillard sournois, rougeaud et court sur pattes comme lui.

En présence des officiers, des marins, des agents de la compagnie et de La Prévostière, le petit homme fit face si brutalement qu'il bénéficia dès l'abord d'un effet de surprise. Dès qu'il les vit, il fonça sur eux, semblant rouler, tanguer sur ses petites jambes dans la vaste pièce aux lambris dorés où il les recevait. Il les apostropha rudement :

— Qui vous autorise, messieurs, à vous présenter de la sorte devant moi, sans avoir demandé audience !

Après un instant de stupeur, La Prévostière répondit avec autorité :

— Le roi !

— Le roi ! (Hébert éclata de rire.) Il est bien loin, le roi de France, messieurs, et je pense qu'à cette heure, il est plus occupé à jouer avec ses soldats de bois qu'à m'adresser tous les passants du golfe du Bengale.

La Prévostière était un homme d'une cinquantaine d'années dont l'extrême urbanité ne permettait pas de déceler dès l'abord le caractère et l'énergie.

— Je ne suis pas venu de France, monsieur, dit-il d'un ton sans réplique, pour écouter plus longtemps des plaisanteries de ce genre. Je viens vous prier d'avoir à quitter ce palais dès demain matin, car je m'y installerai avant midi. Je viens d'être nommé par Sa Majesté gouverneur de Pondichéry, à votre place.

— C'est vous qui plaisantez, monsieur ! répliqua Hébert en pâlissant.

— Le commandant de *La Railleuse,* dit La Prévostière en désignant le Chevalier de la Mer, vous fournira les pièces justificatives de cette mutation ; il veillera aussi sur votre personne jusqu'à la conclusion de l'enquête que je dois mener et qui ne sera pas inutile, ajouta-t-il en regardant la baie où grandissaient les rumeurs de la populace, si j'en crois ce que je vois et ce que j'entends !

— Vous m'arrêtez ! rugit Hébert. Et de quel droit ? Qui me prouve que vous n'êtes pas un forban ?

— Calmez-vous, monsieur ! s'écria le Chevalier de la Mer qui gardait à grand-peine le silence. Il ne s'agit que de veiller sur votre sécurité. Vous êtes libre… jusqu'à nouvel ordre.

Le regard froid, La Prévostière suivit le mouvement de la main d'Hébert qui lâchait la crosse du pistolet enfilé dans son pourpoint et sur laquelle ses doigts s'étaient crispés.

— Je vous conseille de prendre tout cela de moins haut, dit-il durement. Bonsoir, monsieur.

Et il se retira, suivi des siens. Dehors, un homme étrange, sans perruque, et coiffé comme un matelot, le torse nu, s'approcha du Chevalier de la Mer :

— Je suis Dulivier, dit-il simplement. Voulez-vous, messieurs, loger chez moi ce soir ? Ma maison est peut-être inconfortable, car j'ai dû la fuir depuis des mois, mais les serviteurs de ce pays ont une virtuosité prodigieuse et Pinsonnet vous attend.

La Prévostière accepta l'offre et, toujours escortés de la foule, les envoyés français parvinrent, non loin de là, devant un petit hôtel digne du faubourg Saint-Honoré. Ils pénétrèrent dans un vestibule que parait une belle rampe d'escalier en fer forgé, tandis que la foule se répandait dans les jardins où, aussitôt, commençait une kermesse orientale.

Des serviteurs hindous empressés et silencieux, vêtus de vêtements flottants en soie pâle, semblaient glisser dans les vastes pièces ; ils introduisirent les nouveaux venus dans des appartements qui les émer-

237

veillèrent, après les épreuves de leur long et pénible voyage et le rude habitat des cabines de marins qui sentaient le goudron, la saumure et le bois mouillé. Ils avaient presque oublié l'agrément des meubles légers recouverts de satin, celui d'un décor immobile et paisible ; ils découvraient par les fenêtres ouvertes un prodigieux spectacle : la faune et la flore du golfe du Bengale s'éveillaient dans le soir. D'étranges ailes traversaient le crépuscule, des fleurs inconnues dressaient leurs têtes brillantes sous des lianes arborescentes entremêlées, chevelure de cauchemar aérienne, de laquelle s'envolaient en bourdonnant des myriades d'insectes.

Les serviteurs silencieux apportaient à présent les coffres des voyageurs et leur firent comprendre qu'un souper leur serait servi avant la nuit.

Quelques instants plus tard, ils crurent vivre un conte de Mme d'Aulnoy ou de M. Perrault ! Le pauvre proscrit qui les avait hélés dans la rue pour leur offrir sa demeure les attendait au milieu d'un salon où trois lustres de cristal jetaient leurs feux. En perruque et bas de soie, revêtu d'un habit de moire grise où brillaient des saphirs de l'Inde et des diamants de Ceylan, il venait au-devant de ses invités.

— A la vérité, monsieur, dit La Prévostière charmé, on se croirait ici chez M. Crozat ou mieux, chez M. Law lui-même !

— Je n'ai pas l'honneur de connaître M. Law, dit Dulivier avec un sourire. Qui est-ce donc ?

Ce fut au tour de La Prévostière de rire. Mais le Chevalier de la Mer répondait déjà :

— Quelqu'un dont vous aurez sans doute l'occasion d'entendre beaucoup parler et à qui nous devons d'être vos hôtes ce soir...

Dulivier, étonné, interrogeait ses invités du regard ; mais une porte monumentale s'ouvrait à deux battants et, entre deux alignements de serviteurs noirs respectueusement inclinés, le groupe se dirigea vers le festin de la Chatte Blanche, à moins que ce ne fût celui de Riquet à la Houppe.

Les hautes portes-fenêtres des salons donnaient sur les jardins où, fort libéralement et habilement, le maître de maison laissait l'enthousiasme de la foule s'exprimer par des danses, des chants et l'étrange musique de flûtes et de tambours. Des torches s'allumaient, le clair-obscur laissait voir çà et là des visages de femmes aux grands yeux peints et la splendeur des soies brodées et des voiles étoilés. Des mousselines de mille couleurs flottaient parmi les grands lotus, vêtant des êtres irréels qui passaient, diaprés comme des papillons. Les Français n'en croyaient pas leurs yeux, hormis Pinsonnet et le Chevalier de la Mer, blasés comme le maître de maison, et qui souriaient de l'étonnement de leurs compagnons. Comment ceux-ci n'auraient-ils pas été fascinés par le vol des perruches dans un halo de lumière, par les paons blancs poursuivis par des singes moqueurs, ou par la danse d'un athlète que semblait vêtir d'une armure d'argent le clair de lune naissant ?

Après s'être un instant laissé aller au plaisir de retrouver un exotisme dont il ne pouvait guère plus se passer, le Chevalier de la Mer se tourna vers son voisin de table, l'impassible, le trop peu loquace Pinsonnet. Chez le Chevalier, le marin, le voyageur impénitent se doublaient de l'agent de renseignement, passionné par l'intrigue policière, les luttes clandestines, l'aventure secrète, la chasse, d'où ce nom de fantaisie tant soit peu prétentieux sous lequel il se présentait, nul n'ayant jamais été admis à connaître sa véritable identité, hormis MM. les membres des conseils de la Marine et de la Guerre, bien entendu. Il dévisagea un instant le personnage qui se tenait à côté de lui et pensa que son visage craquelé aux lèvres minces, sinueuses, au nez écrasé, aux yeux vifs, ressemblait plus que jamais aux têtes de ces tortues qui devaient pulluler dans le jardin.

— Quand voyez-vous Hébert ? murmura-t-il.

Il en fallait davantage pour émouvoir celui auquel s'adressait ce propos pourtant destiné à être insolite.

— Qui vous dit que je dois le voir ? demanda Pinsonnet sans cesser de regarder le tournoiement de la foule.

— Votre présence ici ce soir. Votre mission touchant Dulivier et Nianiapa est terminée, que je sache, et vous n'avez pas coutume de perdre votre temps ?

Après un court instant, Pinsonnet répondit :

— Vous travaillez assez bien pour obtenir par vos propres moyens le renseignement que vous me demandez.

— Vous n'êtes pas gentil, reprit en riant le marin. Au nom des mauvais jours passés ensemble, vous pourriez me faciliter la tâche !

Ce n'était là, bien entendu, qu'une boutade ; le Chevalier ne s'était jamais attendu à rien de semblable. Pas le moindre sourire n'égaya cependant le dur visage de l'adversaire ; il se tourna et ses yeux de reptile fixèrent le regard posé sur lui.

— Combien ?

— Tiens, Law n'est pas le seul à pratiquer ce raccourci saisissant ! remarqua le commandant de *La Railleuse*. Eh ! mon ami ! Vous ne voudriez pas, de surcroît, que je paye une partie de votre passage sur la jonque chinoise qui vous emportera cette nuit ou demain vers les possessions anglaises du Bengale ou... plus loin ?

— Vous permettez ? le coupa Pinsonnet.

Une conversation intéressante venait en effet de commencer à l'autre bout de la table, entre Dulivier et La Prévostière.

— Je vous en prie, faites donc, acquiesça le Chevalier. Je sais ce que c'est que le travail.

Et il se tut pour laisser à son sinistre compère tout le loisir d'entendre.

— Monsieur, disait La Prévostière, je n'ignore rien des services éminents que vous avez rendus ici ; je sais que vous avez été le collaborateur et le continuateur du sieur Martin, qui fonda cette ville et nos comptoirs. Je me permets de compter sur votre savoir et sur votre aide ; nous travaillerons ensemble, si vous le voulez bien ?

A sa grande surprise, Dulivier ne répondit pas.

Le repas était achevé. Le maître de maison se leva et entraîna ses invités vers le grand salon. Il alla à la cheminée, saisit l'un des flambeaux, l'approcha d'une table sur laquelle se trouvait un globe terrestre et dit :

— Faites-moi la grâce, messieurs, de venir évaluer d'un coup d'œil l'importance de nos positions aux Indes et de les comparer à celles, bien moindres, de l'Angleterre. Monsieur de la Prévostière comprendra vite que ce n'est pas la collaboration d'un humble commerçant — d'ailleurs décidé par ses malheurs récents à ne plus s'occuper que de ses affaires ! — qu'il lui faut. A cette heure, monsieur le conseiller, faites appel à des soldats, à des marins si vous m'en croyez. Vous me parliez pendant le souper de l'avènement de M. Law. Il ne doit pas ignorer que se dresse depuis quelque temps, à Londres, un redoutable parti de financiers, de négociants, durs, réalistes, organisés, qui ne supporteront pas longtemps l'infériorité de leurs positions stratégiques aux Indes...

— M. Law connaît cette situation mieux que personne, affirma le Chevalier de la Mer.

— Alors, qu'il se résigne à la guerre ! répliqua Dulivier, impassible.

Comme Law devant les yeux de Nathalie, il faisait tourner lentement le globe et son doigt effleurait l'horizon chimérique, cependant que la flûte, le tambour et toutes les rumeurs de la fête de nuit accompagnaient étrangement son propos.

— Rien n'est plus éloquent qu'un tel coup d'œil ! assura-t-il. Voyez donc comme les Anglais nous suivent de près, mais toujours en seconde position. Sur la côte du Coromandel, les voici à Madras, mais nous les enserrons à Karikal, Pondichéry, Masulipatam et Yanaon... (Le tambour s'enfiévrait dans l'ombre.)... Sur la mer d'Oman, poursuivit Dulivier, ils sont à Surate et à Bombay, mais nous tenons la côte Malabar avec Mahé. Au Bengale, ils sont à Pipli et Hougli mais, à Chandernagor, nous verrouillons le delta du Gange...

A cette heure, aux confins de la nuit, là où se levait le jour sur l'Europe pâle et glacée, Mardyck abandonné entrait dans le silence. Mais John Law désignait à ses songes un libre espace vers les mers légendaires. Lui aussi pointait son doigt vers un lieu précis du globe, sur la pointe de Gâvre que battaient les marées d'équinoxe. Il effleurait Port-Louis, une rade inconnue, et l'île de Groix, faisant naître des ombres de voiliers qui défieraient les tempêtes et des voix profondes qui s'élèveraient des gaillards d'avant pour chanter l'aventure...

> *Nous étions deux*
> *Nous étions trois*
> *Nous étions trois*
> *Marins de Groix*
> *La ho la ! Ho la...*

LES PÉRILS

L'hiver avait été relativement calme, mais dès le printemps de 1717, certains indices, manifestes autour du Régent et de Law, annonçaient la préparation de l'assaut furieux qu'allaient se livrer les forces en présence.

En janvier, la folle Elisabeth avait fait bénir secrètement par Massillon son mariage avec Riom. L'événement n'en avait pas moins transpiré et le scandale était grand. On savait que, dans le même temps, l'autre maîtresse de ce personnage, la duchesse de Mouchy, dame d'atour de la duchesse de Berry, lui donnait un fils ! Et l'on se répétait que le nouveau marié avait établi « à coups de bâton » son règne au Luxembourg. Le ridicule se mêlait donc à l'aventure, en un temps où il tuait encore ; c'était fort grave.

L'opinion se passionnait aussi pour le procès fait par les Condé et les Conti aux bâtards légitimés de Louis XIV, attaque qui achevait de faire ployer le Régent sous le poids des drames de famille. En effet, son attachement pour le très remarquable comte de Toulouse, son beau-frère, et les scènes terribles de Mme d'Orléans lui rendaient cette affaire odieuse, mais « Monsieur le duc de Bourbon-Condé voulait dépouiller le duc du Maine du manteau fleurdelisé pour prendre à sa place la surintendance de l'éducation royale. Il menaça de passer à l'ennemi. Tel un chef de gouvernement moderne obligé d'acheter sa majorité, le Régent céda [1] ».

Comme d'habitude, il chercha l'oubli d'une situation intolérable dans les pires excès ; de plus en plus débauchée elle-même, Elisabeth l'entraînait chaque jour davantage sur une voie fatale. Elle eut à ce moment l'idée de lui offrir la volupté d'un piège étrange : elle attira dans une chambre du Luxembourg la femme de son ancien amant La Rochefoucauld, la fit asseoir, appela son père. Lorsque celui-ci entra, elle bascula violemment en arrière la chaise sur laquelle était assise la jeune femme. Le panier de sa robe se renversa aussitôt et couvrit le visage de la victime dénudée jusqu'à la ceinture ; sa chair nue, ses jambes gainées de soie émergeaient des lingeries éparses. Se sentant maintenue par la poigne de la folle et l'entendant crier : « Monsieur, vous ne sauriez l'avoir plus belle ! » elle se débattit, ce que nul n'avait prévu, et l'œil indiscret reçut un coup violent du petit talon qui, fébrilement, s'agitait. « Le malheur voulut que cet accident survînt au seul œil que Philippe avait de bon et qui devint dès lors le plus mauvais des deux [2]. »

Cette catastrophe anima aussitôt l'audace des ennemis du Régent. Le bruit courait que, désormais aveugle, il allait lui être difficile de poursuivre sa tâche.

Les circonstances dans lesquelles était survenu l'accident commençaient à

1. et 2. Philippe Erlanger, *Le Régent*.

être connues dans la ville, ce qui ne contribuait pas à rétablir une situation qui se détériorait de toutes parts, en dépit des miracles accomplis à l'extérieur comme à l'intérieur : la rupture du blocus par l'alliance anglaise et la résurrection de l'économie nationale par le succès de la Banque.

La chambre de justice avait achevé d'émietter ses pouvoirs dans une atmosphère dramatique, qui témoignait de l'échec d'une révolution éminemment populaire, mais maladroite, que le caractère inconstant du Régent et l'intelligence médiocre de Noailles ne pouvaient mener à bien.

La chambre clôtura ses travaux le 20 mars 1717.

L'influence grandissante que John Law exerçait sur Philippe d'Orléans joua aussi certainement un rôle dans cette liquidation. L'Ecossais était opposé à cette chambre de justice qui gênait la reprise commerciale qu'il avait amorcée. Les industries de luxe alimentées par les traitants en souffraient plus que toutes les autres. Le Trésor, après avoir vécu d'expédients en s'adressant au crédit particulier, venait frapper durement ceux qui l'avaient aidé... en l'escroquant, il est vrai ; mais aucun emprunt n'était plus possible.

Le monde de la finance ne savait aucun gré à Law d'une prise de position capable cependant de sauver la vie et les biens de bon nombre de ses membres, et il sentait la nécessité grandissante de s'assurer des appuis.

« Je compris vite — écrivit Saint-Simon — que si Law avait désiré me faire des visites régulières, ce n'était pas qu'il comptât faire de moi un adroit financier, mais parce qu'étant homme de bon sens — et il en avait beaucoup — il désirait s'assurer d'un serviteur du Régent qui occupait la meilleure place dans sa confiance et qui, depuis longtemps déjà, avait été en position de lui parler de tout le monde et de toutes choses avec la plus grande liberté. »

En fait, les tracas qui accablaient le prince, ses défaillances, la jalousie de Noailles attisée par l'échec de sa chambre de justice et par le succès de la Banque générale, les absences de Dubois, tout semblait inviter les ennemis du triumvirat à une action rapide.

Nathalie ne dissimulait pas ses craintes à celui dont elle partageait maintenant l'existence périlleuse. Il s'efforçait en plaisantant de la rassurer :

— Que craignons-nous, mon cœur, lorsque Mme de Tencin est hors de jeu ! Vous savez bien que son Destouches-Canon [1], avant de partir pour les Antilles où l'envoyait le service du roi, lui a, d'une salve d'honneur, fait le fâcheux cadeau d'un héritier. Cela tombe à pic, en pleine intrigue ! La voilà obligée de se retirer de la scène politique pour jouer, dans le privé, le paroxysme du troisième acte qui met en valeur ses dons de furie. Rien donc d'important ne peut survenir en France jusqu'à sa délivrance. Il est parfaitement indécent que vous en jugiez autrement !

Mais Nathalie ne riait pas ; pourtant, elle ne savait pas encore que, prise dans les rets d'un charme qui l'avait entraînée au-delà de la vie ordinaire, elle

1. Un de ses amants, le lieutenant général d'artillerie Destouches, que l'on surnommait pour cela Destouches-Canon.

en connaîtrait les pièges redoutables, les surhumaines épreuves... Le débat de Merlin et de Viviane au fond de leur lac enchanté.

Ce fut par un matin comme les autres que Law reçut le premier choc de l'adversaire. Deux inconnus se tenaient devant lui dans le vaste bureau directorial de la Banque dont ils semblaient narguer la solennité. Ces personnages étalaient sur la table des billets dont la valeur totale atteignait cinq millions de livres, et ils répétaient leur incroyable propos auquel Law, livide, n'avait pas répondu.

— Nous exigeons, monsieur, le paiement immédiat, et en espèces, de ces papiers.

Law voyait parfaitement la manœuvre. Elle était grossière, enfantine, et cela lui paraissait plus affreux que le péril qu'elle portait en elle. Il aurait donc à lutter contre des adversaires bornés, incapables de comprendre la portée de ses vues et de choisir un terrain de lutte à la hauteur de l'enjeu. Pour gagner le bonheur du peuple français, il faudrait entrer en lice et se battre contre l'intérêt privé, aveugle et obtus, contre l'invincible et toute-puissante sottise ! Il se reprit et dit :

— Vraiment, messieurs, d'où vient que vous ayez pu faire si grand crédit à une entreprise dont vous ne connaissez ni ne semblez être capable de connaître le fonctionnement et l'intérêt ?

— Eh ! repartit rudement l'un d'eux, nous ne vous demandons pas des raisonnements mais notre argent !

— Fort bien, dit Law avec dédain et un calme apparent. Mais il me faut vingt-quatre heures au moins pour faire rassembler une telle quantité d'or et d'argent.

— Comment ? s'emporta l'autre visiteur, mais les billets que vous avez émis doivent être payés « à vue », cela est écrit en toutes lettres sur chacun d'eux !

— Si, pour le moindre remboursement, il faut attendre de la sorte et revenir, renchérissait le premier quidam, on aura vite fait de se demander ce que la Banque générale fait de l'argent qui lui est confié !

— Vous avez vingt-quatre heures pour vous livrer à ces méditations ! répondit Law d'un ton glacé et péremptoire.

— Soit ! acquiesça son interlocuteur après une minute d'hésitation. Nous vous accordons vingt-quatre heures, pas une minute de plus.

Sans répondre, Law, méprisant, sonna pour faire raccompagner les deux comparses.

Après leur départ il se leva, fit quelques pas. Le Régent, accaparé par la présence du tsar, serait invisible avant vingt-quatre heures. Une pensée l'effleura : « Suis-je perdu ? » Il la fit taire et un grand calme descendit en lui, témoignant à quel point ses facultés de combat étaient intactes.

Une heure plus tard, il pénétrait chez Noailles. En quelques mots, il le mit au fait de la situation.

— Vous savez que la Banque est parfaitement solvable, ajouta-t-il, mais, avec sa seule réserve de numéraire, il est impossible de régler ces billets dans un délai si court.

Les deux hommes se dévisageaient. Noailles le tenait à merci et hésitait. Law le savait ; il n'ignorait rien du complot que fomentaient contre lui le président du conseil des Finances et le président du conseil de Régence, le chancelier d'Aguesseau. Les deux hommes venaient en effet de créer, en marge du conseil des Finances, un « comité perpétuel » chargé de s'occuper de ces mêmes finances et que Law considérait avec circonspection. Il comprenait en effet fort bien qu'il y fallait voir une machine de guerre contre lui et qui, tôt ou tard, dévoilerait ses batteries. Dans son magnifique habit de velours tabac brodé d'or, Noailles lui parut encore plus odieux que par le passé. Il se souvint de leur première rencontre chez le duc de Gesvres devant le tapis vert. Il entendait encore sa voix pleine d'onction et de mollesse s'écrier : « M. Law sera notre banquier ! » Comme alors, ils jouaient l'un contre l'autre, mais aujourd'hui, toutes les cartes étaient aux mains de l'adversaire. Il ne pouvait rester impuissant, muet, devant cet homme qui rêvait de l'étrangler, et qui le pouvait enfin. Splendide, impertinent dans sa cape couleur de rubis, il eut un geste de joueur, un mouvement léger de la main qui fit virevolter sa manchette de dentelle, pour souligner ces mots qu'il semblait jeter comme un dix de trèfle sur une table de jeu :

— Chacun sait que, très récemment encore, vous alliez répétant que nulle institution ne pouvait être plus utile à l'Etat que la Banque générale ; il vous est difficile de vous déjuger une fois de plus... Je veux dire, sitôt après avoir dû le faire pour la chambre de justice ! Vous n'ignorez point la nécessité dans laquelle se trouve le gouvernement de soutenir le crédit de la Banque, au moment où celle-ci vient de distribuer à ses actionnaires de copieux dividendes : sept pour cent pour le premier semestre ! Je vous rappelle enfin que le conseil des Finances que vous présidez vient de me proposer de reprendre à Crozat la Louisiane. J'ai réservé ma réponse, car vous ne m'accordez que deux millions pour lancer cette affaire et vous exigez que la souscription ne se fasse qu'en billets d'Etat ! Si vous m'avez adressé cette offre, c'est que vous en avez mesuré l'intérêt et la portée. Le moment semble venu où il serait souhaitable que le conseil des Finances adopte une politique cohérente et suivie...

Law, désinvolte, tapotait de son gant chamois le bras du fauteuil sur lequel il était assis. Il venait en effet de reprendre quelques atouts maîtres à l'adversaire. En cet instant, il ressemblait à un félin subtil, d'une grâce déconcertante. Noailles n'était point apte à s'en apercevoir mais, par contre, il crut voir se dessiner très nettement derrière la tête blonde de l'Ecossais l'ombre du Régent. Il fit entendre quelques grognements au milieu desquels Law comprit qu'il allait donner des ordres pour que les cinq millions de livres fussent tirés du Trésor et envoyés à la Banque sur-le-champ.

Law se leva, s'inclina pour se retirer. Noailles l'arrêta.

— Votre réponse pour la Louisiane ?

— J'aurai l'honneur de vous remettre un projet d'ici vingt-quatre heures. Il n'est pas question en effet de créer une petite boutique à deux millions de capital, mais une grande compagnie coloniale comme celles qui existent en

Angleterre et en Hollande, et d'un esprit plus nouveau et plus apte à rendre les bénéfices dont vous avez besoin. Vous trouverez là toute la différence qui sépare le Système que j'ai conçu à l'échelle de la nation, des entreprises des petits trafiquants de finance qui ne visent que leur enrichissement propre.

Il s'inclina à nouveau, laissant Noailles sans réplique et sortit.

Dehors, le joyeux, le bel été l'attendait. Sortant d'un péril certain, Law n'avait qu'une idée : retrouver Nathalie. Mais en ce mois d'août 1717, une fois de plus, l'Europe était « en Histoire ».

Sur le chemin de l'hôtel de Mercœur, le carrosse de Law fut contraint de se ranger pour laisser passer l'escorte du tsar de toutes les Russies qui venait de s'abattre comme un ouragan sur la capitale française. Un sourire aux lèvres, Law se pencha à la portière de sa voiture pour regarder passer le croquemitaine que sa subtilité et son influence avaient contribué à conduire jusqu'aux bords de la Seine. Le géant à tête de bougnat allait sidérer Paris par « son habit de bourracan gris sans cravate ni manchettes, sa perruque graisseuse, ses crises d'épilepsie, ses tics nerveux, ses bouffons, et ses boyards ivres [1] ». Le Régent doit me bénir ! pensa Law. Mais il s'est vengé en proposant à Pierre le Grand de visiter demain la Banque !

Comme les derniers chevaux de l'escorte disparaissaient dans un nuage de poussière, l'équipage de Law reprit sa course.

Nathalie revenait elle-même de courir la ville dans le but de recueillir auprès de ses relations des informations susceptibles d'être utilisées par Law. Celui-ci arriva juste à temps pour l'aider à descendre de voiture.

— D'où venez-vous donc ? demanda-t-il.

— Je ne puis rester ici inutile, inerte, en ce moment où je pense que vous allez avoir à vous défendre.

Ils remontaient l'allée du jardin où flambaient les grandes fleurs lumineuses de l'été. Nathalie leur ressemblait, avec son frêle visage doré qui émergeait d'une corolle de dentelles blanches. Il la regarda. Elle portait donc en elle la science obscure, cachée, de pressentir avec exactitude les dangers qui le menaçaient.

— Il est, murmurait-il en l'arrêtant pour lui baiser les mains, il est une très vieille histoire française qui m'émeut comme un symbole et que vous évoquez irrésistiblement pour moi en cet instant. L'histoire du roi Jean. Souvenez-vous : son fils, un enfant, dans la mêlée d'un corps à corps se battant à ses côtés et criant : « Gardez-vous à droite, gardez-vous à gauche ! » Mais ne craignez plus ; le péril est venu et passé ! dit-il et, en quelques mots, il lui conta les événements de la journée.

— Et pour la Louisiane, qu'allez-vous faire ? demanda-t-elle lorsqu'il eut achevé son récit.

Ne fallait-il pas tenter de le suivre pas à pas et de dominer l'inexprimable, l'inapaisable inquiétude qui s'était emparée d'elle ? Sans doute, puisque déjà il répondait :

— Mon plan est prêt : j'applique le même principe que pour la Banque ;

1. Philippe Erlanger, *Le Régent*.

je crée une compagnie au capital de cent millions en actions de cinq cents livres, payables en billets d'Etat. Hélas, M. le duc de Noailles m'impose une fois de plus des conditions invraisemblables et M. le Régent, accablé de toutes parts comme il l'est à cette heure, n'a point osé me soutenir plus avant. Le comité de M. de Noailles et du chancelier d'Aguesseau vient de réussir de la sorte un assez joli coup contre moi. Nous nous y attendions, n'est-il pas vrai ? Mais il faudra bien que cela se paie d'une façon ou de l'autre. Les jours que ces deux compères vont encore passer au pouvoir pourraient bien être comptés !

— Vous avez certes revalorisé ces maudits billets d'Etat, murmurait Nathalie, mais de combien ?

— Trente pour cent, pas davantage, dit Law en hochant la tête. Je sais fort bien que pour une action au nominal de cinq mille livres, je ne recevrai que quinze cents livres environ, mais par contre je demanderai au Trésor de servir en mon nom un intérêt de quatre pour cent à mes actionnaires. C'est bien le moins, puisque je vais ainsi résorber d'un seul coup cent millions de la dette flottante de l'Etat. Cent millions de mauvais papier que je n'aurai d'autre ressource que de détruire !

Nathalie demeurait sombre ; il ajouta, lui prenant à nouveau les mains :

— Mais, mon cher cœur, savez-vous bien ce que nous pouvons faire, avec ces pays du Mississippi que le pauvre Cavelier de la Salle découvrit et donna au feu roi qui n'y vit rien de ce qu'il y fallait voir ? Je demande pour vingt-cinq ans le privilège du commerce en Louisiane et de celui des fourrures de la Nouvelle-France et le don perpétuel de toutes les terres, cours d'eau, mines et forêts, avec possibilité de les exploiter et aliéner sans aucune redevance. Je demande et j'obtiendrai de lever une flotte de guerre pour protéger mes navires marchands et... il n'y a pas que la Louisiane !

— Eh quoi ! s'écria-t-elle, vous allez vous créer un empire ?

— Pourquoi pas, ma reine ! dit-il en la serrant contre lui. Mais à cette heure, je suis seul, avec vous, à voir cela : une nation naître et s'éveiller au-delà de notre horizon, dans ces continents lointains. Nous lui apporterons tout : le peuplement, les semences et l'argent, les bras, l'esprit, la force, et un jour, une grande nation vivra sur le continent américain, que nous aurons conçue et rêvée, vous et moi, au fond de ce jardin français ! Ce n'est pas un enfant que j'aurai fait entre vos bras, mais un monde, un univers nouveau avec ses millions d'hommes, ses richesses et sa puissance !

— Et tous ces hommes, où les prendrez-vous ?

— Je ne sais encore ; ce sera sans doute le plus périlleux de l'aventure, il n'est de problèmes que sur le plan humain. L'argent, les bateaux, les charrues, les semailles, tout cela n'est rien. Mais qu'importe, même s'ils ne comprennent pas tout de suite qu'il n'est plus possible qu'un continent plein de richesses demeure aujourd'hui inhabité ou presque, même si eux ne le comprennent pas, leurs enfants prendront possession de cette patrie et de l'avenir. Ce seront là les fils de mon esprit que j'engendre avec vous ce soir.

— Je reviens du *Mercure*, murmurait Nathalie. Renaudot affirme que

246

Paris saura demain qu'Alberoni, le premier ministre du roi d'Espagne, vient de s'emparer de la Sardaigne.

Law sursauta. En lui, la vision du nouveau monde s'effaçait comme un mirage sur la mer. Quel soir était-ce donc que celui-là, avec ces grandes draperies pourprées que le vent du crépuscule agitait dans le ciel ? C'était là comme un reflet lointain des étendards d'Espagne qui, à la proue des galions du marquis de Lede, pavoisaient Cagliari, la ville sarde prise, aux couleurs de Castille. L'image de l'Europe vieillie, folle, entêtée, usée, ressaisit l'esprit de Law.

— M. le Régent doit le savoir déjà et en être atterré ! dit-il enfin. Ainsi donc, Philippe V, gouverné par des nourrices en délire, s'acharne à détruire l'œuvre de Louis XIV et voue le continent à une guerre éternelle !

Combien de printemps, combien d'étés de ce pays seraient-ils donc condamnés à perdre le sens de leur épanouissement et de leur joie ? Perpétuellement, au cœur des grands débats, des coups de force, des assauts sanglants, la France vivait son angoisse séculaire et son destin cruel, dissimulés derrière ses palais, ses parcs, ses campagnes fertiles et sa gaieté, comme un traître de comédie grimaçant derrière la toile du décor... Des générations connurent cette usure.

Dans le jardin où toute lumière s'éteignait à présent et dont le silence semblait être une attente, Law et Nathalie remontaient vers le perron.

Ils pénétrèrent dans le salon où Law avait vu la jeune femme pour la première fois ; pensif, il regardait sa silhouette se fondre dans la pénombre. Elle posa son coqueluchon de dentelles sur le dossier d'une chaise, alluma les flambeaux ; en même temps que leur lueur jaune elle rayonna soudain. Law se détendait ; quelle paix dans ces images mouvantes et harmonieuses du crépuscule !

— Ne pensons pas à tout cela, murmura-t-il, étreint malgré lui par la douceur de cet instant. Savez-vous que nous soupons ensemble et que je vous reste ce soir ?

A ces mots, elle courut à lui et le compagnon de lutte soucieux et tourmenté qu'elle était quelques minutes plus tôt se mua en femme. Elle était dans ses bras, merveilleuse et secrète comme au premier jour.

— Qu'avez-vous encore appris dans Paris ? demanda-t-il enfin.

— Les extravagances du tsar qui courent la ville. Lorsqu'il a vu le roi, il l'a saisi à bras-le-corps, comme une poupée, l'a élevé à sa hauteur, qui est de deux mètres, et l'a embrassé sur les deux joues ! Villeroi a failli trépasser ! Il est vrai que ce géant a embrassé d'aussi bon cœur la statue du cardinal de Richelieu et un apprenti de la manufacture des Gobelins ! Il a visité le jardin des Plantes, l'Arsenal, les Invalides, les tours de Notre-Dame, l'Observatoire et le musée d'Anatomie. Figurez-vous qu'il est allé jusqu'à Saint-Cyr, s'est introduit d'autorité dans la chambre de la Maintenon, a écarté les rideaux de son lit, puis il l'a contemplée un moment, du même œil qu'il a eu pour les singes de la Ménagerie qu'il a également visitée ! Cela fait, il est reparti sans dire un mot à la dame et en laissant les bonnes sœurs du couvent pétrifiées !

— Comme il vient de contracter un mariage officieux, il a sans doute voulu voir celle que Louis XIV avait épousée de la sorte !

— Il y a tout de même une différence entre la grosse servante livonienne dont il a fait sa femme après qu'elle lui eut donné cinq enfants, et Françoise d'Aubigné !

— Demain, c'est moi qui tiens le rôle du singe ! Le tsar me viendra observer dans mes activités de directeur de la Banque générale et, le soir venu, j'aurai droit aux moqueries de Mme de. !

— Peut-être qu'il vous embrassera aussi, et sur la bouche ! Cela se fait, dit-on, dans son pays.

— Oh !

— Il faut que vous me cachiez dans un placard ! Ce phénomène ne peut quitter Paris sans que je l'aie aperçu en liberté. Il paraît qu'il est questionneur, capricieux et fort grossier, qu'il plonge ses doigts dans les sauces, qu'il lance des bouteilles à la volée, qu'il interrompt le souper pour se mettre à jouer du tambour, et quoi encore ? J'oubliais ! En dépit de la présence de sa pauvre femme à Paris, il aurait fait venir à Versailles, où il couche, des filles publiques qui lui auraient passé quelque maladie fort vilaine ; mais ce n'est peut-être pas vrai. En tout cas, il s'empiffre de raves et souille les carrosses du roi, et rien de cela ne l'empêche d'être plus arrogant et pointilleux que votre ami, M. le duc de Saint-Simon !

— C'est en effet un personnage singulier. Hier, il a forcé la porte de Mme la duchesse de Berry au Luxembourg pour aller admirer les Rubens, et il a convoqué Nattier pour qu'il fasse sur-le-champ le portrait de la future tsarine de toutes les Russies ! Il déclare qu'il a l'intention de faire couronner Katerina Skavronska ! Notre ami m'a confié qu'il s'efforçait de rendre moins joufflu son modèle, par ailleurs plein de charme, de bonté et de sagesse, rares vertus en ces temps-ci.

En dépit de ces comportements surprenants, Pierre le Grand promenait « un regard sévère sur cette société ravissante dont il devinait la prochaine décomposition [1] ». Il offrait au Régent d'assurer la surveillance que la Suède, sentinelle abattue, effectuait pour le compte de la France depuis Gustave-Adolphe dans cette partie du monde. Il demandait en échange les subsides versés à Charles XII ; il se faisait fort d'amener la Prusse et la Pologne à garantir avec lui le traité d'Utrecht et d'associer à cette entente l'Empereur germanique pour se protéger d'une volte-face possible de l'Angleterre. Ainsi, parallèlement à la triple alliance de La Haye conclue entre la France, l'Angleterre et la Hollande, cette « quadruplice » s'établirait dans l'Europe du Nord.

Autour du duc d'Orléans, les traditionalistes, dont Saint-Simon, s'émerveillaient d'un tel projet. Philippe, attentif à ne pas inquiéter George Ier, se montrait plus prudent. Il ne se souciait pas d'attirer vers l'ouest une migration barbare.

« Aimable et fuyant selon son habitude, le prince fit " voltiger "

1. Philippe Erlanger, Le Régent.

plusieurs semaines l'encombrant solliciteur, lui accorda seulement des satisfactions d'amour-propre : la Russie et la Prusse garantiraient la paix d'Utrecht [1]. » Et comme Pierre le Grand fut particulièrement frappé par la Banque générale et par son directeur auquel il posa de nombreuses questions sur tous les aspects du travail bancaire, depuis la fabrication des billets jusqu'à la fixation du taux d'escompte, il voulut emporter la promesse d'un accord économique avec un pays doté d'une si merveilleuse organisation.

Le Régent le vit repartir avec un profond soulagement. L'Europe était à nouveau en flammes autour de lui : l'Empereur, qui ne possédait pas de marine, sommait l'Angleterre, qui était garante des traités, de reprendre la Sardaigne. Le guêpier espagnol mettait en difficulté le cabinet de Londres. On parlait même de remplacer George Ier par son fils !

En France, la situation s'aggravait également. Alberoni, cardinal depuis deux mois, proposait au Régent de renouer une alliance avec l'Espagne, de conquérir les Flandres, terres d'Empire... tout en fomentant des complots contre lui !

Bien que l'orage fût sur le point d'éclater, Law fit accepter sans difficulté par le conseil de Régence les statuts de sa nouvelle compagnie, avec les étonnantes innovations qu'ils contenaient. Pour la première fois apparaissaient en France des actions « au porteur », transmissibles et négociables, donc pouvant devenir objets de spéculation selon la loi de l'offre et de la demande, soumises aussi à tous les risques de l'émotion collective : ceux de l'emballement à la hausse ou de la panique à la baisse. Pour la première fois également apparaissaient les structures de la société anonyme : la nouvelle Compagnie d'Occident devait réunir une fois par an une assemblée générale d'actionnaires — tout détenteur de cinquante actions y posséderait une voix — et la réalité du pouvoir appartiendrait, en principe, à trois administrateurs nommés par le roi pour trois ans, mais en fait à Law qui était le premier d'entre eux.

La Cour et la ville recevaient avec enthousiasme les promesses de l'étranger. Law cependant s'étonnait que Noailles et son conseil aient approuvé si vite son projet, mais le Parlement devait encore confirmer cette décision par lettres patentes enregistrées pour qu'elle ait force de loi.

L'heure tant redoutée par Nathalie sonnait : les hostilités dès lors étaient ouvertes. Philippe d'Orléans — et après lui la monarchie française — allait commencer de payer le prix très lourd de l'appel au Parlement auquel il avait été contraint à la mort de Louis XIV.

Les magistrats se réunirent pour ressusciter le droit très ancien et oublié d'adresser au roi des « remontrances ». Ils rédigèrent un mémoire d'une audace sans mesure, manifestèrent la prétention de vérifier tous les comptes, et l'emploi de tous les revenus de Sa Majesté. Philippe d'Orléans fit face et répondit au président de Mesmes avec la décision et l'autorité sans lesquelles un homme ne peut, sans graves dangers pour une nation, assumer le pouvoir politique mais dont il ne faisait pas toujours preuve :

1. Philippe Erlanger, *Le Régent.*

— Tant que je serai dépositaire de l'autorité royale, je ne permettrai pas qu'elle soit avilie à ce point !

Telle fut la première riposte que la monarchie adressa au Parlement dans le combat sans merci qui allait les opposer jusqu'à la fin du siècle. La machine infernale était lancée.

Law ne se faisait aucune illusion. Il ne broncha pas lorsque Nathalie, très pâle, vint lui dire :

— C'est vous que l'on cherche, c'est vous qui êtes visé !

— Bien sûr, puisque je représente l'argent, c'est-à-dire la force du Régent !

Il savait que Noailles, aux abois, était de connivence avec le Parlement ; pis encore : pour lancer sa compagnie, l'Ecossais avait demandé cent millions. Noailles et d'Aguesseau obtinrent qu'il ne lui en soit accordé que quatre ! Encore s'agissait-il des quatre millions de livres dus en intérêts pour la première année et qui devaient être mis de côté comme capital de travail, car ils constituaient le seul apport liquide de la compagnie.

— Quatre millions, Jean ! Non, ne vous lancez pas, trop de difficultés vous attendent... Qu'importent, après tout, la Louisiane et le pouvoir et la gloire, puisque nous nous sommes trouvés, vous et moi !

Ainsi commençait un étrange dialogue, apaisant et tendre, dont il ne se lasserait pas, même aux heures les plus sombres ; il était dans le génie de cette femme de l'avoir instauré, mais il n'était pas dans celui de cet homme d'y répondre, elle le savait.

Cependant, sur l'offre d'une alliance espagnole, le président de Mesmes, non content de son action contre Law, consommait l'union du Parlement et de la vieille Cour fidèle au parti de Philippe V. En Bretagne, la petite noblesse s'estimait lésée par les tentatives de réforme fiscale entreprises par le Régent et un fort courant en faveur du roi d'Espagne se dessinait, des troubles éclataient. A Paris, enfin, la guerre des libelles se rallumait, comme au temps de la Fronde. Philippe d'Orléans, John Law et Dubois se retrouvèrent ensemble.

— Eh bien, monsieur Law, que dites-vous de tout cela ?

— Tout dépend des mesures que compte prendre Votre Altesse royale.

— Je rappelle notre ambassadeur à Londres et j'envoie à la Bastille le petit Voltaire.

— Ce n'est pas mal du tout, monseigneur, répliqua Law en hochant la tête. Le petit Voltaire est, je crois, ce prétentieux Arouet que j'ai souvent rencontré. Il a sans doute de l'esprit, mais que diable, il n'a guère celui de s'élever à la hauteur de nos soucis et de nos desseins. C'est dommage pour lui ! Ce jongleur de mots sera assez bien là où vous l'avez envoyé...

— ... Après ses écarts de plume, coupa Dubois. M. le Régent vient de trouver des menaces de mort sous sa serviette !

— Cela n'a aucun rapport ! dit le prince sèchement.

— Quoi qu'il en soit, il faut aviser, murmurait Law rêveur. Il reprit :

Qui envoyez-vous à Londres en remplacement de M. d'Iberville [1], monseigneur ?

— Quelqu'un qui servira moins bien les intérêts de l'Espagne : monsieur l'abbé ! dit Philippe en souriant et en désignant Dubois.

— Je vous félicite, monsieur l'ambassadeur ! dit Law en s'inclinant.

— Lui, au moins, ne me trahira pas, poursuivait le Régent. Il a la confiance des Anglais et il pourra renforcer l'alliance avec mon cousin le roi d'Angleterre. Je lui confie le soin d'étudier avec Lord Stanhope les clauses « d'une paix raisonnable, susceptible d'être imposée à l'Empereur germanique et au roi d'Espagne », ces deux enragés en face desquels mon union avec George Ier ne sera jamais assez forte pour assurer la paix du monde ! Mais, parlons de vous, monsieur Law. Que vous faut-il dans l'immédiat ?

— Des navires, monseigneur. Je rappelle à Votre Altesse royale que j'ai dû prendre l'engagement de transporter en Louisiane six mille Blancs, au moins, et trois mille Noirs. Il faut en effet commencer par le commencement, c'est-à-dire par des bateaux et de la main-d'œuvre.

L'Ecossais vit avec étonnement le Régent baisser la tête et sembler gêné. C'était la seconde fois en peu de temps que Law observait chez lui ces signes de faiblesse. Déjà, quelques jours plus tôt, avec le même air distrait et soucieux, il l'avait abandonné aux intrigues de Noailles en ratifiant cette folie : lancer la Compagnie d'Occident sans moyens suffisants.

Qu'allait-il se passer encore ?

Il vit que Dubois, inquiet, observait lui aussi son ancien élève qu'il connaissait bien. Law fut soudain frappé de constater un certain affaissement sur le visage du prince : l'embonpoint gagnait cet homme magnifique et la morsure des nuits de veille et de plaisir dévorait chaque jour davantage ses traits fins.

La réponse de Law ne recevait d'autre écho que le silence. Le Régent le rompit enfin et regardant non pas son interlocuteur, mais une des plumes d'oie avec lesquelles il jouait, il dit gauchement :

— Je vous rappelle que le Parlement n'a pas encore enregistré la déclaration royale relative à la Compagnie d'Occident et que nous ne pouvons rien faire auparavant. Je pense toutefois que tout sera en ordre de ce côté dans le courant de la semaine prochaine ; c'est pourquoi j'ai admis le principe que M. Law vienne dimanche matin exposer ses vues sur le fonctionnement de ladite compagnie devant une représentation du Parlement.

Dubois et Law sursautèrent.

— Quoi ! Monseigneur ! s'étonnait l'abbé. Après avoir si fièrement répondu au président de Mesmes, vous acceptez que ces robins viennent contrôler les décisions du conseil de Régence !

Ses succès diplomatiques et ses nouvelles ambitions avaient modifié

1. Charles-François de la Bonde d'Iberville ; ne pas confondre avec le capitaine de vaisseau Lemoyne d'Iberville, dont il sera question plus loin.

l'attitude du bonhomme. Il n'avait plus le geste bénisseur et faisait moins de grimaces. La conclusion du pacte de La Haye lui avait valu non seulement cette ambassade de Londres, mais un poste important au conseil des Affaires étrangères et l'abbaye de Saint-Ricquier. Il pensait chaque jour davantage à devenir cardinal, comme son adversaire Alberoni. Il devenait un autre personnage.

— Est-ce encore à M. le duc de Noailles que je dois cette humiliation ? demanda Law d'un ton glacé.

— Il n'y a point là d'humiliation, protesta faiblement le Régent.

— Si, pour vous et pour moi, monseigneur, répliqua Law avec fermeté. Quand et comment devrai-je me soumettre à l'inquisition de ces parlementaires dont la vénalité, la ruse et l'arrogance font des enquêteurs bien étranges ?

— Veuillez vous trouver dimanche matin, à dix heures et demie, ici même avec vos dossiers, répondit précipitamment le Régent en levant la séance.

Le dimanche suivant, 5 septembre 1717, M. Le Nain, doyen du Parlement, et quatorze représentants de la redoutable assemblée, se présentèrent au Palais-Royal. Le duc d'Orléans les attendait. Il se plaça au bout de la longue table du conseil de Régence. En face de lui, M. de Noailles s'installa et l'on vit avec stupeur que, en dépit de la réplique du prince au président de Mesmes, il avait apporté ses registres comptables. Law, à qui l'on n'en contait point, prit aussitôt la parole et parla si bien et si longuement de la Compagnie d'Occident qu'il ne put être question d'autre chose.

Le 13 septembre, le Parlement enregistrait enfin les lettres patentes.

Vers ce temps-là, de l'autre côté de la terre, parmi les marais et la jungle des bouches du Mississippi, dans les fièvres d'un climat torride et malsain, deux hommes choisissaient, sur l'une des plus belles courbes du fleuve, un site encore imprécis. La barre du delta paraissait infranchissable, les lianes enlacées recouvraient le lieu que venait de déterminer une volonté ou un rêve.

Ces hommes se retournent, nous les voyons de face et l'Histoire ne nous crie pas leurs noms... Elle en a tant cité qui ne valaient pas ceux-là ! Hâves, hirsutes, brûlés par l'aventure et l'idée qui les devait conduire à édifier un monde, tels étaient ces Français, Bienville et Franchet de Chaville, au moment où ils désignèrent l'emplacement de leur ville. Dans la solennité et le dépouillement d'un tel instant, ils la baptisèrent : Nouvelle-Orléans.

Que se passa-t-il alors en eux ? Furent-ils visités par le souvenir de la ville délivrée par la jeune fille qui avait bouté hors de France ces mêmes Anglais qui s'armaient encore non loin de là contre eux, ou par le sourire désabusé et prenant de Philippe d'Orléans ?

ASSAUTS DANS L'OMBRE

Le petit froid de la mi-novembre recouvrait Paris de sa chape grise ; des odeurs de feuilles brûlées et de chrysanthèmes froissés montaient dans le soir tôt venu ; l'ombre s'étoilait alors de points jaunes que formaient les flammes des bougies allumées dans la ville. Les couleurs vives et gaies des habits, des capes de soie, des robes à paniers, des équipages, se détachaient un moment d'un éclat plus vif sur ce fond de brume, et puis se noyaient en elle.

C'est à cet instant de pénombre où la confusion est facile entre l'ami et l'ennemi et que la poésie des sources appelle « entre chien et loup », qu'une femme parut sur le seuil de la maison du docteur Molin, sise dans l'île Saint-Louis, derrière la place Dauphine. Elle referma très doucement la porte derrière elle, en s'efforçant de ne pas la faire grincer pour ne pas attirer l'attention des rares passants. Elle paraissait gênée par un paquet volumineux qu'elle cachait sous sa mante. Elle demeura un instant hésitante, puis s'engagea dans la rue étroite, mal éclairée. Son capuchon soigneusement rabattu dissimulait son visage et son vêtement flottant, sa silhouette. Etait-elle jeune, vieille ? On ne l'aurait pu dire, mais sa démarche trahissait l'incertitude et le trouble. Après avoir erré quelque temps, elle revint sur ses pas, se dirigea vers les berges de la Seine, prit la direction de Notre-Dame. Arrivée devant l'église Saint-Jean-le-Rond [1] qui, peu avant la cathédrale, se dressait au bord du fleuve, elle s'arrêta, demeura un long moment immobile, laissa s'éloigner et disparaître les quelques vieilles qui sortaient du salut. Lorsque le quai fut désert, elle s'avança vers le porche, se baissa, déposa son paquet sur les marches de pierre et s'en fut en courant. Ce geste furtif, anonyme, semait sur le pavé de Paris, en ce soir du 16 novembre 1717, un des germes les plus vigoureux de la Révolution. Il allait lever et, un jour, il alimenterait la flamme de ce brûlot que serait l'Encyclopédie. Le balluchon s'agitait en effet et laissait maintenant échapper des cris perçants qui ameutèrent d'autres dévotes attardées. Elles découvrirent un nouveau-né, qui pleurait de froid et de faim. Parmi elles, se trouvait une fille de la Charité de l'ordre de M. Vincent et de Mme de Marillac, qui appartenait à la fondation des « Enfants assistés ». La religieuse emporta vers son destin le fils naturel d'Alexandrine de Tencin : Jean Le Rond d'Alembert, né une heure plus tôt.

Dans la maison du docteur Molin, la Messaline venue accoucher en secret tempêtait déjà pour regagner sa demeure. Sans s'inquiéter autrement du drame qui, par son ordre, venait de se jouer, elle était impatiente de reprendre le fil de ses intrigues qu'elle n'avait pas lâché, même dans les derniers temps de sa grossesse. Elle était parvenue, dans ces jours-là, à ajouter aux épreuves du Régent celle de devoir intervenir et se compromettre

---

1. Cette église n'existe plus.

dans le douloureux conflit qui opposait Rome et les jésuites aux jansénistes d'une part, aux protestants de l'autre.

Ne fallait-il pas servir Dubois auprès du pape ?

Elle savait que l'abbé était revenu ce soir-là inopinément de Londres, pour faire face à une situation vertigineuse, dont les courriers de Paris l'avaient informé.

Dans le secret d'une négociation parallèle menée à son profit, Dubois avait conclu avec son ami Stanhope un très avantageux traité de vassalité qui le liait étroitement, pour des années, à la politique anglaise. Eh quoi ! N'était-ce point à Londres que le fils de l'apothicaire de Brive avait pris rang d'ambassadeur ? N'était-ce point grâce à l'esprit libéral de cette nation qu'il avait enfin connu, en dépit de ses modestes origines, la considération et les honneurs ? Il y avait moins d'un siècle qu'un petit abbé de cour, intrigant et cynique, était devenu Richelieu, un peu moins de cinquante ans qu'un subtil aventurier italien sans naissance et sans fortune était devenu Mazarin, un protecteur et plus encore pour la reine Anne d'Autriche, un père pour le petit Louis XIV. En ce moment même, Alberoni, fils d'un jardinier de Piacenza, était un nouveau Cisneros, cardinal d'Espagne... Il ne fallait que quelques intrigues bien menées et réussies pour que lui, Dubois, décrochât un chapeau de cardinal qui permettrait ensuite de confisquer un pouvoir que détenait un prince usé, alcoolique et débauché, et un petit garçon de sept ans, pouvoir que s'apprêtait à prendre un financier imaginatif, idéaliste et vulnérable...

Acheter à Rome, pour un apothicaire limousin, un chapeau qui donne le pouvoir en France et le faire payer par le roi d'Angleterre, lui-même allemand et protestant, voilà qui était de l'intrigue à la dimension d'Alexandrine de Tencin, putain par stratégie et chanoinesse par erreur !

Tout cela valait bien une messe ! La messe que Dubois devrait apprendre à dire pour devenir prêtre avant d'être évêque et cardinal !

Pour l'heure, Alexandrine de Tencin l'attendait ; elle savait que le Régent était indécis, le Parlement agressif, Law fragile, les jésuites et les jansénistes en fureur, les Espagnols sur le pied de guerre, Alberoni dans les embrouilles. Et elle, au même moment, était aux prises avec la fièvre de la montée de lait et envahie d'un tremblement provoqué par les douleurs de l'accouchement. Au diable le marmot exposé au froid de novembre sur les marches d'une église ! Dépoitraillée, les seins douloureux, défaillante, inondée de sueurs froides, la Tencin se débattait dans un lit de bois sombre, sous le regard stupéfait du docteur Molin qui n'avait jamais vu une patiente de cet acabit. Grâce à lui et à l'œuvre des Enfants assistés, « Destouches-Canon » allait, six semaines plus tard, à son retour, retrouver la trace de la nourrice de son fils, à Crémoy-en-Picardie. Pour l'heure, l'accoucheur se sentait mêlé aux maléfices d'une sorcière :

— Eh, madame ! dit-il enfin, exaspéré, partez si le cœur vous en dit ; et si vous en crevez, vous le verrez bien !

Elle envoya aussitôt chercher une litière et se fit transporter chez elle, à deux pas il est vrai. Elle retrouva avec satisfaction son beau lit capitonné de soie et ses parures de dentelles. Dans la nuit, toute brûlante de fièvre qu'elle était, elle reçut l'abbé Dubois, le laissa serrer et baiser ses mains moites et saisit, soudain moins abandonnée, la cassette de diamants qu'il déposa sur son lit. Ce cadeau royal était dû aux largesses du gouvernement anglais ; l'abbé l'informa de ce qu'il faudrait donner en échange : la tête de Law.

Il y avait là de la cocasserie et de l'imprévu ! Ils éclatèrent de rire ensemble. C'était bien simple et bien logique : Stanhope, en ces heures difficiles, devait gouverner avec l'accord de l'opposition. Il fallait donc exciter les terribles whigs contre l'Espagne catholique. Vis-à-vis de Rome, Dubois ne pouvait s'associer à cette politique que sous le prétexte de servir les intérêts diplomatiques de la France. D'autre part, les whigs avaient une tendance fâcheuse à se souvenir que, avant d'être protestants, ils étaient financiers et marchands, et qu'ils s'enrichissaient d'un fructueux commerce avec les possessions espagnoles d'Amérique. Pour les détourner de ces dangereuses hésitations, on pouvait aisément ameuter leur haine contre Law, sa Banque et sa Compagnie d'Occident, laquelle s'apprêtait à rivaliser avec leur Compagnie des Mers du Sud dirigée par Blunt. Ils s'affolaient déjà de voir la France se ressaisir aux Indes et en Amérique, au moment même où ils pensaient s'approprier ses immenses possessions d'outre-mer. Dubois avait vu Blunt longuement ; ils étaient faits pour se comprendre.

— Mais, réfléchissait Alexandrine de Tencin, voilà qui va créer une situation confuse ! Vous n'ignorez rien de ce qui se passe ici ; cependant, imaginez-vous clairement que tous les jeunes officiers pressés de monter en grade, tous les financiers ennemis de Law et du Régent et assoiffés de voir revenir l'état de choses ancien, toutes les sottes énamourées de contes bleus, tous les petits-maîtres se font un roman de soutenir un fils de France, c'est-à-dire Philippe V, contre ses ennemis ? Après le Régent, le pilier principal de la politique de Stanhope ici est Law, et il veut l'abattre !

— Quelle petite fille êtes-vous donc ? dit en riant le renard. N'avons-nous pas à nos gages ce bon M. d'Argenson ? Pour le moment, nous soutenons Law contre le complot espagnol où entrent cet imbécile de Noailles et son d'Aguesseau, et ce grand dadais de président de Mesmes. Nous les minons les uns par les autres, avec l'aide de notre naïf à tout faire, ce pauvre M. le duc de Saint-Simon. Le moment venu, nous mettons d'Argenson à sa place et dès qu'il a pris son vol, par lui, nous travaillons Law. Mais nous jouerons longtemps avec notre banquier au jeu de l'amitié !

Elle battit des mains en effet comme une enfant à qui l'on vient de donner un diable dans une boîte ou un jeu de massacre.

Dans ce même temps, le peuple de Paris, en la personne d'une plantureuse nourrice, faisait téter à d'Alembert le lait de la colère. Le torrent qui semblait emporter la France roulait de jour en jour plus vite.

Le drame le plus réel se jouait dans l'âme du Régent et nul, hormis Law, n'était capable de le comprendre ; en Philippe seul se trouvait la clef de tout ce qui se passait, de tout ce qui allait suivre et de tout ce qui ferait le destin de l'Ecossais.

Les intérêts du royaume et le maintien de la paix obligeaient le prince à l'alliance anglaise et l'on ne voyait en lui qu'un cousin de George Ier ; on oubliait, on oublierait toujours qu'il était et se sentait en ces jours sombres le petit-fils d'Anne d'Autriche, le descendant de Philippe II ; l'Espagne s'attachait à son sang, à son cœur, avec cette violence qui est l'une des marques de son génie. Au plus beau temps de sa jeunesse, elle lui avait offert ses enchantements, elle l'avait acclamé comme son héros, elle aurait voulu qu'il fût son roi. En 1717, il la voyait trahie par deux étrangers sans foi ni loi : Elisabeth Farnèse et Alberoni, alors que le prince héritier était deux fois son neveu, petit-fils de sa sœur Anne-Marie, duchesse de Savoie, et fils de sa nièce Marie-Louise de Savoie, première épouse de Philippe V son cousin.

En cet automne de 1717, les Grands d'Espagne en appelaient encore à lui pour chasser la seconde femme de Philippe V et son ministre italien, afin de libérer le roi et les infants ! C'était une consolation pour le Régent de les encourager, de faire avancer ses troupes vers les Pyrénées, mais pour essayer de sauver la paix du monde, il tentait en même temps de satisfaire les ambitions de la reine d'Espagne et négociait avec l'Empereur l'établissement des enfants d'Elisabeth Farnèse à Parme et en Toscane. L'attitude des messagers que Philippe ne cessait d'envoyer au roi d'Espagne témoignait du bouleversement de leur maître : ils avaient mission d'être conciliants jusqu'à la faiblesse.

Ce n'était point assez d'amertume et de peines : le duc d'Orléans qui avait souhaité devenir un grand prince, un sauveur, qui avait mortellement souffert lorsqu'on l'accusait d'avoir empoisonné ses neveux, revoyait se former contre lui l'hostilité passionnée du peuple, impulsive et aveugle, pour lui reprocher une politique anti-espagnole qui le déchirait. Il s'efforçait de paraître grand en ces débats, y apportait tout le soin de son intelligence, toute la noblesse de son caractère, mais la nuit venue, il allait se détruire dans ses appartements fermés à clef... Là, il mendiait la tendresse de sa fille folle, se soumettait à sa démence et l'endurait.

Il lui avait donné le petit château de La Muette, dont Watteau venait d'achever la décoration. Dans des demeures plus modestes, il avait installé Mme de Parabère à Asnières, Mme de Sabran à Sèvres, Mme d'Avernes à Saint-Cloud ; ainsi « les fêtes se déroulaient de colline en colline et chacune de ces dames s'apprêtait avec un ensemble touchant à lui faire cadeau d'un héritier au printemps suivant » ! Sa dernière fille légitime n'avait pas un an ! Quant à sa seconde fille, l'extravagante Mlle de Chartres, malgré les efforts de son père pour l'en dissuader, elle entrait au couvent, à l'abbaye de Chelles, et il venait de découvrir que sa troisième fille, Mlle de Valois, introduisait nuitamment chez elle, par le secret d'un placard à confitures dûment percé, Richelieu, qui le trahissait dans le complot d'Espagne !

La nouvelle d'une grave maladie de Philippe V vint ajouter à ces perturbations et acheva de désarçonner le Régent. Il fut prêt « à abandonner la neutralité, le pacte de La Haye, l'amitié britannique, toutes ces odieuses nécessités ».

Dubois, informé, affolé, revint inopinément et le trouva absorbé par tout autre chose : à tant de déboires, Philippe découvrait soudain un dérivatif inattendu, une revanche en laquelle s'exaltait, se ranimait, se justifiait le meilleur de lui-même. Dans le temps même où il engrossait son harem, il se jetait dans la dispute des jésuites, des jansénistes et des protestants, qu'animaient les intrigues des Tencin ! « Avec une largeur de vues que peu de souverains avaient eue avant lui, travaillant de longues heures, de longs jours, à la réconciliation de tous, il écrivait au cardinal de la Trémoille, pour le pape Clément XI, une lettre d'une haute et généreuse inspiration. Porté au-dessus de lui-même par cette noble tâche, le Régent ne voulait plus de querelles autour de lui et c'est sans doute pourquoi il tenait à l'accord de Noailles et de Law [1]. »

Dubois vint l'arracher à ces débats éthérés. Foin de la liberté de pensée, de la justice et autres balivernes, alors que seul, un triomphe des jésuites, capables de lui valoir la pourpre cardinalice, importait à l'abbé ! Il se fit éloquent pour l'Angleterre et pour Law, contre Noailles et d'Aguesseau.

« Le Régent qui ne croyait qu'à la psychologie et à la sienne » décida, en vrai prince français, de traiter cette affaire délicate au cours d'un bon repas. Il croyait au rôle du champagne en politique, en diplomatie, et l'avait déjà prouvé. L'extrême simplicité de ses manières lui permit de trouver une heureuse solution : il pria le duc de Noailles d'organiser fort secrètement, pour le soir de l'Epiphanie, un souper fin où serait également prié le chancelier d'Aguesseau.

Le soir du 6 janvier 1718, tandis que la neige dansait sur la ville, les habitants du faubourg Saint-Antoine virent se diriger de mystérieux équipages vers la jolie demeure du sieur du Noyer, financier qui n'avait rien à refuser à M. de Noailles.

Ce même soir-là, devant un grand feu, Nathalie avait, elle aussi, fait dresser un étincelant couvert en l'honneur de la fête des rois. En dépit de la gravité de la situation, pour la première fois depuis bien longtemps, elle se sentait détendue, heureuse. Certes, Law avait passé auprès de ses enfants Noël et le jour de l'An, et cela avait été pour Nathalie des jours mornes et désolés : la précarité de sa situation s'était de nouveau imposée à elle, comme au temps de la maladie du petit Jean. Mais ce soir-là lui appartenait. Quelques jours plus tôt, l'assemblée générale de la Banque et de la Compagnie d'Occident, que le public appelait déjà Compagnie du Mississippi, avait été un triomphe pour Law. Les actionnaires, qui allaient toucher une répartition de sept et demi pour cent pour six mois d'exercice, acclamèrent le banquier avec enthousiasme. Law en parlait encore dans ce tête-à-tête qui précédait l'arrivée des invités :

— L'impuissance des hommes du passé a enfin éclaté ! disait-il. Qu'apporte le maréchal d'Huxelles ? La banqueroute. M. le duc de Noailles ? La banqueroute et le déficit astronomique qui soldent sa gestion des affaires. Vous allez voir que, ce soir, M. le Régent va se tourner définitivement vers son petit abbé roturier et son aventurier hérétique ! ajouta-t-il en riant. (Car

1. Ph. Erlanger.

257

ils n'ignoraient rien l'un et l'autre de ce qui se passait dans la maison du Noyer.) Mais, poursuivait Law, comme ces tares originelles nous interdisent, pour l'instant encore, de paraître en pleine lumière, nous userons d'un homme de paille, comme disent les Français. M. le marquis d'Argenson !

Une ombre passa dans les yeux de Nathalie ; elle demanda :

— Etes-vous bien sûr de lui ? Ce terrible homme noir qui fut le destructeur de Port-Royal, la créature de la Maintenon et des jésuites, sera-t-il vraiment le collaborateur fidèle d'une entreprise dirigée par un protestant et qui groupe déjà tant de vos coreligionnaires, de réfugiés et de proscrits, que d'aucuns l'accusent d'être un repaire d'hérétiques !

— Bah ! dit Law en riant. Les protestants entendent fort bien la finance ; quant à M. d'Argenson...

— Il est du dernier bien, l'interrompit-elle, avec Mme de Veni et avec Mme de Tencin, je vous le rappelle...

— Mais Mme de Tencin est du parti qui lie mon sort à celui de l'abbé !

Nathalie hocha sa tête parée de boucles brunes et de diamants et murmura :

— J'irai, pour l'amour de vous, m'en assurer à l'hôtel de Ferriol... On dit l'ambassadeur tout à fait perclus à présent !

Ils rirent ensemble.

Autour d'eux, la fête se préparait ; sur la blancheur de la nappe damassée, étincelait l'éclat de l'argenterie et des verres de cristal, la gaieté du houx dont le vert brillant et les boules rouges enlaçaient les flambeaux qui formaient un buisson lumineux. Celui-ci ferait paraître plus dorés les galettes légères qui renfermaient la fève, le vin de Champagne dans les flûtes, l'ambre des volailles en robe de gelée et il allumerait des reflets dans le cristal vert des huîtres, sur l'écorce d'or des citrons. Fifrelin, en grande livrée, commençait de régler comme un ballet le va-et-vient des laquais et la course furtive des marmitons, cependant que l'aimable Millet, toujours fraîche dans l'harmonie neigeuse de ses cheveux et de ses mousselines, houspillait les chambrières.

Law et Nathalie se sentaient en proie à un bonheur léger et rare. Les boiseries blanches et or très ouvragées sur lesquelles se détachaient les fauteuils et le lit de parade en bois doré recouverts de brocart rose, les tables légères, les chaises délicates, les jacinthes, les anémones, les tulipes, les innombrables bougies et les flammes du feu de bois qui répandait une lueur riche d'ombres, composaient un ensemble raffiné. Law admirait Nathalie, parée de satin blanc. Des nuages de dentelle entouraient son décolleté ainsi que ses bras minces, et ses diamants lui faisaient une parure de clair de lune.

Lui était vêtu d'un habit d'argent qui mettait en valeur ses cheveux blonds et sa finesse britannique, une cravate de mousseline enserrait son cou ; ses pierreries comme ses yeux étaient couleur de mer. Law pouvait se sentir en harmonie avec ce qui s'offrait à son regard.

— Que vous êtes belle ce soir ! dit-il en s'approchant de Mme de. Dans un instant, nous ne serons plus seuls et je commence à le regretter.

— Pourtant, dit-elle, quelle étrange assemblée va se trouver réunie ! Je crois que l'on n'en vit jamais de semblable dans Paris ! Il n'y a que vous et moi pour oser...

Quelques instants plus tard, en effet, les grandes portes de l'hôtel de Mercœur et les valets porteurs de flambeaux laissaient pénétrer de singuliers personnages, parmi lesquels on reconnaissait Crébillon, l'auteur dramatique en vogue, et la petite Adrienne Lecouvreur, dont les débuts éclatants affolaient Paris ; l'abbé Bignon, de l'Académie des Sciences, que Law avait chargé d'analyser les premiers échantillons de minerai rapportés de la Louisiane. Il arrivait en compagnie de son ami Fontenelle. On voyait entrer un à un les directeurs de la Compagnie d'Occident : MM. Diron d'Artaguette, Duché, Moreau, Piou, Castagnaire, Mouchart, Raudot, Boyon d'Hardancourt et Mouchaud, financiers, commerçants ou marins. Law tenait à rencontrer le plus grand nombre de navigateurs. C'est ainsi qu'il avait invité un jeune enseigne qui venait tout juste d'avoir dix-huit ans, Joseph-François Dupleix ; après quelques frasques de jeunesse, celui-ci allait s'embarquer pour l'Amérique. Son père, un fermier général habile aux affaires, l'accompagnait ce soir-là. Il s'intéressait vivement aux projets de finances de l'Ecossais et lui avait donné un accord de principe pour une collaboration future. Law avait fort remarqué le jeune Joseph-François et s'était dit : voilà le fils que j'aurais voulu avoir ! Il ne savait pas que, un jour, Dupleix deviendrait vraiment son fils spirituel en tentant de continuer son œuvre aux Indes.

— Ah, monsieur ! s'écriait son père, savez-vous bien ce que M. le comte de Saint-Priest vient de déclarer à Joseph-François ? « Dupleix, vous emportez sur votre front le souffle aventureux de Law ! »

On entourait un certain Lépinay, dont le départ pour le Mississippi était imminent. A de tels invités se joignaient les artistes, familiers de l'hôtel de Mercœur : le célèbre Rigaud, Watteau, Lancret, Nattier, le jeune Charles-Antoine Coypel, peintre du Régent, que suivait un confrère plus jeune encore, dont le réalisme délicat et pénétrant étonnait : Jean-Baptiste Chardin, qui avait l'âge de Joseph-François Dupleix. Lesage et sa jolie femme arrivaient à leur tour et jetaient une note de bohème qui se mariait agréablement avec l'aspect petit-bourgeois et fruste de certains de ces hommes d'action que Nathalie recevait si volontiers.

Des architectes et des décorateurs de génie : Boffrand, Leblond, Oppenordt et Robert de Cotte, un peu étonnés de se trouver là, heureux d'y être, se regroupaient d'instinct. Ils s'empressèrent bientôt vers le vieux Coysevox qui s'avançait, entouré de vénération, appuyé au bras de ses deux célèbres neveux, Nicolas et Guillaume Coustou. Ce dernier avait déjà élevé dans la lumière les silhouettes superbes des chevaux de Marly. Dans un angle du grand salon, Cressent présentait à François Couperin le clavecin précieux dont il avait conçu la marqueterie et les bronzes d'ornement, et qui venait d'être offert à Nathalie par John Law. Le célèbre claveciniste en devait, après le dîner, faire entendre le son extraordinaire en exécutant ses dernières compositions. Rameau et Campra, le musicien provençal, ami de Watteau, s'intéressaient aussi à cet instrument dont Cressent soulevait délicatement le couvercle. Rameau écrivait alors une musique de ballet et Campra, un opéra.

Et voici que Marivaux entrait, tenant par la main Colombe, la ravissante créature qu'il venait d'épouser inopinément, parce qu'elle lui apportait la captivante expérience d'un amour vrai et réciproque qui ne se conçoit que dans la durée [1]. Nathalie les regardait s'avancer : « Eux aussi, pensa-t-elle, comme c'est bien !... » D'un regard, l'écrivain lui retourna une chaleureuse pensée.

Le bel Houdar de la Motte, qui avait fait de Marivaux son disciple et son meilleur ami, suivait le jeune couple et, derrière eux, apparaissaient le petit abbé Prévost et quelques gazetiers fort connus : Lefèvre, l'abbé Buchet, directeur du *Mercure,* Antoine de la Roque, et Eusèbe Renaudot, directeur de *La Gazette.* Ils avaient renoncé à faire campagne contre Law et écoutaient bouche bée le banquier leur proposer une chose tout à fait originale qui n'avait point encore de nom :

— Cependant que, dans les semaines à venir, disait Law, je vais travailler avec mes ingénieurs, mes marins et mes négociants pour jeter les bases de mes villes, du commerce et des transports, je voudrais pareillement, messieurs, mener avec vous un grand ouvrage : je désirerais, au moyen d'articles bien faits, plaisants, et de gravures capables de charmer le peuple, vanter les agréments et les richesses de la Louisiane, et, mieux encore, donner aux jeunes gens le désir d'y partir, d'aller chercher là où elle se trouve la fortune des Amériques...

— Il nous faudrait quelques documents, murmurait Antoine de la Roque, qui avait contracté le goût des au-delà et des ailleurs sur les quais du port de Marseille, sa ville natale. Son frère et lui commençaient à se faire connaître par d'excellents récits de voyages.

Cette réflexion pertinente ne retint cependant pas assez l'attention de Law. Il était en pleine innovation et cela dans des domaines si divers, qu'il ne pouvait s'arrêter à aucun comme il l'eût fallu.

— Brodez un peu, dit-il, revenant à son idée si juste : « Le peuple est enfant ! » Lisez mon vieil ami Daniel Defoe et Mme d'Aulnoy. Il me faut des Indiens couronnés de plumes et des trésors, le palais de Dame Tartine et les découvertes de Marco Polo !

C'était un moyen amusant, nouveau, de mesurer l'étendue du pouvoir que les gazettes exerçaient sur l'opinion ; il n'en fallait pas davantage pour séduire les gazetiers : ils furent conquis.

Law s'approcha de Nathalie :

— Il y a bien longtemps, lui dit-il à mi-voix, que je ne me suis pas senti, comme ce soir, délivré de mes ennemis. Je ne m'en vois aucun ici... mais il me manque un ami.

— Lequel ?

— M. le duc de Saint-Simon !

---

1. Mme de Marivaux mourut six ans plus tard ; d'Alembert assure que son mari ne s'en consola jamais.

— J'imagine son indignation et sa fureur, dit-elle, se retenant à grand-peine d'éclater de rire, si nous l'avions mêlé à...

— Bien sûr, l'interrompit Law. Et pourtant sa place eût été davantage parmi ces hommes qui tiennent leur valeur de leur intelligence et de leurs capacités que parmi ses pairs, qu'il déteste et encense, parce qu'ils sont le symbole d'un ordre de choses défunt auquel il croit toujours ! S'il n'appartenait irrémédiablement au XVIIᵉ siècle, ajouta-t-il, rêveur, comme il se fût trouvé heureux ce soir, ici, ne pensez-vous pas ?

Le chaud regard de Nathalie lui offrit la réponse aiguë et subtile qu'il attendait.

Les convives prenaient place pour le souper. Aïssé, Pont de Veyle et son frère d'Argental, confus d'arriver en retard, se faufilaient vers trois places restées libres au grand couvert. Les valets dressaient les autres tables qui ne devaient pas encombrer par avance les salons. Bientôt, les huîtres et les corbeilles de citrons circulèrent ; le champagne se mit à couler. Law alors se leva et se tourna vers Nathalie :

— Madame, dit-il en s'inclinant, permettez-nous de commencer cette fête des rois en portant la santé de Sa Majesté et, si vous le voulez bien, portons aussi celle de notre siècle dont nous pouvons célébrer ce soir la dix-huitième année. N'est-ce point l'âge de l'adolescence, du grand départ vers l'avenir ? Ce grand départ est le nôtre.

Soudain, on ne sait comment, pourquoi, peut-être parce que le regard du visionnaire passait sur ces hommes et sur ces femmes, ils se levèrent, saisis par une sorte d'émotion. Navigateurs, ingénieurs, administrateurs prêts à partir pour l'Amérique, peintres, sculpteurs, architectes, musiciens, écrivains, tous habités d'œuvres qui allaient naître, grandir et demeurer alors qu'ils ne seraient plus : villes lointaines, chants et musiques, visions et formes éblouissantes... Assemblés autour de John Law, ils portaient en eux l'âme du siècle. Celui-ci leva son verre et dit :

— Madame, au roi !

Chacun se redressa. La majesté de cette entité qui incarnait la France dépassait le petit garçon désolé qui, à cette heure, luttait contre les larmes dans son lit pour trouver le sommeil. Il se souvenait que, un an plus tôt, à pareille date, sa chère « maman Tadour », la duchesse de Ventadour, lui avait organisé une jolie fête avec des enfants de son âge, au cours de laquelle la petite fille qui avait gagné la fève l'avait choisi comme roi et couronné aussitôt de papier doré. Il gardait de ce sacre un souvenir délicieux et déchirant. Peu après, on lui avait enlevé Mme de Ventadour, sous prétexte que, devenu grand, il devait être remis entre des mains d'hommes, sous la haute direction de Mgr de Fleury. Il venait alors d'avoir sept ans ! Il avait pleuré, hurlé, refusé de manger. Mme de Ventadour revint deux ou trois fois, pour repartir aussitôt. Il était seul, désormais, n'ayant que le recours de la visite quotidienne, et trop brève à son gré, de son oncle Philippe. Depuis lors, on attribuait à chacun de ses gestes toutes sortes d'intentions, bonnes ou mauvaises, qu'il n'y mettait pas et il vivait dans le tourment. Puni sans avoir compris pourquoi il n'avait pas, lui, cette année, tiré les rois et nulle petite fille n'avait posé sur ses boucles une couronne.

Au même instant, dans la maison Du Noyer, au faubourg Saint-Antoine, Philippe d'Orléans prenait la mesure de l'incapacité insondable de ses hommes d'Etat. Le cœur lourd, il dit avec émotion, cependant que les convives se levaient :

— A Louis XV, messieurs !

Cependant, au château de Sceaux illuminé, où la duchesse du Maine poursuivait sa fête perpétuelle, on célébrait aussi les rois. Mais, ici, le roi était Philippe V !

Il y avait là le président du Parlement, M. de Mesmes, le duc de Richelieu qui commandait la place forte de Bayonne, le maréchal de Villars, chef de l'armée française, le maréchal d'Huxelles, président du conseil des Affaires du Dehors, le nonce, l'ambassadeur d'Espagne et combien d'autres...

Tout le péril de la nuit était rassemblé en cette demeure. Pour eux, il est vrai, le petit garçon des Tuileries ne parvenait pas à imposer sa fragile réalité. Tant d'enfants de son âge mouraient chaque jour, et comment vivrait celui-là, livré aux soins de l'homme qui avait empoisonné toute sa famille ? Il n'était à leurs yeux, déjà, qu'un cadavre léger.

— Vive le roi ! criait la France entière...

Le petit Louis XV s'endormait enfin, à bout de larmes, dans son grand palais triste.

A quelques jours de là, les habitants du quartier Saint-Roch et ceux du faubourg Saint-Antoine eurent un sujet de divertissement. A l'heure où la mère Michel engage son dialogue avec le père Lustucru, les bonnes gens s'assemblaient aux fenêtres pour voir passer le nouveau garde des Sceaux, M. d'Argenson. Celui-ci, chemin faisant, travaillait dans son carrosse à la lueur d'une chandelle. Dans le halo tremblant de la flamme, on voyait osciller, aux soubresauts de l'équipage, sa perruque, sa plume d'oie et des piles de dossiers. Dès la nuit tombée, il parcourait ainsi la ville, au grand ébahissement du bon peuple. Il allait de la sorte à des rendez-vous qu'il n'accordait qu'après minuit, sous prétexte qu'il se trouvait tout au long du jour accablé de travail.

Il n'était bruit que du surmenage de ses quatre secrétaires. Sa parade nocturne terminée, M. le garde des Sceaux se retirait au petit jour dans le couvent de jeunes filles où ce méchant oiseau de proie avait fait son nid. Dans le secret de ce séjour enchanté, il s'ébattait et dormait jusqu'au soir, pour reprendre, la nuit venue, le rôle comique qu'il s'était inventé. Comme prévu, une brève révolution de palais menée par le Régent, Saint-Simon, Dubois et Law, écarta Noailles et d'Aguesseau et avait fait accepter à d'Argenson cet emploi d' « homme de paille » qu'il tenait avec d'autant plus d'ardeur qu'il n'avait pas l'intention de prolonger la farce trop longtemps, ce dont personne, hormis Dubois, ne se méfiait alors.

Hélas, l'attention venait de se porter un peu trop vivement sur la très aimable retraite du garde des Sceaux, d'où venait de prendre son vol une pensionnaire des plus brillantes, la jeune et belle Marie de Vichy, petite-fille de la duchesse de Choiseul, aussitôt mariée au vieux marquis du Deffand. La cérémonie du mariage agita la ville. Cent hommes de guet, formant une haie d'honneur devant le portail de l'hôtel de Choiseul, rue Royale, avaient escorté en grande pompe les mariés à l'église Saint-Roch, encore inachevée.

Quelques jours plus tard, Mme du Deffand avait fait au Luxembourg des débuts éclatants. Elle éclipsa vite de sa finesse, de son élégance, de son esprit mordant, de son cynisme, des femmes telles que la princesse de Beauvau, la baronne de Talleyrand, la comtesse de Ségur, la marquise de Flavacourt ou Mme de Flamarens, la Sabran, la Parabère, la d'Avernes, et Mme de Prie elle-même, nouvelle favorite de M. le duc, qui assistaient sans enthousiasme à ce succès prodigieux. La duchesse de Berry se toqua aussitôt de la petite mariée. C'est dire que celle-ci, au grand désespoir du mari, entra toutes voiles dehors au harem de M. le Régent !

Le silence retomba enfin, ouaté, délicieux, sur le couvent de la Madeleine de Tresnel, dont les portes se refermèrent.

Cependant, au café Procope, rue de Buci, rendez-vous des beaux esprits et des hommes de qualité, naissaient les rumeurs qui courraient la ville : le sieur Dupont affirmait au sieur Durand et au sieur Duval, devenus comtes et marquis de Carabas de fraîche date, que M. Law se trouvait être le maître absolu des finances du royaume, tout comme M. l'abbé Dubois était celui de la politique extérieure... Puis les voix baissaient ; on chuchotait que le roi d'Espagne, sorti tout à fait diminué de sa récente maladie, laissait Alberoni traiter avec le tsar et le roi de Suède un pacte dangereux pour la paix du monde, et que ce dernier reformait le parti jacobite à Madrid. Les voix baissaient encore pour aborder le grand sujet : la conspiration que menait, à Paris même, l'ambassadeur d'Espagne contre le Régent.

Mais, au-dessus de ces têtes penchées, de ces murmures, sur des plateaux d'argent passait, voltigeait, trônait, fumait « le café, la sobre liqueur puissamment cérébrale... qui allait marquer les moments solennels du brillant siècle de l'esprit [1] ».

Tous ces potins rendaient à Nathalie ses angoisses. Haletante, elle vient de jeter ses gants brodés sur le bureau du directeur de la Compagnie d'Occident. Le capuchon bordé de martre de sa mante de velours rubis retombe sur ses épaules. Law se lève, lui baise les mains, l'accueille dans le désordre fiévreux de ce bureau où il passe désormais ses nuits et ses jours, comme l'on reçoit la joie et le réconfort d'une flambée ou d'un bouquet. « Est-ce toute la part que je puis avoir de lui ? » se demande-t-elle, car son angoisse n'est pas seulement faite des rumeurs de guerre et de révolution. Depuis combien de temps l'absence de Law a-t-elle cerné de brume son horizon ? Depuis combien d'heures étouffe-t-elle dans un isolement qui semble la frapper de paralysie ? Plusieurs fois par jour, des messagers lui portent des billets griffonnés en hâte qui lui disent combien sa propre absence, et son omniprésence le tourmentent. Elle le suit ainsi pas à pas :

1. Michelet.

tantôt il revient du Palais-Royal où il a travaillé fort tard avec le Régent ; le plus souvent, il est cloué à son bureau par ses administrateurs, ses colons, ses ingénieurs, ses marins... « L'Europe fiévreuse attend chaque jour le signal de la conflagration à laquelle peu à peu chacun se résigne [1] » et lui crée, peuple, administre une nation nouvelle.

Nathalie a fini par courir à ce bureau qui le retient loin d'elle et la voici, indécise comme une dormeuse mal éveillée, allant et venant entre les globes terrestres, les cartes déployées aux belles couleurs et les images brillantes des navires promis à des conquêtes. Sa robe balaie le tapis, les meubles dorés.

— Qu'avez-vous ? murmure Law, troublé.

Elle s'arrête. Qu'a-t-elle en vérité ? Elle découvre le bouleversement du bureau, les feuilles des dossiers cent fois maniées, remaniées, compulsées, l'usure précoce des fauteuils, le plancher terni, les couleurs éteintes du tapis, les portes noircies... On ne sait quelles ondes secrètes rendent ici sensibles l'activité sans mesure, la fatigue nerveuse, intense, harassante. Elle observe ce visage aux traits tirés qui s'empâte légèrement et n'est plus tout à fait le même que celui qui, quelques mois plus tôt, se penchait sur elle. Des yeux fiévreux, agrandis par des cernes sombres posent sur elle un regard inquiet. Elle se laisse aller sur une chaise. Comment en sont-ils arrivés à cette tension ? Qu'y a-t-il donc entre eux ? Rien qui se puisse évaluer, exprimer, affronter... Nathalie ne possède, ni dans son univers féminin ni dans son passé, aucune référence susceptible de lui inspirer un comportement. Jusqu'à présent elle savait que les autres femmes, les guerres et les révolutions, la maladie et la mort pouvaient les séparer, mais elle ignorait tout de cet adversaire subtil qu'elle distingue à peine et dont elle devine seulement qu'il faut pactiser avec lui parce qu'il est aussi nécessaire à l'accomplissement de Law qu'elle-même. Cependant, la voix aimée dit :

— Je voudrais que vous demeuriez là éternellement, entre ces cartes, ces mappemondes et ces dépêches prêtes à partir pour le bout du monde, car voilà tout ensemble mon univers, mon œuvre, mon devenir et l'image de ce siècle, où l'aventure du coureur de bois et le libre amour vivent aux îles. Vous êtes mon aventure et mon libre amour...

Elle ferma les yeux. Non, cet adversaire, si puissant soit-il, ne lui prendrait rien si elle ne lui offrait pas d'opposition ; au contraire, il la servirait, même si elle s'identifiait à lui. Pourtant, elle se sentait dépossédée. Que lui volait-il donc ? Le temps de l'amour et quelque chose de l'intégrité, de la santé, de la jeunesse de ce visage ; voilà ce qu'elle éprouvait douloureusement. Elle rouvrit les yeux et trouva un cri que tant de femmes devaient un jour proférer :

— Vous travaillez trop ! Vous allez vous perdre, perdre quelque chose d'essentiel !

A son tour, il s'exprima comme l'homme de l'avenir :

— Mais je vais conquérir un monde ! dit-il avec un regard qui rendit à son visage vie et jeunesse. Il ne dépend que de vous que je n'y perde rien :

1. Michelet.

vous portez une part de mon destin, c'est lourd, je sais, mais ne lâchez pas, tenez fort, très fort...

Elle eût voulu lui demander qu'il revînt ce soir-là à l'hôtel de Mercœur, mais elle sentit combien il eût été mesquin, impossible, de lui adresser semblable requête. Elle se leva ; quelque chose avait soudain courbé sa taille fière. Elle entendit une voix rauque murmurer :

— Nathalie...

Elle s'éloigna, emportant dans les plis de sa mante tout le sel de la vie et le sachant... Le poids de ce fardeau la ployait comme un arbre dans le vent. Il fallait trouver sa place entre les cartes du monde et les documents d'Etat, rayonner dans le silence, exister dans l'absence, et vivre. Nathalie entrait dans cette aventure sans itinéraire, car les chemins en étaient encore, pour la plupart des femmes, inconnus.

Dehors, l'accueillit l'hiver des mantes de fourrure, des traîneaux, des arbres poudrés de givre et des fontaines éblouissantes de glace que peignait le délicieux Lancret. L'odeur amère des herbes brûlées et des terreaux en métamorphose se mêlerait toujours pour elle au souvenir de cet instant où elle commença à se battre contre des ombres.

Cependant, Law n'eut pas longtemps le loisir de méditer sur cette détresse dont la cause ne lui échappait pas. Comme il s'efforçait de trouver le moyen de s'évader un moment, d'envoyer à l'hôtel de Mercœur quelque présent rare, un visiteur entra. C'était Lépinay, un des directeurs de la compagnie, qui partait le soir même pour La Rochelle où une flotte marchande commençait à se constituer ; il attendait des ordres. Il fallait une dernière fois revoir le plan de La Nouvelle-Orléans. Celui-ci comprenait : « Soixante-cinq îlots de douze habitations, une église, une intendance, un hôtel du gouvernement, une prison, un magasin général et deux bâtiments d'une extrême nouveauté ». Law avait imaginé de faire construire et aménager pour le cantonnement des troupes ces deux vastes logis. Jusque-là, les soldats demeuraient chez l'habitant ou sous la tente. Il pensait à tout, il innovait dans tous les domaines, jusqu'à lancer à travers tout le pays des « recruteurs chargés de faire miroiter, avec l'espoir d'une vie nouvelle, les splendeurs du Mississippi ». Il donnait des directives pour le lancement d'une campagne de propagande qu'il avait également inventée de toutes pièces. Sur son bureau s'entassaient des textes de brochures, des mémoires, des estampes, des articles plus ou moins bien venus qui vantaient le nouvel Eldorado : « L'une des terres les plus fertiles de l'univers [1] où l'on peut engranger trois récoltes par an, qui produit des raisins d'une grosseur extraordinaire et renferme des mines d'or et d'argent. Il n'est pas jusqu'aux vieux troncs d'arbres qui ne débordent de cire et de miel... »

Il ne trouva malheureusement pas le temps de contrôler cette littérature qui voisinait, pêle-mêle sur sa table, avec les rôles des quatre vaisseaux, *La Victoire, La Duchesse-de-Noailles, La Marie* et *Le Comte-de-Toulouse* qui allaient faire voile vers la Louisiane et La Nouvelle-Orléans dont il regardait les plans

1. On sait aujourd'hui que cela est exact.

une dernière fois avant cette expédition. D'autres collaborateurs entraient dans le bureau de Law, parmi eux le sieur Purry. Law l'attira dans un coin pour l'entretenir en particulier :

— Alors, vous aussi vous partez ? dit l'Ecossais en souriant.

— Tout à l'heure, répondit le voyageur, qui avait l'allure énergique de ces commerçants, de ces hommes d'affaires auxquels tous les chemins d'Europe sont familiers. J'ai pu établir, continua-t-il, par des informations sûres, qu'un recrutement de colons était possible à Neufchâtel en Suisse, en Suède, en Lorraine, en Rhénanie et en Silésie. Je vous tiendrai au courant des inscriptions à mesure qu'elles se produiront.

— Je vais envoyer en Louisiane trois cents travailleurs, des gens de métier, répliqua Law. N'oubliez pas de préciser que la compagnie offre le transport gratuit en Amérique, que nous pourrons bientôt assurer trente et une livres de farine par personne pour attendre la nouvelle récolte, et une concession d'au moins trente arpents de terre à tout laboureur expérimenté, autant de terres qu'elles en voudront aux personnes de condition, du cheptel et... des nègres ! Indiquez pareillement que les activités les plus favorisées là-bas sont : les cultures de l'indigo, du riz, du tabac et l'élevage des vers à soie. Il y a aussi les mines ; vous savez que j'étudie cette question avec l'Académie des sciences et que M. le Régent s'y intéresse particulièrement.

— Vous disiez... des nègres ? répéta Purry, songeur.

— Oui, reprit Law. Je suis en train d'acquérir les droits et privilèges de la Compagnie du Sénégal, ce qui me permettra de transporter en Louisiane quinze cents nègres par an. Ils s'accommodent plus facilement du climat, dit-on, que nos Français. (Law hocha la tête :) Qui sait ? Peut-être que ces pauvres Noirs considérés jusqu'à présent comme du bétail trouveront là-bas, dans ce pays neuf, un nouveau destin... Je compte leur donner des terres, à eux aussi, dit-il fermement [1].

De telles considérations ne visitaient manifestement pas l'esprit du sieur Purry, qui renchérit :

— Cela permettra un apport de main-d'œuvre intéressant. On pourrait sans doute développer la culture et l'usage du tabac ?

— Nous l'avons prévu, affirma Law.

Que n'avait-il prévu !

— ... Mais il faut avant tout organiser, administrer, reprenait-il, je viens de créer un conseil de régie et un conseil de colonie ; ce sera une cour de justice indispensable pour assurer l'ordre et pour protéger les habitants.

— Que le Seigneur vous assiste, monsieur le directeur, dit Purry en souriant.

— J'en ai besoin ! dit Law. Mais surtout, surtout, il faut aller vite : c'est une course contre le temps qui est engagée, car la Compagnie d'Occident et la Banque générale doivent aller au même pas pour que puisse fonctionner mon Système de finances et pour que je ne sois point défait par mes ennemis !

---

1. Cela fut fait.

Un laquais annonça encore un visiteur et Law se trouva devant un homme singulier, rude, sec et noir comme François Villon lui-même. C'était l'ingénieur Adrien de Pauger, qui venait faire à la compagnie l'offre la plus sérieuse qu'elle recevrait jamais : il proposait d'utiliser les compétences et les talents de quatre-vingts spécialistes, recrutés par ses soins, et qui appartenaient à cette élite ouvrière française qui édifiait des merveilles telles que la nouvelle ville de Versailles, les quartiers et monuments neufs de Paris et de bien d'autres cités qui feraient l'admiration du monde. Il se déclarait prêt à s'embarquer sur-le-champ avec eux pour la Lousiane.

Deux hommes face à face, deux regards qui se croisent : John Law et Adrien de Pauger, et par eux le destin d'une ville et celui d'un continent commençaient à se dégager de l'avenir incertain.

LE DÉPART POUR LES ÎLES

> « Cette France si spirituelle ne sait pas plus de géographie que de calcul ou d'orthographe. Beaucoup mettent l'Asie à l'Occident. Trompés par le mot " Indes ", ils confondent les deux continents sous un magique nom : " les isles ".
>
> « Des Hespérides à Robinson, tout le mystère du monde est dans les isles. »
>
> MICHELET.

> *Sont les filles de La Rochelle*
> *Qu'ont armé un bâtiment !*
> *Qu'ont armé un bâtiment !*
> *Ah ! la feuille, la feuille qui vole !*
> *Ah ! la feuille qui vole au vent !...*

La voilure du beau navire se déployait dans la lumière, au rythme de ce refrain repris par des voix pleines d'élan. En cet hiver de 1718, poussé par un vent de noroît, *Le Comte-de-Toulouse* entrait, toutes voiles dehors, dans les embruns de l'Atlantique [1].

Le chevalier des Grieux le commandait. Il avait embarqué à La Rochelle non seulement quelques Manons mais nombre de représentants de l'ingéniosité, du talent et de l'audace d'une race forte saisie par le démon de

---

1. Le navire portait le nom du fils naturel de Louis XIV et de Mme de Montespan, alors président du conseil de la Marine. Avec *La Victoire*, *La Duchesse-de-Noailles* et *La Marie*, il fut le premier à effectuer des liaisons régulières avec la Louisiane.

l'aventure : Adrien de Pauger, qui voulait bâtir sa ville avec ses quatre-vingts ouvriers, était à bord avec eux. Quelques faux sauniers et contrebandiers, tirés de la Bastille dans le grand besoin de main-d'œuvre où se trouvait la Louisiane, se glissaient entre leurs groupes avec la discrétion qui convenait à leur médiocre condition ; tanguaient aussi bravement sur les ponts des hommes prêts à semer, à labourer et à engranger tout ce qui voudrait bien pousser sur le continent américain. Bon nombre de ces passagers résolus s'en allaient augmenter les effectifs des hommes qui cultivaient déjà le grand domaine de Pâris-Duverney, au village des Bayagoulas. Dubuisson, l'agent du financier, nommé intendant de sa concession, les accompagnait.

Et puis il y avait une masse indistincte de pauvres gens, avant-garde de tous ceux qui cheminaient sur les routes enneigées de février, en direction de La Rochelle et de Lorient. Les trois vaisseaux qui suivaient en ligne *Le Comte-de-Toulouse* — *La Victoire, La Duchesse-de-Noailles* et *La Marie* — également surchargés, avaient eux aussi laissé sur les quais d'embarquement d'innombrables émigrants contraints d'attendre — et dans quelles conditions ! — les prochains départs vers les îles.

Les survivants de l'hiver de 1710, des famines et des guerres qui avaient encore la force de travailler, de lutter, de vivre et d'espérer, se décidaient brusquement par milliers à fuir les contraintes insupportables de la Ferme générale. Ces malheureux avaient commencé à souffrir des maux extraordinaires. Après avoir tout quitté et découvert qu'il est plus dur qu'on ne le croit de se déraciner, même lorsqu'on est emporté par un grand rêve ou par un grand espoir, ils avaient vécu l'hallucinante pérégrination de ces longues caravanes qui cheminaient vers l'Ouest. Les frimas de la mauvaise saison accablaient les lents chariots croulant sous leurs chargements, la foule misérable des piétons épuisés, les cavaliers empêtrés dans ce flot chaotique où les chevaux affolés se cabraient et hennissaient.

Parvenus à la côte, ils avaient enfin découvert les ports dont les noms chantaient en eux : Lorient et La Rochelle, les navires qui se mouvaient doucement sur la mer comme des oiseaux prêts à l'envol, et la forêt des mâts, ramures fines comme celles des boqueteaux dans le ciel d'hiver. Elles aussi vibraient, oscillaient, droites ou légèrement penchées, au gré d'un vent lourd de senteurs de goudron, de varech et d'iode.

Puis une autre ruée avait emporté les émigrants, celle qui chargeait comme une tempête d'équinoxe les bureaux récemment ouverts de la Compagnie d'Occident, pour tenter d'arracher des places à bord des bateaux en partance. Il avait fallu alors se mesurer à l'inexpérience de commis fraîchement embauchés. Tout cela était si nouveau ! Certains devenaient insolents, d'autres furieux. Les directeurs perdaient la tête, pressés par les marins de faire passer en priorité le chargement des vivres et surtout celui des munitions de guerre, car il fallait prévoir les agressions des Anglais et des forbans. Les commandants de navires se montraient aussi fort sourcilleux en ce qui concernait les réparations qu'il avait fallu effectuer en hâte sur des bâtiments déjà anciens et qui allaient affronter durant trois longs mois les périls de la mer.

Sont les filles de La Rochelle
Qu'ont armé un bâtiment !...

Quelques Manons et certains privilégiés logent à trois ou quatre dans des cabines étroites. Le plus grand nombre de passagers a été invité à s'entasser dans la cale, où l'on abrite cartouches et armes à feu. Beaucoup préfèrent coucher sur le pont et sur la dunette, au gré des vents et de la pluie, « la tête abritée dans un panier ». Pour se réconforter, nul repas tels que nos Français les aiment, mais seulement, au souper (à midi), un biscuit avec du fromage et un coup d'eau-de-vie ; le soir, un bouillon clair et une bouillie peu appétissante. Quant aux distractions, on récite ensemble des prières quatre fois par jour, le dimanche on fait la procession autour du cabestan.

Si l'on n'est point incommodé par le roulis, on peut aussi se promener sur le gaillard, mais ceux qui ont le cœur si bien accroché risquent d'être réquisitionnés pour remplacer les membres de l'équipage malades ou accablés de besogne. On voit alors des malheureux grimper, épouvantés, dans les mâts et se balancer dans les tempêtes. Le calme plat est tout aussi redouté. Rester immobile huit jours durant dans de telles conditions est une épreuve et la crainte des pirates ou des Anglais tenaille les cœurs. Ce n'est point ainsi qu'on leur avait représenté le voyage ! Mais ils ont une si vieille habitude de souffrir de la faim, du froid et de la peur !

Ah ! la feuille qui vole, qui vole !
Ah ! la feuille qui vole au vent !...

Sur ces navires, il y a ceux qui ne se découragent jamais : les coureurs de bois épris de l'horizon chimérique. Law leur offre l'aventure, car le voyage est gratuit et la vie, dit-on, assurée aux îles...

— A la santé de John Law, messieurs !

Le Chevalier de la Mer vient de lever son gobelet dans la chambre des cartes du château de poupe du navire, calme retraite où des Grieux a réuni ses officiers autour d'un flacon d'eau-de-vie et du personnage considérable qu'il a embarqué.

A l'appel de Law, l'ancien corsaire a quitté le Coromandel, afin de veiller de près à la construction de Port-Louis, qui s'édifie à une lieue de Lorient, pour les navires et les marchandises de la Compagnie d'Occident dont il s'occupe également de constituer la flotte marchande. Il s'est emparé de tous les bâtiments de commerce dont la France dispose et a mis en chantier un nombre impressionnant de bateaux. Pour les armer contre les forbans et les navires ennemis d'Angleterre et d'Espagne, il a vidé tous les arsenaux du royaume. Le songe d'une terrible nuit de l'hiver de 1710 devient réalité. Law va posséder une flotte de commerce comparable à celle de Jacques Cœur

269

au XVᵉ siècle. Le singulier chevalier qui l'a créée aime les noms de fantaisie et ne tardera pas à nommer Law « Jean l'Amiral [1] ».

À cette heure plus calme du soir tombé, de rudes visages attentifs se penchent dans la clarté du fanal qu'un matelot vient d'allumer et de poser sur la table des cartes. L'illustre passager parle, on l'écoute. Lui observe ces visages sculptés et brunis par le vent et le sel des embruns, de jeunes visages semblables au sien au temps où, lui aussi, prenait les quarts du jour et de la nuit.

Une émotion rapide le traversa, que nul ne pouvait déceler. On entendait battre les pulsations de la mer, ahans sourds contre le bois du navire. Les silhouettes entre ombre et clarté évoquaient les œuvres magiques de Georges de la Tour et de Louis Le Nain. Le Chevalier de la Mer, après le bref silence que méritait cet instant, dit :

— Il importe, messieurs, que vous sachiez bien ceci : la Compagnie d'Occident que vous servez désormais est une sorte de souverain marchand qui se substitue au roi, à qui elle ne doit que « la seule foi et hommage lige ». Elle nomme les gouverneurs de ses territoires, les officiers qui commandent ses troupes et ses navires, et les juges qui suivront en tous lieux les coutumes de la prévôté et vicomté de Paris. Ses armes sont « de sinople à la pointe cerclée d'argent sur laquelle est couché un fleuve au naturel (notre Mississippi !) ; appuyées sur une corne d'abondance d'or, soutenues d'une face en devise aussi d'or, elles ont deux sauvages pour support et sont surmontées d'une couronne tréflée. »

Il avait récité cela d'un trait, ce qui laissait ses interlocuteurs surpris et révélait l'importance que revêtait à ses yeux cette souveraineté de la compagnie.

— Quels sont les bâtiments qui viendront encore compléter l'escadre de M. Law ? demanda un jeune enseigne.

— *La Renommée, La Badine, Le Dromadaire, L'Eléphant, Le Chameau, La Baleine, La Gironde, La Seine, La Loire, Les Deux-Frères, La Vénus...*

Le Chevalier s'arrêta là.

— C'est déjà beau ! s'écria des Grieux.

— Vous trouvez, monsieur ? Et pourtant, c'est bien peu, en vérité, en regard des foules que nous laissons sur les quais ! Mille six cents ouvriers qualifiés, recrutés avec grand soin par M. Law, vont arriver par paroisses entières, maires et prévôts compris ; ils accourent de Suisse, de Suède, de Lorraine, de Silésie, de Rhénanie. Quant aux bateaux, nous en aurons bien d'autres, et d'excellents, mais il nous manquera des officiers compétents, comme vous, messieurs.

— Il vous en manquerait moins si les officiers rouges de la marine royale ne traitaient pas de si haut les officiers bleus de la compagnie, lança des Grieux en haussant les épaules. Il faut voir de près, croyez-moi, à Lorient, à Brest, à Rochefort ou à La Rochelle, la manière dont nous sommes accueillis !

— Donnez-leur le temps de s'habituer à vous ! Vous venez seulement

1. Nom retrouvé sur certains documents de l'époque.

270

d'apparaître. N'aurez-vous pas bientôt votre port où nul ne pourra relâcher que vous ?

Un lieutenant dit en hochant la tête :

— Ceux qui sont si pressés d'aller aux îles ne perdent rien à attendre, fût-ce sur les quais de villes inconnues, sans logis et au plus sombre de l'hiver !

Le visage du Chevalier se crispa :

— Pourquoi donc croyez-vous que je laisse tout ce qui m'est confié en France pour ce voyage de six mois au Mississippi ? dit-il rudement. Il faut un commencement à tout. Je vais là-bas pour porter remède à de grands maux, je le sais ! Nous allons mettre en place un conseil de régie, véritable gouvernement local qui, au nom de la compagnie, devra assurer l'organisation, l'administration, la justice et la défense de nos territoires d'Amérique.

— Et quand verrons-nous cela, s'il vous plaît ? s'enquit des Grieux, un peu ironique.

— En débarquant. Les nominations sont arrivées par un précédent navire et certains élus viendront nous accueillir.

— Peut-on vous demander leurs noms ?

Les marins, d'abord étonnés, manifestaient une excitation soudaine :

— Leurs noms ? Leurs noms, s'il vous plaît ? répétaient-ils.

— Je ne vois aucun inconvénient à vous renseigner : la présidence du conseil est donnée à M. de Bienville, qui aura sous ses ordres quatre directeurs : Hubert, actuel commissaire de la Compagnie d'Occident au Mississippi, Lacerbault et Le Gac, qui sont encore à Paris. Ce sont des juristes qui étudient l'application du régime dont M. Law veut doter la Louisiane. Délorme, que vous connaissez, et deux officiers du roi, M. de Chateaugay et son cousin M. de Boisbriand, complètent ce gouvernement.

Ces hommes, qui connaissaient bien la Louisiane et ses pièges, s'exclamaient :

— Bienville règne sur la Louisiane en maître absolu depuis des années et vous allez lui imposer un conseil de régie ?

— Hubert et Delorme ne s'entendront pas avec lui !...

— Ils travailleront pour leur propre compte !

— Et peut-être pour les Anglais !

— Ou pour ce Dubuisson que vous avez à bord, reprit le Chevalier, soucieux. M. Law, en prenant possession de la Louisiane, a laissé à M. de Bienville ce « règne » en raison des circonstances et de ses qualités exceptionnelles. Toutefois, ce jeune gouverneur ne s'est pas montré un organisateur émérite ; les difficultés auxquelles vous faisiez allusion tout à l'heure en témoignent, ce me semble !

— Ah ! monsieur ! s'écria des Grieux, entre l'organisation telle que la conçoivent vos commis de Paris et les réalités de l'Amérique, il y a, croyez-moi, l'étendue et la profondeur de l'océan. M. de Bienville est l'homme de l'Amérique, très éloigné de vos façons de voir et de vos soucis. C'est un militaire, un chef respecté des tribus indiennes qui en massacrent bien d'autres ! C'est aussi un coureur de bois et de rivières. Depuis l'âge de vingt ans, il est le maître d'un empire que des hommes venus de Paris vont vouloir lui disputer. Or il n'a pas encore quarante ans ! Il appartient à un passé qu'il a construit, pour une part, avec ses frères et qu'il continue de créer jour après jour, avec l'extraordinaire diversité d'un présent qui vous échappe. Or M. Law, et M. de Pauger que vous avez à bord, appartiennent à l'avenir. Que croyez-vous qu'ils puissent faire ensemble ?

— Gagner ou perdre une partie qu'ils doivent jouer la main dans la main, et vite, très vite...

Un silence se fit ; le propos méritait réflexion. Soudain, le Chevalier reprit la parole :

— Ce Bienville m'intéresse ; que savez-vous de lui ?

— Voilà dix-huit ans que je les ai découverts, lui et ses frères, en même temps que l'Amérique qui semblait leur appartenir, répondit des Grieux. Ces immenses pays ont été le terrain de conquête de ces neuf Français, les frères Lemoyne, tous anoblis par le feu roi ; ils sont nés sur les bords de la rivière des Iroquois [1], en Nouvelle-France [2] où leur père, venu de Dieppe, s'était établi, et ils ont rempli le Nouveau Monde de bruit et de gloire. Canoteurs, endurcis à l'eau comme poissons dès leur jeunesse, ils sont tous marins. J'ai bien connu l'aîné, le plus illustre, le capitaine de frégate d'Iberville. Avec deux canots, en compagnie de ses frères Sainte-Hélène et Maricourt, il a obligé un vaisseau anglais à se rendre dans la baie d'Hudson ! On ne compte plus les engagements où son navire, attaqué par deux ou trois bâtiments, coula ou dispersa ses assaillants. Il a battu les Anglais maintes fois sur mer et même sur terre ! Je le revois... beau, grand, fort, un héros. Le roi l'avait appelé à Versailles et il s'y rendit, monsieur ! Sa Majesté fut charmée par sa dignité, sa précision en toute chose, sa probité, et le chargea d'aller reconnaître l'embouchure du Mississippi et de s'emparer de cette position qui ouvre l'accès à ces vastes contrées que nous appelons Louisiane, du prénom du roi. Les Anglais s'apprêtaient d'ailleurs à la prendre ; il s'agissait de les précéder et d'organiser une défense pour la conserver. D'Iberville monta alors une expédition fameuse. Bienville, à l'époque tout jeune garde de la marine, et son frère Sauvole, enseigne, vinrent rejoindre leur aîné en France pour se placer sous ses ordres. Trois frégates mirent à la voile pour le golfe du Mexique ; c'était, je m'en souviens, *La Badine*, reprise aujourd'hui par la compagnie et que commandait d'Iberville, *Le Marin* que commandait le chevalier de Surgères, et *Le Français* que commandait le marquis de Châteaumorant. D'Iberville avait très minutieusement préparé son affaire et fait construire à Rochefort, selon ses indications, des biscayennes, des felouques et des canots d'écorce pour naviguer près des côtes et sur les fleuves. Leurs équipages ne comprenaient que des gens de Nouvelle-France et des matelots parlant l'espagnol. Bien leur en prit, car ils eurent la fâcheuse surprise de trouver toute une garnison de marins de Sa Majesté catholique, venue de Vera-Cruz et installée dans un petit fort construit au fond d'une baie baptisée Santa Maria de Pensacola de Gabez.

1. Le Saint-Laurent.
2. Le Canada.

Mais ce n'était pas celle que cherchait d'Iberville qui, bientôt, découvrit une île déserte où se trouvaient tant d'ossements qu'il l'appela l'île Massacre, avant de lui donner le nom plus glorieux d'île Dauphine. Nous allons y débarquer puisque, aussi bien, nous ne disposons pas encore d'un port ou même d'un mouillage aussi accessible sur la côte.

A ce moment, des Grieux déroula une carte et éleva le fanal de manière à éclairer le tracé des contrées dont il parlait et qu'il désignait du doigt :

— Regardez, c'est ici, reprit-il. Puis, continuant son récit, il ajouta : Le lendemain, les frères Lemoyne parvinrent devant la rivière la Mobile qui se jette dans le golfe ; ils y mirent leurs vaisseaux à l'ancre et s'embarquèrent sur les biscayennes pour suivre la côte au plus près afin de chercher le Mississippi. C'était à la fin février, la mer était forte, il fallait être de terribles gaillards, croyez-moi, pour entreprendre cette navigation et braver les courants qui bouillonnent là-bas ! Ils m'ont raconté comment, un jour, à la pointe d'une presqu'île, leur apparut un étrange obstacle : deux bancs de douze pieds de haut, non point faits de roche mais de bois pétrifiés et de vases apportés par un fort courant d'eau douce, avaient peu à peu formé entre eux une passe par laquelle se déversait une rivière bourbeuse et remuante. Ils n'hésitèrent pas à la remonter et furent bientôt en face des trois bras qui se rejoignent ici en un vaste carrefour...

Des Grieux suivait toujours le tracé de la carte.

— Le lendemain, ils s'arrêtèrent là, au village qu'habite la tribu des Bayagoulas. La grande force des frères Lemoyne, souvenez-vous-en, est de connaître la langue, le caractère, les coutumes des Indiens et de savoir vivre avec eux. Reçus et confortés par ceux-ci, ils en apprirent qu'ils étaient bien sur le Mississippi. La petite troupe remonta jusqu'à Bâton Rouge, puis d'Iberville se sépara de Bienville et de Sauvole et leur commanda de redescendre le Mississippi tandis que, seul sur un canot, il s'engageait sur cette petite rivière que vous voyez là et qui, depuis, porte son nom ; il parvint de la sorte à ces deux lacs qu'il baptisa Maurepas et Pontchartrain, car il s'était fort lié à Versailles avec le ministre de la Marine et avec son fils. Ainsi d'Iberville se retrouva-t-il à huit lieues seulement de l'endroit où étaient mouillées ses frégates. Selon les ordres de Sa Majesté, il construisit, dans la baie voisine de Biloxi, un fort à quatre bastions armés de quatorze pièces. Repartant pour la France, il y laissa soixante-dix hommes et seize mousses. Il en nomma Sauvole gouverneur, avec Bienville pour adjoint. M. de Boisbriand, son cousin, et le sieur Levasseur y exercèrent les fonctions de major. C'est alors que M. de Bienville, vivant sur son canot comme d'autres vivent à cheval, visita les tribus indigènes qui habitent les rives du Mississippi, du lac Pontchartrain et de la Mobile. Les Mobiliens, les Tohomès, les Oumas, les Calapissas, les Bayagoulas, les Mongoulachas, les Taensas et les Appalaches devinrent ses amis et ses alliés.

« Vous savez comment d'Iberville fit à cette époque un va-et-vient constant entre Versailles et la Louisiane, informant Sa Majesté des positions prises par son jeune frère. Le roi dès lors le chargea de construire un autre fort pour affirmer ses positions face aux prétentions des Espagnols, des

Portugais et des Anglais. Lorsqu'il revint au Mississippi, Sauvole était mort des fièvres du delta et Bienville, malgré son extrême jeunesse, avait pris sa place et dirigeait une colonie qui comprenait déjà cent trente personnes. Il ne restait plus qu'à fixer les frontières de la Louisiane, que son audace et son habileté avaient peu à peu commencé à délimiter. Le roi les reconnut par la création d'un gouvernement, à la tête duquel il plaça d'Iberville qu'il venait de faire capitaine de vaisseau.

« Regardez encore la carte... Un autre frère Lemoyne, demeuré en Nouvelle-France, Sérigny, vint rejoindre d'Iberville. Les quatre frères n'eurent dès lors plus qu'une ambition : étendre les frontières de Louisiane jusqu'au détroit qui unit les lacs Erié et Huron, pour la relier à leur pays natal où demeuraient, auréolés du prestige de leurs exploits, quatre autres frères Lemoyne ! Quand je vous dis que l'Amérique est à eux ! Ils en vinrent à effrayer l'intendant de Québec, esprit médiocre, qui redouta un exode massif des Français, lesquels risquaient fort de préférer aux rives glaciales du fleuve des Iroquois les chaudes contrées du Sud. Il parvint à empêcher la réalisation de ce plan admirable et grandiose et, malheureusement, d'Iberville à ce moment tomba gravement malade à Rochefort. Sa femme quitta Versailles pour le rejoindre en chaise de poste et crut le trouver mort. Mal remis, il voulut servir dans la guerre qui venait d'éclater avec l'Espagne ; il demanda et obtint onze bâtiments. Vous savez comment, une fois de plus, il se couvrit de gloire sur les côtes de la Nouvelle-Angleterre et ramena un butin énorme dans les îles Caraïbes où il mourut, alors qu'il s'apprêtait à réaliser, malgré l'intendant de Québec, son projet de Louisiane. M. de Bienville n'avait que vingt-six ans ; il fut nommé gouverneur à la place de son frère, mais, en fait, depuis des années il exerçait ces fonctions. Il connut dès lors de grandes difficultés : attaques et dénonciations calomnieuses ne lui furent pas épargnées. Il dut même retourner en France pour aller plaider sa cause à Versailles.

« Peu après, M. Antoine Crozat devint le maître de la Louisiane et des temps singuliers survinrent pour M. de Bienville. Il dut céder sa place de gouverneur à M. de Lamothe-Cadillac et se contenter du titre de lieutenant du roi. M. de Lamothe-Cadillac avait un caractère affreux et une fille ravissante. M. de Bienville ne put supporter l'un et tomba amoureux de l'autre, sans pouvoir se résoudre à devenir le gendre d'un tel personnage !

— Voilà en effet un passé avec lequel il faudra compter, murmura le Chevalier. Mais quel homme est-ce ? Pouvez-vous me parler de son esprit, de ses talents ?

— Que vous dirai-je ? Qu'il a la liberté de manières d'un garçon qui s'est fait sur les mers, sur les rivières et dans les bois. Il ne sait ni organiser ni mener les entreprises et les gouvernements à la façon de Paris, mais il est patient, adroit, très adroit, et comme tous les siens, il allie un extrême courage à la ténacité et à l'intelligence.

— Voilà bien des compliments ! dit le Chevalier, perplexe.

— Sa meilleure qualité, ajouta des Grieux, est celle-ci : la connaissance des sauvages, comme je l'ai déjà dit. Elevé dès l'enfance en leur compagnie, il sait comment se comporter avec eux et intervenir sans erreur dans leurs conflits ou dans leurs accords. Il a fait d'eux des alliés précieux contre l'Anglais et l'Espagnol, et des compagnons dans ces aventures de découvertes qu'il n'a jamais cessé d'aimer et de poursuivre.

— C'est ainsi, dit l'enseigne, que, en dépit de sa garnison minuscule, il ne s'est jamais vu gravement menacé.

— Et aussi, ajouta le jeune capitaine, que, avec Chateaugay, il put remonter le Mississippi jusqu'à sa source, s'avancer d'autre part vers le Nouveau-Mexique et reconnaître le Missouri.

Le Chevalier suivait du regard cet incroyable trajet sur la carte.

— Ne croyez pas que ce furent tout à fait des parties de plaisir ! reprit des Grieux. Les Espagnols, qui allaient dans ces parages chercher des peaux de bœufs dont ils faisaient des harnais pour leurs mules, ne s'y risquaient qu'en casque et cuirasse à l'épreuve de flèches parfois empoisonnées.

— Ce qui provoqua l'admiration des sauvages qui les prirent pour des esprits ! ajouta l'enseigne en riant.

— C'était le beau temps de la colonie ! soupira le capitaine.

— Comment cela ? s'étonna le Chevalier qui n'avait jamais mis les pieds dans ces contrées, bien qu'il eût couru lui aussi les mers depuis son jeune âge.

— Bah ! reprit le jeune homme, les colons étaient peu nombreux et se connaissaient tous. Des sœurs grises de Rochefort étaient même arrivées pour soigner les malades ; il y en avait beaucoup dans le delta. Mais la vie était facile ; chacun, y compris les officiers et les soldats, trafiquait avec les sauvages et avec les Français descendus de la Nouvelle-France. On élevait des cochons, des poules, puis il y avait la chasse et la pêche. Lorsque les navires venus de France tardaient à apporter des vivres et que la disette se faisait sentir, on s'en allait dans les bois se faire nourrir par les indigènes. Il fallait voir les joyeux violoneux apprendre aux sauvagesses les danses de nos dames contre un plat de sagamité ! J'en connais qui payaient en galanterie !

Les hommes riaient ; l'enseigne compléta le tableau :

— Même que les sauvagesses pleuraient lorsque les soldats criaient à tue-tête que les vaisseaux avaient enfin mouillé et que l'on pouvait revenir vers la côte !

— Voilà qui est moins glorieux, dit le Chevalier.

— Aussi vit-on un jour débarquer, les uns après les autres, des administrateurs envoyés par le roi d'abord, puis par M. Crozat, lorsque Sa Majesté lui céda la Louisiane. Ils s'entendirent tous fort mal avec M. de Bienville et ses remuants frères.

— Ah ! nous y voilà ! soupira le Chevalier.

— En effet, répondit en souriant des Grieux.

Les jours passèrent, interminables pour ceux qui n'étaient pas de l'équipage du navire, même et surtout pour le Chevalier, bien qu'il fût marin ; c'est qu'il menait cette course contre le temps, subtil et dangereux forban qu'il n'avait point accoutumé de combattre.

Enfin, après avoir essuyé les tempêtes d'équinoxe, ils se trouvèrent devant « les isles » !

On était à la mi-avril.

Où se jouaient donc les mélodies du vent ? Où donc la mer entonnait-elle ses chants profonds ? Où frappait-elle ses accords ruisselants dont le tempo fou battait à tous les hublots du navire ?

Doublant les caps enchantés et les îles fortunées, le navire entrait dans le golfe du Mexique, cercle magique au fond duquel devait apparaître la terre promise.

Sur le gaillard d'avant, le Chevalier, au côté de des Grieux, scrutait l'horizon. Etait-il possible que pût s'engager un peu au-delà de cette ligne fluide, une partie qui se mènerait avec des partenaires mobilisés entre les lambris dorés des palais français ? Aventure sans précédent, en vérité. Le Chevalier sentait sa gorge se serrer tandis que, sur le pont, la houle bousculait les malheureux émigrants engourdis jusque-là dans une lourde torpeur. Alors les yeux s'ouvrirent ; les chevelures malpropres et les vêtements souillés, agités par la brise odorante du printemps exotique qui les accueillait, révélèrent soudain toute la détresse et toute la brutalité de ces mois de voyage. Les passagers retrouvèrent soudain l'élan de l'espérance qui les avait soutenus au plus noir de l'épreuve et avait armé ce navire comme les songes de Law. Une rumeur courut sur le pont, grandit, monta jusqu'à eux. Chacun sentait le but proche, croyait voir poindre sa délivrance et la fin de ses maux.

Ce fut pourtant le lendemain seulement que le navire passa avec majesté entre l'estuaire de la rivière Mobile et l'île Dauphine, la sinistre île du Massacre vers laquelle, à l'étonnement de tous, il mit le cap. Les passagers titubants, surexcités, s'écrasaient le long des rambardes. Etait-ce là le Mississippi ? La Louisiane ? Le terme de l'épuisant voyage ? Ces questions criées, répétées par toutes les voix, semblaient demeurer sans réponse.

Cependant que des Grieux dirigeait au porte-voix les manœuvres de l'accostage et que les mousses jonglaient dans les voiles, des remous creusèrent la foule : les malheureux émigrants essayaient de regrouper leurs ballots que certains traînaient déjà derrière eux, tentatives auxquelles les matelots, gênés par ces mouvements, s'opposèrent bientôt avec brutalité. Le Chevalier s'apprêtait à intervenir lorsque le spectacle de la terre qui se rapprochait le figea sur place : devant quelques cabanes dont l'indigence s'accusait à mesure que l'on venait auprès, gesticulait une autre foule dont les clameurs violentes et hostiles couvraient peu à peu les cris de joie, les appels, les chants qui montaient du navire sur lequel régna bientôt un silence impressionnant. C'était comme la rencontre d'une furieuse marée et des eaux d'une rivière à son embouchure...

Le vaisseau, qui venait de jeter l'ancre, se retrouva entouré d'une infinité de petits radeaux sur lesquels des êtres décharnés, effrayants, les yeux creux, le regard fou, s'étaient embarqués. Ils s'élancèrent bientôt à l'abordage du bateau, s'accrochant aux cordages que les matelots sans méfiance leur lançaient. Lorsque les premiers sautèrent sur le pont parmi les émigrants pétrifiés, on vit alors combien ils étaient misérables. Ils couraient vers les officiers et criaient :

— Apportez-vous des vivres et des outils ?

A nouveau, un silence redoutable s'établit.

— Non, répondit enfin des Grieux.

— Et vous nous amenez d'autres bouches à nourrir alors que nous mourons de faim ! hurla un homme à califourchon sur le bastingage.

Ayant dit, il saisit le porte-voix du capitaine qui s'était approché de lui, l'emboucha et, tourné vers le rivage, cria :

— Ils n'ont à bord ni vivres ni outils, et d'autres affamés vont débarquer !

Une grande clameur s'éleva sur la plage ; aussitôt, une marée humaine courut vers la mer, entra dans l'eau et vint s'agripper aux canots mis à flot pour le débarquement des passagers et aux échelles de corde déroulées pour eux. Ceux-ci tentèrent alors de gagner de vitesse cette masse inquiétante qui leur rappelait celle qu'ils avaient laissée, avide et malade d'espérance, sur les quais de La Rochelle.

Entre les deux courants qui roulaient l'un vers l'autre, le heurt était inévitable. On en venait aux mains à la coupée du navire, les matelots s'en mêlaient. Les officiers et le Chevalier se précipitèrent au point le plus chaud, donnèrent des coups et de la voix :

— Que faites-vous ? Que voulez-vous ? hurlait le Chevalier.

Un immense cri poussé par plus de cent voix lui répondit, arrêtant net la bagarre et figeant les émigrants :

— Repartir ! repartir ! hurla la foule qui prenait d'assaut le navire. Nous voulons rentrer en France ! Oui, nous rentrons ! Quand levez-vous l'ancre ?

— Pas avant une semaine ! Arrêtez ! Arrêtez ! Descendez ! criait à son tour des Grieux.

— Non ! nous ne descendrons pas et nous te forcerons à faire voile demain !

Mais une nouvelle clameur couvrait ces mots ; les silhouettes de *La Victoire*, de *La Duchesse-de-Noailles* et de *La Marie* venaient d'apparaître.

— Il y a d'autres navires ! A l'abordage ! Il y a peut-être du blé !

— Hélas ! pas davantage ! murmura l'enseigne ; mais personne ne l'entendit.

Un reflux s'amorça. Aussi vite qu'ils étaient venus, les assaillants réenjambèrent le bastingage et se portèrent, qui à la nage, qui sur les radeaux, à la rencontre de *La Duchesse-de-Noailles*, laquelle virait pour mouiller dans l'alignement du *Comte-de-Toulouse*.

Pauger, abasourdi, s'approcha du Chevalier :

— Nous voici, mes hommes et moi, à vos ordres, monsieur. Personne ne comprend rien à ce qui vient de se produire. Où sommes-nous donc ? .

— A l'île Dauphine, répondit le Chevalier fort sombre. Et je ne sais pas comment nous en sortirons. Tant que vous ne nous aurez pas construit un bon port, les navires venus de France ne pourront pas aborder aux côtes de Louisiane, ni même s'approcher davantage du Mississippi. Et maintenant, tâchons de découvrir M. de Bienville et de savoir par quel moyen nous pourrons arriver à destination.

Les deux hommes débarquèrent dans les remous indescriptibles de ces deux foules qui marchaient l'une vers l'autre et s'affrontaient, mais dont la panique et la détresse finissaient par se rejoindre et se mêler. Devant eux, sous les grands arbres tropicaux, les quelques cabanes semblaient écrasées de chaleur dans l'ombre violette qui les drapait sous le vert profond des feuillages. Des senteurs inconnues, tantôt poivrées, tantôt sucrées traversaient la houle suffocante des odeurs que répandait cette humanité si misérable. Les ouvriers de Pauger, les fins compagnons venus d'Artois avec leur bagage de foi et de courage, le suivaient, stupéfaits, inquiets, disciplinés encore, mais un silence trop lourd s'était glissé dans leurs rangs.

Le Chevalier poussa brutalement la porte d'une des baraques ; lui et son compagnon se trouvèrent alors devant deux hommes apeurés ; un troisième qu'ils voyaient de dos se retourna pour leur faire face. Le Chevalier n'hésita pas :

— Monsieur de Bienville ?

— Pour vous servir, monsieur ! Et voici les membres du conseil de régie nommé par la Compagnie d'Occident dont vous êtes, je crois, l'envoyé attendu ?

Le geste était large qui désignait les deux personnages accablés et le ton, méprisant. Eh, quoi ! Etaient-ce donc là Hubert, le représentant de la Compagnie d'Occident, et Delorme ! Que l'on était loin de la prévôté et de la vicomté de Paris dont ces hommes étaient chargés d'apporter les lois et les coutumes !

Le Chevalier se présenta brièvement, et Bienville reprit :

— Mon frère Chateaugay et mon cousin Boisbriand, lieutenants du roi, sont avec leurs soldats en train d'essayer de contenir nos vaillantes populations ; ils n'ont aucune chance d'y parvenir : le nombre, la fureur et la faim sont les atouts des révoltés. Vous n'apportez, dit-on, ni vivres ni outils, pas le moindre clou ? Avez-vous jamais réfléchi à l'utilité d'un clou, monsieur ? Ici, son éclat supplanterait celui d'un diamant ! Il nous faut des clous pour construire les embarcations qui pourraient conduire tout ce monde que vous nous amenez vers les terres fertiles où pousse le blé !

— Je vous entends, monsieur, et je n'ignore pas l'urgente nécessité de créer sur la côte de Louisiane un port qui permette aux vaisseaux de déposer les émigrants en un lieu abrité. Je vous amène les hommes capables de construire ces grands ouvrages et aussi l'or, maître de la guerre et seigneur de la paix !

— Que voulez-vous que j'en fasse ? Ce n'est pas de l'or que j'ai demandé, mais des clous ! des outils, des objets de première nécessité, et des vivres. C'eût été là commencer par le commencement ! Ensuite, il faudra en effet des hommes qui sachent bâtir et cultiver la terre. Mais voilà que vous m'envoyez des individus que je ne peux ni transporter, ni nourrir, ni mettre

278

à l'ouvrage ! Il y a même là des femmes et des enfants ! Pourquoi n'avez-vous pas tenu compte du rapport que je vous ai adressé ?

— Parce que je suis parti sans l'avoir reçu et sans me douter même que je devais le recevoir ! La fortune de la mer, monsieur, est capricieuse. Vous le savez mieux que quiconque, dit-on. Et, pressés par le flot des émigrants dans nos ports de l'Atlantique, nous avons dû mettre à la voile avant le retour du précédent convoi de Louisiane.

(Soudain, le Chevalier saisi de crainte, demanda :) Celui-ci nous ramenait-il des émigrants ?

— Cent !

La réponse vint, cinglante. Après un bref silence, le Chevalier se reprit et dit :

— Fort bien. Des gens si prompts à se décourager ou à changer d'idée ne sont pas des éléments intéressants pour nous.

— Les faux sauniers et les contrebandiers le sont-ils davantage ?

— Mais enfin ! s'écria Pauger qui s'impatientait. La Louisiane existe bien quelque part ! Quand et comment pourrons-nous y aborder ? Je suis venu d'Artois avec des hommes habiles et courageux — il désignait ses compagnons massés dehors, et qui ne perdaient rien de l'entretien — pour bâtir votre capitale.

— Avec notre ingénieur Franchet de Chaville, j'en ai déjà marqué le site ; il a même commencé le tracé au milieu des boues, des arbres et des lianes du delta. Il y a pris les fièvres et il est en train d'en mourir ! répondit durement Bienville. Nombreux sont nos malades, dans cette Louisiane que vous êtes si pressés de gagner ! Or nous n'avons ni hôpitaux ni remèdes !

— Je suis aussi un soldat, capitaine au régiment de Navarre, dit Pauger avec la même rudesse.

Bienville se radoucit :

— Je pourrai vous faire passer à Biloxi, dont nous aménageons le mouillage comme nous pouvons, en attendant mieux. Vous vous trouverez là sur la côte de Louisiane, à proximité du lac Pontchartrain et de l'emplacement de La Nouvelle-Orléans, notre future capitale. Toutefois, nos rares et médiocres bateaux ne pourront pas vous transporter tous en même temps. Je vais cependant vous embarquer en premier, vous et vos hommes. Puis je prendrai les laboureurs, et ensuite les concessionnaires. Quant aux autres ! Le passage des gens utiles prendra déjà des semaines !

— Et le ravitaillement ? s'enquit le Chevalier, inquiet.

— A Biloxi, dit Bienville avec un ricanement, ils recevront les « rations » de la compagnie. Une misère. Biloxi est un fort, entouré de quelques cabanes, et construit dans des sables torrides et stériles, non pour recevoir des émigrants mais pour défendre une position. Quant à ceux qui resteront ici, plusieurs mois peut-être, je ne pourrai pas leur donner grand-chose.

— Mais je viens pour vous aider ! s'écria le Chevalier. D'autres navires vont arriver sous peu avec des vivres et des marchandises, et toutes ces erreurs ne seront qu'un mauvais souvenir ! Croyez que lorsque M. le Régent a remis à M. Law la Louisiane, il ne lui a point donné de renseignements sur l'état de la colonie et sur ses besoins. Personne ne l'a renseigné, et surtout pas M. Crozat ! C'est pour cela qu'il m'envoie : pour l'informer et pour vous informer aussi de ce que vous pouvez attendre du Système de finances dont la Louisiane devient en quelque sorte l'étambot !

— Quel Système ? demanda Bienville, inquiet.

— Imaginez, monsieur, tout le royaume de France, tous les sujets de Sa Majesté apportant leurs écus pour aider à la création et au développement de ce pays et recevant en échange des papiers appelés actions, sortes de créances sur les richesses qui se feront ici.

— Qu'est-ce que vous me chantez ? dit Bienville, ahuri.

— Allons, monsieur, vous êtes un marin comme moi et nous n'entendons pas bien les finances, mais retenez au moins ceci que j'ai retenu moi-même, c'est qu'il faut aller vite, très vite pour créer ces richesses : cultures, villes, comptoirs pour le négoce, exploitations des mines, car les fonds qui seront prêtés à la Louisiane devront rapporter sans tarder des bénéfices aux prêteurs. Sans quoi, ils reprendront leurs mises, poussés par tous ceux qui veulent perdre M. Law, son Système, et la Louisiane...

— La Louisiane existe depuis vingt ans, monsieur, et elle existera encore après que vos prêteurs seront dans la tombe ! répliqua fièrement Bienville.

— Mais enfin, ne vous plaît-il pas que cette colonie que vous avez faite et que vous gouvernez devienne rapidement, grâce aux moyens que nous vous apportons, prospère et puissante ?

— Quels sont ces contes bleus ! Pour l'instant, c'est vous qui ruinez nos efforts avec cet afflux de population que nous ne pouvons ni loger, ni nourrir, ni utiliser !

— Attendez ce qui suivra. Les navires vont succéder aux navires, chargés de semailles, de vivres, d'outils, et même de tissus, de vêtements, d'objets d'utilité et de fantaisie. Et ils repartiront un jour, chargés de blé, de tabac, de café, d'or et d'argent peut-être !

Bienville le toisa comme s'il était dément et rétorqua :

— En attendant, la Compagnie d'Occident m'envoie de beaux parleurs comme vous-même et ces messieurs, qui nous font perdre du temps en discours et en prétendant se mêler de tout ce qu'ils ne connaissent ni ne comprennent. Elle m'envoie aussi par centaines des rêveurs et des fous qui arrivent en tenant des propos insensés. Vous appelez cela un Système ? Eh bien, je vous dis tout net qu'il est mauvais et qu'il faut en changer !

Le Chevalier leva les bras au ciel. Comment se ferait-il jamais comprendre de ce Bienville qui s'en allait à grands pas en secouant les plumes hirsutes de son vieux chapeau planté à la diable sur une tignasse sombre ?

Soudain Bienville revint sur ses pas. Le silence se fit. Les poings sur les hanches, le jeune président du conseil de la Louisiane considérait le Chevalier et Pauger de son regard clair : l'inconscience de tant d'hommes venus de France ne lui était plus supportable ; il fallait tenter de mettre ceux-là en face des réalités et des responsabilités qu'ils prétendaient assumer.

— Vous parliez de « notre capitale » ? (Il appuyait sur ces deux mots avec une ironie féroce qui animait ses traits fermes). J'espère que nous en retrouverons les traces, mais rien n'est moins sûr !

— Que voulez-vous dire ? demanda Pauger, surpris.

— Ce que je veux dire, monsieur, c'est que cette Louisiane dont vous demandiez tout à l'heure si elle existait quelque part, est faite d'un FLEUVE — et le mot fleuve ici s'écrit et se pense, croyez-moi, en lettres majuscules ! Elle est faite aussi d'hommes et de terres qui ne ressemblent point à celles que vous avez accoutumé de parcourir.

— Ah oui ! dit Pauger, les fameuses terres où l'on trouve de l'or, de l'argent, des pierres précieuses, des récoltes multipliées et de bons sauvages !

— Qui dit cela ?

— Des papiers répandus dans le public par la Compagnie d'Occident !

— Ne riez pas ! répliqua Bienville à Pauger qui ricanait. Oh ! sans doute nos terres ne sont pas telles que l'on y puisera de l'or et des émeraudes à la pelle, comme certains le racontent ! Cependant, je vous le dis, elles portent en elles des richesses secrètes qui, un jour, étonneront le monde [1]. Toute une génération le pressent ! C'est la singulière aventure qui se joue en ce moment et qui tourne peut-être en tragédie là-bas, devant cette cabane... Ecoutez ces cris ! ces vociférations !

On les entendait, fond sonore obsédant de ce dialogue.

— Mais il y a des colons et des militaires installés depuis longtemps en Amérique ; qu'ont-ils trouvé ? demanda rudement le Chevalier.

— Seulement ce qu'ils ont cherché ! Et cela, croyez-moi, c'est important ! Des Espagnols, des Anglais et des Français ont été les premiers occupants ; ils sont toujours en présence. Les Espagnols cherchent l'or dont ils ont besoin pour leur monnaie, en dépit de celui du Pérou, gaspillé ; ils cherchent aussi la gloire, celle de Dieu à la leur mêlée, comme toujours : les étendards d'Espagne portant la Croix sur des terres inconnues pour l'imposer aux bons sauvages qui les tirent comme des lapins ! Les Anglais, eux, cherchent à étendre leurs possessions afin d'agrandir leur empire, de faire du négoce, et de conquérir tout ce qui se vend, des peaux de castor aux récoltes de maïs en passant par le minerai du pays des Illinois ! Eux aussi s'entre-tuent avec les bons sauvages !

« Quant aux Français de France, rien de tout cela ne les intéresse vraiment ! Même pas l'or, puisque John Law est, dit-on, en train de leur démontrer qu'il ne sert à rien ! Ils partent de La Rochelle à demi morts, réduits en cet état par les guerres et la Ferme générale qui les ruinent, les affament et les rendent inaptes à supporter la chaleur humide d'ici, et tout effort physique. Parmi eux, il y a des protestants qui fuient les persécutions et tous les malchanceux qui ne savent à quoi se raccrocher. La moitié de ces émigrants achève de crever dans les épreuves du voyage ; les survivants sont

1. Il faut rappeler ici que se trouvent dans le bassin du Mississippi les terres agricoles les plus riches du monde et les plus vastes, des gisements d'uranium et la production pétrolière la plus importante du monde, que Bâton Rouge est l'un des premiers ports pétroliers du monde et La Nouvelle-Orléans le premier port fluvial des Etats-Unis.

ces extraordinaires fantômes que nous entendons vociférer — et Dieu sait s'ils ont encore de la voix ! Ceux-là, monsieur, veulent reconstruire un monde, bâtir une autre société, avec d'autres lois !

— Mais c'est aussi le dessein profond et passionné de M. Law ! s'écria le Chevalier.

— Ils veulent édifier des villages et des villes, continuait Bienville. Ils veulent rester, devenir Américains ; ils veulent s'entendre avec les sauvages et ils y parviennent. Mais voilà, les Indiens préfèrent mourir, tuer ou s'enfuir que travailler ! On ne peut les associer à rien. Ils sont totalement inaptes à mettre en valeur et à conserver ces pays d'Amérique convoités par tous, ils sont même incapables d'aider de leurs forces intactes ceux qui peuvent leur apporter des idées nouvelles et un savoir. Alors nos morts encore vivants, minés par le climat du delta, ont cherché et trouvé ailleurs les forces qui leur manquent, celles d'hommes habitués aux chaleurs extrêmes : les nègres venus du Sénégal, ce qui nous crée, figurez-vous, des ennuis avec les Indiens ! N'est-ce pas un comble ?

— Quel lourd problème que celui de ces Noirs, dit le Chevalier. Je sais qu'il tourmente M. Law.

— Qui écrira, monsieur, l'Histoire de la fatigue des hommes ? Peut-être pourrait-on retrouver à travers elle toute l'Histoire de l'Humanité ? En tout cas, nous la vivons ici ; elle est cruelle pour tous et vous verrez que ce problème qui vous trouble est sans solution immédiate [1] ! Mais il y en a un autre, redoutable, dont je parlais à l'instant et auquel il faudra bien que la Compagnie d'Occident se mesure à son tour : le Fleuve !

— Le Fleuve ? répétèrent presque en même temps le marin et l'ingénieur.

— Le MEE-ZEE-SEE-BEE des Indiens, que nous appelons Mississippi, est pour eux une divinité inviolable et ils ont peut-être raison ! C'est en tout cas un gigantesque dragon comme ceux dont les nourrices content les exploits aux enfants ! Celui-ci est gardien du Nouveau Monde. Son corps s'étale depuis la région des grands lacs du Nord et il semble que cette reptation forme des boucles et des méandres innombrables qui s'accentuent jusqu'à ses cent gueules dardées vers le golfe du Mexique.

— Que nous dites-vous là, monsieur le président ! répliqua Pauger. Les fleuves coulent dans des lits immuables !

---

1. C'est Bienville qui, en 1724, c'est-à-dire après le départ de Law, promulgua « un code de conduite » en cinquante-quatre articles, lequel officialisa, en quelque sorte, l'esclavage des Noirs. Ce code ne fut aboli qu'au lendemain de la guerre de Sécession. On sait que la volonté de le supprimer fut une des raisons pour lesquelles le Nord prit les armes contre le Sud. On peut penser que Law, novateur généreux qui sentit la peine des hommes et voulut la soulager, suscita dans l'esprit de Bienville, son lointain collaborateur pourtant fort hostile, les contradictions qu'il est curieux de constater dans ces textes. Ceux-ci, tout en légalisant un odieux asservissement, reconnaissent aux Noirs la qualité d'hommes autorisés, dans certains cas, à demander justice contre leur maître tenu à des obligations précises envers eux. On sait, hélas, ce que ces derniers en firent souvent. Enfin, ces Noirs pouvaient être affranchis, c'est-à-dire devenir des citoyens libres.

— Pas celui-là, monsieur! Pas celui-là. C'est ce qu'il vous faudra apprendre et souffrir! Ses méandres changent continuellement, se déforment et se reforment — parfois même ils se détachent du Fleuve et font naître des lacs qui peuvent disparaître comme en un tour d'enchantement! Près du delta, le Fleuve se subdivise en de multiples ramifications que nous appelons des bayous; là aussi le décor change sans cesse, se défait et se refait, car, voyez-vous, le Mississippi évolue librement au rythme de sa respiration interne. C'est pour cela que je ne sais point si nous retrouverons les traces de La Nouvelle-Orléans et qu'il n'est pas si aisé de construire un port. Il faut avant tout, messieurs, édifier des ouvrages d'art aussi audacieux que ceux que M. Riquet de Bonrepos a dressés, dit-on, dans les montagnes du Languedoc... Encore que nous ayons à faire ici à des éléments plus redoutables : le Mississippi est plus large par endroits que le parc de Versailles et il se déplace au gré de ses caprices et de ses fureurs qui, lorsqu'elles se déchaînent, emportent et détruisent tout [1]!

Le Chevalier s'efforçait de déchiffrer les expressions diverses qui passaient sur le visage de Bienville : ce garçon était-il fou ou voulait-il les abuser?

Mais voici qu'il ajoutait :

— Ni M. Pâris-Duverney, ni M. Crozat qui le savent bien, n'en ont apparemment rien dit, n'est-il pas vrai? ajouta le jeune gouverneur. Pourquoi donc croyez-vous que Crozat a abandonné un pays qui est quatre ou cinq fois grand comme la France et plein de promesses de fortunes, et pourquoi fut-il bien content qu'on en fasse cadeau à M. Law? Eh bien? Vous n'en savez rien? Dommage! Je suis curieux de nature et j'aurais aimé qu'on me le dise! Jadis, à Versailles, j'avais parlé de ce problème à M. Desmarets, mais celui-là était sourd! du moins en apparence. M. le duc de Noailles, qui offrit généreusement la Louisiane à M. Law, n'ignore rien non plus de tout cela!

Le Chevalier comprenait tout, soudain : quel piège, en effet, pour se saisir de la pensée de John Law et de ses rêves, pour l'enliser, le paralyser, se débarrasser de lui! En réchapperait-il?

Bienville, devant ses interlocuteurs atterrés, eut un sourire railleur et ajouta :

— Il vous reste, messieurs, à découvrir l'un des plus beaux deltas du monde, à ce que l'on dit, où des milliers d'îlots sauvages et mouvants

1. Aujourd'hui, les caprices et les fureurs du Mississippi livrent encore, de jour et de nuit, une bataille que s'efforce de maîtriser le corps des ingénieurs militaires des Etats-Unis. Leur quartier général est la station expérimentale de Vicksburg. Le fleuve, pris dans la camisole de force de béton que constituent de nombreux barrages, se débat sans cesse pour échapper à cette prison. Une foule de spécialistes analysent, dissèquent, observent des photos aériennes prises d'avions ou de satellites et des rapports de géologues. Ainsi cherche-t-on à prévoir les catastrophes; mais en dépit de travaux gigantesques et d'un budget considérable, le fleuve échappe encore aux hommes : tel endroit, où des bateaux passent facilement un jour, est complètement à sec le lendemain! Ces précisions permettent de prendre la mesure de l'obstacle que rencontra ici John Law qui avait besoin de remporter en Louisiane une course contre la montre pour réussir la mise en application de son Système.

abritent, parmi les cyprès chauves, des orchidées géantes et carnivores, des alligators qui engloutissent des tortues plus grosses qu'eux, des ratons laveurs charmants et des grenouilles qui ont la taille des citrouilles ! Vous y verrez aussi des poissons-chats. Les hérons cendrés et les aigrettes, dont les ailes blanches traversent des myriades d'insectes aquatiques, vous enchanteront, je l'espère !

— Trêve de plaisanteries, monsieur, dit Pauger. Dès que nous serons à pied d'œuvre, nous construirons des digues et des villes [1].

Bienville salua très bas en ricanant et s'éloigna enfin, cependant que le Chevalier mesurait à quel point étaient dérisoires l'ambition et la nécessité de cette course contre le temps qu'il était venu engager.

Dehors la foule hurlait toujours des invectives et des menaces.

LES COMBATS ET L'ALLIANCE

Telles étaient les fondations incertaines sur lesquelles John Law projetait l'édification d'une œuvre comparable aux conquêtes d'Alexandre ou à la Gaule de César, malgré les difficultés immenses que créaient à chaque pas la lenteur des moyens de communication et celle du cheminement des informations. Celles-ci lui parvenaient souvent dénaturées par ceux qui s'opposaient efficacement à lui.

Conscient de tant d'obstacles, il en était arrivé à prendre une décision capitale : transformer son plan de finances. Il avait rêvé jadis d'une Banque d'Etat, mais la révélation des intrigues qui, telles des taupes furieuses, sapaient inlassablement toutes les institutions, et de la guerre sans merci que se livraient le Parlement et le pouvoir, avait modifié ses intentions. Il savait combien il fallait se méfier d'une société brillante et toute-puissante, à laquelle le feu roi n'avait appris que trois activités : la guerre, la galanterie et la mendicité.

La mendicité n'était le fait que de quelques-uns, mais ceux-là, très redoutables, formaient des clans, des bandes organisées, en tout point semblables à celles qui attaquaient les voyageurs et les coches dans les bois et sur les routes. Ils portaient des noms prestigieux ; certains même étaient princes du sang, princes de l'Eglise, ou membres du Parlement. En face d'un roi enfant et d'un Régent qui oscillait entre ses lumières et ses faiblesses, ils devenaient tout-puissants. Le pouvoir absolu qui les eût envoyés à la Bastille n'était assuré par personne. La difficulté d'exercer équitablement un tel pouvoir sans se laisser aller aux excès qu'il engendre si naturellement commençait à faire naître dans certains esprits une réflexion

---

1. Les ingénieurs français, dès cette époque, « donnèrent l'impulsion à une vaste opération d'endiguement du Mississippi entre Cairo et La Nouvelle-Orléans », comparée par Biaggi et Ferrieri à celle qui fut réalisée dans la plaine du Pô.

politique de plus en plus éclairée, qui conduirait à imaginer une autre forme de monarchie, plus apte à répondre aux besoins profonds, conscients et inconscients, des peuples. Avec la création des conseils de Régence, Philippe d'Orléans avait cru se rapprocher d'un régime politique de type anglais. Il en était fort loin. Law savait que son « coche », c'est-à-dire sa Banque et son Système, serait à la merci des malandrins de la Cour et du Parlement, et de leurs complices internationaux, et qu'il risquait le pillage et le poignard.

Il savait que, de l'issue de la mêlée, dépendrait l'avenir, le sien et celui de la France. Dès lors, il s'y prépara. Il ne souhaita plus transformer la Banque générale en Banque d'Etat, mais décida de faire de celle-ci et de la Compagnie d'Occident un Etat dans l'Etat.

La Banque et les finances de la France se trouvaient d'ailleurs fort bien de cette indépendance et « d'Argenson voyait le moment où, tandis qu'il se bornait à parader, l'Ecossais allait éteindre la dette publique et passerait pour un grand homme à son détriment ».

Pendant que Law était absorbé par sa triple mission de créateur d'empire, de banquier et de maître occulte des finances du royaume, d'Argenson renonça à l'aimable comédie qui l'avait un temps diverti, pour étudier sérieusement la préparation d'un mauvais coup. Il lui fallait quelques savants conseillers pour se mesurer au directeur de la Banque générale. Il n'avait qu'un geste à faire pour se concilier le dévouement et les services des tenants du puissant complot qui se formait chez Crozat et qui possédait de lointaines et solides racines à Change Alley, à Londres. Ce geste, M. le garde des Sceaux le fit et il eut pour effet de l'amener nuitamment dans l'hôtel qui jouxtait le sien et qui était justement celui des trois frères Pâris, âmes damnées de Crozat et de Samuel Bernard.

Ces entrevues nocturnes se renouvelaient, si bien que, pour ne pas attirer l'attention par ces va-et-vient, un passage secret fut ouvert d'un logis à l'autre.

Quelques jours plus tard, le duc de la Force, qui remplaçait Noailles à la présidence du conseil des Finances et qui se donnait pour un ami de Law, proposait au duc d'Orléans d'accorder aux frères Pâris le bail de la Ferme générale et d'en faire ainsi les percepteurs, les régulateurs et les maîtres des ressources de l'Etat. Cette proposition seule était de nature à décourager Law. Ses efforts, tout le sens de son labeur tendaient en effet à rompre totalement avec l'ancien ordre de choses et surtout avec les méthodes désastreuses de la Ferme générale qui écrasaient le peuple. Ainsi tout continuait d'aller comme s'il n'avait rien fait, rien dit ni répété inlassable- ment, rien prouvé ; on en revenait aux anciens errements et, pis encore, il se trouvait dans l'obligation de donner son accord à cette décision aberrante !

Il voulut tout oublier pour un soir et courut à l'hôtel de Mercœur où, jour après jour, l'attente minait Nathalie. Il la regarda et, à son tour, vit qu'elle changeait, elle aussi. Elle ne portait plus de ces robes qui évoquaient les jardins d'été. Une lourde soie couleur d'automne la vêtait d'une tristesse subtile ; ses yeux lui parurent plus grands, plus profonds, son visage plus mince. Elle allait avoir trente ans et la vie singulière qu'elle partageait avec lui, les jours d'inquiétude et de solitude qui étaient la douloureuse épreuve de l'authenticité de leur amour la dépouillaient des charmes de Circé pour lui en communiquer d'autres, plus rares et plus prenants.

Elle passa sa main légère sur le front moite de son ami comme si elle eût pu, d'un geste, apaiser les lourds soucis, les déceptions amères qui habitaient Law et marquaient ses traits.

Des tulipes, une guitare, un grand feu, des flambeaux : Law retrouvait là le décor de leurs souvenirs. La banalité des mots était pudeur et profondeur :

— Quel bon vent vous amène ?

— Celui de la défaite, n'en doutez pas, mais aussi mon amour, puisque, au premier revers, je viens à vous.

Elle ne répondit rien. Ainsi les ombres s'épaississaient-elles entre eux. Elle sentit ses yeux clairs posés sur elle et leva les siens. Elle vit alors qu'un demi-sourire, quelque chose de la gaieté de jadis passait sur ce visage fatigué.

— Ne pensez pas qu'il ne doive plus y avoir entre nous que des heures de rémission comme celle-ci, dit-il, mais, voyez, je franchis je ne sais quel cap de mon destin, je m'y efforce de nuit et de jour, de toute mon âme, sachant que pour vous, pour moi, pour mon œuvre entière, je ne dois point connaître de repos, de paix et de joie, d'amour même, jusqu'à ce que la pointe en soit doublée. Et voilà que mes ennemis s'assemblent pour m'arrêter en chemin et dresser devant moi des écueils.

En quelques mots, il la mit au courant et ajouta :

— Demain, je les prendrai de face ; j'ai convoqué l'aîné des frères Pâris, Pâris-Duverney. Leur hostilité devient trop dangereuse ; il faut que je tente de les intéresser à mes affaires... Il y a place pour tout le monde, croyez-moi, et mieux vaut avoir des associés que des ennemis.

La quiétude de cette pièce, la présence de Nathalie, la détente et la merveilleuse alchimie du café qu'on lui avait apporté et qu'il buvait lentement lui rendaient une sorte de confiance.

— J'ai de solides arguments pour les convaincre ; à moins qu'ils ne soient des sots, ils comprendront sûrement, j'en fais mon affaire...

Nathalie, muette, s'était levée. Elle fit quelques pas et alla appuyer son front au marbre blanc de la haute cheminée, dur, brillant, aveuglant comme certaines évidences. Sans savoir pourquoi, elle sentit son cœur se serrer affreusement, comme lorsque l'on entend parler un enfant qui ne se sait pas condamné. Mais que savait-elle d'une telle condamnation ? Rien, en vérité, absolument rien. Le combat contre les ombres renaissait, s'imposait à elle jusqu'à l'écœurement, jusqu'au vertige. Soudain Law se leva, l'attira contre lui :

— Revenez du lointain de vos silences, ma reine, disait-il... et les ombres s'évanouirent.

Il était difficile, en des heures aussi lourdes, de demeurer dans cette passivité. Nathalie sentait s'éveiller et se développer en elle l'aspiration et la capacité d'entrer plus complètement et plus efficacement dans la lutte que menait Law. Cependant de tels moyens n'avaient jusque-là servi aux femmes qu'à se jeter dans les intrigues, à se dévoyer, à traiter des affaires véreuses, et à peupler la Bastille. Les souveraines, seules, étaient admises à utiliser certaines facultés intellectuelles. L'esprit, la culture, le commerce des artistes et des savants restaient les seules possibilités offertes aux femmes intelligentes qui ne voulaient pas se fourvoyer dans des aventures douteuses. A la suite de Mme de Lambert, Nathalie avait un temps — celui de sa première jeunesse — cherché à compenser le vide de son destin en ouvrant sa maison aux personnalités les plus remarquables de l'époque. Son caractère eût-il été autre, sa personnalité moins forte et moins singulière, sa nature plus encline aux galanteries qu'à la passion, on eût pu dire qu'à l'exemple de Mmes de Ferriol, de Tencin et de Lambert, elle tenait « bureau d'esprit ». Aujourd'hui qu'elle n'avait plus vingt ans et qu'elle vivait par Law à un rythme plus fort, il lui venait le goût de l'action, celui d'exercer sa pensée et ses facultés, d'entrer enfin dans l'œuvre que Law confondait parfois avec la plénitude naissante de leur amour. Cette œuvre était trop proche d'elle, trop prenante, trop prestigieuse pour ne pas l'entraîner comme malgré elle dans ses remous. Mais elle ne savait pas y trouver sa place et il ne venait point à l'idée de Law qu'elle l'y cherchât. Il comprenait seulement, et c'était déjà beaucoup, qu'elle souffrait de ce qu'il ne fût plus à elle comme par le passé... Il lui restait à découvrir le reste.

Il dut la quitter à l'aube pour courir au Palais-Royal où il travaillait chaque matin avec le Régent, d'Argenson et le duc d'Antin [1] que Philippe d'Orléans mêlait aux affaires parce qu'il était falot et honnête homme.

Dans le petit jour, Nathalie se leva à son tour, enfila une robe de chambre bleu turquin, demanda du café et le prit debout, songeuse, en contemplant les vitres derrière lesquelles se levaient les brumes matinales. Sa décision fut enfin prise ; elle commanda son attelage, appela ses chambrières, fit rapidement sa toilette. Huit heures sonnaient à peine à Saint-Germain-des-Prés lorsque son carrosse s'ébranla sous le fouet du cocher mal réveillé. L'équipage s'arrêta rue Neuve-Saint-Augustin, devant l'aile de l'hôtel de Ferriol qu'habitait l'ambassadeur. A cette heure, Nathalie était certaine de trouver seul le redoutable personnage. Aïssé lui avait appris quelques jours plus tôt que les douleurs de son vieux tyran le condamnaient à des nuits à peu près sans sommeil et à des réveils matinaux. Il n'en était pas moins difficile de faire une visite aussi délicate ; leur dernier contact avait été en effet écourté par le vase de fleurs que Nathalie lui avait lancé au visage ! La difficulté même de l'entreprise attirait la jeune femme. Elle comptait aussi sur l'effet de surprise et sur le pouvoir qu'elle savait exercer sur les hommes.

Elle fut introduite, par un laquais étonné, dans un cabinet plein de turqueries où elle attendit longtemps. « Il se fait accommoder », songeait-elle en examinant des souvenirs de Constantinople, des tableaux où mouraient, dans des lointains qui appartenaient à son passé, les crépuscules du Bosphore. Il y avait là des tapis et des voiles brodés, des armes princières.

---

1. Fils du marquis de Montespan, demi-frère des enfants de Louis XIV et de la marquise de Montespan, beau-frère du Régent.

Nathalie passait la main sur les lames bleues, sur les trames arachnéennes sur lesquelles s'étaient penchées des femmes de sa race, venues comme elle du fabuleux Caucase. Un trouble qu'elle n'avait pas prévu, qui l'importunait, l'affolait en un tel moment, s'empara d'elle. Pour le dissiper, elle évoqua les inquiétants visages des maîtres de cette demeure, de la famille de Ferriol qui fut la sienne. Le souvenir de la belle-sœur de l'ambassadeur, de ses intrigues, de ses complaisances, la fit frissonner ; Mme de Ferriol était inséparable de sa sœur, la religieuse Tencin, qui continuait à manœuvrer ses amants contre Law sur l'échiquier de l'Europe. Elle revoyait d'Argental, Pont de Veyle et Aïssé, sa jeunesse. Eux au moins, les fils de la maison, alliaient la culture, les dons, l'esprit, à la finesse et à la gaieté ! Aïssé avait été et demeurait sa seule tendresse, sa sœur selon cette parenté profonde que forment la race et le destin.

Pourquoi s'éloignaient-ils tous d'elle ? Se dispersaient de même les familiers de sa maison... Marivaux, cela se pouvait concevoir ; Voltaire se trouvait à la Bastille ; mais Lesage, Watteau, Lancret, Nattier et quelques autres ? Discrétion ? Law était un personnage considérable que l'on pouvait craindre d'importuner. Discrétion ou mobilité du cœur ?

Mais voici qu'un laquais soulevait une tenture et l'invitait à le suivre. On l'introduisait enfin chez l'ambassadeur. Celui-ci l'accueillit avec ce nom qui acheva de la démonter :

— Toi, Aïscha ?

Elle faillit à nouveau, comme dans le bureau de Law, se laisser surprendre par les larmes. « Je dois être très fatiguée ! » pensa-t-elle avec ironie, et elle surmonta cette faiblesse.

— Qu'est-ce qui t'amène à cette heure et après la manière dont tu osas me traiter ?

Elle l'apercevait mal dans la pièce obscure et magnifique. Il se tenait, frileux, dans un grand fauteuil. Un foulard enserrait sa tête, une robe de chambre de velours vert recouvrait son corps amaigri, et une couverture de fourrure était drapée sur ses genoux.

« Comme il a changé », pensa-t-elle en s'avançant vers lui. Que restait-il en effet du jeune et beau diplomate de Constantinople dans ce vieillard perclus, usé par trop d'excès ?

— Ce qui m'amène, dit-elle, hésitante, en rejetant légèrement en arrière le capuchon de sa mante de velours, ce qui m'amène, c'est le désir de vous présenter mes excuses...

— A l'aube et après si longtemps ! ricana l'ambassadeur.

— Depuis mon impertinence, monsieur, reprit-elle, je n'ai cessé de souhaiter vous dire mes regrets ; n'osant reparaître devant vous, je remettais sans cesse le projet d'aller vous les présenter.

Il lui semblait qu'elle se dédoublait, qu'une autre elle-même formulait ces mensonges, jouait de ce capuchon délicieux qui la parait si bien, et de la séduction de ses yeux noirs.

— Que ce capuchon rouge te sied, Aïscha ! Approche un peu ! Ainsi donc, tu regrettes ? Mais pourquoi diable venir me conter cela à neuf heures du matin ?

— Pour ne pas être vue. Nul ne doit savoir que je suis venue ici : on me croit trop l'amie de Law, cela m'importune et...

Elle s'interrompit et attendit, certaine de ce qui allait suivre.

— Eh bien ? Law n'est-il pas plus souvent à l'hôtel de Mercœur qu'en son hôtel de la place Louis-le-Grand ou même qu'à l'hôtel de Mesmes où il tient sa banque ?

— Cela fut vrai et ne l'est plus, dit-elle avec beaucoup de désinvolture car c'était, hélas, bien exact ! Mais, reprit-elle, cela n'empêche que tous les habitants de cette demeure, hormis Aïssé, me sont hostiles. Je ne tiens donc pas à les rencontrer ni à les entretenir de ma vie privée.

Elle observa comment à ces mots le vieillard se dressait, se jetait en avant, les yeux brillants, comme s'il eût voulu bondir.

A cet instant, ils se dévisageaient avec ce secret étonnement qui s'emparait d'eux chaque fois qu'ils se trouvaient en face l'un de l'autre.

— Quelle fille singulière tu fus toujours, en vérité, murmura-t-il.

Elle entra plus avant dans la comédie qu'elle entendait jouer, et pour laquelle elle se sentait tout à la fois pleine de dégoût et d'attirance. Il lui vint à l'idée de regarder le marquis de Ferriol de telle manière qu'elle ne l'avait jamais fait auparavant, alors qu'elle était emportée par les rancunes de son enfance frustrée et de son adolescence humiliée. C'était soudain, avec le recul du temps et l'enrichissement de sa pensée, comme si se révélaient à elle des plans et des ombres, des contours ignorés. Il lui venait à l'esprit qu'elle lui en avait surtout voulu de ne pouvoir le haïr franchement, d'avoir dû mêler quelque reconnaissance au ressentiment que lui inspirait une situation si équivoque. Cependant, que serait-il advenu d'elle s'il ne l'avait point arrachée aux marchands turcs ? Sans son intervention, et quels que fussent les mobiles qui l'avaient motivée, elle serait à cette heure une morte vivante dans un harem de Constantinople, réduite à n'être qu'un sexe, condamnée à une forme de prostitution.

L'étrangeté du destin lui communiquait une sorte de vertige. Il fallait donc qu'elle en vînt à considérer que ce vieillard libidineux et sans scrupules lui avait évité le pire. D'une manière plus que contestable, sans doute, ne représentait-il pas une civilisation qui s'était efforcée de substituer à de féroces réalités d'astucieux compromis et même des valeurs spirituelles ? Mais ces astucieux compromis empêchaient ces valeurs d'avoir la pureté et la solidité à laquelle il lui apparaissait soudain que, à travers ses violences, ses révoltes et ses expériences, elle avait aspiré toute sa vie. Cette aspiration secrète et désespérée était en elle la marque d'un génie peu commun aux femmes ; mais l'heure venait maintenant où elle apprenait à pactiser avec les compromis, à reconnaître leur nécessité et leur force. Heure douloureuse, singulière, qui marquait une étape de son évolution. Elle naissait ainsi à un autre monde, celui des adultes.

La voix suraiguë du vieillard se reprit à vibrer :

— Ainsi, tu es seule et tu viens à moi, Aïscha !

Son rire édenté et sifflant la fit sursauter autant que ses paroles. Elle comprit qu'il était beaucoup plus gâteux qu'elle ne le supposait et tourna le dos à l'horrible vision.

— Pardonne-moi, Aïscha ! Tu es de ces femmes qui troublent l'esprit par leur seule apparition. Mais je ne veux pas te brusquer. Personne ne t'a brusquée ici, n'est-il pas vrai ?

Ce n'était plus cela qui lui importait à présent. Elle hésita, se demandant comment ramener la conversation vers le sujet qui l'occupait, quand elle entendit :

— Alors notre financier ne coule plus des jours heureux chez toi ?

— Non, dit-elle sèchement.

— Je te félicite !

Cette fois, elle fit face, une lueur de victoire dans les yeux : les considérations oiseuses qui rongeaient un temps précieux prenaient fin. Dans deux heures, Pâris-Duverney entrerait dans le bureau de Law. Il fallait que, d'ici là, elle lui apporte des informations. Elle s'approcha du vieillard, s'assit sur un tabouret, étala avec grâce sa jupe à paniers, et lui demanda avec douceur :

— Pourquoi me félicitez-vous ? Pour m'enlever des regrets ? C'est que j'hésite encore... Rien n'est définitif entre lui et moi, mais je pense à m'éloigner tout à fait. Cependant, ajouta-t-elle, je vous demande sur votre honneur de garder cela pour vous... Même Aïssé ne doit rien savoir.

— Et elle ne saura rien ! s'écria le bonhomme transporté, persuadé qu'il allait de minute en minute plus avant dans ses affaires. Mais n'hésite pas, Aïscha, n'hésite pas ! C'est un homme fini, fini, pscht !

Un sifflement comique passait entre ses gencives nues et ses lèvres molles pour stigmatiser l'envol et l'anéantissement de celui dont le président de Montesquieu disait en privé qu'il devait être le fils d'Eole, dieu du vent, et d'une nymphe de Calédonie.

— Que voulez-vous dire ? demanda avec calme Nathalie qui pourtant se sentait blêmir.

— Il a contre lui l'Espagne et l'Angleterre.

— Mais pour lui le Régent...

— Ouais ! Mais à Paris, l'Angleterre s'appelle Dubois et d'Argenson.

— L'abbé et le lieutenant de police sont fort dévoués à M. de Lauriston ! protesta-t-elle avec une naïveté feinte, cependant qu'une vive émotion s'éveillait en elle.

Elle savait les sources de l'ambassadeur excellentes puisqu'elles se nommaient l'abbé de Tencin et sa sœur, maîtresse des deux compères dont il évoquait la traîtrise commune.

— Tu sais bien, voyons, s'impatientait le vieux diplomate, que Dubois veut satisfaire et Stanhope et l'actuelle opposition anglaise. Or il a partie liée depuis peu avec d'Argenson, lequel monte une merveilleuse machine avec les ennemis de cet Ecossais, tous gens de finances, ses rivaux...

« Nous y voilà », pensa-t-elle.

— Ah oui ? dit-elle avec un petit rire forcé : les frères Pâris, Crozat, Samuel Bernard ?

— ... Et les financiers de Londres ! continuait le vieillard. Si c'est de l'argent que tu cherches, Aïscha — mais vraiment, en as-tu besoin, je te croyais fort riche ? — je pourrais, si tu le voulais, t'apporter des valeurs plus sûres que ce M. Law qui s'en va sous peu se trouver sur la paille, avec son Mississippi !

Elle surmonta un deuxième assaut de sa violence intérieure et continua :

— Vous disiez, reprit-elle, que l'Angleterre s'appelait à Paris Dubois et d'Argenson ; nul n'ignore comment s'appelle l'Espagne dans notre ville, et je croyais ces deux nations fort ennemies partout ailleurs, mais je me demande si elles ne s'allieront pas quelque jour sur les bords de la Seine contre le directeur de la Compagnie d'Occident ?

— Euh ! fit le vieillard en se mouchant bruyamment, nous verrons cela, bien sûr, quoique, pour l'instant, le Parlement et le parti espagnol s'accordent pour être fort opposés à d'Argenson et à Dubois qui servent le Régent !

— Mais les financiers que M. d'Argenson mène au combat ont tous partie liée avec le Parlement ! On l'a bien vu au temps de la chambre de justice !

— Certes, certes...

Elle se leva ; il ne fallait pas perdre une minute de plus.

— Quand reviens-tu, Aïscha ? murmura le vieillard.

— Très vite, dit-elle en lui tendant sa main à baiser. Je vous porterai des pastilles au miel et du tabac d'Espagne. Mais que personne ne sache que je viens vous voir... Vous me reverrez comme cela, au petit matin, quand tout le monde dort.

— Oh, larmoyait le vieux bonhomme, que te voici aimable ! Sois tranquille, je serai muet comme une carpe, mais je t'attendrai impatiemment ! Auras-tu réfléchi au sujet de ton Ecossais ?

— Je ne sais pas, peut-être... Nous en reparlerons.

— Dieu te bénisse !

— Par vous, cela m'étonnerait !

— Pourquoi, je te prie ?

— Vous êtes trop galant !

Elle le laissa transporté comme à vingt ans.

Quelques instants plus tard, Law, inquiet, renvoyait tous ses collaborateurs pour faire entrer Nathalie dans son bureau. En quelques mots, elle le mit au fait de la situation. Law, un instant décontenancé, ne vit plus en Nathalie que le messager qui lui permettait de connaître les armes de l'adversaire avant l'affrontement et lui donnait ainsi l'avantage. Il la serra contre lui et dit :

— Que ne ferons-nous pas, vous et moi, ensemble ; il ne semblait pas possible qu'il existât ici-bas un être tel que vous et vous êtes là, dans mes bras et à mon côté, épaule contre épaule, ce qui est plus rare encore...

Mais on annonçait déjà Pâris-Duverney. Nathalie repartit, emportant avec elle ces paroles qui la faisaient renaître à elle-même et justifiaient sa démarche singulière.

SEUL FACE A L'AVENIR

Lorsque Law vit s'avancer vers lui Pâris-Duverney, ce lourd paysan dauphinois au front bas, au regard mauvais, il sut que son vieil adversaire Blunt entrait aussi dans la bataille.

Il était pourtant dans le caractère de Law de tenter quand même de jouer le jeu de l'intelligence, de proposer le plan constructif de l'association loyale. Il commença par abattre ses cartes avec élégance, parla de ses projets, se fit tentateur, puis y alla de son offre. A cet instant, il vit réapparaître ce qu'il connaissait et redoutait tellement : le visage dur, fermé, immuable de la sottise et de la haine, tout ce qui s'oppose au génie, la puissance de l'adversaire — invisible et partout présent — de l'esprit, de l'imagination et du cœur. Comment avait-il pu s'abuser de la sorte ?

— N'attendez rien, dit brutalement Pâris-Duverney, car nous créons, pour exploiter le bail de la Ferme générale, une compagnie d'actionnaires semblable à la Compagnie d'Occident, mais dont les bénéfices seront autrement assurés que ceux de vos prétendus pays de cocagne ! Nous sommes donc sûrs d'attirer le public et les fermiers généraux eux-mêmes. Je n'ai pas besoin de vous.

Law mesurait parfaitement le danger.

— Je ne doute pas, dit-il froidement, que les fermiers généraux ne vous apportent leur soutien complet !

— Plus qu'à vous, certainement, reprit Pâris-Duverney. Je n'ignore pas, malgré votre bagou, qu'on ne se dispute pas les actions de la Compagnie d'Occident !

— Priez le Seigneur qu'on ne se les dispute pas trop vite ! répliqua Law hors de lui. Car ce jour-là...

Pâris-Duverney ne le laissa pas finir :

— Que croyez-vous, monsieur Law ?

Il marcha sur Law ; une réelle force émanait de cet homme massif ; Law lui opposait sa finesse et sa nervosité. Face à cet adversaire pesant, il était semblable à Ariel qui ne peut se faire entendre des hommes, mais qui possède des pouvoirs inconnus.

— Oui, que croyez-vous, monsieur Law ? Me prenez-vous pour un enfant en bourrelet ? Moi aussi, j'ai des correspondants à l'étranger, des informateurs dévoués qui ne m'ont rien laissé ignorer de votre errance lamentable à travers l'Europe, de vos échecs dans les cours étrangères, de votre pitoyable destin de vagabond et d'aventurier, de joueur trop heureux et trop souvent chassé !

— Mesurez vos paroles ! dit Law qui pâlissait sous l'injure.

— Je les mesure, osait affirmer Pâris-Duverney. Vous n'êtes que le vil imitateur du baron de Goertz qui, en Suède, supprima les monnaies d'or et d'argent pour les remplacer par celles de cuivre. Vous n'avez rien inventé !

A son tour, il fut interrompu d'une manière qu'il n'avait pas prévue, par un rire profond et un peu douloureux, un grand rire quand même, éclatant comme la sottise à laquelle il répondait :

— Vous êtes désarmant, monsieur, absolument désarmant ! s'écria Law. Ainsi donc, c'est tout ce que vous avez compris et retenu de mes propos et de l'établissement du papier-monnaie ? C'est trop beau, en vérité ! Faites mes amitiés cette nuit à M. d'Argenson, je vous prie, et dites-lui qu'il a eu tort d'aller chercher chez ses voisins des notions de finances aussi confuses, alors que je pouvais lui en fournir de fort claires !

Ce fut au tour de Pâris-Duverney de se troubler :

— Que dites-vous là, monsieur ?

— Vous aurez tout le temps de vous le demander, dit Law durement. Pour moi, je n'ai pas le loisir de m'attarder plus longtemps sur cette affaire.

Il sonna pour faire reconduire son visiteur.

Cependant, en cette année 1718, la tension internationale et la crise s'aggravaient de semaine en semaine, et Law voyait avec anxiété le Régent, accaparé par les brûlants soucis de la politique extérieure, relâcher peu à peu l'attention vigilante qu'il avait portée jusque-là aux problèmes intérieurs. Il se reposait prématurément sur l'Ecossais ; la situation qu'il lui avait faite n'était pas telle encore que celui-ci puisse se passer sans danger de son appui constant contre une cabale de plus en plus menaçante.

Au milieu de l'Europe en armes et prête à s'enflammer, Philippe d'Orléans, avec une ardeur émouvante et une constance qui ne manquait pas de grandeur, donnait tous ses soins à l'élaboration d'un traité de paix. Les messagers négociaient dans toutes les capitales afin de satisfaire les ambitions de ses plus dangereux partenaires ; l'Empereur était invité à renoncer à ses prétentions sur l'Espagne et à échanger, aux dépens du duc de Savoie, la pauvre Sardaigne contre la Sicile plus riche ; les duchés de Parme et de Toscane seraient offerts, après la mort de leurs souverains respectifs, au fils aîné de la reine d'Espagne.

Les courriers brûlaient les étapes entre Londres, où se trouvait l'abbé Dubois, avec la mission de sauver l'Espagne malgré elle, c'est-à-dire malgré la reine et Alberoni, et Madrid où se trouvait le négociateur du Régent, le marquis de Nancré, « qui avait reçu des instructions conciliantes jusqu'à la faiblesse ». Mais quoi ! les esprits insensés de Madrid rejetaient les clauses du traité si avantageux, péniblement élaboré par la France et l'Angleterre, péniblement agréé par l'Empereur, aux prix de bénéfices certains et d'un don de cent trente mille livres sterling. On croyait les pourparlers rompus, la guerre déclarée, mais non...

Sachant combien ses adversaires craignaient une rupture, Alberoni décida de s'en amuser quelque peu. Le roi d'Espagne sortait tout à fait diminué de sa maladie ; son ministre pouvait donc négocier en toute liberté une entente avec la Russie et la Suède, menaçante pour l'Angleterre et la France, appeler les jacobites à Madrid et charger son ambassadeur, Cellamare, de fomenter à Paris une conjuration destinée à entraîner la chute du Régent.

La Bretagne, sous l'impulsion de deux folles, Mmes de Kerkouën et de Bonhamour, se soulevait déjà ; l'Angleterre se trouvait profondément divisée, ce dont un dictateur comme le cardinal d'Espagne pouvait rire et profiter... d'autant que le roi de Suède brûlait d'impatience de lui tendre la main, d'établir à travers l'Europe, par-dessus la France asservie, un axe Stockholm-Madrid. « Tandis que les alliés s'efforçaient de prévenir l'explosion, les arsenaux espagnols se transformaient en forges de Vulcain, une nouvelle armada surgissait des chantiers [1]. »

En cette période si troublée et au moment même où le dangereux Voltaire quittait la Bastille, par une de ces crises d'aberration qui lui étaient habituelles, le Régent, dont cependant la position n'avait pas besoin d'être plus encore menacée et affaiblie, publiait une *Histoire de Daphnis et Chloé* dont il avait fait le texte et les illustrations.

« Il avait gardé pour lui seul ce monument d'art (ou de volupté) dans le mystère du portefeuille. Mais alors, il l'en tire, fait sa confidence au public. Ce livre en dit beaucoup. Ce ne sont pas là les amusements qu'un solitaire fait pour lui-même. Tant de détails charmants, caressés d'un crayon ému, ne sont pas des caprices, mais des choses d'amour pour l'unique et l'aimée [1]. » Et en celle-ci, le monde entier reconnaissait la duchesse de Berry sans voiles, telle qu'on lui reprochait de se montrer trop souvent.

Les rares amis du Régent et ceux dont le destin était lié à son étoile, John Law le premier, furent stupéfaits et redoutèrent le pire. Voltaire, passé à la cabale de la duchesse du Maine pour plaire à ses nouvelles amours, la marquise de Villars, ne se montra qu'une fois à l'hôtel de Mercœur pour annoncer qu'il venait d'utiliser ses loisirs de prisonnier à faire de son *Oedipe* une machine de guerre contre le Régent.

Le soir du 18 avril, un bateau de paille mettait le feu chez Olivier, le marchand de dentelles du Petit-Pont, et déclenchait un gigantesque incendie. Les vingt-cinq maisons sises sur l'arche au-dessus de l'eau furent détruites dans la nuit, l'Hôtel-Dieu endommagé, et il y avait trente morts. Une atmosphère de catastrophe, décuplée par les circonstances, se répandit dans la ville ; ce brasier semblait en préfigurer un autre, prêt à dévorer le monde civilisé.

Ces troubles et ces incertitudes, l'anxiété qui planait, les difficultés qui surgissaient de toutes parts dans la conduite des affaires avaient amené tout naturellement Nathalie à venir plus souvent retrouver Law dans son bureau directorial. L'habitude en était prise. Ainsi apprenait-elle à sortir de chez elle, à vaincre l'absence, à se mesurer avec ses ennemis invisibles. Elle

1. Michelet.

s'épanouissait étrangement. Chaque jour davantage, elle entrait dans le destin de John Law et trouvait là sa vérité.

Le directeur de la Compagnie d'Occident, de plus en plus absorbé par le travail gigantesque que lui imposait la création de son lointain Etat des Amériques, devait apprendre peu à peu ce que représentait cet informateur en robe à paniers devant lequel toutes les portes s'ouvraient et que servait une redoutable subtilité. Law était pourtant sans méfiance, en ce matin de mai où il la vit entrer dans un flottant vêtement blanc. Par la fenêtre ouverte entrait l'odeur des lilas qui flottait sur la ville... Nathalie incarnait la fraîcheur et la douceur de ce printemps et il eût voulu un instant tout oublier et partir avec elle vers les prairies d'Auteuil qui, au bord de la Seine, devaient entrer en métamorphose ; mais elle ne lui laissa pas le temps de s'attarder à ces folies. A peine l'eut-il serrée dans ses bras et lui eut-il annoncé gaiement :

— J'ai des nouvelles du Coromandel ! Tout va pour le mieux : La Prévostière est en place, les papiers d'Hébert sont entre ses mains, l'enquête se poursuit, l'ordre règne...

Nathalie lui prit les mains et lui dit d'une voix troublée :

— Il vous faut revenir à Paris, c'est urgent...

— Que voulez-vous dire, n'y suis-je point ?

— En esprit, non, vous le savez bien, et pendant ce temps...

— Eh bien ?

— Les Finances vous échappent.

— Je ne comprends pas...

— Bien sûr, dit-elle, posant la main sur une carte aux brillantes couleurs au-dessus de laquelle se penchait le visage fatigué de John Law. Il faut revenir en France, répéta-t-elle doucement. Parce que cette vieille fripouille d'Argenson s'enferme au verrou depuis des jours et des jours dans son cabinet, avec ses deux fils auxquels il fait copier et recopier une lettre confidentielle... Ce qui ne me dit rien de bon.

— Où avez-vous pris cela ? Chez l'ambassadeur ?

— Non pas, répondit-elle, secouant la tête avec un sourire. Je glane ici et là et je me suis assuré la sympathie d'une belle et spirituelle personne, fort sensée et fort évaporée, qui s'est toquée de Pont de Veyle et d'Aïssé à laquelle elle ressemble fort peu : Mme la marquise du Deffand. Elle a bien connu M. d'Argenson... au couvent. Vous savez comment ! Et nous avons ri ensemble des plaintes que Mme de Veni fait paraît-il entendre parce qu'elle ne voit plus son Roméo ! Pour qu'il la délaisse, il faut, croyez-moi, qu'il trame pour le moins un coup d'Etat.

— Ce qui me trouble, murmura Law, c'est que nul ne m'ait soufflé mot de rien. Ni M. le Régent, ni M. le duc de la Force. D'où tenez-vous que cette lettre concerne les Finances ?

— De la collusion de M. d'Argenson et des frères Pâris.

— Où ai-je l'esprit, dit-il, presque confus, se prenant un moment le front dans la main.

— Il paraît que les commis de M. d'Argenson s'agitent pour percer ce mystère... Les sbires de Bourgeois pourraient s'introduire parmi eux et parviendraient, sans doute, à savoir le fin mot de l'affaire ?

— Ce qui me trouble... répéta Law. Bon Dieu ! dit-il en pâlissant. M. le Régent en est-il à trafiquer avec mes ennemis dans mon dos ?

Il fallait à tout prix l'apaiser et se rassurer soi-même, trouver le réconfort des mots et des pensées bien construites contre l'angoisse, le scepticisme et la conjoncture inquiétante. Très doucement, Mme de. répondit :

— Vous savez bien que ce n'est point là son caractère...

— Le malheur est qu'il n'en a point, ou si peu ! répliqua Law. Dès lors, que lui sert, que nous sert qu'il soit l'homme le plus intelligent, le plus sensible et le plus noble de ce pays ? Sans caractère, il n'y a pas de dignité possible, ni de capacité à diriger quoi que ce soit. Là où se pèse l'or des choses, moins d'intelligence et plus de solidité vaudraient infiniment plus, croyez-moi !

Elle savait combien tout cela était vrai, combien la faiblesse grandissante du Régent communiquait de vertige à la France et au monde. Elle savait, en dépit du courageux optimisme de Law qu'il fallait à tout prix préserver, que la situation financière de la compagnie était périlleuse. Après tant de mois, les actions se vendaient peu et seul, le soutien que lui apportait la Banque empêchait la catastrophe. Celle-ci était de plus en plus prospère, mais son avenir dépendait du rôle que tenait Law dans la direction des Finances. Toute menace de ce côté était donc redoutable.

— Il devrait y avoir des châtiments terribles pour la faiblesse ! murmurait-il, les dents serrées.

En cet instant, le surmenage extrême, l'irritation, la fatigue nerveuse faisaient briller le regard de John Law de larmes qui ne couleraient pas. Quant aux châtiments, Paris, un jour, les trouverait.

— Ainsi donc, reprit-il avec une feinte désinvolture en tapotant du plat d'un coupe-papier d'argent une pile de dossiers, ainsi les complots s'étendent et gagnent le Palais-Royal ?

— N'y étaient-ils pas déjà, et depuis longtemps, avec Dubois ?

— Sans doute, approuva-t-il sourdement.

Nathalie se pencha vers lui, appuya sa tête contre la sienne et murmura :

— Vous avez vu d'autres combats et nous en vivrons encore, mais vous n'êtes plus seul.

Elle pensait : « Que nous importe tout cela ! » mais n'osait plus le dire. C'était la victoire des ombres et de Law.

Il saisit le bras qui entourait ses épaules et le serra très fort.

Trois jours plus tard, c'est Law qui vint informer Nathalie. Il était atterré :

— Savez-vous ce que contient cette belle lettre adressée par M. d'Argenson aux intendants de province ? L'annonce d'un édit sur les monnaies, rédigé avec l'accord du Régent et sans que j'aie été consulté ! Les frères Pâris et d'Argenson n'ont rien trouvé de mieux que de prétendre faire d'un coup ce que j'estime ne pouvoir obtenir qu'en vingt-cinq ans : l'extinction de la dette publique ! Bourvalais, revenu de ses émois, et Desmarets sont, paraît-il, du complot. Le danger, voyez-vous, n'est pas qu'ils réussissent et me surpassent, non, c'est qu'ils vont échouer et nous ruiner ! Leur système, c'est la dévaluation brutale de la monnaie, le plus périlleux de tous.

— Expliquez-moi...

— C'est bien simple, il s'agit d'une banale, d'une vulgaire escroquerie : on échangera à l'Hôtel de Ville quarante-huit livres en espèces pesant neuf onces, plus deux billets d'Etat, contre soixante livres en espèces ne pesant plus que huit onces. Ainsi la livre sera-t-elle dévaluée d'un sixième et les billets d'Etat seront absorbés. J'ai vu pratiquer de tels procédés en Ecosse ; ils ont eu pour résultat l'augmentation redoutable des prix et la guerre civile qui m'a chassé de ma patrie.

— Que pouvez-vous faire ?

— Rien... Je ne peux rien. D'autant que la convertibilité des billets de banque sur lesquels j'ai basé mon Système n'est pas affectée directement.

Ils échangèrent le même regard. Ils se sentaient livrés aux forces inconnues du destin qui, une fois de plus, les jetait l'un vers l'autre.

Dehors, Paris grondait déjà. L'édit venait d'être enregistré par la seule cour des Monnaies et le bruit courait que le Parlement indigné, soutenu par la duchesse du Maine, les révoltés de Bretagne et l'ambassadeur d'Espagne, allait affronter le Régent.

« Va-t-on vers une nouvelle Fronde ? » s'inquiétait le peuple, qui voyait déjà les prix monter et danser les étiquettes au-dessus des paniers de légumes de Javotte, tandis que dans les salons, la lecture des premiers tomes des *Mémoires* du cardinal de Retz faisait fureur. On venait enfin de les publier... avec un sens aigu de l'inopportunité.

Le mois de mai 1718 flambait dans les jardins et mêlait son ardeur à ces ferments. On entendait dire que le Parlement assemblait les cours souveraines : cour des Comptes, cour des Aides, cour des Monnaies, et que le président de Mesmes, venu au Palais-Royal demander la suspension de l'édit, avait été éconduit.

Trois jours plus tard, le lundi 20 mai, la brave Millet vint en grande agitation ouvrir les volets de la chambre où s'éveillait Nathalie.

— Madame, les troupes occupent la Banque, l'hôtel des Monnaies, l'imprimerie du Palais et tous les marchés de Paris !

Nathalie se dressa d'un bond :

— Que dis-tu ?

La bavarde continuait, volubile :

— Les mousquetaires déchirent les affiches imprimées par le Parlement et qui publient sa défense d'utiliser la monnaie de M. d'Argenson ; ils montent la garde près des marchands pour nous forcer à accepter la nouvelle monnaie ! Il faut donner des ordres aux cuisines ; hier on est allé changer quelques livres à l'Hôtel de Ville, mais avec quoi faut-il faire le marché ce matin : avec les nouvelles pièces ou avec les anciennes ?

— Il n'y a qu'à se munir des unes et des autres, on verra bien! répondit Nathalie qui s'était prestement levée.

— Et si Fifrelin se fait malmener? gémissait Millet. Quelle époque!

— En effet! murmura Nathalie, qui ajouta : Je pars dans trois quarts d'heure, fais atteler.

La matinée était peu avancée lorsque le carrosse de Nathalie se heurta, aux abords de la Banque, à un cordon de militaires en armes. Elle arrêta son équipage, descendit et gagna sans difficulté le portail de l'hôtel de Mesmes ; quelques instants plus tard, elle était dans le bureau de Law.

— M. le directeur n'est pas encore rentré du Palais-Royal, lui dirent, préoccupés, Bourgeois et Dutot.

— C'est bien, je vais l'attendre.

Le silence qui suivit témoignait de leur anxiété. Un grand miroir renvoyait à Nathalie leur image : les habits magnifiques des hommes et sa vaporeuse toilette lui parurent singulièrement absurdes en la circonstance... Quels artistes avaient imaginé cette mode, ce rêve d'esthète? Mais voici que la porte s'ouvrait, poussée par une main ferme. Law entra.

— Eh bien? dirent-ils en même temps.

— Eh bien, j'ai sans doute calomnié M. d'Orléans! dit-il simplement. (Sa nervosité était cependant extrême.) A vrai dire, Son Altesse royale est totalement dévorée par l'affaire d'Espagne, tiraillée entre Dubois qui lui tient le langage de l'Etat, et M. de Saint-Simon, qui croit aussi lui tenir un langage semblable, bien que tout opposé. En fait, il ne parvient qu'à aviver la sensibilité et la faiblesse du prince. Ainsi, dans l'incertitude et le plus grand trouble, se préparent des événements graves. Pendant ce temps, M. d'Argenson a beau jeu! J'ai pu néanmoins commencer à dessiller les yeux de M. d'Orléans, mais l'attitude offensante du Parlement envenime les choses! Les positions se sont durcies ; la Cour ne peut avoir l'air de céder, cela est devenu une question de prestige...

— Il est visible, dit alors Dutot, que le Parlement cherche à soulever le peuple et à lui faire accroire une fois de plus qu'il le défend, alors qu'il sert tout bonnement les intrigues de Sceaux [1]!

— Voilà qui absorbe aussi M. d'Orléans! ajouta Law. Il ne m'a pas caché combien il redoute que M. le marquis de Villeroi ne livre le roi à la conjuration dont il fait partie! A cette heure, on sème policiers et soldats derrière chaque arbre, chaque bosquet des Tuileries. (Il s'interrompit, puis reprit, hors de lui :) Et pendant ce temps-là, j'ai un empire sur les bras! Les vieilles fées, les vieux sots et les péronnelles de Mme du Maine jouent à des cabales d'un autre âge, les yeux tournés vers le passé ; M. le Régent est englouti par le présent, et je suis seul, face à l'avenir!

1. Au château de Sceaux, la duchesse du Maine tenait une véritable cour qui s'adonnait à de multiples intrigues. Epouse du fils illégitime de Mme de Montespan et de Louis XIV, elle voulait à tout le moins enlever la régence à Philippe d'Orléans, la confier au roi d'Espagne, l'assurer elle-même en son nom et accéder ainsi au pouvoir.

LULLI, UN SOIR...

Les blancs nuages du mois de mai s'étaient enfuis avec les derniers pétales des marronniers et le printemps se consumait dans les gloires de juin. L'été 1718 s'annonçait enfin, insensible aux tourments qui agitaient les hommes ; les jardins s'épanouissaient, alanguis, dans la longueur rayonnante des jours. La lumière dorée et chaude s'offrait, insinuante, importune, flânait, s'éternisait jusqu'au tardif crépuscule, qui l'absorbait dans un embrasement indiscret et violent. Il n'y avait que Nathalie pour s'enchanter encore de ces spectacles, dans le secret de sa mélancolie. Elle revenait de courir la ville et regagnait sa demeure.

Elle s'était attardée chez Lesage qui se montrait pessimiste et lui avait offert de l'aider dans la tâche d'information qu'elle s'était fixée. Le soir tombait et l'hôtel de Mercœur était encore loin. Comme son carrosse approchait de l'Arsenal, elle fut arrachée à ses rêveries par un grand charivari, tel qu'il s'en fait à chacun de ces embarras de voitures à Paris, que le bonhomme Boileau a si bien contés. Cochers et laquais criaient, échangeaient des aménités, les malheureux chevaux hennissaient, ruaient, renversaient les bourriches d'une marchande d'huîtres et le tonnelet d'un petit vendeur de sardines... L'un et l'autre joignaient leurs invectives à ce concert.

Mi-ennuyée, mi-amusée, Nathalie se pencha à la portière de sa voiture pour jouir du spectacle. Mais, aussitôt, elle se rejeta en arrière, stupéfaite. Elle venait de reconnaître, dans le halo d'une lanterne, en la personne du cocher d'un modeste carrosse de louage dont la maladresse avait causé l'incident, le comte de Laval [1]. Elle n'osait se pencher encore pour tenter d'apercevoir le visage des occupants. Elle se demandait si elle aussi avait été reconnue. Il était probable que l'obscurité naissante ne permettait pas de distinguer les armoiries de son carrosse et la livrée de ses gens. La querelle s'apaisait, une voiture réussit à sortir du piège ; Nathalie vit alors M. de Laval passer gravement devant elle et s'éloigner au trot rapide de ses chevaux.

Elle se pencha aussitôt, commanda à son cocher de suivre l'équipage insolite et, s'il s'arrêtait, de faire halte à quelque distance. Ils n'allèrent pas loin. M. de Laval immobilisa bientôt son attelage devant une petite porte qui donnait sur le jardin de l'Arsenal. Par là, on accédait au Mail qui domine la Seine et à un pavillon de chasse drapé de vigne vierge, dont les fenêtres étaient éclairées. Nathalie vit Laval descendre de son siège, ouvrir la portière, s'incliner et tendre la main à la modeste bourgeoise qui descendait. La lanterne du fiacre lui révéla un profil enfantin, une taille de naine...

---

1 Familier de la cour de Sceaux.

Nathalie ordonna à son cocher de s'éloigner, puis à nouveau l'arrêta. Au grand étonnement de ses gens, elle descendit et ordonna qu'on l'attendît.

Une mante dissimulait le brillant habit d'été qui témoignait qu'elle n'était pas de condition à aller à pied. Elle s'approcha à pas lents de la petite porte, en bénissant l'obscurité et le halo de lumière que déversait la fenêtre du pavillon, imprudemment éclairée juste au-dessus de cette entrée discrète. Des ombres alentour se glissaient, se pressaient, tout comme Nathalie, drapées dans des capes et des mantes, en dépit de la douceur de la nuit d'été.

Mme de. faillit avoir le souffle coupé lorsque, parmi ces promeneurs, elle reconnut le prince de Cellamare, ambassadeur d'Espagne, puis le beau Polignac, Malezieu, l'avocat général Davisart, puis le président de Mesmes[1] ! Et maintenant, c'était le maréchal d'Huxelles, le président du conseil des Affaires étrangères en personne ! Ce brave couple de petits boutiquiers n'étaient autres que M. de Pompadour et sa femme en cotillon court et souliers plats, comme la Perrette de M. de La Fontaine ; et ce héros de roman courtois aux allures de fantôme c'était, oui, à n'en pas douter, Richelieu, familier du Régent[2] !

Elle ne s'attarda pas davantage et rejoignit rapidement son carrosse : elle ne tenait pas à faire d'autres rencontres et espérait que nul ne l'avait repérée. N'était-elle pas fondée, au train où semblaient aller les choses, à se demander ce qu'il adviendrait d'elle si l'un ou l'autre s'était aperçu de sa présence ? Fort heureusement, le Régent ne tenant qu'une Cour peu nombreuse, elle paraissait rarement dans un monde qui l'ignorait peu ou prou, ce qui rendait improbable qu'elle ait suscité plus d'attention qu'une passante anonyme. Tout à coup, une idée précise, tranchante, supplanta l'angoisse qui l'envahissait peu à peu : ces fous ne préparaient-ils pas allégrement la guerre civile, l'investissement de la France par les troupes espagnoles, la perte de Law ? La présence du président du Parlement de Paris, du président du conseil des Affaires étrangères et de l'ambassadeur d'Espagne en disait assez long...

Sa voiture se balançait maintenant sur les pavés de la ville, ces pavés qui se descellaient si facilement pour former des barricades... A la lueur des lanternes, elle voyait défiler au long des rues étroites des façades de pierre, de hautes fenêtres dont les petits carreaux s'éclairaient du reflet dansant des bougies. Soudain, tout ce décor sembla tourner légèrement devant son regard. Elle se sentait faible et seule... Où était Law, à cette heure ? Pouvait-elle garder pour elle plus longtemps, ne serait-ce que l'espace d'une nuit, ce qu'elle venait de voir ? La tension nerveuse qu'elle subissait depuis des semaines provoquait en elle lassitude et abattement. Dans quelques instants, elle se retrouverait chez elle, séparée de Law et du monde, plus isolée que jamais, en dépit de ce que les mots d'amour et leurs mirages ne cessaient d'inventer pour masquer la réalité de cette solitude.

L'équipage s'engouffra sous le porche de l'hôtel de Mercœur et pénétra

1. Tous affidés de la duchesse du Maine, ainsi que M. de Pompadour.
2. Juin 1718.

dans la cour. La brave Millet, inquiète de ce retour tardif, accourait, un flambeau à la main ; derrière elle se dessina une haute silhouette : Law ouvrit la portière et reçut Nathalie dans ses bras plus qu'il ne l'aida à descendre.

— Qu'avez-vous ? s'étonna-t-il.

— Rien... Mais j'avais tant besoin que vous soyez là, ce soir justement !... et elle se mit à pleurer.

Il demeura confondu. Nathalie n'était pas femme à avoir la larme facile et il savait que celles-là ne trahissaient ni la peur, ni la peine, ni la faiblesse du cœur. Elles pouvaient être le signe d'une émotion trop vive ou d'une fatigue trop grande. Il l'observa : elle avait le visage défait.

— Votre retard nous a jetés dans une inquiétude sans nom ! Paris n'est pas sûr, le soir. Comment se fait-il que... ?

Elle s'appuyait à lui et il la porta presque dans le vestibule de marbre et jusqu'au petit salon blanc qu'ils aimaient. Elle s'enivrait de ce qu'il fût là et n'en demanda point la raison, comme si cela eût été la chose la plus accoutumée du monde. Au fond de la nuit et de sa mémoire, des ombres défilaient cependant, des ombres qui avaient le visage de l'Histoire.

Elle se redressa. Fallait-il rompre le charme de cet instant, dire à cet homme, qui devait pouvoir oublier ici ses trop lourds soucis, que là, tout près, dans la ville, des conjurés boutaient le feu au monde et menaçaient et cet instant et cette retraite et ce décor et tout ce qui faisait leur vie, leur part menacée de bonheur qu'ils sentaient leur échapper chaque jour davantage ? La glace d'un trumeau, que surmontait l'image d'un beau navire semblable à ceux qui s'apprêtaient à faire voile vers la Louisiane, lui renvoya son expression incertaine et le regard aigu de Law posé sur elle.

L'intuition de John Law percevait l'angoisse de Nathalie, mais la sienne propre, qui l'avait amené ce soir à l'hôtel de Mercœur, chassait tout devant elle comme la tempête. La mante qui couvrait la jeune femme glissa le long de ses épaules ; l'incomparable nuit entrait par les portes-fenêtres ouvertes sur le jardin ; un fifre égrenait au loin un rythme de menuet, maladroit, brisé, qui se reformait par instants. Law ferma les yeux. « Aurons-nous un autre soir comme celui-là ? » se demandait-il. L'importance des nouvelles qui l'avait conduit vers Nathalie s'estompait devant celle de leur tête-à-tête, en ce soir du 18 juin 1718, auquel les menaces de demain communiquaient un prix démesuré.

A ce moment, Nathalie le regarda. Quelque chose hésitait aussi en elle, et cette double hésitation silencieuse appartenait à cette indéfinissable harmonie d'instinct et d'âme qui est instant et durée et qui lie à jamais deux êtres l'un à l'autre.

Un léger bruit de soie fit tressaillir Law. Nathalie rejetait sur le dossier d'une chaise le vêtement qu'elle tenait encore à la main ; elle prit un bougeoir, s'avança vers le petit clavecin placé devant l'une des fenêtres ouvertes et qui semblait régner sur les enchantements de la nuit, posa son flambeau au-dessus du clavier, s'assit, puis, après avoir médité, se mit à jouer. Elle retrouva les harmonies du *Triomphe de l'Amour* de Lulli, et la mélancolie de cette musique acheva de renvoyer dans l'ombre les visages qui en étaient sortis, et de mêler à ces minutes le sentiment presque intolérable d'une fuite sans retour. Law, qui jusque-là n'avait pas bougé, prit un tabouret et s'installa près d'elle.

Dans l'ombre aussi disparaissaient les voiles des vingt vaisseaux de la flotte anglaise, dont Law venait d'apprendre le départ pour la Méditerranée, à la demande de la France qui finançait secrètement une partie de l'opération, pour tenter d'empêcher Alberoni de s'emparer de la Sicile et de débarquer à Naples, ce qu'il projetait en dépit des efforts du Régent pour sauver la paix.

Dans l'ombre s'effaçait encore Schwaub et le traité d'alliance qu'il rapportait le matin même de Vienne, ratifié par l'Empereur, pour le faire accepter aux ministres français qui demain, Law n'en doutait pas, le repousseraient ; ainsi serait donné le signal de la guerre civile.

Lulli parlait d'amour à l'amour pour l'éternité ; il avait accompli cela pour un grand roi, aux heures où celui-ci se voulait prince charmant ; et voici qu'il ressuscitait le miracle pour leurs cœurs inquiets.

Lorsque la dernière note cessa de résonner, comme au premier soir, Law emporta Nathalie dans ses bras, vers la Cythère apparue au lointain des musiques profondes.

L'aube les trouva éveillés dans l'alcôve, entre les rideaux de soie blanche où s'achevait la belle nuit. Ils se mesuraient encore du regard, incertains et troublés.

— Qu'y a-t-il ? demanda Nathalie qui, dans un sursaut, s'était redressée, lui faisant face ; sa chemise glissa sur son épaule nue...

Il ne répondit pas et, d'un mouvement brusque, releva son torse magnifique. Il observa la jeune femme et, à son tour, l'interrogea avec un sourire navré :

— Qu'y a-t-il ? Ne me dis pas : rien. Ce n'est pas la peine.

Elle se mordit les lèvres et trouva ainsi la force de sourire. Maintenant, il fallait parler :

— J'ai aperçu hier au soir Mme la duchesse du Maine qui se rendait, sous un déguisement, au pavillon du jardin de l'Arsenal où sont venus la rejoindre, également déguisés, le prince de Cellamare, le maréchal d'Huxelles, le président de Mesmes et...

D'un trait, elle lui confia ce qu'elle avait vu. A son tour, il lui apprit le départ de l'amiral Byng et de sa flotte pour la Sicile, et l'arrivée de Schwaub à Paris avec le fameux traité.

De nouveau, ils se taisaient et ce silence traduisait mieux que n'importe quel propos les sentiments que leur inspiraient les informations qu'ils venaient d'échanger. Enfin, Nathalie s'assit tout à fait, écarta d'un geste vif une mèche de cheveux emmêlés qui balayait son visage ; ses jambes nues glissèrent hors du drap. Law, qui de ses paupières mi-closes semblait fixer dans l'espace un point précis, vit dans le premier rayon de soleil qui filtrait entre les volets entrouverts un envol de linon blanc. Nathalie, devant la fenêtre, ouvrait les contrevents et s'immobilisait, envoûtée par la fraîcheur et l'odeur du jardin, ses musiques d'insectes et d'oiseaux ; l'exhalaison des foins de tous les parcs secrets du faubourg entrait dans la chambre. Law s'étira.

— Je voudrais un bain ! soupira-t-il.

— Je vais réveiller mes gens pour faire remplir le réservoir, dit-elle, passant une robe de chambre avant de sortir.

Law s'étira encore ; il se sentait, au fond de ce lit et de cette demeure, comme dans une de ces calmes retraites au fond des mers que ne parviennent pas à troubler les turbulences des surfaces ; et pourtant, il savait que les remous pouvaient venir jusque-là. Nathalie revenait déjà ; elle s'assit devant sa coiffeuse, passa dans ses cheveux bruns une brosse d'argent :

— Que faut-il faire ? dit-elle simplement.

Il regarda sa montre qu'il avait déposée sur la table de chevet et répondit :

— Nous serons prêts juste à temps, vous pour aller surprendre à son réveil votre vieux fou d'ambassadeur et le faire parler sur le maréchal d'Huxelles, et moi pour me trouver au premier conseil de M. le Régent. Après, nous déjeunerons ensemble.

— Dans le jardin, voulez-vous ? s'écria-t-elle, soudain joyeuse comme s'il s'agissait d'une fête.

Il la regarda, se tut un instant, puis pour toute réponse eut un éclat de rire, clair comme le matin, un rire qui défiait tout ce qui n'était pas eux, les soucis, les intrigues, l'Histoire et les maléfices du destin.

Deux carrosses avançaient l'un derrière l'autre dans la rue Saint-Dominique, longeaient l'hôtel de M. de Saint-Simon où tout dormait encore et puis à un carrefour l'un tourna à droite, l'autre à gauche...

Law parvint dans la petite galerie qui précédait les appartements du duc d'Orléans avant que quiconque y soit encore. Il informa Ibagnet qu'il avait à entretenir d'urgence Son Altesse royale. Ibagnet eut un haussement d'épaules dont Law ne comprit que trop clairement le sens. Quelques instants plus tard, le prince parut, le regard éteint, la démarche incertaine ; sa silhouette était plus affaissée qu'à l'ordinaire. Une cruelle évidence s'imposa à Law : « Pour comble de malheur, il n'ira pas loin ! » songea-t-il. Incapable de proférer une parole, le Régent le regardait fixement, mais toute la claire intelligence qui d'ordinaire communiquait à ce visage son feu et sa vie avait disparu. Law qui pourtant ne le voyait pas ainsi pour la première fois ne parvenait pas ce matin-là à dominer le malaise qu'il en éprouvait. Le protocole lui interdisait par ailleurs de prendre la parole le premier ; en proie à une sorte de fébrilité, il attendit que des lèvres molles du maître de la France sorte un vague :

— Alors ?

Il bondit aussitôt et conta ce qu'avait vu Nathalie. Lentement, le prince semblait s'éveiller, sortir de ses limbes. D'une voix plus assurée, il murmura :

— Je ne croyais pas que les choses allaient ce train-là... D'Argenson, du temps qu'il était à la police, m'aurait mieux informé.

— Dans la mesure où tout comme M. le maréchal d'Huxelles il n'eût pas cabalé lui aussi ! dit Law avec un sourire indéfinissable. Les intrigues et les intrigants font tout le malheur de Votre Altesse et de ce royaume.

Le Régent eut un geste las et dit :

— Si vous saviez ! « Là où je m'attendais à un orage, je rencontre une tempête. »

— Une de plus, monseigneur...

— Oui, mais celle-là, quelle sottise ! Je ne fais cette politique que parce que j'espère imposer ainsi la paix à l'Espagne et au monde, mais je suis contraint aux menaces, aux procédés de guerre, et la France entière se lève contre moi. Pendant ce temps, la flotte espagnole elle aussi, figurez-vous, fait voile vers Palerme et y parviendra avant celle d'Angleterre.

Law reçut cette nouvelle information, plus grave encore que les précédentes, sans broncher. Il s'inclina. Le Régent amicalement s'approcha de lui.

— Merci ! dit-il de toute sa grâce retrouvée. Et maintenant, je m'en vais confronter Lord Stairs au maréchal d'Huxelles qui refuse de parapher le traité. Vous voyez qu'il est bon que je sache où il se trouvait hier soir ! Au même moment, je subissais, moi, au fond de ma loge à l'Opéra, la hargne de notre ami Saint-Simon qui, lui aussi, est contre le traité, bien entendu !

Sans ajouter rien qu'un sourire désabusé, il s'éloigna, un peu redressé. Law le vit disparaître derrière la porte dorée de son petit cabinet.

Il y était à peine entré qu'on introduisit Lord Stairs, ambassadeur d'Angleterre, et Huxelles. Pendant les révérences d'usage, Philippe avait retrouvé son regard étincelant et railleur pour décontenancer le maréchal, lequel se dandina, toussota, ce qui n'était qu'une façon maladroite de trahir... mais ce matin il ne trahissait que son embarras.

La veille, avant de se rendre au pavillon de l'Arsenal, il avait harangué le Régent avec violence et se flattait de lui avoir clairement démontré que la signature du traité était désormais dépourvue de sens. Il percevait un changement dans l'attitude du prince et ne se l'expliquait pas. Cependant, la roideur de Stairs le fit foncer tête baissée, comme un taureau. Avec arrogance, il se tourna vers lui :

— « Ignorez-vous, monsieur l'ambassadeur, que de faire un traité qui contraigne le roi d'Espagne, c'est couper la gorge à Son Altesse royale ? Car si vous trouvez le moyen de mettre le roi Philippe mal à l'aise en Espagne, rien n'empêche qu'il puisse revenir en ce royaume. Et il faudra que le Régent lui fasse place comme au premier prince du sang ! »

— Eh, monsieur le maréchal ! dit Philippe d'Orléans avec mépris, voilà donc les épîtres impertinentes que l'on vous prie de réciter en pénitence, lorsque vous allez à confesse, le soir, du côté de l'Arsenal ?

Huxelles n'eut pas le temps de se remettre que, déjà, l'ambassadeur, se tournant vers Philippe, ripostait d'un ton glacial :

— « Je savais bien, monseigneur, que de pareils discours se tenaient ici, mais je ne savais pas qu'il y eût des gens assez hardis pour les tenir face à Votre Altesse royale. Le roi d'Espagne a opté purement et simplement. S'il y a des Français qui veulent l'aider à revenir sur son choix, nous sommes bien déterminés à y mettre jusqu'au dernier homme... »

Cette déclaration de l'ambassadeur d'Angleterre livrait la clé de la politique du Régent, la justifiait : en face de la coalition européenne que fomentait l'Espagne, l'Angleterre ne laisserait pas Philippe V déclencher la guerre civile en France, la transformer en plaque tournante des stratégies ennemies, elle ne permettrait pas à Alberoni d'entrer dans Paris avec le Prétendant jacobite, bien près alors de se trouver de nouveau à pied d'œuvre.

Il n'était cependant pas dans les moyens d'hommes tels qu'Huxelles, Villars, Torcy et même Saint-Simon qui appartenaient au passé, d'entrer brusquement dans la voie du siècle. C'est là un fait permanent en politique, un drame qui se joue de génération en génération et surtout peut-être en France, où nous vîmes souvent le manque de clairvoyance et d'imagination nous mener aux abîmes. La vieille France légitimiste, attachée à la fortune de Philippe V, prenait tout naturellement feu et flamme pour le prétendant Stuart. Le Régent, seul et contre lui-même, remontait le cours du temps à ses risques et périls. Sa confiance en Dubois et en Law était scellée par ce ciment-là, car un même réalisme les animait. Mais Dubois était à Londres, il avait peur de la situation qui se développait en France et Law, protestant, étranger, ne pouvait le servir qu'aux finances.

L'impasse, si dangereuse en politique, s'aggravait. Dubois, affolé, ne pouvait quitter son poste ; il décida Stanhope, confident du roi George et ami de jeunesse du Régent, à se rendre lui-même à Paris pour plaider la cause du traité. Ce qu'il fit le samedi suivant.

Le même jour, l'amiral Byng entrait dans le port de Cadix. Quelques heures plus tard, un émissaire anglais prenait à vive allure la route de Madrid. Il portait au cousin de Stanhope, négociateur du roi George auprès d'Alberoni, l'ordre de préciser que, au terme des traités, l'Angleterre était prête à défendre les possessions de l'Empereur en Italie.

La semaine avait passé comme l'éclair. Law et Nathalie attendaient le déclenchement des événements que l'on sentait proches. Tout était en suspens.

Cette attente déprimante, dissolvante, imprimait aux affaires un ralentissement, voire une paralysie contre laquelle toute énergie se brisait. Law pensait avec anxiété aux navires qui faisaient voile vers l'Amérique, et il se demandait si l'escadre dont on achevait fébrilement l'armement à Port-Louis pourrait jamais prendre la mer.

Ainsi la France entrait-elle dans une de ces périodes de crise suraiguë qui instaurent l'exceptionnel. Nathalie et Law ne se quittaient plus, prêts à faire face ensemble, au premier signe avant-coureur du désastre. Le surlendemain du jour où le Régent, au plus fort de la crise, recevait Stanhope au Palais-Royal et où l'amiral Byng arrivait à Cadix, ils soupaient, selon une habitude vieille de sept jours, dans le jardin de l'hôtel de Mercœur. Des voix d'enfants s'entendaient au loin. C'était l'heure où, dans la douceur des soirs d'été, se déroulaient, sous le couvert des grands parcs, les dernières parties de colin-maillard. Les oiseaux, de même, s'assemblaient avant le crépuscule et jetaient leurs derniers cris ; les petits chiens jappaient alentour de la table ronde dressée dans un bosquet, devant laquelle Law, distrait et silencieux, croquait une pêche. Nathalie lui faisait vis-à-vis, pensive, renversée sur sa chaise. Le bruit de quelques pas sur le sable de l'allée les étonna, mais déjà Marivaux et Lesage apparaissaient et les saluaient, suivis de laquais qui s'empressaient de porter des sièges et des flacons de vin. Le petit cénacle de l'hôtel de Mercœur, dispersé, ne se reconstituait pas. Voltaire était passé au camp adverse, l'abbé Prévost était aux armées, Pont de Veyle ne pouvait qu'être et se sentir suspect, en dépit des excellents rapports que Law et les Tencin faisaient semblant d'entretenir de loin en loin. Watteau se trouvait soumis aux caprices de la duchesse de Berry, ce qui n'était pas une sinécure, et sa santé déclinait. Il devenait d'ailleurs de plus en plus sauvage, déménageait sans cesse, et l'on ne savait où le trouver. On disait qu'il exprimait ses opinions politiques en préparant un exquis tableau qu'il comptait intituler *L'Indifférent*...

Lancret et Nattier, Lesage et Marivaux demeuraient fidèles, mais le changement d'existence de Nathalie et le mariage de l'écrivain avaient modifié les habitudes de leur amitié et ils la visitaient moins régulièrement. Aïssé, seule, traversait de temps à autre, sans se brûler les ailes, les frontières incandescentes qui, sous le couvert d'une fausse aménité, séparaient le clan Tencin-Ferriol de Law et de Nathalie.

Avant même que de s'asseoir, Marivaux s'écria :

— La flotte espagnole vient de s'emparer de la Sicile !

— Oui, ajouta Lesage. Nous nous sommes rencontrés au *Mercure* où nous allions aux nouvelles, et nous avons décidé de passer par ici en sortant...

Law les remercia chaleureusement et ajouta :

— C'est le prélude d'un débarquement à Naples ; la reine d'Espagne a gagné la première manche. Elle veut l'Italie et tout de suite.

— Facile victoire ! protesta Marivaux. Le duc de Savoie avait déjà fait retirer ses troupes puisque, aussi bien, il savait qu'il ne pourrait défendre l'île. Mais entre Naples et Palerme, la flotte d'Alberoni pourrait bien se heurter à quelque surprise.

Tous sourirent. Le bruit commençait à courir dans Paris que des bateaux anglais faisaient voile vers la Méditerranée.

— Voilà qui va aider M. le Régent à sortir de ses difficultés, remarqua Marivaux. La nouvelle se répand ce soir à la vitesse d'une traînée de poudre et sème l'inquiétude. Au seuil de la guerre, nos excités paraissent soudain moins échauffés, n'est-ce pas ? dit-il en se tournant vers Lesage.

Lesage et Law hochaient la tête et Nathalie paraissait tout aussi sceptique.

— Ce qui trompe Madrid, dit-elle, et ce qui fausse le jeu, ce sont les romans insensés, les folles promesses qui partent de Sceaux !

— Pas si insensées, pas si folles, soupira Law. N'avez-vous pas appris que, ce soir même, le prince de Cellamare vient d'ouvrir un bureau de recrutement où s'écrasent des volontaires prêts à se battre pour le roi d'Espagne et contre le roi de France ?

Nathalie baissa la tête. Le vieux Ferriol, quelques heures plus tôt, ne lui avait-il pas appris que l'agent le plus actif du prétendant Stuart, le duc d'Ormond, venait d'arriver secrètement à Paris, pour y joindre un émissaire secret de l'Empereur ?

— Savez-vous bien, dit Lesage de sa voix légèrement voilée, que les deux amazones de Bretagne, Mmes de Kerkoën et de Bonhamour, aidées de M. de Laval, tiennent six mille soldats au service d'Alberoni et attendent que la flotte de Philippe V, battant pavillon fleurdelisé, apparaisse sur leur côte et leur accorde l'indépendance de leur province promise par le roi d'Espagne !

— Grâce à Dieu, la flotte de Philippe V est devant Palerme ! soupira Nathalie.

— D'où le fait que bien des gens perdent contenance, ce soir, en dépit de ce premier succès, reprit Lesage. Car on comptait plutôt sur un débarquement en Bretagne et il semble que Naples soit visée d'abord. Cela n'empêche point, je puis vous le garantir, la Bretagne, l'Anjou et le Poitou de préparer un manifeste en faveur de Philippe V !

— Et je tiens de source sûre, ajouta Marivaux, que, à Paris même, dans certains salons, on forme un nouveau gouvernement dirigé nominalement par le roi d'Espagne et effectivement par M. le duc du Maine...

— N'oublions pas, dit Law avec un rire forcé, les finances ! L'affaire de l'édit d'Argenson se développe, le Parlement a su rallier à sa cause les cours des Aides et des Monnaies de Bordeaux, Toulouse, Rouen et Rennes. Des troubles viennent d'éclater dans ces villes et à Paris. Ce matin, les marchés ont de nouveau été investis par les troupes pour faire accepter la nouvelle monnaie. Il y eut violence et batteries et le Parlement riposte en faisant appel aux corps de métiers... Le tableau est complet !

Cependant qu'à l'hôtel de Mercœur, comme en chaque demeure de France, on devisait de la sorte, un autre souper, bien singulier celui-là, se déroulait au palais de Saint-Cloud, où les sombres propos échangés par tout le royaume et les inquiétants événements qui les inspiraient servaient de toile de fond. « L'alliance à vie et à mort du Régent et de l'Angleterre se concluait au plus fort de l'épreuve dans la maison natale et patrimoniale des Orléans. Dans ce palais, alors si petit, logeait l'été toute la famille, Madame, mère du Régent, sa femme, souvent sa fille Elisabeth. Elles reçurent Stanhope et le traitèrent. On se sentit alors bien ferme contre les mouvements de Sceaux et du Parlement. On avait la sécurité d'un joueur qui s'amuse et tient les cartes encore, mais qui déjà a gagné la partie [1]. » Et quelle partie !

Le traité de paix qui allait sceller la quadruple alliance défensive entre l'Empereur, l'Angleterre, la Hollande et la France prendrait l'allure d'un ultimatum auquel l'Espagne devrait souscrire avant le 2 novembre. Le Régent et Stanhope convinrent ce soir-là que ledit traité serait assorti d'une convention secrète, dans laquelle se trouveraient insérés, mot pour mot, les clauses de l'accord et l'engagement des rois de France et d'Angleterre à ne souffrir aucun changement à ces dispositions.

1. Michelet.

« Le surtout de vermeil, jonché de fleurs d'été, semblait servir de support à une étrange vision : on croyait voir là défiler la *Home Fleet* et toutes les forces du puissant allié qui paraissait d'autant plus puissant qu'il était l'ancien ennemi redouté. Par les fenêtres ouvertes, on entendait murmurer la cascade et au pied de la colline, au-delà du fleuve, Paris dans l'ombre semblait une bête accroupie, domptée, endormie.

« Pourtant, ce soir-là encore, ce soir même, un agent quittait Saint-Cloud et devait, dans un temps record, gagner Madrid pour inciter le marquis de Nancré à supplier le roi d'Espagne de ne pas aller plus avant au bord du précipice, de ne pas se perdre, de ne pas donner au Régent cet avantage décisif et cruel [1]. »

Philippe d'Orléans se retrouvait lui-même, le Philippe des plus beaux jours. Cependant, il ne fallait qu'un instant et qu'un regard pour qu'il sombre à nouveau. L'escorte de l'Anglais disparaissait à peine au bout de l'allée du Palais que, dans le tête-à-tête fatal retrouvé, deux yeux pers plus déments que jamais le tenaient en leur pouvoir. Elisabeth en proie à ses délires le « croyait déjà roi et perdait tout à fait l'esprit ». Chargé par cette tempête, une fois de plus, il se fondit en elle...

Comme en 1710, le monde flambait autour d'eux, ils le savaient en dépit d'un moment de confiance et d'espoir retrouvé. Depuis huit jours, Philippe s'efforçait de rompre le cercle infernal. Point d'issue. Mais cette chevelure blonde, cette peau couleur d'été qui tenait à sa chair et que les vertiges de toutes les condamnations rendaient plus tentantes, le délivraient du poids du monde. Le vin et la volupté les dérobaient aux dures conditions d'un destin qu'ils n'avaient point la force d'aborder d'un courage sans défaillance. Il allait falloir que surgissent les flammes de l'incendie pour que le héros de Neerwinden retrouve son âme.

La belle confiance du souper de Saint-Cloud ne devait pas tarder à subir des assauts. « Devant Stanhope abasourdi, Huxelles proclamait fièrement que s'il pouvait à la rigueur sanctionner l'alliance elle-même, aucune force ne lui ferait entériner la convention secrète dont le conseil de Régence n'aurait pas à connaître et qui ne manquerait pas de susciter l'indignation de cette assemblée.

« Le maréchal se flattait d'acculer le Régent à la nécessité d'abandonner le traité ou de subir publiquement un humiliant échec. Dans les deux cas, le chef de l'Etat, impuissant, ridicule, ne serait plus qu'un mannequin facile à renverser [2]. »

Le samedi suivant, Stanhope quittait Paris et laissait Philippe désemparé, la situation sans espoir. Une semaine tragique venait de s'écouler. Trois jours plus tard, comme chaque mardi à la même heure, le carrosse de Law se rangea devant le perron de l'hôtel de Saint-Simon. L'Ecossais trouva son vieil ami effaré.

1. Michelet.
2. Philippe Erlanger.

— C'est incroyable, M. d'Orléans a porté hier soir le traité devant le conseil de Régence avec la convention secrète que refusait Huxelles !

Law sursauta :

— Je reconnais bien là M. le Régent ! Voilà longtemps que nous ne l'avions vu prendre d'assaut des positions dites imprenables et nous savons ce qu'il en fait ! Nous voici sûrement hors de page ?

— Tout beau ! dit Saint-Simon en faisant la grimace — le petit homme se noyait dans ses contradictions.

— Allons, allons, monsieur le duc, riposta Law finement. Vous qui détestez si fort le duc du Maine, allez-vous cette fois le choisir plutôt que M. d'Orléans qui vous est cher et préférer ainsi la guerre à la paix dont le pauvre peuple de France a si grand besoin ?

Le sang de Saint-Simon ne fit qu'un tour ; un flot de paroles bouillonna en lui et déversa sur Law un raisonnement fort embrouillé où l'Ecossais ne chercha pas à se reconnaître. Quand ce torrent se fut écoulé, il posa une simple question :

— Et comment donc M. le maréchal d'Huxelles s'est-il tiré de ce pas-là ?

Saint-Simon retrouva un air abasourdi et scandalisé pour riposter :

— M. d'Orléans l'a informé qu'il lui donnait l'ordre de rapporter la question devant le conseil de Régence, faute de quoi il nommerait un autre ministre des Affaires du Dehors ! Et nous connaissons M. d'Orléans : dans le même temps, il fit espérer ce poste à Torcy et le manœuvra de manière que, dans ce beau rêve, il se déclare pour le traité ! Sous le choc de la surprise, les autres membres du conseil le suivirent. Huxelles alors prit peur et fit volte-face au dernier moment !

Le petit homme se prit la tête dans les mains et s'écria : « Oh ! grand pouvoir de l'orviétan ! »

Cependant que Law, les yeux étincelants d'un espoir retrouvé et d'une joie mal contenue, murmurait :

— Voilà qui va en remontrer aux Anglais !

Et il prit congé hâtivement. Il n'y avait pas, ce jour-là, à parler de finances.

Le traité prenait déjà le chemin de Londres.

Dans ce même temps, à Madrid, Alberoni éconduisait, dans des transports ridicules, Nancré et le cousin de Stanhope, déchirant et piétinant la liste des navires anglais qui maintenant faisaient voile vers Naples, liste qu'ils étaient venus soumettre à ses méditations...

Cependant, Stanhope en personne arrivait en Espagne. Le désir passionné d'éviter la guerre et les doléances des financiers de Londres qui entendaient continuer à jouir des avantages exorbitants que venait de leur consentir l'Espagne, avaient inspiré au Régent une extraordinaire proposition que le ministre anglais avait pourtant acceptée : Stanhope s'en allait offrir au roi d'Espagne rien moins que Gibraltar en échange de la paix ! Par contre, le Régent s'était engagé à ne pas désavouer l'Angleterre si les circonstances contraignaient l'amiral Byng à des mesures extrêmes. Celui-ci, parvenu à Naples, faisait demander, sans grand espoir, au marquis de Lede de suspendre les hostilités pour attendre le résultat de cette démarche, mais le marquis de Lede préparait le siège de Syracuse.

LE COMPLOT CONTRE LAW

J'ai du bon tabac dans ma tabatière
J'ai du bon tabac, tu n'en auras pas...

Dutot, Bourgeois, du Revest, Vernezobre, Melon, depuis peu secrétaire particulier de Law, le regardaient, ébahis : avec son impayable accent britannique, il chantonnait une de ces chansons qui couraient la France... où tout finit par des chansons.

On était arrivé sans encombre au vendredi 12 août 1718, et chacun se reprenait à espérer en des jours meilleurs. Law, penché sur son bureau, relisait avant de la signer la lettre qu'il venait d'écrire aux capitaines de ses vaisseaux *La Victoire, La Duchesse-de-Noailles* et *La Marie,* pour leur donner l'ordre de mettre à la voile le 25, afin d'effectuer une nouvelle traversée pour la Louisiane.

J'ai du bon tabac dans ma tabatière
J'ai du bon tabac, tu n'en auras pas...

— Non, tu n'en auras pas, Pâris-Duverney ! cria-t-il, joyeux. Car le tabac, c'est moi qui vais l'avoir ! Mais oui, mes bons amis, je suis en train d'acquérir la Ferme des Tabacs et c'est avec ça, l'herbe à Nicot, que je vais procurer à la compagnie l'argent qu'on lui a refusé au départ et qui nous manque si cruellement aujourd'hui ! (Il donna un grand coup de poing sur la table, qui fit sursauter ses collaborateurs :) Nous allons faire fumer et priser toute la France ! et couvrir les champs américains de tabac ! Sauvés ! nous allons être sauvés !

A ce moment, la porte de son bureau s'ouvrit ; Nathalie, dissimulée dans les plis d'une mante grise, un petit masque à la main que visiblement elle venait d'ôter, courut à lui :

— Je viens de chez M. le duc de Saint-Simon où l'on vous prie de vous rendre sur-le-champ... Son propre carrosse vous attend.

Etonné, il l'interrogea d'un regard et elle baissa les yeux : elle eût voulu le ménager, le préserver, mais le temps pressait terriblement. Il lâcha enfin la plume qu'il tenait encore à la main, se leva et, bien qu'ils ne fussent pas seuls, elle l'étreignit :

— Le Parlement vous cherche une méchante affaire... Il faut faire vite. Vos amis sont puissants.

Il reçut mal le choc ; la brutalité de cette nouvelle agression en un moment où il se croyait parvenu au terme de ses incertitudes, le surmenage, l'angoisse de ces dernières semaines et les cicatrices mal fermées qu'avaient laissées les drames anciens — la condamnation à mort dans la Tour de Londres et tant d'exils, de fuites — toutes ces invisibles souffrances se ravivèrent en lui. Sa volonté maîtrisa enfin le malaise. Dans ses bras crispés, Nathalie sentit ce grand corps vibrer comme un arbre auquel on porte le premier coup de hache. Law, le visage durci, restait silencieux. Seul son regard, expressif comme celui d'une bête murée dans son silence, appelait la suite de l'information.

— Ne vous inquiétez pas, répondit Nathalie. Vous n'êtes qu'un prétexte et M. le Régent aura vite fait de... Il faut vous presser.

Machinalement, il prit son chapeau et Bourgeois lui jeta sa cape sur les épaules. Nathalie remit son masque et le fit monter dans le carrosse de Saint-Simon dont tous les rideaux étaient tirés. La voiture se lança à vive allure. A un moment, l'équipage ralentit ; Law entendit, comme dans un rêve, le cocher parlementer puis crier : service du roi ! et les chevaux repartirent au galop. Le mutisme inhabituel de son compagnon avivait l'inquiétude de Nathalie ; l'hôtel de Saint-Simon était encore loin et il fallait à tout prix qu'avant d'y arriver, il fût au courant :

— Il faut que vous sachiez tout, dit-elle nerveusement. J'ai vu M. le Régent avant de passer chez M. de Saint-Simon... Pardonnez-moi, mais je n'avais pas le temps de venir vous consulter, je n'ai eu que celui de courir au Palais-Royal, de voir M. d'Orléans, de l'informer et d'obtenir de lui qu'il vous loge dans sa demeure dès ce soir et que vous n'ayez point à en sortir jusqu'à nouvel ordre... (sa voix trembla légèrement). Votre vie est en jeu, mais elle ne le sera pas longtemps.

— La potence ! ricana Law, et, comme dans la nuit de la Tour de Londres, l'horrible instrument se profilait à son horizon, confondu avec les mâts des navires en partance, les navires de l'évasion, la flotte fantôme de son destin.

On longeait déjà les Tuileries. Avec fièvre, Nathalie poursuivit :

— Le Parlement vient de promulguer un édit par lequel il entend limiter la Banque aux dispositions de sa charte, interdire aux collecteurs d'impôts d'y faire aucun dépôt et... on a renouvelé un arrêt de l'ancienne Fronde édicté contre le cardinal de Mazarin, arrêt qui défend à un étranger, même naturalisé, de s'immiscer dans les finances du roi. De plus, une commission secrète vient d'être créée pour prouver, contre toute vraisemblance, que vous êtes responsable du malheureux décret de M. d'Argenson et pour vous perdre. Dès que j'ai eu connaissance de ce complot, j'ai voulu informer sans délai M. le Régent : il était question de vous faire arrêter et exécuter dans l'enceinte du Parlement avant qu'il n'ait le temps d'intervenir !

Elle lui serrait les mains et lui jetait tout à trac son lourd secret qu'elle ne pouvait plus garder pour elle. Ils franchissaient déjà le Pont-Royal. Il apprit avec stupeur comment, jour après jour, Millet, Fifrelin, Lesage, sa femme et Nathalie avaient monté la garde autour de la petite maison de Mme du Maine à l'Arsenal et cela, depuis le soir où Nathalie avait découvert ce repaire. Il apprit encore avec effarement que Rose Delaunay, la trop fameuse

311

lectrice de la duchesse, devait réunir les conjurés le jeudi suivant, sous les arches de ce même Pont-Royal qu'ils venaient de franchir, et leur donner les dernières consignes avant le coup de théâtre dont l'affaire présente n'était que le prologue.

— En effet, murmurait Nathalie, il s'agit là d'abord d'une bataille entre les membres de la famille de Condé ; M. d'Orléans le sait mieux que personne, d'un côté M. le duc...

Law comprit qu'entrait dans son destin le duc de Bourbon-Condé, le redoutable borgne à l'œil sanglant. A la première défaillance du Régent apoplectique et usé, ou à celle du petit roi trop frêle, il s'emparerait du pouvoir, avec sa puissante faction.

— ... de l'autre, continuait Nathalie, il y a sa tante détestée, Mme la duchesse du Maine [1]. Vous savez ce qui les pousse l'un et l'autre, l'un contre l'autre !...

Il savait surtout que, fidèle aux traditions des Condé, la duchesse rêvait aussi de s'emparer du pouvoir. Elle l'aurait par le roi d'Espagne, s'il devenait régent de France tout en restant à Madrid.

— Pour l'heure, poursuivait la jeune femme, le Parlement, aux ordres de la faction de Sceaux et du roi d'Espagne, cherche à vous frapper pour enlever à M. d'Orléans les moyens que vous lui apportez de financer la guerre. Quel hommage à votre génie !

Comme elle savait faire appel au courage, à l'espoir ! Les grilles de l'hôtel de Saint-Simon étaient en vue, elle ajouta :

— Vous allez trouver là le duc et M. le duc de la Force, M. d'Argenson et Machault, le nouveau lieutenant de police. M. le Régent a voulu cette réunion pour vous mettre en sûreté, pour vous éviter de devoir fuir et vous cacher, pour que vous ne sembliez point avoir peur. D'autres solutions que celle d'un séjour au Palais-Royal vous seront proposées ; je vous conjure de n'accepter que celle-là et rejoignez-moi très vite chez M. d'Orléans. Je vous attendrai dans l'appartement de votre ami, le marquis de Nancré, toujours à Madrid, où vous pourrez demeurer tant qu'il le faudra.

Ils étaient arrivés. Le carrosse se rangea devant le perron et les gens de M. de Saint-Simon ouvrirent la portière. Law descendit, se retourna, se découvrit sans une parole ; dans son regard, Nathalie vit briller des larmes. Il se ressaisit, s'inclina, lui prit les mains, les serra, puis les baisa l'une après l'autre.

— A tout à l'heure, dit-elle très bas.

— A tout à l'heure, répondit-il enfin.

Trois heures plus tard, alors que la nuit d'été était déjà tombée, John Law poussait la porte de l'appartement du marquis de Nancré, plongé dans l'obscurité. La pièce dans laquelle il pénétrait, située tout en haut du palais, prenait jour sur les jardins par deux fenêtres donnant sur le balcon de pierre

1. Née Louise-Bénédicte de Bourbon-Condé, tante de M. le duc.

à colonnade qui courait tout au long de la façade. Les croisées se trouvaient ouvertes et une lueur diffuse entrait par là. Le ciel plein d'étoiles et la lune, apparue entre les toits, allumaient des reflets sur l'eau du bassin. Dans cette faible clarté, Law distingua une silhouette assise sur le rebord de la fenêtre. Vivement, il referma la porte et se dirigea vers elle :

— Je vous dois de vivre ce soir où, grâce à vous, la vie ne m'a jamais paru aussi belle !

Il était redevenu lui-même. C'était Nathalie qui se sentait à la limite de ses forces après cette dure journée où il avait fallu prendre seule tant de responsabilités... Pour finir, elle venait de subir cette terrible attente, alors que tout pouvait arriver tant que Law n'aurait pas franchi le seuil du Palais-Royal. D'un bond, pourtant, elle se leva :

— Enfin ! dit-elle, vous voilà, sain et sauf et hors d'atteinte ! Pourquoi avez-vous tant tardé à venir ?

Il caressait doucement ses cheveux sur lesquels s'était posée l'humidité du soir.

— C'est que nous allons de Charybde en Scylla et d'un complot à l'autre... A celui de Mme du Maine et du Parlement, M. le duc et M. le Régent répondent par un autre tout aussi redoutable. Dans les jours qui vont suivre, le premier des deux adversaires qui frappera l'emportera sur l'autre et il n'y aura plus de quartier ! Dubois quitte Londres ce soir et sera là sous peu. Je ne sais où nous allons et ce palais grouille, paraît-il, d'espions.

Il avait à peine prononcé ces mots que la poignée de la porte tourna. Nathalie, d'instinct, se recula vers le coin le plus obscur de la pièce. La porte s'ouvrait déjà et une silhouette de femme s'y encadra. Law reconnut Caterina :

— Est-ce vous, monsieur ? Quelle idée de demeurer dans le noir ?

Elle s'avançait à tâtons. Nathalie se sentit saisie par l'horreur que lui inspirait une telle situation, tandis que Law demeurait frappé par le sentiment que cette voix paraissait en cet instant aussi discordante que l'était la présence de Caterina dans sa vie.

— Allumez une bougie, voyons, c'est ridicule ! Avez-vous si peur ?

Un éclat de rire terrible la fustigea. Il délivrait Law à jamais d'une certaine retenue toujours observée vis-à-vis d'elle et voici qu'il libérait Nathalie de l'emprise des sentiments contradictoires et violents qui l'assaillaient : désir de fuir, pour se soustraire à cette confrontation et ne pas être mêlée à cet entretien, ou au contraire, désir de faire face avec dignité. Pour l'heure, elle ne savait pas si elle était visible et vue ; Law, de son côté, ne savait pas si Caterina avait aperçu Nathalie, si elle risquait de l'apercevoir. Il referma vivement la porte qui laissait entrer la très faible lueur d'un flambeau allumé à l'autre bout du couloir.

— Etes-vous devenu fou ? s'indignait Caterina.

— Vous me l'avez si souvent demandé, que vous devriez le savoir !

Il pensait que les yeux de Caterina allaient s'accoutumer à l'obscurité et il attendait l'ultime coup de théâtre de la journée ; connaissant les règles du hasard, il fonça :

— Ecoutez-moi, Caterina, mon devoir était de vous faire prévenir, je l'ai fait. Je vous remercie d'être venue, je n'y comptais pas.

Elle devait certainement commencer à y voir puisqu'elle se dirigeait vers un fauteuil, ce qui n'augurait rien de bon, ne fût-ce qu'en regard de la durée de cet entretien qu'il voulait bref. Il fallait faire vite, la prendre de face :

— Soyez rassurée, je ne risque plus rien. Rentrez paisiblement chez vous et embrassez pour moi vos enfants. Je ne pense pas que nous ayons rien d'autre à nous dire ce soir.

— Vous croyez ! dit-elle d'une voix sifflante.

Nathalie faillit sortir de l'ombre et faire face à son tour. Law, dans une incertitude totale sur le sens de cette phrase et sur sa relation avec la présence muette de Nathalie, ne lui laissa cependant pas le temps d'aller au bout de son projet ; sur un ton et avec une violence qu'elle ne lui connaissait pas, il la cloua sur place.

— J'en suis certain ! tonna-t-il. Résumons la situation, voulez-vous : je suis un proscrit qui, une fois de plus, vient d'échapper à la potence, un misérable aventurier — vous me l'avez assez répété — qui a été sauvé par Mme de., enfant volée, vendue, achetée, de la même race que moi. Je ne vois point que vous ayez à venir ici revendiquer ou reprocher quoi que ce soit au nom des institutions, vertus et conventions d'une société que vous ne représentez pas plus que nous, Lady Caterina Seignieur !

En lui donnant le nom de son mari auquel il l'avait enlevée, pour la première fois il lui rappelait rudement son fait. Il ajouta :

— Nous sommes entre vagabonds, et de ce fait, nous n'avons rien à nous dire. Alors, partez ! J'ai besoin de repos.

Suffoquée, elle se releva comme un pantin du fauteuil où elle s'était assise. A cet instant, elle se trouva devant Nathalie. Il se fit un silence dans lequel ils retinrent tous trois leur souffle. La voyait-elle, ne la voyait-elle pas ?

— Par où sort-on ? demanda Caterina avec hauteur.

Il s'empressa de la diriger vers la porte, s'inclina très bas, lui dit avec un respect qui créait un contraste lourd de sens :

— Je suis, madame, votre très humble serviteur.

Elle était dehors, enfin. Law s'élança vers Nathalie et la serra dans ses bras :

— Pardonnez-moi ! mais si vous n'étiez pas cette enfant volée, vendue, achetée que je désignais tout à l'heure, vous ne seriez pas la femme de mon destin. Je le crois, je veux le croire ! Ce sont là à mes yeux vos lettres de noblesse.

C'était bien cette enfant perdue qu'il serrait entre ses bras :

— Il n'y avait rien à ajouter à ce que vous avez dit, balbutia-t-elle. D'aucune part, ni de la sienne, ni de la mienne. M'a-t-elle vue ?

— Le saurons-nous jamais ?

— J'aurais voulu fuir et...

— Taisez-vous, dit-il, lui coupant la parole d'un baiser rapide. Ce n'est

314

pas la peine ; je sais bien tout ce que vous auriez voulu et j'ai fait pour le mieux. Si nous soupions, mon cœur ?

Alors, elle se redressa ; la femme réapparut ; elle lui mit un rouleau dans la main :

— Pas avant que je vous aie remis ceci...

— Qu'est-ce donc ?

— Un sauf-conduit signé de M. le Régent, pour le cas où...

— Ah oui, dit-il brièvement ; il ajouta avec un rire forcé : Ainsi donc, nous en sommes là ! Hélas, si j'étais obligé de fuir et que je sois arrêté, ce beau parchemin serait une sauvegarde bien illusoire ! Il hocha la tête et le posa sur un meuble.

A cet instant, deux laquais, qui avaient eu la bonne idée de ne pas venir quelques minutes plus tôt, firent irruption avec des flambeaux ; deux autres encore apparurent, portant, dans des seaux d'argent pleins d'une eau très fraîche, du champagne.

— Voilà qui va nous remettre ! s'écria Law.

— Il n'y a pas de circonstance que ce vin-là ne vous mette en mesure de dominer !

Un laquais s'empressa de remplir les flûtes de cristal. Law en prit une en laquelle semblait danser le principe de tout esprit et de toute force et, avant de la porter à ses lèvres, il murmura :

— Les Français ont des défauts, mais ils ont cela ! Alors, ils ne peuvent être aussi bornés que les autres peuples du monde, n'est-ce pas ?

Pour la première fois de la journée, Nathalie sourit.

Dans le même temps, non loin de là, dans les petits appartements tendus de brocart rose où s'épanouissaient les belles du Régent, les demoiselles du corps de ballet de l'Opéra faisaient leur entrée, sans voiles, comme d'habitude... Mais, ce soir-là, leur grâce légère frôlait l'Histoire dans ce grand palais plein de recoins, d'ombres et de mystère.

Une fois de plus, la poignée de l'appartement du marquis de Nancré tourna doucement. Dans l'entrebâillement de la porte se faufila une ombre. Avant que Nathalie et Law aient eu le temps de se lever, le Régent fut devant eux, en habit couleur d'eau et brodé de perles. Sa présence à cette heure où nul ne le voyait jamais en disait assez :

— Vous, monseigneur ? s'étonnait Law pendant que Nathalie s'inclinait en une large révérence.

— Chut ! Je dois retrouver M. le duc de Saint-Simon ici, tout à l'heure... On croira que c'est vous que l'on vient voir ! (Il sourit, désigna la fenêtre :) En attendant, allons observer ce qu'il fait !

— Qui donc ? interrogea Nathalie.

— Mais M. de Saint-Simon ! répliqua le Régent.

Il souffla les flambeaux et se glissa sur le balcon où Nathalie et Law, étonnés, le suivirent.

— Regardez ! souffla-t-il.

Au bord de la pièce d'eau, dans le clair de lune, la petite silhouette familière de Saint-Simon s'agitait frénétiquement devant la lourde stature impassible du duc de Bourbon-Condé.

— On dirait une pantomime du théâtre de la foire ! murmura le Régent. J'ai l'impression que cela ne va pas tout seul.

Law comprit que, une fois de plus, on achetait la puissante faction de Bourbon-Condé pour se l'assurer dans le coup de force qui se préparait. Il usa alors de son raccourci désormais célèbre :

— Combien ?

Le Régent se mit à rire finement.

— Nous le saurons tout à l'heure. Ce sera sûrement très cher, car nous avons désormais à tenir compte des appétits de sa nouvelle maîtresse, Mme de Prie ; il conviendrait d'ailleurs mieux de parler de voracité !

Ils se turent, regardèrent la scène capitale qui se jouait sous ces dehors funambulesques, une sorte d'angoisse les saisit lorsque le Régent murmura :

— ... Et je soupais à l'instant avec mon ami Richelieu dont les troupes campent à Bayonne et qui rêve de livrer la ville aux Espagnols !

La scène en bas s'éternisait. Enfin, les deux hommes s'éloignèrent du bord de l'eau et revinrent, toujours discutant, vers le palais, puis disparurent dans l'ombre.

Le Régent, alors, ralluma les flambeaux et fit porter d'autres bouteilles de champagne. Quelques instants plus tard, Saint-Simon, assez défait, entrait :

— Eh bien ? dit le Régent.

— Trois conditions, répliqua Saint-Simon en baisant la main de Nathalie et en serrant affectueusement celle de Law. Trois conditions, et Dieu est témoin de tout le mal que j'ai pris !

— Moi aussi, le coupa le Régent ; Mme de. et M. Law de même, cela fait bien du monde, y compris le Seigneur ! Eh bien, quelles sont ces conditions, monsieur le duc ?

Comme Saint-Simon demeurait interloqué, le Régent lui versa lui-même une flûte de champagne, ce qui lui permit de recouvrer immédiatement ses idées :

— Une énorme pension de cent cinquante mille livres, une dotation tout aussi belle pour M. son frère le comte de Charolais et, enfin, l'inévitable : la surintendance de l'éducation du roi ! Croyez, monseigneur, que j'ai fait les plus grands efforts pour éviter que Sa Majesté tombe en de telles mains. J'ai trouvé M. le duc plus sourd encore que borgne, ferme et froid comme la mort ! Il n'a cessé de me répéter que, s'il n'obtenait pas satisfaction de Votre Altesse royale, il serait contre Elle et se résignerait à la guerre civile. Jugez, monseigneur, que des deux côtés, à Sceaux comme ici, les Condé, fidèles à leurs traditions de famille, veulent régner !

— Qu'en pensez-vous, madame ? demanda en souriant le Régent.

— Que pour cette raison même et quoi qu'il en dise, M. le duc ne passera jamais au complot d'Espagne. Cela mettrait sa tante plus à même que lui de régner ! Tenez bon, monseigneur, ne cédez pas.

— Eh ! Eh ! dit Saint-Simon, admiratif. Voilà qui est bien probable !

Le Régent ne souriait plus. « Son fatalisme, sa douceur, ses forces diminuées » le détournaient de toute résistance. Il était tellement plus facile de céder et d'avoir la paix, au moins de ce côté ! De son regard aigu, Law prit la mesure de cette lassitude et du gouffre qu'elle ouvrait sous leurs pas.

— Bien entendu, dit Saint-Simon, je reverrai M. le duc tout le temps qu'il faudra d'ici...

— C'est cela, coupa le Régent, je compte sur vous.

Puis il salua et sortit, suivi du duc.

Au petit jour, Nathalie regagna l'hôtel de Mercœur. Pour Law comme pour elle, il fallait faire face à une situation nouvelle. Combien de jours durerait cette réclusion volontaire ? Ils l'ignoraient. L'attente, l'oisiveté, leur séparation partielle et les rumeurs redoutables qui emplissaient ce palais créaient une atmosphère déprimante.

Trois jours plus tard, comme l'équipage de Nathalie parvenait devant la grille du Palais-Royal, elle vit la foule s'amasser devant le portail d'entrée. Avant qu'elle ait eu le temps de demander quelle était la raison de cette manifestation, elle entendit s'élever un cri qui la bouleversa .

— Assassin ! criait une voix de femme aiguë et le mot affreux fut repris par d'autres. Comme son carrosse pénétrait dans la cour, elle entendit rouler vers elle le flot de la colère :

— Pute ! Pute ! Catin !

Précipitamment, elle descendit de voiture, s'engouffra dans une petite entrée à gauche de la cour, pour éviter toute rencontre. Elle trouva un escalier, le gravit en courant jusqu'au premier étage. Dans son affolement, elle ouvrit sur ce palier une porte qui, croyait-elle, lui permettrait de rejoindre la grande galerie, mais elle se trouva dans le petit salon d'hiver, face au Régent pâle, défait, anéanti.

— Pardon, monseigneur ! Je me suis trompée de...

Elle était ployée devant lui, presque à ses genoux. Il la releva, eut un pauvre sourire et dit :

— Le hasard, lui, ne s'est pas trompé, qui m'envoie en cet instant la chaleur de ce regard. Incomparable regard ! dit-il encore.

Dehors, les cris redoublèrent.

— N'ayez pas peur ! murmura-t-il. Le maréchal de Villeroi a fait courir ce matin dans Paris une sinistre fable selon laquelle un biscuit empoisonné aurait été trouvé chez le roi, et le peuple de Paris se souvient de m'avoir déjà traité d'assassin !

Elle osa serrer la main qu'il avait laissée posée sur la sienne.

— C'est assez adroit, continuait Philippe, amer. Bien entendu, cela vient de Sceaux...

Nathalie s'écarta de lui, fit quelques pas incertains ; la foule criait toujours, elle la voyait s'agiter derrière les vitres.

— Monseigneur, dit-elle d'une voix mal assurée, Votre Altesse royale n'ignore certainement pas que, après-demain soir, Mlle Rose Delaunay doit donner aux affidés du complot d'Espagne les dernières consignes avant le déclenchement de la guerre civile. Cette réunion aura lieu sous le Pont-Royal. Ces gens ne craignent ni l'extravagance, ni le ridicule.

317

Le Régent l'observa, incrédule, méfiant et pourtant inquiet :

— Que dites-vous là ! En êtes-vous certaine ?

— Assurément, puisque j'enverrai des amis sûrs à ce rendez-vous. Ne pensez-vous pas, monseigneur, qu'il serait bon que des gens du roi y soient aussi ?

— Sans doute, dit le Régent, troublé. Ils y seront. Mais comment se fait-il que j'apprenne par vous cette affaire ?

Il s'attendait à la voir triompher comme font les femmes en pareil cas et ne décela sur son visage qu'une mélancolie profonde. Elle l'étonnait toujours.

— Eh bien ! vous ne répondez pas ? insista-t-il en se rapprochant d'elle.

— Que Votre Altesse royale me pardonne, mais il arrive que je me fasse horreur à moi-même. Il me semble que je marche victorieusement sur les traces de Mme de Tencin ou de Mlle de la Chausseray, qui trouvent leur raison de vivre à écouter derrière les portes et à fouiller dans les corbeilles à papiers. Pourtant je ne saurais descendre à cela. Je ne suis pas une intrigante et je ne voudrais pour rien au monde passer pour telle. Je cherche seulement à aider John Law et à le préserver de la montée des périls qui l'environnent.

— Vous êtes donc le « Secret » de Law ? dit le Régent avec un sourire.

— Ce sont les circonstances seules qui m'ont lancée dans de telles activités et si elles me répugnent parfois, je les préfère cependant à celles de ces aimables bavardes qui tiennent salon dans Paris ! répondit-elle, baissant un instant les yeux. Mais Votre Altesse royale doit me juger bien mal !

— Pourquoi pensez-vous cela ?

— Nul n'ignore que, pour Votre Altesse royale, les femmes ne sont et ne doivent être que de charmants objets sans âme. Mais non, monseigneur ! Ce n'est pas ainsi, pas toujours ! En moi, la machine de l'esprit tourne à vide et me fait peur.

— Cela doit plaire beaucoup à Law !

Elle hocha la tête :

— Il est difficile de vivre dans les remous de sa vie, d'être la femme de son génie, de trouver sa place, son équilibre en marge de... (Elle s'arrêta, stupéfaite, et reprit :) Oui, que devez-vous penser de moi, monseigneur ? Et comment se fait-il que ce soit auprès de Votre Altesse royale que je me laisse aller à la confidence !

— Vous ne voulez point croire, madame, qu'il y a de vous à moi de secrètes concordances... Pourtant, oui, je redoute les femmes qui pensent, mais pas vous, je ne sais pourquoi, pas vous...

La foule maintenant devenait houleuse comme la mer. Le regard myope de Philippe se perdit au loin :

— Ce qui est inquiétant, murmura-t-il, c'est que Machault ne m'ait pas prévenu avant vous de l'affaire du Pont-Royal. D'Argenson, lui, n'eût pas été devancé...

— Monseigneur, reprit Nathalie, en hésitant, M. l'abbé Dubois va rentrer à Paris d'un jour à l'autre...

— Eh bien ?

— Je demande à Votre Altesse royale de bien vouloir m'assurer qu'il ne sera pas au courant de mes... activités.

— Il ne pourrait que s'en féliciter !

Elle fit appel à tout son courage pour poser cette terrible question :

— Votre Altesse royale le croit-elle vraiment à ce point ?

— Mais, madame !

— J'ai acquis la certitude que si M. l'abbé était informé de tout cela, il veillerait à ce que mes sources de renseignements se tarissent.

— Vous m'étonnez encore, murmura le Régent. C'est possible, après tout.

— Votre Altesse royale connaît mes accointances avec la famille de Tencin ; ignore-t-elle celles de l'abbé Dubois avec une dame de cette famille qui ne saurait, par tempérament et avidité, se tenir à un seul parti, à un seul complot ?

Il s'assombrit, réfléchit.

— Je vous promets, dit-il enfin, de ne point parler de cet entretien à Dubois.

Elle savait qu'il tiendrait parole, mais elle savait aussi que le doute semé en lui vis-à-vis de Dubois serait emporté dans la minute qui suivrait par des événements en apparence plus importants.

La foule maintenant cherchait à prendre d'assaut les grilles du palais. Nathalie et le Régent s'approchèrent vivement de la fenêtre ; leurs silhouettes durent se deviner derrière les rideaux, car les hurlements, les abominables menaces, les injures reprirent de plus belle. Nathalie se rapprocha du prince ; il la saisit par la taille pour la forcer à reculer, fit lui-même quelques pas en arrière et la maintint serrée contre lui. Elle était trop femme pour que ce geste et cette attitude ne lui parussent pas dans l'ordre éternel des choses.

— Regardez, disait-il d'une voix altérée. Voici comment naissent les révolutions. Voyez les visages de la haine, les poings dressés et la mort sur toutes les lèvres...

— Voici le chœur, monseigneur, répondit-elle, comme un écho venu de loin. C'est le chœur qui est là, au fond de la scène, derrière Votre Altesse royale et derrière Law qui se tient à votre côté, au premier plan de la tragédie ! Il faut bien, n'est-ce pas, que le chœur se fasse entendre lorsque son tour vient de paraître et de parler ? On le voit alors s'avancer, comme la marée lorsqu'elle vient battre furieusement les digues.

— Que dites-vous ? Entendez-vous ses répliques ?

— Je les entends... Il dit qu'il y a partie de vie et de mort, que les hommes d'Etat n'ont pas le droit de perdre, car il n'y a pas de quartier pour eux !

Elle essayait de le hausser à la hauteur de son rôle, de l'arracher à l'émotion sensuelle qui l'envahissait. Elle se dégagea, fit sa révérence, et ajouta, avec cette persuasive douceur dont elle connaissait le pouvoir :

— Et maintenant l'instant vient où le Régent du royaume va faire son entrée ; on l'attend, il est là, il va venir et il ne convient pas qu'une silhouette de femme paraisse plus longtemps au côté du héros de Lérida. Commandez vos violons, monsieur, il est l'heure !

Et elle sortit. Philippe, impassible, la laissa aller. Son regard seul le trahissait. Il prit dans une coupe une noix rapportée de Louisiane et la broya dans sa main crispée ; il l'entendait céder, craquer, et cela l'apaisait. Il échangeait avec ses roués toutes les femmes de son entourage, et en eût bien fait de même avec Law, mais celle-là ! Il rejeta les éclats de la noix brisée, puis d'un pas ferme, alla à son bureau pour convoquer son capitaine des gardes.

MASQUES ET COMÉDIENS

Les Lesage habitaient un délicieux logis sur les quais de la Seine, du côté du soleil. Toute la grande vie du fleuve et le chant des bateliers montaient jusqu'à leurs fenêtres où fleurissaient des verveines et où se balançaient des oiseaux dans des cages dorées. En se penchant un peu, l'écrivain voyait, dans la courbure nonchalante du fleuve, bateaux et voiles glisser vers Notre-Dame et leur fuite perpétuelle plaisait à son esprit vagabond.

A l'intérieur de la demeure, la gaieté, la fantaisie et la simplicité tissaient la trame des jours, grâce à Mme Lesage toujours belle et jeune et à ses enfants, trois garçons de dix-huit à vingt-quatre ans et une petite fille sage dont le bonnet fleurissait souvent aux carreaux des fenêtres, comme les verveines.

Ce soir-là, alors que la lumière d'été était encore chaude et formait des taches éblouissantes sur la page inachevée, Lesage posa sa plume : Arlequin ou Pantalon allaient demeurer figés dans un geste interrompu, à moins que ce ne fût l'*Orlando innamorato* de Boïardo, qu'il traduisait à ce moment, ou *Gil Blas* dont il poursuivait les aventures.

On frappait à l'huis. Une fleur secoua des pétales de cendre bleue sur le papier et la coiffe de Mme Lesage battit des ailes cependant qu'elle s'élançait pour ouvrir : c'était Guillaume Coustou qui entrait. Leur ami était suivi d'un de ses élèves, le petit Bouchardon, âgé de vingt ans, qui promettait beaucoup ; une bonne camaraderie le liait aux fils de la maison, René et François, doués comme lui pour les arts et l'aventure. Guillaume avait un visage énergique comme Lesage, mais la puissance du génie rayonnait en lui et se mariait à la force que dégageait sa carrure de sculpteur. Comme l'écrivain, il portait au cœur une imagination vive et hardie. Leur amitié s'était faite de ces affinités. Plus jeune, Coustou avait voulu partir comme matelot pour Constantinople. Aujourd'hui, marié, lui aussi assagi, étonné devant son petit garçon de deux ans, il poursuivait encore parfois des rêves étranges. Lesage l'avait amené à l'hôtel de Mercœur. Il y avait été accueilli de telle manière qu'il y revint souvent, pour retrouver Gillot, Watteau, Coypel, Boffrand et Robert de Cotte.

Aujourd'hui il était convié à prêter les ressources de son esprit aventureux et de ses capacités de bretteur à la réalisation d'un plan délicat. René Lesage, qui encourait la colère de son père en montant sur les planches de la comédie et son frère François qui, soutenu par Watteau, en faisait tout autant et écrivait en cachette des romans d'aventures, s'excitaient fort à la perspective d'une action hors du commun. Il en résultait une cacophonie de paroles, d'explications décousues au milieu desquelles Coustou essayait de comprendre ce que l'on attendait de lui.

Soudain Nathalie, entrée discrètement par la porte demeurée entrouverte, fut au milieu d'eux, à la grande confusion de Mme Lesage. Sans se soucier de belles manières, Lesage, toujours abrupt, cria d'une voix forte qui fit taire les bavards :

— Résumons-nous, mes amis ! L'idée d'amarrer sous le Pont-Royal une galiote parmi les autres et de nous y cacher est bonne, mais ils peuvent se méfier de ces bateaux qui se balanceront dans l'ombre, même si tout paraît dormir à bord ! Dans ce cas, ils s'éloigneront en rasant le mur de la berge et nous n'entendrons rien !

— Que faire alors, je vous prie ? dit Nathalie en rejetant son capuchon de soie d'un geste nerveux.

— Embaucher la canaille pour une de ces tâches hasardeuses qui ne lui font pas peur. Imaginez quelques tonneaux disséminés ici et là, de manière à cerner l'espace étroit que forme la berge à cet endroit. Dans chaque tonneau je place un homme...

— Où l'on retrouve le Diable Boiteux et indiscret ! s'écria Coustou dans un gros rire.

— Pour un prix raisonnable, poursuivit Lesage, nous pouvons nous assurer l'adresse et la discrétion d'une bande de coquins que mène un vrai chef de guerre, fort loyal dit-on, et qui est un curieux gamin. Il sera là dans un instant et il vous appartiendra d'en décider, dit-il à Nathalie, fort étonnée.

— J'ai aussi à caser deux sbires de M. le Régent ! précisa-t-elle d'une voix calme.

— Je ne les vois pas dans un tonneau, dit Lesage en riant. Laissons cela aux harengs et aux brigands.

— Et au bon vin, non ? répliqua Coustou.

— N'oubliez pas que des mousquetaires circuleront sur le pont comme des badauds et que, au premier signal, ils se regrouperont pour vous porter secours ! dit Nathalie que la présence de malandrins n'enthousiasmait guère. Et il y a nos amis ici présents !

— Eh bien, il y aura foule demain soir sur le Pont-Royal ! J'ai appris que s'y trouveraient aussi des flâneurs aux ordres de Mme la duchesse du Maine, affirma René Lesage.

— De quoi faire pâlir les baladins du Pont-Neuf ! dit son frère.

— De quoi déclencher les premiers affrontements d'une guerre civile ! répliqua René.

— Qu'est-ce que mes fils vont faire dans cette galère ? protesta Mme Lesage qui avait des Lettres.

— Tu exagères toujours, grommela Lesage. Il se s'agit que de monter dans une barque ! Et d'ailleurs, je ne les y embarquerai pas ; j'ai une autre mission à leur confier, ainsi qu'à Bouchardon.

— Oui-da ! et si on leur donne quelques mauvais coups ? dit son épouse en grand souci.

Nathalie s'était écartée de la discussion. Son esprit vagabondait entre ces propos et ceux qui devaient se tenir au Palais-Royal et dont la gravité l'oppressait. Elle se laissa choir sur un canapé dans un brusque épanouissement de sa simple robe d'été rayée de blanc et de rose. Par la porte toujours ouverte des Lesage, quelqu'un s'était glissé et se campa soudain devant elle, la faisant sursauter. C'était un grand garçon de vingt-cinq ans, couleur de soleil ; il portait avec superbe et nonchalance le costume bariolé du petit peuple des berges qui vit de tous les métiers et lutine les lavandières. Les poings sur les hanches, il la dévisageait, une lueur sauvage et gaie dans les yeux.

— Qui êtes-vous ? demanda-t-elle, troublée.

— Cartouche ! souffla-t-il.

Le lendemain soir [1], les reflets de lune dansaient sur les petites vagues noires du fleuve un ballet de lumière plein de mouvements et de vie, au rythme du clapotis. Sous le Pont-Royal, la berge était déserte. Des galiotes endormies se balançaient en faisant grincer leurs chaînes d'amarrage ou s'entrechoquer les tonneaux que l'on voyait s'amonceler à l'arrière de l'une d'elles. D'autres tonneaux, entassés çà et là au long de la rive, devaient probablement compléter ce chargement destiné à porter jusqu'en de lointaines provinces la gaieté des petits vins gris d'Auteuil ou d'Argenteuil.

Sur le Pont-Royal, par contre, l'animation était extraordinaire. Il en fallait sans doute rechercher la cause dans la présence de trois jeunes montreurs de marionnettes. Etaient-ce des baladins venus du Pont-Neuf voisin ? Ils donnaient un spectacle étonnant où chacun se plaisait à reconnaître une satire mordante, à peine déguisée, de quelques personnages faciles à moquer : la duchesse du Maine, l'abbé Dubois et sa bonne amie la Tencin, d'Argenson, Alberoni, la « Messaline » de Berry et ses amants. La foule grossissait de minute en minute, prompte à se délivrer de son angoisse par des rires énormes et vengeurs que ranimaient de phrase en phrase la verve des jeunes artistes et les contorsions des poupées. Elles étaient si finement sculptées et habillées et leurs visages ressemblaient si parfaitement à leurs modèles qu'elles paraissaient vivantes à la lueur des torches ! On se bousculait pour les admirer.

C'est ainsi que nul ne prêtait attention à des silhouettes furtives qui, par un escalier étroit, se faufilaient sous le pont, du côté de la rive droite. Il y

_____
1. Nuit du 18 août 1718.

eut cependant bientôt une dizaine de masques assemblés sous l'arche de pierre. C'est alors qu'une femme petite et menue se détacha du groupe, sans pour autant ôter le loup de velours noir bordé de dentelle qui ne laissait apparaître que son regard inquiet. Elle erra un instant, indécise comme une ondine au bord des eaux, puis revint sur ses pas, s'approcha du cercle sombre que formaient ceux qui l'avaient suivie jusque-là. D'une voix détimbrée, altérée, elle chuchota enfin :

— Le message de ce soir est celui-ci : l'heure décisive sonnera d'un jour à l'autre. Le signal donné, chacun devra sur-le-champ accomplir sa mission. Dès les premiers troubles déclenchés, le roi d'Espagne lancera un appel aux états généraux, au Parlement, et à Sa Majesté. La Bretagne se soulèvera tout entière pour faciliter l'entrée de ses ports aux navires espagnols et dans le même temps, l'armée de Philippe V se présentera devant Bayonne. Qui vous savez livrera la citadelle. Cette armée est en marche.

— Je pars tout de suite rejoindre mon commandement, répondit une voix.

Rose Delaunay répliqua :

— Pas avant de prendre les ordres du futur lieutenant général du royaume qui ne recevra cette nuit que vous, monsieur. Il vous attend sur la route de Sceaux, au lieu où vous fûtes la semaine passée.

Sur le pont, la voix nasillarde de la poupée qui représentait la Tencin criait dans la nuit à la marionnette Alberoni :

— Achetez-moi Dubois et l'Angleterre, et je vous ferai pour le tout un prix d'amie... à la façon de Biribi, mon ami !

La foule exultait. Sous le pont, une voix murmura :

— Cette fois, nous y sommes donc !

— A chaque instant, à partir de ce soir, tenez-vous prêts, répondit la messagère. Ne fléchissez pas, continua-t-elle. Souvenez-vous que Charles XII en Suède, Rakoczy en Hongrie et le marquis de Lede en Méditerranée soutiendront votre action.

Rose Delaunay s'arrêta, soudain prise de crainte. On entendait, sur le pont, glapir la marionnette-duchesse du Maine :

— Eh ! mon bon monsieur Duverney, je vous ferai secrétaire d'Etat de mes Finances lorsque je serai reine de France, si vous me rapportez du Mississippi la dépouille de Law et une couronne de chef indien pour mon sacre !

— Dispersons-nous maintenant, dit la jeune femme, frissonnante d'effroi. Cet endroit ne convenait guère...

— Bah ! protesta le maréchal d'Huxelles, président du conseil des Affaires étrangères. Nous avons été bien tranquilles !

A peine avait-il prononcé ces mots que des appels aux armes retentissaient derrière eux. Un mystérieux quidam venait d'en agresser un autre, tout aussi mystérieux, qui avait cherché à faire rouler vers le fleuve un des tonneaux posés sur la rive. Une mêlée générale s'ensuivit le long de l'escalier menant au pont, puis sur le pont lui-même. Soudain les joyeux spectateurs des montreurs de marionnettes se divisèrent en deux camps, curieusement disciplinés, cependant que les fils Lesage et leur ami Bouchardon repliaient en hâte leur petit théâtre. Les mousquetaires surgirent à leur tour de l'ombre et chargèrent avec une rapidité que nul ne pouvait prévoir. Rose Delaunay, qui s'était prestement abritée derrière trois tonneaux superposés, regardait, les yeux agrandis de peur, l'une des galiotes endormies se détacher de la rive, glisser au fil de l'eau, puis disparaître vers Chaillot sans qu'aucune présence ne se fût révélée à son bord.

Trois jours plus tard, Dubois, mandé en toute hâte, arrivait de Londres. Sa présence, loin d'apporter l'aide et les lumières qu'espérait le Régent, ajoutait, selon les prévisions de Nathalie, à la confusion qui régnait au Palais-Royal.

On l'attendait pour collaborer efficacement au dénouement d'une crise dangereuse et il jetait la stupeur en s'absorbant dans une activité imprévue : tel un prestidigitateur du Pont-Neuf, il tirait des innombrables coffres qu'il ramenait d'Angleterre des vêtements et des coiffures extraordinaires, des robes jamais vues.

— Attention ! Regardez, regardez bien, mesdames et messieurs !

Une nouveauté plus grande encore piqua les curiosités : ces modes ravissantes, extravagantes, Dubois les faisait endosser à des poupées de grandeur naturelle exposées dans les appartements et qu'il avait eu l'idée de faire fabriquer tout exprès. Celles-ci proposaient à l'admiration des femmes des jupes en tonneaux, en ballons, en gondoles, en coupoles, fleurs exubérantes qui dépassaient trois mètres cinquante de tour, et à l'enthousiasme des hommes, coupes inédites, perruques légères et tissus fastueux. Le Régent, Law et Saint-Simon voyaient soudain avec effarement les complots faire trêve, leurs pires adversaires renoncer à l'émeute pour se presser aux grilles du palais, les amazones de Sceaux, escortées de leurs petits-maîtres, s'oublier un après-midi entier à palper des étoffes et à écouter les boniments de commis dûment chapitrés pour les absorber avec ces chiffons. Dubois exultait, pérorait, sidérait, entraînait ces têtes légères dans un tourbillon pacifique.

Philippe d'Orléans, Saint-Simon et Law, qui n'étaient point dupes, cherchaient à ramener l'abbé aux graves événements dont on troublait savamment les préparatifs. Un conseil secret se réunit enfin le 23 août, au petit jour [1]. Ce matin-là, Nathalie, en arrivant dans l'appartement du marquis de Nancré, portait une cage dans laquelle s'ébattait un oiseau des îles aux plumes couleurs de rubis, d'émeraude et de saphir. Elle suspendit la cage devant une fenêtre ouverte, puis fixa à ses barreaux dorés des tiges de plantain. Elle avait à peine terminé cet arrangement que Law entra, le visage défait.

— Je ne vous attendais pas si tôt ! s'écria-t-elle.

— Nous conférons depuis cinq heures du matin et il en est dix ! soupira

1. Pour ces dates dont l'importance est capitale, le plus précis est Michelet.

Law en s'efforçant à sourire. J'ai commandé une collation que je prendrai avec vous ; mais que m'avez-vous porté là ?

Il s'approcha de la cage, soudain détendu, heureux, et attira Nathalie contre lui.

— Un prisonnier comme vous ! dit-elle. Nous lui rendrons la liberté quand vous sortirez d'ici et, en attendant, il m'aidera à supporter tant d'interminables attentes !

— Dans quoi vous ai-je entraînée et quelle vie est devenue la vôtre !

Elle eût voulu répondre, évoquer tout ce foisonnement, cette richesse qui étaient la contrepartie admirable des renoncements, des patiences, des angoisses, mais il lui était plus difficile de parler d'elle-même à l'homme qu'elle aimait qu'à Philippe d'Orléans. Le problème que Law venait d'évoquer s'était-il posé à lui avant cet instant ? Elle eût passionnément voulu le savoir, mais elle enchaîna précipitamment :

— J'ai du nouveau, et vous ?

— A toi d'abord ; moi, c'est long !

Ils rirent ensemble. Les brusques éclats de ce bonheur hors d'atteinte qu'ils avaient construit envers et contre tout étaient la source et le secret de leur courage et de leur élan qui étonnaient jusqu'à leurs ennemis.

L'entrée des valets portant une table chargée d'un léger repas leur imposa un silence. Law souriait encore après leur départ. Nathalie n'oublierait pas ce sourire dans ce visage épuisé. Elle prit la cafetière d'argent, versa un café brûlant dont l'odeur seule possédait déjà des vertus et dit enfin avec ironie :

— Voulez-vous connaître un propos récent de Mme de Tencin ?

— Ceux des propos de cette dame auxquels vous accordez votre attention sont toujours instructifs !

— Elle va répétant : je suis la femme « à » Schwaub !

— Ah !

— Elle ne jure plus que par lui.

— Prior est diabolique !

— N'est-ce pas ! Il a donc désormais un espion vigilant fort proche de Dubois ! Mais, dites-moi, Schwaub n'est-il pas ce beau garçon aux yeux bleus qui était le propre secrétaire de Stanhope, lequel l'a lui-même placé auprès de l'abbé Dubois, et le Régent ne l'a-t-il pas chargé de nombreuses missions ? Pour qui travaille-t-il, dans cette affaire ?

— Selon toute apparence, pour l'Angleterre. Stanhope paie grassement cette fripouille de Dubois, vous le savez bien, mais il doit éprouver le besoin de savoir s'il en a, comme on dit, « pour son argent ».

— Je m'y perds ! Comment Dubois et le Régent utilisent-ils à des missions diplomatiques secrètes cet agent de Stanhope ? Certes, l'Angleterre est aujourd'hui l'alliée de la France, mais c'est de bien fraîche date.

— Que voulez-vous, nous avons aujourd'hui le « Secret » de M. le Régent et celui de l'abbé Dubois, c'est-à-dire deux réseaux diplomatiques en marge de la diplomatie officielle : Nancré à Madrid, Basnage et Morville à La Haye, Lamark à Stockholm, Hooke à Berlin, et Schwaub nous arrive de Vienne. Les agents doubles et triples fourmillent sur les chemins de l'Europe. Il en a toujours été ainsi. Quand Schwaub est à Paris, il loge ici même au Palais-Royal où Mme de Tencin peut se partager entre lui et Dubois !

— J'ai mieux à vous apprendre, car j'ai pu joindre Aïssé et la voir longuement. Elle n'a jamais aimé Mme de Tencin ; aujourd'hui, elle la déteste. En soulageant son cœur, elle m'a révélé que notre chanoinesse réunit tous les jours, pour le service de Dubois, Nocé, Schwaub et le comte Hoym, et cela depuis fort longtemps ! Rémond se joint souvent à eux.

— Rémond ? l'ami intime du Régent ?

— La faveur dont il jouit à cette heure égalerait celle de Nocé !

— Logés, eux aussi, dans ce palais, l'un et l'autre « roués » de M. d'Orléans, ils font partie de la société de ses petits soupers... Ils l'approchent donc aisément et... en toute familiarité.

— En effet ! dit Nathalie en souriant. Mais qui est en réalité ce Rémond dont j'entends fort parler depuis peu ?

— Le fils d'un fermier général que l'on surnommait « Rémond le Diable ». M. de Saint-Simon déclare qu'il est un petit homme qui n'a pas été achevé de faire ! Quelque chose comme un « biscuit [1] » manqué ! Cela dit, il a beaucoup d'esprit, d'effronterie et de lettres, se pique de tout savoir et d'exceller en tout. Espion zélé de Dubois, valet de Stairs, correspondant assidu de Mlle Rose Delaunay, il m'a demandé un petit service.

— Lequel ?

— De lui prêter deux cent vingt mille livres pour acheter une charge qui lui permette de mieux remplir de si diverses missions : celle d'introducteur des ambassadeurs.

— Et vous avez accepté ?

— Certainement. J'aurai sans doute aussi un jour besoin de ses services... Je ne peux, hélas, agir de même avec M. de Nocé !

— ... dont l'influence sur M. d'Orléans est de plus en plus grande, n'est-ce pas ?

— Vous savez bien que, maître de sa garde-robe, il peut le voir à toute heure et ce n'est pas rien ! Son crédit tient aussi à son désintéressement et à son indépendance : il ne demande jamais rien, ce qui est unique dans l'entourage de M. le Régent. Je crois que le prince apprécie même son mauvais caractère et sa redoutable originalité qui l'entraîne à bien des fluctuations, des humeurs changeantes et à toute sorte de bizarreries dont nous aurons à souffrir ! Et puis, comme dit encore M. de Saint-Simon : ils « crapulent » ensemble. Que savez-vous encore ?

— Que Nocé réunit aussi régulièrement dans sa propriété d'Asnières la Tencin, Schwaub, Hoym et Rémond, pour y retrouver le président Hénault qui appartient à Sceaux, l'abbé de Saint-Pierre pourtant fort ennemi de Dubois, La Motte et Fontenelle.

— Tiens ! Mais ce sont là des membres du Club de l'Entresol qui s'est établi à côté de chez moi, place Louis-le-Grand, justement chez le président

1. Statuettes plus tard rendues célèbres par les créations de la manufacture de Sèvres.

Hénault. Ils veulent changer le monde, dit-on. Délations ? Tractations ? Intrigues pour l'intrigue ?

Il s'arrêta, comme frappé par une idée subite :

— Attendez ! je commence à y voir clair. Dubois doit savoir par Schwaub et par Stanhope — naturellement, puisqu'il arrive de Londres — que de nouveaux événements sont imminents en Méditerranée, d'où son attitude si... préoccupante.

— Que voulez-vous dire ?

Il lui prit les mains, les serra dans les siennes :

— Vous savez bien où nous en sommes : la guerre civile a déjà éclaté en Bretagne ; l'émeute est ici dans la rue et je suis son prisonnier dans ce palais où Dubois joue la commedia dell'arte ; le petit roi est prisonnier de la cabale de Sceaux dans les Tuileries, tragiquement coupé de M. le Régent. Cette nuit, le maréchal de Villeroi a couché dans la chambre de l'enfant pour s'assurer de sa personne, après avoir inventé l'histoire du biscuit empoisonné, et M. le duc du Maine est venu coucher en dessous. La stratégie, en partie révélée par Rose Delaunay, semble entrer en action. Il faut se battre. M. d'Orléans a donc préparé un coup d'Etat, comme à la veille de la mort de Louis XIV. Dans trois jours exactement se tiendra, à l'aurore, aux Tuileries, un conseil de Régence et... un Lit de justice suivra.

— Un Lit de justice ! répéta-t-elle, foudroyée.

— Il n'y a pas d'autres moyens de sortir de l'impasse dans laquelle nous voilà déjà pris et à merci ! M. le Régent a acheté une fois de plus, vous l'avez vu, la faction Bourbon-Condé. Pendant que se tiendra le conseil de Régence, des exempts iront chercher un à un les membres du Parlement, pour les amener au Lit de justice. Il s'agit de rien moins que de leur enlever les pouvoirs que M. d'Orléans leur avait rendus à la mort de Louis XIV et de leur interdire de s'occuper des affaires de l'Etat, puis de retirer la charge de l'éducation du roi à M. le duc du Maine, pour la confier à M. le duc [1]. Enfin on ramènera les bâtards du roi au rang de pairs de France et leur qualité princière leur sera enlevée. « Le comte de Toulouse [2], en raison de ses rares mérites, échappera aux conséquences de l'arrêt dont le duc du Maine et les siens supporteront le poids total [3]. »

— C'est une contre-révolution qui se prépare ! conclut Nathalie.

Après un instant de silence, Law ajouta :

— M. le Régent ira ensuite plus loin : il supprimera les conseils dans lesquels il avait mis tant d'espoir, pour ne plus avoir que des secrétaires d'Etat.

Elle regarda John Law fixement. S'il sortait vivant de ce palais et de ces complots, une part immense du pouvoir allait tomber entre ses mains. Law continuait :

— L'imprévu, la surprise peuvent seuls assurer le succès de ce plan

1. De Bourbon-Condé.
2. Frère cadet du duc du Maine.
3. Philippe Erlanger.

audacieux. Informé, le maréchal de Villeroi agirait aisément sur le roi : imaginez cet enfant de huit ans, effrayé, subjugué, pleurant et donnant publiquement un démenti à M. le Régent ! Nous serions tous perdus...

Elle frémit, essaya de réfléchir :

— Le roi adore M. d'Orléans !

— Sans doute, mais les voici totalement séparés l'un de l'autre. L'affaire du biscuit empoisonné et les émeutes n'avaient d'autres fins que de rendre difficile à M. d'Orléans, sinon impossible, d'entretenir le roi seul à seul jusqu'à nouvel ordre. N'oubliez pas que M. de Laval parlait, ces jours-ci dans Paris, d'amener le duc Régent tout lié jusqu'à Tolède !

Nathalie se leva brusquement. Il la regarda avec cette douceur qui n'effaçait jamais au coin de ses lèvres une moue ironique. Ils pensaient l'un et l'autre aux terribles conséquences d'un échec.

— Et Dubois ? murmura-t-elle.

— Il s'efforce de persuader M. le Régent de remettre le Lit de justice au mois de septembre.

— Il trahit ? s'écria-t-elle, soudain affolée.

Law se leva à son tour, la prit par les épaules et dit :

— Pas encore, il gagne du temps.

— Pourquoi ?

— Pour voler au secours de la victoire. Tant pis pour nous si la flotte anglaise est battue en Méditerranée !

— Croyez-vous que notre destin se joue là-bas, si loin de nous, malgré nous ?

— Je le crois. (Il fronça ses fins sourcils, son nez spirituel.) Mon destin se joue toujours sur la mer ! ajouta-t-il.

Nathalie se mit à aller et venir dans la pièce comme un oiseau en cage, et celui qu'elle avait apporté, effrayé, se prit à voleter et à cogner des ailes contre les barreaux dorés.

— Vous n'aimez point, dit Law en souriant, que notre sort échappe ainsi à la volonté, à l'intelligence ?

— C'est terrible ! avoua-t-elle à voix basse — et il vit qu'une légère transpiration naissait sur son front.

Parfaitement maître de lui, il la prit par la main, la fit asseoir, lui tendit sa guitare apportée la veille.

— Jouez pour moi, jouez comme le soir où j'appris le départ de cette escadre anglaise, qui porte notre devenir... Souvenez-vous que rien ne peut modifier ce royaume que nous avons créé pour nous seuls, dans l'invisible. Dès lors, qu'avons-nous à redouter du destin ? Quant à la mort...

Il s'interrompit comme elle commençait à égrener les notes prenantes et graves qu'elle savait trouver sur les cordes.

— ... quant à la mort... Croyez-vous en une autre vie, Nathalie ?

— Passionnément ! (Jouant toujours, elle dit à mi-voix :) Comme je crois aux grands ordres qui régissent l'univers, à la résurrection des printemps, à la succession des jours et des nuits et aussi à l'intelligence et aux forces de l'esprit.

Il se tut un moment, écouta la musique et reprit :

— Alors, que craignons-nous ? Il y a assez de forces vives dans notre amour pour qu'il nous porte l'un vers l'autre, où que nous soyons ici-bas et par-delà les métamorphoses de la mort, en lesquelles il nous faudra peut-être nous chercher longuement, douloureusement. Que signifient tant de souffrances ?

— Vous abordez le grand problème.

— Ne nous guette-t-il pas sans cesse ?

— Vous devriez avoir à ce sujet des lumières particulières, vous qui ne cessez de vous battre là où s'affrontent plus encore qu'ailleurs les forces contraires qui s'opposent depuis l'origine des mondes. La sottise, la haine, la cupidité, le vice ne sont-ils pas vos adversaires inlassables ?

Elle écouta un instant les arpèges qui semblaient dérouler le fil de sa pensée, puis dit lentement :

— Le Dieu auquel je crois mène lui aussi, sur quelque champ de bataille inconnu, son combat qui n'a pas encore pris fin. Là, pareillement, doit se jouer loin de nous, malgré nous, notre destin. Le Dieu auquel je crois ne se repaît pas de notre angoisse. Il n'a voulu ni le sang du Christ, ni les larmes, ni la souffrance d'aucun d'entre nous. Les hommes ont défiguré son sublime visage. Ils l'ont confondu avec celui de ces prêtres qui transformaient en abattoir le temple de Jérusalem et ne parlaient que de rachat. Que signifient tant de souffrances, disiez-vous ? Relisez l'Ecriture, non pas comme la lisent ceux dont le Christ n'a cessé de répéter qu'ils étaient aveugles et sourds... et attendez le règne de Dieu !

Elle se leva brusquement, se détourna, le front appuyé contre le mur et cacha ses larmes.

— Je ne vous savais pas hérétique ! murmura Law, plus troublé qu'il ne voulait le paraître. Ni occupée de métaphysique. Il aura fallu ces traverses pour que je découvre cette part essentielle de vous-même, pardonnez-moi...

Ils se turent ; minutes lourdes où seul l'oiseau des îles animait le silence de ses cris furtifs et de son vol qui, sans cesse, se brisait aux barreaux de la cage.

Soudain la porte s'ouvrit : un laquais annonçait un secrétaire du Régent. Nathalie se retourna et, d'un geste rapide, effaça les traces de ses larmes. Law, tendu, s'avança vers le nouveau venu qui disait précipitamment :

— M. le Régent vous demande de vous tenir prêt d'un instant à l'autre pour un nouveau conseil, mais j'ai mission de ne pas vous en laisser ignorer plus longtemps l'objet : victoire devant Passaro ! la flotte espagnole n'apparaîtra jamais au large des côtes de Bretagne ! Un messager de l'amiral Byng vient d'arriver. La nouvelle a trouvé monseigneur dans son bain ; il s'apprête en toute hâte...

Law prit une aspiration profonde, cependant que Nathalie s'appuyait contre le mur pour rester debout.

— Vous apportez, monsieur, le tonnerre et l'éclat de la foudre ! dit-il enfin.

— Vous ne croyez pas si bien dire, repartit le jeune homme en riant. Le lieutenant de police nous avait fait savoir une heure plus tôt que des mouvements insolites agitaient cette nuit nos adversaires et nous étions inquiets... Ils auront été prévenus avant nous et la peur doit les étrangler !

Le secrétaire salua et sortit.

— La balance du destin, pour cette fois, a penché vers nous, dit Law simplement.

Voici que la porte s'ouvrait encore ; un laquais s'adressait de nouveau à Law ; il était peut-être fou, ce laquais, ou bien avait-il bu ? Law, épuisé, crut n'avoir pas bien entendu et le pria de répéter.

— Je dis, monsieur, reprit le bonhomme obligeant, qu'il y a ici des envoyés du Parlement qui demandent à vous entretenir.

Law et Nathalie échangèrent un regard incrédule. Le directeur de la Compagnie d'Occident n'était-il pas au Palais-Royal justement pour échapper à ces parlementaires qui voulaient l'assassiner ?

— Introduisez ! dit Law en se redressant.

— Non ! cria Nathalie.

Mais déjà le laquais, d'un signe, introduisait les visiteurs et deux personnages vêtus de noir s'inclinèrent jusqu'à terre. Nathalie se jeta entre Law et eux.

— Que voulez-vous ? demanda-t-elle rudement.

— Prier M. Law de daigner accorder audience demain à M. le duc d'Aumont. Certains députés l'ont chargé de bien vouloir présenter les profonds regrets des meilleurs d'entre nous pour les violences dont Son Excellence a été l'objet.

L'autre visiteur ajouta :

— M. le duc d'Aumont souhaite également prier M. Law de bien vouloir présenter à M. le Régent l'assurance du zèle, de la soumission et de l'attachement indéfectible de MM. les députés.

Law posa sur eux son regard clair et froid puis répondit simplement :

— Je recevrai M. le duc d'Aumont demain, à dix heures. Allez !

Les deux personnages se cassèrent de nouveau en de profonds saluts et sortirent. Les cris et les rumeurs que l'on entendait grandir au loin annonçaient que la nouvelle de la victoire anglaise courait déjà les rues.

Nathalie et Law ne pouvaient échanger une parole ; elle se dirigea enfin vers la cage dorée où l'oiseau captif lançait un hymne au chaud soleil d'août qui montait au zénith, et elle ouvrit la porte. Il hésita, ébloui, puis s'élança dans la lumière. Le cœur étreint, ils le suivirent des yeux.

DANS UN JARDIN

Le jardin était désert. Sur la pièce d'eau, les premières feuilles détachées des arbres s'en allaient à la dérive, poussées par une légère brise que la chaleur naissante étouffait peu à peu. De grands dahlias épanouis montaient la garde. Un couple traversa une allée et l'on entendit le sable crisser sous ses pas lents. Il contourna le bassin, s'arrêta, repartit, s'arrêta encore :

— Que regardez-vous, mon ami ?

— Cette petite escadre de feuilles mortes... L'ordre d'appareiller a dû parvenir à mes navires ; ils ont dû tendre leurs voiles et les silhouettes de leurs mâts se seront effacées à l'horizon. De nouveaux habitants de la Louisiane font route vers l'avenir. Saura-t-on jamais qu'une part essentielle de l'Histoire de ces pays d'Amérique se sera jouée, ce matin du 26 août 1718, à deux pas d'ici, au cœur de Paris, dans les Tuileries ?

Nerveux, il brisa une branche de buis et la fit tourner entre ses doigts. Nathalie froissait les brides volantes de son chapeau de paille. Ils reprirent leur promenade.

— Les gens de M. de Saint-Simon devaient me tenir au courant d'heure en heure...

— Avez-vous entendu le tambour, ce matin, à cinq heures ?

— Oui, tout a bien marché : ce fut le signal de l'investissement des Tuileries par les Suisses, les mousquetaires et les gardes françaises. Un valet de M. le maréchal de Villeroi, traversant par hasard la grande antichambre, s'est trouvé nez à nez avec les soldats et a vu les estrades, le trône et les draperies du Lit de justice mis en place pendant la nuit. On l'a retenu prisonnier. Dès six heures, les estafettes couraient la ville pour convoquer les membres du conseil de Régence, les pairs et les magistrats.

— Et que s'est-il passé dans le palais, chez Villeroi, chez le roi ?

— Je ne le sais pas encore, mais l'effet de surprise a été total puisque aucun obstacle n'est survenu.

Ils reprirent leur marche et il n'y eut plus, pendant un moment, que le bruit de leurs pas dans le silence. Quelques vers italiens qui chantaient dans l'âme de Law vinrent murmurer sur ses lèvres :

> Parmi vents si contraires, sur une frêle barque
> Barque si légère de savoir, si lourde d'erreurs
> Sans gouvernail, en haute mer...

— Aimez-vous Pétrarque, Nathalie ? (Il la dévisagea un instant.) Vous ressemblez, dans vos mousselines pâles, au rosier « Gloire de juin » que j'aurais dû planter dans le jardin de Lauriston.

Le bruit d'une course sur le gravier empêcha Nathalie de répondre. Ils se retournèrent vivement. Un messager des Tuileries arrivait enfin.

— La tension est extrême, dit-il, essoufflé. M. le Régent a contraint le conseil de Régence à entériner ses décisions, mais les magistrats du Parlement refusent de venir siéger dans ce palais. Monseigneur leur a fait dire que s'il en était ainsi, il prononcerait l'interdiction de cette assemblée, puis, devinant que certains membres du conseil de Régence méditaient de s'élancer au-dehors, afin de provoquer le tumulte dans Paris, de rejoindre le roi et de l'effrayer, il s'est adossé à la porte de la salle et, depuis, tient à lui

seul son gouvernement prisonnier en attendant que se dénoue la situation !
Je repars à l'instant et vous tiendrai au courant !

— Merci ! Allez...

Law se retourna vers Nathalie ; elle avait pâli. Il la prit alors par la main comme un enfant que l'on veut rassurer, et continua la promenade.

— Je parlais de Lauriston, dit-il. Je m'y promenais jadis de la sorte, en tenant par la main une petite fille, elle s'appelait Bethia...

Sa voix se perdit sous les branches de l'allée dans laquelle ils s'engageaient à pas toujours lents, en dépit de la tension qui les habitait.

Les grands quinconces virent leur ronde inlassable dans ce jardin désert, va-et-vient de plus en plus silencieux, de plus en plus fiévreux, qui s'en venait à ressembler au tournoiement des prisonniers des cellules ou des cages. Le silence, le soleil, la paix du lieu les accablaient : à deux pas se jouait le destin de l'Europe et de l'Amérique.

Le messager revint.

— Monsieur, dit-il encore, les magistrats s'inclinent, mais ils ont décidé de se rendre à pied et en cortège aux Tuileries. Le souvenir de la Fronde les soutient ; ils espèrent ainsi ameuter le peuple et faire surgir les barricades.

Il repartit.

— Pardonnez-moi, dit Nathalie se laissant tomber sur un banc. Ce n'est rien, cela va passer.

— C'est moi qu'il faut pardonner... pour tant de raisons ! murmura-t-il, lui baisant la main.

— Ne croyez-vous pas, reprit-elle, qu'il faudrait prendre quelques dispositions ? Songer à votre sécurité ? J'aurais dû y penser plus tôt ! Il est temps encore.

— Vous savez bien que depuis que je suis ici, rien n'est possible dans ce sens, répondit-il avec un sourire.

Elle semblait contempler fixement les jeux de lumière sur le sable, mais en réalité, elle se voyait sortant de ce jardin avec Law, calmement, lentement, et montant dans une voiture de louage... C'était si simple ; qui les arrêterait ? Et, au-delà de ce seuil, ils retrouveraient la vie, l'été, toutes les heures volées à l'amour et restituées une à une, et un autre avenir viendrait à eux, tel un jeune messager chargé de promesses... Mais la belle voix de Law disait avec douceur :

— Le directeur de la Compagnie d'Occident ne peut fuir, ni abandonner le Régent du royaume de France ! D'un instant à l'autre, il est vrai, je serai peut-être arrêté ou pis encore.

Elle se leva, épouvantée. Mais voici que, au loin, le chœur, la foule, rentrait en scène et donnait sa réplique. Le peuple, attroupé aux abords du Louvre et des Tuileries pour voir arriver, défiler, humilier le Parlement, prenait le parti de la cause nationale contre les menées du complot d'Espagne, il huait les magistrats qu'il savait inféodés à la cabale de Sceaux.

Sans mot dire, Nathalie se mit à courir vers le palais pour assister, des fenêtres de la façade principale, à une part du spectacle. Law la suivit à pas plus lents.

Au jardin désert, immobile dans la chaleur de midi, bourdonnaient des abeilles. Law s'arrêta un instant pour les écouter : elles chantaient l'Italie et ses rêves oubliés... puis il rentra dans le palais.

Quelques instants plus tard, devant le Parlement enfin rassemblé, Louis XV, du haut de son trône fleurdelisé, échangeait avec son oncle un long regard. C'est alors que M. le garde des Sceaux déploya devant les robes écarlates des magistrats sa longue silhouette noire. Il se levait pour donner lecture des arrêts qui venaient d'être adoptés de force par le conseil de Régence et qui réduisaient si durement le Parlement et les bâtards de Louis XIV.

Les robes rouges furent alors en proie à une agitation extrême. Le premier président se leva à son tour pour présenter, selon l'usage et le protocole en vigueur, « une remontrance au roi », laquelle était en réalité une protestation pathétique et improvisée. De son œil d'aigle, M. le duc de Saint-Simon, assis sur un haut siège à côté du trône, la tête couverte, regardait cet homme qui tremblait et balbutiait et se prosternait avec les autres parlementaires. Il voyait pour la postérité ces fiers légistes, ces bourgeois superbes inclinant leur tête découverte, cassant les plis de leurs fourrures, « vil petit-gris qui voulait contrefaire l'hermine des pairs ».

La remontrance finie, la voix glacée du marquis d'Argenson, garde des Sceaux, se fit entendre à nouveau :

— Le roi veut être obéi sur-le-champ !

L'enfant inclina lentement sa tête bouclée. C'était fini. Les perruques se courbèrent, les panaches frissonnèrent, une houle sembla passer sur les velours cramoisis, les fourrures, les soieries épiscopales. La foudre venait de tomber. Le Parlement, les bâtards, le maréchal de Villeroi n'étaient plus rien.

Au large des côtes de France, les navires de Louisiane avaient gagné la haute mer et voguaient vers le soleil.

TOUT ALLAIT FINIR...

Tout allait finir.

En ce 9 septembre 1718, M. le Régent payait les épreuves du coup de force du 26 août et les débordements de sa vie privée ; une apoplexie venait de le terrasser ; ses heures étaient comptées.

M. le duc exigeait déjà la Régence. Mme d'Orléans, descendue de sa chaise longue, la réclamait d'une voix aiguë pour son fils, le duc de Chartres, c'est-à-dire pour elle-même ; quant à la duchesse du Maine, elle se relevait, triomphante, du coup que lui avait porté le Lit de justice. Elle ralliait ses conjurés et conférait sans désemparer avec le prince de Cellamare, ambassadeur d'Espagne.

Lord Stairs et Schwaub, affolés, dépêchaient des messagers à Londres.

Dubois et la Tencin préparaient fébrilement et secrètement leur volte-face politique. Saint-Simon ne quittait pas les appartements du malade.

Law, surpris dans son bureau par l'événement, jugea la situation trop dangereuse pour convier Nathalie à le rejoindre au Palais-Royal qu'il regagna sur-le-champ. Il envoya Melon la prier de ne pas sortir de chez elle et d'attendre sa venue alors qu'il ne savait pas s'il sortirait vivant de l'appartement du marquis de Nancré, toujours à sa disposition. Les heures trop lourdes s'écoulaient lentement.

Law éprouva l'irrépressible désir d'écrire, sinon à Nathalie, du moins pour elle ; les mots se pressaient sous sa plume grinçante et libéraient son âme :

« *Ma vie vient de s'arrêter pour la seconde fois et me voici rendu à cette solitude particulière que j'ai connue dans la cellule des condamnés à mort, à King's Bench... Ma vie s'est arrêtée, mais le temps continue au rythme de ces heures, de ces minutes, de ces secondes qui battent obstinément aux cadrans des cartels, dans le silence. Elles me rendent sensible la mesure à laquelle se fait l'Histoire et l'avenir d'une nation à laquelle il me plaît de vouer une si grande part de moi-même. Le temps marche... Pourrai-je jamais le rattraper ? Je voudrais me contraindre violemment à retrouver cette aptitude que j'eus à pratiquer les vertus de l'attente ; il n'en est pas de plus austères. Mais le goût de ces longues préméditations me fuit.*

« *Cette seconde réclusion me saisit alors que je croyais parvenir au terme de mes incertitudes et voici que, ce soir, d'invisibles souffrances, seulement apaisées, se réveillent en moi : celles de tant de menaces, d'exils, de fuites, d'errances, d'espoirs blessés, d'illusions mortes ; elles affrontent, à la place de ma raison, cet instant contraire qui devait être celui d'un accomplissement depuis vingt ans attendu.*

« *Mais il n'y a que vous, Nathalie, qui puissiez connaître ma passagère faiblesse et le dépouillement en lequel je me réduis en cet instant. Des cordes de potence et des voiles de navires se balancent-elles toujours devant moi ? Cordes de mes fatalités, navires de mes espoirs, navires de mon empire qui s'éveille là-bas quand s'endort l'Europe du lourd sommeil que lui imposent de grands siècles armés de gloires caduques et la mémoire des hommes sans regard... J'allais la réveiller... »*

Il s'arrêta d'écrire. Le sentiment du chemin parcouru depuis son précédent séjour en ces lieux, depuis deux semaines seulement, l'investit dans une sorte de tumulte intérieur : l'adjudication pour quatre millions de la Ferme des Tabacs, accordée à la Compagnie d'Occident, assurait aux plantations de la Louisiane le débouché vital, l'essor décisif et la possibilité de faire face aux premières répartitions de bénéfices et aux actionnaires auxquels on avait tant promis, trop promis... Ces quatre millions soulageaient d'autant la dette de l'Etat vis-à-vis de la compagnie, ce qui permettait d'assainir partiellement une situation désastreuse. Pour ne pas ameuter ses ennemis contre cette excellente opération, il avait, sur les conseils du Chevalier de la Mer qui aimait se jouer ainsi, signé le bail annuel de la Ferme des Tabacs, fixé à vingt mille livres et qui lui avait été accordé pour neuf ans, d'un nom d'emprunt évocateur de son pouvoir naissant : « Jean l'Amiral ». Son influence et son autorité s'étaient considérablement renforcées alors que, après le Lit de justice, les meneurs du Parlement — le président de Blamont en tête — avaient été enlevés et conduits sous bonne escorte à l'île Sainte-Marguerite, au large de Cannes.

Il se reprit à écrire :

... « *Quel silence, à cette heure, dans ce palais ! De la prison de mes vingt ans à celle-ci, quel envol pourtant, et combien singulier ! Que de lignes courbes qui ne menaient à rien et que de brisures à mes ailes, sans cesse opposées aux courants contraires !*

« *Où donc suis-je venu me poser ? Quand j'étais enfant, on m'enchantait d'un conte : aux profondeurs d'un lac d'Ecosse, une fée retenait son amour dans un palais de cristal. Ce palais de cristal, quelques hommes le portent en eux, je sais qu'il est en moi et que j'y demeure avec vous, mais nulle fête d'amour ne l'illumine ce soir, et j'ai décidé d'habiter son silence, de le peupler pour vous...*

« *A King's Bench, j'ai connu le dénuement sans nom de la cellule des condamnés à mort. Ici s'offrent à moi les songes de Watteau, les meubles en bois de violette de Cressent, les lustres de Venise et la souple douceur de ces soies qui ont le rouge profond de certaines fleurs d'été. Dans ma prison anglaise, des fers pesaient à mes chevilles et plus encore à mon âme ; portes, barreaux et murs d'enceinte me séparaient de la liberté. Ici, des fenêtres ouvertes sur un jardin français me livrent le ciel des nuits où glissent les étoiles. Ma prison, mes fers ne sont faits que de la haine des hommes, et plus encore de leur sottise, qui ne nous laisse jamais, tout au long de la vie, qu'en liberté surveillée. Grande puissance internationale, les sots m'ont traqué d'un bout à l'autre de l'Europe ; ils m'attendent aux rives d'Amérique, me guettent au fond du golfe du Bengale... Serai-je au rendez-vous ?*

« *Tels sont mes geôliers. Suis-je à nouveau condamné à une fin prématurée ? L'insaisissable avenir le dira bientôt. Jadis, je me suis enfui de King's Bench comme Benvenuto Cellini du château Saint-Ange. Quitterai-je ce palais autrement ? En dépit de cette incertitude, voici que j'en viens à me demander s'il est souhaitable qu'un miracle rende M. le Régent à son existence désolée et me maintienne dans le perpétuel va-et-vient de périls et d'espérances où se défait l'âpre joie d'un accomplissement ? Ai-je le droit vis-à-vis de lui, vis-à-vis de vous, de penser ainsi ? La lassitude, madame !... »*

A l'hôtel de Mercœur, Nathalie, sans illusion, se préparait à quitter la France.

Devant un coffre de voyage ouvert, elle triait distraitement quelques effets en essayant de se représenter ce qu'il pourrait advenir. Law, dans le péril extrême où il se trouvait, choisirait sans doute la frontière la plus proche, celle du Nord où septembre apporte déjà les souffles froids de l'automne. Machinalement, elle prit sur un fauteuil une mante de fourrure blanche qu'une chambrière prévoyante venait d'y déposer, et soudain, elle se sentit le cœur délivré de l'angoisse qui l'étreignait : elle se vit, parvenant avec l'homme qu'elle aimait dans une auberge de campagne, à la tombée du jour ; l'odeur du pain chaud, du feu de bois, de la rôtissoire montait autour de la petite table où deux couverts éclairés par une chandelle se faisaient vis-à-vis. La nuit, autour d'eux, les dérobait au reste du monde. Et puis le lit froid, les tentures de grosse toile naïve et ils seraient rendus l'un à l'autre, enfin... Une chaleur lui courut dans les veines. Pourquoi les hommes trahissent-ils, et de tant de manières, de telles images ? Pourquoi faut-il que tout flétrisse et que tout meure ? Des souvenirs ardents, désespérés s'animaient dans son sang et sa mémoire, et le cours du temps s'y enlisait. John Law et elle avaient vécu en puisant à une autre vie, jaillie d'eux-mêmes.

Ainsi étaient nées ces heures charnelles. Etait-il encore vivant, à cette heure ? Oppressée, elle passait maintenant d'une pièce à l'autre, indécise, absente, traînant sa mante derrière elle sans y prendre garde. Soudain, une pensée la figea sur place : et Caterina, et les enfants ? La France, la Louisiane, la politique, la compagnie, la banque, un foyer, combien la marge qui lui était dévolue était étroite !

Elle s'y débattait, y étouffait... mais, cette marge, l'avait-elle encore ? Un meurtre, si prévisible, pouvait la lui ôter. Elle en était là de ses réflexions lorsqu'elle entendit le roulement d'une voiture sur les pavés de la cour. Elle courut vers le vestibule et vit la grande et mince silhouette de Law s'élancer sur le perron. Son visage portait la marque de l'épreuve nouvelle.

— Sauvé ! cria-t-il en l'apercevant. M. le Régent est sauvé ! Chirac lui a fait prendre un remède au jus de tabac qui lui a libéré la tête ! (Il ajouta en riant :) Je vous disais bien que le tabac, mon tabac, avait des vertus extraordinaires !

Sans mot dire, elle le serra contre elle, longtemps, en silence. Comme ils pénétraient dans la chambre de Nathalie, Law vit avec étonnement le coffre ouvert, les habits dispersés sur les meubles, prêts à être pliés.

— Qu'est-ce que cela ? demanda-t-il.

— Nous partions ! dit-elle avec un haut vibrato désenchanté dans la voix qui le fit tressaillir. Nous partions, vous et moi, dès ce soir... Un rideau retombait derrière nous, sur le dernier acte d'un drame dont vous étiez le héros. Nous rentrions... au gîte, au profond de la nuit, sur la route déserte et libre, vous et moi retrouvés l'un par l'autre.

— Partons ! dit-il brusquement, après l'avoir observée.

— Jusqu'à demain ?

— Hélas !

En dépit de la douceur de septembre et parce qu'ils étaient dans un songe, il l'enveloppa d'un manteau d'hermine. Ils redescendirent le noble escalier, s'avancèrent sur le perron. Au loin, Paris scintillait dans la nuit, Paris qui, une fois encore, leur était rendu. Puis ils montèrent en voiture et, comme en ces temps déjà lointains dont le souvenir les poursuivait, l'attelage les emporta vers l'île fortunée pour laquelle Watteau invite au voyage.

Quelques jours plus tard, le Régent supprimait les conseils, congédiait soixante-dix ministres et ressuscitait les secrétaires d'Etat. Le duc d'Antin conservait les Affaires du Dedans ; à la Guerre, « un roturier habile et sûr,

Le Blanc, remplaçait le superbe Villars [1] ». Aux Affaires étrangères, le duc d'Orléans, gêné de céder ainsi à l'imprudente pression de l'Angleterre, nommait cependant Dubois à la place d'Huxelles. Torcy restait surintendant des Postes et conseiller secret du prince. D'Argenson conservait les Sceaux et prenait la charge écrasante des Finances, département qui, assuraient certains, échoirait quelque jour à un autre...

Ce fut peu de temps après que John Law reçut la première lettre du Chevalier de la Mer : une attente de trois semaines l'avait retenu à l'île Dauphine, mais il était enfin parvenu à Biloxi. Lui qui avait tant poussé l'Ecossais à cette entreprise de Louisiane, osa-t-il parler clairement du piège qu'il pressentait ? Osa-t-il peindre le redoutable Mississippi, capable de submerger tant d'efforts et tant d'espoirs ?

Law fut informé ; mais il venait secrètement de renoncer au Système et ces réalités trop lointaines, si elles le préoccupèrent, ne pouvaient abattre son espérance : la Compagnie d'Occident, elle, avait le temps d'acquérir la puissance qui permet de dominer tous les obstacles.

L'ATELIER DES « FÊTES GALANTES »

— Je joue encore de la viole, parfois de la guitare, mais je ne suis plus, dans vos œuvres profondes ou fantasques, ni Finette ni Colombine ! Oh, Watteau mon ami, que cherchez-vous ? A quelle fin exercez-vous la patience de mon amitié ? N'est-ce pas à la poursuite de je ne sais quel reflet de Charlotte Desmares ? La pose que vous me faites prendre ne l'évoque-t-elle pas quelque peu dans ce rôle de la jolie « pèlerine » partant pour l'île de Cythère, qu'elle tenait récemment au Théâtre-Français dans un succès de Dancourt ?

— Il se peut, madame...

— Comme vous l'aimez ! Non, non, ne protestez pas, en vérité, votre pinceau avoue un grand amour qui ne descend jamais des lointains du théâtre et que vous poursuivez, de toile en toile. C'est une étude, une composition ici... Là, c'est cette fugitive qui traverse le parc du frère de Crozat ou s'y arrête un instant, comme un oiseau se pose. Cette femme n'est plus une enfant du faubourg ! Elle appartient à notre société si raffinée qu'il n'en existera peut-être jamais plus de semblable !

— Ah, madame, il est vrai : reverra-t-on jamais, même en ce temps, des raffinements tels que ceux qui ont marqué ces fêtes de Chantilly dont je reviens !

— Assurément, vos fonctions officielles de « peintre des fêtes galantes » de Mme la duchesse de Berry vous y appelaient. Données pour elle par M. le duc, ces réjouissances ont célébré le triomphe des Condé et des Orléans !

1. Philippe Erlanger.

— Imaginez, « cinq jours durant, Chantilly transformé en palais d'Armide ! Imaginez les plaisirs d'une foule glorieuse et déchaînée, la chasse qui entraînait sous les halliers les cavalcades aux mille couleurs, les gondoles chargées de musiciens parmi les aigrettes des jets d'eau ! Imaginez la Grande Cascade et le Gouffre paré de rocailles, les champs de fleurs qui diapraient les pelouses ! A chaque détour du Labyrinthe s'étageaient des friandises en pyramides, des tables d'or recevaient des plats d'or... Partout des violons, des jeux, des surprises... La nuit, trente mille flambeaux transfiguraient la forêt, des feux d'artifice éteignaient les étoiles ! Grisée par cette apothéose, Mme de Berry, se croyant reine, voguait sur ses jupes immenses. Elle ressemblait à quelque Victoire lascive, à la Fortune de la Régence[1] ! »

— Mon Dieu ! Nous y voilà : elle se croit reine en ce moment où M. le Régent semble dominer la situation, mais il faudrait si peu de chose pour détruire de si fragiles succès ! Ne dirait-on pas que Mme de Berry s'y emploie ?

— Reprenez la pose, je vous prie.

— Pardonnez-moi. Est-ce bien ainsi ? Non..., il faut étaler davantage, n'est-ce pas, ce manteau qui porte désormais votre nom ? Ah ! ces grands plis qui partent des épaules, majestueux et légers, parure de cortège en vérité ! Ils frôlent les degrés de vos palais de marbre inspirés de Véronèse ; on croit entendre leur bruissement de soie semblable à celui des feuilles d'or. Ils ont souvent des couleurs d'automne ou des roses qui reflètent le soleil ou encore la fraîcheur des bleus turquins. Est-ce que Charlotte Desmares...

— Ah ! madame, c'est que, voyez-vous, j'ai d'abord aimé le théâtre — les décors, les costumes, les couleurs mouvantes, les visages lointains qui se dérobent, les regards, les gestes qui parlent mieux que les mots et les démentent parfois... Et la beauté des corps, la force d'une idée qui prend son vol, la poésie qui baigne l'irréalité des fictions ! J'ai aimé le théâtre. C'est lui qui m'a arraché, sans sous ni hardes, à ma famille et m'a jeté sur la route de Paris, à la suite d'un peintre chez qui je travaillais à Valenciennes et qui s'en allait brosser quelques décors pour l'Opéra. Mon Dieu, madame, c'était en 1702, je n'avais que dix-huit ans !

— Mais Charlotte Desmares ?

— Des décors de théâtre, c'est à Paris que j'en pouvais faire et trouver. Ici, tout est décor : les parcs comme le vôtre, la foire Saint-Germain avec ses baladins entrés d'un bond dans les petites scènes que je dessinais alors et qui s'y sont installés commodément, un rêve au fond des yeux, une chanson aux lèvres modulée sur leurs instruments aux cordes vagabondes...

— Et Charlotte ?

— Et le Pont Notre-Dame, le plus beau du royaume, qui dans ma vie a joué un si grand rôle, parce qu'il est aussi un décor sans pareil, une avenue magnifique qui enjambe la rivière, voie des cortèges et des entrées des rois ! Devant mes yeux éblouis, tout le commerce le plus riche de Paris : lingères, dentellières, joailliers et orfèvres, changeurs, marchands de tableaux et

1. Philippe Érlanger.

d'objets précieux abrités par soixante-huit boutiques, toutes semblables, en briques roses encadrées de chaînages de pierre et surmontées de pignons réguliers coiffés d'un même épi ! Je fus admis à faire chez Métayer quelques menus travaux de routine, entre autres un saint Nicolas très demandé et qu'il fallait reproduire toute la journée. Qu'importe, n'est-ce pas ? Je « travaillais pour le Pont ». Quelle gloire ! Enfin, heureusement que Gillot est venu me sortir de là ! Je lui dois beaucoup, bien que nous nous soyons brouillés depuis.

— A cause de Charlotte ?

— Non, madame, non. J'ai rencontré Charlotte à l'époque où Claude Audran m'a fait entrer au Luxembourg.

Watteau s'interrompit, pris d'une de ces quintes de toux qui ne le quittaient plus depuis le terrible hiver de 1710. Neuf ans déjà... Nathalie, soumise comme tous ses amis à des séances de pose parfois interminables, éprouvait une fois de plus la tristesse poignante de le voir aux prises avec le mal secret qui donnait à son fin visage une transparence inquiétante et creusait ses yeux aux cernes bleuâtres. Elle remarqua que tout en lui s'allégeait chaque jour davantage et que sa silhouette de danseur aux cheveux blonds flottants semblait appartenir à tant de ses personnages qui traversent ses toiles sur la pointe des pieds, en fuyant. Déjà ses mains, qui s'étaient crispées sur sa poitrine, ressaisissaient pinceau et palette.

— Pardonnez-moi, dit-il. Je parlais du Luxembourg... Audran en était le conservateur. J'entrai là comme dans un cloître. Ah ! le Luxembourg, madame ! La galerie Médicis, Rubens, tous les jeunes peintres à son école travaillant avec adoration, avec ferveur. Le séminaire du XVIIIe siècle, en vérité. Et son parc ! L'architecte de Brosse y a disposé pour la reine Marie je ne sais quoi d'italien, « un charme indestructible de jardins Boboli ». L'Italie !... Rome est un besoin de mon cœur. Irai-je jamais ?

— Vous avez été pourtant autorisé à vous présenter à l'Académie ; cela ne vous donne-t-il pas le droit d'aller travailler à l'Ecole française de Rome ?

— Elle est sur le point de fermer ses portes, faute de crédits, et ma santé est mauvaise. Mais M. Pierre Crozat m'a-t-il du moins apporté l'Italie, l'art italien ; mon ami Sirois m'a présenté à lui et il m'a commandé la décoration de la salle à manger pour laquelle j'exécute de grands sujets sur les quatre saisons. Or ce nouveau Mécène m'a ouvert sa galerie et après mes années de jeunesse au Luxembourg, c'est là l'événement le plus important de ma vie. Savez-vous qu'il possède la plus vaste collection d'Europe [1] ? Toute l'Italie de la Renaissance, Rome et Venise avec leurs secrets et leurs enchantements ! J'assimile de la sorte une longue culture, celle qui m'a manqué. Et puis je

---

1. La collection de Pierre Crozat, frère du financier Antoine Crozat, fut achetée en bloc par Catherine II en 1771 ; elle forme le fonds du musée de l'Ermitage à Léningrad, anciennement Saint-Pétersbourg. Elle comprenait des Raphaël, des Guide, des Poussin, des Van Dyck, des Schidone, des Carlo Lotti, des Rembrandt, des Wouwermans, des Téniers, cinq cents toiles et un cabinet de dessins unique, comprenant dix-neuf mille pièces que formaient d'illustres collections achetées à Bologne, Anvers, Rome, Amsterdam, cent trois Titien, autant de Véronèse.

retrouve la musique et la danse, mes grandes passions après le théâtre ! Le nouvel opéra que vient d'écrire mon ami Campra recrée mon rêve italien. Aimez-vous Campra, madame ? Il m'a inspiré mes *Fêtes Vénitiennes*...

— Vous permettez ? Je quitte la pose pour regarder... La poésie est en vous, mon ami ! Il faudra montrer cela à John Law, car pour lui, pareillement, l'Italie est un besoin du cœur et Venise sa vraie patrie. Il y a vécu longtemps... (Elle ajouta rêveusement :) Il eût pu y vivre toujours, occupé seulement de ces choses d'art qu'il aime à passion. Je l'imagine au Rialto que voici et à la Fenice que voilà, écoutant Vivaldi ou Monteverdi. Oui, tous vos personnages sont musiciens. Charlotte Desmares pourtant...

— Eh quoi, enfin, Charlotte Desmares ?

— Ne vous fâchez point de ma taquinerie et dites-moi seulement ce qui se prépare au cours des répétitions de l'*Œdipe* de Voltaire.

— Ainsi est-ce cela qui vous importe ?

— Oui, extrêmement.

— Des audaces que je n'aime point.

— Je le craignais, ayant eu connaissance du début de l'œuvre.

— S'il faut vous plaire, j'en saurai plus.

— Il le faut. Pouvez-vous faire entendre raison à Voltaire et le modérer, lui qui vous admire ?

— Je pèse peu à côté de Mme la marquise de Villars dont il est coiffé et qui le mène à ces folies.

— Et Charlotte ?

— Elle me rirait au nez.

— Des folies, disiez-vous ?

— Oui-da ! mais, de grâce, reprenez la pose !

LA GUERRE

En dépit de la pluie battante qui désolait ce soir du 18 novembre 1718, la foule prenait d'assaut le Théâtre-Français dont les illuminations annonçaient un événement. Dans un roulement de tonnerre, parmi des cris de valetaille et des rumeurs confuses, un équipage parut, écarta ce qui se trouvait sur son passage et s'arrêta devant l'entrée principale où les voitures ne faisaient que déposer leurs occupants. Des laquais vêtus d'une riche livrée amarante sautèrent aussitôt entre les flaques d'eau pour ouvrir la portière. Le directeur de la Compagnie d'Occident en sortit, se retourna pour tendre la main à Mme de. et l'aider à descendre. Une cape de velours rubis, une mante d'hermine traversèrent la bousculade vers le porche encombré et s'arrêtèrent devant une affiche qui annonçait en gros caractères la pièce de Voltaire : *Œdipe*. Œdipe, le drame légendaire de l'inceste au sommet du pouvoir ! Le titre de l'œuvre avait été en partie recouvert par un autre nom, tracé à la main et en grandes majuscules : « Philippe ».

Ainsi, dès avant le lever du rideau, dans la rue même, la cabale qui portait en elle les soubresauts de la politique européenne prenait corps.

Derrière eux, un embarras de voitures indescriptible se formait. Tous, les ambassadeurs étrangers, les dignitaires, l'opposition, la Cour, se pressaient pour assister à la mise en accusation du Régent à travers cette tragédie que le petit Arouet avait achevée pendant son séjour à la Bastille. *Œdipe !* L'inceste du roi de Thèbes ou celui de Philippe d'Orléans ?

Par Watteau, on avait su qu'il fallait s'attendre au pire. En vain John Law et Saint-Simon avaient supplié le Régent d'interdire la pièce ; beau joueur, le prince entendait faire front.

Folie, puérilité, provocation, indifférence ou inconscience, autopunition, fascination de l'aveu public ? Le savait-il lui-même ? En s'installant dans leur loge, Law et Nathalie se représentaient le poids accablant des tâches et des responsabilités : les angoisses des nuits de veille, l'espoir des aubes sans repos, la Banque, la Louisiane, les navires qui, obstinément, traçaient leur chemin vers les golfes du bout du monde, le grand dessein élaboré et poursuivi depuis tant d'années et qui parvenait enfin, partiellement, à l'heure des réalisations... Et voici que cet édifice, fragile encore, risquait de se briser, là, sur cette scène, dans ce jeu intellectuel, entre deux alexandrins, sous les pas légers de comédiens que l'événement transformait en funambules.

Soudain, ils remarquèrent que toute l'assistance les observait. Qu'elle était belle, cette assistance ! Avait-on jamais vu tant de luxe et tant d'élégance ? La mode française, parvenue à son apogée, venait de découvrir l'art du vêtement qu'elle conserverait pendant un siècle et demi : les femmes se paraient de fleurs, les soies, les volants en reproduisaient d'admirables. Nathalie, sur l'un de ces manteaux de moire blanche chers à Watteau, en portait un pâle collier entremêlé à ses diamants ; quant à Law, en habit de satin gris brodé de saphirs de Ceylan, il n'avait jamais été aussi beau. Un couple rare, en vérité, que l'on pouvait admirer ; mais ce n'était point leur apparence qui mobilisait l'attention. Il leur suffisait de reconnaître les visages tournés vers eux pour comprendre cette insistance. Il y avait là tous les tenants du complot de Sceaux, les fameux « chevaliers de la mouche à miel » de Mme du Maine, le marquis de Villars et la marquise, venue applaudir Voltaire, son jeune amant, à qui elle avait, disait-on, soufflé l'idée d'un tel pamphlet et celle de tenir lui-même un petit rôle dans la pièce. On y voyait aussi des amis de la Maintenon et Richelieu avec son clan au grand complet. Ainsi, dans cette salle éblouissante se côtoyaient et se dévisageaient les derniers hommes du XVIIe siècle et, représentés par Law et Nathalie, les premiers révolutionnaires du XVIIIe siècle.

Une construction insolite dressée dans le parterre, devant les loges, piquait les curiosités : c'était un dais drapé de tentures fleurdelisées qui abritait un trône.

— Il paraît que c'est une nouvelle folie de Mme la duchesse de Berry ! dit Nathalie à voix très basse.

— Particulièrement inopportune, je le crains, répondit Law de même, le visage soudain changé.

Nathalie suivit le regard durci, posé au loin pour en soutenir deux autres : ceux du marquis d'Argenson et de Pâris-Duverney. Les deux hommes se trouvaient en face d'eux, côte à côte dans la même loge. Ils représentaient ce que l'on commençait d'appeler l'anti-Système, déjà mis en place avant même que le projet financier de Law soit en application. Ils venaient de mettre la main sur la Ferme générale sous le nom d'un homme de paille, Aymard Lambert, valet de d'Argenson. La nouvelle avait produit l'effet d'un coup de tonnerre dans Paris et de nombreux actionnaires de la Compagnie d'Occident se défaisaient de leurs titres pour acheter ceux de cette nouvelle compagnie. Ainsi que l'avait prévu Pâris-Duverney, la levée de l'impôt et la sueur du peuple français semblaient offrir des garanties plus certaines que la lointaine Louisiane, dont on commençait à dire qu'elle n'était qu'un grand pays sans cesse inondé.

Law savait que cette période fertile en coups fourrés, assenés de part et d'autre sous des noms d'emprunt, allait prendre fin et que des luttes plus franches et plus rudes lui succéderaient. Pâris-Duverney le savait, lui aussi.

Lorsque Law apprit que les frères Pâris envoyaient dans leur concession des Bayagoulas, en Louisiane, des agents de renseignements et de subversion efficaces, il en éprouva une extrême préoccupation. Pour lancer les actions de la Compagnie d'Occident, pour lutter contre les manœuvres de ses adversaires et répondre, dans les courts délais qu'on lui avait imposés, aux besoins pressants de l'Etat, il lui avait fallu recourir à une propagande excessive. Nathalie, atterrée, lui mit sous les yeux des brochures, mémoires, estampes établis par les journalistes du *Mercure* et qui venaient de paraître. Qui donc les avait incités de la sorte à pousser de prétendues informations jusqu'à l'invraisemblance et au ridicule ? Car il paraissait encore bien lointain, le jour où de telles promesses et d'autres plus fantastiques seraient tenues par ces terres d'Amérique qui gardaient encore en elles les secrets de l'avenir. Law mesurait la fragilité de l'édifice, construit sur cette insaisissable réalité, fait d'instinct et d'espoir. A l'annonce du départ des sbires de Pâris-Duverney, il s'était senti attaqué sur ses arrières, atteint dans ce rêve de Louisiane sur lequel se concentrait l'attention de l'Europe, comme se concentrait sur lui celle de cette salle. Depuis que le Régent avait aboli les conseils et rétabli les secrétaires d'Etat, on savait fort bien que John Law pouvait, d'un jour à l'autre, succéder à d'Argenson aux Finances.

En face de lui, les deux regards qu'il soutenait ne cédaient pas. Il lui sembla soudain que les rumeurs venues des quatre coins de l'Europe recouvraient par vagues successives les bourdonnements qui l'entouraient ; il croyait entendre tour à tour le martèlement des pas des soldats de Charles XII, l'allié d'Alberoni, envahissant la Norvège pour bondir sur l'Angleterre ; les cris et les injures du cardinal d'Espagne accablant l'ambassadeur de France à Madrid ; la voix métallique de Stanhope exhortant à Londres le messager du Régent pour entraîner la France dans le conflit qui se préparait ; un chant d'émigrants à bord du dernier navire parti de La

Rochelle et qui emmenait vers la Louisiane des négociants en soie de Lyon, des fondeurs, des maçons, des perruquiers et une compagnie de soldats commandée par huit officiers et soixante sergents... Puis tout ce tumulte se fondait dans des chuchotements : ceux d'un certain copiste nommé Buvat, employé par le prince de Cellamare, ambassadeur d'Espagne. Epouvanté par les dépêches qu'il avait à transmettre, le bonhomme venait chaque soir dans le cabinet de Dubois décharger sa conscience. Etranges confessions, grâce auxquelles le renard en soutane tenait enfin un prétexte pour déclencher la guerre impopulaire qui répugnait au Régent : les preuves en bonne et due forme du complot contre la sûreté de l'Etat mené par l'Espagne, et dont les principaux affidés paradaient dans cette salle. Après le prétexte, ne restait-il pas seulement à trouver les moyens financiers de soutenir cette guerre ?

Chaque fois qu'il arrivait à ce terme de ses méditations, Law se sentait directement concerné et un certain malaise s'emparait de lui. Aux yeux de Philippe d'Orléans, de Dubois et de cette foule qui l'épiait, l'argent, il le savait, c'était lui.

Les deux regards qui le défiaient s'étaient enfin lassés.

Le Régent et sa suite se faisaient attendre : des menaces d'attentat avaient couru. Soudain, toute l'assistance se leva : dans la loge royale, M. d'Orléans, souriant, faisait son entrée avec Mme sa mère, le visage renfrogné, le maintien fort raide, puis Mme d'Orléans, hautaine, l'air absent. Voltaire n'avait pas craint de lui dédier sa pièce. On voyait enfin la troisième fille du prince, Mlle de Valois, chercher du regard son amant, Richelieu, dont elle était folle, et Mme du Deffand qui riait derrière son éventail.

Tout à coup, un autre spectacle souleva dans un murmure l'attention de la salle : telle une impératrice, la duchesse de Berry, en robe d'or, s'avançait sous le dais fleurdelisé. Suivie d'une trentaine de dames d'honneur, de ses gentilshommes et de ses gardes, elle s'installa sur le trône. Jamais aucune reine ni aucune régente n'avait paru de la sorte au spectacle. Des murmures d'étonnement traversaient le silence et planaient sur les têtes inclinées qui saluaient les princes. Puis des exclamations voilées leur firent suite, car on découvrait ce qui ne se pouvait plus cacher : le tour de taille révélateur d'Elisabeth qui, depuis longtemps, ne s'était pas montrée en public et dont le veuvage était ancien.

Un mot terrible partit de la loge voisine de celle de Law :

— Nous aurons donc ce soir la présence d'un futur Etéocle [1] !

Le rideau se levait. Il claqua comme un drapeau dans le vent, puis, dans un silence lourd, les alexandrins s'envolèrent et s'échangèrent comme des balles au jeu de paume ; les sous-entendus dont ils étaient porteurs en relevaient, pour ce public averti, la fadeur et la monotonie. L'interprétation ajoutait à la perfidie : Jocaste était jouée par Charlotte Desmares, ancienne maîtresse du Régent. Quant à Dufresne, qui tenait le rôle d'Œdipe, il imitait sans pudeur le duc d'Orléans : perruque, maquillage, démarche,

1. Fils d'Œdipe et de Jocaste.

certaine façon d'avoir un œil à moitié fermé, tout concourait à établir la ressemblance.

Le Régent éclata de rire et la duchesse de Berry referma d'un coup sec son éventail. Des applaudissements frénétiques soulignaient chaque allusion à l'un et à l'autre.

Soudain un des comédiens s'avança sur le devant de la scène et, tourné vers M. d'Orléans, lui lança au visage :

> *Quand il se voit enfin, par un mélange affreux,*
> *Inceste et parricide et pourtant vertueux...*

M. le Régent leva aussitôt ses mains gantées de blanc et applaudit à grand bruit. Il fut le seul. Le public, qui avait attendu et espéré l'incident, se montrait décontenancé, effaré. On remarqua à peine que l'on faisait respirer à la duchesse de Berry, au bord de la syncope, un flacon de vinaigre ; la trop visible fureur de la duchesse du Maine capta l'attention de tous.

Les fauves étaient domptés. La pièce se poursuivait dans un silence tendu, que troublèrent enfin les exclamations qui saluaient l'apparition de Voltaire tenant la traîne du grand prêtre. Lorsqu'il reparut quelques instants plus tard près de la jeune et ravissante marquise de Villars sa maîtresse, des voix qui s'adressaient à elle s'écrièrent, alors qu'il lui baisait la main :

— Embrasse-le !

Soirée extraordinaire !

Sitôt le dernier vers dit, Law et Nathalie se levèrent vivement sans applaudir et parvinrent devant la porte de la loge du Régent en même temps que le jeune auteur venu comme eux saluer le prince. Voltaire s'efforçait de paraître désinvolte. Il s'inclina devant Mme de. et salua Law. Sans mot dire, ils lui rendirent à peine son salut. A cet instant, les portes de la loge royale s'ouvraient ; le Régent parut, toujours souriant, et tendit la main au jeune homme :

— « Je suis heureux, monsieur, de vous féliciter. Je vous ferai servir une pension de deux mille livres ; vous l'avez, ma foi, bien gagnée !

— Je remercie Votre Altesse royale de continuer à se charger de ma nourriture ! s'écria Voltaire. Mais je la supplie de ne plus se charger de mon logement [1] ! »

Le Régent éclata de rire, imité par tous ceux qui étaient présents, sauf par Law et Nathalie. Le prince s'approcha d'elle :

— Vous ne riez pas, madame ?

— Non, monseigneur.

Il posa sur elle son doux regard de myope, puis se tourna vers Law :

— Vous non plus, monsieur ! L'esprit de M. de Voltaire ne vous charme décidément pas ?

— Décidément pas, monseigneur.

Le prince baisa la main de Nathalie et serra avec effusion celle de Law, puis rejoignit sa suite.

---

1. Il sortait de la Bastille.

Nathalie et Law, pressés de s'éloigner, s'enfuirent presque. Ils parvinrent, non sans mal, à retrouver leur équipage qui démarra dans les cris du cocher, lequel chercha, avec sa superbe habituelle, une voie libre pour ses chevaux :

— Place ! place à Monseigneur Law de Lauriston !

Des clameurs lui répondirent et Nathalie sentit toute l'exaspération de son compagnon. Elle lui saisit la main et serra ses doigts minces.

— Ce qui est épuisant, disait-il, c'est d'avoir pas à pas l'impression de jouer, de risquer tout pour des riens : il est cependant si pressant de travailler et nous avons tant de grands desseins à réaliser.

— Qui donc, dit-elle en souriant, qui donc prétendit que vous étiez joueur ?

— Un sot, assurément, et ils sont légion !

Cette nuit-là, pas plus que celles qui suivirent, Law ne put trouver le sommeil. Les propos du sieur Buvat, qui lui étaient rapportés au jour le jour par Dubois, le hantaient.

A quelque temps de là, le soir du 3 décembre 1718, Law tournait comme lion en cage dans le petit salon blanc de l'hôtel de Mercœur. Nathalie, pensive, tisonnait le feu. Il faisait très froid et un épais brouillard baignait la ville.

— Nous y voilà ! Je parie que nous y voilà ! s'écriait Law en froissant la lettre qu'il venait de recevoir.

C'était une convocation l'invitant à se rendre, à minuit, au Palais-Royal, avec prière d'entrer par la petite porte dont Duplessis, l'amant de Mlle de la Chausseray, gardait la clé. Elle ouvrait sur l'escalier dérobé qui menait directement chez le Régent.

— Connaissez-vous cette Chausseray ? demanda Nathalie. Elle fut un temps fille d'honneur de Madame ; spirituelle, intrigante, elle est mainte- nant chargée par M. le Régent de nombreuses missions secrètes.

— Croyez-vous que je pourrai un jour travailler en paix ? dit-il en venant s'asseoir à ses pieds sur un petit tabouret, comme l'eût fait un page.

Elle ne répondit pas. Il partagea son silence.

Quelques heures plus tard, à l'heure dite, il pénétrait chez le duc d'Orléans ; M. le duc, Dubois et le duc d'Antin s'y trouvaient. Les visages étaient tendus et graves. Après de brefs saluts, le Régent, avec une solennité qui n'était pas dans sa manière, se tourna vers Dubois :

— La parole est à M. l'abbé, dit-il.

Law fut surpris de voir le compère esquisser une de ces grimaces qui, d'ordinaire, préludaient à des propos grivois.

— Hier, à pareille heure, dit l'abbé, j'ai reçu impromptu la visite de la Fillon. Elle me venait confier qu'un habitué de sa maison, secrétaire de Cellamare, s'était excusé de se présenter fort tard chez elle pour ce qu'il avait dû veiller au départ d'un courrier important. Bien entendu, je savais depuis plusieurs heures ce que contenait ledit courrier, grâce aux loyaux services du sieur Buvat : ce n'était rien moins qu'un appel à la noblesse française, rédigé par Sa Majesté Philippe V, destiné à déclencher la guerre civile. J'ai appris de la Fillon les noms des messagers qui font route vers Poitiers. L'un est le fils de l'ambassadeur d'Espagne à Londres, Monteleone, l'autre le neveu du cardinal Portocarrero... (Il hésita, les yeux baissés, et reprit :) Arrêter de tels personnages équivaut à une déclaration de guerre ; M. le Régent a décidé de mettre la police à leurs trousses. C'est tout.

Le duc d'Antin toussota, M. le duc grogna, Law pâlit.

— Le roi de France est hélas totalement ruiné, enchaîna le Régent. Et la guerre coûte cher. Si la Banque de M. Law est prospère, les finances de l'Etat que gère M. d'Argenson vont au plus mal. Il serait donc souhaitable de donner immédiatement à M. Law, qui a fait ses preuves, les moyens de mettre en œuvre son Système, ce qui comblera enfin ses vœux les plus ardents.

A l'étonnement de tous, ce propos tomba dans un profond silence. Law se taisait. Les quatre hommes présents savaient qu'il avait lutté toute sa vie pour imposer son Système et au moment où le Régent lui donnait enfin la possibilité de l'appliquer, voici qu'il demeurait foudroyé, blême, et qu'une fine transpiration, celle de l'angoisse, naissait sur son front.

— Monseigneur, dit-il enfin, si ma Banque prospère, c'est qu'elle est gérée sévèrement par des actionnaires qui seraient ruinés à leur première erreur. Daignez considérer que j'ai présentement tourné mes efforts vers les pays d'Amérique, et qu'il s'agit là d'une œuvre de très longue durée qui demandera beaucoup de savoir-faire, de peines, et de patience.

— Les campagnes de la Louisiane ne sont donc pas constellées de diamants et d'émeraudes comme l'affirment les papiers imprimés par le *Mercure ?* ironisa M. le duc.

— Il faudra beaucoup d'efforts et de patience, répéta Law douloureuse-ment, pour que, un jour, les réalités encore cachées au profond de ces terres cessent de n'être qu'un mirage. Une hâte excessive détruirait tout. Or vous me demandez ce soir de créer sur-le-champ tout autre chose, un Système de Finances qui n'aurait d'autres fins que de procurer au gouvernement, et dans les plus brefs délais, autant d'argent qu'il lui en faudrait pour la guerre d'abord, et pour bien d'autres dépenses ensuite.

Il luttait pied à pied. Il avait appris à connaître ces hommes voraces, insatiables, légers : il savait qu'il n'était pas possible d'édifier et de mener à bien son Système, en dépendant totalement de leur volonté et de leurs caprices.

— Souvenez-vous, monsieur Law, de notre premier entretien dans mon cabinet de chimie, disait Philippe, insinuant. Est-il possible que vous refusiez aujourd'hui ce que vous demandiez alors avec tant de passion ? Et ce Mississippi, n'est-il pas intimement mêlé à votre Système dont il représen-tait à nos yeux la première étape ?

Law crut qu'il allait faiblir. Qui donc avait tracé son destin ? Il se revit, désespéré de n'être qu'un théoricien condamné à l'inaction, considéré comme un illuminé, tourné en ridicule, humilié, moqué ; il se revit à Turin, à Edimbourg, à Lauriston, à Bruxelles, à Paris en 1710, à Gênes, à Venise. Il serrait les dents pour ne pas donner libre cours à tout ce qui se pressait, se bousculait en lui, à tout ce qui l'étouffait. Il se maîtrisa enfin et fit face à l'immense danger qu'il pressentait :

— Alors donnez-moi des garanties telles que...

Cela était presque injurieux, mais le Régent sourit :

— Lesquelles ?

Il réfléchit très vite :

— Il faudrait que l'établissement dépendît entièrement d'une commission qui serait composée de membres de la cour des Monnaies, de la cour des Comptes, de la cour des Aides et de conseillers du Parlement.

L'abbé faillit s'étrangler ; M. le duc jura comme un laquais ; le duc d'Antin prit feu :

— Vous voulez chercher des garanties auprès de ces magistrats qui, cet été, parlaient de vous pendre ? Il ne saurait être question de leur rendre la moindre parcelle d'autorité !

Le Régent regarda alors fixement Law assailli, débordé par ses rêves anciens, son angoisse de l'avenir, et en qui se livrait un débat dont il ne percevait pas toute la violence. Il lui sourit et, avec ce charme auquel nul ne résistait, doucement, implacablement, le contraignit :

— Votre garantie sera ma confiance et mon amitié, qui vous soutiendront et vous défendront. Le conseil de Régence décidera seul des émissions d'actions nouvelles et *seul, j'ordonnerai les dépenses.* N'en voilà-t-il pas assez pour vous rassurer ?

Que répondre à cela ? Pourtant, Law qui se sentait au bord d'un abîme tenta encore de l'éviter :

— Ah, monseigneur ! croyez qu'en matière de finances, il ne faut pas compter avec l'amitié ni avec la sagesse, fussent-elles celles de Votre Altesse royale, mais bien plutôt sur de solides établissements, sur une administration bien conçue et forte, car les institutions durent, hélas, plus longtemps que les hommes [1] !

— Se peut-il, monsieur, que le temps ait ainsi inversé notre dialogue ? Dans mon cabinet de chimie, jadis, ne disiez-vous pas qu'il fallait étatiser l'argent et le crédit au moyen d'une Banque royale dont le roi serait le caissier, que seule Sa Majesté, dont l'intérêt est lié à la prospérité du peuple, pourrait veiller à sa gestion ?

— Je le disais... acquiesça Law d'une voix dure dont l'amertume suffisait à donner la mesure de ses déceptions et de ses craintes.

Philippe d'Orléans, cette fois, comprit. Il se leva, fit quelques pas et, avec une émotion qui était en partie sincère, se tourna vers l'Ecossais. A son tour éloquent, il dit :

— Depuis lors, n'avons-nous pas travaillé et durement lutté ensemble ? Allez-vous vous dérober au plus fort de la mêlée ? Ne vous ai-je pas soutenu, imposé, défendu envers et contre tous et n'ai-je pas été seul à le faire, seul à

---

1. Cette attitude, si révélatrice de Law en cette circonstance capitale, n'a pas été prise en compte par ceux qui portèrent sur son œuvre et sur son caractère des jugements de ce fait incompréhensibles.

vous comprendre, à vous faire confiance en mon nom personnel, en celui du roi, et en celui du peuple de ce pays ? N'ai-je pas même sauvé votre vie ? Or, il advient que l'on nous a mis dans l'obligation de choisir entre deux conflits également fratricides : une nouvelle Fronde, un combat de Français contre Français, ou la guerre contre mon neveu, qui l'est deux fois, et contre l'Espagne dont une partie de ma lignée est issue. J'ai choisi ce qui sera le moins cruel au plus grand nombre. L'heure est venue de se battre, de risquer sa vie et ses biens ; c'est le sort des peuples qui prennent les armes, et vous êtes aujourd'hui Français. Certains y trouveront la ruine et la mort, d'autres la gloire. Je vous parle en soldat parce que vous pouvez, comme un chef de guerre, perdre cette bataille ou assurer la victoire... Cela est si réel que, avant même de conférer avec les maréchaux, je vous ai convoqué.

Comme il le connaissait ! Comme il savait jouer savamment sur ce clavier sensible ! Cet appel à la reconnaissance, à l'esprit d'équipe, à l'ambition, à la générosité, au sens de l'Etat et à celui de la grandeur ne pouvait qu'être entendu. Avec le sentiment d'un sacrifice total, désespéré, et peut-être inutile, celui-là même qui emplit le cœur des hommes jetés dans la mêlée sur les champs de bataille, Law s'inclina :

— Je suis à vos ordres, monseigneur.

Sa voix était méconnaissable. Nul n'y prit garde. Le Régent, détendu, se tourna vers Dubois :

— Veillez à ce que tout soit fait dans les heures qui suivent.

Et, s'adressant de nouveau à Law :

— Comment procéderons-nous, monsieur ?

— L'Etat va racheter les actions de la Banque qu'un décret transformera en Banque royale.

Réponse brève, capitale, par laquelle il donnait tout au Roi, à ce pays, à ces hommes : sa fortune [1], son œuvre, son indépendance pour n'être plus que leur employé, leur serviteur. A cela également, nul ne prit garde.

Le Régent leva l'audience. Law s'éclipsa aussitôt. Son cocher, qui s'apprêtait à rentrer place Louis-le-Grand, s'étonna de l'ordre bref qui lui fut donné de revenir à l'hôtel de Mercœur. Nathalie, plus perspicace que lui, attendait ce retour. En dépit de l'heure, Law la trouva à la place même où il l'avait laissée. Sans s'expliquer davantage, il lui prit les mains avec une grande émotion :

— Le fer est engagé ! murmura-t-il.

Elle perçut à l'instant l'altération de sa voix et de son visage :

— La guerre ?

— Oui, et le Système, hélas ! la Banque sera déclarée demain Banque royale, et toutes les actions rachetées par l'Etat...

Ils se turent. Cet homme, pris au piège de son génie, parvenait, Nathalie le savait, à l'étape la plus étrange de sa destinée. Dès le lendemain, un jeu d'enfer s'engagerait et les premières cartes tombaient déjà. Comme sur les

1. Law avait 40 millions de livres lorsqu'il arriva en France ; il avait tout investi dans la Banque et la valeur de ce capital avait considérablement augmenté.

tapis verts d'autrefois, Law voyait s'abattre sur la scène de l'Europe des rois, des dames et des valets. Comme alors, son jeu était bon ; il gagnait à tout coup.

Le 5 décembre 1718, Portocarrero et Monteleone étaient arrêtés à Poitiers. Le 9, Dubois et Le Blanc, ministre de la Guerre, suivis d'une armée d'exempts, entraient de vive force à l'ambassade d'Espagne et saisissaient des liasses de papiers et de documents : les preuves du complot. Le 11, un cadavre tombait dans la neige, au pied de la forteresse norvégienne de Frederikhall : Charles XII était mort. Le 13, le prince de Cellamare, ambassadeur d'Espagne, voyait se refermer sur lui les portes du château de Blois qui lui devenait une prison. Le 14, Alberoni, persuadé que la guerre civile était déclenchée en France, chassait le duc de Saint-Aignan, ambassadeur de Louis XV, qui devait fuir et se trouvait contraint de franchir la frontière à dos d'âne avec la duchesse de Saint-Aignan. Le 28, on arrêtait le duc et la duchesse du Maine et leurs complices, dont Richelieu et la spirituelle Rose Delaunay.

Le même jour, l'Angleterre déclarait la guerre à l'Espagne.

Mlle de Valois, arrachée à son amant et mariée par procuration au triste fils du duc de Modène, faisait entendre des clameurs épouvantables. Elles agitaient presque autant la Cour et la Ville que l'énoncé de sa dot fabuleuse — dont on assurait qu'elle provenait des bénéfices de la Banque de Law — et que les propos de sa grand-mère, la duchesse douairière d'Orléans :

— Mon fils cherche une duchesse pour escorter ma petite-fille à Modène ; il n'a qu'à envoyer chez Mme Law, elles y sont toutes !

Le peuple, saisi par tant d'événements, dont les plus importants dévoilaient au grand jour les trahisons et les périls, rendait toute sa faveur au Régent, à Dubois, à Law. La société cultivée elle-même se pressait au Théâtre-Français pour applaudir, dans un sens tout différent, la tragédie de Voltaire.

Le 9 janvier 1719, la France déclarait à son tour la guerre à Philippe V.

A l'étonnement de tous, le maréchal de Berwick, Grand d'Espagne, ami de Philippe V et frère naturel du Prétendant Stuart, acceptait le commandement effectif de l'armée française que le prince de Conti, nommé général, était bien incapable d'exercer. Le maréchal menait aux Pyrénées quarante mille hommes. Alberoni ne pouvait lui opposer que quinze mille qui ne voulaient ni de lui ni de leur roi, ni de cette guerre absurde que Philippe d'Orléans, ils le savaient, avait tout fait pour éviter et qu'il tentait encore de limiter par d'ultimes négociations.

Mais les nations, comme les hommes, ont leur destin.

349

DEUXIÈME PARTIE

VIVRE POUR UNE IDÉE

John Law faisait aménager à l'hôtel de Mesmes un petit appartement. Lorsque les tâches seraient trop pressantes, il y pourrait, sans s'éloigner de son bureau, prendre la nuit quelque repos, un bain à l'aube, travailler fort tard et fort tôt.

Nathalie le voyait procéder à cette installation qui le libérait de contraintes familiales, très relatives il est vrai, avec des sentiments mêlés. N'était-ce pas l'issue fatale d'une situation qui, peu à peu, les séparait ? D'une telle appréhension elle ne voulait point, à cette heure, troubler John Law ; elle savait qu'il portait désormais sur les épaules la part la plus lourde du gouvernement de la France, de la guerre d'Espagne, de certains mouvements de la politique européenne, et la création d'un empire sur le continent américain... Epaules sur lesquelles elle aimait à poser son front et à respirer son odeur d'homme...

Après les jours vécus auprès de lui au Palais-Royal, dans les périls, l'intensité et la fièvre, une solitude désœuvrée ne lui était pas supportable et elle ne parvenait plus à se donner de ces missions de renseignements qui, un temps, lui avaient procuré quelques illusions. L'ascension vertigineuse de Law allait-elle la dépasser, la laisser sur le bord de sa route ? L'adaptation à laquelle, de jour en jour, elle s'efforçait, s'avérait de plus en plus difficile ; mais en même temps, au même rythme, d'étape en étape durement franchie, leur était révélé qu'ils atteignaient un point de non-retour, ce moment extraordinaire au-delà duquel deux êtres confondent leurs songes, leurs désirs, leurs pensées et accomplissent les lentes évolutions qui les recréent.

Chaque soir, Nathalie se rendait à l'hôtel de Mesmes et Law lui réservait toujours quelques moments, plus ou moins longs, douloureux, qui leur faisaient prendre la mesure du temps qui passe et d'inconsolables peines.

Cet hiver-là, place Vendôme [1], Lady Caterina Seigneur recevait des

1. La place Louis-le-Grand, édifiée sur le terrain où s'était élevé l'hôtel du Grand Prieur de Vendôme — petit-fils d'Henri IV et de Gabrielle d'Estrées — fut, sous la Régence, peu à

femmes de la Cour, avides, curieuses et désœuvrées, qui se divertissaient en allant se faire traiter par elle comme des mercières. C'était un engouement, une fureur. Les réceptions, qui se donnaient en l'absence presque continuelle du maître de maison, défrayaient les gazettes qui s'émerveillaient même des fêtes d'enfants ! On apprenait que, pour l'anniversaire de Marie-Catherine, le nonce avait cru bon de paraître et de baiser la main de la petite fille !

Loin de ce tumulte, dans le bureau directorial de l'hôtel de Mesmes, se poursuivait le dialogue de deux destinées :

— La transformation de la Banque générale en Banque royale, en Banque d'Etat, m'absorbe jour et nuit. Pardonnez-moi, Nathalie... Songez que nous ouvrons tout de suite des bureaux nouveaux, non seulement à Paris rue Quincampoix, à l'hôtel de Beaufort, mais aussi à Lyon, La Rochelle, Tours, Orléans et Amiens !

— Pourquoi ces villes et point d'autres ?

— Parce qu'aucun Parlement de province, capable de troubler l'expérience en cours, n'y siège ! Enfin, vous savez que la première mesure qui résulte de la mise en place du Système est le remplacement de la monnaie de métal par la monnaie de papier ; à cet effet, il faut préparer un certain nombre de décrets : la Banque royale devient un institut d'émission qui assure un cours légal aux billets, lesquels désormais seront émis sur simple arrêt du conseil de Régence...

— Et ils permettront l'achat des actions de la compagnie et le remboursement de la dette publique, puisque l'idée maîtresse de votre Système est de transformer le rentier d'Etat en actionnaire de la Compagnie d'Occident.

— Qui, elle aussi, va se transformer complètement.

Ils se taisaient, attentifs aux réflexions que leur inspiraient ces propos.

— Au cours de cet hiver de 1719, reprit Law, il faut, comprenez-vous, que j'entreprenne la création du grand œuvre que je voulais construire pour moi et que je dois maintenant édifier pour la France... Je vais annexer la Compagnie du Sénégal. C'est là une opération d'envergure, l'apport d'un fonds important de marchandises qui augmentera celui que nous possédons dans nos nombreux entrepôts et magasins, sans compter onze navires qui porteront le nombre des bâtiments de notre flotte à trente-deux.

— Et la Compagnie des Indes ?

— Son tour viendra vite. C'est un de mes désirs les plus tenaces... Peut-être parce qu'il est né d'un rêve et d'une singulière rencontre.

— Avez-vous des nouvelles de Dulivier ?

— Régulièrement. Il vient de me rendre compte des conclusions de l'enquête menée sur les activités d'Hébert et de son fils — enquête qu'ils ont tenté, bien entendu, d'entraver de mille manières ! Accablés par les

---

peu appelée place Vendôme. Ajoutons que Law possédait sur cette place plusieurs immeubles et qu'il devait vouloir flatter le Grand Prieur pour des raisons qui apparaissent dans la suite du récit.

témoignages et le rapport qui les condamnent, ils se sont défendus sauvagement et ils ont même blessé l'officier chargé de les arrêter. Un navire les ramène prisonniers en France où ils seront jugés.

Assise au coin du feu, Nathalie, pensive, tisonnait les braises ; lui, marchait de long en large comme il aimait à le faire en réfléchissant.

— En somme, dit-elle, vous prenez la direction de tout le commerce extérieur de la France ?

— De la Chine aux Indes, de l'Afrique à l'Amérique. (Il s'interrompit, puis reprit :)

La levée de l'impôt est aussi incluse dans le Système et nous devrons en être chargés sans tarder, afin de délivrer le plus rapidement possible le peuple de ce mal profond qu'est la Ferme générale. C'est la première des réformes que je veux faire adopter, lesquelles forment un vaste plan auquel je travaille nuit et jour pour présenter au Régent les idées neuves qui doivent transformer ce pays.

— Nous voici déjà loin de la Banque, laquelle, disiez-vous, absorbe aussi vos jours et vos nuits ?

— La Banque n'est qu'un outil... indispensable.

— Les Indes..., murmura Nathalie rêveuse. Les Indes, c'est aussi pour le public, au mépris de la Géographie, la Louisiane !

— Et l'inquiétude vient de là, mon cher cœur.

Il s'approcha d'elle, lui prit les mains pour aborder la plus secrète des confidences, celle de l'angoisse ; c'était aussi la plus précieuse, parce qu'elle les unissait d'une indicible manière :

— Dix vaisseaux font route vers l'Amérique, poursuivait-il. A leur bord, il y a des soldats, des émigrants, des vivres et des munitions. Mais d'autres navires attendent dans le port de La Rochelle de nouveaux passagers qui ne viennent pas. Pourtant, les rapports que je reçois du Nouveau Monde sont encourageants : la chasse, abondante en Nouvelle-France, a rapporté vingt mille peaux de castors et de bisons. En Louisiane, les récoltes de tabac et d'indigo et les vers à soie donnent de belles espérances !

Un coup frappé à la porte l'interrompit. Un laquais annonçait que Dutot demandait à le voir et il se présentait déjà.

— Vous, à cette heure ! s'étonna Law.

— Je n'ai pas cru devoir attendre demain, monsieur, pour vous soumettre ce document, alors que le conseil de la compagnie siège ce soir.

Il lui tendit un papier que Law déplia.

— Ce n'est qu'une lettre, disait Dutot. Une lettre de Louisiane telle que, hélas, il doit en parvenir dans de nombreuses familles à cette heure. Celle-ci m'a été procurée par un parent, dont un petit cousin est parti là-bas voici un an tout juste.

A mesure que Law lisait, son visage changeait. C'était une torche enflammée que l'on venait de jeter dans le bureau du directeur de la Compagnie d'Occident. La lettre lue, il ouvrit violemment la porte et cria aux laquais de l'étage :

— Faites monter immédiatement ces messieurs du conseil !

Il hurlait presque :

— C'est insensé ! J'ai tout de même créé là-bas un conseil de régie sous la direction de Bienville, avec des directeurs comme Hubert, Le Gac et Lacerbault, des officiers comme Boisbriand et Chateaugay et des ingénieurs comme Le Blond de la Tour et Pauger !

Peu à peu, ses collaborateurs arrivaient, interdits. Furent bientôt réunis Jean-Baptiste Martin d'Artaguiette d'Iron, un protestant, directeur du bureau de la Louisiane à la compagnie (ses deux frères étaient officiers sur les rives du Mississippi) ; François Mathieu de Vernezobre de Laurieu, protestant lui aussi, trésorier de la Banque, receveur général de la compagnie, chargé ainsi que ses deux frères d'assurer le recrutement, l'acheminement et l'installation des émigrants ; François Mouchard, député de La Rochelle et directeur à la compagnie, ainsi que François Castagnier et Pierre Fromaget, suivi de son beau-frère Jean Gastebois, encore des protestants chargés de services importants.

— Voulez-vous des nouvelles de la Louisiane ? leur dit Law. En voici telles qu'en reçoivent ces jours-ci les Français ! Il se mit à lire et sa voix tremblait :

« *Mes chers parents, si vous connaissez quelques voisins ou amis qui s'apprêtent à partir pour le Mississippi, faites en sorte qu'ils renoncent à ce funeste projet ou qu'ils le remettent à plus tard, beaucoup plus tard. Ne soyez pas trop inquiets pour moi, mais j'ai bien regretté d'être parti lorsque j'ai débarqué dans un endroit torride et malsain, où rien n'était prêt pour nous recevoir. Il n'y avait là ni maison, ni barques pour nous transporter en d'autres lieux où la colonie s'organise, paraît-il, un peu mieux, ni outils pour travailler, ni remèdes pour nous soigner. Au Biloxi, deux mille cinq cents personnes vivent des rations de la compagnie et quelles rations ! On meurt de faim, de froid ou de chaud et de maladie ; depuis le mois de mai, il y a eu ici deux cents décès. Beaucoup s'apprêtent à rentrer en France ; je pense que je ferai comme eux. Je n'ai pas encore vu les rochers d'émeraude et les mines d'or et d'argent dont parle* Le Mercure, *ni de villes, ni de riches plantations mais des cimetières qui grandissent* [1]*... »*

La voix de Law s'étrangla. Ce bout de papier, cette lettre d'un jeune homme lui portait le coup le plus sensible qu'il ait jamais reçu.

— Ce n'est pas possible... dit-il d'une voix blanche. Puis il reprit avec force cette fois : *Le Mercure* m'a frappé dans le dos ! Il fallait parler de la Louisiane, la faire connaître, créer la tentation d'y aller, c'était là une idée juste, mais ils l'ont dénaturée et ils m'ont trahi ! Et vous avez laissé faire ça ? cria-t-il à ces hommes consternés.

Nathalie ne l'avait pas encore vu sous cet aspect, dans ce rôle de meneur d'hommes qui achevait de le révéler. Elle l'observait intensément : le froncement des fins sourcils de Jessamy John et de son nez qui n'exprimait d'habitude que l'esprit et la sensibilité, l'entraîna très loin de toute cette

1. Document d'époque.

agitation. La colère seyait à ce visage ; ces yeux assombris, ces lèvres serrées et les gestes autoritaires de ces mains fines offraient à un regard féminin une vision bien différente de celle qui courbait ces perruques. Elle ne put s'empêcher de sourire. Il vit ce sourire, demeura une seconde décontenancé, puis, emporté par ses préoccupations, poursuivit :

— Sans doute il eût fallu flairer le danger, mais je ne peux m'occuper de tout. (Il ajouta, avec un regret infini :) C'était une idée toute nouvelle ; j'aurais dû la suivre attentivement, veiller sur elle ; la voici perdue. Pourvu qu'elle ne me perde pas ! (Il hocha la tête :) Les Français sont ainsi faits qu'ils espèrent trop vite et désespèrent plus vite encore ; mes ennemis s'attachent pas à pas à détruire mon œuvre : *Le Mercure* hier, qui, aujourd'hui ?

— Les magistrats, dit Melon.

Law se retourna vivement vers lui :

— Ce n'est pas nouveau !

— J'ai appris, continua son secrétaire que, en application du décret qui les autorise à remplacer la peine des galères par la déportation en Louisiane, ils s'apprêtent à envoyer vers La Rochelle une chaîne de bandits et de gibiers de potence !

Law ne répondit rien mais il échangea avec Nathalie un autre regard : ce décret, ils l'avaient conçu ensemble. Ils avaient ardemment souhaité que leur empire de par-delà la mer devînt une terre de liberté, où les innombrables victimes de l'injustice des hommes puissent recouvrer liberté et dignité, et refaire un monde plus fraternel. Law avait embauché, tant à la Banque qu'à la compagnie, un grand nombre de protestants que la politique libérale du Régent arrachait aux galères et par eux, il en savait long sur la chiourme ! Or, les magistrats envoyaient en déportation bien d'autres innocents que ses coreligionnaires. Law et Nathalie avaient rêvé longuement à ce grand dessein : là-bas, au Mississippi, leur seraient donnés de la terre, des semences, des matériaux, de la main-d'œuvre et leurs familles pourraient les rejoindre. La France ainsi retrouverait des citoyens de qualité en un moment où la Louisiane était toute son espérance. Pour Law, tout cela allait de soi et le Régent fut conquis d'emblée ; mais là encore, accaparé à l'extrême par trop de responsabilités, le directeur de la Banque royale et de la Compagnie d'Occident n'avait pas veillé d'assez près à l'application d'une mesure intelligente et généreuse. Et voici qu'elle était trahie, dénaturée par la sottise et la bassesse des hommes.

— Il faudrait que je fasse tout par moi-même, que je sois à tout à chaque instant ! grondait-il ; puis, se tournant vers ses directeurs : Allez maintenant, vous en avez assez entendu.

Ces hommes de bonne volonté, mal adaptés à des tâches et à un rythme de travail trop nouveaux pour eux, se retirèrent en silence. Melon et Dutot les suivirent.

Nathalie s'approcha alors à pas lents du bureau de Law ; il fallait maintenant essayer de reconstruire ce qui, en quelques instants, venait dans son esprit d'être défait... Elle prit le flambeau, l'approcha d'un globe terrestre et, à son tour, le fit tourner doucement :

— Où allez-vous édifier votre capitale ?

Il posa sur elle un regard devenu transparent et d'une voix mal assurée, il recommença le conte fantastique qu'il ajoutait à l'Histoire du Vieux Monde :

— A deux lieues et demie de la mer, s'ouvre le delta du Mississippi, coupé de bras innombrables et encombré de bancs de sable et de prairies sauvages dont les vents tourmentent les hautes herbes...

Sa main effleurait le continent lointain ; on eût dit que, à la manière des aveugles, il s'efforçait de voir avec ses doigts... Une fois encore, il répéta sourdement une petite phrase qui depuis peu revenait sans cesse dans ses propos :

— Y aller... y aller... il faudrait être ici et là-bas dans le même temps.

La lueur sensible et vivante de la bougie, que Nathalie approchait davantage du golfe du Mexique, remontait maintenant tout au long du Mississippi pour s'immobiliser au confluent du Missouri et de la rivière des Illinois. Un petit drapeau signalait au bord du grand fleuve une concession importante de la Compagnie d'Occident : le fort de Chartres, autour duquel se groupaient déjà des habitations ; il portait le nom des fils aînés de la famille d'Orléans.

— Là est tout mon espoir ! murmura Law en désignant du doigt ce rivage. Là se trouvent dix mille indigènes, encadrés par cent Européens travailleurs et compétents et deux compagnies de soldats sous les ordres du lieutenant de Boisbriand !

Il se tut pour goûter intensément cet instant. Il sentait, une fois de plus, que c'était dans ces tête-à-tête du soir qu'il prenait le recul nécessaire pour « voir » son empire et qu'il parvenait, dans une totale liberté de parole et de pensée, à préciser tant d'idées constructives demeurées confuses, faute de temps et de réflexion dans la dispersion des activités qui le sollicitaient de toutes parts. Ainsi s'efforçaient-ils de construire un monde.

— Bienville, reprit Law rêveusement, alla, lui aussi, à Versailles afin de persuader Louis XIV de gagner de vitesse les Anglais en Amérique. Ainsi, ayant l'un et l'autre le dessein de lutter contre l'Angleterre, advint-il cette chose singulière que nous nous croisâmes alors que l'un entrait chez le roi et que l'autre en sortait. C'était en 1710. Lui, voulait conquérir un continent et moi, apporter l'Idée qui pouvait permettre d'y implanter et d'y maintenir la France. La proposition du conquérant fut mieux comprise que celle, trop surprenante, du financier ! Ce sont là des types de Français qui m'enthousiasment, même lorsque leur compétence d'administrateurs est en défaut. (Les yeux toujours attachés à la mappemonde, il ajouta :) Les noms des frères Lemoyne seront inséparablement liés à l'Histoire de ce continent.

— Le vôtre aussi ! s'écria Nathalie.

— C'est le secret du mystérieux avenir, répondit-il avec un geste de lassitude qui exprimait un scepticisme profond.

— Douteriez-vous ?

— Je ne sais pas.

— Quels noms pourraient figurer sur les pierres et dans les mémoires si le vôtre est oublié ?

— Les leurs ! Et il épela lentement : Bienville, Longueil, Sainte-Hélène, d'Iberville, Maricourt, Sérigny. Bienville fut le souverain de cet empire à vingt ans, c'est pourquoi je l'ai maintenu à ce poste, mais la Louisiane se trouve à un difficile tournant. Tout y est problème, aujourd'hui ; que pensez-vous de celui-ci ?

Il prit un cahier sur son bureau, le contempla, pensif.

— Il doit être bien lourd, si j'en crois votre silence.

— Oui, inattendu aussi. Il mérite en tout cas de grandes réflexions : eu égard à la paresse et à l'incapacité des Indiens pour ce qui n'est ni la chasse, ni la guerre, j'ai voulu soutenir l'entreprise de Louisiane par le peuplement et l'apport de main-d'œuvre procuré par la Compagnie du Sénégal qui fournit des Noirs. Les Africains s'adaptent mieux que les Européens au climat du Mississippi. Et ne désirons-nous pas offrir aux hommes un nouveau destin ?

— Croyez-vous que le meilleur destin n'est pas pour eux celui auquel on les enlève ? Celui qu'ils vivaient dans leur pays avec ceux qu'ils aimaient ? Les arracher à tout cela de vive force, les vendre, les réduire en esclavage sont des crimes révoltants, entendez-vous, révoltants !

Révoltée elle l'était, elle, l'enfant volée et vendue à Tiflis, lorsque l'on évoquait en sa présence la traite des nègres ou celles auxquelles les Barbaresques se livraient depuis des siècles, de l'autre côté de la Méditerranée et au Proche-Orient.

— C'est révoltant, mais enfin ce ne l'est pas davantage que la condition de tant de paysans qui, en France et dans toute l'Europe — hormis en Angleterre — sont en servage ! Il est vrai qu'en France — sauf exceptions et il y en a toujours, hélas ! — la noblesse et le clergé respectent leurs serfs et leur viennent en aide souvent généreusement ; cependant, ce principe est inacceptable qui admet que l'on achète, que l'on possède les hommes qui vivent sur une terre en même temps que la terre elle-même ! répliqua Law.

— Considérez que les gentilshommes de village qui habitent leur château délabré, loin de la Cour où s'obtiennent les pensions et les bénéfices, ou des grandes villes en lesquelles résident les parlementaires et leurs familles ayant de grands états, sont pour la plupart aussi pauvres que leurs paysans ! dit Nathalie. Ils ne peuvent donc secourir personne. Ils vendent, morceau par morceau, leurs biens héréditaires aux financiers et aux traitants, qui acquièrent de la sorte les titres qui y sont attachés ! Les cadets de grandes maisons sont, dans ce pays, plus malheureux encore, car ils n'ont le plus souvent rien à vendre et on les voit même, parfois, retourner à la charrue comme leurs plus lointains ancêtres ! Honteux, ils disparaissent alors et on n'en entend plus parler !

— Tandis que, en Ecosse et en Angleterre, ils entrent dans la finance ou le commerce, fort considérés, et nul ne pense qu'ils dérogent. De nombreux gentilshommes rétablissent ou établissent ainsi de grandes fortunes et chacun y gagne : leurs enfants, la société, les personnes qu'ils emploient et eux-mêmes, qui développent toutes les capacités de leur intelligence. C'est ainsi que mon père, cadet de vieille noblesse, tint boutique d'orfèvre et devint baron de Lauriston. Si M. de Saint-Simon savait cela, il refuserait de me recevoir tous les mardis ! Ne voyez-vous pas que c'est tout un monde qu'il faut changer, des mentalités et des regards ? Ce sera long et difficile, mais je vous répète, je vous assure que je ferai tout ce qui sera en mon pouvoir pour mettre au pas les négriers, pour exiger que les Noirs soient traités comme des hommes, qu'ils bénéficient des mêmes conditions d'immigration familiale que les Blancs ; je leur ferai donner des terres et la liberté, et je ferai de même pour ceux des paysans français qui sont en servage.

— Je vous crois, dit-elle avec émotion. Mais savez-vous bien à quelles puissances vous allez vous attaquer là et ce qu'est le monopole sacré des négriers dans les provinces de l'Ouest ?

— Pensez-vous que ce soit le seul obstacle que j'aurai à vaincre, le seul combat que j'aurai à mener ? Comprenez-moi bien : il s'agit de faire une révolution ! Peut-être n'y parviendrai-je pas... Dans ce cas, il ne me sera point fait de quartier ; mais mourir pour une idée, c'est comme vivre pour une idée : ce sont des aventures qui le méritent, et il ne vaut point de vivre ou de mourir pour rien. Et si je réussis ! Alors éclatera la révolution que l'évolution du monde appelle. Notre civilisation est comme un beau fruit mûr ; elle commence à ouvrir certains esprits, elle affine les sentiments aussi bien que les arts et la pensée. Ceux qui resteront dans l'obscurité des temps barbares seront confondus. Vous verrez ce malheureux peuple de France, lorsqu'il aura de la nourriture à sa suffisance, le travail et les salaires qu'il mérite, vous verrez la réflexion s'éveiller en lui, et, dans les siècles à venir on parlera de la révolution du XVIIIᵉ siècle qui se sera faite sans crime, sans violence, sans une goutte de sang versée. On dira : le temps en était venu. Oui, c'est cela, le temps en est venu et je ne suis qu'un des ouvriers de ce grand œuvre !

— Où sont les autres ?

— A moi de les révéler à eux-mêmes. J'en discerne déjà, ils seront nombreux...

Ils se turent soudain, comme chaque fois qu'un échange intense s'était établi entre eux ; puis Law tendit à Nathalie le document qu'il avait dans les mains :

— Tenez, vous lirez cela. Un même courrier m'a apporté un message d'un de mes directeurs, Le Gac, qui me réclame de la manière la plus pressante de nouveaux contingents de nègres, et ce rapport du père de Charlevoix, ce jésuite dont je vous ai parlé et qui a toute ma confiance ; je l'ai envoyé, vous souvenez-vous, en mission d'information au Mississippi ?

— J'attendais impatiemment de ses nouvelles. Que dit-il ?

— Le contraire de tout ce que j'entends par ailleurs. Et je tiens ce religieux pour un grand esprit.

— Est-ce là encore la voie solitaire de l'intelligence qui crie dans le désert ?

— En dépit de difficultés dont il donne une idée générale, et non point l'affligeant détail comme la lettre que nous lisions tout à l'heure, il prévoit le devenir dont nous avons rêvé pour ces pays d'Amérique. Mais il nous met sévèrement en garde contre le danger que peuvent représenter, dans l'avenir, pour les habitants venus d'Europe, nos pauvres Sénégalais. Vous prendrez le temps de lire ce document à tête reposée ; j'aimerais en reparler avec vous.

Telle était la nouvelle façon, plus étroite et plus vraie, qu'il lui offrait de vivre près de lui, par lui, pour lui et pour les autres...

— Quel est ce danger ? questionna Nathalie en feuilletant les pages du père de Charlevoix.

— Le propre des hommes civilisés est de se reproduire peu. Nos Noirs, déjà plus nombreux que les Blancs ou que les indigènes d'Amérique, se multiplient et peuvent devenir des sujets redoutables [1]. Le nombre faisant la force, qui peut dire si, un jour, les Européens, mis en minorité, ne devront pas céder cet empire à la race noire et là où nous voulons implanter la civilisation qui nous est chère, faudra-t-il que règne, en partie par ma faute, un ordre de choses inconnu fait de la prolifération de ces Africains sur la terre d'Amérique ?

— Et comment revenir en arrière ?

— Puis-je refuser à Le Gac cette main-d'œuvre, alors que la colonie est en péril ? Sacrés Indiens, s'ils voulaient travailler ! Eux aussi se perdront dans l'obscurité des temps révolus !

— Le présent vous brûle de toute part, l'Europe est en guerre, vous faut-il encore méditer sur les siècles à venir ?

— Croyez-vous qu'il puisse en être autrement et que, en certains domaines, je n'engage pas l'Amérique pour des siècles ?

Il lui prit la main et l'entraîna de nouveau vers la grande mappemonde :

— Oui, il y a cette terrible lettre, Nathalie, et il y a ces alarmes du père de Charlevoix, mais il voit naître aussi mon Amérique : il annonce des moissons sans pareilles, ici, dans le pays des Illinois dont je vous parlais tout à l'heure [2] et, pendant ce temps, mes coureurs de bois s'avancent hardiment vers la mer de l'Ouest que les Indiens appellent la mer Vermeille. Juchereau de Saint-Denis a établi un poste là, à Saint-Jean, et un autre de ce côté, aux Adayes... Voyez-vous, Nathalie, quand on regarde la carte de Louisiane, les problèmes sautent aux yeux ; aux Illinois et dans le Missouri se trouvent les solutions : les terres fertiles, les établissements solides, bien menés, les hommes sûrs et laborieux ; nos épreuves sont au sud et au nord : au sud, il nous manque un port organisé et des voies d'accès bien établies vers ces riches contrées, et au nord... — le son de sa voix changea — regardez : voici la France établie au-delà des lacs et sur tout le continent américain du Septentrion, entre les montagnes de l'Est et les montagnes de l'Ouest, et jusqu'au golfe du Mexique !

1. Père de Charlevoix, *Enquête en Amérique du Nord.*
2. Là se trouve à l'heure actuelle la plus importante production mondiale de blé.

— Oui, coupa Nathalie rêveuse. Et aux Indes aussi et en Afrique, au Sénégal... La France, reprit-elle vivement, c'est-à-dire vous.

Il saisit un autre papier sur son bureau.

— Qu'est-ce encore que cela ? demanda-t-elle.

— C'est un document secret, saisi par le Chevalier de la Mer, sur un navire anglais pris à l'abordage dans le golfe de Bengale. Ce sont les plans d'Angleterre, c'est-à-dire de Blunt, qui établissent une stratégie aux Indes et en Amérique. (Il s'approcha de la carte et d'un geste rapide, traça une barre en son milieu :) Il s'agit pour eux de couper nos communications partout et, ici, de nous séparer, coûte que coûte, de la Nouvelle-France. Et mes colons meurent à Biloxi et rebroussent chemin !

Il recula, le regard toujours fixé sur la carte ; il semblait concentrer, ramasser ses forces :

— Je construirai un nouveau port, dit-il. (Puis il se rapprocha, montra les terres du sud.) Et ici où la culture est plus difficile, j'imposerai celles du tabac, du coton et de la canne à sucre ; j'ai étudié des rapports à ce sujet et j'ai fait expérimenter et contrôler les essais. Le coton ! personne n'y croyait, que moi. Tout ce pays, disait-il âprement — en passant la main sur les territoires qui bordent le golfe du Mexique et les rives méridionales du Mississippi — tout ce pays sera recouvert de coton, cultivé par mes nègres de Guinée et du Sénégal !

Nathalie regardait, elle aussi, comme si elle avait pu voir frémir les cotonniers blancs et entendre les longs chants tristes des Noirs travaillant dans les plantations.

— Et là, dit-elle ? désignant d'un geste une contrée plus à l'Ouest.

— Là ? (Les yeux mi-clos comme un sourcier, Law laissait sa main descendre vers le Colorado [1].) Là, je ne sais pas encore...

Ils se taisaient à nouveau, écrasés par le sentiment de leur puissance et de leur impuissance. Devant eux, dans le silence de ce petit cabinet feutré, l'image de l'Amérique sembla grandir dans l'ombre. Là-bas des gens mouraient, d'autres luttaient, franchissaient des obstacles, découvraient un univers, élaboraient un monde. En haute mer, de grands navires tendaient leurs voiles... D'infiniment loin, dans leur tête-à-tête passionné, ils suivaient et guidaient l'aventure comme ils le pouvaient, au milieu des périls. Soudain, une évidence s'imposa à Nathalie :

— Il faut entraîner la foule par une action personnelle et directe, comme pour la Banque. Souvenez-vous, le dépôt du roi décida l'opinion. Prenez pour votre propre compte des concessions en Louisiane, engagez-vous à fond.

— J'y pensais et je crois en effet qu'il est temps de passer aux actes. Je vais créer trois domaines, l'un ici, au confluent des rivières Arkansas et Mississippi, l'autre près de l'embouchure du Mississippi et le troisième près de Biloxi ; mais j'irai plus loin... Il est dans Paris assez de gens sur qui le public a les yeux fixés et qui ne peuvent rien me refuser, surtout pas de

1. Région du Texas et du pétrole.

devenir seigneurs en Louisiane ! Mais oui, poursuivit-il, c'est enfantin, je vais ériger ces terres en duchés, marquisats et comtés [1] !

Il avait toujours cru en ces moyens-là et se souvenait d'avoir donné des conseils de cet ordre au Régent pour transformer l'impôt. Nathalie riait :

— Je vous vois marquis des Arkansas !

— Parfaitement ! C'est excellent ! J'ai renoncé à la baronnie de Lauriston et je me fais marquis aux Arkansas ! Ah !... quelle belle comédie ! Mais Milady Caterina ne va-t-elle pas me poursuivre à nouveau de ses projets matrimoniaux ?

— Et moi de mes projets vagabonds ! N'irons-nous pas quelque jour faire un tour au marquisat des Arkansas ?

Que de fois avaient-ils fait ce rêve ! Il posa sur elle son regard clair, eut un geste d'impuissance et un sourire navré, puis dit :

— Je suis prisonnier de mon destin, vous le savez bien.

— Comme tout le monde ! Quels seront donc les futurs seigneurs de Louisiane ?

Il passa vivement derrière son bureau, s'assit, prit sa plume et établit une liste. A mesure qu'il écrivait des noms, il les prononçait à haute voix : les ducs de Guiche et de Charost, les marquis d'Ansfeld, d'Ancenis et de Mézières, les comtes d'Artagnan et de Belle-Isle, notre cher secrétaire d'Etat à la guerre Le Blanc — je le vois très bien duc chez les Chicachas ! — MM. de Villermont, de Guenatte, de Préfontaine et du Breuil, et même mes directeurs ne refuseront pas un petit marquisat ou un petit comté chez les Alibamous ou chez les Pimitoüi ! Kolly, cet ancien conseiller de l'électeur de Bavière, qui est venu à Paris me proposer ses services, sera du nombre.

— Et la grosse Tiffery, qui grâce à vous fait fortune et, dit-on, célèbre sur tous les tons vos talents ?

— Admirable manière de m'en débarrasser ! Celle-là, qu'elle le veuille ou non, je la fais princesse des Apaches [2] et je la leur envoie !

Ils eurent un rire bref puis de nouveau se regardèrent en silence : au-delà de ce jeu facile se remettraient en marche, ils le savaient, les foules bigarrées qui, à pied, à cheval, ou dans de branlantes voitures, reprendraient les chemins de La Rochelle et de Port-Louis, pour s'embarquer à bord des grands navires immobiles qui, à cette heure, les attendaient déjà dans l'ombre du soir.

---

1. Cette tentative n'eut pas le succès que Law en attendait ; les Français ont le sens du ridicule et jusqu'à une époque récente, la plupart d'entre eux répugnaient à s'établir hors de leurs frontières. Law devait l'apprendre à ses dépens. Ainsi, le plus petit des comtés français les eût-il beaucoup plus satisfaits qu'un duché chez les Pimitoüi ou chez les Alibamous, dans les plaines céréalières du Mississippi, qui se sont révélées les plus riches du monde.

2. Tribu indienne.

CE PRINTEMPS-LA...

> « Le siècle a pris son cours. Jusque-là
> incertain comme un vague marais, il a
> trouvé sa pente. A travers les obstacles il
> descend vers 89. »
>
> MICHELET.

L'Histoire dit que ce fut un merveilleux printemps. Croyons-la puisqu'elle l'a gardé vivant dans les pages jaunies de ses annales de mars, d'avril, de mai et de juin 1719. Le printemps, il est dans l'équinoxe qui lève la tempête à laquelle n'échappent pas les navires lancés par Alberoni contre l'Angleterre. Il frémit dans la fleur au fusil du petit soldat de Berwick, parti en guerre pour les Pyrénées, où l'armée française va se déployer en « bandière » pour faire face à la division commandée par la reine d'Espagne qui cavalcade devant ses troupes. Il vibre dans les plis lumineux de la robe bleue brodée d'argent, portée par la jeune femme que la galanterie française a laissée venir de Paris et passer la frontière.

Il est aux forêts de Bretagne, où retentit l'appel aux armes des Talhouët, Pontcallec, Montlouis, Couédic qui regardent vers l'Océan où doivent apparaître les vaisseaux de la sédition venus d'Espagne ; mais ils n'y paraîtront jamais car, avant que d'être partis, ils brûlent dans leur arsenal pris de vive force par nos avant-gardes parvenues à Saint-Sébastien.

Ces flammes brûlent aussi dans le cœur de Philippe d'Orléans. Il avait établi lui-même le plan de la campagne et cet incendie n'y figurait pas. Mais Berwick, mercenaire équivoque et toujours anglais, a servi en passant l'hégémonie de la Grande-Bretagne sur les mers.

Ce printemps-là courait aussi les prairies qui bordent la Seine entre les Invalides et le Pré-aux-Clercs ; il inspirait à deux femmes de mourir en ces lieux pour un amant volage : la marquise de Polignac et la marquise de Nesle vinrent s'y disputer au couteau le jeune prince de Soubise. L'une visa le sein, l'autre le front, les yeux, la séduction de sa rivale. Soubise avait la beauté des Rohan, cela expliquait tout.

Cet étrange printemps chantait dans les jeux d'eau du Luxembourg, il traversait les noirs feuillages, ceux qui persistent dans l'hiver, et son appel montait jusqu'à la fenêtre du Palais derrière laquelle venait expirer le lamento d'Elisabeth d'Orléans, duchesse de Berry, qui se mourait à vingt-quatre ans.

L'enfant de Riom, parvenu à son terme, la tuait dans un déchirement physique et moral sans nom. Elle entendait un puissant appel, le vent, parmi les arbres des jardins, l'adagio des fontaines, et respirait l'odeur d'avril, de l'herbe neuve et des germinations de la terre...

Elle voulait vivre, épouser Riom, et le réclamait à l'odieuse Mouchy [1], qui, avec lui, se jouait d'elle et la séquestrait ; elle le réclamait aux prêtres qui l'assiégeaient et la pressaient de renoncer à la vie et à ces chants mystérieux qui courent les bois. Derrière la porte de sa chambre et par-delà les robes noires, n'osant les écarter et aller hardiment vers celle qu'il avait déjà arrachée aux ombres de la mort, Philippe vivait ce conflit qui menaçait de l'anéantir. Il entendait la voix bien-aimée se briser sur un nom répété sans relâche et qui n'était pas le sien.

Le scandale de cette naissance et de cette agonie ameutait Paris et le monde. Madame, qui jamais ne se mêlait de rien, ni ne demandait rien, faisait savoir qu'elle quitterait la France si Riom n'était pas arrêté. La sagesse était là, Philippe n'en doutait pas, mais la voix, de plus en plus brisée, répétait ce nom comme une incantation.

La politique, la guerre, les mouvements convulsifs de l'Europe s'arrêtaient au seuil de l'appartement de la duchesse de Berry, et attendaient...

Il n'y avait pas si longtemps, dans la détresse, Elisabeth n'eût appelé que lui... A cette inavouable peine se superposaient des images qui le brûlaient et celle-ci qui ne le tourmentait pas moins : une toute petite fille dans les allées de Saint-Cloud tendant vers lui ses bras, se remettant à lui de son destin.

Soudain le silence. Etait-ce la fin ? La douleur déchira Philippe d'Orléans. Mme de Mouchy parut. Que disait-elle ? Elisabeth, résignée, demandait les derniers sacrements. C'était l'instant du péril et de la peur.

L'abbé Languet, curé de Saint-Sulpice, répétait qu'il ne confesserait pas la mourante avant que ne soient renvoyés Riom et la Mouchy, mais celle-ci lui faisait face, un rire froid et l'injure aux lèvres : croyait-il vraiment, ce naïf, qu'elle et son amant allaient abandonner la place qu'ils avaient conquise, au moment de recueillir les bénéfices les plus considérables ?

Plus meurtrières que les armées qu'il lui avait été jamais donné d'affronter, des pensées contradictoires, violentes, assaillaient Philippe. Il sentait monter en lui des larmes, et il fallait agir. Il alla vers le prêtre, lui demanda d'accepter la confession d'Elisabeth, les aveux qu'il redoutait. Le sceptique, le soldat insistait, et sa voix tremblait :

— Votre position est inattaquable, monsieur l'abbé, mais Mme de Berry a le cerveau dérangé, c'est encore une enfant et elle va mourir...

Le cardinal de Noailles survint — M. d'Orléans l'avait tiré de la disgrâce que lui avait valu sa qualité de chef du parti janséniste et l'avait comblé d'honneurs. Il était apparenté à Mme de Mouchy ; pourtant, lui aussi répétait :

— Monsieur le curé a fort bien fait et je lui défends d'agir autrement.

— C'est un affront ! hurla la Mouchy, Mme la duchesse de Berry ne cédera pas et ne vous recevra pas !

1. La duchesse de Mouchy, maîtresse favorite de Riom.

Le Régent se redressa. Sans plus hésiter, il écarta cette femme et entra dans la petite pièce où Elisabeth s'était réfugiée pour mourir... Mais, lui qui jamais n'avait reculé devant la mort, battait en retraite devant le masque qu'elle posait sur ce visage trop aimé, devant cette violence qui ne cédait pas encore, devant ce cri :

— Il faut que vous soyez un sot et un lâche pour endurer les insultes de ces cafards au lieu de les faire jeter par les fenêtres !

Elle l'avait tant et si souvent injurié de la sorte, mais à cette heure ! Il se retira vaincu, humilié, désespéré. D'atroces chansons montaient dans la ville.

> *Que notre Régent et sa fille*
> *Commettent maintes peccadilles*
> *C'est un fait qui semble constant,*
> *Mais que par lui elle soit mère,*
> *Se peut-il que d'un même enfant*
> *Il soit le père et le grand-père [1] ?*

Au cœur de Paris cependant, le siècle prenait son cours, son rythme et découvrait celui qui s'apprêtait à ouvrir au peuple les accès interdits de la fortune, de l'ambition et de l'avenir.

Entre la rue Vivienne, la rue de Richelieu et la rue Neuve-des-Petits-Champs s'élèvent le palais Mazarin [2] et l'hôtel de Nevers. De là un étranger a déjà gouverné la France, mais l'évolution du monde a creusé un abîme entre le cardinal italien et le financier écossais ; de là John Law va gouverner son empire. L'hôtel de Mesmes a vite cessé de convenir à de telles fins.

Six immeubles de la rue Vivienne, proches du palais et de l'hôtel de Nevers, également acquis par Law, deviennent de bruyants chantiers. L'architecte Mollet a pour mission d'adapter cet ensemble immobilier à des tâches nouvelles : au palais Mazarin, le siège de la compagnie que le peuple appelle la Compagnie du Mississippi ; la Banque royale, rue Vivienne, à l'hôtel de Nevers qui jouxte le palais ; dans les autres immeubles seront installées une Bourse publique et une Poste générale, dignes d'un Etat qui commerce avec le monde entier. Antonio Pellegrini, beau-frère de la célèbre Rosalba Carriera, cette Vénitienne à la mode qui fait les portraits au pastel de tout ce qui compte à Paris, est chargé de la décoration intérieure de ces bâtiments.

Cependant, le duc de Nevers n'a cédé à Law qu'une partie de son hôtel, ayant déjà disposé de l'autre en faveur d'une femme que le financier connaît et qui subjugue Paris : la marquise de Lambert.

Ce soir-là où, au Luxembourg, allaient peut-être mourir, avec la duchesse de Berry, le peu de vigueur et d'esprit qui restait au Régent, Law regardait clignoter, par-delà la cour étroite qui les séparait, les lumières des fenêtres de sa voisine.

1. Document d'époque.
2. La Bibliothèque nationale aujourd'hui.

Il se fit annoncer chez elle. Par miracle, il la trouva seule au coin du feu. Ils s'étaient parfois rencontrés, étonnés, charmés.

— Venez vous réchauffer, monsieur, cette soirée de printemps est bien fraîche !

Quelle douceur dans cette voix qui avait le ton inimitable de l'esprit.

— Ainsi donc vous m'investissez de toutes parts, vous assiégez ma demeure et, du matin au soir, je dois entendre vos ouvriers, qui chantent, qui tapent, qui clouent, qui sapent, qui s'approchent de rempart en rempart !

— Je viens m'en excuser très humblement, madame, et vous dire combien votre présence dans mon fief a de prix à mes yeux, dit Law en lui baisant la main.

— J'ai craint, à vrai dire, le contraire. On vous prête l'intention d'avaler tout le quartier !

Il sourit, la regarda : elle était encore très belle. On murmurait qu'elle avait épousé secrètement le marquis de Saint-Aulair, beau-père de sa propre fille...

— On dit tant de choses, madame !

Elle ne répondit pas, sourit à son tour, tisonna le feu. Autour d'elle, les tentures cramoisies de ce petit cabinet aux boiseries vert pâle mettaient de la chaleur et de l'intimité. Les fleurs du premier printemps s'effeuillaient sur une console en bois doré et leur parfum s'insinuait entre eux, obsédant ; la cire des bougies coulait lentement et grésillait dans la pénombre qui les dérobait peu à peu l'un à l'autre.

— D'où vient — dit la belle voix moqueuse — qu'il me soit donné de me trouver tête à tête avec M. le directeur de la Banque royale, à la porte duquel on se bat en vain, paraît-il, et que l'on ne peut plus approcher ?

— D'où vient — répliqua l'autre voix dont toutes les femmes savaient le pouvoir — que je trouve seule ce soir Mme la marquise de Lambert qui tient ce bureau d'esprit où se décident toutes les élections à l'Académie et où se font les réputations des savants et des artistes ?

— Nous ne sommes ni mardi ni mercredi, monsieur.

— C'est exact, madame. Je crois que vous recevez le mardi les hommes de lettres, les savants et les artistes et le mercredi les gens de cour... Vous ne les mêlez point, dit-on ?

— Si fait, lorsqu'ils sont de mes amis... comme Fontenelle, La Motte et Marivaux, et je serais fâchée que vous pensiez autrement à ce sujet !

— Je sais que mon collaborateur Melon est de vos fidèles, Watteau et Nattier de même, et que vous bravez l'opinion en recevant des comédiens.

— Savez-vous aussi que vous ne rencontrerez chez moi ni Voltaire ni Mme de Tencin, ni Mme du Deffand ?

— Peut-on savoir pourquoi ?

— « Je déteste le ton « grenadier », je veux dire le libertinage. J'appelle peuple tout ce qui pense bas et communément, et la cour en est remplie [1]. »

1. Marquise de Lambert.

Il eut un indéfinissable sourire. Puis, après un silence, demanda :

— Quel jour donc me recevriez-vous et dans quelle catégorie me placeriez-vous si vous me faisiez l'honneur de me compter parmi les habitués de cette maison ?

— Vous le voyez, monsieur, le vendredi, en tête à tête.

— Un traitement de faveur et d'exception ?

— Dont vous ne profiterez même pas puisqu'on dit que vous ne vous appartenez plus. J'apprécie donc à son prix cette visite.

— Depuis que je suis votre voisin, je regarde briller vos lumières le soir, et il me plaît que, dans ces lieux où s'établissent les finances et le commerce de la France, vous assuriez la présence de l'Esprit. C'est cela, je crois, que je voulais vous dire ce soir...

Elle sourit sans répondre.

— ... avant qu'il ne soit trop tard, ajouta-t-il rapidement.

Elle tressaillit, le regarda, fut en un instant au fait du tour ambigu de ce propos, et demanda :

— Quelles nouvelles du Luxembourg ?

— Les plus mauvaises du monde.

— Ah !...

Ne contenant plus sa nervosité, il se leva :

— C'est pourquoi, madame, je vous prie de me pardonner la brièveté de cet entretien que j'eusse si volontiers poursuivi fort avant dans la nuit, mais je sais que vous avez toutes les indulgences et toutes les compréhensions.

— Qui ne vous comprendrait, monsieur.

Il se pencha vers elle pour lui baiser la main.

— Ne craignez jamais d'être importun, dit-elle à mi-voix.

Il s'inclina très bas et sortit.

Deux jours après, on apprenait que la duchesse de Berry, ayant accouché d'une fille morte, entrait en convalescence.

Law se demandait avec inquiétude comment l'épreuve laissait le Régent. Le duc de Saint-Simon l'informa que Philippe, cloîtré au Palais-Royal, renonçait à ses soupers nocturnes, écartait ses maîtresses et rentrait en lui-même, obsédé par l'idée de la mort.

Il savait qu'elle le guettait, lui aussi, et il ne craignait que de laisser derrière lui le désordre et le scandale. Le bruit courait que l'enfant d'Elisabeth vivait et avait été portée dans un couvent, à Pontoise. Millet l'affirmait à Nathalie, qui l'écoutait à peine. L'annonce du changement profond qui s'opérait dans le comportement et dans l'âme du Régent, au moment précis où la probable défaite de l'Espagne rendait à l'Europe un équilibre et des espoirs de paix durable, où le Système s'apprêtait à reconstruire l'Etat et à bâtir l'empire, semblait un miracle. Soudain l'angoisse, l'incertitude, la persévérante instabilité reculaient. Haletants, indécis, John Law et Nathalie attendaient l'instant, l'acte qui dirait le but atteint, la partie gagnée. Ils savaient que cela commencerait par une convocation au Palais-Royal... et cette convocation arriva.

LA RÉVOLUTION

« Une préface au Socialisme. »
LOUIS BLANC.

Le Régent n'avait levé les consignes de sa retraite que pour celui qui lui apportait, avec la rigueur d'un financier scrupuleux, les prestigieuses visions d'un monde neuf et immense où la France, devenue un Etat moderne, prenait la tête de l'Europe et apportait son rayonnement, ses idées, ses échanges intellectuels et commerciaux jusqu'aux antipodes. Puissante consolation en vérité.

Lorsque John Law s'avança vers le prince, dans ce cabinet où tant de fois il avait fait entrer les rumeurs de l'océan Indien, du golfe du Mexique et les houles qui battent les côtes de Guinée et du Sénégal, les deux hommes eurent l'impression de se retrouver au terme d'une course épuisante et de parvenir à un mystérieux rendez-vous fixé par le destin.

Law, assis en face de Philippe d'Orléans, commença par l'écouter avant de répondre. Singulier dialogue : « S'exaltant l'un l'autre, les deux alchimistes disséquaient des principes sur lesquels le monde reposait depuis dix siècles, rejetaient la société au creuset... Instant pathétique où la Monarchie faillit accomplir elle-même la Révolution, changer la face de l'avenir [1]. »

Le monde et Paris attendaient, faisaient silence. La meute avide des femmes, des grands seigneurs, des politiciens, des intrigants, des financiers se taisait, en arrêt. Chacun pressentait que quelque chose d'exceptionnel passait sur la France.

Seule, comme elle ne l'avait jamais été dans sa grande demeure aux corridors froids peuplés de statues blanches, Nathalie se débattait, en proie à des pensées violemment contradictoires. Que pouvaient lui apporter les jours à venir ? Elle s'efforçait elle aussi de suivre, de loin, le dialogue. Elle ne s'était pas encore habituée à la majestueuse installation de la rue Vivienne, et n'y avait point trouvé sa place, un coin secret comme celui où, à l'hôtel de Mesmes, elle assistait auprès de Law à la naissance cahotique de l'univers qu'il créait.

Elle cherchait à se persuader que l'heure décisive sonnait enfin. A la porte de Law, que nul ne franchissait, les hommes et les femmes les plus puissants du royaume se battaient déjà, prenaient position. Par Aïssé, par Argental et Pont de Veyle, par l'ambassadeur à qui elle faisait encore de loin en loin une visite furtive, Nathalie n'ignorait rien. En un moment où celui qu'elle aimait et qui l'aimait parvenait à l'accomplissement tant désiré et au

1. Philippe Erlanger.

369

pouvoir, elle sentait avec effroi qu'elle entrait dans la solitude et le désespoir.

Enfin, la première phase du dialogue prit fin ; on l'attendait comme une délivrance après un laborieux accouchement, dont serait né l'héritier du royaume. Mais cet enfant de l'esprit refusait l'héritage du passé et apportait le lourd présent de l'avenir ; son insolite naissance frappait de stupeur la France et le Monde. C'était une vigoureuse réforme dont la première partie, seule achevée, annonçait un nouvel ordre de choses : l'enseignement gratuit pour tous, l'université accessible aux enfants du peuple, l'égalité devant l'impôt, la suppression des redevances, la fin des privilèges fiscaux. Law faisait adopter cette grande idée, exposée au Régent lors de leur premier entretien et il avait soutenu un projet adressé au conseil de Régence par un marin béarnais, le chef d'escadre Renaut d'Eliçaygaray. Ce plan d'impôt proportionnel sur le revenu prenait la terre pour base.

C'était la fin d'un monde et la naissance d'un autre. Nul ne s'y trompa. C'était aussi la manifestation de la ferme volonté de Law de prendre en main la levée de l'impôt, donc une menace contre l'anti-Système.

Nathalie, épouvantée, comprit aussitôt qu'une guerre sainte serait prêchée contre lui. Elle savait que se levaient dans l'ombre, semblables à de grands reptiles prêts au combat, des haines inexpiables. Les voyait-il ? Fallait-il parler ou se taire ? Ne disait-il pas qu'elle se trouvait auprès de lui comme ce petit prince d'autrefois qui, dans la bataille, aux côtés du roi Jean, criait : « Gardez-vous à gauche, gardez-vous à droite » ? Mais il n'était plus temps. Parvenus à cet instant du combat qui appelle le sacrifice, les héros ont droit au silence.

Lorsqu'il vint à elle, ce soir-là où elle l'attendait comme chaque soir sans l'espérer, elle accueillit le cœur serré son âpre joie.

— Ce n'est qu'un début ! affirmait-il en parlant de sa réforme. Je veux forcer le clergé à vendre celles de ses terres qui demeurent incultes, il y en a beaucoup ! Et à les vendre à bas prix pour que les paysans, à qui j'en donnerai les moyens, puissent les acheter ! Ainsi, peu à peu, parviendrai-je à libérer ceux d'entre eux qui sont encore en servage [1] !

— Oubliez-vous que le clergé et les communautés religieuses sont la Providence de leurs paysans et des autres ? Leurs bienfaits sont immenses ! Sans eux, que seraient devenus les morts vivants de 1770 ?

— Je n'en disconviens pas, mais je répète que le principe du servage est inacceptable, tout comme il est inacceptable que le clergé possède dans la Franche-Comté, l'Alsace et le Roussillon la moitié des terres, dans le Hainaut et l'Artois les trois quarts ; que dans le Cambrésis sur 1 700 charrues, 1 400 lui appartiennent, que le Velay presque en entier soit la propriété de l'évêque du Puy et du chapitre noble de Brioude ; que les apanages des princes de la famille royale couvrent le septième du territoire [2] ! Et ce ne sont là que quelques exemples. J'en pourrais citer bien d'autres !

1. On sait que ce fut Louis XVI qui parvint à supprimer le servage.
2. Taine, *Les origines de la France contemporaine*.

Comment, dans ces conditions, gouverner dignement un peuple ? Quant à la Louisiane, je vais parachever ce que j'ai commencé de mettre en place, en avril 1718...

— M. le Régent a-t-il approuvé ce qu'il faut bien appeler votre dessein d'établir là-bas une république ?

— N'avait-il pas établi son gouvernement sur la polysynodie ? Là encore, il me suit, figurez-vous, et il est fort intéressé par l'expérience ; je dirais même qu'il y croit !

— Que proposez-vous donc ?

— Le conseil du Gouvernement de la Louisiane est déjà institué ; Bienville n'est plus gouverneur, il est président de ce conseil. Il ne reste qu'à édicter les règles de fonctionnement de cet Etat et tout d'abord celle-ci : toutes les décisions devront être prises à la majorité des voix ; en cas de désaccord, la voix de Bienville sera prépondérante. Il faudra que le gouvernement de Louisiane soit un véritable Etat, donc qu'il ait une certaine autonomie vis-à-vis de la compagnie, laquelle sera représentée au conseil par un ministre. Mais mon essai politique le plus nouveau concerne la gestion du commerce. Pour cela, je vais instituer un conseil particulier. Tout négoce privé de marchandises est interdit et le restera, malgré la création d'une nation ! La compagnie conservera seule le droit d'acheter et de vendre. Pour cela, elle émettra des « billets de marchandises », reçus dans ses magasins et qui tiendront lieu de monnaie. Ah ! je ne pourrais pas tenter actuellement en France une pareille expérience ! Mais si elle réussit là-bas...

— N'est-ce pas le contraire de ce que vous voulez faire ici, où vous cherchez à libérer le peuple de toutes sortes d'entraves ?

— L'argent est une entrave aussi, une libération et une entrave ; il y a un équilibre à trouver entre ces deux effets, je le cherche. La Louisiane sera mon laboratoire. A propos, je viens de faire distribuer gratuitement des terres aux Noirs ! Enfin, il me restera à supprimer ici la vénalité des charges des parlementaires, afin de pouvoir remplacer ceux qui exercent de telles fonctions, non point en raison de leur compétence, mais parce qu'ils les ont achetées.

— Vous établissez une république française en Amérique et vous déclarez la guerre aux grandes puissances de ce royaume : le clergé, le Parlement, la noblesse, la Ferme générale et les négriers ! Voyez-vous bien où vous allez ? s'écria-t-elle, malgré elle.

— Vers une révolution.

— Est-ce là une entreprise que peut mener à bien un homme seul ?

— Je sais que je prends des risques énormes, mais c'est là, je crois, ma terrestre mission : libérer des hommes et leur apporter l'espoir.

Il fallait donc entrer dans cette joie, s'élever jusqu'à elle, et en elle renoncer à soi-même. Nathalie se demandait pourtant encore en observant ce visage qui souriait dans la pénombre, ce visage qui lui avait manqué pendant tant de jours, ce regard clair, ces mains tendues vers la flamme et qu'elle ne pouvait regarder sans tressaillir, elle se demandait pourquoi cette passion la menait à de telles angoisses et à de tels sommets qu'elle n'avait ni mesurés ni acceptés.

— A quoi pensez-vous, mon cœur ?

Il s'était assis à ses pieds, sur un tabouret, et riait, détendu, en s'étirant devant le feu cependant que dehors, la police mettait en faction devant l'hôtel de Mercœur des exempts chargés de protéger sa précieuse personne.

Elle se souvint alors de la jeune femme qu'elle avait été et qui, à semblable question, répondait : à nous. Réponse de bouquetière, en vérité ! Elle s'étonna : fallait-il apprendre le mensonge ?

— Pourquoi ce silence quand tout est rumeur en moi ? dit-il, inquiet.

— Parce que tout est rumeur en moi aussi.

Il l'observa à son tour :

— Ne dites rien. Je sais... j'entends...

Elle plongea ses yeux dans les siens et n'en douta pas. Il était contre elle : chaleur, tendresse, lumière brillante de son destin, lumière au-delà de laquelle tout était nuit. Il serait bon d'aller vers n'importe quel renoncement, pourvu que ce fût avec lui. Ainsi venait-elle d'accepter au plus secret d'elle-même une traite tirée sur l'avenir.

On ne douta plus qu'un récent passé se trouvât bien révolu lorsque, à quelques jours de là, on apprit que le Régent, à qui Elisabeth venait d'annoncer son intention d'épouser Riom, ordonnait à celui-ci de rejoindre l'armée d'Espagne ; peu après on apprit encore que Riom, arrêté à Lyon, était enfermé dans la prison de Pierre-Encize et que le duc d'Orléans refusait d'entendre les hurlements de la duchesse de Berry et de la recevoir. Les trop célèbres soupers du Palais-Royal avaient bien pris fin. Le Régent travaillait avec Law cinq heures par jour et chacun pensa que le financier parvenait à s'emparer totalement de l'esprit du prince.

Au mois de mai 1719, fut annoncé que la Compagnie d'Occident absorbait la Compagnie des Indes et s'appelait désormais la Nouvelle Compagnie des Indes. Le Parlement tenta, en vain, de s'opposer à cette annexion. Cette compagnie, c'est-à-dire John Law, obtenait le privilège d'une exclusivité : celle de commercer de la Guinée au Japon. Son domaine d'exploitation comprenait : le cap de Bonne-Espérance, la côte orientale de l'Afrique, les Etats barbaresques, la mer Rouge, les îles du Pacifique, la Perse, l'Empire mogol, le royaume de Siam, la Chine et l'Amérique.

L'Amérique ? Mais n'était-ce pas déjà son empire ?

LOUISIANA STORY

A dix kilomètres de la mer s'ouvrait le delta du Mississippi, coupé de bras innombrables et encombré de bancs de sable, de prairies sauvages couvertes de graminées et de bouquets de roseaux jusqu'à l'infini, que de grands oiseaux frôlaient avec ivresse en poussant des cris aigus.

Les souffles de ce printemps de 1719 bruissaient dans ces longues herbes et se mêlaient à la symphonie des eaux qui, de toute part, se précipitaient vers la mer ; elles se heurtaient, murmurantes, aux racines des grands arbres couchés, comme des dragons d'un autre âge, dans le lit de ces rivières rapides. Ce paysage monotone reposait ainsi depuis des millénaires.

A l'autre bout du monde, au cœur d'un vieux pays civilisé, des hommes le peuplaient de leurs rêves et de leurs mensonges. A son nom, des foules se mettaient en marche, des économistes et des hommes d'Etat échafaudaient des combinaisons et des systèmes. Entre ce paysage de Genèse et ce peuple lointain, dont l'imagination flambait, s'était interposé un regard : celui de John Law.

Les oiseaux de mer criaient dans les roseaux. Un rongeur nageait à contre-courant d'une rivière, les voix des eaux inlassablement se répondaient. Là était toute l'espérance du royaume de France et de la vieille Europe.

Un matin, aux lointains du Mississippi, apparut une forme blanche, ailée, qui semblait elle aussi frôler avec ivresse les tremblantes prairies sauvages : c'était une voile, celle d'un navire que venait d'armer le songe occidental qui l'avait poussée jusque-là. Beau vaisseau fantôme monté par des ombres : silhouettes faméliques, corps grelottants des fièvres du delta, visages brûlés aux yeux creux. Où est le capitaine ? Il n'y en a pas qui aient voulu se risquer en ces parages ! Deux hommes pourtant commandent ce bateau nommé *L'Aventurier* : Le Blond de la Tour et Adrien de Pauger, ingénieurs français. Ils viennent, au péril de leur vie, se mesurer à la barre qui ferme le seul accès possible à la ville de La Nouvelle-Orléans, à peine sortie de terre au cœur de la forêt. Le grand fleuve est aussi la voie de communication essentielle pour toute une partie de l'Amérique, la seule qui permette à des navires d'accéder aux contrées salubres et aux terres fertiles où se sont établis les premiers colons.

Jusqu'à ce jour, on contournait l'obstacle et l'on utilisait des passes secondaires, dangereuses et difficilement navigables. Les bateaux plats qui se risquaient sur le ruisseau Manchac ou le bayou de Saint-Jean pouvaient tout juste transporter quelques personnes et peu de vivres. La bouche principale du Mississippi, avec son banc de roches et de sable édifié au cours des âges par la rencontre des eaux marines avec celles du fleuve, paraissait infranchissable mais...

— On meurt à Biloxi ! disait à Paris John Law.

— On meurt à Biloxi ! répétait sourdement Adrien de Pauger, penché au bastingage de son bâtiment, comme pour justifier sa témérité au moment où l'écueil était en vue.

Le Blond se taisait. Il savait Pauger sûr de lui. N'avait-il pas franchi plusieurs fois en pirogue l'étroit chenal qui s'était creusé dans la barre ? N'avait-il pas pris des relevés, effectué des sondages et des calculs ? Pourtant personne ne croyait en ce marin de fortune hormis lui, Le Blond, son supérieur, et encore ne s'était-il laissé entraîner que bien tardivement.

L'instant décisif approchait. L'avenir immédiat de La Nouvelle-Orléans, de l'Amérique du Nord et de la Compagnie des Indes allait se jouer. Qui dira jamais ce qu'ils ont donné pour cet instant ! Perrier et Franchet de Chaville, les ingénieurs de la Compagnie d'Occident qui commencèrent à tracer La Nouvelle-Orléans, étaient morts un an plus tôt des maux qui les obsédaient tous : les fièvres, l'épuisement, la démesure des tâches, les luttes contre ceux qui, férocement, tentaient d'entraver leur mission, les privations de toutes sortes. Ici, comme à Pondichéry, ou à Paris, les grandes forces contraires qui éternellement s'opposent en ce monde se battaient corps à corps.

La barre se rapprochait de plus en plus ; Pauger et Le Blond demeuraient silencieux. Quelques jours plus tôt, une scène violente avait éclaté entre Bienville et eux, un Bienville hésitant qu'ils ne connaissaient pas. Et voici qu'à cet instant critique, le débat ressurgissait dans la mémoire de chacun d'eux.

Que Bienville a donc changé ! réfléchissait Pauger, il n'est pas l'homme du type de gouvernement qu'on lui impose. Law ne se rend pas compte des distances immenses de ce pays, qui créent des absences prolongées des membres du conseil, alors que toute décision doit être prise à la pluralité des voix ! On nous dit que se joue ici une course contre le temps, et tout se paralyse dans les attentes interminables, les conflits d'attributions, les animosités personnelles et la confusion désastreuse qui règnent partout !

Le Blond de La Tour, de son côté, méditait sur Bienville : il a le vertige et devient fou ! songeait-il. Et comment en serait-il autrement ? N'est-il pas un grand féodal ? Il a régné en maître sur ce pays et, aujourd'hui, le voilà dépendant de chaque membre de son conseil alors qu'aucun d'eux n'a ni sa connaissance profonde de la Louisiane ni ses capacités à la diriger. Hubert et Delorme se dressent contre lui à chaque pas et joignent l'inertie à la vénalité. Il doit rêver de devenir le souverain de cet empire qu'il gère depuis si longtemps... Et s'il y parvenait un jour ? En attendant, c'est à cause de leurs désaccords perpétuels que nous sommes ici, dans cette situation difficile, sans un marin à bord ! Ma parole, ils espèrent que nous allons échouer et y laisser notre peau !

Ils revoyaient Bienville tel qu'ils l'avaient quitté, dans son bureau qu'ils avaient assiégé pour lui arracher cette autorisation d'armer *L'Aventurier*. Son rude visage aux pommettes saillantes, aux yeux clairs où affleurait sa subtilité, accusait une usure précoce. Pauger criait :

— Le conseil entier de la compagnie, les commerçants de Biloxi, les colons de la Mobile et même les bateliers du lac Pontchartrain [1] ont intérêt à ce que les immigrants soient immobilisés à leur arrivée sur la côte ! Il leur est bon qu'ils se ruinent sur place, les enrichissent et meurent !

Bienville répliquait d'une voix blanche :

— Comment pouvez-vous parler ainsi, alors que vos propres ouvriers édifient à cette heure, selon votre volonté et sous la direction de l'ingénieur Boispinel, une autre ville, Le Nouveau-Biloxi, en un lieu parfaitement sain !

— Ces hommes, répliquait durement Pauger, « sont exténués et sans

---

1. Aujourd'hui, on a édifié sur le lac Pontchartrain le plus grand pont du monde !

outils ; ils ont fabriqué eux-mêmes ceux qu'ils tiennent dans la main et ils défrichent et ils bâtissent des forges, des briqueteries, des baraquements, un magasin, un hôpital, une chapelle ; ils tracent des routes, jettent des ponts [1] ». On leur doit de faire tout ce qui développera la Louisiane : une capitale saine et l'accès, par le Mississippi, des terres où ils pourront trouver enfin les biens qu'ils sont venus chercher !

Bienville fléchissait :

— Deux de vos camarades sont morts des fièvres, sur le chantier de La Nouvelle-Orléans, est-ce le sort que vous souhaitez pour vos gens et vous-mêmes ?

Pauger avait approché de Bienville son visage effrayant, ravagé, noir de soleil :

— Et vous, monsieur le président, que souhaitez-vous ? Apparemment, comme les autres, que La Nouvelle-Orléans ne sorte pas de terre. Pourquoi ? Ecouteriez-vous les sirènes que fait chanter près de vous, sans que vous le soupçonniez, l'or anglais ?

Bienville s'était levé brusquement et sa chaise s'était renversée derrière lui. Sa haute taille les dominait. Brièvement, il leur avait accordé ce qu'ils désiraient, puis avait ajouté :

— Il n'y a pas que l'or anglais qui s'infiltre parmi nous, croyez-moi ! Alberoni a décidé la destruction de la puissance française en Amérique. L'Espagne et l'Angleterre se sont déclaré la guerre en Europe, mais ici elles s'unissent contre nous ! Mon frère Sérigny avec ses frégates et le chevalier des Grieux à bord du *Comte-de-Toulouse* bien armé viennent de quitter Brest. Dès qu'ils seront là, nous prendrons les devants et chasserons les Espagnols du Corral de Pensacola ! J'accompagnerai Sérigny avec un renfort de quatre-vingts hommes et quatre bateaux ; mon autre frère, Chateaugay, ira, par terre, avec soixante soldats et quatre cents sauvages. L'affaire sera chaude !

Pauger lui avait alors répondu :

— N'aviez-vous pas songé un temps à édifier votre capitale à Pensacola ?

— Ce que vous pouvez penser m'importe peu ! avait soudain hurlé Bienville, en donnant un coup de poing sur la table. Nous irons à Pensacola et si cela nous convient, nous y bâtirons la capitale de la Louisiane !

Ainsi les luttes se poursuivaient-elles partout, ouvertes ou secrètes, diverses à l'infini, parfois contradictoires ; elles créaient, dans les esprits enfiévrés par le climat torride et les privations, une confusion extrême, de laquelle il devenait chaque jour plus difficile de dégager une notion précise, une voie droite. Il y avait cependant une idée, fichée dans leurs cerveaux comme une flèche au cœur d'une cible ; elle était faite de la claire conscience que le Système de l'Ecossais s'échafaudait périlleusement sur le développement rapide de la Compagnie des Indes en Amérique, qu'une implacable course contre la montre était engagée, de laquelle dépendait, par-delà les souffrances physiques, les dépressions et la mort, l'avenir de deux continents.

1. Adrien de Pauger.

Et cette barre qui était là, devant eux et dont ils s'approchaient de minute en minute, obstacle ridicule à un tel dessein, mais difficulté immense, accablante pour des bras d'hommes dont les forces s'amenuisaient. Soudain le vent de la mer les saisit.

— Hissez la grand-voile, toute !

Un galop de pieds nus sur les planches du pont répondit à ce cri. Pauger serra les dents, sa main maigre se crispa sur le bras de Le Blond :

— Nous avons un tirant d'eau de douze à treize pieds ; nous passerons, entends-tu !

Au chant des eaux se mêlait soudain une basse profonde... Ils le connaissaient, le reconnaissaient, le sourd grondement que faisaient les tonnes d'eau brassées là-bas par les courants et les alizés dans le golfe du Mexique et jusqu'à la mer des Antilles ; ils l'avaient découvert, enfants, au fond des coquillages et il s'était inscrit dans leurs douloureux désirs de devenir ce qu'ils étaient en cet instant. Un long frémissement anima le navire.

— Nous entrons à pleines voiles ! hurla Pauger à cheval sur le bastingage.

Il regardait les quelques hommes anxieux qui avaient bien voulu le suivre et qui se bousculaient à l'avant, les yeux fixés sur l'étrave. Ce n'étaient que ses ouvriers, une poignée d'hommes venus d'Artois : des maçons, des charpentiers, des serruriers... Une émotion intense saisit Pauger :

— Voyez ! cria-t-il. « Si l'on avait suivi mon sentiment, il y a près d'un an que chaque concession serait à l'endroit de sa destination, il ne serait pas crevé la moitié des ouvriers et nous n'aurions pas été cinq fois à la veille de mourir de faim [1] ! »

— Et nos camarades seraient ici, avec nous... murmurait près de lui Le Blond de La Tour.

Il pensait au petit Perrier et à Franchet de Chaville qui étaient morts, désespérés. Pauger le regarda :

— Un an de perdu, dit-il. Dis-moi, Le Blond, est-ce que cela se rattrape, un an, dans ces domaines de la finance et du commerce que je ne connais pas ?

— Je n'en sais rien...

Les deux hommes se taisaient pour ne pas en dire plus, pour ne pas prononcer des paroles qu'ils redoutaient ; puis, soudain, Pauger tendit les bras vers l'horizon :

— Quoi qu'il en soit, dit-il, voici un monde qu'il faut bâtir ! Nous allons agrandir ce chenal afin que de plus gros navires puissent bientôt aborder à La Nouvelle-Orléans.

— Il y a intérêt à obstruer les passes secondaires, remarqua Le Blond.

— Sans doute, mais mon dessein est de consolider cet îlot de vase que tu vois là-bas, avec les déblais que nous retirerons des travaux. J'ai établi mes plans : sur cet îlot, je veux construire des maisons, un magasin, une plate-

1. Adrien de Pauger.

forme pour quinze canons et une chapelle dont le clocher servira de fanal. Cet établissement, que j'appellerai La Balise, deviendra un port de pilotage, de relâche et de commerce, et une redoute capable de repousser un coup de main et de défendre ma ville !

Le Blond le regarda, effaré :

— Tu te prends pour Vitruve !

— Ce sont parfois les circonstances qui font les hommes, répliqua Pauger en hochant la tête.

Ceux que payait Blunt, aussi efficaces pour obstruer leur route que la barre du delta, venaient de perdre une partie. Hubert et Delorme avaient cependant envoyé au Régent un rapport secret afin de se débarrasser de Pauger et de Bienville, mais Law, vigie lointaine passionnément penchée sur l'embouchure du Mississippi, avait vu le péril et déjoué la manœuvre.

Bienville et Pauger constatèrent alors un revirement soudain et obséquieux d'Hubert à leur égard, qui leur laissa un goût de cendre sur les lèvres.

Peu de temps après la croisière audacieuse de *L'Aventurier*, Pauger installa, sur le chantier de La Nouvelle-Orléans, dans une cabane de planches, son quartier général. Il pouvait maintenant travailler jour et nuit et parachever le tracé de sa ville : il avait ouvert le passage qui permettrait dès lors à tous ceux qui le voudraient de l'habiter.

A mesure que les soldats et les forçats défrichaient, asséchaient les marais laissés par les crues redoutables du Mississippi, dont il fallait, avant même de la bâtir, préserver la future cité, Pauger fixait sur le sol les grandes lignes d'un plan que Law avait retouché et approuvé. Lignes simples et harmonieuses que dessineraient des rues assez larges, bien alignées, huit cents maisons d'un style semblable et nouveau et, sur la place, au bord du fleuve, on construirait l'église, l'hôtel de la direction de la Compagnie des Indes et du gouvernement de Louisiane ; des boutiques, des jardins compléteraient l'ensemble.

Un soir accablant du mois de juin, Pauger reçut de Bienville des documents sur le peuplement de la Louisiane. Il se pencha, fasciné, sur les états, sur les pages desquels il croyait voir apparaître et venir à lui la population future de La Nouvelle-Orléans. Ces colons, pour l'heure, se trouvaient ailleurs : à Bâton Rouge, à Biloxi, à la Mobile, aux Natchez, mais ils s'empresseraient de vendre, d'acheter, de se distraire et de séjourner dans leur capitale. Et leurs descendants s'y installeraient, mêlés aux nouveaux arrivants, à tous ceux qu'allaient amener les grands navires de Lorient et de La Rochelle.

Fébrilement, Pauger tournait les pages du dossier. Autour de lui, des arbres tombaient avec un bruit sourd et mat ; de nombreuses scies, monotones, obsédantes, rongeaient le silence et se mêlaient aux bourdonnements des myriades de moustiques qui, autour de sa cabane, dansaient sur les marais une ronde infernale. Des listes de noms vacillaient sous son regard : Dumanoir, d'Epinay, d'Artiguières, Dubuisson, Chauvin, Préfontaine, Dubreuil, La Harpe, Sainte-Reyne, Mézières, La Houssaye, Vienne...

Et Pauger, noir, débraillé, usé, qui ne connaissait que la rude vie des camps militaires et des camps de travail, voyait s'élever, à la place des arbres abattus dans la clairière, les frêles colonnes de marbre d'une salle de bal... Il n'était jamais allé au bal, mais les violons parfois le troublaient lorsque leurs chants lointains parvenaient aux carrefours hostiles et dans les rues désertes où il passait. Et voici qu'il les entendait, à travers le crescendo lancinant des scies semblables soudain à de stridents coups d'archets... Mlle de Sainte-Reyne — qui promenait parmi ces aventuriers son élégance, son inaltérable douceur et ses longs cheveux couleur de miel qui les faisaient rêver — s'avançait en donnant la main au chevalier de la Houssaye, puis d'autres couples se formaient... des vies, celles des autres... Lui, ne connaissait que des filles de hasard, rudes comme lui et sans visage.

Pour Mlle de Sainte-Reyne et les générations de jeunes filles qui lui succéderaient sous les lambris de la salle de bal, des lustres s'allumaient dans le soir... Ce n'étaient que les torches des bûcherons, mais M. l'ingénieur en chef souffrait d'un de ces accès de fièvre qui se renouvelaient de plus en plus fréquemment. Qu'importe ! Il savait que lui aussi, après Perrier et Franchet, trouverait dans cette clairière une fin prématurée. Mais des fêtes, des triomphes, des séances solennelles et mémorables se dérouleraient ici, dans le palais consulaire qu'il voulait y édifier... Maintenant, sous son regard fixe, des jeunes filles tournaient sur elles-mêmes comme de grandes fleurs vivantes. Elles saluaient gravement leurs cavaliers, puis le rythme des archets se pressait, s'emballait. Que de sourires furtifs, de regards brûlants, de cœurs battants... C'était le bal, le bal de ses songes, auquel il n'irait jamais.

Et voici que les torches soudain s'éteignirent et que les obsédantes musiques se taisaient. Il n'y avait plus autour de lui que la solitude et la nuit, le bourdonnement sans fin des moustiques, le marais mortel où rôdaient la malaria, la fièvre jaune et le péril d'inondation ; et puis, là-bas, en remontant le Mississippi jusqu'aux grands lacs et à la baie d'Hudson, il y avait un immense pays à peupler, à fertiliser, à bâtir, sur lequel ne s'élevaient encore que des établissements isolés, cernés par les versatiles tribus indiennes et sans cesse assaillis par les coups de force anglais.

Dans le cerveau enfiévré de M. l'ingénieur en chef, les images de l'avenir ne s'éclairaient plus. Tout un fourmillement nocturne s'éveillait, angoissant...

Machinalement, il reprit, comme une litanie, la récitation de la liste des colons et ces noms des bords de Loire, de Normandie ou des Cévennes résonnaient étrangement dans la nuit américaine ; ils évoquaient encore des mariages, des naissances, des morts, des foyers qui se succédaient et se multipliaient... cette vie des autres à laquelle il avait, somme toute, préféré la sienne pour traverser les mers et venir dresser au cœur d'une forêt de Louisiane une salle de bal pour des jeunes filles venues d'Europe. Cette idée lui parut si parfaitement bizarre qu'il se prit à rire, de plus en plus fort pour tenter de ne plus entendre les appels maléfiques de la nuit.

Et elles venaient, les jeunes filles... Elles arrivaient sur la mer, fleurs de ce printemps-là ! Ainsi que le disait une vieille chanson que fredonnaient les marins de France, un navire avait été armé pour elles ; il les berçait dans les vagues et ses voiles étaient guettées par ces hommes rudes et solitaires. Envoyées par Law, toutes orphelines, elles apportaient leur cœur pour l'amour et leur corps pour les fruits qu'il y ferait éclore. Tout était prévu, même une sage-femme ! Une religieuse, sœur Gertrude, escortait les voyageuses. Law avait donné à chacune un trousseau et une dot enfermée dans une cassette [1].

C'était un navire venu de quelque lointaine Cythère... L'amour était à son bord et les matelots n'en croyaient pas leurs yeux de l'avoir ainsi convoyé dans les longs balancements des routes marines. Lorsque le bâtiment accosta au Nouveau-Biloxi, voiles déployées comme parures de noces au vent du soir, les prétendants se bousculèrent pour dévisager les belles. Ils n'étaient pas tous avenants, ni jeunes, ni bien vêtus, mais leurs yeux brillants disaient leur ardeur, et le léger tremblement qui faisait par instants défaillir leurs grands rires paillards n'était-il pas un aveu tendre et peut-être pathétique ?

Elles avancèrent, les jeunes filles, à la coupée du navire et leurs gorges blanches, que dénudaient un peu leurs corselets de soie, portaient l'espoir d'une moisson d'hommes à semer pour d'autres printemps et que l'Amérique engrangerait dans son avenir. Elles défilèrent avec grâce dans leurs robes françaises ornées de rubans légers.

Law les envoyait comme il avait envoyé des centaines d'ouvriers de toute l'Europe, pour construire la Louisiane. Les maçons venaient de terminer, pour les sœurs grises de Rochefort, un hôpital et un couvent où l'on attendait les « demoiselles à la cassette » et sœur Gertrude. Là où un an plus tôt il n'y avait que l'exubérante forêt, un jardin entourait déjà le cloître. Sous quelques-uns des grands arbres conservés s'ouvraient des fleurs inconnues et des hamacs s'offraient à la nonchalance. Chacun d'eux reçut une jeune fille et le jardin se transforma encore... Les grands jardiniers noirs se mirent à chanter. Les jeunes filles, redressées dans la corolle de leurs robes, écoutaient ces chants puissants et doux, ces voix de velours qui faisaient défaillir leur cœur incertain et s'envoler dans l'ombre du soir des oiseaux multicolores... C'étaient les chants de la Louisiane.

LE CHŒUR

« La richesse, fille du crédit et de l'opinion, est une création de la foi. »
JOHN LAW.

« Qu'offrit-il ? Rien que l'espérance... »
MICHELET.

Le chœur entrait en scène, violemment. Il dominait toutes les rumeurs, celles de la guerre, de la révolution, les remontrances du Parlement, les

1. On les appela « les filles à la cassette ».

379

insultes de l'opposition, les plaintes de la duchesse de Berry, les murmures des complots.

Il se faisait entendre sur deux théâtres différents : nuit et jour aux abords de la Banque royale, rue Vivienne, où l'on changeait l'or contre les billets qui seuls permettaient d'acheter les actions de la Compagnie des Indes, et dans sa succursale, ouverte à l'hôtel de Beaufort, rue Quincampoix, où se négociaient la vente et l'achat de ces titres. Ceux-ci montaient d'heure en heure ; un vertige, comme un incendie, gagnait Paris, la France entière, l'Europe.

L'Etat, hier ruiné, chancelait, ivre, sous le flot d'or qui coulait vers lui. Le peuple, jusque-là voué à la misère et tenu à distance, se voyait du jour au lendemain convié au partage ; il se ruait vers la fortune qu'il pouvait arracher, d'égal à égal, aux grands seigneurs, dans cette rue où l'on n'entrait qu'à pied. Chaque jour, dès les premières heures de la matinée, se côtoyaient maîtres et valets, haletants, pétrifiés, malaxés dans une étonnante promiscuité. Ils se disputèrent vite comme des chiens les actions dont les voix suraiguës annonçaient la fulgurante ascension :

— Huit mille !
— Dix mille !
— Douze mille !

C'était trop beau ! Des rixes éclataient. Une princesse du sang, descendue à de telles curées, se faisait battre par la populace. Le tambour annonçait l'arrivée du lieutenant général de police. Le chœur montait, s'amplifiait, s'élargissait en ondes sonores jusqu'aux rues avoisinantes où hennissaient les chevaux des équipages qui s'y trouvaient bloqués, où s'époumonaient les cochers qui, bientôt, abandonnaient à jamais carrosses et maîtres pour saisir à leur tour la fortune qui passait.

Trente mille visiteurs, étrangers ou provinciaux, arrivèrent à Paris en un mois. A Bordeaux, à Toulouse, à Lyon, à Aix-en-Provence, à Strasbourg, à Bruxelles, toute place de diligence, tout attelage à destination de Paris étaient loués deux mois à l'avance. Les militaires désertaient leur régiment, les ouvriers et les commis, leurs lieux de travail pour se ruer rue Quincampoix. Les ramoneurs et les merciers gagnaient des millions. Paris, chauffé à blanc, voyait poindre, menaçants, les signes précurseurs de l'anarchie. Aussi vite que les prix des actions montaient, ceux des logements, introuvables, et des biens de consommation ordinaire flambèrent à leur tour, ainsi que ceux des objets de luxe : bijoux, meubles, œuvres d'art...

Invisible, inaccessible, Law surveillait avec un regard d'alchimiste aux aguets l'énorme effervescence dont il avait préparé et savamment dosé les composants. Il était le calme dans la tempête, la froide raison dans le délire, le maître. Comme il était dans son génie de rechercher, une fois encore — la dernière — auprès de l'anti-Système, un accord, une solution pacifique et constructive conforme à l'intérêt général, il fit proposer à Pâris-Duverney, qui détenait la Ferme générale, de la réunir à la Compagnie des Indes et lui offrit quatre postes de directeur. Cependant, il ne cacha pas qu'il faudrait accepter des réformes fondamentales, et la négociation échoua.

Law fut alors contraint d'engager le combat qui devrait emporter la décision. Il rédigea un mémoire pour le Régent, véritable charte du nouveau régime fiscal qu'il entendait promulguer : un impôt unique supprimerait la Ferme générale et les privilèges de la noblesse et du clergé.

Dans le tumulte du présent et dans le silence de l'inspiration, les idées et les mots qui allaient soulever la génération de la fin du siècle, bouleverser la France et l'Europe, créer les premières conditions d'existence d'un Etat moderne, s'ordonnaient sur le papier :

« Les tailles et la capitation sont arbitraires et n'ont d'autres principes dans leur répartition que la faveur ou la haine, la reconnaissance ou la vengeance [1]... »

Autour de lui Paris flambait.

Egalité devant l'impôt, enseignement gratuit pour tous les enfants... Le peuple acclamait, sans trop y croire peut-être. Et dans la foulée, étaient créés le marché à terme et aussi le mécanisme délicat et dangereux de la spéculation boursière.

Le marché à terme : c'était la fortune à la portée de tous, mais sans mécanisme de régulation. Chacun pouvait acheter à crédit les actions de la Compagnie des Indes : il suffisait de payer, à l'achat, le vingtième du prix de l'action au cours du jour, augmenté d'une prime de garantie obligeant l'acquéreur à honorer ses engagements à la date prévue pour l'achat définitif. Mais en quelques jours, l'action doublait, triplait... Les cours pouvaient s'envoler sans frein.

Le directeur de la Compagnie des Indes et de la Banque royale avait appris qu'il fallait, en toutes circonstances, montrer le chemin aux masses. Il acquit donc à crédit, et le fit savoir, deux cents actions, déposa en caution de sa bonne foi quarante mille livres et déclara que cette somme serait gardée par la compagnie s'il ne parvenait pas à achever de payer ses titres dans les six mois.

Le pari excitait les esprits et ils furent nombreux ceux qui se détournèrent des placements offerts par l'anti-Système, persuadés que si Law prenait un tel risque, c'est qu'il savait bien que les actions monteraient. Et elles montaient, montaient, montaient... Il fallait freiner, Law le savait. Comment le faire sans déchaîner la spéculation à la baisse sur les actions de la compagnie, en même temps que l'anti-Système soutenait la hausse sur les actions concurrentes ? Il assurait, lui, à ses actionnaires un intérêt de douze à quatorze pour cent, alors que celui des actions de la Compagnie des Indes était de quatre pour cent... Et comment prendre le risque d'une chute des cours alors qu'il fallait à tout prix trouver tout de suite de nouveaux capitaux et beaucoup, pour réaliser les vastes programmes dont il avait pris la responsabilité ?

Cinq cent mille actions sont lancées sur le marché ; mais pour que la demande maintienne les cours à un niveau élevé, il faut que le pouvoir

1. *Mémoire sur le Denier Royal*, juin 1719.

d'achat soit abondant. Or, le numéraire est rare, en l'an de grâce 1719. L'argent circule mal et s'agglomère dans les lieux privilégiés de la société française. Faute de pouvoir répartir équitablement la richesse, il faut tenter de réduire la valeur de celle qui est immobilisée en or, en terres, en immeubles, en charges et en offices parasites. Il faut créer du pouvoir d'achat, tout de suite. Il faut que ce pouvoir d'achat engendre une autre richesse : celle de la production. Et cent millions en billets de banque sont mis en circulation, gagés sur l'avenir.

Il faut à la fois accélérer et freiner, naviguer au plus juste entre la déraison de la hausse et la panique de la baisse. On diminue donc la poussée de la demande, afin de maîtriser la hausse : pour acheter les actions nouvelles, il faut être possesseur de quatre actions anciennes (c'est l'introduction du procédé moderne des augmentations de capital des sociétés anonymes). Les spéculateurs se disputent alors les actions anciennes, les « mères », pour pouvoir acquérir les « filles », les actions nouvelles.

Les freins ne fonctionnent plus. Et le fol incendie allumé au cœur des hommes s'étend sur Paris. Les petits marchands du faubourg, fruits, fleurs et violons en tête, dévalent vers l'hôtel de Mercœur. On guette les visites de Law. Ses apparitions provoquent des agglutinements de foule. Pire encore, la « Société », toutes réputations, tous grands noms de l'Histoire mêlés, déserte la maison de Caterina qu'elle occupait en permanence. Chacun espérait y être dans l'intimité du maître de maison... ou faire croire qu'il y était. Tous refluent vers la demeure de Nathalie. De capiteuses personnes, pleines d'esprit de décision, appliquent toutes les tactiques d'infiltration et commencent à investir les appartements.

La seule défense possible est la fuite : Mme de. ferme précipitamment son hôtel.

La marquise de Lambert, qui connaissait un peu Nathalie dont elle se devinait assez proche et qu'intéressait vivement les sentiments authentiques de cette union secrète, offrit dans sa propre demeure l'asile qui pouvait préserver la jeune femme et lui permettre de se dissimuler plus encore. Law et Nathalie s'empressèrent d'accepter [1].

Les habitués de la maison ne soupçonnèrent rien de cet arrangement ; Nathalie s'installa dans deux petites pièces tendues de soie bleue, que précédaient une salle de bains et quelques communs dont s'arrangèrent Millet et Fifrelin. Mais le bourdonnement de la foule parvenait jusque-là et l'obsédait.

Dans le même temps, Mme la duchesse douairière d'Orléans, mère du Régent, disait à qui voulait l'entendre :

---

1. Il fut remarqué que Law fréquenta beaucoup l'hôtel Lambert à ce moment, alors qu'il n'allait nulle part, sauf, le mardi, chez Saint-Simon. Or, les familiers de la maison ne le virent que rarement. Quant à la marquise de Lambert, elle était tout entière accaparée par une liaison que l'on supposa même être un mariage secret et elle ne passa jamais pour être la maîtresse de Law.

— « Si vous cherchez la femme d'un duc et pair, allez chez Mme Law, elles y sont toutes ! L'une d'elles a baisé la main de Law ; que ne lui baiseront donc pas les autres femmes [1] ! »

Il n'était bruit dans Paris que de la présence du petit Jean Law, fils de John, au bal du roi et dans ses jeux. Caterina vibrait et bourdonnait comme certains insectes dans le soleil. Elle avait toujours eu l'avidité des insectes.

On était en juillet 1719, une chaleur implacable ajoutait à ces fièvres. Elle brûlait les fleurs dans les jardins, rendait plus pénétrante l'odeur de l'herbe fauchée sur les pelouses et... décuplait les puanteurs des ruisseaux. On ne dormait plus, dans la ville. Vingt-quatre heures sur vingt-quatre, de la rue Vivienne à la rue Quincampoix, défilait le frénétique cortège de l'espoir et de l'avidité... et le chœur psalmodiait :

> *Je crois qu'on le déifiera*
> *Et nous verrons un temps, sans doute,*
> *Où quand quelqu'un éternuera*
> *On lui dira : Law vous déroute !...*

Une immense clameur salua le quatrain ; une voix monta au-dessus des autres :

— Une statue... élevons-lui une statue ! Il nous a tirés de l'enfer !

Deux femmes en bonnet, vêtues de légères mousselines des Indes et accompagnées d'un jeune homme, se sont glissées rue Quincampoix. Ils regardent, écoutent, bloqués par la bousculade, pris dans une tornade.

— Une statue ! Une statue ! reprend le chœur.

— Treize mille !

— Quatorze mille ! J'ai dit quatorze mille !

Nathalie, très pâle, saisit la main secourable que lui offre la marquise de Lambert. Melon, qui les escorte, essaye de les préserver, étend ses bras devant les deux femmes.

— Ne vous ai-je pas dit, madame, crie-t-il pour tenter de se faire entendre, qu'ici on se fait étouffer, voler ?

Nathalie, sa large robe à paniers écrasée contre elle, le volant de son jupon arraché, piétiné, regarde tournoyer, défiler tous les figurants d'un spectacle de démence : abbés, militaires, prostituées, bedeaux, filous, docteurs en Sorbonne, laquais, gens de robe... Soudain, une course effrénée renverse tout ce qui se trouve sur son passage : on poursuit un détrousseur agile.

— C'est la bande à Cartouche ! crie la foule.

— Ils sont arrivés à Paris depuis hier !

— Même le Suisse de la Banque royale en est ! glapit une voix.

1. *Mémoires* de la duchesse d'Orléans, princesse Palatine.

— Voilà le dernier bruit qui court la ville ! souffle Melon à ses compagnes.

Nathalie revoit le grand voyou couleur de soleil qui lui souriait chez Lesage. Melon poursuit en riant :

— ... Cartouche aurait à son service bien d'autres gens dont la qualité vous étonnerait !

— Peut-on encore être étonné ?

— Cartouche rue Quincampoix ! chante le chœur.

Des exempts de police apparaissent aux grilles qui, depuis peu, ferment les deux bouts de la rue.

— Tant que ceux-là ne désertent pas, murmure Melon.

— Même les gens de Cartouche vont déserter ! réplique Nathalie avec un étrange sourire. Ils y ont vraiment tout intérêt !

Son regard croise celui de Melon : le cheminement de leurs pensées semblables s'était rejoint.

Le jeune secrétaire parvient enfin à pousser Nathalie et Mme de Lambert dans l'échoppe d'un savetier de sa connaissance qui a transformé sa boutique en bureau. Il fournit aux spéculateurs des plumes et du papier, et aux grandes dames venues en curieuses, des escabeaux, ce qui lui rapporte deux cents livres par jour ; tous les commerçants et propriétaires de la rue en font autant.

— Là-bas, c'est l'hôtel de Beaufort, dit le savetier. C'est là qu'on imprime la monnaie de papier et les actions de la Compagnie des Indes. C'est pour ça qu'on appelle maintenant not' rue Le Mississippi !

— Douze mille ! Treize mille ! reprennent les solistes au loin.

— Est-ce que ça baisse ? s'inquiète quelqu'un derrière eux.

— Regardez sur les toits, poursuit le savetier. On y construit des cabanes qui se loueront à prix d'or ! Les soupentes, les réduits, les caves, tout est pris ! Pensez qu'une bâtisse comme celle d'en face loge jusqu'à quarante changeurs !

— Mais alors, s'étonne Mme de Lambert, qu'est-ce que tous ces gens discutent et commercent, dehors ?

— Faut vous dire que les agioteurs, de plus en plus pressés, préfèrent se réunir là, dans la rue, pour vendre et acheter les actions de la main à la main, sans passer par les banquiers et les changeurs. Tenez, regardez, voici l'homme le plus célèbre à Paris après M. Law, le fameux petit bossu qui loue sa bosse comme pupitre à tous ceux qui doivent se dépêcher de donner une signature !

— Treize mille ! j'ai dit treize mille ! clament au loin les voix aiguës des vendeurs.

— C'est ainsi que les marchands de vin, les cabaretiers, les traiteurs, les marchands de soupe ambulants du quartier font fortune ! continue le savetier. Mmes de Villemur et de Salavalette, dont les maris sont dans la finance, ont lancé la mode de venir boire le café chez moi. Je puis en envoyer chercher, si la compagnie le désire ?

Les agioteurs qui se trouvent là, tout à leurs tractations, ne répondent pas.

— Allez, dit Melon, et faites vite.

Dehors le chœur entame un nouveau couplet :

— Les Mississippiens ! Voici les Mississippiens !

Les deux femmes se penchent vivement à la petite fenêtre de l'échoppe :

— Qui sont ces gens ? demandent-elles.

— La foule appelle ainsi les gros actionnaires, explique Melon à voix basse. Certains travaillent pour nous, ils entraînent la hausse. Le grand garçon à perruque blonde, en habit bleu, très entouré, c'est André, dont vous avez tant entendu parler. Avant de le lancer ici, Bourgeois a dû le faire habiller de pied en cap pour lui donner l'apparence de sa fonction. A côté de lui, ce petit homme au profil d'aigle et au regard dur, c'est Vincent Le Blanc, le plus important de nos agents ! assurait Melon.

— Tant pis ! dit Mme de Lambert en échangeant un regard avec Nathalie qui, visiblement, éprouvait un malaise devant ce visage.

— Il a su devenir l'oracle de la place ! Je vous l'accorde, c'est un personnage assez douteux ; on dit qu'il a eu jadis pas mal d'ennuis avec la justice, mais les plus mauvais papiers deviennent bons quand il les soutient. Dès qu'il paraît, chacun regarde s'il est triste ou gai ; on achète, on vend au froncement de son sourcil ! En mai, avec dix agents qui dirigeaient chacun dix courtiers, il a entraîné la hausse [1] et a fait en un jour plusieurs « millionnaires » !

— Millionnaire ? Qu'est-ce que cela veut dire ? demanda Mme de Lambert.

— C'est un mot qui fait fureur parce qu'il vient d'être inventé pour désigner ceux qui gagnent leur premier million !

Nathalie observait : pour elle, les propos, les déterminations, les stratégies longuement élaborées dans le calme feutré des cabinets de la Compagnie des Indes devenaient une réalité dont elle était venue chercher les arêtes vives et le choc brutal.

— Treize mille ! qui dit mieux ? chantait une voie aiguë qui couvrait celle des autres.

Le rire à peine perceptible de la marquise de Lambert fusa :

— Et cette grosse dame qui fait la roue, là-bas, superbe, inimitable, la connaissez-vous, monsieur ?

— C'est Pamela de Tiffery, faiseuse d'affaires devenue Mississippienne enragée ! M. Law redoute sa ruse, ses extravagances et ses effusions excessives ! Il voulait l'expédier en Louisiane mais elle ne veut rien savoir... Tenez, voici la célèbre Chaumont que chacun salue.

— Je la vois donc enfin ! s'écria Nathalie. Au moment où M. Law prit en charge les anciens billets d'Etat qui perdaient soixante pour cent de leur valeur, elle accepta d'en recevoir en paiement d'une dette, tant elle avait foi dans le Système à peine né ! Elle n'était pourtant alors qu'une modeste

1. Michelet.

marchande de dentelles des pays de la Meuse! Lorsque ces billets furent revalorisés, elle gagna six millions en un mois et les fripons qui les lui avaient donnés lui firent un procès, car ils prétendaient partager ses bénéfices avec elle! C'est alors qu'elle vint à Paris, pour en appeler à M. Law de Lauriston et à M. le Régent qui prirent fait et cause pour elle. M. de Lauriston vient de la charger de tenir table ouverte pour les étrangers de marque qu'il désire attirer à Paris. Il l'a installée à l'hôtel de Pomponne, place des Victoires, et elle reçoit aussi dans la seigneurie d'Ivry-sur-Seine qu'elle vient d'acheter. Elle est, en quelque sorte, l'hôtesse de la Compagnie.

— M. de Lauriston a décidément des idées originales dans tous les domaines! Voilà une manière ingénieuse d'assurer le renom de la Compagnie des Indes dans toute l'Europe! Mais je crois que...

Mme de Lambert se tut. La boutique était prise d'assaut par une avalanche froufroutante, soyeuse et parfumée, de laquelle fusaient des petits cris de filles chatouillées ; le flot s'engouffra jusqu'au tréfonds obscur de l'échoppe où discutaient de graves messieurs. On entendit la plus âgée de ces dames reprendre le propos qui courait la rue sur les lèvres des demoiselles de biscornettes [1] et de bien d'autres qui disputaient le pavé aux agioteurs :

— Je me joue moi-même! lançait-elle dans un rire. Achetez au prix fort et vous serez payés en « mères » et en « filles »!...

Le tout se perdit dans la gaieté d'un brouhaha que traversaient des jurons et des propos grivois. L'avalanche se retira, suivie de quelques amateurs.

Le savetier revint avec le café qu'il était allé chercher au cabaret à l'enseigne de La Ville de Cinquentin. Essoufflé, il disposa les tasses sur une tablette et dit :

— J'ai cru que je ne pourrais ni y entrer, ni en sortir, ni parvenir jusqu'ici sans renverser la cafetière!

Le café rapidement consommé, Nathalie et ses amis se retrouvèrent dans la rue. Malaxés, portés par la foule, ils en recevaient le souffle au visage, avec l'impression que sa rumeur, sa moiteur, son odeur entraient en eux, cependant qu'ils remontaient péniblement son courant.

— Treize mille! Quatorze mille! répétaient les vendeurs.

Mme de Lambert et Melon devinaient ce qu'un tel spectacle inspirait à Nathalie et la suivaient en silence. Comme ils tentaient de rejoindre leur équipage, défilèrent devant eux des sergents d'un nouveau style. Ils excitaient la curiosité des passants, d'autant qu'ils encadraient et traînaient trois malheureuses filles qui poussaient des hurlements. Nathalie vit ces uniformes bleus, ces chapeaux brodés d'argent, ces bandoulières ornées d'une fleur de lis jaune et s'arrêta, livide, le cœur battant. Law lui avait parlé avec inquiétude de l'empressement suspect que mettait la police — aux mains du fils d'Argenson — pour créer cette milice chargée de recruter pour le Mississippi.

Cette idée insensée d'expédier là-bas des filles, des indésirables et des faux

1. Prostituées.

sauniers remontait au temps de Colbert, et Crozat, lorsqu'il était le maître en Louisiane, en usait ainsi ; depuis lors, on pratiquait des enlèvements en pleine rue. Il était donc facile, en leur donnant plus d'éclat par la création d'un corps spécial et d'uniformes nouveaux et en s'attaquant à des innocents, de soulever le peuple.

— Au secours ! suppliaient les jeunes filles. Sauvez-nous du Mississippi !

A ce mot, la plus petite, une enfant qui n'avait pas quinze ans, se redressa, les yeux agrandis d'effroi :

— Prévenez ma mère... dit-elle d'une voix faible et elle s'évanouit.

Les bandouliers s'arrêtèrent, submergés par la foule qui les chargeait avec fureur. Au loin on entendait toujours :

— Quatorze mille ! Quinze mille !

Et plus près :

— Ce sont d'honnêtes filles qui cherchaient des places de servantes !

— Malheur à nous et à celui qui envoie les bandouliers du Mississippi !

— Que voulez-vous, comme ils font une belle colonie avec des filous et des putains, personne ne veut plus y aller de plein gré !

— Quinze mille ! Quinze mille ! chantaient les sirènes de la rue Quincampoix.

Les bandouliers se battaient avec leurs agresseurs.

— J' vas vous dire, criait un solide gaillard fort en gueule, c'est tout des tromperies ce qu'on raconte sur ce pays-là et c'est pourquoi y veut nous y envoyer d' force maintenant !

Le chœur alors éclata comme un orage de montagne ; puis des mots claquèrent tels des éclairs, déchirants, aveuglants, sonores, terrifiants :

— C'est Law qui paie les bandouliers pour enlever nos filles, nos fils et nos femmes !

Il se fit un silence dans lequel on entendit encore :

— Quinze mille ! Quinze mille !

Tumultueux, le chœur se reforma.

— C'est Law qui nous donne le droit d'être riche !

— C'est Law qui abolit les privilèges !

— Oui-da ! Il va nous envoyer avec les forçats en Louisiane !

Les bandouliers échappèrent enfin à la foule.

— Au secours ! criaient les prisonnières.

— Quinze mille ! répondaient les vendeurs.

— Vive Law ! hurlait le chœur.

Mme de Lambert entraîna Nathalie. Melon les suivait, le visage tendu.

— Il faut délivrer ces jeunes filles tout de suite ! répétait Nathalie le regard fixe ; l'enfant volée, vendue, achetée, de jadis revivait en elle et se révoltait.

— Quelle effroyable invention de M. d'Argenson ! murmura Mme de Lambert.

— M. Law mettra bon ordre à cette diabolique manœuvre, si bien conçue pour retourner le peuple et l'ameuter contre lui ! assura Melon.

Un peu plus tard, ils parvenaient, non sans peine, à regagner l'hôtel de Nevers.

Nathalie, sans prendre le chemin de ses appartements secrets, monta en courant vers le bureau de Law ; Melon la suivait toujours. Elle pénétra dans l'antichambre et s'arrêta, pétrifiée, sur le seuil : quinze, vingt, trente femmes, des plus belles, des plus titrées, des plus élégantes de Paris, campaient en ce lieu et bloquaient la porte de Jessamy John, balançant leurs larges paniers de soie et battant de leur éventail l'air où se mêlaient leurs parfums. Une exclamation ironique accueillit l'apparition de Nathalie, échevelée sous son bonnet et dont les vêtements déchirés excitaient la curiosité. Que venait donc faire Mme de. chez Law et dans cet accoutrement ? Mme du Deffand alla vers elle :

— Que vous est-il arrivé, madame ? Un accident, sans doute ?

— On disait que vous aviez quitté Paris ? s'étonnait Mme de Flavacourt.

Nathalie les dévisagea, les salua brièvement et sortit sans répondre. Des éclats de rire fusèrent derrière elle. Melon, prudent, l'attendait sur le palier.

— Allez à l'hôtel de Nevers, madame, dit-il enfin. Je vais bien trouver un moyen de délivrer M. Law : je le prierai de vous rejoindre.

Le silence... c'était enfin le silence, profond, feutré. Nathalie s'y livrait comme à l'eau d'une fontaine ; elle s'écroula sur un canapé. Elle eût voulu faire aussi le silence en elle, mais là tout n'était que rumeurs, déchirements complexes, angoisse aux cent visages. Elle se représentait, à l'étage en dessous, la marquise de Lambert échangeant, comme si de rien n'était, des propos légers entre d'Argenson et Marivaux. Aux fenêtres d'en face, Law solitaire, bloqué par sa cour d'amour et, dans la rue, la foule noire, compacte, sonore comme les marées d'équinoxe. Toute pensée se diluait sans pouvoir prendre forme dans son esprit.

Elle entendit le bouton de la porte du petit salon bleu tourner avec cette douceur qui n'appartenait qu'à certains doigts minces et impérieux qu'elle connaissait : Jessamy John était devant elle, lui aussi pénétré et comme recouvert de ce silence. Mais dans son regard brillait une lueur qu'elle ne connaissait pas. Elle se dit qu'elle ne savait rien de la manière dont cet homme affrontait l'enlacement subjuguant, obsédant, dont il était l'objet. Elle pensait à des tentacules, à de grandes fleurs vénéneuses. Lui, considérait avec anxiété son insolite apparence :

— Melon m'a dit... mais... que s'est-il donc passé ? (Il ajouta très vite :) J'ai fait le nécessaire pour les filles qui vous intéressent, elles ne paieront pas la haine de mes ennemis.

Elle se redressa, délivrée d'un poids insupportable.

— Melon, poursuivait-il, m'a fait part de ses réflexions sur ce que vous avez vu... (Un pli barrait maintenant son front :) Il n'y a là rien que je ne sache ou que je ne me sois dit ; et vous, que dites-vous ?

Elle le regarda longuement en silence. Ils étaient enfin face à face et seuls, totalement seuls, dans cette ville sur laquelle on l'avait contraint de déclencher une force aussi terrifiante que la grande mousson d'été dont parlent les marins qui reviennent du Bengale.

— Nathalie...

Il s'interrompit. Elle hésita, s'interrogea : fallait-il troubler son espérance, envahir sa méditation, amoindrir sa victoire ? Elle dit enfin :

— On vous acclame follement, on parle de vous élever une statue. J'ai entendu cela, moi qui ai souffert et lutté avec vous, moi qui vous aime...

Comme il aimait, lui, cette voix un peu brisée. D'un geste brusque, il enserra les épaules de Nathalie et lui pressa la tête contre lui. Elle entendit son cœur vigoureux et fragile. Appartenait-il bien à celui qu'appelait la foule, à celui qui la faisait sortir de l'ombre ou y rentrer et qui rythmait sa grande voix ? N'étaient-ils pas tous deux voués par les événements à quelque métamorphose qui les subtiliserait l'un à l'autre ?

— John Law ! appela-t-elle, relevant la tête, oppressée comme dans les cauchemars.

— Eh bien ! Je suis là... dit-il doucement.

LA MORT DU PHALÈNE

C'était l'aurore du 20 juillet 1719. Ses draperies pourpres glissaient à peine vers les cintres lumineux du ciel d'été que tous les personnages de la tragédie se trouvaient en scène, comme il se doit.

Retirée au château de la Muette, la petite duchesse de Berry, ayant renoncé à tout, s'apprêtait cette fois à mourir pour de bon. Une rechute du mal mystérieux, dont elle savait bien qu'elle ne réchapperait pas, s'était déclarée au lendemain d'une soirée où le Régent et elle s'étaient enfin retrouvés. Envers et contre tout, au-delà des liens naturels et des perversités, les sentiments profonds qui les unissaient s'étaient épurés dans l'épreuve.

« Philippe avait rendu visite à la malade qui relevait d'une fièvre violente. Elisabeth prit le bras de son père, parcourut lentement les allées gorgées de roses. Tout occupée à ressaisir la vie, elle oublia sa passion fatale, et fut, comme autrefois, l'enfant qui s'abandonne au seul être capable de la sauver [1]. »

Maintenant, le phalène resplendissant repliait ses ailes.

Au Palais-Royal, Philippe d'Orléans qui venait de quitter le chevet de sa fille pour quelques heures, tentait de se raidir en face d'un désespoir dont s'apprêtaient à profiter, il le savait, les tenants d'un nouveau complot d'une gravité extrême.

A l'hôtel de Nevers, au terme d'une nuit sans sommeil, Law réunissait ses plus proches collaborateurs.

— Messieurs, disait-il très calmement, nous imprimons aujourd'hui cent nouveaux millions de billets pour remédier à la raréfaction des espèces due aux Mississippiens. Cela empêchera les souscripteurs de céder leurs actions

1. Philippe Erlanger.

pour se procurer l'argent nécessaire à leurs besoins, ce qui déclencherait la baisse. Cependant, nous n'éviterons ce danger que pour nous trouver devant un autre : la Banque aura émis à ce jour quatre cents millions de billets, remboursables à vue ; or, toutes les espèces du royaume ne dépassent pas un milliard et demi ! Voilà un déséquilibre périlleux entre le papier et le métal. Certaines informations m'obligent à me rendre, en dépit de l'heure, au Palais-Royal où Mgr le Régent vient de rentrer, pour lui demander de me nommer sur-le-champ surintendant des Monnaies ; maître du numéraire, je pourrai défendre la Banque en soutenant le papier par le remaniement du métal et protéger sa caisse contre certaines manœuvres que nous connaissons bien... (Il hésita et ajouta, après un lourd silence :)... Oui, en dépit des circonstances, il y a urgence.

Chacun pensait à la duchesse de Berry et aussi à la présence, dans l'antichambre, de M. de Beuzewald, major des gardes suisses, auquel le Régent venait de donner l'ordre de ne quitter Law sous aucun prétexte, car on savait qu'il risquait d'être assassiné d'un moment à l'autre. Seize gardes entouraient l'immeuble et devaient suivre le financier dans ses déplacements.

Chez le marquis d'Argenson, l'état-major de l'anti-Système, présidé par Samuel Bernard, se réunissait au grand complet afin de prendre d'ultimes dispositions.

Dans son magnifique bureau, le directeur de la Banque royale et de la Compagnie des Indes réfléchissait tout en jouant avec un coupe-papier d'or. Ses collaborateurs se taisaient.

— L'anti-Système, vous le savez bien, reprit-il, ne se limite pas à m'attaquer en émettant des actions ! Il s'est associé à un monde singulier d'Anglais, et parmi eux Blunt, de Hollandais à la solde des banques de Londres et d'Amsterdam, ainsi qu'aux négriers des provinces de l'Ouest. Par l'entremise d'agents et de prête-noms, tout ce monde mine le Système en poussant de plus en plus à la baisse, ce qui ne les empêche pas de faire de très fortes opérations sur les variations des monnaies !

Cette haine tenace de Blunt étonnait parfois Law et il se demandait si l'accord conclu par ce personnage avec les financiers hollandais n'avait pas été facilité par le ressentiment d'une femme abandonnée. Johanna, Amsterdam... Comme tout cela semblait perdu dans le temps ! Il revit un grand front d'ivoire sous les plis compliqués d'une coiffe de mousseline... Se pouvait-il ?

A cette heure, au château de la Muette, la Mouchy faisait main basse sur les bibelots et déménageait meubles et tapisseries. Une scène violente l'opposait à la dame d'honneur de service, laquelle n'était autre que la duchesse de Saint-Simon, qui put prendre les célèbres bijoux de la princesse et les mettre en lieu sûr.

Le carrosse de Law roulait maintenant vers le Palais-Royal, entouré des gardes suisses.

Dans son alcôve aux tentures de damas bleu, Nathalie, comme le Régent, se préparait à l'épreuve. Ne savait-elle pas, depuis l'annonce de la réforme, qu'une guerre totale serait faite à Law ? Parfaitement conscient, il lui avait dit :

— N'ayez pas peur, surtout n'ayez pas peur ! Nous en avons vu d'autres.

— Croyez-vous ?

— Je ne crois rien que ceci : ce sera eux ou moi et ils ne savent pas encore ce dont je suis capable... Vous non plus ! avait-il ajouté en souriant.

Et c'est ainsi qu'il était parti, plein d'appréhension de ne point parvenir à obtenir, dans un délai très court, d'un homme que l'on disait affolé, égaré par le désespoir, un décret d'une importance capitale.

Moins d'une heure plus tard, le carrosse de Law quittait le Palais-Royal, toujours suivi de l'escorte qui surprenait les passants. En sortait aussi celui du Régent, rappelé à la Muette. Sa douleur effrayait, nul n'osait l'accompagner.

Un peu plus tard, Saint-Simon le trouva seul dans ce petit palais où Elisabeth soudain semblait renaître à la vie, sous l'effet d'un élixir inconnu que lui avait laissé absorber son médecin Chirac, parce qu'il la croyait perdue. Aucune autre drogue ne devait être prise avec ce médicament, mais comme celui-ci provenait d'un certain Garus, qui n'était pas médecin, Chirac bien entendu ne lui reconnaissait pas le droit de guérir. Bien plus, le miraculeux effet du remède le choquait profondément. Au nom de la Science... et dans l'intérêt du malade, il fallait en finir avec ce scandale.

Chirac s'introduisit donc à l'improviste chez la princesse, lui administra « avec impétuosité » un médicament classique, un vrai, un de ceux qui avaient fait leurs preuves.

La petite Elisabeth alors déclina rapidement.

Jadis, son père était parvenu à la protéger, à la sauver, mais la vie et ses maléfices étaient passés sur lui ; aujourd'hui, paralysé, hagard, il l'écoutait murmurer :

— Je meurs sans regret...

Et c'était le jour de ses vingt-quatre ans.

Saint-Simon enleva le prince à ce spectacle. L'ami fidèle regardait avec effroi ce visage sur lequel Law venait de lire sa solitude à venir.

Dans un immense bourdonnement de ruche en révolution, que dominait l'envol des glas rythmant depuis toutes les églises l'agonie de la duchesse de Berry, Paris apprit les nouvelles du jour : la nomination de Law au poste de surintendant des Monnaies et l'émission de cinquante mille actions nouvelles, destinées à payer les cinquante millions que coûtait l'achat du privilège des Monnaies ! Pour acquérir une de ces actions, il faudrait présenter quatre « mères » et une « fille » ; aussi les appelait-on déjà les « petites-filles ».

Law avait soigneusement préparé son coup de théâtre. Le tambour battait avec entrain à l'ouverture des grilles, rue Quincampoix, et les souscripteurs s'y engouffraient ainsi que rue Vivienne où l'on pouvait, comme à l'hôtel de Beaufort, acheter les actions ; ils supputaient les cours qu'atteindraient les valeurs prochainement offertes à leur avidité.

Nathalie plaquait ses mains fiévreuses sur ses oreilles pour ne pas entendre les cris de joie et les chansons de la foule, en même temps que le funèbre tintement des cloches dans le ciel d'été.

Le soir suivant, Law décida de demeurer à l'hôtel de Nevers. Aux heures d'angoisse, il lui devenait impossible de s'éloigner de Nathalie et de son bureau. Dehors, dans la nuit chaude, retentissaient les pas des sentinelles qui montaient la garde. Un bain tiède, un café froid, une robe de chambre de soie légère, le calme du petit salon bleu lui apportèrent une détente. Il s'étendit sur le canapé, ferma les yeux.

Nathalie, silhouette blanche dans la pénombre, arrangeait un couvert ; la brave Millet et Fifrelin apportèrent un poulet et une bouteille de champagne. Ils déposèrent encore sur le guéridon des fruits et des sucreries, puis se retirèrent.

Law et Nathalie commencèrent leur repas en silence. L'un et l'autre, obsédés par la douleur du duc d'Orléans, se demandaient ce qu'elle leur laisserait de lui et le parti qu'allaient en tirer leurs ennemis. La première assemblée générale de la Compagnie des Indes, convoquée depuis longtemps pour le 26 juillet, paraissait une redoutable échéance en de telles circonstances !

Soudain, les cloches qui s'étaient tues se reprirent à sonner ; il y en avait de claires, au timbre d'argent et de graves qui résonnaient comme les tambours de guerre ; mais toutes, par un rythme différent, obsédant, annonçaient la fatale nouvelle...

Nathalie s'arrêta de découper une pêche et Law reposa, sans le porter à ses lèvres, le verre qu'il tenait à la main. Il revoyait la petite fille décoiffée, aux yeux pers, au regard étrange, qui lui ouvrit pour la première fois la porte du Régent ; puis il pensa à sa propre fille qui grandissait, enfant douce et secrète qu'il connaissait à peine...

Brusquement, l'orage qui couvait roula dans la nuit avec le chant désespéré des cloches et une pluie violente s'abattit sur la ville, s'engouffra dans les fenêtres ouvertes. Nathalie se leva vivement et ferma la sienne. L'averse crépita aussitôt sur les vitres. On entendit en dessous, à l'étage de Mme de Lambert, un menuet grêle au rythme irritant joué au clavecin. Law et Nathalie échangèrent un lourd regard qui seul parlait dans leur silence.

Combien de nuits comme celle qui s'annonçait avaient-ils déjà vécu, combien en vivraient-ils encore ?

Dans la matinée du lendemain, on apprit que l'autopsie de la jeune morte révélait qu'elle était de nouveau enceinte et que sa cervelle se trouvait « réduite de moitié ». La duchesse de Saint-Simon avait dû assister à cette sinistre opération, cependant que son mari demeurait auprès du duc et de la duchesse d'Orléans et s'occupait des funérailles.

Le Régent devenait ainsi inaccessible, en un moment où Law risquait tellement d'avoir besoin de communiquer avec lui. La situation se dégradait dangereusement, car on faisait courir le bruit que le prince perdait la raison. Allait-on vers une vacance du pouvoir ?

A onze heures, Bourgeois, défait, fit irruption dans le bureau de Law :

— Nous y voilà, monsieur ! s'écria-t-il. La Banque est assaillie par un nombre croissant d'individus qui viennent réclamer le remboursement en or des billets ! C'est la panique rue Vivienne !

— ... Et la première alerte, dit Law sans illusion. Samuel Bernard et Pâris-Duverney nous ont déjà envoyé leurs fourgons, nous les reverrons. Tenez-moi au courant de l'évolution des événements.

Nathalie, suivie de sa dévouée Millet, courait déjà rue Quincampoix. Les deux femmes en avaient à peine franchi les grilles qu'elles aperçurent Vincent Le Blanc, entouré d'une foule nerveuse. Il mimait la peur avec un art redoutable : le regard amorphe, la lèvre pendante, il répétait comme un homme frappé à mort :

— Vendez, vendez, c'est fini. Vendez, vendez...

Le chœur alors se réveilla, terrible. On entendit monter et planer les voix qui célébraient naguère la fortune :

— Onze mille !

— Neuf mille !

— Huit mille !

La chute se précipitait, vertigineuse. De profonds remous se dessinèrent dans la foule ; telle un fleuve puissant, n'allait-elle pas s'écouler vers la rue Vivienne et engloutir la Banque ?

Les deux femmes n'eurent que le temps de rabattre leurs capuchons légers et prirent leur vol comme deux oiseaux. Elles couraient vers leur voiture, laissée à l'autre bout de la rue aux Ours. Un gamin de Paris dévisagea Nathalie :

— Eh, la belle ! cria-t-il, vas-tu si tôt à tes amours ?

Elle allait, en effet, à ses amours. Comme son carrosse s'apprêtait à traverser la rue Vivienne pour gagner la rue de Richelieu, sur laquelle s'ouvrait une des portes de l'hôtel de Nevers, elle aperçut les fourgons de Pâris-Duverney et la foule ameutée. Comment ne pas comprendre que l'offensive était engagée totalement ? Elle fit aussitôt arrêter son attelage et reprit à pied sa course. Elle s'engouffra dans l'immeuble de la Banque, gravit en courant l'escalier qui menait chez Law et demanda à le voir sur-le-champ.

Il sut, dès qu'il l'aperçut, qu'elle lui apportait l'essentiel du complot. Il fit sortir ses collaborateurs et alla vivement vers elle.

— Vincent vous poignarde dans le dos, disait-elle haletante. Il est passé à la cabale et déclenche la baisse rue Quincampoix, j'en viens. Qu'allez-vous faire ?

— Ce que je préconisais jadis à Edimbourg quand la foule se ruait vers la Banque d'Ecosse, dit-il en caressant pensivement les cheveux, le front moite de Nathalie. Je vais diminuer la valeur de l'or.

Elle le regarda, stupéfaite.

— Comprenez-vous pourquoi je me suis fait donner, hier à l'aube, la surintendance des Monnaies ? Mais j'ai appris, à l'instant, que contrairement à toutes les prévisions, M. le Régent, malgré son malheur, se tenait informé, qu'il allait convoquer le conseil de Régence et confondre nos adversaires. C'est un grand prince.

Le courage de Philippe d'Orléans et l'agilité de son esprit en un tel moment rappelaient à tous le jeune héros des combats d'Espagne. Il était encore sur sa belle lancée des semaines passées et trouvait la force de survivre et de gouverner.

Quatre jours plus tard, la Banque royale annonçait que les louis d'or ne seraient plus reçus que pour trente-quatre livres au lieu de trente-cinq. L'effet fut prodigieux ; chacun mesura l'inconvénient d'échanger des billets d'une valeur immuable contre une monnaie dévaluée et sujette à l'être davantage. En quelques heures, dix millions d'or revinrent à la Banque, qui, depuis le 21 juillet, ne cessait de vider ses coffres ; elle était sauvée de justesse, à la veille de la première assemblée générale de la Compagnie des Indes.

Ce soir-là, Law n'eut que la nuit pour rédiger le rapport que les circonstances ne lui avaient pas permis de préparer plus tôt. Il dîna dans l'appartement secret de l'hôtel de Nevers.

Avant de se mettre à l'ouvrage, il éprouva le besoin d'aborder à haute voix tous les problèmes que soulevait, en un tel moment, l'élaboration de ce document.

— Je suis contraint, disait-il, d'annoncer aux actionnaires qu'ils recevront, sinon tout de suite du moins à partir de janvier, des dividendes au moins égaux à ceux que donnent Pâris-Duverney et sa compagnie, c'est-à-dire douze pour cent... mettons deux dividendes par an de six pour cent, soit soixante livres par action.

Nathalie écoutait...

— Je n'ai aucun moyen de faire autrement, répétait-il. Me voyez-vous déclarant que la Louisiane, dont on a répété qu'elle était la source de toute richesse, ne produira pas de bénéfices tangibles avant plusieurs années ? Ce serait l'effondrement immédiat rue Quincampoix, le triomphe de l'anti-Système.

— Les possibilités de la Compagnie des Indes sont-elles en mesure de faire face ?

— Elles en sont loin. D'après les revenus en rente et les premiers bénéfices des tabacs d'Amérique, je ne peux actuellement répondre que de trois pour cent de dividende.

— Une déclaration si différente de la réalité est-elle digne de vous ? N'allez-vous pas donner une arme terrible à vos adversaires ?

Il la regarda en souriant, détendu soudain.

— Sachez que, d'ici janvier, j'aurai absorbé la Ferme générale, c'est-à-dire détruit l'anti-Système et intégré la perception de l'impôt dans le Système, ce qui rapportera douze millions ; j'aurai le bénéfice de la fabrication des monnaies, estimé à six millions, et celui d'opérations à peine engagées au Sénégal et à Madagascar. J'attends enfin, de jour en jour, des Indes, de Dulivier et de La Prévotière, et de Louisiane, l'eau vive, le torrent qui doit faire tourner plus vite les ailes de mon moulin !

— Etes-vous bien sûr de tout cela ?

— Certain. J'ai pu voir un instant tout à l'heure M. le Régent ; la

394

destruction de la Ferme générale et de l'anti-Système est décidée. Elle est proche.

Elle comprit aussitôt que s'il hésitait encore à faire officiellement état de telles assurances, c'est qu'il redoutait le manque de caractère de Philippe d'Orléans ; mais n'était-il pas acculé à la confiance ?

— Vous l'avez donc vu ? demanda-t-elle, émue. Comment est-il ?

— Très atteint, dangereusement atteint. C'est maintenant tout à fait un malade, je le crois, mais il recherche dans le travail et la conduite des affaires un dérivatif à son malheur.

Law releva lentement la tête ; son regard bleu, clair et lointain, ce regard de visionnaire qu'elle connaissait bien se posa sur les murs gris qui formaient la cour de l'hôtel de Nevers, comme s'il voyait soudain bien au-delà.

— Dépositaire de la richesse des Français, murmurait-il, maître de leur commerce et de l'impôt, je rembourserai la dette publique. La solde des militaires et les pensions seront payées de nouveau, les ouvriers travailleront et les artistes aussi, les paysans se libéreront enfin de leurs dettes, ils mangeront à leur faim et pourront se remettre à labourer...

Le lendemain, applaudi à tout rompre par les actionnaires, le directeur de la Compagnie des Indes annonçait douze pour cent de dividendes annuels, à partir de janvier 1720.

Quelques heures plus tard, le cours des actions remontait en flèche.

Le surlendemain, 27 juillet, la Compagnie des Indes ouvrait, sans désemparer, la souscription annoncée des « petites-filles ». Rue Quincampoix on se les arrachait :

— Deux mille !

— Trois mille ! criaient les ténors de Law, et ils ajoutaient :

— Misez sur la Louisiane, sur le Mississippi !

LA RÉPUBLIQUE DE LAW

C'était un petit fort, délabré par les prises et les reprises de guerre, mais dont l'architecture dépouillée se mariait au site désertique qui l'entourait ; il gardait son air de Castille et sa couleur de soleil. Tel quel, le « Corral » de Pensacola servait de prison à Bienville et à Chateaugay, qui, après l'avoir victorieusement enlevé quelques semaines plus tôt, venaient de se le faire reprendre par les Espagnols. A travers les barreaux d'une fenêtre, les deux frères regardaient désespérément la mer.

La guerre, éclatée entre la France et l'Espagne, était tombée comme la foudre sur leurs espoirs, leurs luttes, leur lassitude et leurs doutes. Au moment où allait se jouer, à Paris, le sort du Système de John Law, le président du conseil de Louisiane et son chef militaire se trouvaient dans un cachot, aux mains des Espagnols !

— Si deux de nos frégates ne s'étaient pas fait prendre à La Havane, soupirait Bienville, on n'aurait jamais pu nous déloger d'ici !

Après un lourd silence, Chateaugay, qui marchait de long en large dans leur commune cellule, murmura :

— Qui sait si Sérigny tient toujours, à l'île Dauphine ?

Bienville, accoudé à la fenêtre grillagée qui surplombait la rade de Pensacola, hocha la tête :

— Toute la flotte espagnole tire sur lui !

— Et il n'a que quatre-vingts soldats, mal armés et mal nourris !

Le silence retomba entre eux ; il revoyait la frêle silhouette du petit frère qui, en leur compagnie, se lançait, à cheval sur des troncs d'arbres, dans les courants du fleuve immense qui avait porté leur enfance jusqu'aux âges de l'aventure et des grands départs vers le sud de cette partie de l'Amérique dont ils firent leurs conquêtes.

Un lourd sommeil sans rêve délivra cette nuit-là les prisonniers de la lenteur du temps. A l'aube, ils furent éveillés à coups de canon : on tirait sur la forteresse. Rompus aux fortunes diverses de la guerre, ils rampèrent jusqu'au bord de la fenêtre et virent alors, dans une aurore éblouissante qui déployait la pourpre de ses draperies transpercées par les flèches d'or du soleil levant, trois vaisseaux de haut bord, une frégate et une flûte. Leurs grandes voiles, dressées à contre-jour, frémissaient dans le vent et leurs pavillons blancs fleurdelisés traînaient majestueusement jusqu'à la surface de la mer ; les éclats de leurs bouches à feu les environnaient d'immenses gerbes d'artifice. C'était l'escadre de M. de Champmeslin, qui arrivait de Brest et qu'ils n'espéraient plus.

— Tous les navires espagnols sont devant l'île Dauphine, souffla Bienville.

— Si cette forteresse n'est pas notre tombeau, nous serons libres tout à l'heure ! répondit Chateaugay.

Peu après, deux cent cinquante soldats français prenaient d'assaut la forteresse démantelée ; Bienville et Chateaugay en sortaient vivants, et l'escadre reprenait son vol sur la mer, dans le vent qui portait ses grandes ailes, pour aller délivrer M. de Sérigny qui se battait toujours dans cette île, à laquelle on avait donné le nom d'une princesse de France.

Quelques semaines plus tard, Bienville rentrait au Nouveau-Biloxi, où les ouvriers de Pauger et de Boispinel travaillaient toujours sans relâche. Les bureaux et les entrepôts de la Compagnie des Indes venaient de s'y installer, à titre provisoire, en attendant les bâtiments en construction à La Nouvelle-Orléans. En bois encore, mais bien bâties par des hommes de l'art, ces maisons révélaient l'apparition d'un style qui se caractérisait par un auvent, des colonnettes et un fronton élégant ; que tout cela était engageant !

Bienville regardait ces quelques demeures pimpantes et une émotion le saisit : rien ne fait mieux sentir au cœur des hommes un enracinement et la naissance d'une nation que de vraies maisons, fussent-elles en planches. Dès cet instant, il cessa de douter et crut en un certain devenir de la Louisiane. Peu importait le présent et qu'il appartînt à M. Law ou à lui-même, les rêves se transformaient en cette réalité qui, tôt ou tard, serait à celui qui la vivrait et la dirigerait ici, sur les rives du Mississippi.

Absent depuis le printemps, Bienville ne tarda pas cependant à se sentir intégré dans une stratégie animée par une volonté lointaine. Il comprit très vite que le temps n'était plus d'aller chercher des fortunes de guerre et de prendre des forts espagnols, comme des navires à l'abordage. Envers et contre tous, les premières maisons de La Nouvelle-Orléans sortaient de terre. On allait déjà admirer celle du chevalier de la Houssaye, construite sur pilotis et si élégante avec sa galerie aux frêles colonnes et ses fenêtres à la Mansart ! Ce fut l'un de ces jours-là que Boisbriand, premier lieutenant en Louisiane, se présenta dans le cabinet tout neuf de Bienville. Là, comme dans le bureau de M. Law à Paris, portulans et mappemondes créaient un décor. M. de Boisbriand étonna fort le président du conseil de Louisiane :

— Je viens vous faire mes adieux, mon cousin, et vous informer que j'ai ordre d'escorter deux compagnies, trois pères jésuites et cinq cents Français qui partent demain pour les Illinois dont je viens de recevoir le commandement.

— Fort bien, mon cousin ! (Bienville se mordit les lèvres pour cacher son dépit. Que de choses s'étaient faites et décidées en dehors de lui depuis Paris, pendant qu'il perdait son temps à Pensacola...) Et qui sont ces jésuites ?

— Les pères Allouez, Gravier et Marest, arrivés par le bateau que j'ai moi-même pris pour revenir ici.

— Au fait, votre séjour en France s'est-il bien passé ? (Le ton restait froid.)

Boisbriand connaissait depuis longtemps le caractère indépendant et ombrageux de son parent. Il avait donc pris le parti de ne lui livrer que peu à peu une suite de nouvelles propres à l'irriter :

— J'ai été convoqué à Paris dès mon arrivée.

— Ah ! Vous aurez eu le privilège de rencontrer l'incomparable M. Law ? (L'exaspération de Bienville montait visiblement.)

Boisbriand préféra esquiver :

— Il m'a chargé de convoyer des mineurs qui doivent rechercher, sur la rive gauche du Mississippi, des mines de plomb et d'argent. J'ai également reçu mission de bâtir, chez les Kaskakias, un nouveau fort pour loger notre garnison, protéger la bourgade et les concessions établies dans cette région.

— Tout est donc prévu ! dit Bienville, glacial.

— Ah ! que ne pouvez-vous travailler avec M. Law, mon cousin ! Vous seriez grandement enchantés l'un de l'autre ; notre directeur le pressent, lui qui vous a bien compris et défendu quand il le fallait, auprès de M. le Régent circonvenu par cette canaille de Delorme !

M. de Boisbriand avait des qualités de diplomate. Bienville se radoucit. Il comprit qu'il ne lui restait plus qu'à marquer de son autorité et de sa personnalité cette expédition et toutes celles qui se préparaient dans l'exaltation, autour de lui :

— J'avais envoyé un rapport détaillé à M. Law sur les Illinois, dit-il. Cette terre, bien cultivée, devrait devenir le grenier de la Louisiane et l'on peut compter sur l'aide des dix mille indigènes qui s'y trouvent ; mais il faudra aussi davantage de laboureurs zélés et laborieux...

— Tels sont bien ces Français que j'emmène là-bas demain. Voyez combien toutes vos directives ont été écoutées et suivies !

La situation, habilement retournée, s'éclairait.

— Le lieutenant du Tisné et ses hommes vous accompagneront, poursuivait Bienville. Ensuite, ils continueront jusqu'au Missouri qu'ils remonteront aussi loin que possible, jusqu'aux montagnes de l'Ouest, si Dieu le veut !

— Mission périlleuse, monsieur. Surtout pour le fils d'un paisible bourgeois de Paris ! N'y a-t-il pas, dans ces parages, de farouches cannibales, les Indiens Panis ? Et il est facile de s'égarer !

— J'ai, pour Tisné, acheté l'unique boussole de ce pays à ce phénomène de Le Page de Pratz, qui se range avec une aimable sauvagesse au bayou Saint-Jean !

Les deux hommes éclatèrent de rire, détendus.

— On dit que la belle va l'entraîner aux Natchez, où elle a de la famille, poursuivit Bienville. Ils y auront pour voisins M. Dumanoir, à la concession Sainte-Catherine, qu'il exploite pour Jean-Daniel Kolly ; et il y fait merveille : il cultive du maïs, des fèves, des patates, des légumes de toutes sortes et du tabac très bon ; Hubert s'est installé là aussi, près du fort Rosalie ; il y a construit un moulin et son meunier est fort entendu : les troupes et les sauvages lui apportent leur blé. Puis, nous avons M. de Montplaisir qui construit une maison belle et commode pour les trente ouvriers venus de la manufacture de tabac de Clérac, en Saintonge, afin d'en créer une semblable ici.

— Ah oui, on les appelle les « Clérac » ! Tout le monde en parle... C'est le grand essor de la Louisiane, en somme ?

Bienville prit un air modeste et important, se dirigea vers une carte étalée sur un mur et, désignant des points fortement soulignés, reprit :

— Nous avons, toujours aux Natchez, la concession des frères Chauvin, sur laquelle travaillent cent nègres. Leur voisin, M. du Breuil, aidé de sa famille et de quinze domestiques, cultive aussi très bien. Aux Chapitoulas, un seul colon vient de récolter six cents quarts de riz et on commence, dans cette région, la culture de l'indigo. Ici, entre le Mississippi et le lac Pontchartrain, viennent de s'installer les soixante engagés des frères Préfontaine. A Bâton Rouge, à la Pointe-Coupée, à la Fourche des Ouachites, aux Yasous, nous avons les concessions de La Harpe, du marquis de Mézières, de MM. d'Artaguiette, de M. de Sainte-Reyne, de M. Le Blond de la Tour, des frères de la Houssaye et de MM. de Vienne. Chez M. Pâris-Duverney, aux Bayagoulas et aux Natchitoches, les frères Dubuisson se sont mis aussi au tabac et leur élevage de vers à soie, commencé déjà depuis un certain temps, est prospère ; des fileuses viennent même de lui arriver du Dauphiné et il paraît qu'il y en a d'avenantes. J'ai l'intention d'aller y voir !

— Mais, mon cousin, vous avez vous-même une exploitation aux Natchitoches ; en êtes-vous satisfait ?

— Mon Dieu, ce n'est pas mal, sans être à comparer à la petite colonie d'Allemands du chevalier d'Arensbourg, qui, aux environs de La Nouvelle-

Orléans, construisent des villages et produisent déjà de la volaille, des œufs, du lait, du beurre, du fromage et des légumes.

— Il faut dire que Pauger entretient dans cette région la foi et l'espérance ! Il y prêche une véritable croisade en faveur de la Louisiane et de sa capitale en particulier.

— Eh bien, mon cousin, faites de même aux Illinois et portez mon salut fraternel aux Indiens Kaskakias !

En cette même journée d'août 1719, dans les rues populeuses de Londres, la foule roulait comme un torrent vers les crieurs qui vendaient une gazette à peine sortie de l'imprimerie. Ce n'étaient qu'exclamations et cris peu habituels à ce peuple maître de lui, qui aime à se donner des apparences de froideur. Un article virulent de Nicholson, gouverneur de la Caroline, dénonçait, en première page, le danger mortel que constituaient désormais pour l'Angleterre les possessions françaises d'Amérique qui formaient, de la baie d'Hudson au golfe du Mexique, un grand empire, lequel encerclait les quelques possessions anglaises du rivage de l'Atlantique et leur interdisait toute expansion vers l'intérieur. Nicholson réclamait des représailles contre la France, pourtant alliée de l'Angleterre, et un plan d'offensive.

Un article de Blunt faisait suite : c'était une invective menaçante contre la Compagnie des Indes, à laquelle il opposait sans nuances sa *South Sea Company* ; il annonçait enfin que Nicholson venait d'être nommé chef suprême des forces militaires, avec mission de monter une expédition contre les établissements français d'Amérique.

Un homme parmi les autres saisit une de ces feuilles. Autour des vendeurs, des groupes se formaient et commentaient l'événement. Lui, demeurait à l'écart ; il était grand, blond et son beau profil en rappelait un autre : c'était William Law, qui partait pour Paris.

EST-CE UN SONGE ?

> « Est-ce un songe ?...
> C'est de ce jour que l'art reprend au
> XVIIIᵉ siècle, que l'industrie recommence...
> On se rend au miracle. »
>
> MICHELET.

> « Ce sont là des actes infiniment plus
> dignes d'être célébrés que les conquêtes des
> hommes de guerre. »
>
> Les notables d'Edimbourg.

— Plus de taille, plus de gabelle !
— Plus de capitation, plus d'aides, plus de douanes ! chante la foule en dansant.

— Plus de fermiers généraux, plus de tyrans qui nous volent et qui volent le roi !

— A bas les tyrans ! Vive le roi ! vive Law !

Dans les faubourgs de Paris, une ronde sans fin se fait, se défait, se reforme.

William Law, le frère de John, et Rebecca, qui porte en elle le premier enfant de la future branche française des Law de Lauriston, entendent scander ces refrains depuis leur débarquement au Havre. Ils ont entendu et vu, de village en village, des bals, des girandoles, des libations, des chansons célébrer une joie populaire infinie.

Sur le bateau, ils avaient appris que l'on se disputait les places de voitures pour Paris et que, vendues et revendues par des intermédiaires, leur prix montait comme les cours des actions. Mais à l'arrivée du navire, une escorte et un équipage, tels que l'on en déplace pour les princes, les attendaient.

Il semblait au jeune couple Law qu'ils arrivaient dans un pays en pleine révolution, dont le chef de leur famille était le libérateur et le maître. Les lettres précises de John, décrivant le développement du Système, n'avaient donné à William qu'une idée bien imparfaite de la position de son frère dans ce royaume, position qui d'ailleurs venait brusquement d'évoluer. Le peuple de France recevait comme une libération la liquidation brutale de l'anti-Système et surtout celle de la Ferme générale, carcan impitoyable plusieurs fois séculaire. Cet événement s'était accompli en un instant, par un paraphe du Régent qui cédait à la Compagnie des Indes la charge de lever l'impôt.

Pour museler ses adversaires, Law fit aussitôt répandre largement dans le public l'essentiel de la révolution fiscale qu'il allait appliquer. Son mémoire sur *Le Denier Royal*, écrit en juin 1719 pour le Régent, venait de paraître et faisait sensation. Des souscriptions s'ouvraient pour lui élever une statue commémorative.

Le jeune ménage Law fut conduit dans une somptueuse demeure, sise rue des Petits-Champs, à côté de l'hôtel de Nevers, et aménagée à leur intention.

Lorsque Jessamy John vint à eux avec sa simplicité et le charme presque juvénile qui était le sien, les deux frères s'étreignirent. John enfin se tourna vers Rebecca, lui baisa la main qu'il tint un instant serrée dans la sienne, puis revint à William et le questionna sur leur mère, leurs frères et sœurs et le clan Law tout entier, Lauriston-Castle, Edimbourg, l'Ecosse. William, qui brûlait de lui poser mille questions sur cette France, séduite et conquise, fut ramené bon gré mal gré au pays d'enfance. Là, il est vrai, grandissait une préoccupation qui leur était commune : le brusque déclin de la santé fragile de leur mère.

Law revoyait la vieille dame, dans la grande salle de Lauriston, lui désignant en face d'elle la place du maître de maison ; il entendait au profond de sa mémoire la petite voix cassée qui se voulait gaie : « Puissiez-vous demeurer là aussi longtemps que je vivrai. » C'était là un vieux désespoir qui dormait en lui : il revoyait le cabinet de travail qu'elle lui avait installé dans la grosse tour ; là, il avait mûri les principes essentiels de son Système et rédigé son premier ouvrage. Sa mère avait su le comprendre jusqu'à s'effacer elle-même de sa vie sans repos et sans paix, et cela depuis le temps lointain où elle payait ses dettes de jeunesse. Une question le brûla :

— Que dit-elle de ma situation présente ?

— Il est impossible de s'en faire une idée exacte de si loin ; moi-même...

— Si nous la faisions venir ici, William ?

— Elle est trop âgée et mal portante pour entreprendre un tel voyage ! répondit Rebecca.

Il faillit protester ; pour lui qui avait couru l'Europe, rien n'était loin, mais il eut soudain le sentiment que Lauriston reculait, s'effaçait dans les brumes d'un passé qu'il ne ressaisirait jamais.

— J'essaierai, disait William, de lui peindre ce que je vois et de lui dire ce que j'entends. Il faut absolument qu'elle sache avant de... (Il n'acheva pas et reprit d'une voix altérée :) Quel message à lui adresser, quel bouleversement pour elle, pour nous tous !

John prit soudain conscience de ce que disait son frère ; le clan Law parlait, s'émouvait par sa voix et lui transmettait sa chaleur perdue.

— *My old Will...* murmura-t-il.

L'étrange douceur de la langue maternelle passait sur ses lèvres et lui communiquait une émotion inattendue, inutile, dont il ne savait pas se défendre. Se pouvait-il que cette langue soit aussi celle de ses ennemis les plus implacables, elle qui lui avait servi à appeler sa mère et à formuler ses premiers mots d'amour ? Depuis combien de temps ne pensait-il, ne parlait-il, n'écrivait-il qu'en français ? Il s'aperçut alors que son frère n'avait pas osé lui répondre en anglais. William, lui, ne percevait pas ce grand trouble car le sien était immense.

— John, que se passe-t-il en France ces jours-ci, quel coup d'Etat s'est-il produit dont vous êtes le héros ?

Il alla prestement aux grandes fenêtres du salon, les ouvrit ; le bourdonnement de la foule aux alentours de la Banque parvenait jusque-là.

— Tenez, écoutez, reprit-il en souriant, et expliquez-moi. Malgré la chaleur, il faut que je referme cette fenêtre car on ne s'entend plus !

— Cela est simple, répondit John...

Et en quelques mots, il mit son frère au fait de la situation. William s'effraya :

— En vous donnant le bail des fermes, M. le Régent vous a imposé de prendre en charge le remboursement et la conversion des rentes servies par le Trésor ; n'est-ce pas au-dessus des moyens actuels de la Banque et de la Compagnie des Indes ?

— Voici les termes du contrat, fit Law en éprouvant cette joie pure de retrouver le frère, le collaborateur de jadis. Je prête à l'Etat, en contrepartie de toutes les rentes, un milliard cinq cents millions à trois pour cent d'intérêt ; il me paiera donc trente-cinq millions et fera une économie d'environ quinze millions sur ce que lui coûtaient les versements aux rentiers. La Compagnie des Indes, qui se substitue au Trésor, proposera à ceux-ci un nouveau titre de rente à trois pour cent d'intérêt, ou bien le remboursement de leur capital en actions de la compagnie. Je suis certain de pouvoir tenir ces engagements en faisant fructifier les trente-cinq millions de l'Etat dans les diverse affaires et entreprises que je lance actuellement.

— En somme, répondit William subjugué, c'est votre Système unitaire qui est créé : une grande société gérant toutes les ressources de la nation.

— Sans doute, répondit John ; mais il y a de graves inconvénients, vous le savez, à concentrer toutes les activités d'un pays dans un organisme d'Etat. *Le Système doit libérer les peuples de toutes contraintes.* Seuls mes adversaires pourraient, s'ils parvenaient à altérer gravement son fonctionnement, modifier ce principe fondamental. Pour l'heure, je vais supprimer le monopole des tabacs et le remplacer par un droit d'importation préférentiel qui permettra de vendre le tabac de Louisiane moins cher que celui d'Espagne ; à brève échéance, je vais libérer le commerce d'innombrables entraves, en laissant circuler librement d'une province à l'autre les marchandises de première nécessité.

Il mit ensuite William au courant des travaux et prérogatives de la direction qu'il lui réservait : celle de tous les rapports de la Banque royale avec l'étranger.

— Et vos enfants ? s'enquit enfin William.

— Jean est un grand garçon. Je n'ai pas hélas, pour l'instant, la possibilité de m'intéresser à lui comme il le faudrait et Marie-Catherine a sept ans déjà. Elle doit avoir, me semble-il, le caractère de notre mère. Je crains que Caterina ne les occupe que de sottises et de vanités.

Le sujet épineux que redoutait William se trouvait ainsi abordé.

— Caterina est toujours aussi... distante ? demanda-t-il en hésitant.

— Que croyez-vous ? dit John qui éclata de rire. Elle se repliait sur elle-même tant qu'elle n'était pas en position d'être la première ; mais aujourd'hui, elle tient table ouverte jour et nuit place Vendôme et traite de haut jusqu'au duc et à la duchesse de Saint-Simon, amis les plus chers de M. le Régent ! Ma maison est en proie à une cohue indescriptible et il me devient difficile de parvenir même jusqu'à ma chambre pour y prendre quelque repos. C'est pourquoi j'ai pris mes quartiers à l'hôtel de Nevers et ne vais chez moi que lorsque je suis obligé d'y paraître et d'y recevoir.

— Mais c'est affreux ! s'écria Rebecca. Vous trouverez ici un foyer où l'on sera heureux de vous accueillir.

— Je crois qu'il suffirait que j'accepte votre gentille proposition pour que l'on voie les foules de la place Vendôme prendre d'assaut votre maison !

dit John en souriant. (William et Rebecca se regardèrent, effarés.) Méfiez-vous, ajouta-t-il. Il me paraît probable que vous aurez aussi des ennuis de cet ordre. Nous vivons dans l'étrange et l'exceptionnel et je sens bien que je vais au-devant de grands soucis.

— Que voulez-vous dire ? s'inquiéta William.

— Que l'anarchie s'installe. On commence à ne plus conserver de domestiques parce qu'ils font fortune. Mon cocher vient d'acheter un hôtel à Paris où il se loge sur le pied d'un duc et pair ; il a fallu contraindre des tailleurs que l'on ne parvenait plus à faire travailler aux habits du roi, et l'on va être obligé de menacer de renvoi des militaires et d'innombrables commis de l'Etat qui délaissent leurs fonctions. Nous en sommes là... conclut, préoccupé, l'apprenti sorcier.

Quarante-huit heures ne s'étaient pas écoulées que William se vit attribuer une garde personnelle, chargée de sa sécurité : au cours de ces quelques heures, il apprit que sa vie se trouvait menacée par les ennemis de son frère ; il découvrit également le nouveau visage de Caterina au milieu de sa cour, et Mme de., au plus secret de l'hôtel de Nevers.

Caterina reçut avec morgue et suffisance le jeune ménage qui ne s'attendait pas à un autre accueil. Tout l'étonnement venait de Nathalie, solitaire, angoissée, dont la pâleur disait l'insomnie et les longues attentes silencieuses et confinées ; elle formait un contraste saisissant avec cette ville en délire et William y fut tout de suite attentif. Dès les premiers mots, Mme de. lui permit de mesurer qu'un amour, qui en d'autres temps eût été connu et célébré, ne devait d'être préservé ou délaissé qu'à la force du torrent qui emportait la France et balayait tout sur son passage.

— Vous êtes son frère, dit Nathalie, avec une grande émotion. Parlez-moi de Lauriston...

Elle aussi ! William ne se souvenait pas d'avoir jamais vu pareille intensité d'expression sur un aussi beau et singulier visage. Voilà bien la femme que la vieille dame de Lauriston eût reconnue comme celle créée pour son fils préféré !

William était d'autant plus enclin à penser cela que John venait de lui révéler que Caterina n'était pas sa femme ; il en fut surpris et satisfait. Un tel aveu ne pouvait être différé : Caterina, récemment informée de la mort de son mari, allait certainement chercher à utiliser la présence de William pour reprendre son chantage en faveur d'une régularisation que rien n'empêchait plus. La menace de révéler à la famille Law sa situation serait désormais inutile. Les hautes raisons morales qui incitaient John Law à maintenir chez lui, dans la position où elle trouvait enfin sa part de bonheur terrestre, la mère de ses enfants, enlevée jadis et devenue la triste compagne de ses pénibles itinérances, furent exposées à William qui n'eut guère le temps d'accorder grande attention à cette part de la vie privée de son frère.

La charge de la Banque pesa bientôt presque entièrement sur lui ; il était temps qu'un directeur général adjoint la prît en main et s'y consacrât. C'est ce qu'il fit. Là, au cœur même du Système, l'anarchie s'insinuait en effet et il n'y avait pas que le Suisse [1] qui paraissait suspect, rue Vivienne! La direction et la réforme de la Ferme générale, augmentée de celle des salines et gabelles, du monopole de la vente des sels d'Alsace et de Franche-Comté venaient encore accaparer le frère dévoué et compétent, sans compter le réseau des correspondants de la Banque royale, dans toutes les capitales européennes, qui passa sous son contrôle.

John Law, délivré de ces charges, pouvait se donner à d'autres activités plus vastes, plus captivantes et fort urgentes. *La mainmise sur la puissance financière du royaume amenait son génie à se saisir de tous les problèmes de gouvernement.*

Le Régent, après avoir fait face à l'événement, déclinait visiblement [2]. Pour l'heure, il se bornait à couvrir de son autorité les décisions de Law. De profondes raisons motivaient cette approbation : la France exsangue qu'il avait héritée de Louis XIV devenait, comme le lui promettait l'Ecossais, l'Etat le plus riche du monde. Il était heureux de combler ses amis, de doter abondamment les hôpitaux, l'asile des enfants trouvés, les hospices ; il n'ignorait rien des générosités que prodiguait, sans en parler, Law lui-même qui, non content de soulager le peuple et de lui permettre de s'enrichir, soulageait de nombreuses misères [3].

Ainsi, un flot de prospérité roulait-il sur des ruines. Il fallait tout rebâtir, créer un monde nouveau.

Face à cette tâche, Law, en 1719, était seul. Dubois affectait de se consacrer aux Affaires étrangères, à la guerre d'Espagne, aux troubles de Bretagne et réglait son comportement en fonction de l'ambition passionnée qu'il avait d'être un jour prince de l'Eglise, comme Richelieu, Mazarin et Alberoni. Les grands seigneurs, les hauts magistrats, les grands commis, appelés à participer à la conduite des affaires du royaume, emportés par la grande fièvre, dévorés par une âpreté sans bornes, devenaient sourds, insensibles, aveugles.

Law voulait agir d'autant plus rapidement que le grand mouvement déclenché par le Système ne pouvait se ralentir sans amener sa chute. Dans *Le Denier Royal,* que tous les Français qui savaient lire s'arrachaient, Law avait pu écrire en toute vérité :

« *Le commerce est florissant, les étrangers enlèvent nos denrées et nos marchandises ; les manufactures travaillent et ne peuvent fournir à la consommation ; les ouvriers reviennent dans leur patrie ; le laboureur augmente la culture des terres et le bourgeois bâtit par tout le royaume ; le roi empruntait, il prête. La France qui était débitrice, est devenue créancière, elle est maîtresse des changes étrangers... »*

Le Régent s'efforçait encore de suivre Law, écoutait ses exposés élaborés dans la plus grande fièvre créatrice qui ait jamais animé jusque-là un homme

1. Le planton de l'entrée principale.
2. Il mourra quatre ans plus tard.
3. Voir la bibliographie à la fin du volume.

d'Etat. Il voyait un peuple sortir des ruines et ensevelir ses fantômes, cela en quelques mois.

— Ne vous l'avais-je point assuré, monseigneur ? Et il faut me suivre encore plus loin, beaucoup plus loin.

— Qu'est-ce à dire ?

— Il faut préparer l'application rapide des principes exposés dans *Le Denier Royal*. Il est de la dernière urgence d'apporter un remède efficace au danger que fait naître l'agiotage effréné auquel se livrent les Français.

— A qui la faute, monsieur ?

— Toute médaille a son revers, monseigneur, mais les hommes doivent être gouvernés.

L'autorité du ton et du propos, sa critique voilée heurtaient secrètement le Régent ; mais les vainqueurs ont toujours raison.

— Quelles mesures proposez-vous ?

— Votre Altesse royale les connaît : l'heure est venue d'obliger le clergé à vendre ses terres en friche. J'estime que nous aurons là une masse d'une valeur de deux milliards qui, mise en vente, rendra la terre accessible à vil prix. Nous obtiendrons alors deux effets également salutaires : un développement considérable de l'agriculture et une fixation certaine des gains de bourse qui trouveront là un placement toujours apprécié des Français. Plus tard, l'application d'un impôt correspondant à l'importance de la terre et de la fortune incitera les gros propriétaires terriens, qui actuellement sont nos principaux agioteurs, à restituer de la sorte à l'Etat une part de leurs monstrueux bénéfices, *ce qui calmera leurs activités effrénées et dangereuses rue Quincampoix !* A propos de cette réforme, j'ai préparé le décret que voici et dont je me permets de redire l'essentiel à Votre Altesse royale...

Il savait qu'il fallait répéter inlassablement une vérité, même simple, pour tenter d'en faire pénétrer une part quelquefois infime dans l'esprit des hommes, fussent-ils de la qualité de Philippe d'Orléans. L'intelligence, si rare, est hélas un rouage fragile que les maux de l'âme et du corps ont tôt fait d'asservir. Law, pénétré jusqu'à l'angoisse de cette évidence, redisait, dans une tension extrême et contenue :

— « Je supprime trente-neuf mille commis de la Ferme générale, les receveurs et les fermiers généraux. Je garde mille personnes et trente directeurs pour toute la France. L'économie ainsi réalisée est de seize millions. Nous économiserons également les frais de justice engendrés par la multitude des procès entraînés par les abus anciens. Nous supprimons aussi les intérêts qu'il faut payer aux fermiers généraux pour les avances qu'ils consentent à Sa Majesté, et les innombrables bénéfices qu'ils réalisent. On peut avancer que ces épargnes peuvent monter à cent millions par an, de manière que le roi, en augmentant ses revenus de cinquante millions, diminuera en même temps les charges des peuples de cinquante autres millions. J'ajoute que l'attention de Votre Altesse royale n'étant plus partagée entre tant d'affaires et de préoccupations, il lui sera aisé de suivre

405

par elle-même le nouveau Système et d'entrer dans le détail de l'opération[1]... »

Le Régent acquiesça d'un signe de tête ; il semblait un peu lointain, infiniment las.

— « ... Par ce Système, insistait Law, Votre Altesse royale rend la liberté au commerce, à l'industrie, au labourage ; point de barrières[2], point de visite[3], point de saisies justes ou injustes, mais toujours dangereuses, étant fondées sur la bonne foi supposée des commis... » (Et le visionnaire ajouta, rêveur :) « Point de guerres entre le roi et ses peuples. » (Puis il reprit vivement :) « Je rappelle à Votre Altesse royale que tous les ordres du royaume, privilégiés et non privilégiés, seront compris dans la nouvelle taxe[4] et que si il y a des exemptions, elles ne seront que pour les pauvres et pour l'industrie. La nouvelle taxe sera répartie suivant les facultés des contribuables ; celui qui a plus, paiera le plus, celui qui a moins, paiera moins et celui qui n'a rien, ne paiera rien[5]. »

— Vous m'avez déjà dit et écrit tout cela, soupira le Régent. Et vous assuriez à l'instant : point de guerres entre le roi et ses peuples, mais le peuple n'est pas en état de faire la guerre au roi, tandis que les privilégiés auxquels vous vous attaquez !...

— Ne mésestimez pas la force du peuple, monseigneur. Elle peut être redoutable car elle naît du nombre et de l'union, et « la taxe que je propose n'a rien d'arbitraire, personne ne pourra être favorisé, personne ne pourra être vexé ; le riche osera le paraître, le pauvre osera devenir riche sans craindre que le fruit de son travail soit frappé par une imposition arbitraire et excessive. La fraude ne pourrait se faire que par l'inexactitude des déclarations que, désormais, *je charge chaque contribuable de rédiger,* mais j'y ai pourvu par des précautions qui paraissent certaines ; d'ailleurs, quelle différence d'avoir à se défendre d'un côté seulement au lieu que, à présent, il y a mille voies par où la fraude s'introduit !... L'augmentation que Sa Majesté trouvera dans ses revenus par ce nouveau Système la met en état de payer les parties arriérées depuis la Régence[6]... »

— Vous savez bien, monsieur, que je vous suis tout acquis, mais mesurez-vous bien ce que représente l'application de tels principes et ce qu'il peut nous en coûter ?

— Vous avez le pouvoir, monseigneur. L'ordre, l'obéissance au roi dépendent de Votre Altesse royale ; moi, je suis chargé de l'impôt, c'est-à-dire des revenus de Sa Majesté et je tiens le langage que je dois tenir ; « je suppose que présentement le revenu général du royaume monte à mille millions et que les différentes natures de droits et d'impositions que le roi lève sur ses peuples leur coûtent deux cent cinquante millions, ou même

1. John Law.
2. Octrois des villes et contrôles chez les paysans.
3. *Idem.*
4. L'impôt unique, le denier royal.
5. John Law.
6. John Law.

deux cents millions seulement. C'est un cinquième du revenu de chaque particulier. Je suppose maintenant que toutes les impositions, autres que le Denier Royal, soient supprimées ; les bras des peuples étant déliés, toutes vexations cessant, chacun travaillant, le commerce étant libre, il serait porté à toute son étendue et le revenu général du royaume augmentera jusqu'à deux mille millions... Le roi pourra alors lever sur son peuple quatre cent millions plus facilement qu'il ne peut lever présentement deux cents millions. Si Sa Majesté pouvait déjà lever deux cents millions, elle aurait un revenu qui excéderait sa dépense et qui suffirait pour acquitter, avec le temps, les dettes de l'Etat [1]... »

Le Régent s'était redressé :

— Tout cela est bel et bon, monsieur, mais les Français sont devenus fous, l'agiotage ravage le royaume comme les pires épidémies et l'anarchie menace de paralyser les rouages de l'Etat !

— Je n'ai pas le pouvoir, monseigneur, répéta Law d'une voix forte. Vous m'avez demandé de remplir les caisses de l'Etat, je les ai remplies. Je vous propose maintenant d'administrer comme elles doivent l'être les finances du roi...

— Ne vous ai-je pas cédé la Ferme générale ? répliqua le Régent qui comprit clairement l'allusion à ce que d'Argenson demeurait contrôleur général des Finances, alors que John Law avait en fait la haute main sur ce ministère et assumait toutes les charges et responsabilités qui en découlaient. Il faut que je médite sur tout cela, ajouta-t-il, de manière à soutenir efficacement votre réforme et à faire respecter vos décisions et l'autorité du roi.

Law le regarda. C'était l'instant qui allait décider de son destin.

— Je demande encore à Votre Altesse royale de considérer que « *le Système n'est point dans mon esprit une fin en soi* », mais qu'il doit entraîner, qu'il entraîne déjà — et c'est une réalité qui nous presse à cette heure — la nécessité de promouvoir une forme nouvelle de gouverner les hommes. Donner à chacun d'eux la dignité, la justice et les moyens de s'élever selon ses capacités, aider efficacement les plus déshérités sont les grands principes qui doivent inspirer la politique économique d'un Etat moderne.

Il venait pour la première fois de se livrer tout entier et de se présenter devant le prince sous un autre aspect que celui d'un financier, d'un spécialiste que l'on charge de remplir les caisses vides d'un royaume.

Philippe d'Orléans, jadis, eût vibré à de tels propos, mais aujourd'hui, était-il autre chose qu'un mort en sursis ? Son esprit, infiniment vulnérable, subissait, il est vrai, des assauts discrets mais redoutables et constants, savamment orchestrés, contre l'Ecossais. On savait comment toucher le Régent en lui faisant redouter l'ambition de son collaborateur et que cet étranger n'en vînt à disposer à son gré de l'autorité royale. Le duc d'Orléans était ombrageux sur ce point et pourtant son âme sensible mesurait le prix des propos qu'il venait d'entendre.

1. John Law.

— Votre générosité m'est connue, monsieur, dit-il simplement.

Law le trouva réservé.

— Je n'ai jamais douté que Votre Altesse royale n'estime que la tâche la plus pressante des hommes de gouvernement soit de transformer la condition des peuples ; devant le spectacle de tant de misères, d'ignorance d'une part et de tant d'injustices et d'abus de l'autre, comment nous serait-il possible de prendre aucun repos jusqu'à ce que nous ayons porté remède à de si grands maux ? Votre plus durable gloire, monseigneur, celle dont se souviendra l'Histoire, sera que, en cette année 1719, il est devenu possible de parler au passé de ces calamités !

Le Régent ne résistait ni à ce regard clair, ni à cette flamme. En lui s'agitèrent encore ses vieux rêves ; il eut un sourire navré, un geste presque affectueux.

Law salua et se retira. Il ressentait physiquement son isolement, mais la charge écrasante de la gestion des finances l'entraînait irrésistiblement vers la réalité du pouvoir, qui était tout autre chose que le spectacle des têtes couronnées, le moutonnement des foules et le mouvement des armées.

Au chant des outils des scieurs de long qui défrichaient la forêt américaine pour bâtir des villes répondaient, d'un bout à l'autre de la France, ceux de tous les bâtisseurs rassemblés sur les chantiers qui naissaient partout, chaque jour, selon les programmes et les plans élaborés jour et nuit à l'hôtel de Nevers.

La partie se jouait aussi dans le vent de mer qui poussait cinquante vaisseaux vers les Antilles, les Amériques, Madagascar, les Indes et la Chine, vers tous les rivages où la Compagnie des Indes construisait ses entrepôts.

Pondichéry et Chandernagor devenaient les principaux marchés de l'Orient. Les navires, dirigés depuis l'hôtel de Nevers, emportaient les vins et les produits manufacturés français ; au Bengale, ils se chargeaient, pour les écouler en Chine, en Afrique, en Amérique et en Europe, de toiles, de mousselines, de cotons, de soies et de poivre ; ils rapportaient de Chine du thé, des porcelaines, des papiers peints, des éventails, des bois précieux, du nankin, des laques, des coraux ; du Sénégal des cuirs, des cires, des gommes, de la poudre d'or, des plumes d'autruche, de l'ivoire, de l'indigo, de l'ambre ; de Cayenne, des Antilles, de Louisiane et du Canada des fourrures et des peaux, du sucre, du café, du cacao, du tabac, du camphre, de l'indigo, des bois précieux. Aux Antilles, où la compagnie venait de rendre libre le commerce des sucres, les Noirs passaient de quinze mille à soixante-douze mille.

Il n'était que temps d'aménager les ports. Lorient, spécialement conçu pour le trafic avec la Louisiane, s'édifiait encore plus vite que La Nouvelle-Orléans. A Calais, Dieppe, Le Havre, Rouen, Honfleur, Saint-Malo, Morlaix, Brest, Nantes, La Rochelle, Bordeaux, Bayonne, Sète et Marseille des chantiers nouveaux apparaissaient. Ne fallait-il pas ouvrir aux grands voiliers de larges portes sur les mers ? Là aussi, que de ruines à relever, que de conceptions révolutionnaires à faire prévaloir.

Des manufactures, des fabriques s'élevaient partout en France, largement financées par des prêts et subventions de la Banque royale et assurées de vastes marchés dans les pays de par-delà les mers.

La libre circulation du blé et de toutes les denrées assurait que le grain ne pourrirait plus dans les greniers d'une province quand la famine sévirait dans une autre ; les ouvriers et les artisans pourraient désormais travailler où bon leur semblerait. Alors, ceux que la servitude et la misère avaient chassés vers l'étranger rentraient en foule, mêlés aux protestants qui prenaient aussi, pleins d'espérance, le chemin du retour. Il fallait donc, en France comme en Louisiane, engager une course contre la montre pour résoudre le problème vital des voies de communications.

Law gouvernait seul. En hâte, il faisait construire un pont à Blois et partout où s'ouvraient des routes que coupaient des fleuves et des rivières. On embauchait en Provence et à Briare pour creuser sans délai des canaux, et à Elbeuf on tentait de régulariser le cours de la Seine pour donner un meilleur accès vers la mer au port fluvial de la capitale.

Maintenant, les cargaisons des grands navires parvenaient jusqu'à Paris. Elles ajoutaient leurs nouveautés, leurs étrangetés aux créations des artistes et des artisans dans les boutiques qui s'ouvraient rue Saint-Honoré. L'art, lui aussi, triomphait des ruines, de la faim, du froid, du dénuement qui l'avaient paralysé, desséché depuis les dernières années du siècle précédent. Meissonnier faisait bomber les moulures et les corniches, jouait avec les coquilles, les nuages et les plantes. Gillot et Watteau proposaient des décors où les trophées, les instruments de musique, les feuillages, les herbes folles, les guirlandes se mariaient avec subtilité aux créations d'Oppenordt et de Cressent : on se pressait pour voir, sur des paravents inspirés par les images d'ailleurs, des petits singes, des oiseaux et des chinoiseries, des meubles en bois de couleurs diverses venus des lointaines forêts d'au-delà des mers, marquetés, parfois incrustés de métal ou d'écaille, ornés de bronze ciselé. Entre les Tuileries, la place Vendôme et le Palais-Royal, nouveau quartier où Law édifiait et rénovait tant d'immeubles et faisait achever les travaux de l'église Saint-Roch, naissait un style délicat, inégalable et inégalé. Paris, comme la France, changeait de visage. Des chefs-d'œuvre d'architecture s'élevaient des chantiers qui traçaient des rues entières au faubourg Saint-Germain et au faubourg Saint-Honoré ; on élargissait la place du Palais-Royal et on bâtissait le quai du Louvre.

L'argent circulait vite et suscitait des besoins nouveaux. Aux pompeux vêtements de tissus pesants succédaient des robes de soies légères, couleur d'eau ou de feu, des gazes, des mousselines impalpables de l'Inde. C'était là un autre luxe, fait pour paraître en dehors des palais et s'épanouir en tous lieux.

Un grand songe venait de naître, hôte imprévu des frégates, arboré aux mâts de misaine et bercé au creux des voiles : le rêve des îles, des coureurs de bois, la chanson marine des au-delà et des ailleurs qui passera sur les lèvres de Manon et de René. Le rythme interne du siècle était né au cœur inquiet de John Law, l'insulaire ; tout son univers intérieur s'échappe de lui, marque

le temps, le monde. Il ne peut rien retenir, rien garder, il ne s'appartient
plus.

DE FRAGILES CORDES TENDUES...

De plus en plus pressante se faisait la nécessité d'entraîner les bénéfices
démentiels de la rue Quincampoix vers les placements fonciers. On ne
pouvait plus attendre l'application des principes contenus dans *Le Denier
Royal*. Law se détermina à utiliser un procédé dont il avait déjà éprouvé
l'efficacité. En un moment où le public épiait ses moindres gestes, l'imitait
en tout, fixait sa conduite sur l'attitude de ses agents rue Quincampoix, il
pensa qu'il lui suffirait d'acquérir un nombre important de domaines et de le
faire savoir pour être suivi. Le Régent en était aussi persuadé et le pressait de
donner cet exemple [1].

William envoya donc dans les provinces des commis chargés de rechercher
des propriétés à vendre et, en peu de temps, on apprit que Law achetait le
château de Guermantes en Brie, jadis à Bourvalais, le marquisat d'Effiat en
Auvergne, les terres de Roissy-en-France, de la Rivière, de Toucy, d'Orches,
d'Yvelles, de Yerville, de Gerponville [2]. Cela, comme prévu, fit grand bruit
et donna le goût de semblables placements à quelques-uns ; mais l'Auvergne
ou la Normandie paraissaient bien loin, alors que la rue Quincampoix et ses
vertiges tout proches attiraient invinciblement, comme le luxe et les
tentations qui débordaient des boutiques de Paris.

Law avait-il forcé le destin comme il s'était juré de le faire sous les grands
arbres de Lauriston, cette nuit-là où, douloureusement, il entra dans sa
maturité ? Il s'était alors promis de vaincre la morgue et la sottise des
parlementaires d'Edimbourg et voici que les anciens de la vieille cité lui
dépêchaient un messager de marque : son ami d'enfance, Robert Neilson,
fils de Lord Provost.

William et John le regardaient, comme dans un rêve, franchir la porte
monumentale du bureau où, impassibles mais la gorge serrée, ils l'accueillaient. Neilson hésita, saisi par la solennité et la somptuosité du décor et par
les souvenirs que ces deux visages réveillaient en lui. C'était un grand garçon
brun, vif et sensible. Il s'avança lentement, franchissant la distance
impressionnante qui le séparait des deux frères et, parvenu devant eux,
s'inclina et tendit à l'aîné un coffret d'or :

— Je suis heureux de vous saluer, John Law de Lauriston et vous aussi

1. Archives du ministère des Affaires étrangères.
2. Les « historiens » et les rares « biographes » de Law présentent ces acquisitions comme
une manifestation de vanité. Ils n'ont point remarqué que Law n'a jamais porté aucun des
titres nobiliaires attachés à ces biens, qu'il renonça au sien et ils ignoraient les documents
qu'amène à consulter une étude tant soit peu approfondie du Système et de son créateur.

William, mon ami. Oui, répéta-t-il avec un éclatant sourire, je suis heureux d'avoir été désigné pour vous remettre cet hommage de notre pays et de notre ville.

— Qu'est-ce donc ? s'étonna John Law, en prenant le coffret d'or et en serrant la main de Neilson.

— C'est la Franchise de votre ville natale. Les anciens l'ont votée pour vous à l'unanimité, pour ce que vous faites si grand honneur dans le monde à Edimbourg et à l'Ecosse.

Law tressaillit, le regard perdu au loin... Il eût été si simple de croire en lui, jadis ; à cette heure, il eût été à Lauriston. Il ouvrit le coffret : il contenait un document écrit en latin.

— C'est moi qui ai été chargé de le rédiger, expliquait Neilson. On m'a prié d'exprimer le désir que les mesures et les principes, qui s'avèrent si utiles à la France, puissent être appliqués aussi dans votre pays et de traduire le regret d'avoir méconnu votre génie ; mais on m'a dicté ceci : « Recouvrer la monnaie dispersée d'une nation, rétablir son commerce en déroute, la soulager des impôts écrasants, créer de nouvelles manufactures et venir en aide à ses habitants de la façon la plus généreuse, sont là des actes infiniment plus dignes d'être célébrés que les conquêtes des hommes de guerre [1]... »

Neilson, vibrant, se tut. Dans le silence, Law revoyait les sombres façades du palais d'Holyrood, le Parlement, les tours dressées dans le ciel gris où passaient en criant des oiseaux de mer... Il reviendrait peut-être à Lauriston.

— Robert, commença-t-il ; mais il ne réussit pas à en dire plus ; William non plus ne pouvait, au fond de sa gorge serrée, trouver une parole.

— Robert Neilson, reprit enfin Law. Je n'oublierai jamais ni le geste de l'Ecosse, ni qu'il me fut transmis par vous. (Il contempla un instant cet adolescent attardé, au visage si gai et si franc, reposant et sûr comme l'univers d'enfance dont il venait et il ajouta :) Ne voudriez-vous pas rester auprès de moi ?

Neilson sursauta.

— Avant l'arrivée de William, poursuivait Law, je n'avais personne sur qui je puisse me reposer vraiment. Le voici déjà accablé par des tâches et des responsabilités trop nombreuses. J'ai certes des collaborateurs dévoués et capables, mais eux aussi sont peu à peu dévorés par trop de charges diverses. Voulez-vous être mon secrétaire particulier ?

— C'est un honneur que je ne mérite pas et une aventure merveilleuse ! répondit Neilson avec un éclatant sourire.

Une équipe se formait ainsi à l'hôtel de Nevers, où des Ecossais de plus en plus nombreux s'exaltaient de reprendre, à travers le service de Law, une guerre sournoise contre l'Angleterre et la *South Sea Company*. Par eux, le Prétendant Jacques Stuart ne tarda pas à demander à Law un secours financier important et l'obtint.

L'ambassadeur d'Angleterre, Lord Stairs, Ecossais lui aussi mais passé à l'ennemi, au demeurant caractériel et probablement fou, n'en ignorait rien.

1. Bibliographie.

411

A quelque temps de là, il fut fort irrité en voyant place Vendôme, devant le haut portail fermé de Law, s'écraser trois cents personnes, peut-être plus. Leurs carrosses encombraient la place et les rues avoisinantes. C'était toute la cour de France qui se pressait et piétinait là.

— A Versailles, on la logeait ; au Palais-Royal, on la reçoit ; ici, elle attend ! cria-t-il, furieux.

C'est que l'on assurait que Law était venu, cet après-midi-là, place Vendôme ; on le savait, on en était sûr, des domestiques achetés à prix d'or venaient d'informer tel et tel qui en informaient d'autres ! La nouvelle se répandait comme l'eau de la Seine en temps de crue. La meute avide, insatiable battait les murs de sa demeure, épiant l'instant où il serait possible de présenter une requête, de réclamer places, honneurs, pensions, bénéfices, actions de la compagnie, terres en Amérique. Les femmes se montraient les plus tenaces. Toutes avaient l'intention de se faire donner bon nombre de ces valeurs qui montaient, montaient, en échange, s'il le fallait, de leur inestimable personne.

Caterina croyait tenir une cour et elle se vit soudain dans une cage de fauves. Son âme de dompteur étonna : elle fit refouler dehors ces importuns et n'admit chez elle qu'une succession de groupes restreints, laissant les autres se morfondre pendant des heures. Son jardin bientôt fut envahi, ses pelouses piétinées, les toits de sa demeure pris d'assaut ; des hommes s'introduisirent même par les cheminées. Les femmes usèrent d'autres stratagèmes... Il n'était bruit dans Paris que de celle qui fit verser son carrosse devant l'équipage de Law. On l'entendit crier à son cocher, hésitant et craintif : Vas-y, nigaud ! Jessamy John se porta à son secours, car elle semblait avoir perdu connaissance. Dans ses bras, elle se réveilla. C'était une blonde au teint de lait qui n'avait pas vingt ans. Elle lui mit les bras autour du cou, tendit ses lèvres. Il la regardait, tel l'oiseau fasciné par les yeux d'un félin ; elle voulut saisir l'instant, obtenir un privilège, une « concession ». Ce terme était employé pour les terres de Louisiane. On lui avait soufflé ce mot, mais elle se trompa :

— Ah ! soupira-t-elle, faites-moi une conception !

Il comprit, lâcha prise, songea à son amour si fort battu par les tempêtes et répondit avec un humour pensif :

— Vous venez trop tard, madame, il n'y a plus moyen, à présent !

De nombreux témoins entendirent ce dialogue et l'on épilogua fort sur cette courte phrase [1].

Le lendemain soir, devant la maison de la petite-fille de Mme de Sévigné, Mme de Simiane, chez qui Law soupait, une jeune femme cria au feu. Tous les invités s'élancèrent dehors et la belle, à moitié évanouie, se retrouva, très éveillée, dans les bras du directeur de la Compagnie des Indes pour échanger

1. Phrase importante il est vrai, puisqu'elle révélait que le temps des aventures galantes était passé pour lui. On la retrouve citée par les mémorialistes et les biographes qui se sont intéressés à Law, tant à son époque qu'au XIXe siècle.

des propos à peu près semblables et aussi décevants que ceux entendus la veille. Evidemment, rien ne brûlait que l'ardeur de la dame.

Une autre, plus avisée, se déguisa en homme pour parvenir jusqu'à lui, car « l'on avait appris qu'il écartait désormais toutes les femmes [1] ». Il n'y parvenait pas toujours. Alors il essayait d'être sourd, mais ne pouvait devenir aveugle ni insensible. Dès qu'il quittait tant soit peu ses tâches accablantes, dans l'étourdissement de la fatigue, il se voyait guetté, happé par un fascinant cauchemar dans une forêt enchantée faite de grandes fleurs charnelles, mobiles, enlaçantes. Nathalie se situait au-delà, dans une clairière, au plus secret de sa vie ; mais le cauchemar se précisait avec ses invraisemblances, ses hallucinations, et la clairière semblait de plus en plus lointaine malgré les efforts qu'il tentait pour aller vers elle.

Un soir, il s'éveilla. Combien y avait-il de jours qu'il se trouvait contraint d'accepter les invitations de ceux à qui il ne pouvait refuser d'être, pour un soir, l'attraction de leur demeure ? Il n'osait en faire le compte. Les singularités de sa situation, si forte et si fragile à la fois, l'inconséquence du Régent qui le maintenait dans l'équilibre instable d'un demi-pouvoir — ce qui l'obligeait sans cesse à dépasser des limites mal définies et à empiéter sur des domaines divers — le condamnaient à ménager beaucoup de hauts et puissants personnages de l'Etat et du monde. Ainsi était-il livré à la cupidité d'hommes et de femmes qui faisaient de l'argent et de la galanterie les seuls ressorts de leur vie. Il se laissait arracher des paquets d'actions pour fortifier ou ranimer des alliances incertaines et pour l'heure indispensables, comme celle de Dubois, des Bourbon-Condé ou des Tencin. Ne fallait-il pas apaiser, endormir, flatter ceux dont il s'apprêtait à anéantir les privilèges et la puissance ? Il trouvait, dans la mise en place de cette stratégie secrète, sa consolation et sa patience. Et puis il savait aussi que ses ennemis se regroupaient dans l'ombre.

Nathalie, elle, s'éloignait. Après ces jours d'absence dont lui, le mathématicien, ne savait pas tenir le compte, il lui avait fait demander de venir jusqu'à son cabinet. Il l'attendit en vain. Le soir venu, il voulut courir à elle ; mais il ne pouvait plus sortir de son bureau, passer dans les antichambres toujours pleines de visiteurs, descendre l'escalier, traverser l'entrée de l'hôtel de Nevers, la cour, et rentrer chez la marquise de Lambert, sans ameuter un nombre considérable de gens. La prison du pouvoir s'était insensiblement refermée sur lui. Il fit cependant ce court trajet, écarta les importuns, répondit à tous les saluts de ceux qui tentaient de saisir cette occasion de lui parler, de l'approcher, à ceux du capitaine de ses gardes, des sentinelles qui présentaient les armes, des domestiques de Mme de Lambert qui, à sa vue, accouraient de tous les coins de son hôtel. Il parvint enfin jusqu'au petit salon bleu si secret, où il retrouvait sa raison, le sens de sa vie, ses heures de travail et de méditation les plus fécondes, un talisman contre la solitude qui le cernait : l'amour.

Il tourna le bouton de la porte : elle s'ouvrit sur l'obscurité et le silence.

---

1. Cela est également révélateur. Voir note page précédente.

Des laquais le suivaient toujours ; avant de les congédier, il prit des mains de l'un d'eux un chandelier et entra seul. Il en promena lentement la lueur mouvante sur les meubles qu'avaient déserté les fleurs et les fruits de l'été, les plumes, les papiers et les livres, les écharpes légères, les éventails et les flacons de parfums. Il n'y avait plus, à cet instant, dans la vie de John Law, que de fragiles cordes tendues sur des abîmes... celles sur lesquelles il avait accepté de marcher, de traverser des mondes et son propre destin. L'entreprise lui parut désespérante, dénuée de sens, inutile. Il se sentit défait, éparpillé comme cendres dans le vent.

Il fit quelques pas, posa le chandelier sur le clavecin refermé. Il ne cherchait même pas une explication. Ce qui touchait à Nathalie lui paraissait au-delà des mots et des justifications. Ouvrant le clavecin, machinalement il toucha une note ; un son brisé, insolite, sembla creuser le silence, sa vibration se prolongea un peu. Il se demanda comment il pourrait affronter ce qui allait suivre, n'importe quoi, son trajet de retour, les heures qui venaient, la nuit, les tâches du lendemain... Il recula dans l'ombre.

NOCTURNE

> « Ce qu'on en sait, c'est que cet homme, jeune encore, tellement en vue et observé, fut en vain obsédé, poursuivi par une foule de femmes, vives et jolies, terribles. Il ne vit rien. La belle réputation de galanterie qu'il avait apportée disparut tout à fait. »
>
> MICHELET.

> « Law ne donne ni fêtes, ni réceptions, ni réunions de jeux chez lui. Il se tient à l'écart de la société. Quel est ce mystère ? »
>
> LE RÉGENT.

Les effacements, les morts prématurées, secrètes sont les invisibles douleurs de certaines destinées. Elles peuvent survenir à la manière de ces accidents imprévus qui frappent les plus ardents et les retranchent du monde des vivants.

Un jour, Nathalie s'était sentie atteinte. Sans méfiance jusque-là, elle partageait le bon et le mauvais du destin de celui à qui elle vouait sa vie ; sublime banalité de l'Amour qui dans une terre si pauvre trouve sa force, sa croissance, sa richesse et sa pérennité.

Elle se passionnait pour la grande réforme de Law, en méditait tous les aspects afin d'attirer son attention sur les problèmes qui en pouvaient naître :

— Un hôpital toutes les six lieues, n'est-ce pas excessif, mon cher cœur ?

Elle entendait encore son rire lui répondre et certaines inflexions particulières de sa voix, tandis que sa voiture la ramenait à l'hôtel de Mercœur. Elle en était partie quelques semaines plus tôt, chassée par la foule, elle y revenait, effacée par la foule.

Le souvenir de leurs derniers entretiens l'exaltait encore et elle y recherchait, éperdument, une chaleur dont elle s'éloignait. Robert Neilson et elle venaient de mettre au point un projet que Law leur avait confié ; il s'agissait de démontrer les raisons pour lesquelles tous les habitants de chaque bourg, selon leurs moyens, ecclésiastiques et seigneurs du lieu compris, allaient être astreints à entretenir un hôpital pour les malades et les vieillards et un fonds d'assistance pour toutes les détresses [1]. Les déclarations de revenus et de biens, imposées par le denier royal, permettraient d'établir les charges de chacun.

Law s'était saisi du mémoire, l'avait compulsé, annoté, impatient de passer à l'application, impatient en toutes choses, lui qui, la moitié de sa vie, s'était consumé en de longues attentes.

— Ainsi, disait-il, les populations des campagnes seront pleinement employées par des travaux rentables pour elles et productifs pour la nation : la culture des terres en friche qui vont leur être remises et ces constructions en lesquelles chacun verra une assurance pour l'avenir. Je fais également entreprendre, dans les villes de quelque importance, l'édification de vastes bâtiments destinés au logement des soldats, afin de délivrer les paysans des tracas et des dépenses que leur impose l'obligation absurde de loger les troupes [2]. Tout est à faire ! soupirait-il souvent.

Il allait à tout avec élan.

— J'ai trouvé la solution pour financer ma réforme de l'enseignement, la gratuité de l'instruction accessible à tous. Je vais doter l'Université d'une partie du revenu des Postes !

Quel tourbillon dans son esprit !

— Savez-vous que les horlogers de Birmingham mettent sur pied une fabrique importante à Versailles ? C'est une idée à moi et j'y tiens.

Qu'est-ce qui n'était pas une idée à lui !

— Vous ai-je dit que les pêcheurs se sont plaints de ce que je ne favorisais que les laboureurs ? C'est là un problème passionnant que j'ai étudié jadis en Ecosse ; aussi ai-je pu leur proposer rapidement un projet d'aide financière, compatible avec ma politique de prospérité. A propos de marine, Lorient, ma seconde ville, devient digne de sa sœur aînée, ma « Nouvelle-Orléans ! »

Il avait alors déplié devant Nathalie le dernier numéro du *Mercure* qui publiait les plans définitifs de sa capitale américaine. Pour les regarder, il l'avait attirée contre lui. C'était une habituelle invitation à la tendresse, et à une réflexion pleine de chaleur et de vie.

1. Bibliographie.
2. *Idem.*

415

Et voici que chaque tour de roues emportait Nathalie vers la solitude et le silence.

Une part essentielle de son existence venait de se dérouler dans le secret de l'hôtel de Nevers. Elle qui jadis brillait dans le monde de tant d'éclat et attirait dans sa demeure tant de gens d'esprit, d'artistes, de grands seigneurs, s'était soudain trouvée oubliée comme on oublie à Paris : totalement. Quelque chose en elle de vite las, d'un peu frileux et nonchalant se prêta à ce repliement ; elle perdit pied au moment où une société légère, perfide et vénale se disputait la moitié d'elle-même, l'homme par lequel passait le rythme et le souffle de sa vie. Lorsque le directeur de la Compagnie des Indes et de la Banque royale fut brusquement contraint de consacrer une part de son temps aux exigences de cette société, Nathalie, qui n'avait plus de contacts avec elle, fut peu à peu séparée de lui, puis rejetée sans que personne n'y prenne garde, sans que l'on sache ce qui était arrivé.

Dans le clair-obscur de la voiture qui la ramenait chez elle, elle s'effraya que tout cela eût si peu d'importance. Ce qui l'affolait, c'était de ne plus parvenir à situer sa place auprès de Law, parmi tant de femmes et d'hommes qui l'assiégeaient. C'était pour cela qu'elle rentrait à l'hôtel de Mercœur. Des paroles insoutenables, de celles qui traversent les cauchemars, avaient été murmurées à son oreille :

— Madame, il faut vous défendre...

De quel droit se permettait-on de confondre son amour avec les médiocres attachements qui ont à lutter pour durer ? La hauteur où se situaient ses sentiments et qui était celle où se plaisait son esprit, lui imposait de laisser Law disposer de lui-même. Mais que d'effroi en elle ! N'avait-il pas vite accepté, si aisément, le bouleversement de leur vie privée afin de susciter ce départ qu'il n'eût pu obtenir autrement sans des reniements indignes de lui ? Saurait-elle ne jamais donner le spectacle de sa détresse ? N'être plus qu'un remords dans un destin qu'elle avait cru illuminer et incendier, paraissait insupportable. Toutes ces interrogations se résumaient en une seule, qui allait la hanter jour et nuit : avait-elle donc été seule à aimer ?

Elle ne rouvrit pas l'hôtel de Mercœur ; elle s'y glissa, laissant fermées les fenêtres des façades qui donnaient sur la rue. Elle pensait que Law, accaparé, absorbé, emporté, ne s'apercevrait que plus tard de son départ. Cette certitude creusait sous ses pas un vide où elle sombrait, défaite, éparpillée, perdue. Elle tourna comme un oiseau désemparé dans les grandes pièces noyées d'ombre et de fraîcheur, se chercha. Mais rien n'est plus difficile que de se trouver, au temps des passions. Dans cette quête affolée, un effroi la submergeait : celui de se sentir soudain insensible et glacée. Elle comprit vite la nécessité d'occuper son esprit qui, après s'être livré à des exercices prenants, ne s'accommodait pas du néant, de sa pernicieuse oisiveté.

Elle songea à se retirer dans les terres héritées de son mari. Le désir lui venait de connaître enfin le château qu'on lui avait représenté, dormant entre ses paons blancs et son image renversée au miroir d'eau des douves où glissaient des cygnes. Son cœur défaillit pourtant. Plus tard, sans doute, elle se résignerait. A cette heure, seule pouvait lui être de quelque secours l'idée d'appliquer à ses paysans ce qui pouvait l'être de la réforme de Law.

Elle se mit au travail. Millet la vit à son petit bureau, tailler ses plumes et laisser son regard errer sur le papier. Mais tout n'était qu'illusions.

— Madame n'est pas descendue au jardin, ce matin !

On eût dit le refrain d'une chanson. Nathalie répondait par un sourire. Millet n'insistait pas, faisait une révérence et se retirait.

Comment fixer cet esprit qui ne voulait, qui ne pouvait guérir ?

Un soir alors que, la tête dans les mains, Nathalie essayait une fois de plus de se mesurer aux évidences qui l'accablaient, elle entendit une porte s'ouvrir sur un pas hésitant qu'elle ne reconnut pas. Elle se détourna lentement, distraite, absente, pour voir qui entrait et reçut la chaleur et l'illumination de la présence qui pour elle était unique.

Elle demeura figée, en attente. Elle ignorait tout du sens de la démarche de Law, du choix qu'il faisait, de sa sincérité même. Il s'avançait ; ses yeux, agrandis par des cernes bruns, tenaient dans son visage mince une place démesurée : on ne voyait que leur regard étrange qui se saisissait d'elle, de ses traits brouillés, défaits, de sa coiffure à peine nouée qui lui donnait l'air d'une enfant désemparée et ce regard l'enveloppait intensément d'amour et de silence. Rien ne bougeait, ni l'insecte qui bourdonnait quelques instants plus tôt, ni la lumière des flambeaux qui palpitait à peine sur la cire diaphane.

— Nathalie !

Il venait enfin, dans un souffle, de prononcer son nom ; puis sa voix s'affermit pour ajouter :

— L'Angleterre me déclare ouvertement la guerre et vous êtes partie...

Elle l'observait, incertaine.

— Et moi, dit-il encore, je viens de déclarer la guerre au Parlement.

Elle eut un sursaut. Il fut contre elle.

— Ne dites rien... je vous retrouve. J'ai désappris d'être seul dans ces combats !

Etaient-ce bien là les mots qu'elle attendait et ce lien celui qui la pouvait lier ? N'en reconnaissait-il pas d'autres, de lui à elle ? Allait-il confondre, lui aussi, ce qui ne pouvait, ce qui ne devait pas être confondu : l'attachement et l'Amour ? Haletante, aux aguets, son âme flottait au-dessus d'un vide effrayant.

— Je n'ai que vous et vous m'êtes tout, dit-il comme s'il eût voulu la retenir.

Nathalie baissa les yeux ; ses mains se croisaient et se décroisaient doucement.

— Qu'est-ce qui vous presse et menace à cette heure ? demanda-t-il.

La réponse ne venant pas, il s'y trompa. Un éclair de triomphe masculin illumina son beau visage. Pressé, emporté par l'instant, il dépassa ce qui entre eux était l'essentiel et reprit :

— Pour l'Angleterre, j'ai attaqué le premier... (Son ton prenait de la hauteur.) C'était une question de dignité et de politique. Elle me suscitait des affronts jusqu'à la table du Régent ! J'ai donné un dîner pour Lord Londonderry, le beau-frère de Milord Stanhope ; Stairs était là et quelques autres de même rang, et je leur ai dit que la France pouvait aujourd'hui dicter sa loi à toute l'Europe, que je pouvais ruiner le commerce et le crédit de l'Angleterre et de la Hollande quand il me plairait, que s'ils m'y poussaient, j'anéantirais leur Banque et la *South Sea Company*[1]. Quant au Parlement... (Il s'éloigna, fit quelques pas, la regarda encore ; un défi juvénile animait ses yeux clairs, frémissait aux commissures de ses lèvres :) quant au Parlement, j'ai proposé de rembourser, avec mes billets de banque, *de gré ou de force,* toutes les charges des magistrats afin de remettre celles-ci à la disposition de l'Etat qui pourra enfin nommer des hommes pour leurs capacités.

— Quel démon vous pousse ?

— Comprenez-moi, vous qui m'avez toujours compris : je connais les risques de l'entreprise, mais qu'importe, je poursuis une œuvre, mon œuvre, une création dont mon Système de Finances n'est qu'une partie. Et savez-vous qui s'oppose à moi, dans cette affaire pour laquelle j'ai convaincu tout le conseil de Régence ? M. de Saint-Simon, mon ami, qui hait le Parlement ! Il ne voit pas l'ensemble du problème ; il ne comprend pas que cette mesure n'est qu'une parmi d'autres, comme l'abolition de la Ferme générale, et qu'elles font partie d'un plan propre à instaurer un nouvel Etat. Il ne juge cette réforme qu'en regard de la situation actuelle et craint ce qui pourrait advenir de la suppression de l'autorité de cette Assemblée qui permet de tempérer le bon plaisir du souverain et de lui opposer un contrepoids nécessaire[2]... A quoi pensez-vous, Nathalie ?

— Aux conquérants d'autrefois et à vos coureurs de bois... Oui, dit-elle en le regardant comme s'il venait de dessiller ses yeux. Vous êtes un coureur de bois et l'Europe est votre forêt ! Mais d'où venez-vous, vous qui dites à des hommes ensevelis dans un passé qui fige leur présent : voici un monde nouveau ? Et M. de Saint-Simon n'est qu'un bon sauvage, il ne peut comprendre votre langage.

Law éclata de rire. Ses vérités ne pouvaient, en aucun domaine, être celles des autres hommes.

— Je vois M. de Saint-Simon troquer sa perruque contre une couronne de plumes ! s'écriait-il. Nathalie ! je ne pourrai plus l'aborder avec le sérieux qui convient !

— Méfiez-vous, il arrive que les sauvages massacrent les conquérants et les coureurs de bois dont ils n'ont pas compris le langage...

— Sans doute, dit-il, rêveur, mais ces meurtres sont les étapes des civilisations.

Il s'approcha vivement d'elle, prit ses deux mains, les serra, les porta à ses lèvres.

— Comme je vous retrouve et comme je vous aime... Figurez-vous que

1. Bibliographie.
2. Août 1719.

j'ai essayé d'acheter Stairs. Sans succès ! Aujourd'hui, il riposte aux menaces que j'ai proférées contre la *South Sea Company* et déclare rompue l'alliance de la France et de l'Angleterre, sous prétexte que j'ai envoyé de l'argent au roi Jacques !

— Et cela quand les Anglais sont nos alliés dans cette guerre contre l'Espagne qu'ils ont voulue et que vous devez financer malgré vous ! dit-elle, s'animant à son tour.

— La faction Dubois-Tencin ne va pas tarder à sortir de l'ombre.

— Mais il y a peu de temps, l'abbé Dubois demandait au roi George de vous offrir la patente d'un duché et l'ordre de la Jarretière !

— J'ai eu le bon esprit de refuser et de fort haut. Les événements vont vite et les masques tombent.

Le silence aussi tomba entre eux. Ils mesurèrent alors combien leur animation était artificielle.

— Est-ce donc pour tout cela que vous êtes ici ce soir ? demanda-t-elle enfin.

— Je devrais être au Palais-Royal pour faire face à la situation à cette heure et je viens à vous, déclara-t-il simplement.

— Pourquoi ?

— En dépit de ce que je vous ai dit à l'instant, ce n'est pas que je ne sois pas assez grand pour affronter seul le conflit ; j'ose espérer que vous en êtes persuadée ?

— Je le suis en effet.

— Je vous laisse alors le soin de découvrir le sens de ma démarche.

Leurs regards se croisèrent, éperdus.

— Nous n'allons pas les laisser nous atteindre ? reprit-il au bout d'un silence très lourd, la lèvre inférieure légèrement tremblante.

Il ne parlait ni de Stairs, ni de l'Angleterre, ni du Parlement, ni de Dubois, ni des Tencin, elle le savait.

— N'est-ce pas déjà fait ?

A cette question, à laquelle il était vain de répondre, ils comprirent que l'on avait jeté entre eux une part d'inconnu et que pour se rejoindre à nouveau, il leur faudrait aborder la zone dangereuse, peut-être mortelle, des compromis : vertigineuse descente au long de laquelle les guettaient tant de périls... Ils n'étaient dupes ni l'un ni l'autre et leurs incommunicables vérités les retenaient dans leur exil.

— Voulez-vous dire, reprit-elle avec une gêne infinie, que vous avez choisi ? Mais que puis-je faire de ce choix ?

Elle interrogeait sans amertume, mais avec un effroi qui voilait le son de sa voix.

— Depuis l'âge de dix-huit ans jusqu'à cette heure, dit-il avec émotion, d'innombrables possibilités m'ont été offertes, qui me permettent de déterminer ce choix qui ne date ni de ce soir ni d'hier.

— Si je comprends bien, répondit-elle rudement, vous me revenez ?

— Etes-vous une femme que l'on prend, que l'on laisse et à laquelle on revient ?

Elle craignait tant qu'il ne fût trop adroit. Il craignait tant de ne pouvoir la ressaisir.

— De quoi avez-vous peur ?

— De vous et de moi.

— Que puis-je faire pour vous rassurer ?

Les doigts minces de Law se crispaient sur le poignet de Nathalie.

— Je ne sais pas.

— Ne doutez pas ni ne redoutez... (Il sembla faire un grand effort sur lui-même et ajouta :) Que suis-je à vos yeux, si vous ne pouvez croire en ma parole ?

Son désespoir n'était pas feint. Quels étaient donc ces jeux misérables de la vie si brève, si médiocre qu'elle ne peut susciter de grands mouvements d'âme sans que ces ailes ne se blessent ineffaçablement dans de si étroites limites ?

Mais le temps les pressait, leur niant le loisir de se pencher sur un mal peut-être profond. Law sentit qu'il lui fallait tenter d'aider Nathalie, divisée en elle-même, à refaire son unité intérieure ; il voulait retrouver auprès d'elle une paix dont il avait besoin pour se battre ailleurs. Les hommes sont vite rassurés ; leur enfance secrète remonte en surface en de telles conjonctures. Malheur pourtant aux femmes qui les rassurent. Nathalie le savait, mais à ce moment ce n'était là pour elle qu'une connaissance inutile, comme celle d'une langue morte, dont elle ne pouvait rien faire.

Elle pensa à Voltaire et à quelques autres qui eussent pu assurer dans sa vie l'indispensable équilibre sans lequel les fausses amours atteignent une dangereuse fragilité. Elle s'effraya de descendre si vite vers des contrées qu'encombre de rumeurs vulgaires une foule grise et sans visage. Elle pensa encore à ce qu'allait être leur nuit ; pour la première fois depuis que cet homme était entré dans sa vie, elle eut envie de reculer, de fuir. Atterrée, elle le laissa la prendre dans ses bras.

Une heure du matin sonnait dans la nuit d'été. Devant les portes cochères de l'hôtel de Mercœur, la police se mettait en faction ; un officier plaça des exempts devant les entrées secondaires et les sentinelles commencèrent à faire les cent pas au long des murs qui enserraient les jardins. L'une d'elles, en croisant une autre, lui souffla :

— Il paraît que la foule monte là-bas comme une rivière en crue !

Son compère hocha la tête et reprit sa marche en sens inverse. Le silence était total.

Law, après une visite impromptue de Dutot, attendait William, Neilson et Melon. D'un geste bref, il resserra la ceinture de sa robe de chambre nouée à la hâte et saisit un flambeau pour en approcher la lueur de Nathalie qui venait le rejoindre dans le petit salon blanc, devenu quartier général. Il regarda pensivement le visage de ses nuits de veille, de tourments, d'espérance et d'amour, qui émergeait de l'ombre, comme la matérialisation subite d'une forme surnaturelle.

— Que se passe-t-il ? demanda-t-elle.

— Rien qui me surprenne : je dois prêter à l'Etat un milliard cinq cents millions et l'on ne trouverait pas dans toute la France une telle quantité de numéraire ! D'autre part, j'ai dû entreprendre l'opération très délicate qui consiste à rembourser les créanciers de l'Etat, en leur donnant des actions de la Compagnie des Indes. Alors, que vouliez-vous que je fasse, sinon fabriquer des billets de banque et émettre des actions nouvelles ? J'en ai mis en circulation mille, à cinq cents livres, amenées au cours des précédentes par une prime de quatre mille cinq cents livres par action, pouvant être payée en dix versements. Or, M. le Régent, tout à fait affaibli cérébralement, a distribué titres et billets autour de lui, comme des images ! Les petits rentiers ont commencé, cet après-midi, à se présenter à nos guichets pour toucher les coupures qui devaient leur être remises *gratuitement,* contre leurs titres anciens et on ne put rien leur donner. Ils surent vite que les actions nouvelles venaient d'être raflées par la cour et que des spéculateurs se les arrachaient au cours de huit mille livres ! Ce soir, le peuple est descendu dans la rue et des émeutes éclatent dans tout Paris [1]. Est-ce étonnant ? Je vais devoir trouver et imposer des mesures inouïes, afin de sauvegarder les droits des petites gens et de récupérer les fonds dont j'ai besoin pour faire face à mes engagements !

Il fit quelques pas dans la pièce ronde où tant de souvenirs de la jeunesse de leur amour l'assaillaient. L'odeur des pelouses s'éveillait dans la fraîcheur nocturne et les ruissellements de harpe des jets d'eau murmuraient parmi les arbres. Que de lendemains ils avaient ici attendus !

Nathalie se taisait. Les flambeaux isolaient de la nuit sa silhouette blanche, immobile sur un canapé. Lui, marchait de long en large et continuait à penser tout haut :

— Les mesures très périlleuses que je vais prendre nécessitent un développement rapide du Système et un peu de temps pour le mener à bien... Un peu de temps et un peu de paix.

L'amertume qui passait dans la voix de Law les fit tressaillir l'un et l'autre. Il regardait le parc endormi. Nathalie sentait encore en elle, sur elle, la blessure de son regard, qu'elle avait suivi avec détachement et mélancolie. Contenait-il la détermination tant redoutée de ceux qui courent vers l'absolu ? Annonçait-il l'heure des repliements ? Ne savait-elle pas tout, et depuis toujours, de cet instant ? D'invisibles ailes se refermaient ; il fallait s'accoutumer à vivre dans d'autres dimensions : l'âme n'y était point faite, d'incommunicables douleurs s'éveillaient ; il convenait de chercher ailleurs, sur des chemins nouveaux, parfois inconnus, le sens du monde. Mais l'Amour, lui, gardait son amplitude désormais inutile, sans doute dérisoire. Que faire d'un aussi grand amour ? A quelle prison allait-on le condamner pour l'isoler de son objet et de son essence ? Peu d'êtres, en vérité, ont à résoudre de tels problèmes. Les passions authentiques n'incendient que de rares destinées ; les inspirer, les éprouver sont de singuliers privilèges et, comme l'art, procède d'un don particulier.

— Je vais devoir faire deux autres émissions, murmurait Law.

1. Bibliographie.

421

Cet insaisissable dialogue d'amour et de finance allait-il prendre fin ?

— Mais cette fois, je les tiens ! continuait-il. Les nouvelles actions ne seront plus délivrées — fût-ce au Régent — que contre présentation o-bli-ga-toire des titres anciens. Et je ferai établir des titres de rentes correspondant aux remises des billets d'Etat par mon notaire, Paul Ballin ! La rigueur d'application de cette mesure revalorisera les mauvais papiers d'Etat et c'est eux qui s'arracheront à prix d'or et enrichiront les petits rentiers [1] !

Elle se sentit flotter dans l'irréalité de la nuit, détachée de ces redoutables contingences. En elle ne pouvaient plus cohabiter sa propre crise et celle qui soulevait Paris.

— J'autoriserai cependant des paiements en billets de banque, mais avec une surtaxe de dix pour cent [2] ! (Il eut une lueur dans les yeux :) C'est, je crois, la solution ! En pensant tout haut avec vous, je trouve toujours les réponses à mes problèmes les plus aigus !

— Comme j'ai dû vous manquer ! dit-elle à mi-voix avec toute l'ironie de son désenchantement ; mais il ne l'entendit pas, car William, Neilson et Melon entraient.

— Il faut agir ! disait William. Nous avons eu du mal à parvenir jusqu'ici, la foule assiège littéralement la Banque. Il en est de même au Trésor. Les rentiers déclarent qu'ils attendront sur place, jusqu'au matin, l'ouverture des bureaux, afin d'obtenir, contre leurs titres anciens, les actions promises avant qu'on n'ait volé les dernières !

— Ils supposent donc qu'il en reste ? s'étonnait Law.

— Ils ne peuvent imaginer ce qui s'est produit ! dit Melon, amer.

— Ils s'installent pour manger et coucher dans la rue ! ajoutait Neilson stupéfait.

— Asseyez-vous devant ce bureau, Melon, dit Law. Je vais vous dicter une déclaration que vous ferez copier et placarder immédiatement sur les murs de la Banque par les Suisses de garde.

Marchant de long en large il résuma en quelques phrases le mode d'application des mesures qu'il venait de trouver.

— Voici une sage politique, approuva William.

Mais Nathalie vit clairement poindre un danger ; elle fit un effort sur elle-même pour demander :

— Et la cour ? Comment va-t-elle réagir ? Si M. le Régent est fini, n'est-ce pas en face de M. le duc et de Mme de Prie que vous allez vous trouver ? La maison de Condé n'est-elle pas un chien d'enfer qu'il faut nourrir par sept gueules ? Croyez-vous qu'elle laissera passer ces trois émissions de titres nouveaux sans exiger qu'il lui en soit remis une part énorme et cela sans autre contrepartie que son appui temporaire jusqu'aux nouveaux bénéfices à monnayer ? Ne va-t-elle pas s'élever contre ces dispositions prises en hâte, par vous seul, sans l'assentiment du Régent et du conseil de Régence ?

1. Bibliographie.
2. *Idem.*

William et Neilson sursautèrent. Melon fit tourner lentement en l'air sa plume d'oie. Law, rageusement, labourait le tapis du bout de sa pantoufle. Un silence planait.

— L'achat des Condé est en effet une opération qu'il faut renouveler à chaque pas ! dit-il enfin. Mais je suis directeur général de la Banque royale et de la Compagnie des Indes, il est trois heures du matin, le peuple est dans la rue, la Banque et le Trésor sont assiégés : il y a urgence, je maintiens. Allez, Melon, et faites vite.

Melon se leva, salua et sortit. William et Neilson firent de même.

Law marchait toujours en silence. Il s'arrêta ; son regard distrait errait à nouveau sur le jardin et la nuit. Un attelage roulait au loin. De nouveau sa réflexion devint paroles :

— Il ne m'est pas possible d'aller ainsi plus avant ! On parle de la révolution que j'accomplis dans ce pays et dans le monde ; les paysans, les ouvriers, les petits-bourgeois, les commis, les artistes, les grands seigneurs veulent m'élever une statue ; on dit : Voici un âge d'or ! Mais moi, je sais combien chaque nuit la Seine roule de cadavres, que les assassinats et les vols ne se comptent plus dans Paris, que les enlèvements pour le Mississippi sont des crimes abominables commis chaque jour en mon nom, que l'anarchie se développe, que la Cour — les Condé en tête — nous dévore tout vifs, moi, la Banque et la compagnie. Il n'y a qu'une issue possible pour sortir de cette situation : le rétablissement de l'autorité par mon accession au Contrôle général des Finances, c'est-à-dire au pouvoir, *ce ministère ayant tous les autres sous sa dépendance.*

— Mais, répliqua Nathalie avec un sourire désenchanté, je vous rappelle que vous devrez alors abjurer la foi protestante et vous faire catholique.

— Ma réforme promulgue la liberté de conscience et assure même la protection des communautés juives [1] !

— Mais elle n'est pas encore entrée en application dans sa totalité. On en discute bien des points, ceux-là entre autres.

Il reprit son va-et-vient. Ainsi l'absurdité des hommes le mettait-elle aux prises avec Dieu. C'est avec Lui qu'il allait donc falloir d'abord traiter cette affaire !

— Quelle palinodie ! murmura-t-il. Pour s'occuper des finances d'un pays et de son peuple, il faut abjurer une foi chrétienne pour adopter une autre foi chrétienne ! Qu'en eût dit le Christ si on l'avait interrogé sur ce point ?

— Ce qu'il n'a cessé de répéter : « Ils ont des yeux et ils ne voient pas, ils ont des oreilles et ils n'entendent pas. Je parle et ils ne me comprennent pas... »

— La voix qui crie dans le désert !

— N'est-ce pas cette voix-là qui s'exprime à travers la vôtre quand vous luttez à mort pour certaines causes, généreuses et peut-être perdues, auxquelles vous vous êtes attaché ?

1. Bibliographie.

— Je ne me suis jamais dit cela! s'exclama-t-il, troublé.

— Et si c'était la raison pour laquelle vous ne rencontrez que désert, qu'aveugles et que sourds dans ce royaume terrestre qui appartient à un autre prince? Le règne de Dieu n'est pas ici, cela aussi est dans l'Ecriture.

— On apprend ces choses tout autrement aux petits enfants...

— Aux petits enfants et à ceux qui sont demeurés semblables à eux, mais il n'est que de lire l'Evangile *comme il est écrit,* comme on lit tous les livres.

— Cela vous est-il arrivé?

— Parfois et tout récemment.

Il se tut. Il pensait à ces rapports de police qui le hantaient, aux crimes, aux vols, aux enlèvements, à la Cour. Un inexprimable dégoût s'emparait de lui; soudain, la forêt enchantée qui l'obsédait encore se dissolvait sous l'effet d'une fulgurante décomposition. Les grandes fleurs vivantes gesticulaient, défigurées comme les visages des foules de « l'Enferno » de Dante. Dieu? Problème majeur, en vérité, vers lequel son esprit s'élevait pour la première fois avec aisance, porté par tant de turpitudes. Il se croyait peu apte à ces méditations, mais voici qu'il découvrait en elles un refuge pour l'esprit, une altitude où l'âme, délivrée des étreintes mortelles de la vie, pouvait déployer ses ailes en une confrontation indicible qui l'emplissait de paix, après avoir battu les campagnes à la recherche de l'introuvable absolu.

— Je me ferai catholique, Nathalie. Qu'importe, en vérité! Ne faut-il pas choisir : me conformer à la lettre de telle ou telle religion et cela, vous le savez, est dépourvu de sens pour moi, ou tenter cette grande aventure personnelle à laquelle, me semble-t-il, le Christ nous a conviés en opposant l'esprit aux rites et aux lois.

Elle sentait ce que ces propos avaient d'insolite en pareil instant; n'étaient-ce pas leurs âmes qui s'exprimaient au-delà des contingences terrestres parce qu'elles s'étaient, envers et contre tout, retrouvées sur le seul plan où peuvent s'accomplir de telles unions? A l'heure mystérieuse du destin, se détacheraient-elles ensemble des liens pesants qui les rivent à tous les songes lourds de la vie? Se suivraient-elles, se reconnaîtraient-elles dans leur ascension à travers les mondes subtils et inconnus dont l'approche nous emplit d'espérance et de désespoir? Cette angoisse monta en elle comme l'aube qui fulgurait soudain dans un horizon blême. Une pâle lueur irisée les enveloppa; ils virent alors leurs visages défaits que le combat avait marqué de sa blessure. Conscient soudain, il s'approcha d'elle et, farouchement, la serra contre son cœur.

UN WESTERN

Hennissements de chevaux arrêtés en plein galop, coups de feu, charge de pas montant à l'assaut d'un escalier et d'une galerie de bois, une porte qui s'ouvre d'un coup de pied : un homme apparaît, entouré de trente autres comme lui. Ils braquent leurs pistolets sur trois commis épouvantés. Surgissent à leur tour des filles en falbalas défraîchis, une fleur et un défi aux lèvres. Tout s'est passé en un instant. Pour mettre de l'ambiance, le chef de bande décharge son arme sur l'un des employés qui s'abat sans un mot, comme tombent les marionnettes dans les baraques de tir de fête foraine ; il rend, avec son âme, un flot de sang qui s'écoule sur le plancher.

— Maintenant, on peut causer ! dit le tueur.

Cela se passait à la fin du mois d'août 1719 [1], en Louisiane, au Nouveau-Biloxi, dans l'un des bureaux de la Compagnie des Indes.

Les Français d'Amérique avaient déjà eu à déplorer l'arrivée de quelques faux sauniers [2] et autres petits gredins, sans compter nombre de demoiselles biscornettes [3], mais la compagnie était parvenue à les faire vivre en marge : les hommes avaient été envoyés dans les plantations où la main-d'œuvre insuffisante rendait l'accueil facile ; quant aux demoiselles... elles ne chômaient pas non plus !

Or voici que, pour la première fois, les navires venus de France avaient déversé sur les quais du Nouveau-Biloxi, récemment bâtis avec tant de sueur, de sang et d'espérance, du « gibier de potence ». Ces condamnés de droit commun venaient apporter la première riposte de Blunt et de l'Angleterre. Le coup était mortel et sournoisement porté à une population sans méfiance.

Bien que le temps lui manquât pour réfléchir, Bienville ne s'y trompa point. Aux premiers coups de feu, tout le dispositif prévu pour répondre aux agressions éventuelles des Anglais, des Espagnols ou des Indiens se déclencha. On ne prenait pas les frères Lemoyne au dépourvu ! Dans sa jolie maison neuve, Bienville saisit son chapeau et ses pistolets, tandis que Chateaugay faisait sonner l'appel aux armes et que les soldats se regroupaient précipitamment à leur lieu de rassemblement. Cependant, lorsqu'ils avancèrent en bandière, le fusil en avant, sur la place de la bourgade, ils virent avec surprise la troupe singulière qui leur faisait face. Parmi ces forbans, dont beaucoup brandissaient des couteaux, combien y avait-il de lieutenants du fameux Cartouche ? Leur nombre total semblait inférieur à celui de la petite garnison, mais il paraissait évident que ces gaillards saigneraient comme des poulets les militaires mal nourris, mal entraînés, affaiblis par un climat humide et brûlant et démoralisés par un trop long exil. D'un coup d'œil, Bienville mesura le risque : la bataille rangée, la tuerie, la défaite et ses conséquences. D'un geste, il arrêta Chateaugay et ses hommes, s'avança de quelques pas, prit son porte-voix et demanda :

— On peut parler ?

Le chef de bande éclata de rire et lui lança :

1. Des magistrats, à la solde de l'anti-Système, acceptèrent dès le mois de mars 1719 d'envoyer en Louisiane des forçats dûment chargés de mission et des prostituées. Ils s'embarquèrent au début du mois de juin.

2. Fraudeurs de l'impôt sur le sel.

3. Prostituées.

— On est là pour ça !

— Eh bien, viens là !

Et lui-même se porta en avant. Derrière eux, tout attendait : les soldats angoissés, les bêtes tapies dans l'ombre déjà chaude du matin, les habitants peu à peu accourus et qui se tenaient à distance, terrorisés, plus ceux qui se cachaient pour épier sans être vus. Bienville les sentait tous derrière lui, il lui semblait que leurs respirations, accélérées par la peur, arrivaient doucement sur sa nuque. Le souffle de la vie, de ces vies d'hommes, de femmes et d'enfants... Il fallait que, à l'heure de midi, elles soient encore là, préservées et proches. Mais quoi ! Il en avait vu d'autres ! Il aperçut son frère Sérigny qui le rejoignait en courant. Les lieutenants de Cartouche avaient, pour la première fois peut-être, des adversaires à leur mesure. Ils furent apostrophés rudement :

— Qu'êtes-vous venus faire ?

— Comme toi, chercher fortune !

— En travaillant ou en prenant celle des autres ?

— En prenant celle des autres, c'est moins fatigant !

Bienville s'avança encore :

— Que crois-tu donc ? Tu es en France ici, et soumis à ses lois !

— Tant pis !

Il y eut des éclats de rire bruyants.

— Crois-tu donc que nous vivions, face aux Anglais et aux Espagnols, avec cette seule poignée de soldats pour nous défendre ? Tu ne sais pas où tu t'es avancé et ceux qui t'ont armé sont trop loin pour savoir ce qui se passe dans un pays qu'ils ne peuvent même pas imaginer !

— En France on dit : Ventre affamé n'a pas d'oreilles, beau parleur !

— Que veux-tu ?

— A manger, mon mignon ! Et de quoi loger ces dames. Sont-elles pas girondes ? Je t'en refilerai et nous irons un peu tâter des tiennes !

— Pas d'échange possible pour moi, je suis célibataire. Quant au pain, il se gagne, ici !

— Ou il se prend ! (Une subite colère animait l'homme.) Assez parlé, cria-t-il. Aux entrepôts !

— Nous n'avons que les semences pour l'automne.

— Mais c'est bien, ça, les semences ! C'est nourrissant et immédiatement utilisable après passage au moulin !

Bienville pâlit. Une année sans récoltes ! Cette phrase obsédante s'affolait dans son cerveau, comme celles que l'on entend dans le délire de la fièvre. Il fallait pactiser, céder un peu et prendre des mesures pour défendre ce que l'on ne donnerait pas. Ouvrir un entrepôt, pas plus.

— Fort bien. Acceptez-vous de mourir de faim dans six mois avec nous ? Car il ne sera plus temps de recevoir de France d'autres semences d'ici novembre !

Le gaillard, avec un grand froncement de sourcils, se prit à réfléchir :

— Donne-nous à manger d'abord et on verra après. Tes rations infectes, on n'en veut pas !

— Si je vous donne du grain, il vous faudra prendre le temps de le faire moudre avant d'avoir la farine.

— On a le temps, on s'est déjà servis en arrivant ! On n'a pas le ventre creux ! Demande un peu à ceux de tes colons chez qui on est passés et qui sont encore en état de répondre !

Bienville frémit.

— En somme, vous voulez du blé et du maïs.

— Exact. On verra après pour le reste...

— Oui, on verra après. Suis-moi.

D'un pas balancé, roulant des épaules, l'homme suivit le président du conseil de la Louisiane et toute sa troupe fit de même ; à distance respectueuse, elle défilait devant les soldats immobiles qui avaient mis l'arme au pied. Bienville se fit ouvrir un entrepôt par deux commis tremblants qui s'attendaient à être massacrés et y entra avec les truands. Ceux-ci ressortirent assez vite, chargés de sacs qu'ils placèrent sur leurs chevaux ; on leur désigna un village de cabanes récemment abandonné par des émigrants qui avaient emménagé dans les nouvelles maisons de Biloxi et ils s'éloignèrent.

Il ne restait plus qu'à compter, alentour du Vieux et du Nouveau-Biloxi où ils avaient erré en débarquant, les morts et les blessés, les concessions saccagées, les demeures et les filles violées, les espoirs piétinés, les courages brisés.

Peu à peu, des hommes et des femmes surgissaient ici et là de leurs cachettes. Une foule douloureuse se rassemblait sur la place ; appels, pleurs et cris montèrent dans l'air brûlant, bientôt dominés par l'explosion d'une colère accumulée depuis des mois au cours des cruelles et interminables traversées, des débarquements et des attentes non moins impitoyables, des détresses, des mécomptes, d'un labeur surhumain et inhumain, des deuils inexpiables.

— Ils viennent de donner les semences aux forçats, notre gage de survie, notre espoir, notre bien !

— Ils ont peur ! Ils sacrifient les honnêtes gens aux bandits !

Peur ! Ce mot résonnait dans le cerveau de Bienville. Oui, il avait peur, mais pour eux tous, et non pour lui, aguerri depuis l'enfance et qui n'avait ni femme ni enfant ! Son cheval pouvait être vite sellé, il connaissait la Louisiane mieux que personne et nombreux seraient les villages indiens qui l'accueilleraient avec amitié.

— En voilà assez de leur gouvernement ! criaient maintenant des voix. Assez de la compagnie, assez des contraintes !

— Nous voulons vendre et acheter librement, à qui bon nous semble et avec de la monnaie d'argent ou d'or [1] !

— Si chacun de nous avait pu se procurer ses propres semences et tout ce dont il a besoin comme il l'entend, nous n'en serions pas là.

---

1. Un dirigisme excessif, voulu par Law, et le manque de numéraire avaient substitué des bons à la monnaie.

— Mais on sait bien que le numéraire manque en Louisiane !

— Et les vivres aussi !

— Quand on veut acheter quelque chose, il faut le faire en cachette, et à quel prix !

— Les employés de la compagnie sont mal payés et voleurs, alors ils nous comptent de plus en plus cher ce qu'ils nous vendent sous le manteau ! La vie augmente tous les jours !

— Rentrons ! Rentrons en France ! hurlaient maintenant les plus combatifs. Ici nous serons massacrés, affamés, réduits à merci ! Il y a des navires qui partent demain !

Avec une rapidité prodigieuse, la foule opérait un mouvement tournant ; elle se détournait des bureaux et des entrepôts de la compagnie et s'écoulait en direction du port. Un homme en ralliait d'autres avec cette incroyable proposition qui cloua sur place Bienville et ses frères :

— Prenons plutôt des chevaux et gagnons la Caroline ! C'est plus près que la France et les Anglais, eux, nous protégeront.

— Nous éviterons les trois mois de cauchemar de la traversée, approuvait un fermier. Mais moi, j'aime mieux aller vers le Mexique trouver les Espagnols !

— Il y a un bateau qui part demain pour les Antilles, criait quelqu'un. Ce n'est pas loin, amis ; aux navires ! Et il s'élança, lui aussi suivi de quelques autres vers le port.

— Voilà qui va porter un coup au Système de M. Law et à la Compagnie des Indes ! dit Bienville à mi-voix comme s'approchaient de lui Chateaugay le rude soldat et le jeune Sérigny qui cachait un froid et indomptable courage sous les charmes d'une grâce virile déconcertante.

Pour l'heure, le tricorne basculé en arrière de la tête sous le double effet de la chaleur insupportable et de l'effarement, il répondit :

— Alors quoi ? L'affaire a éclaté comme les orages du Mississippi, sans prévenir ? Quand donc ont-ils débarqué ?

— Hier soir, paraît-il, répondit Chateaugay. Et ils ont commencé aussitôt à mettre la région à feu et à sang avant de revenir sur le Nouveau-Biloxi, sachant bien que là, ils seraient peu ou prou combattus, arrêtés peut-être.

— Et personne n'est parvenu à nous avertir ? s'étonnait Sérigny.

— On dit qu'ils ont paralysé tout le monde par la terreur, massacrant sans pitié ceux qui faisaient mine de s'enfuir ou de leur résister, répondit Bienville. Je vais informer la direction de la compagnie par le premier bateau en partance et demander d'autres semences, mais elles arriveront trop tard pour les travaux d'automne.

— Les concessionnaires et les fermiers seront-ils encore là pour les utiliser ? dit Sérigny sceptique.

— Bah ! il y en aura bien quelques-uns qui ne s'en iront pas et pour ceux-là, il nous restera peut-être assez de graines.

— Si ces drôles vous en laissent, ce qui m'étonnerait.

— Que croyez-vous ? s'exclama Bienville. Je n'ai pas l'intention de leur permettre de chasser nos fermiers et de s'emparer de la Louisiane !

— Qu'allez-vous faire ?

— Vous envoyer sur-le-champ vers Boisbriand pour le prier de nous rallier immédiatement avec une partie de ses hommes et mille Indiens en armes... Car Dieu sait ce que les prochains bateaux vont nous amener !

— Service de M. le président ! s'écria Sérigny en saluant très bas son frère ; et, avec sa fougue habituelle, il partit sans plus attendre pour exécuter ses ordres.

— C'est bel et bon, dit Chateaugay, mais quand seront-ils là ? Et en attendant ?

— En attendant ? A la grâce de Dieu.

— A votre avis, demanda Chateaugay en hochant la tête, combien de gens quitteront la Louisiane ?

— Quelques centaines, peut-être plus, mais il en restera autant, dont nous !

Ce fut en effet un grand exode, par terre, par mer et dans toutes les directions, cependant que les frères Lemoyne traversaient la phase la plus critique de leur difficile existence. Bienville luttait contre la racaille venue d'Europe, ulcéré d'être investi par elle. Il n'avait jamais adhéré aux projets politiques de la Compagnie des Indes, car il rêvait pour ces rivages du Mississippi d'un autre destin. Mal informé comme tout le monde, il rendait Law — tout aussi mal informé que lui — responsable des maux qui les accablaient. Aux prises avec la dure réalité, le jeune président du conseil de Louisiane rejetait les principes de gouvernement démocratique qu'on lui imposait et dont la valeur lui paraissait toute théorique. Il rejetait le dirigisme excessif né, il est vrai, de l'esprit trop systématique de Law et qui avait pour effet d'interdire la liberté du commerce, d'entraver le développement de la colonie et de susciter, avec la colère des populations, les multiples ennuis qui l'assaillaient. Il rejetait enfin ce qu'il croyait être un type de société mercantile. Au plus mal avec les membres du conseil, il en voulait à Pauger et à Le Blond de la Tour de leur dévouement à une cause qui n'était pas devenue la sienne. Sur pied de guerre jour et nuit, il se battait comme il pouvait pour contenir ceux qui apportaient dans ce pays la terreur, le crime, les vices et les pires maladies. Il en faisait pendre quelques-uns, chaque fois que cela se pouvait, menaçait rudement les autres ou les tentait par de belles promesses.

Enfin vint le jour tant attendu où l'on vit sortir de la forêt, semblables aux dieux de la guerre de leur légende, couronnés de plumes, lance au poing, les Indiens de M. de Boisbriand, le visage de cuivre peint de signes bleus, le regard dur. Les jeunes soldats de Sa Majesté le roi de France, aux uniformes brillants, tricornes droit posés, les suivaient, imperturbables. Lorsque les La Houssaye, les du Breuil, les d'Artaguiette, les Sainte-Reyne et bien d'autres qui, envers et contre tout, étaient restés, accrochés à leurs terres, les virent arriver, ils sentirent qu'une nouvelle nation naissait dans cette fraternité des armes. Ces soldats et ces officiers n'étaient plus ceux de

Louis XV, ni ceux de la Compagnie des Indes ou de John Law, ils devenaient, avec les Indiens, l'armée de la Louisiane qui pouvait les protéger, leur faire rendre justice et restaurer la paix. Une émotion s'empara de tous. Combattus par les Anglais, les Indiens les massacraient quand ils le pouvaient, mais les Français, pour eux, c'étaient Bienville et ses frères et tant de jeunes coureurs de bois, c'étaient Boisbriand et ses colons qui leur donnaient, en échange des quelques travaux qu'ils consentaient à faire, des biens et leur amitié. Les Français se montraient différents des autres étrangers venus d'Europe : ni cruels, ni hautains, gais et libéraux, ils savaient charmer d'un air de violon, faire danser leurs filles et leur offrir des rubans chatoyants ; ils les épousaient souvent. Alors, ils venaient, les Indiens, en bonne amitié des Français, écrire ces pages d'Histoire oubliées.

Lorsque les bandits les virent s'avancer, calmes et roides, ils furent pétrifiés. Fort ignorants, les beaux lieutenants de Cartouche les prirent pour des diables ! Beaucoup s'enfuirent que nul ne revit ; certains se cachèrent, décidés à s'adapter aux circonstances et même, s'il le fallait, à travailler et à se plier aux lois ; il y en eut qui se rebellèrent et menacèrent : ceux-là trouvèrent la mort. Les plus difficiles à réduire furent les femmes, que l'on n'attaque pas en bataille rangée. Ennemies sournoises, elles allaient s'efforcer de miner la colonie par leurs rapines et leurs vices. Mais la vie est ainsi faite que, en tout lieu et en toute société — et quoi que certains veuillent prétendre — le bien et le mal se côtoient et s'affrontent éternellement.

A la fin de cet été brûlant de 1719, parurent à l'horizon ces autres bateaux que Bienville et la population attendaient avec une si vive appréhension ; pourtant ceux-là leur apportaient l'étonnement et l'espoir. Leurs nombreux passagers allaient, envers et contre le gouvernement de Louisiane, tourner une page de l'Histoire de ce pays : celle des débuts périlleux et cruels de la grande aventure du Mississippi ; sur la suivante commencerait à s'écrire l'entrée en scène des grandes sociétés de colonisation.

Au débarcadère du Nouveau-Biloxi, Bienville, prêt à toute éventualité, avait posté des troupes et attendait, entouré de quelques hommes armés, décidés à accueillir, comme il le méritait, un autre convoi de bandits. Lorsque les manœuvres de l'accostage du premier navire furent terminées, ils virent avec stupeur descendre à terre et venir à eux, souriants et confiants, des gens dignes et bien vêtus, parmi lesquels se distinguaient des personnes de qualité et des militaires. On remarquait des familles avec leurs enfants qui semblaient avoir voyagé dans d'assez bonnes conditions. Bientôt se détachèrent de cette foule un officier et un personnage visiblement de quelque importance. Ils demandèrent à entretenir Bienville. Celui-ci, après les profonds saluts d'usage, les emmena jusqu'à la demeure qui abritait provisoirement les bureaux de la Compagnie des Indes et le gouvernement de Louisiane ; elle était située en face du port, sur la petite place témoin des tragiques événements de juillet.

Dès qu'ils eurent pénétré dans le cabinet de Bienville, le jeune officier, grand, vif et brun, se présenta :

— Joseph de Montesquiou, comte d'Artagnan, capitaine de la première compagnie des mousquetaires gris du roi ! Et, dit-il en désignant son compagnon, un garçon blond et sympathique, voici Jean-Daniel Kolly [1], banquier venu de Fribourg, conseiller de finances de l'électeur de Bavière et jusqu'ici chargé d'une des directions de la Banque royale. Il vient pour organiser et tenir les comptes de certaines sociétés.

— Je vous avoue, messieurs, déclara Bienville sans plus attendre, que votre présence et celle des autres passagers de ce navire me surprennent fort ! Les précédents émigrés venus de France n'étaient que des bandits et des filles de bourdeaux qui ont semé la terreur et la mort. Les quelques courageux concessionnaires qui n'ont point quitté la Louisiane après cette chaude affaire s'attendaient, comme moi, au pire !

Il leur fit le récit de ces événements et termina son propos par cette question :

— D'autres bateaux suivent le vôtre ; que nous amènent-ils ? A tout hasard, j'ai donné l'ordre à la troupe de demeurer sur le port.

— N'ayez crainte, monsieur le président ! s'écria d'Artagnan. Vous allez voir débarquer de ces navires les honnêtes gens engagés par dix sociétés de colonisation.

— Dix sociétés ! répéta Bienville.

Comme à son retour de Pensacola, il se sentait emporté malgré lui par une puissante impulsion venue, il le savait bien, de la volonté et du génie de Law.

— C'est le grand essor de la Louisiane, disait Kolly ; la vague qui va emporter les difficultés, les réticences et décider du sort de ce pays !

— Avez-vous seulement des provisions et des semences ? Les nôtres ont été pillées par vos prédécesseurs ! répliqua durement Bienville.

— Nous avons tous des provisions, des semences, des outils et de l'argent.

— Et ces sociétés sont fondées par qui ? Et nous envoient qui ?

Le ton, resté hostile, étonnait d'Artagnan et Kolly. Ce dernier répondit :

— Ces dix sociétés ne sont, je vous le répète, que le début d'un grand départ pour la Louisiane. D'autres sont en formation. Parmi les fondateurs, se trouve, vous ne l'ignorez pas, Law lui-même. Non seulement il possède sa propre concession de deux cent cinquante-six lieues, mais plusieurs groupes le sollicitent actuellement pour qu'il devienne leur associé. Je peux citer les groupes de M. le duc de Guiche, de M. le duc de la Force, de M. Le Blanc, secrétaire d'Etat à la Guerre, de M. le marquis d'Ansfeld, de M. le marquis d'Ancenis.

— Et le mien ! s'écria d'Artagnan.

— De nouvelles sociétés sont également constituées par divers grands seigneurs, reprit Kolly, et par des financiers comme les directeurs de la Compagnie des Indes, par des directeurs de la Banque royale comme moi-

---

1. Kolly mourra massacré par les Natchez lorsque les Anglais parviendront à les lancer par surprise sur les Français, en 1729.

même et par des négociants, des fabricants et des militaires. Toutes nos sociétés sont créées par actions négociées en France et les actionnaires viennent avec les engagés et des gens de métier. Ce qui vous explique la présence de tant de gens de condition parmi les passagers de nos navires.

— Et que vont-ils faire ici ! s'exclamait Bienville déjà complètement dépassé par la situation.

— Se rendre utiles et participer à l'effort de développement de la Louisiane, répondit d'Artagnan.

— C'est en effet la mission dont ils sont chargés, reprit Kolly. Il faut que vous sachiez qu'ils ont souscrit des contrats d'association très précis : ils viennent sans autre rémunération que la nourriture, une indemnité de vêtements et l'assurance d'un voyage annuel gratuit en France. Au bout de cinq ans, chaque associé recevra sa part de concession, jusque-là possédée collectivement et le remboursement du capital engagé, majoré de cinq pour cent l'an. Tous ceux qui ont acquis au moins deux actions reçoivent un prêt et une avance pour s'installer.

— Je reconnais bien là les talents de M. Law ! dit Bienville d'un ton glacial. Et les engagés et les gens de métier, comment donc les recrute-t-on ?

— Le plus convenablement du monde, monsieur le président ! répondit d'Artagnan. Je viens de participer à cette grande entreprise et je puis vous l'affirmer. Pour ma concession, située dans la zone littorale du Mississippi inférieur et dont je possède la carte et les plans, j'ai recruté dans l'hôtel des mousquetaires gris, paroisse Saint-Sulpice à Paris, et dans tout le quartier, particulièrement dans la nouvelle rue du Bac et rue de Beaune. M. de Vernezobre de Laurieu, financier de Genève, est de la religion [1], comme M. Kolly, et frère de deux de vos officiers. Il est chargé, à la Compagnie des Indes, du recrutement et de l'acheminement des hommes et du matériel. Beaucoup d'engagés viennent de Bretagne, de Lorient, de Port-Louis et de leurs environs. Je sais que, actuellement, il remporte un grand succès dans le Midi, dans le comté d'Avignon, à Lapalud, Mornas, Sérignan, Malaucène et surtout à Mondragon. Des gens arrivent aussi du Languedoc, du Forez et du Vivarais, de Bourg Saint-Andéol en particulier...

— Mais, le coupa Jean-Daniel Kolly, M. Law a le souci de ne pas dépeupler les campagnes françaises et il veut entraîner toute l'Europe dans son entreprise. C'est ainsi que vous arrivent, pour ses concessions, des Allemands [2], des Suisses aussi bien que des ouvriers en soie d'Alès, de Tours, de Turin et de Lausanne. Parmi les émigrés originaires des villages de France et d'Europe, nombreux sont à la fois bons agriculteurs et maçons, forgerons, serruriers, boulangers, meuniers, charpentiers, bûcherons, briquetiers, tuiliers ou charrons. Ils ont tous un contrat en poche, qui précise leurs

---

1. Protestante.
2. Parmi ces Allemands engagés pour la concession de Law, se cachait, sous un nom d'emprunt, la belle-fille du tsar Pierre le Grand. Escortée d'un vieux domestique et d'une femme de chambre qui l'avaient aidée à disparaître, elle fuyait les mauvais traitements du tsarevitch qui cherchait à l'assassiner. On le persuada qu'elle était morte et ses obsèques furent célébrées à Saint-Pétersbourg. Elle refit sa vie en Louisiane.

salaires ou leurs défraiements, suivant les accords consentis de part et d'autre et toujours *une participation aux bénéfices* exigée par M. Law.

Bienville les écoutait, abasourdi.

— Si je vous entends bien, dit-il enfin, c'est une nouvelle population entière qui m'arrive ?

— Exactement !

— Et, tonna-t-il soudain, que voulez-vous que j'en foute sur le petit port du Nouveau-Biloxi ou à l'île Dauphine ! Je n'ai pas de maisons pour les loger, pas de bateaux ni de routes, ni de voitures pour les transporter vers leurs concessions, si bien indiquées sur les cartes ! Je manque de vivres, de semences, d'outils et de numéraire ! Je me bats depuis des mois contre les membres du conseil de la Louisiane pour régler ces problèmes majeurs, mais comme les décisions doivent être prises à la majorité des voix, ils s'arrangent pour qu'il y ait toujours des absents et pour que le conseil ne puisse jamais être réuni ! Votre M. Law légifère à Paris sur des mappemondes, prend dans son cabinet des décisions sublimes, reflets d'une haute pensée philosophique et d'un humanisme profond, et il se fout du monde en général et de moi en particulier !

Hors de lui, il se précipita vers une fenêtre qui donnait sur la galerie et sur la place, et l'ouvrit brutalement ; on apercevait au loin le port sur lequel grossissait une foule compacte et indécise. Un second navire avait dû accoster et l'on voyait des gens qui commençaient à courir de droite, de gauche et à s'agiter.

— Regardez ! reprit Bienville, un défi dans le regard. C'est là-bas, sur ce quai, que vont se briser ses rêves !

PREMIÈRES DÉFAITES

La cérémonie venait d'avoir lieu dans la cathédrale de Melun. Il en restait à Law un malaise profond qu'il ne parvenait pas à surmonter, en ce soir du 17 septembre 1719.

La vision de l'abbé de Tencin officiant, le souvenir des quelques entretiens qu'il avait auparavant dû accorder à cette redoutable canaille pour aborder un sujet qu'il eût préféré ne jamais traiter avec un tel interlocuteur, cette profession de foi sans sincérité, le hantaient. Dubois, autre canaille, lui avait imposé ce singulier directeur de conscience et une prise de position publique. Law s'était péniblement résigné, à condition toutefois que cette palinodie se fît en dehors de Paris. Protestant par atavisme autant que par éducation, Law ne parvenait pas à comprendre le sens de la manifestation et des rites auxquels on l'avait contraint. Il ne lui en restait que la brûlure d'une humiliation.

Séparé de la foule depuis quelque temps déjà en raison des hautes fonctions qu'il occupait, il s'était soudain trouvé, comme les voleurs condamnés au carcan en place de Grève, exposé à l'intense curiosité d'une multitude et obligé, devant elle, de confesser à genoux des erreurs dont il ne se sentait pas coupable !

La réaction ne tarda pas à se produire en lui, violente comme un accès de fièvre. En rentrant à Paris, tout au long du chemin, un désir de revanche l'obsédait : il redresserait les véritables erreurs, punirait les crimes auxquels il ne voulait plus être associé ni de près ni de loin ; il opposerait à tant d'hypocrisie sa sincérité et frapperait ceux-là même qui le violentaient au nom d'une religion qu'ils ne pratiquaient ni ne respectaient, en dépit de vêtements qui n'étaient pour eux que déguisements. Dès son arrivée rue Vivienne, en dépit de l'heure tardive, il fit convoquer, sur-le-champ, ses principaux collaborateurs [1].

On entendait déjà leurs équipages rouler un à un sous le porche de l'hôtel de la Compagnie des Indes ; des bruits de voix montaient jusqu'à l'étage. Contrairement à leur habitude, ils attendaient donc d'être tous réunis pour se présenter dans le bureau de leur directeur général. Enfin ils se firent annoncer et dès qu'il les vit, Law lut aussitôt une gêne extrême dans leurs regards. Certains, bons catholiques, et quelques autres, jansénistes, ne pouvaient approuver l'ostentation donnée à une conversion à laquelle ils ne croyaient pas ; quant aux protestants, jusque-là les plus proches de lui par l'esprit, ils voyaient se dresser entre eux et lui les lances des dragons de Louis XIV et les flammes des bûchers dont les fumées rôdaient encore dans les Cévennes. Il comprit immédiatement qu'au moment où il aurait besoin des siens, il ne les trouverait pas.

William, arrivé le dernier, baissait les yeux pour se dérober à l'interrogation muette de son frère et à l'hostilité qui flambait autour d'eux. Ainsi, dans ce cabinet, comme à Melun, on le chargeait, lui, John Law, de crimes qu'il n'avait pas commis. La folie des hommes lui parut sans limites, comme étaient sans limites les tourments de sa destinée. Sa voix altérée, qu'il tenta de forcer, trahit sa rage et son désespoir :

— Messieurs, dit-il, préparez une assemblée du conseil de la compagnie pour demain. Il s'agira d'entériner une décision que je viens de prendre. Vous pouvez avertir : les nouvelles actions qui seront en vente également demain ne pourront être délivrées qu'en échange des reçus des rentiers. Entendez-moi bien : elles ne seront pas négociables contre des espèces d'or ou d'argent. Enfin, je vous informe que, toute affaire cessante, je vais personnellement régler le problème des enlèvements et déportations pour le Mississippi ; j'entends mettre fin à un scandale qui révolte les consciences ! Savez-vous que les bandouliers en sont à prélever des enfants sur les familles nombreuses parce qu'ils reçoivent une prime pour chaque enlèvement ? Savez-vous qu'ils sont également payés par tous ceux qui veulent se débarrasser d'un membre de leur famille ou assouvir une vengeance ? Je

1. Il nous paraît nécessaire de souligner que c'est le soir même de son abjuration, le 17 septembre 1719, qu'il annonça les mesures révolutionnaires qui, dès cette époque, faillirent l'abattre.

voudrais bien savoir quelle religion pratiquent les citoyens respectés qui les mènent ! De toute façon, messieurs, et quoi qu'il ait pu se passer aujourd'hui, cette religion n'est pas la mienne.

Dutot se fit le porte-parole de ces hommes effarés :

— Sans doute, monsieur, de telles violences, commises au nom de la Compagnie des Indes par un corps de police aux ordres de M. d'Argenson méritent-elles que justice soit faite sur-le-champ, assortie d'exemplaires châtiments. Mais, cependant, daignez considérer que la cour a déjà violemment réagi contre l'annonce de mesures moins extrêmes, pour ce qu'elles étaient prises par vous seul ; la compagnie peut-elle aller jusque-là sans un arrêt du conseil de Régence ?

— Elle ira !

— Prenez garde, John, les cours des actions vont tomber ! dit William.

— Qu'ils tombent ! Je les ramasserai, répondit Law ; il ajouta, le regard sombre : Allez.

L'opération était lancée. Law venait de payer à M. le duc l'inévitable rançon qui devait assurer, du moins l'espérait-il, la neutralité des Bourbon-Condé — une aumône de huit millions [1] ! L'assemblée générale de la Compagnie des Indes, formée d'honnêtes gens, et son président, le plus honnête homme du royaume, le Régent, avaient approuvé les mesures proposées.

Law apprit avec stupeur que Caterina osait enfin proclamer ce qu'elle avait si soigneusement caché jusque-là : qu'elle n'était point sa femme, et qu'elle refusait de le devenir puisqu'il avait abjuré la foi protestante !

Au bruit que faisait dans Paris la cérémonie de Melun, s'ajouta celui de cette révélation sensationnelle. L'un et l'autre produisaient un effet désastreux sur l'opinion qui ne voyait, dans ces événements, que reniements et ambitions forcenées de Law. Le peuple et les petits rentiers, bénéficiaires des mesures récentes et dangereuses qu'il venait de prendre, cessaient de lui témoigner leur ferveur. Rue Quincampoix et dans les faubourgs, on murmurait et de méchants refrains, éclos en une nuit comme les herbes folles entre les pavés, couraient cette ville singulière :

> *... Vu la Science,*
> *Bonnes mœurs, doctrine, éloquence*
> *Et zèle que l'abbé de Tencin*
> *A fait paraître sur tout autre*
> *Pour le salut de son prochain,*
> *Nous lui donnons lettre d'apôtre*
> *Et de convertisseur en chef ;*
> *D'autant qu'en homme apostolique*
> *Il a rendu Law catholique* [2] *!*

Le nouveau décret, à peine promulgué, rejetait les foules dans la rue. Les rentiers couraient au Trésor et à la Compagnie des Indes. Rue Quincampoix,

1. 18 septembre 1719.
2. Bibliothèque nationale.

les hurlements des agioteurs couvraient les voix désespérées des ténors de Law :

— Onze cents !

— Mille !

— Neuf cents !

Des cris de haine et de mort passaient dans les clameurs.

Plus que jamais, les membres de la Cour et du Parlement se colletaient dans cette venelle avec un peuple de nouveaux riches rudes et grossiers, aux abois comme eux ; puis ils couraient au Palais-Royal pour assiéger le Régent et à la Banque, pour assaillir Law. Dans ses antichambres campait une foule éblouissante, menaçante, affolée, dangereuse, qui n'était pas reçue.

Dehors, la nuit tombée, on agressait les petits rentiers pour leur voler leurs précieux titres ou les actions nouvelles qu'ils venaient d'acquérir. Les cadavres roulaient au ruisseau et s'y retrouvaient de compagnie avec ceux que la ruine et le désespoir acculaient au suicide.

Law tenait tête, seul, depuis quarante-huit heures à cette situation sans précédent, lorsque, un soir, dans une voiture de louage aux rideaux tirés, il regagna l'hôtel de Mercœur.

Le calme des jardins montait dans le crépuscule. Nathalie, assise au bord d'un bassin rond, essayait d'imaginer qu'il lui était possible de déposer un moment sur la pelouse son fardeau de soucis et de peines, et de laisser aller son âme délivrée. Elle essayait de se représenter comment lui apparaîtrait alors le grand parc tranquille et l'éclat des géraniums sous les derniers rayons du soleil. Elle cherchait à se souvenir de ce qu'était une vie de femme, la vie des autres femmes de son rang, faite des petits soins que réclame une maison, de l'ordonnance des bouquets, d'un repas, d'une toilette, de promenades nonchalantes, de conversations amicales autour d'une coiffeuse et de confidences où l'on est soi, loin des hommes... Mais voici que Law venait à elle, descendant le perron à pas lents.

De lui à elle, rien n'avait pu se dénouer ; leurs problèmes ne parvenaient pas à s'insérer dans les mouvements convulsifs qui agitaient leur vie.

Law ne l'avait pas encore rejointe que Fifrelin courait après lui, lui parlait et qu'il revenait sur ses pas, résigné. Ici se déroulait, de jour et de nuit, le défilé continuel de ceux qu'il ne pouvait éconduire : Torcy, Le Blanc et le duc de la Force gesticulaient dans le petit salon de Nathalie.

— Law, mon cher Law, vous ne pouvez pas vous obstiner plus longtemps ! C'est un carnage dans Paris !

— La police est débordée, je vais devoir y foutre mes soldats ! criait Le Blanc.

— M. le Régent, investi de toutes parts, cédera, c'est inévitable ! Mieux vaut ne pas vous laisser contraindre !

Sur les traits tirés de Law flotta un sourire. Il alla au cordon de tapisserie qui agitait une sonnette, le tira ; Fifrelin parut :

— Du champagne, dit-il simplement.

Il les fit boire et parler, se tut, résolu, énigmatique, et attendit leur départ. D'autres viendraient, il le savait. D'un pas nonchalant, il revint au jardin. Nathalie y était toujours, comme la source et le jet d'eau qui exhalaient dans l'ombre leur âme de cristal. Ce fut alors qu'elle lui fit la lecture de quelques pages du *Don Quichotte* de M. de Cervantes.

Le lendemain John Law ne put parvenir à son bureau directorial que par des issues dérobées. Il renouvela la consigne qui fermait sa porte. Dans l'antichambre on s'écrasait, on réclamait...

— Où est M. Law ?

Cette voix haute, arrogante, a fait taire le tumulte. La massive carrure du borgne se dresse devant Dutot. M. le duc a déjà la main sur la poignée de la porte du cabinet. Dutot s'incline.

Law sait qui entre chez lui sans se faire annoncer ; il ne bronche pas et continue de lire le rapport de police qu'il a sous les yeux.

— A quoi pensez-vous donc, monsieur, à cette heure ?

Law se lève alors lentement, s'incline :

— Je méditais, monseigneur, sur la liste des suicides que l'on a enregistrés depuis trois jours dans Paris.

— Cela vous amuse ?

— Non. Pas plus que les batailles rangées qui, dans les faubourgs et partout en France, opposent le peuple justement révolté aux bandouliers de M. d'Argenson.

— Il faut mettre un terme à cette plaisanterie !

— Laquelle ?

— Le décret !

— Votre Altesse royale l'a approuvé et a bien voulu, à ce propos, conclure un accord précis que je me permets de lui rappeler.

— Je ne pouvais pas prévoir que nous allions faire de la sorte chuter les actions ! Si cela continue, nous serons tous ruinés !

— Vous exagérez, monseigneur.

Law, pour la première fois depuis bien longtemps, sentait l'aile d'un rire lui chatouiller la gorge ; cependant, la pâleur de son visage révélait la gravité du conflit. Le prince poursuivait :

— Je vous informe que le conseil de Régence vient de décider que les actions seraient de nouveau négociables contre des espèces. (Il ajouta froidement :) Nous avons conservé, néanmoins, votre précédente disposition : les actions devront être payées en billets de banque et une taxe de dix pour cent sera imposée aux acheteurs qui ne seront pas rentiers du Trésor. M. le Régent me charge de vous prier de prendre d'urgence toutes dispositions utiles pour appliquer ces nouvelles mesures. Malgré quelques réticences, il s'est rendu à notre avis qu'il n'était point opportun de semer la révolution dans Paris. Je vous salue, monsieur.

Law, seul enfin, évaluait cette défaite dont il n'osait dénombrer encore les conséquences. Il voyait Philippe d'Orléans malade, hésitant, souffrant de jour et de nuit les assauts répétés que lui-même avait subis et que ce prince ne savait soutenir que sur les champs de bataille. Il évoquait leur dialogue décisif dans cette nuit d'hiver où lui avait été imposée la mise en application du Système ; il s'était battu, comme on l'y avait convié, pour soutenir une guerre, mais son combat à lui ne faisait que commencer et il tenait une position isolée où il faudrait peut-être mourir. Ne venait-on pas de le désarmer ? La conduite des affaires ne lui échappait-elle pas ? Que lui restait-il ?

Il se leva, ouvrit la fenêtre, entendit la foule, le chœur qui emplissait la rue Vivienne. Que lui restait-il, en vérité ? Le peuple misérable, celui qui ne s'était pas enrichi, celui que l'on volait, que l'on assassinait. Il pouvait encore beaucoup pour lui.

Toute la journée, il dicta des mesures extraordinaires à ses secrétaires et leur déclara :

— Les actions vont remonter ; la hausse du coût de la vie, que nous devons déjà à l'augmentation du numéraire, va prendre des proportions terribles. Voici des dispositions pour l'enrayer ; M. le Régent y souscrira.

Ce fut à ce moment qu'il fit supprimer d'un trait de plume les officiers qui contrôlaient les ports, les quais, les halles et les marchés :

— Ainsi, le bois, le charbon, le foin, le pain, le vin, le gibier, la volaille, le beurre, les œufs, les fromages, la viande, les chandelles baisseront de trente pour cent ! Convoquez-moi la corporation des bouchers pour après-demain : il faut que je leur explique que s'ils ne baissent pas le coût de leur viande, je la ferai vendre, moi, à un autre prix ! Melon, préparez un projet de diminution des droits d'importation qui frappent actuellement les soieries et le charbon anglais, le cuir, le suif, les vins venus de l'étranger ; cela fera du même coup baisser les prix des produits français. Neilson, annoncez ma visite à Mme la supérieure de La Salpêtrière ; j'ai une proposition à lui faire...

Il s'interrompit, rêveur, puis reprit :

— Nous allons mettre fin aux odieux enlèvements des bandouliers, mais il faut envoyer en Louisiane des filles honnêtes. Je les doterai et les marierai à des garçons courageux et qui iront peupler La Nouvelle-Orléans !

La Nouvelle-Orléans ! Dans ce nom qui chantait ses enthousiasmes morts, vibrait toujours l'espoir.

LA RIPOSTE

Adieu, Pont-Neuf, Samaritaine,
Butte Saint-Roch, Petits-Carreaux
Où nous passions des jours si beaux,
Nous allons en passer aux isles
Puisqu'on ne nous veut plus aux villes...

438

La troupe en un instant s'échauffe, se partage,
Charlotte pour Catin veut prouver son courage,
Elle a de son côté la robuste Manon,
La sensible Perrin, la fière Jeanneton;
Margot de son côté voit la vive Frétin,
La buveuse Perrette et la grosse Merlin[1]*...*

— Eh, bourdeaux, nous sommes refaites !
— Vive la mariée !
— Attends, attends, petite larronnesse !

Les injures, les huées, les ricanements, les apostrophes, les larmes, les rires convulsifs, les chants jaillissaient des longs chariots découverts qui franchissaient en cahotant, les uns derrière les autres, le portail de Saint-Martin-des-Champs et s'engageaient dans la rue. Ils portaient cent quatre-vingts prostituées déchaînées et enchaînées, une par une, à cent quatre-vingts garçons sortis de diverses prisons et qu'on allait leur faire épouser, de gré ou de force. Certains de ces hommes étaient abattus, résignés : d'autres échangeaient avec leur compagne de malheur des obscénités, des gestes prompts, des reparties extraordinaires.

— Tout le monde devient marquis, là-bas ! criait l'un d'eux en manière de consolation. Je te ferai marquise, Madelon !

La furie liée à lui par une chaîne de fer se retourna et lui cracha à la figure :

— Je préfère rester maquerelle !

A cet instant, le prisonnier avisa un bourgeois qui se tapait les cuisses et lui criait : « Belle nuit de noces ! Belle nuit de noces ! »

— Celui à qui j'ai coupé la gorge et la bourse avait une moins sale gueule que toi ! répondit le truand. Je te retrouverai !

Le rire se figea sur la trogne épanouie.

Un peuple compact se pressait pour jouir du spectacle et répondait hardiment aux invectives et aux quolibets gaillards ou menaçants qu'il recevait.

Telle était l'étrange riposte de l'anti-Système aux nouvelles initiatives de Law : une mascarade surgie de quelque diabolique carnaval pour moquer « les filles à la cassette ». Par dérision, on avait couronné les « mariées » de flots de rubans jaunes et les « mariés » portaient de grosses cocardes du même ton[2]. C'était aussi une fête gauloise. Des gendarmes à cheval encadraient les attelages qui, en se montrant dans Paris, devaient faire une contre-propagande efficace aux dépens de la Louisiane. Ensuite, tout ce beau monde, embarqué à Passy, partirait pour Le Havre.

La foule des agioteurs, venue de la rue Quincampoix toute proche, se mêlait aux curieux pour suivre l'extraordinaire cortège. Certes, les gens du quartier Saint-Martin étaient habitués aux transports de prisonnières, aux

1. Départ des filles de Saint-Martin-des-Champs pour la Louisiane.
2. Bibliographie.

va-et-vient du « char à Pataclin [1] », mais jamais il ne leur avait été donné de voir rien de semblable. D'ailleurs ces filles-là n'étaient point envoyées à la Salpêtrière.

— Quel homme donc est ce Law dont on dit tant de bien ? s'écriait une marchande de modes. C'est une invention du diable que de faire bénir par un prêtre ces mariages d'assassins et de traînées !

— Si c'est à cela qu'il s'occupe en un moment où les affaires vont si mal ! s'étonnait un petit vieux.

A côté d'eux une jeune fille lançait d'une voix pointue :

— C'est horrible ! horrible !

Alors, prompt comme l'éclair, un refrain vengeur s'échappa de la foule qui, tout à coup, cessa de s'amuser :

> *Or vous tous, messieurs les maris,*
> *Si vos femmes ont des favoris*
> *Ne vous mettez martel en tête :*
> *Vous aurez fort méchante fête*
> *Si vous vous fâchez, tant pis*
> *Vous irez à Mississippi !*

Des applaudissements et des cris saluèrent le chansonnier.

— Libérez Quoniam ! Liberté pour Quoniam ! hurlait-on.

— Qui est Quoniam ? demanda quelqu'un.

— Le boucher que sa femme a fait prendre au gîte, l'autre nuit, par les bandouliers parce qu'il l'avait surprise avec son galant [2] !

Le chansonnier, porté en triomphe, haranguait maintenant le peuple :

— Calmez-vous, bonnes gens ! Nous vivons une belle époque, celle du Système ! Fameux Système, n'est-il pas vrai ? Puisqu'il vous permet de vous débarrasser aisément d'un rival encombrant ou d'un fâcheux qui vous porte ombrage, ou d'assouvir une petite vengeance ! En vit-on jamais de semblable ? Il suffit de vous adresser aux bandouliers et de les bien payer. Ainsi l'évêque de Beauvais vient-il de se débarrasser de son valet de chambre !

Ayant dit, d'un bond il sauta sur ses pieds et disparut dans la foule qui couvrit sa retraite de mouvements spontanés et de cris mêlés à ceux des couples enchaînés dont les chariots, dans ces remous, n'avançaient plus. Les chevaux des gendarmes se cabraient, effrayés, et un capitaine parla d'appeler le guet. Les vociférations reprirent de plus belle.

— Voilà, dit un tabellion, voilà qui ne donne guère envie de s'installer

1. Nom de la supérieure de la Salpêtrière. Cet établissement était alors l'hôpital général, sorte d'Assistance publique qui comprenait des asiles pour les vieillards, les pauvres, les infirmes, les malades, les fous, les enfants abandonnés, orphelins ou nécessiteux que l'on élevait et auxquels on apprenait un métier ; la Salpêtrière groupait encore des centres de redressement pour les adolescents délinquants et plusieurs prisons de femmes. Depuis 1684, une sorte de police des mœurs avait été créée à Paris : elle arrêtait de jour et de nuit les filles qui racolaient ou qui troublaient l'ordre public et les conduisait au dépôt de Saint-Martin-des-Champs ; de là, après jugement, elles étaient conduites à la Salpêtrière. Colbert, le premier, envoya des enfants assistés, puis des prostituées au Canada et Crozat fit de même.

2. Bibliographie.

au Mississippi ! Et chacun peut trembler d'y être expédié en un tournemain par le premier sournois venu !

— C'est curieux, mon compère, dit un commis de financier qui se trouvait à côté de lui. J'allais remarquer que cette promenade de gibiers de potence à travers les faubourgs ne va guère avec tout le mal que se donne la Compagnie des Indes pour nous inciter à aller là-bas ? Sans parler du commerce que font les bandouliers !

— Cela pourrait bien faire tomber les actions ! dit le robin déconfit dont la bouche s'arrondit en cul de poule.

— C'est curieux, curieux ! répétait, soucieux, le commis plein de sous-entendus.

Et ils s'éloignèrent en chuchotant. Derrière eux, deux jeunes hommes qui les avaient observés pressèrent à leur tour le pas.

— Je leur tire mon chapeau ! dit Melon à Robert Neilson qui le suivait.

— A qui donnez-vous votre chapeau ? demanda celui-ci, ahuri.

— C'est une expression qui signifie : j'admire, je félicite ! Oui, j'admire la manière dont on a monté cette mascarade et dont on a lancé les bandouliers sur le peuple !

— M. Law vient d'obtenir qu'ils soient soumis à de sévères contrôles et qu'ils n'aient plus le droit de se déplacer isolément afin de se surveiller mutuellement [1].

— Mais cette façon de moquer les entretiens de M. Law et de Mme la supérieure de la Salpêtrière pour la dotation et le mariage des orphelines ! Et cette adresse de faire croire que ce que nous venons de voir est le résultat de leurs accords, en jouant sur le nom de la Salpêtrière et sur ses nombreuses attributions, afin de créer la confusion dans les esprits, de déconsidérer notre directeur et de faire chuter les actions !

— La vérité, dit Neilson, est que John Law offre un million pour les dots et les trousseaux des jeunes filles qui acceptent de partir là-bas. C'est moi qui ai convoyé les fonds !

— Il leur laisse même choisir leur mari parmi les jeunes gens désignés par la Mère Pataclin [2]. On n'en fait pas autant pour les filles de rois ou de simples bourgeois !

— Il est curieux, monsieur Melon, que, pour une fois, l'argent se trouve du côté du cœur et de l'esprit ; cela n'arrive pas si souvent dans l'histoire des peuples !

— Mais la force ne suit pas ! dit Melon. M. Law n'a pas la police ; c'est M. d'Argenson qui l'a, envers et contre tout, et nous venons de voir ce qu'il sait faire !

Ils reprirent leur marche. Au loin, le cortège de noces soulevait de nouvelles clameurs.

— Vous rentrez à la compagnie ? interrogea Melon.

— Oui, vous aussi, je crois ? Mais j'ai besoin de marcher et de réfléchir.

1. Bibliographie.
2. *Idem.*

441

— Suis-je importun ?

— Nullement, au contraire.

— Je suis soucieux de voir combien les derniers événements ont marqué M. Law et pourtant, je l'ai toujours vu résister avec souplesse et fermeté aux coups de ses ennemis qui n'ont cessé de s'acharner contre lui.

— Cela n'était rien, monsieur Melon. Il ne s'agissait alors que des hasards des combats et de la fortune ; mais le cœur ! C'est le cœur qui est touché : l'éloignement de Mme de., l'affaire de Melun et ses répercussions parmi nous, la détresse des petits rentiers qu'il avait cru sauver et enrichir, ces enlèvements tragiques, les suicides et les assassinats !

— Mme de. est revenue.

— De cet amour secret, que savons-nous ? La folie des temps, le bruit assourdissant des événements qui se déroulent dans cette ville le dérobent à l'attention générale. Nul n'y prête attention. A une autre époque ou en d'autres lieux, la société en serait fort occupée et l'on en tirerait quelques révélations...

— Cela est vrai ! Mais quelle femme est-ce donc là qui inspire des sentiments tels à son amant qu'il résiste à tout ce que nous voyons !

— Oui-da ! Comment peut-il résister ? dit Neilson en s'arrêtant, le regard rêveur. Et pourtant à Edimbourg, à Londres, il fut don Juan en personne ! On en parle encore. Les dames l'appelaient Jessamy John, Jasmin John...

— Ici, ce sont les femmes qui le poursuivent, le harcèlent même ! Les plus séduisantes, les plus belles, les plus hardies, les plus riches, les plus célèbres s'offrent à lui.

— Les plus folles ! ajouta Neilson en riant ; songeur, il poursuivit : Mme de. ne ressemble à aucune d'entre elles.

— Et voici qu'aujourd'hui on le dirait blessé, atteint au fond de lui-même.

— Il se reprendra.

— Peut-être.

— Lord Stairs va lui redonner l'envie de mordre !

— Il s'attend en effet à l'assaut de l'Angleterre. Il répète sans cesse qu'elle lui a déclaré la guerre. Maintenant qu'elle n'a plus besoin de la France contre l'Espagne, elle va s'attaquer au Système.

— L'ambassadeur réunissait l'autre soir à sa table, en plein Paris, cinquante chevaliers anglais de l'ordre de Saint-André [1] et nous savons qu'un coup se prépare, par leurs soins, rue Quincampoix.

— Des ennemis au-dehors, des ennemis au-dedans, soupira Neilson...

Et leurs voix se perdirent à nouveau dans la foule qu'ils avaient rejointe.

— Et mes amis ? Mes protecteurs ne sont-ils pas pires que mes ennemis ? Ceux du dehors et du dedans ? Mes amis, la grande armée des joueurs à la

1. Bibliographie.

442

hausse, me précipitent vers le gouffre. Je sens dans mon dos la pression terrible d'une foule énorme qui me pousse furieusement en avant... Et que trouverai-je, au bout de la course ? Un mur ? Une potence ? Un abîme ? Cruelle poussée ! Je suis un équilibriste qu'on hisse au mât, le poignard dans les reins... Il faut que je monte, que je gravisse le dernier espace... Il faut... « Qu'importe de mourir ! En un jour j'ai bâti deux villes[1] ! » Et John Law, dans son délire, glissa sans connaissance sur le parquet[2].

La nouvelle pénétrait en elle... Nathalie eut froid, de ce froid que ne réchauffe aucune flamme. Melon la regardait, attentif.

— Chirac, le médecin personnel de M. d'Orléans, l'a saigné, dit-il. Il est revenu à lui aussitôt, mais la fièvre ne l'a point quitté. Il est épuisé. Il me charge de vous dire que dès qu'il sera transportable, il quittera la place Vendôme et viendra achever de se remettre rue Vivienne.

Nathalie le remercia. Il se retira. Elle courut dans son cabinet, comme un oiseau touché en plein vol. Hésitant sur la route à suivre, elle revint sur ses pas, saisit une mante et sonna pour commander sa chaise.

Arrivée devant l'hôtel de William, elle monta vivement le degré de pierre et se trouva en face du frère de John qui sortait ; il lui prit vivement les mains. Comme il lui ressemblait ! Quelque chose d'insoutenable s'apaisa en elle.

— J'y vais, dit-il. Attendez ici mon retour ; Rebecca vient d'accoucher d'un fils : allez auprès d'elle.

Elle ne comprit pas dans l'instant pourquoi cette nouvelle ajoutait à son trouble et se fit annoncer chez la jeune femme qui souriait, reposant sur ses oreillers de dentelle.

— Nous l'appellerons John, bien entendu, dit-elle en lui tendant le nouveau-né.

Nathalie le prit dans ses bras. Il avait un petit visage étonné, et, sur la tête, un duvet de ce blond roux qu'il tenait des Law de Lauriston. Elle aussi aurait pu avoir un enfant, le prolongement de cette grande présence qui, peut-être, allait s'effacer loin d'elle, à jamais... Mais ce n'étaient là que piège et mirage. D'elle pouvait naître, elle le savait bien, un être animé de ce sang violent qui parfois s'agitait en elle et qui ne lui rendrait rien de celui qu'elle aimait.

Elle reposa le petit garçon dans son berceau. Les heures passaient ; l'accouchée s'était endormie. Le soir tomba. Nathalie sentit une impression de vide et elle se mit à trembler. Elle s'aperçut alors qu'elle avait peur, physiquement peur d'une souffrance qui dépasserait toute la force qu'elle pourrait rassembler pour la surmonter. La peur, c'était donc cela : cette précipitation sans nom de tous les rythmes secrets et harmonieux de la vie,

1. Lorient et La Nouvelle-Orléans. D'après l'analyse pénétrante de Michelet sur cette période de sa vie.
2. Octobre 1719.

cette désertion de l'esprit, cette insondable dérive. Elle tenta de se reprendre. Ne valait-il pas mieux que John Law dormît dans une tombe comme cet enfant dans son berceau, plutôt que de poursuivre, haletant, un implacable combat contre tant d'adversaires, plutôt que de connaître de mortels désenchantements ? Terribles pensées, en vérité, que lui avait déjà inspirées le destin du Régent et tant d'existences... *Culte et respect de la vie*, mots creux, vides de sens. La vie n'est pas respectable ; c'est l'homme qui l'est... dans la mesure où il se respecte lui-même et quelles que soient son origine et sa condition.

Machinalement, Nathalie se prit à remuer doucement le petit lit, à bercer l'enfant John Law. La nuit venait tout à fait. Un affolement la saisit. Elle se glissa hors de la chambre. Un flambeau éclairait le vestibule et sa lumière la réconforta.

Elle entendit alors un pas dans l'escalier et courut vers William qui rentrait.

— Vous le retrouverez demain ! dit-il aussitôt avec un joyeux sourire. Mais quoi ! vous pleurez ?

— Un excès de travail, de soucis, ce ne sera rien...

C'était sa voix, vibrante et chaude.

Etendu sur un lit dans le secret des petits appartements de l'hôtel de Nevers retrouvé, il lui souriait. Il avait étrangement repris un air d'adolescence ; mais au-delà de cette trompeuse apparence et de son pâle visage, on devinait l'atteinte, la blessure de l'âme. Ses mains aux longs doigts fins, ses poignets déliés et solides, ses traits émouvants, sensibles, animés par des yeux brillants, ses cheveux clairs, ses muscles affleurant sous la chemise, son odeur fine et virile, tout cela prenait pour Nathalie une valeur démesurée. Il en était ainsi après chacune de ses absences, mais la peur d'hier créait une intensité douloureuse. La vie, ou la mort, ne l'arracheraient-elles pas tôt ou tard à lui, de qui procédaient son élan vital, son souffle ? Elle s'abattit contre lui.

— Nathalie !

— Ne bougez pas, ne dites rien, cela va passer.

De lourds problèmes étaient nés entre eux qu'il eût fallu aborder et résoudre ; mais le temps et les événements ne leur laissaient pas de moments propices à de telles confrontations, et leur imposaient la réalité de cet amour.

Depuis la veille, parvenaient rue Quincampoix des bruits sinistres qui se répandaient dans la ville :

— Law est malade, sans connaissance, peut-être mort !

— Tant mieux ! Ne vient-on pas d'apprendre que des centaines de malheureux ont péri en Louisiane à cause de lui ?

— A force de vider les prisons de France pour remplir les navires qui vont au Mississippi, on a obtenu ce que l'on cherchait : les bandits ont saigné les honnêtes gens !

— Tiens ! mais qui donc y avait intérêt ? Pas Law, tout de même !

— Que vont devenir ceux qui partent ? Et il y en a de plus en plus !

— On dit qu'ils ne trouvent rien là-bas, ni chevaux, ni voitures, ni bateaux, ni vivres, ni semences, rien que la terre nue et cruelle et des sauvages noirs et rouges !

— Law va mourir et le Système avec lui !

— Les actions baissent, baissent ! Il faut vendre ! Sauve qui peut !

— C'est vertigineux ! C'est la ruine !

— La ruine ! La ruine !

Dans ces jours-là, au Palais-Royal, le Régent, de plus en plus soumis au patient et redoutable travail poursuivi par Dubois pour le détacher de Law, répondait aux attaques de Lord Stairs contre le directeur de la Compagnie des Indes par des propos déplacés et singuliers sur « l'ambition forcenée » de son financier. Sans doute Philippe d'Orléans n'était-il plus que l'ombre affaissée du jeune vainqueur de jadis et du chef d'Etat pénétrant qui étonna le monde. Qu'avait donc fait de lui et de John Law, de leur force et de leurs élans, la constante adversité ?

Quant à Dubois, qui formait avec eux le brillant triumvirat, il resserrait ses liens secrets avec l'Angleterre.

A ses collaborateurs affolés par le début de panique que suscitait la chute des actions et leur mise en vente massive, Law dicta une mesure d'urgence.

— Vous exagérez l'effet des mauvaises nouvelles de Louisiane et de ma santé ! leur dit-il avec un étrange sourire. Il faut considérer que le renchérissement de la vie devient excessif et que les fonds doivent manquer à beaucoup de souscripteurs pour payer le prochain acompte. Combien veulent réaliser le bénéfice avant d'effectuer le premier paiement et combien ont acheté à terme pour profiter des avances que la banque accorde sur les actions déposées !

Il eut un geste de lassitude, inhabituel, qui les frappa et ajouta :

— Rédigez le texte d'un nouvel arrêt que nous présenterons au conseil d'Etat. Prenez en note, Melon : les neuf échéances mensuelles de cinq cents livres sont remplacées par trois échéances mensuelles de quinze cents livres... Vous verrez que nos actionnaires, à qui nous ne demanderons plus rien avant deux mois, seront moins pressés de lâcher leur papier... quel que soit l'état de ma santé !

— Nous venons de recevoir quelques nouvelles de la guerre, monsieur, dit Melon.

— Ah...

Cette indifférence les frappa de stupeur. Le jeune secrétaire reprit :

— Après la destruction par l'escadre anglaise de l'arsenal de Vigo, les bataillons de La Corogne, placés sous les ordres du duc d'Ormond, ont refusé de s'embarquer sur les navires qui devaient faire voile vers la côte armoricaine !

— Cette affaire de Bretagne était tout l'espoir d'Alberoni, dit Law rêveusement. Quel succès pour M. l'abbé Dubois ! Il est vrai que, sans la trahison de Mme la duchesse du Maine, pressée de retrouver la liberté, Sceaux et son petit théâtre, M. le Régent eût ignoré ce nouveau complot. Tout le prestige en reviendra à M. l'abbé ! A Nantes, M. le maréchal de Montesquiou tient aujourd'hui à merci ces têtes folles de Bretons ! Quelques navires espagnols, chargés des songes de Philippe V, sont apparus et n'ont recueilli qu'une poignée de fugitifs... Des fantômes et une flotte fantôme que recouvrent et noient les brumes du passé ! Et pourtant, elles se dissipent, ces brumes, elles s'effilochent très vite ! Vous ne savez pas quels courants secrets animent les brouillards lorsqu'ils commencent à se lever et à se dissoudre dans les nues, parce que, dans vos pays, on les connaît peu et mal. En Ecosse... mais qu'importe, laissez-moi, maintenant.

Ils saluèrent et se retirèrent dans une grande perplexité. Alors Jessamy John se tourna vers Nathalie :

— Si nous partions ?

Elle le regarda, interdite.

— Si nous partions, vous et moi... Si nous laissions tout cela ?

L'univers chancelait et le sang vif qui est en nous rythme et chaleur s'anima en elle. C'était là un événement considérable [1], un de ces choix périlleux qui marquent les destinées.

— Partir ? répéta-t-elle sans y croire.

— Oui, un matin, secrètement... fuir.

Il disait cela avec un sourire juvénile, et une ardeur réveillée ramenait sur sa pâleur les couleurs de la vie. Elle s'approcha lentement de lui, les yeux agrandis. Des visages défilaient dans sa pensée : les enfants de John, le ménage de William, le bébé, Melon, Neilson... Les abandonner tous ? Il en était donc là ? Mais il poursuivait avec une vivacité perdue depuis longtemps :

— Des souverains étrangers m'adressent depuis quelque temps des propositions admirables : l'empereur Charles VI m'a fait offrir le duché de Massa-Carrara, au nord de l'Italie : le pays des marbres !... (Il rêvait à nouveau.) Carrare, les marbres, un royaume qui vous irait ! Et le bey de Tunis vient de mettre à ma disposition une île dans la mer de Sicile. Vous vous taisez, mon cœur ?

Elle demeurait muette, en effet, redoutant toute parole qui pourrait entraîner John Law ici ou là, parce qu'il lui proposait soudain d'accomplir son désir le plus profond, le plus passionné et parce qu'elle n'avait pas le droit de céder à cette immense tentation. Elle ferma les yeux et le nouveau visage de la France s'imposa à elle, visage que ce pays n'avait jamais eu au cours de sa longue Histoire : ses champs multipliés, ses fabriques naissantes déjà nombreuses, ses chantiers bruyants, ses maisons neuves en plus grand nombre que l'on n'en vit jusque-là, ses foules réveillées d'une mortelle torpeur, ses navires tendant en tous les ports leurs voiles et les forêts d'Amérique reculant devant les villes nouvelles !... De puissantes harmonies

---

1. Entre octobre et novembre 1719.

montaient en elle, semblables à des vagues de fond qui, peut-être, allaient submerger cette vie fragile, celle de John Law à la sienne mêlée. Et si l'accomplissement de cet homme tenait à ce naufrage ?

L'esprit subtil de Law suivait ce cheminement et perçut cette détresse :

— Il n'y a rien à espérer ni à regretter ici ! dit-il. Les propos que M. le Régent a cru pouvoir échanger à mon sujet avec Lord Stairs, mon pire ennemi, ne me laissent aucune illusion. On me tiendra toujours en laisse et ainsi, jamais ne pourra s'achever mon œuvre pour laquelle nous avons tant lutté et souffert, parce qu'une telle réussite eût été celle de tout un peuple, de deux continents et d'une génération d'hommes !

Alors elle se jeta à nouveau contre lui. Sa tête, chevelure dénouée, roulait contre la poitrine de Law. Elle répétait :

— La mer de Sicile... la mer de Sicile...

Des digues, contre lesquelles son âme se brisait depuis longtemps, se rompaient en elle : un torrent s'y engouffrait. Ils allaient donc vivre, enfin délivrés des contraintes mortelles et des périls !

Ce projet les souleva au-dessus d'eux-mêmes et les absorba bientôt à tel point qu'ils ne se contraignirent plus à considérer le reste. Les collaborateurs de Law, affolés, firent informer le Régent par le duc d'Antin et les Condé par le marquis de Lassay.

Philippe d'Orléans sortit soudain de ses brouillards et se vit seul, ayant à se mesurer avec les complexités du Système qui dépassaient les compétences de tous les financiers du royaume, lesquels avaient largement fait la preuve de leur vénalité et de l'étroitesse de leurs vues. Le duc borgne tomba chez lui comme la foudre et lui fit de véhéments reproches sur l'imprudence de ses propos et la légèreté de son comportement. Pour une fois, il voyait juste.

— Quel homme étrange est donc Law ? s'étonna le Régent qui s'intéressait encore à la psychologie. Je l'élève aux plus hautes fonctions, je lui permets d'établir son Système et de mettre en application tous ses principes de gouvernement et de finances, je lui confie la Louisiane, on m'assure qu'il est perdu d'ambition et le voici qui veut laisser tout cela ! Il se dérobe, disparaît ; que fait-il, où est-il [1] ? Quel attrait a-t-il trouvé ailleurs, si puissant qu'il surpasse ce que nous lui donnons ?

L'image de Mme de. traversa les pensées du prince.

— Se peut-il vraiment ? se murmura-t-il à lui-même. (Il ajouta :) Que de singularités en cet homme si secret, si retiré !

— Un attrait, un attrait ! bougonnait M. le duc. Et celui d'être en paix, qu'en faites-vous ? Encouragez-le, que diable, mon cousin ! Et allégez-le du poids de ses ennemis les plus acharnés : Stairs et d'Argenson.

Dans le même temps, William conférait fiévreusement avec Dutot, Melon et Bourgeois. Neilson, présent, se taisait : lui, souhaitait le départ de Law, sa délivrance. William se souvenait d'avoir aidé son frère à surmonter une crise profonde, jadis, à Lauriston. C'était le temps où il voulait fuir Caterina et ses déceptions, se réfugier parmi les soldats dans les camps ou sur

1. Automne 1719.

les navires, guerroyer contre la France. Mais alors il n'y avait pas Nathalie dans sa vie... A cette heure, le Système les pressait et la coalition Blunt-Stairs plus encore :

— Nous avons dénombré leurs agents rue Quincampoix ces jours derniers, disait Dutot.

— Et ce matin, ils nous étranglent en poussant à la hausse ! hurlait Bourgeois. Ils ont fait grimper les actions d'un seul coup à quinze mille livres !

— Les vendeurs nous submergent déjà ! dit Melon.

— Il faut que la Banque rachète immédiatement les actions ! répondit William.

— C'est impossible sans imprimer sur-le-champ de nouveaux billets ! répliqua Bourgeois. Cette hausse inattendue, foudroyante, prend le Système dans un cycle infernal qui peut l'abattre !

— Voyez-vous un moyen d'enrayer la catastrophe ? demanda Dutot qui ne cachait pas son extrême inquiétude.

— Je pense le trouver avec M. le duc tout à l'heure, répondit calmement le financier en refermant un dossier ouvert devant lui.

William était en effet convoqué chez ce prince et s'entretint avec lui fort tard dans la soirée [1].

Une pluie glacée s'abattait sur Paris et emportait les feuilles mortes du bel été qui avait mûri tant de promesses. Un vent hostile secouait les branches dénudées des grands arbres. C'était un chant d'automne. Les rideaux de damas de l'hôtel de Mercœur se fermèrent sur l'ombre du soir. Au coin du feu, John Law, frileux, rêvait. A son côté, Nathalie guettait, elle ne savait quoi... peut-être la fin d'un rêve, d'une halte. Lorsque William entra, elle sut que l'instant était venu.

Il lui baisa la main avec un long regard et tint les doigts de son frère fortement serrés dans les siens.

— Les actions sont à quinze mille livres, aujourd'hui, John !

Law sursauta, soudain très pâle.

— Mais, reprit William, j'ai d'autres nouvelles pour vous. (John jeta sur son sourire réconfortant un regard interrogateur.) On est prêt à vous sacrifier Stairs et d'Argenson.

Un silence plana, dans lequel Nathalie trouva le fond de ses renoncements.

— Est-ce à dire ?... demanda lentement Law ; puis il se tut.

— ... Que l'on va vous donner le Contrôle général des Finances ? Parfaitement, acheva William. Et que l'on va demander à Stanhope le renvoi de Stairs. Je sors à l'instant de chez M. le duc, qui me charge de vous prier

---

1. Il est à souligner que, en dépit de la gravité de la situation, ce soir-là ce fut William Law que le duc de Bourbon convoqua, ce qui révèle à quel point John Law se retirait de toute activité.

de bien vouloir aller demain, en grande compagnie, avec M. le duc d'Antin et M. le marquis de Lassay, vous montrer rue Quincampoix ; il estime que votre présence suffira pour arrêter la ruée des vendeurs et rétablir la confiance. Je le pense aussi. Vous ne répondez pas, John ? Pourtant, rappelez-vous les principes de notre jeunesse, toujours vrais : le crédit est fils de la foi ! Et l'on croit en vous, en vous seul. Vous vous mesurerez avec aisance à l'armée des agents de Blunt et de Stairs qui seront là, devant vous déjà vainqueur, et vous êtes à la veille d'obtenir enfin ce pouvoir qui vous a si cruellement fait défaut !

Law tourna vers l'image d'amour et d'évasion que lui offrait le visage de Nathalie un lourd regard : ils étaient allés si loin par les chemins de l'imagination, sur les navires en partance et jusqu'aux îles... Il lut sur les paupières closes de ce masque douloureux et sensible qui s'offrait à lui le silence infini d'un amour sans mesure. Jamais cette femme n'interposerait, entre elle et ce qui était pour lui l'accomplissement tant désiré, sa douce voix et ne fût-ce qu'un soupir.

Soudain, il ne la vit plus ; un élan ardent l'anima comme le vent chaud s'empare des voiles tendues pour une navigation hardie, celle-là même qui hante les hommes confinés aux rivages. Il entendit à peine William qui disait encore :

— On vous offre également un fauteuil à l'Académie des sciences, en hommage à votre génie des mathématiques et de la finance.

SUCCESSEUR DE COLBERT

Ah quand reviendra-t-il le temps, bergère,
Ah quand reviendra-t-il, le temps ?...

La voix un peu brisée qui venait de lancer cette interrogation mélancolique, dernière strophe d'un noël d'antan, se tut ; le clavecin résonna un instant encore, puis un bruit de soie passa dans le silence retrouvé. Rebecca Law, qui jouait avec son enfant près du feu, se retourna et vit Nathalie immobile devant la fenêtre ; elle regardait la nuit et les lumières de Noël qui s'allumaient dans la ville.

— Ne restez pas là, vous allez avoir froid...

Nathalie obéit à la douceur de cette voix et revint lentement près de la cheminée. Elle s'assit sur une chauffeuse et regarda la mère et l'enfant se livrer à la découverte émerveillée l'un de l'autre. Quelque part, dans la nuit du passé, elle avait échangé avec une mère un tel dialogue qu'elle ne reprendrait sans doute jamais, penchée sur un visage d'enfant. Elle se sentit dépouillée comme un arbre d'automne. John Law était à cette heure auprès du petit Jean et de Marie-Catherine... Les rumeurs des grands combats de la vie ne pénètrent pas dans les chambres d'enfants. Puissent ces brefs instants garder longtemps pour eux leur goût de miel et leur paix, songeait-elle ; puis elle ferma les yeux. Elle écouta crépiter les flammes et une drôle de petite chanson anglaise que fredonnait Rebecca : *Little cat, sweet, sweet...*

— Rebecca...

— *My dear ?*

— Rebecca, je suis bien avec vous.

— Et moi avec vous.

C'était une chose précieuse que cette présence et cette affection féminine dans sa vie. Mme de Lambert, trop dispersée, restait à la surface des êtres et des choses. Elle pensa à Aïssé.

— Il y a bien longtemps que je n'ai pas vu la petite Aïssé...

— Pourquoi, *my dear ?*

— Parce que c'est un être absurde, charmant mais absurde ! Je ne puis partager son culte pour les Ferriol et je la gêne dans la pratique de cette religion. Je ne vois plus guère non plus les fils de cette maison : Pont de Veyle ne quitte plus Mme du Deffand et Argental, Voltaire, qui lui-même est accaparé par Mme la duchesse du Maine. Quant à Mme de Tencin...

Elle eut un rire désabusé.

— William m'a dit qu'elle venait de fonder une banque [1] ? dit Rebecca.

— Avec sa sœur, Mme de Ferriol et Destouches, le maréchal de camp « Destouches-Canon ». L'établissement a été ouvert le mois dernier, deux jours après la fameuse visite de Law rue Quincampoix ! (Nathalie se tut, songeuse, et reprit :) Mal remis à ce moment et sachant que tant d'agents de Blunt grouillaient parmi ceux qui l'acclamaient, il n'est point parvenu à dominer sa colère et son mépris.

— Il paraît que tout Paris parle encore des seaux d'eau et des monnaies anglaises qu'il fit jeter d'un balcon sur la foule ! Savez-vous où en est l'enquête sur la nouvelle tentative d'assassinat dont il a failli être victime ?

Rebecca interrogeait aussi avec ses grands yeux pâles, pleins d'effroi. Son chignon de petite fille, perché au sommet de la tête et d'où s'échappaient des mèches blondes, accusait son air enfantin.

— Il est prouvé que Lord Stairs en est l'instigateur, répondit Nathalie. Ce qui n'étonne personne, mais a ému le peuple au moment même où votre frère venait de se concilier la gratitude des pauvres en supprimant des milliers de mesureurs de drap, de contrôleurs de chandelles, de trousseurs de foin, de peseurs de charbon et autres inspecteurs de tous les produits, depuis le vin jusqu'à la viande. C'est ainsi qu'il a enrayé brutalement le

---

1. Les statuts de cette banque prévoyaient que sa durée d'activité serait limitée à trois mois ! Cette disposition, tout à fait insolite, permet de supposer que, dès novembre 1719, Mme de Tencin connaissait, par Dubois, les plans destinés à abattre le Système dans un court délai. Par son amant, Mme de Tencin possédait avant quiconque des renseignements secrets sur toutes les décisions prises à la Banque royale et à la Compagnie des Indes. Il semble évident qu'elle voulut profiter au maximum de ces conditions privilégiées avant qu'elles n'eussent disparu. Dubois trouvait certainement son intérêt dans cette combinaison, mais les services qu'il attendait de l'Angleterre étaient tels qu'il lui sacrifia, sans doute avec regret, une si fructueuse organisation.

renchérissement de la vie ! Et puis il a libéré le commerce du chanvre, ce qui encourage le filage et le tissage, qui, dans ce pays, assurent le pain des plus malheureux. Ce regain de faveur ne pouvait qu'entraîner un surcroît de haine chez ses ennemis.

— William prétend qu'on est fort monté contre lui parce qu'il veut supprimer la classe des gros rentiers et de ceux qui prêtent avec usure.

— Je crois, en effet, qu'il va trop loin, Rebecca. N'a-t-il pas déclaré publiquement que la facilité avec laquelle on peut acheter, au moyen d'une petite somme, un gros revenu, conduit trop de personnes à vivre dans l'oisiveté et prive l'Etat des services qu'elles pourraient rendre dans quelques professions utiles, si elles étaient contraintes de travailler [1] ! Et il a dit cela au moment où il décidait de baisser à trois pour cent le revenu des rentes d'Etat fixé jusque-là à quatre et d'employer la différence à la réduction des impôts !

— Les membres du Parlement ne pouvaient que se sentir visés et ils n'ont pas tardé à réagir ! Ah, Nathalie, ne pouvez-vous faire entendre à notre frère qu'il doit être plus prudent ? Nous sommes si angoissés, parfois !

— La prudence ne l'intéresse pas. Il voulait partir et n'est resté que pour appliquer, imperturbablement, implacablement, ce qu'il appelle « les vrais principes de finance et de gouvernement » et achever son œuvre : cette forme d'Etat que son génie a conçu. Voyez comme les honneurs le touchent peu ! Sa réception à l'Académie des sciences, l'autre jour, l'a amusé, sans plus. Mme de Lambert, qui croit à ces choses-là, n'en est pas revenue !

— Mais sa nomination au Contrôle général, au poste de ministre des Finances, c'est le but de sa vie, non ?

— Parce que c'est le moyen pour lui, et le seul, de poursuivre efficacement son œuvre.

— Son œuvre, elle est partout dans ce pays ! dit la jeune femme en embrassant son nourrisson qui lui adressait un beau sourire édenté. Vous entendez, petit John, ce que nous disons du grand John à qui vous ressemblez déjà ?

— C'est vrai qu'il lui ressemble ! dit Nathalie avec une douceur navrée.

— Mais le grand John est un peu terrible, *my dear*, avec ses nouvelles interdictions. On ne peut même plus acheter quelque chose de plus de trois cents livres avec de l'or !

— Ni faire un paiement supérieur à dix mille livres avec des pièces d'argent ! dit Nathalie en souriant.

— Cela est moins gênant, mais trois cents livres ! Nous aurons encore des mécontents !

— Que voulez-vous, il faut utiliser la contrainte pour faire comprendre aux gens que le billet de banque est une monnaie et que l'or et l'argent ne doivent plus servir qu'à définir cette monnaie... Il faut aussi museler ceux qui sont toujours prêts à venir avec des voitures vider la Banque !

Rebecca poussa un gros soupir ; puis elle sourit et reprit :

1. Propos tenus par Law au sujet de la conversion de la dette.

— Ne pensons plus à tout cela, c'est *Christmas*, ce soir. Irons-nous à la messe de minuit dans cette belle église de Saint-Roch que le grand John vient de faire achever ?

— Mais vous n'êtes pas catholique, Rebecca !

— C'est pour voir : il paraît que cela est si beau ! (Elle rit et ajouta :) M. de Lauriston y viendra sûrement, et seul, forcément !

— Pourquoi, en effet, n'irions-nous pas ? dit Nathalie.

— Paris devra ce monument à notre famille, car ce n'est pas avec les deniers de l'Etat, ni avec ceux de la Banque ou de la Compagnie des Indes que notre frère vient d'en terminer la construction, dit fièrement Rebecca. C'est avec les siens.

— Avec les siens, il fait tant de choses ! Et de plus rares !

— Lesquelles ? s'étonna Rebecca.

— La libération des prisonniers pour dettes. Il a prié l'abbé de Tencin d'en faire établir la liste pour tout le royaume.

— Est-ce que cela fait partie aussi de son Système de gouvernement ?

— Cela en fait partie...

Nathalie, lasse, ferma les yeux à nouveau.

— *Little cat, sweet, sweet...*, chantonnait Rebecca cependant que le petit John Law riait toujours.

Ce soir-là, dans Paris, un autre dialogue se poursuivait. Dans le secret de ce cabinet du Palais-Royal où, tant de fois, Law avait travaillé avec Dubois, se tenait, en face du redoutable abbé, Lord Stanhope, Premier Ministre du royaume d'Angleterre, qui venait de passer le détroit incognito[1].

— Voir ici Votre Grandeur, quel événement ! bredouillait le conseiller très aimé du Régent, stupéfait par cette visite inattendue.

— Oui, dit le grand Anglais en hochant la tête. Mais je suis ici pour préparer des affaires d'importance. (Il prit un temps, posa sur Dubois le regard impérieux de ses yeux d'aigle et continua :) Si votre Compagnie des Indes se maintient, monsieur l'abbé, notre *South Sea Company* va continuer de végéter et nous venons d'adopter le plan de Blunt, qui consiste à rembourser la dette anglaise en actions de ladite Compagnie... Vous voyez ce que je veux dire ?

— Fort bien.

— Ce Système a fait ses preuves ici, n'est-ce pas ? Et le roi, le prince de Galles et nos belles dames très influentes brûlent de spéculer et de gagner autant d'argent qu'en amassent à Paris les mercières ou les valets ! Enfin, j'ai encore à vous demander raison pour tous ces vaisseaux en construction dans vos chantiers et pour ceux, de plus en plus nombreux, qui sillonnent les mers, chargés à couler ! Nous avons des rapports extraordinaires à ce sujet.

1. Il était arrivé le 18 décembre. Qu'il soit demeuré à Paris au moment des fêtes de Noël révèle assez l'importance et l'urgence de sa mission. Stairs écrivit : « Quand Lord Stanhope est arrivé à Paris, il a jugé opportun de reconnaître Law comme *Premier Ministre* et le considère comme un homme beaucoup plus grand (donc plus dangereux pour l'Angleterre) que ne l'avaient jamais été le cardinal de Richelieu et le cardinal Mazarin. »

Cela ne peut pas durer, entendez-vous ? Et Blunt doit, en mars, présenter son plan devant la chambre des Communes !

— Et en mars, Law doit verser aux actionnaires de la Compagnie des Indes les fabuleux dividendes qu'il va leur promettre dans cinq jours, lors de l'assemblée générale !

— *Well !* Et s'il était incapable de tenir ses promesses, sa culbute entraînerait une baisse énorme de vos actions, ce qui ferait fuir les capitaux, les renverrait à Londres et permettrait à Blunt un départ foudroyant !

— En effet, dit Dubois avec un sourire singulier. J'ai déjà envisagé la chose.

— Un coup de cette envergure se prépare, monsieur l'abbé ! Il faut d'abord ménager la victime, endormir sa méfiance. Lord Stairs s'y est pris si mal que M. le Régent vient de nous demander son rappel. Nous allons donc le remplacer, le blâmer ouvertement et puis nous allons, vous et moi, dresser un plan.

— Votre Grandeur m'a fait prier depuis longtemps de lui soumettre une stratégie afin d'abattre M. Law et son Système ; je m'apprêtais à lui envoyer ce document.

Il tendit un mémoire à son visiteur qui semblait mieux comprendre le français qu'il ne le lisait.

— Voulez-vous m'expliquer ? demanda-t-il.

Dubois se leva, s'approcha de Stanhope et, penché sur les feuillets qu'il venait de lui remettre, il répondit en désignant le premier paragraphe :

— Ceci est le recensement des troupes que nous pourrons mener à l'assaut :

Le clergé : M. Law menace de vendre ses biens.

Le Parlement : M. Law veut racheter ses charges.

Les négriers : M. Law veut changer la condition des nègres.

Les amis, les protecteurs de M. Law : tous achetables, sauf le duc de Saint-Simon, le marquis de Bully et... le duc Régent qu'il sera bien facile d'amener à vider la caisse de la Banque.

— Ajoutez la presse anglaise, monsieur, s'écria Stanhope. Elle saura détacher les peuples d'Europe de leur foi et de leur engouement pour le Mississippi !

— Eh ! ce n'est pas mal, tout cela, Votre Grandeur !

— Maintenant, voyons la stratégie, s'il vous plaît, car j'ai l'intention de rencontrer Law.

Ils parlèrent alors très bas et leurs propos se perdirent dans l'ombre de cette nuit de Noël 1719.

Le lendemain, à la fin de la radieuse matinée qui mettait tant de joie au cœur des enfants sages, John Law se trouvait devant l'un d'eux, auquel il venait apporter des présents singuliers. Ce n'était pas, il est vrai, un enfant comme les autres.

Le Régent parlait :

— Sire, Votre Majesté n'a plus de guerre à soutenir. La paix va être conclue avec l'Espagne. La dette, laissée par le feu roi, est en grande partie remboursée ; le royaume de France est dans une prospérité que lui envient toutes les puissances de la terre et qu'il n'a jamais connue. Votre Majesté possède un vaste empire en Amérique et nos comptoirs d'Afrique, de l'Inde et de Madagascar sont florissants. Nos vaisseaux portent aux quatre coins du monde les produits de nos fabriques et de nos champs. C'est parce que M. Law a été l'artisan éminent de ce grand œuvre que Votre Majesté a daigné le nommer Contrôleur général des Finances.

Louis XV sourit et tendit la main à son nouveau ministre :

— « Vous voici le successeur de Colbert, monsieur, j'en suis charmé ! »

Law sentit dans sa main le poids léger de celle du petit garçon ; l'œuvre entreprise dépendait de cette fragilité ! Main d'enfant palpitante et chaude comme les grives qu'il attrapait à Lauriston. Lauriston... C'était à sa mère qu'il apportait jadis l'oiseau capturé ; à elle que, en ce matin de Noël 1719, il dédiait cet instant unique.

Le petit garçon souriait. Il allait avoir dix ans. Une sourde émotion étreignit soudain les deux hommes penchés vers lui. Etait-ce le prestigieux présent ou l'inquiétant avenir qui les troublait, ou seulement ce bel enfant qui incarnait l'Etat ?

— Je remercie Votre Majesté de tant d'honneur et de confiance, dit enfin Law d'une voix mal assurée. « J'accepte la charge et non le bénéfice [1], car je ne poursuis dans les affaires de la France nul intérêt personnel ».

— M. Law nous étonnera toujours ! répliqua le Régent.

Louis XV regardait intensément son Contrôleur général des Finances et, n'y tenant plus, lui dit à brûle-pourpoint :

— Parlez-moi, je vous prie, de ces sauvages du Mississippi. Est-ce bien vrai qu'ils sont rouges et se mettent de grandes plumes sur la tête ?

La partie officielle de l'entretien était terminée.

En sortant des Tuileries Law rentra rue Vivienne. Une grande effervescence y régnait, bien que, en ce jour de fête, les bureaux fussent fermés. Une garde d'honneur se mettait en place devant l'entrée principale. Il gagna son cabinet où l'attendaient William, Rebecca, Nathalie, Melon, Dutot, Robert Neilson et un nouvel ami : le marquis de Bully. C'était un militaire qu'une blessure reçue dans sa jeunesse, en Italie, avait rendu infirme. L'action, l'imagination et l'audace fascinaient encore son âge mûr. Son esprit profond lui donnait une compréhension fine et sûre des êtres et des choses, et les sentiments que commençait à lui inspirer le nouveau ministre allaient révéler la fermeté de son caractère. Son chaud regard, ses traits fermes et réguliers exprimaient cet équilibre particulier qui naît du courage et du cœur. Il plaisait à Law qui, très étonné de le voir, alla d'abord vers lui :

— Vous, en cet instant, monsieur ? J'y suis sensible.

— J'ai pénétré jusqu'ici avec M. de Beuzewald, colonel des gardes suisses, votre habituel garde du corps qui place ses hommes sous vos fenêtres. Nous fûmes ensemble, avec le baron de Spaar, dans mon gouvernement de Menin assiégé par Marlborough, en 1706 ! Une vieille

---

1. Le traitement de ministre.

complicité, comme vous voyez ! Il m'a informé de l'événement et j'ai voulu vous féliciter dès votre retour des Tuileries.

Les deux hommes, soudain, s'étreignirent en silence. Puis Law, après avoir baisé longuement la main de Nathalie puis celle de Rebecca, étreignit également en silence son frère et ses collaborateurs présents, fort émus par ce geste chaleureux et simple.

Des laquais entrèrent. Ils apportaient les seaux d'argent où fraîchissaient des bouteilles de champagne et un plateau où s'alignaient les flûtes de cristal. On lui en tendit une.

— A Votre Grandeur ! dit une voix.

Il tressaillit jusqu'au fond de lui-même.

SA GRANDEUR

— Sa Grandeur n'est pas arrivée ?

— Sa Grandeur a fait dire qu'Elle serait là d'un moment à l'autre. Nous sommes mardi ; Sa Grandeur, en sortant du Palais-Royal, est donc passée chez M. le duc de Saint-Simon.

— Deux dépêches pour Sa Grandeur, pouvez-vous les lui remettre ?

— Une estafette de M. le surintendant des Postes...

— Une estafette de M. le sous-secrétaire d'Etat à la Guerre...

— Une demande d'audience du premier secrétaire de la Chancellerie.

Nathalie traversa comme une ombre le brouhaha qui emplissait le bureau et l'antichambre du Contrôleur général, pénétra dans les appartements privés et entra dans le salon bleu où William, Rebecca et Neilson attendaient, inquiets comme elle. Le dîner [1] était servi ; Law arriva fort tard. Nathalie demanda aussitôt :

— Vos gens parlent d'un incident aux Tuileries ? Que s'est-il passé ?

— Rien ! dit John. Mais un rien qui n'est pas sans importance : pour la première fois, mon carrosse a été arrêté devant les grilles extérieures du Palais, afin de m'obliger à traverser à pied la grande cour comme le plus humble des sujets de Sa Majesté.

Son frère, son secrétaire et les deux jeunes femmes se regardèrent, effarés.

— Cela vous surprend ? reprit-il. Voici quelque temps déjà que M. d'Orléans, de plus en plus diminué, oscille entre la fermeté de Dubois et ma volonté. Au rythme de nos constantes pressions, il hésite et s'affaisse. Depuis ma nomination au Contrôle général qui m'a investi de la part la plus importante du pouvoir après celle qu'il détient, Dubois persuade le prince, très sensible sur ce point, que je veux le supplanter complètement. Se sentant faiblir, il redoute ma force : à chaque pas, désormais, je l'effraie. Ainsi, après m'avoir porté là où je suis, M. d'Orléans cherche-t-il à rabaisser

1. Le repas de midi.

mon autorité. Son attitude m'apprend l'étendue du dessein qui se forme contre moi !

— Pourtant, fit William, il était fort chaleureux, au cours de l'assemblée générale du 30 ! Il semblait ravi de distribuer lui-même les dividendes, ravi d'être acclamé.

— De telles manifestations le rassurent, mais on veille à le désenchanter : chacun crie en ville que c'est par folie et rodomontades que j'ai annoncé, pour 1720, des dividendes de quarante pour cent, alors que j'en avais promis douze ! Comme si tous ces gens qui me critiquent et parlent de finances y entendaient quelque chose ! L'un dit ou écrit ceci, un autre répète ses propos sans chercher à s'informer. Les hommes sont ainsi faits. On assure que j'ai exagéré en annonçant douze millions de bénéfices pour la compagnie, puis que son capital n'est que de trente-six millions, mais on néglige de se renseigner sur mes navires. On ignore que j'en ai trente à la mer, que dix-huit d'entre eux, chargés de marchandises, partent avec huit millions en espèces pour commercer sur les côtes de Guinée et du Coromandel et qu'une de mes flottes vient de rentrer des mers du Sud avec une cargaison de douze millions [1] ! Vraiment, je ne pensais pas que cette augmentation des dividendes me serait reprochée !

— Votre seule nomination au Contrôle général, monseigneur, a pourtant fait monter les actions à dix-huit mille livres ; c'est dire la confiance que le public met en Votre Grandeur ! dit Neilson.

— C'est une nouvelle bien préoccupante, répondit Law, le front barré du pli de l'inquiétude ; il ajouta : Toujours les manœuvres à la hausse ! Les rusés vendent, mes adversaires souffleront encore sur le feu, et la baisse surprendra la société au milieu de son luxe inouï, de ses fêtes d'une somptuosité jamais vue !

— Tout cela est donc si fragile ? s'effraya Rebecca.

— Il me faudrait un peu de temps, un peu de paix, un peu de compréhension et des alliés loyaux pour consolider l'ensemble. Si je pouvais seulement faire entendre que les espèces d'or et d'argent doivent être, dans les caisses de l'Etat, la garantie de la monnaie de papier et que celle-ci, déposée à la Banque par les particuliers, ne peut à la fois y rester à la disposition de leurs caprices et servir à acheter des navires et des marchandises, à faire travailler le commerce, l'industrie, d'autres hommes, à fournir enfin de gros dividendes aux actionnaires de la compagnie [2] ! Est-ce que vous comprenez cela, vous, petite Rebecca ?

— Je crois que oui, dit-elle en levant vers lui ses yeux candides.

— Alors je vous ferai nommer par le roi surintendante des Finances de la France !

1. Janvier 1720.
2. Il n'est pas douteux que si Law en avait eu le temps, il eût créé un organisme bicéphale : banque de dépôts et banque d'affaires, comme cela se fait aujourd'hui.

Il y eut des rires contraints. L'inquiétude les habitait. Law prit une flûte de cristal : le champagne était son fidèle allié contre l'angoisse :

— Buvons maintenant à la paix et à la disgrâce de cette vieille fripouille d'Alberoni !

— Que dites-vous ? s'écria Nathalie. Quand avez-vous su pareille nouvelle ?

— A l'instant, par M. le Régent. C'est un événement qui va modifier toute la politique européenne. Il s'est produit le 5 décembre dernier : le 4, le roi d'Espagne avait travaillé avec le cardinal comme à l'accoutumée. Le lendemain, il le fit expulser sans explication. Vous voyez, c'est ainsi que l'on renvoie un ministre : comme un laquais ! (Il eut un sourire indéfinissable et poursuivit :) Quelques semaines plus tôt, le traité de Berlin avait été signé entre l'Angleterre et la Prusse, démantelant la ligue du Nord et obligeant le tsar à retourner vers ses frimas ; les souverains espagnols, voyant dès lors tout perdu, ont voulu apaiser les alliés en leur sacrifiant Alberoni.

— Allons-nous voir Philippe V entrer dans la quadruple alliance et en faire une quintuplice ? demanda William.

— On a, en effet, donné trois mois au roi d'Espagne pour adhérer à ce pacte avantageux, qui vaudrait à ses fils les duchés italiens et la Sicile. On devait également, rappelez-vous, lui rendre Gibraltar pour éviter la guerre. L'Angleterre avait même demandé au duc Régent de se porter garant, auprès de Philippe V, de cette assurance. M. d'Orléans engagea aussitôt sa parole auprès de son neveu et tant par la voix diplomatique que par des manifestes qu'il fit publier et répandre dans les cours étrangères, il en informa toute l'Europe. Lord Stanhope vint encore récemment promettre beaucoup sur ce point et sur quelques autres, mais lorsqu'il présenta cet article aux Communes, il se produisit dans cette assemblée un mouvement si vif que le roi George sentit vaciller sa couronne et lui, sa tête. Les Anglais tiennent âprement à ce rocher qui commande la Méditerranée et M. d'Orléans reçut, le 12, la nouvelle qu'il ne fallait plus compter que cette affaire pût être conclue. Il en est tout hors de lui et se considère perdu d'honneur. Pour la première fois, il vient de s'emporter violemment contre Dubois et de lui reprocher d'être trop Anglais !

— Ses yeux s'ouvriraient-ils ? s'étonna William.

— Ils se sont ouverts le 13 et aujourd'hui, 16 janvier, le crédit de l'abbé est assez remonté pour avoir obtenu la mesure mesquine dont je viens d'être l'objet en entrant chez le roi !

— N'importe, John, votre crédit à vous aussi est immense ! Je crois rêver quand je pense que Lord Stanhope s'est rendu chez vous, place Vendôme ! Vous souvenez-vous de votre départ d'Ecosse ? Qui eût dit alors que l'Angleterre vous enverrait, à domicile, son Premier Ministre ? Quel retour des choses !

— Méfiez-vous de ce qui se retourne, puis tourne, William. Stanhope est venu chez moi, en effet, mais pour cacher quels desseins ? Il m'a offert, je vous l'ai dit, des honneurs pour moi et toutes sortes de faveurs pour nos frères et sœurs d'Angleterre... Je n'ai accepté que la disgrâce de Stairs.

— Mais voici votre fils compagnon du roi, invité à danser aux bals de Sa Majesté ! s'émerveillait Rebecca. Je crois bien que sa mère en périra d'un transport !

— Oui, répondit mélancoliquement Law. Mon fils va aux bals du roi et on l'y appelle « le chevalier Système » !

— Et que va faire maintenant Votre Grandeur ? s'enquit Neilson.

Ce titre fit errer un sourire sur les lèvres du ministre.

— Je voudrais faire de la Compagnie des Indes un organisme central qui soit en quelque sorte la grande fabrique de la France. J'ai supprimé tous les intermédiaires oisifs et voraces et je voudrais organiser un circuit de production et de vente qui permettrait de livrer la marchandise à très bas prix. Vous savez que j'ai tenté un premier essai à Versailles, en groupant neuf cents horlogers, et que je vais acquérir le château de Tancarville pour y installer Van Robais que je fais venir des Flandres avec de nombreux ouvriers : ils tisseront, presque pour rien, des étoffes et des vêtements pour le peuple. Je voudrais le nourrir aussi, ce pauvre peuple, et nous allons acheter, à Poissy, des bœufs que nous ferons abattre et détailler afin de pouvoir lui offrir de la viande au rabais ; dans le même temps, je taxerai les bouchers qui ne vendront pas à un juste prix. Tout cela n'est qu'un commencement, celui de l'application des vrais principes de gouvernement [1].

Autour de lui des regards inquiets s'échangèrent furtivement. Quand il parlait « des vrais principes », on ne pouvait rien objecter et lui-même eut un sourire triste qui signifiait : « Vous voyez bien que j'irai jusqu'au bout de mes desseins, que je suis incorrigible, et que j'en périrai peut-être ! »

Lorsque William, Rebecca et Neilson se furent retirés, le ministre et Nathalie se mirent à table. Le premier service assuré, après avoir congédié les laquais, Law dit à mi-voix :

— J'ai à peu près la version exacte de ce fameux propos de M. le Régent qui court tout Paris et qui vous alarme ; le voici : « Law ne donne ni fêtes, ni réceptions, ni réunions de jeux chez lui. Il se tient complètement à l'écart de la société, quel est ce *mystère ?* Est-ce son titre de Contrôleur général des Finances qui lui tourne la tête [2] ? » Le souvenir de Mme d'Argenton est bien effacé pour que le prince trouve mystérieux ce qu'il lui serait aisé de comprendre s'il se rappelait le temps où il se comportait comme moi aujourd'hui, et pour la même raison ! Il est vrai que, avant ma nomination, dépendant de tous et de toutes, j'ai dû consacrer beaucoup de temps à la société, ce qui a tant nui à notre union, à mon travail et à ma santé. Mais, aujourd'hui, je suis le maître et je ne dépends plus que de vous. Voilà le mystère.

Nathalie rechercha éperdument le regard d'autrefois qui se posait sur elle... Se pouvait-il que, tout naturellement, au détour d'une conversation,

---

1. 1720. Des socialistes, dont Louis Blanc, se sont réclamés de Law et son expérience fut reconnue par eux comme « une préface au socialisme ».
2. 1720. Propos du Régent.

se dénoue l'enlacement des ombres qui avait failli les faire mourir l'un à l'autre ?

— Il faut que l'esprit de M. d'Orléans ait bien baissé pour ne plus être sensible aux évidences, ajouta Law. Si j'étais homme à me sentir si glorieux d'un titre, je n'aurais pas abandonné le mien et j'y aurais ajouté tous ceux que j'ai acquis en France [1] et que je ne porte pas, et ceux d'Angleterre qui viennent de m'être offerts par le roi George et que j'ai refusés.

Les laquais reparurent, assurèrent le second service et se retirèrent.

— Où est votre bel appétit ? dit doucement Nathalie.

— A Gibraltar...

— C'est un peu loin !

— Les manœuvres de Lord Stanhope et de l'abbé m'obligent à engager une nouvelle lutte, sur le terrain diplomatique cette fois, et à la poursuivre jusqu'à son dénouement logique, qui est la répudiation de la politique de Dubois et la dénonciation de son « secret [2] ».

— Son « secret », assuré à Londres par Chavigny et Destouches, l'auteur dramatique, qui s'adonne à de telles activités pour faire vivre, plus sûrement qu'avec sa plume, son vieux père aveugle et ses trois sœurs vieilles filles !

— Il y a d'autres manières d'encourager les Lettres et les Arts, croyez-moi ! Je viens d'envoyer dans la capitale anglaise un agent pour ma propre information.

— Qui est-ce ? demanda-t-elle.

— Ne vous l'ai-je pas dit ? Le père de Mme de Prie, le marquis de Pléneuf, ce qui me permet de tenir la dame, car je paie bien...

— Mais elle vous tient aussi !

— Ce n'est pas tellement grave et notre ambassadeur, le comte de Senecterre, m'est tout acquis. M. de Pléneuf m'a informé que Destouches était chargé de la plus étonnante mission : se faire initier aux finances par les gens de Blunt, afin de servir à son tour de professeur à l'abbé ! Le but de l'opération est d'étudier les moyens les plus efficaces de ruiner mon Système et de trouver d'autres théories de finance pour me supplanter et me remplacer [3], dit Law avec un rire sarcastique.

La constante adversité commençait à produire ses effets sur Nathalie. Elle accueillit cette nouvelle sans broncher.

— Je n'ai d'autres solutions, vous le voyez, poursuivait Law, que d'essayer de persuader M. d'Orléans de rompre l'alliance anglaise et de tenir bon pour Gibraltar, puis de le ramener vers l'Espagne et la Russie actuellement victimes de la politique de Stanhope et de Dubois. Je vais voir Peterborough, devenu agent du roi d'Espagne et du duc de Parme. M. le maréchal de Villeroi et Torcy préparent, par les soins de mon ami le marquis de Bully, une rencontre secrète avec le baron de Spaar, ambassadeur de Suède, qui cherche à réconcilier son pays et la Russie. Villeroi me

1. Duc de Mercœur, entre autres.
2. Action diplomatique secrète.
3. Janvier-février 1720.

propose également de rencontrer chez lui, au Luxembourg, M. de Schleinitz, envoyé du tsar. Il faut que j'obtienne l'accord du Régent et... qu'il n'en souffle pas mot à Dubois.

— Croyez-vous donc que ce soit possible ?

— Le jeu est dangereux, mais je n'ai pas le choix ! C'est, en vérité, une entreprise presque insensée que de s'opposer en ce moment à l'abbé, dans un domaine où il a aussi bien réussi que moi dans le mien. Que de succès diplomatiques affirmés, en ce début d'année ! « La guerre d'Espagne gagnée, la quadruple alliance devenant la quintuplice, toute l'Europe, de Copenhague à Palerme, de Vienne à Londres, soumise à sa politique. Les nations qui l'ont soutenu, l'Angleterre en tête, en sont récompensées et celles qui l'ont combattu : l'Espagne, la Russie et les princes italiens, paient cher leur opposition ! Quant au roi de Suède, sa résistance lui a coûté la vie ! Grâce à ce diable de Dubois, le Régent est enfin assuré du consentement volontaire ou forcé de toutes les puissances européennes : l'Angleterre, la Hollande, l'Empereur, le pape, le roi de Prusse, le nouveau roi de Sardaigne et le roi d'Espagne lui-même, l'irréductible [1] ! »

— Qui donc l'emportera dans l'esprit du Régent, l'abbé ou vous ?

— Qui, en effet ?

— Je ne parviens pas à comprendre comment M. d'Orléans tient pareillement à vous comme à lui et veut tant associer deux êtres si opposés dans un gouvernement que d'aucuns ont appelé le triumvirat.

— Les résultats semblent lui donner raison, mais ce n'est qu'une apparence. Et puis, peut-être correspondons-nous chacun à une part de lui-même... (Nathalie sursauta, cependant qu'il reprenait, pensif :) Ce prince, comme la majorité des êtres, a une âme complexe en laquelle murmurent des eaux mêlées et ces âmes-là ne peuvent concevoir qu'il y en ait de simples comme Dubois et Mme de Tencin, et Blunt, et vous et moi, des âmes qui, en dépit de leurs défauts et de leurs qualités, sont bonnes ou mauvaises intrinsèquement.

Elle l'observa interdite, tout à coup saisie par une curieuse évidence : s'il possédait un grand esprit, son âme était simple, en effet, et c'était sans doute là sa vérité essentielle.

— Oui, poursuivait Law, la vie m'a appris ces choses parce que j'ai l'âme simple. Ainsi les rapports sont-ils aisés entre Dubois et moi, et entre la Tencin et moi : nous savons à qui nous avons à faire, ce que peuvent être nos réactions, où nous allons. De même le lien qui unit l'abbé et la chanoinesse et qui nous unit vous et moi, Nathalie, car nous concevons l'Amour de la même façon, ce dont vous avez douté. Mais la plupart des hommes sont différents, faits du mélange qui est en eux, plus ou moins clair ou sombre, tantôt d'une façon et tantôt d'une autre, plus ou moins bon ou mauvais. Leur équilibre et leur cohérence en dépendent.

— Doit-on alors considérer que l'équilibre intérieur est fonction de ce que vous appelez la simplicité ?

1. E. Bourgeois.

— Pour une part, certainement. Dubois ou la Tencin sont beaucoup plus équilibrés que le Régent, moi aussi. Je n'en veux que ceci pour preuve : avec les êtres complexes, les rapports ne peuvent être faits que de louvoiements. Là, point de repos, d'abandon, de confiance ni d'échanges. Il faut les accepter, les aimer parfois, comme ils sont, apprendre la géographie de leur paysage intérieur, savoir où l'on peut mettre un pied et où l'on ne le peut pas, car on les irrite facilement de n'être point comme eux et ils ne parviennent pas à nous voir tels que nous sommes. Ainsi Dubois et moi irritons-nous souvent M. d'Orléans qui ne soupçonne pas — malgré sa grande curiosité des êtres — que l'abbé puisse n'être qu'une crapule et moi-même qu'un honnête homme. Il cherche les qualités de l'un et les défauts de l'autre — le dévouement et l'attachement sincères de mon rival, ma vanité et mon ambition — et s'inquiète et se tourmente de ne pas les trouver, et dès lors les imagine plus étendus d'être si bien cachés !

— Que faites-vous du rôle si important des influences, qui modifient si souvent le comportement humain ?

— Vaste sujet de réflexion ! Mais les influences n'ont guère de prise sur les âmes simples. On n'imagine point Dubois changé par vous, même s'il vous adorait ! Et la Tencin ne m'a pas attaché à son char. Par contre, les influences sont toutes-puissantes sur les âmes complexes qui, incertaines, instables, se cherchent toujours.

— Surtout les âmes masculines.

— Hélas !

— J'ai observé que la plupart des hommes joignent à une force physique très supérieure à celle des femmes un caractère faible que nous n'avons pas. Quant à l'intelligence, si rare, elle l'est un peu moins parmi vous que parmi nous... Alors, les uns avec des muscles et des idées, mais des comportements facilement incertains, et les autres avec des bras plus faibles, mais une détermination plus grande, ne sont-ils pas également des monstres ?

— Des monstres qui représentent chacun un poids immense de souffrance, de perversité, d'inconscience et, pour la plupart, d'incohérence. Et puis il y a les ornements : l'intelligence, la beauté et la bonté parfois, ce sont des fanfreluches !

— Les bonnes âmes peuvent donc être perverses ? demanda-t-elle avec ironie.

— Il est évident qu'elles agissent parfois avec perversité, ne trouvez-vous pas ? Pourtant elles ne sont pas perverses.

— La différence, je vous prie ?

— C'est qu'elles finissent toujours par être conscientes et par regretter.

— Et les fanfreluches ?

— La plus brillante est peut-être l'intelligence... mais en France, par une erreur constante, ce mot ne désigne trop souvent que la mémoire et les aptitudes, de même que le mot amour recouvre toutes les boîtes à ordures du cœur, et aussi ce sentiment ambigu qu'est l'attachement.

— Lequel doit souvent être pris pour de l'amour par les âmes complexes ?

— Naturellement.

461

— Mais peuvent-elles en éprouver un autre ?

Les laquais, qui réapparaissaient, interrompirent ce dialogue.

Le ministre, désinvolte, jouait avec des boulettes de mie de pain que ses doigts nerveux avaient roulées. Les plats succédaient aux plats. Impatient, Law réclama des fruits. On le servit prestement et de nouveau ils furent seuls.

— Je n'ai pas le choix, Nathalie, reprit-il. Je dois renverser les alliances. Le clergé, évêques en tête, tonne contre le Système du haut des chaires, et le Parlement lui fait écho : c'est un tir bien réglé ! Je sais que ce ne sont là que ripostes aux saines mesures qui les menacent, mais on peut s'émerveiller de voir, dans le même temps, les gazettes de Londres et l'abbé Dubois au Palais-Royal répéter « qu'aucun produit ne viendra de Louisiane et que ce grand pays inondé ne sera jamais qu'une espèce de Hollande, tout au plus bon à nourrir des bestiaux ! ». Ne vous étonnez donc pas d'apprendre que les actions sont en baisse depuis vingt-quatre heures.

— Qu'en dit M. de Saint-Simon ?

Law roula pensivement une boulette sur la nappe damassée, puis releva la tête :

— M. de Saint-Simon, dit-il, m'a poussé dans mes retranchements et j'ai dû reconnaître que les demandes de fonds incessantes de M. le Régent « ruinaient le pays ». Dans la position où je me trouve de devoir l'amener à rompre l'alliance anglaise, je ne peux rien lui refuser. Lui, si modéré jadis, du temps où son esprit avait toute sa clarté, est en train de menacer gravement mon édifice. Sans cette étrange et continuelle saignée, la Banque aurait des ressources suffisantes pour faire face à toutes les situations [1]. Actuellement, les presses à billets n'arrivent pas à imprimer assez rapidement pour satisfaire ces folies. Cette fabrication démente, contraire aux vrais principes de finance et de gouvernement, va engendrer l'avilissement des billets, la montée des prix et bouleverser toutes les existences.

— Est-ce pour être le témoin impuissant de telles catastrophes qu'on vous a fait monter si haut ?

— Croyez-vous que je ne prépare pas ma riposte ? Elle sera terrible ! J'ai voulu le Contrôle général pour être à même de maîtriser, d'une main de fer, ce déluge de déraisons et de haines.

— Qu'allez-vous faire ?

— « Je contraindrai la confiance [2] ! » Je vais traquer l'or : sa place est dans les coffres de la Banque royale, où il doit constituer le trésor public de la France, représenté par les billets. J'ai préparé un décret qui va autoriser la fouille de toutes les maisons, même celles qui appartiennent aux communautés religieuses [3], pour rechercher les vieilles pièces d'or. Dans le même temps, je vais attribuer un cours forcé aux billets et je vais obliger à les recevoir comme monnaie unique.

1. Saint-Simon, 1720.
2. Law.
3. Nombre d'entre elles pratiquaient l'usure que Law voulait combattre.

— Tout cela est effrayant, murmura Nathalie.

Mais le regard clair, le regard de visionnaire de John Law passa sur elle comme le rayon d'un phare dans la nuit.

— Un temps viendra, reprit-il, où il y aura une Banque de France, où nul, même le chef de l'Etat, ne songera à venir demander de l'or en échange d'un billet.

— Vous croyez ?

— J'en suis sûr. Et si on m'en laisse le temps...

La porte s'ouvrit sur un laquais qui annonça :

— L'envoyé de Mgr le duc de Parme, Votre Grandeur.

— Qu'on l'introduise dans mon antichambre.

Le ministre se leva, alla vivement vers Nathalie, prit ses deux mains qui reposaient sur le velours amarante de sa robe, les baisa lentement l'une après l'autre et sortit. Deux valets impassibles refermèrent la porte derrière lui.

L'ASSAUT

Le ministre des Finances écoutait les rapports de ses collaborateurs immédiats et tenait son conseil.

L'un de ses grands commis achevait ainsi son exposé :

— ... Dans la question du commerce des grains, qui est la pierre de touche des hommes d'Etat, Votre Grandeur a pris, là encore, le parti de la liberté des échanges, mais...

Law l'interrompit avec humeur :

— Mais malgré cela le prix du pain augmente, n'est-ce pas ? Il se paie quatre et même cinq sous la livre[1] !

— Le nombre des billets en circulation rend inévitable... bredouilla le jeune homme laborieux en agitant sa perruque.

— Je vous remercie, dit le ministre. La séance de carnaval que le Parlement, toutes chambres réunies, a consacrée, le mois dernier, « aux moyens de diminuer la rareté et la cherté des choses nécessaires à la vie » a parfaitement atteint son but. Si elle n'a pu démontrer, et pour cause, la rareté des biens de consommation, elle a néanmoins fait naître dans l'esprit public l'idée que la valeur nominale des billets était distincte de leur pouvoir d'achat réel, d'où les mouvements que nous constatons et la fuite de l'or à l'étranger, en dépit de l'interdiction qui est faite de le transporter hors des frontières !

— J'ai une communication à faire à ce sujet, Votre Grandeur, dit un chargé de mission qui contrôlait l'application de ces rigoureuses mesures.

— Je vous écoute.

_____
1. 1720.

— Nous venons de confisquer sept millions en or appartenant à MM. Pâris ; la cargaison cheminait clandestinement vers la Lorraine.

— Ah !

Law s'efforça de demeurer impassible ; ses fins sourcils s'étaient pourtant froncés.

— La police a donc perquisitionné chez eux et a trouvé sept autres millions en or qui ont été également confisqués.

Cette fois, Law réagit :

— Prenez une mesure d'exil. Que dans les quarante-huit heures ces hommes soient renvoyés dans leur province d'origine et gardés à vue là-bas.

— Ce sera fait, mais je dois informer Votre Grandeur que la dernière interdiction faite aux particuliers de conserver plus de cinq cent livres en espèces métalliques est mal reçue du public ; la promesse faite aux délateurs de recevoir la moitié du butin entraîne saisies, violences et batteries. On crie à l'Inquisition, on trouve les perquisitions et sanctions plus rigoureuses que celles de la chambre de justice ! Et il faut avouer à Votre Grandeur que nous assistons à l'écroulement des sentiments qui ont fait la solidité et l'honneur de notre société : le respect de la famille, la crainte de Dieu, la loyauté. Nous voyons des fils trahir leur père, un mari dénoncer sa femme, des gentilshommes devenir des bandits.

Law pâlit. Il se souvenait de ses critiques acerbes contre Noailles et sa chambre de justice, et voici que ses ennemis l'acculaient à user de ces mêmes procédés qui lui répugnaient et dont il connaissait les graves inconvénients.

— Et nous voyons surgir des scandales qui soulèvent le peuple, continuait son collaborateur. De grands seigneurs spéculent sur la misère : M. le duc d'Antin vient d'acheter toutes les étoffes, M. le duc d'Estrées le café et le chocolat, M. le duc de la Force les bougies et ils font revendre ces marchandises à des prix vertigineux après les avoir raréfiées !

Une colère froide envahit Law :

— Poursuivez ces affameurs, monsieur, poursuivez-les ! Aucune considération ne doit vous arrêter. L'affaire ira jusque devant M. le Régent !

— Je rappelle à Votre Grandeur que M. d'Argenson est le maître de la Justice et son fils cadet surintendant de la Police !

— Mais moi, je tiens les finances de la Justice et de la Police ! s'écria le ministre, hors de lui.

— Enfin, continua le malheureux fonctionnaire dont le courage et le malaise en imposaient, nous avons aussi des difficultés considérables avec les femmes. S'il est bien malaisé d'empêcher la fabrication, la vente et l'achat de la vaisselle d'or et d'argent, que Votre Grandeur daigne juger combien il est plus redoutable encore de s'attaquer à la coquetterie des Françaises, gâtées, comblées par les profits de l'agiotage et cela au moment même où le faste atteint des proportions jamais connues. Leur interdire d'acheter, de garder et de porter des bijoux est une mesure qui les excite affreusement contre l'autorité de Votre Grandeur, car depuis que le monde est monde, fer ou verre, les femmes ont toujours aimé et porté des parures !

— Qu'elles en portent en fer et en verre jusqu'à nouvel ordre, monsieur !

L'Etat est à nouveau en danger et seule une politique d'austérité peut le sauver. Elle ne sera que provisoire ; faites-le savoir.

— Que Votre Grandeur veuille bien se représenter que nous avons des femmes qui tiennent à leurs bijoux de famille, aux présents de l'amour et qui ont toujours porté des pierreries ; d'autres n'avaient jamais imaginé qu'elles pussent en posséder et n'en sont couvertes que de fraîche date ; les unes et les autres sont irréductibles !

— Réduisez-les, faites des exemples et rappelez que j'ai seulement redonné force de loi à une ordonnance prise par Louis XIV en d'autres temps malheureux. Leurs mères s'étaient soumises alors.

— Puis-je faire remarquer à Votre Grandeur que les Françaises de la Régence ne sont point enclines à l'austérité ?

Ce fonctionnaire avait le sens de l'humour. Law lui jeta un regard intéressé et un sourire d'autrefois vint errer sur ses lèvres. La peine enfantine qu'avait eu Nathalie à se défaire de ses bijoux le troublait encore.

— Puis-je vous faire remarquer, monsieur, dit-il doucement, que je n'avais jamais imaginé être un jour dans l'obligation de faire la guerre aux femmes, de m'attaquer à elles... de cette manière ? Une nécessité extrême nous presse, elles et moi... Tâchez de le leur faire comprendre.

— Ce sont des adversaires que je redoute pour Votre Grandeur...

— Et moi donc !

— Ce n'est pas exact, John. Vous n'avez peur de rien et cela vous perdra ! dit à voix basse et en riant William qui venait d'entrer.

Law eut à nouveau un indéfinissable sourire, puis il leva la séance :

— Je vous remercie, messieurs. A demain matin. Je dois conférer maintenant avec les directeurs de la Compagnie des Indes et de la Banque royale.

Cérémonieux, les fonctionnaires se levèrent, s'inclinèrent très bas et sortirent. Ils furent aussitôt remplacés par Jean-Baptiste Martin d'Artaguiette d'Iron, directeur du bureau de la Louisiane à la Compagnie des Indes et dont les deux frères étaient officiers au Mississippi, François-Mathieu et Jean de Vernezobre de Laurieu, Genevois et protestants, François Mouchard, député de La Rochelle, François Castagnier, Vincent-Pierre Fromaget et son beau-frère Jean Gastebois, l'un et l'autre protestants et anciens directeurs de la Compagnie du Sénégal. Tous étaient des financiers et des gestionnaires expérimentés, qui venaient de s'associer pour fonder, en Louisiane, leur propre société de colonisation. Collaborateurs immédiats de Law, ils avaient dirigé sous ses ordres la Compagnie d'Occident. William, chargé depuis son arrivée des relations extérieures de la Compagnie des Indes, Du Revest et Bourgeois, trésoriers de la Banque, Melon et Dutot, secrétaires généraux et Robert Neilson, secrétaire des commandements de Law, s'étaient joints à eux.

— Messieurs, leur dit le ministre, je vous ai réunis pour revoir avec vous le détail des récentes dispositions qui viennent de transformer et d'unir la Banque et la compagnie, afin de vous permettre de collaborer efficacement à ce qui va suivre. Les diverses mesures monétaires que nous avions adoptées se révèlent insuffisantes pour changer les comportements de la Cour, conjurer la panique suscitée par nos adversaires et permettre l'application des vrais principes de finance et de gouvernement. J'ai donc établi un plan de défense et de stabilisation du Système, dont la première étape a été cette réunion de la Banque et de la compagnie, décidée il y a dix jours, au cours de notre assemblée générale et qui met la Banque *à l'abri de la banqueroute* grâce aux immenses ressources de la Compagnie des Indes. Cela m'a permis de promulguer le décret paru hier, dont je vous rappelle certains chapitres.

Il prit sur son bureau une feuille de papier et lut :

— « *En aucun cas cette nouvelle institution, formée de la Banque royale et de la Compagnie des Indes, ne se verra forcée de faire des avances au roi sous forme de prêts. Sa Majesté renonce à la direction et au profit de la Banque.*

Il n'y aura plus aucune émission de billets, excepté par décision du Conseil, quand celui-ci en sera requis par une réunion générale des actionnaires. »

Il reposa le texte du décret sur son écritoire et poursuivit :

— Ces derniers mois, nous avons essayé d'habituer le public aux billets en conférant à ceux-ci divers avantages : primes ou plus-values de cinq ou dix pour cent, suivant les périodes et les circonstances. Désormais, nous n'accorderons plus la prime de cinq pour cent et nous supprimerons les coupures de dix livres. (Il eut un sourire crispé et reprit :) Ces jours-ci, ces billets ont été piétinés et déchirés dans les rues et pour faire regretter ces exploits à leurs auteurs, nous rembourserons dans les deux mois ceux qui les ont gardés.

— Nous voyons bien que Votre Grandeur veut mater le public, dit Fromaget, et passer une muselière à M. le Régent, à M. le duc et arrêter la fabrication démente des billets, tout en laissant baisser graduellement les actions. La confiance peut renaître de si sages mesures, mais l'opération est incomplète...

— Naturellement ! le coupa Law. Il faut maintenant prendre d'autres dispositions pour récupérer le nombre trop élevé d'actions et de billets en circulation. Ce sera l'objet des deux autres décrets que je prépare depuis longtemps et que j'ai eu plus de mal à faire accepter au Régent que le précédent. Ce n'est pas peu dire !

Un étonnement et une inquiétude se lisaient sur les visages de ces hommes qui se demandaient quel moyen inédit ce génie inventif avait trouvé pour atteindre les buts chimériques qu'il venait d'avouer.

Law se concentra ; un immense désir de communication et de compréhension passa dans son regard, sur ses traits soudain tendus :

— Je vais vous demander de faire un grand effort pour essayer de bien saisir tout le sens des dispositions extrêmement nouvelles que je vais vous exposer. Car maintenant, au point où nous sommes parvenus, vous, moi et ce pays tout entier, votre confiance ne suffirait pas ; il faut que vous soyez pleinement éclairés : nous allons décréter que trois billets d'une livre ancienne, ou livre faible, vaudront une livre nouvelle [1], ou livre lourde et

---

1. Même opération que la conversion des francs anciens en francs nouveaux.

nous allons coter la valeur de l'action en livres nouvelles. Nous fixerons d'abord le prix de l'action à trois mille livres nouvelles, ce qui équivaudra à neuf mille livres anciennes et mettra le marc d'argent [1] à quatre-vingt-dix livres, prix encore trop élevé. Aussi, dans un deuxième temps, par un second décret, fixerons-nous le prix de l'action à cinq mille cinq cents livres nouvelles, ce qui fera faire aux actionnaires un bénéfice de mille cinq cents livres nouvelles et ramènera le marc d'argent à trente livres. Nous retrouverons ainsi une monnaie saine. *Je précise que nous n'aurons que cent quatre-vingt-quatorze mille actions à ramener à ces cours nouveaux,* puisque nous en avons déjà retiré cent mille de la circulation en les rachetant, que nous allons en racheter encore deux cent mille et que j'ai convaincu M. le Régent de nous laisser reprendre les cent mille actions du roi au prix de neuf mille livres anciennes par action. Ce paiement de neuf cents millions s'effectuera en dix ans, à raison de cinq millions par mois, *ce qui devrait à la fois satisfaire et limiter les besoins excessifs que Son Altesse royale ne cesse de déclarer et d'augmenter.* Bien entendu, au bout de ces dix années, il n'y aura que six cents millions de remboursés à Sa Majesté, mais *les trois cents millions restants serviront de compte courant au Trésor, grande et indispensable sécurité à donner à l'Etat, le plus tôt possible !* Comprenez-vous bien qu'il s'agit en fait d'une revalorisation des actions et des billets ? questionnait Law. (Soudain angoissé devant les regards posés sur lui, il se fit plus persuasif encore :) Huit milliards de papiers qui circulent verront leur valeur ramenée à deux milliards et demi, mais l'actionnaire qui fait confiance au Système et recherche un placement assuré sera favorisé ; le spéculateur seul sera lésé.

— Pourquoi racheter tant d'actions ? s'étonnait François Castagnier. Au prix de neuf mille livres actuelles l'une, tous les particuliers vont vendre et nous serons obligés de fabriquer à nouveau des billets pour les payer !

— C'est un risque, j'en conviens, *mais même si nous devons fabriquer à nouveau des billets, ce ne sera que provisoire et nous les résorberons ensuite.* Par mon second décret, qui fixera le prix de l'action à cinq mille cinq cents livres nouvelles, j'intéresserai le public à garder ce titre qui lui fera gagner sur le prix actuel et il est bien évident qu'un équilibre doit s'établir entre les besoins monétaires et la capacité d'épargne de chacun. D'autre part, en réduisant d'un tiers le nombre des actions, qui a exagérément proliféré par l'usage qu'en a fait la Cour en un temps où je ne pouvais m'y opposer, j'assainis la situation de la compagnie. Le paiement des dividendes promis est possible, mais il serait un signe de prospérité et toute prospérité est compromise par une situation malsaine. Donc, toute situation malsaine doit être vigoureusement redressée. Nous avons en caisse cent millions environ ; c'est assez pour agir et nous défendre. Et en fixant à l'action un cours stable, je limite étroitement les mouvements trop désordonnés des cotations. Il n'y aura plus de raisons de tolérer les transactions libres et j'atteindrai enfin le but que je poursuis depuis longtemps : fermer les boutiques de change de la rue Quincampoix et mettre fin aux abominations qui s'y déroulent. Pour

1. Etalon métallique de la livre.

convertir les actions de la compagnie en billets de banque et vice versa, nous ouvrirons un bureau à la Banque. J'établirai ensuite des comptes de banque qui permettront des paiements et des déplacements de fonds sans que l'argent ait à circuler ; cela se fait en Hollande ; j'adapterai le procédé à notre temps et à ce royaume. Il faut que le public comprenne — et je prépare trois lettres ouvertes qui seront publiées dans Le Mercure à ce sujet — que tout l'argent en circulation dans le pays appartient à l'Etat. Le particulier n'en a que l'usage et cet usage est subordonné à l'intérêt de tous. « L'argent ne nous appartient que par voie de circulation et il ne nous est pas permis de nous l'approprier dans un autre sens. » Amasser, c'est s'octroyer « un monopole sur provisions publiques » !

Tous sursautèrent.

— C'est pourquoi, reprit Law, les perquisitions et confiscations que j'ordonne sont légitimes ; d'ailleurs, elles seront populaires ! « S'imagine-t-on que le peuple plaindra des hommes qui lui veulent arracher sa substance ? Le peuple hait naturellement les riches avares [1] ! » C'est alors, et alors seulement, que je pourrai poser la dernière pierre de mon édifice.

Son regard s'éleva au-dessus de ces visages angoissés et il dit encore :

— J'atteindrai alors la réalisation complète de la pensée qui a été le mobile de tous mes actes ; je résoudrai le problème de pourvoir toujours la société d'une quantité de monnaie qui ne sera jamais, ni au-dessous, ni au-dessus de ses besoins et je créerai l'harmonieux équilibre de la prospérité. Pour cela, je tranformerai la Banque en une sorte de réservoir de numéraire que soutiendront sans cesse les actions, parce qu'elles lui serviront tout à la fois de conduit d'alimentation et de canal d'écoulement. La monnaie sera-t-elle trop abondante ? Elle ira à la Banque se convertir en actions. Sera-t-elle trop rare ? Les actions iront se convertir en billets.

Tous se taisaient, médusés, sous le regard douloureux qui les interrogeait un à un. William toussota enfin et répondit d'une voix mal assurée :

— Un public averti des questions de finances devrait préférer au métal les actions qui représentent le très bel actif de la compagnie. Mais, John, les Français ne savent même pas ce qu'est un actif et ils ne comprennent pas qu'une action est une part de propriété sur vos navires, sur vos entrepôts qui regorgent de marchandises, sur la Louisiane, le commerce et l'industrie et tous les biens du royaume. Présentement, ils veulent de l'or bien à eux, pour acheter du pain ou des chapeaux et ils se moquent des dividendes de la compagnie, payables en papier. Comment donc ferez-vous comprendre à ces mêmes gens qu'ils gagneront quatre mille cinq cents livres anciennes au lieu d'en perdre trois mille cinq cents comme ils le croiront sûrement, en se fiant aux apparences, lorsqu'ils apprendront que les trois livres qu'ils ont dans leur poche n'en valent plus qu'une !

— On verra une confusion sans nom dans les esprits ! dit François Mouchard.

— Oui, il y aura des émeutes, la guerre civile ! s'écria Bourgeois.

1. Lettre au Mercure, mars 1720.

— Les gens ne saisiront pas qu'il ne s'agira plus de la même monnaie, reprit Jean Gastebois ; cette notion de livre ancienne et de livre nouvelle sera jugée comme un tour de passe-passe, une ruse pour cacher Dieu sait quoi !

— Quant au marc d'argent, ajouta Dutot, comme il ne circule pas, le public n'a pas conscience de son rôle.

— Mais comprenez-moi ! Comprenez-moi donc ! s'écria Law ; et ils sentirent tous le caractère pathétique de cet appel. *Je muselle le Régent et les Condé en fermant pour eux le robinet de finance, je répare les désastres de l'agiotage et de l'excès de papier-monnaie, je rétablis une monnaie saine et la confiance, et je fais alors baisser le prix de la vie !* La France, aujourd'hui remise en valeur et qui va bénéficier des mesures économiques et fiscales que j'ai instituées pour la libérer et la régénérer, sera alors animée d'une force interne irrésistible qui balaiera tout, emportera tout et la lancera vers l'avenir ! C'est ce mouvement que veut créer le Système, c'est lui qui l'imposera !

En prononçant ces paroles, son poing martelait son bureau de coups sourds et une résolution farouche sculptait sur son visage un masque nouveau. A cet instant, la porte s'ouvrit et un commis parut. Il ne s'était pas fait annoncer et semblait avoir perdu le contrôle de lui-même :

— Pardonnez-moi, Votre Grandeur... mais trois fourgons appartenant à M. le prince Louis-Armand de Conti [1] viennent d'entrer dans la cour de la Banque, suivis de la foule qui gronde, car elle sait que le prince vient nous rapporter ses actions et nous demander en échange seize millions en or ! Elle veut voir si on cédera aux plus gros actionnaires, alors que le peuple est contraint de rapporter son or à la Banque. On crie dans la cour, dans la rue : « C'est notre or ! C'est notre or ! Au voleur ! »

Law se leva et tous en firent autant. Un silence de mort planait.

— Le prince Louis-Armand, dit enfin Law lentement, n'était pas à l'assemblée générale, M. le duc non plus, cela m'avait paru insolite... Les fourgons de la maison de Condé ne vont pas tarder à paraître. Combien seront-ils ?

Les rumeurs de la foule, les cris des voituriers, les hennissements des chevaux parvenaient maintenant jusqu'à eux.

— Que faisons-nous, monseigneur ?

Law se taisait.

— Payez ! dit-il enfin.

— C'est la guerre civile ! lança Melon.

— Mais j'atteindrai les voleurs ! répliqua Law d'une voix blanche. Les louis d'or, en avril, ne vaudront plus que trente-six livres et en mai, pas un sou ! Quant à l'argent... je le laisserai vivre un peu plus, jusqu'en décembre peut-être. Criez à la foule que je vais défendre le peuple chez le roi ! Je pars à l'instant au Palais-Royal.

Law sortit précipitamment, suivi de Bourgeois. Les directeurs, angoissés, interrogeaient William du regard.

— Les dispositions que le contrôleur général vient de vous exposer, dit

1. Fils du prince de Conti.

celui-ci, et qui doivent être publiées et entrer en application après-demain, 5 mars, ont été débattues et approuvées par le dernier conseil de Régence en présence des princes. Ceux-ci auront pris peur. Nous pouvons juger de la manière dont sera comprise et acceptée l'opération monnaie ancienne et monnaie nouvelle !

Les hommes se taisaient, atterrés. Dehors, la foule hurlait, menaçait.

— Il y a plus préoccupant encore, poursuivit William. A ce dernier conseil de Régence, le contrôleur général est revenu vivement à l'attaque contre le Parlement pour supprimer la vénalité des charges... Sans M. le duc de Saint-Simon, c'était chose faite.

Sans mot dire, les directeurs de la Compagnie des Indes sortirent du bureau du ministre.

Dès le lendemain, les fourgons de M. le duc venaient retirer vingt-cinq millions à la compagnie [1]. La foule les escortait de ses malédictions, puis se forma en cortège, traversa la Seine et s'en vint au chantier du palais que la mère de M. le duc faisait édifier, face au cours La Reine [2]. Tout Paris savait que les monstrueux bénéfices de l'agiotage et surtout les fortunes soutirées, de gré ou de force, à la Banque et à la compagnie, permettaient l'édification de cette demeure princière. Pour la première fois, et ce ne serait pas la dernière, la colère du peuple venait battre ces murs qui sortaient à peine de terre et menaçait de les détruire. Tandis que le guet s'apprêtait à charger, les fourgons prenaient la route de Chantilly et M. le duc, sommé de se rendre au Palais-Royal, paraissait devant le Régent hors de lui.

Ce soir du 3 mars, Nathalie attendait Law qui conférait au Luxembourg avec l'envoyé du tsar et l'ambassadeur de Suède, pour préparer le renversement des alliances et porter un coup sensible à l'Angleterre. Il s'attardait. Elle avait été toute la journée assaillie par William et Rebecca, Dutot, Melon et Neilson, qui se faisaient les porte-parole des directeurs de la compagnie. On l'avait priée, suppliée, accablée : elle était l'ultime recours, la seule voix capable de faire encore entendre au ministre les grondements de l'orage qui allait tous les emporter ; d'Argenson et son fils se livraient toujours à de révoltantes et dangereuses manœuvres touchant les enlèvements pour le Mississippi. Cinq mille personnes — parmi elles des jeunes filles venues s'engager comme servantes à Paris, des enfants de dix ans, d'honnêtes bourgeois — venaient encore d'être capturées comme du bétail par les bandouliers. Le peuple, soulevé, attaquait ceux-ci depuis le matin en de véritables combats de rues, cependant qu'une commission du Parlement se déplaçait en grande pompe pour courir aux prisons et délivrer sur-le-champ les malheureux, en proférant toutes sortes de malédictions contre Law, responsable, disaient ces messieurs de la robe, des arrestations ! Les perquisitions qui se déroulaient en même temps chez les particuliers, dans les églises et les couvents pour traquer l'or, achevaient d'ameuter les Parisiens et de développer un climat de guerre civile toujours propice aux

---

1. Plus d'un milliard d'anciens francs.
2. Le Palais-Bourbon, aujourd'hui Assemblée nationale.

vols et aux assassinats au sujet desquels le surintendant de la Police entendait fermer les yeux. Nombre de ses officiers s'enrôlaient d'ailleurs depuis peu comme lieutenants de Cartouche. François Le Roux et Jean Bourlon, exempts inspecteurs chargés d'assurer l'ordre rue Quincampoix, transformaient les postes de sentinelles en coupe-gorge ; sous l'uniforme de la maréchaussée, ces soldats de Cartouche détroussaient et massacraient. Onze personnes venaient d'être assassinées en trois jours ; on retirait de la Seine, à Saint-Cloud, des quantités de bras, de jambes, de troncs, de débris humains, pauvres restes de victimes volées et dépecées. Des bandits masqués infestaient les routes, attaquaient les voyageurs, désolaient les provinces. Sur un état aussi violent, le décret qui devait être promulgué le surlendemain ferait l'effet d'une étincelle sur un baril de poudre.

On affirmait à Nathalie qu'elle était seule à pouvoir faire entendre ces cruelles vérités au ministre et obtenir qu'il y porte remède. Tout, assurait-on, dépendait d'elle, tout était entre ses mains... Ses mains qu'elle plaqua vivement contre ses oreilles, comme si cela eût pu l'empêcher d'entendre les voix qui résonnaient encore en elle dans le silence. Et Law ne rentrait pas...

Pour la centième fois, l'esprit fiévreux de Nathalie se heurtait au problème qu'elle ne parvenait pas à résoudre : comment achever d'accabler d'un fardeau si lourd l'homme épuisé qui allait venir à elle pour chercher la paix des profondeurs ? Il ressentait un besoin impérieux, vital, de ces brèves détentes ; mais les périls étaient pressants et tout aussi impérieux. En toute hâte, elle avait regagné l'hôtel de Mercœur, où elle savait qu'en de tels moments il voulait retrouver le calme et prendre le recul qui régénéraient sa lucidité.

Le printemps naissant exhalait sous les arbres du parc ses premières senteurs. Dans la nuit venue, Nathalie serra autour de ses épaules un châle qui ne la réchauffait pas. Lorsque les pas rapides de Law et de ceux qui l'escortaient retentirent dans le vestibule, elle se sentit faiblir. Il entra seul dans le petit salon blanc.

Elle se leva, courut à lui, caressa son visage comme pour prendre la mesure de son épuisement :

— Où en êtes-vous, John ?

Il eut un pâle sourire qui accentua la fatigue de son visage et le regard éteint de ses yeux creux.

— Je gouverne, dit-il simplement.

Puis il se laissa tomber sur le lit de repos et ferma les yeux. Elle était devant lui, et ne pouvait se résoudre à briser ce répit, ce silence, pas encore... Mais elle s'aperçut bien vite qu'il s'était endormi.

Seule, angoissée, devant cet homme qui dormait tout habillé et dont dépendait, en cet instant, l'équilibre du royaume, elle écoutait sonner les heures, calculait le temps qu'elle pouvait accorder à ce repos et celui qui lui restait pour agir. De temps à autre elle se levait, mouchait une bougie, en remplaçait une autre. A quatre heures, il s'éveilla :

— Où suis-je ? Que faites-vous ?... Je me suis endormi comme un soudard, pardonnez-moi !

— Je crois que vous avez bien fait de vous assoupir vite et de vous réveiller maintenant, dit-elle.

On entendait en effet du bruit dans l'antichambre. Un laquais, maintenu de service pour la nuit, parut et déclara qu'un secrétaire du Régent demandait à parler au ministre. Il fut introduit aussitôt.

— Que se passe-t-il ? demanda Law.

— Une nouvelle attaque a paralysé M. le Régent à la suite de la violente scène qu'il fit ce soir à M. le duc. Le prince fut pendant plusieurs heures privé de la parole, mais Chirac, une fois encore, l'a sauvé de justesse ! J'ai cherché Votre Grandeur en divers endroits pour l'informer. Je m'excuse du lieu et de l'heure à laquelle je me présente à Elle.

— N'importe, n'importe, monsieur, Son Altesse royale est-Elle vraiment hors de danger ?

— Chirac l'affirme.

— Dieu soit loué ! Aviez-vous autre chose à me transmettre ? M. le prince de Conti ?...

— Introuvable. Il « crapule » avec des filles, on ne sait où. Mais j'ai d'importantes nouvelles à porter à la connaissance de Votre Grandeur.

— Je vous écoute.

— Nous avons reçu hier soir un message de Londres que M. le Régent voulait vous faire tenir sans retard. Blunt présentera son Système de Finances le 22 de ce mois à la Chambre des Communes ; il est assuré d'un vote favorable. Il promettait cinquante pour cent de dividendes aux actionnaires de la *South Sea Company*. M. le Régent craint fort qu'il y ait un choc en retour fâcheux parmi les actionnaires de la Compagnie des Indes, à qui on a promis seulement quarante pour cent et qui pourraient bien préférer les actions anglaises.

— Seulement quarante pour cent, monsieur !

Law eut un petit rire froid, puis son visage se fit rêveur :

— Blunt, murmura-t-il. Mon vieil ennemi et ma jeunesse !

— M. le Régent est très affecté par cette nouvelle et Son Altesse royale a décidé d'augmenter encore tous les moyens qui peuvent aider Votre Grandeur à lutter contre ses ennemis.

Le secrétaire du Régent se fit solennel et si pompeux qu'un sourire parut sur les lèvres de Law.

— Monseigneur m'a chargé de vous dire qu'il va nommer Votre Grandeur surintendant des Finances de la France !

— C'était le titre de Fouquet, monsieur, c'est un titre funèbre !...

Le secrétaire eut un haut-le-corps : on diminuait l'éclat de sa mission.

— ... Mais il convient peut-être aux circonstances, acheva Law, énigmatique. Dites à Son Altesse royale que je fais des vœux ardents pour son rétablissement, que je suis pénétré de l'honneur qu'elle me fait et que je la remercie de m'avoir informé aussi vite des événements de Londres. J'irai dans quelques heures au Palais-Royal. Je vous remercie également, monsieur ; vous pouvez disposer.

Le secrétaire salua et sortit. Law se leva, s'approcha de la fenêtre : l'aube s'annonçait sur le jardin, mais son regard s'attardait sur des images du passé. Il revoyait, dans Change Alley, deux silhouettes, Blunt vêtu de noir, sentencieux et fourbe, et un jeune cavalier en velours rubis, les yeux clairs, le feutre en bataille. Pétulant, frondeur, inspiré, il défiait son inquiétant interlocuteur. Il revoyait le guet-apens... l'éclat des lames dans le duel, la Tour de Londres, le sourire mystérieux d'Elisabeth Villiers et les boucles légères sur sa nuque... Alors, il se détourna et vit enfin Nathalie. Un immense élan d'amour le souleva ; il la prit dans ses bras, la serra contre lui.

— Vous n'en pouvez plus ! Pourquoi êtes-vous demeurée là ? Il faut aller vous reposer... Je vais vous mettre moi-même au lit, s'il le faut !

— John... commença-t-elle.

— Ne pensez à rien, calmez-vous, oui, soyez calme, mon cœur, tout s'arrangera. Chut ! ne dites rien, il ne nous reste que si peu d'instants pour tout oublier, pour nous retrouver.

— Nous sommes déjà le 4 mars, John et...

— Qu'importe ! Pendant un petit moment, un tout petit moment, je ne veux savoir ni le temps qu'il fait, ni l'heure qu'il est, ni le mois, ni la semaine, ni la date du jour qui vient...

LA FIN DE LA RUE QUINCAMPOIX

Des affiches s'étalaient sur les murs de Paris. Des groupes de curieux se formaient pour lire ou se faire lire le nouveau décret royal :

« *Sa Majesté ayant ordonné qu'il sera ouvert un bureau à la Banque pour convertir, à la volonté des porteurs, les actions de la Compagnie des Indes en billets de banque et réciproquement, l'assemblée de la rue Quincampoix devient absolument inutile, n'y ayant plus qu'une seule espèce d'action dont le prix ne sera sujet à aucune variation. Sa Majesté informée que plusieurs négociants infidèles, à l'occasion du tumulte produit par le concours de gens inconnus* [1], *dont quelques-uns même se sont trouvés sans domicile et sans aveu, ont détourné et enlevé les effets de ceux qui ont eu la facilité de traiter avec eux ; qu'enfin un grand nombre de domestiques et d'artisans ont abandonné leurs maîtres et leurs professions, soit pour négocier eux-mêmes, soit pour aider et servir de courtiers à d'autres personnages qui n'auraient pas osé paraître, le tout au grand préjudice des arts et du commerce ; Sa Majesté, de l'avis de M. le duc d'Orléans, fait défense à toutes personnes de s'assembler dans la rue Quincampoix pour y faire aucun commerce de papiers.* »

On apprenait que le Régent augmentait et renouvelait certains effectifs du guet, de la maréchaussée et des compagnies de gardes.

Les bureaux de la rue Vivienne bourdonnaient comme un vaste rucher : le

---

1. Première apparition des meneurs enrôlés par les ennemis de Law... sans parler des agissements des hommes de Cartouche, peut-être eux aussi utilisés.

473

décret du 5 mars était passé. Le surintendant des Finances s'était montré inexorable.

A ceux qui adressaient à Nathalie le silencieux reproche de leurs regards, elle répondit :

— Je ne pouvais le convaincre de modifier ses plans, son œuvre, parce que ni vous, ni moi, ni personne n'est à la hauteur de cette architecture. Je l'ai mis en garde contre l'incompréhension du public, comme vous l'aviez fait vous-mêmes, mais il s'est expliqué clairement dans la Lettre que publie *Le Mercure.* J'ai voulu lui représenter les troubles qui préparent mal les esprits à ces grands changements... mais il savait tout cela. Des dispositions énergiques sont prises et j'apprends que le premier décret a fait bon effet, que des flots d'or sont rapportés à la Banque ?

— C'est exact, madame, répliqua Dutot. La suppression immédiate de la valeur d'achat de l'or, décidée par Sa Grandeur pour châtier les princes, a apaisé les masses et leur a été sensible. L'or a quelque chose de fascinant et de maudit tout à la fois, surtout pour les petites gens ! Les billets paraissent plus innocents, plus accessibles à tous, plus populaires, oui, faits pour le peuple ; la matière en est pauvre et comme, désormais, ils servent de monnaie unique, des millions en métal rentrent dans nos caisses. Mais voici que « tout d'un coup le public passe du bureau où il achète les actions à celui où il les vend et avec si grand empressement, que le roi de son propre mouvement, par l'arrêt de son conseil, vient d'ordonner qu'il serait fait pour trois cents millions de billets. Cette augmentation de billets, *qui part de la propre volonté du roi,* est contraire à l'article 2 de la délibération de l'assemblée générale du 22 février dernier et à l'arrêt du conseil du 24 du même mois. *C'est une preuve que Sa Majesté a changé de sentiment* sur l'exécution de cette délibération et de cet arrêt [1]. »

La lente usure des angoisses, toujours présentes, qui rongent l'esprit et hantent le sommeil, avait ébranlé la santé de Nathalie. Le brusque changement de saison éprouvait aussi ses nerfs surmenés et une sorte de faiblesse la tenait étendue sur son lit de repos ce matin-là où elle vit Law entrer en coup de vent, sans s'être fait annoncer.

— Comment êtes-vous, aujourd'hui ?

— Ne vous inquiétez pas pour cela, je vous en prie, je vais bien.

— Est-ce vrai ? Que dit le médecin ?

— Que je dois rester un peu tranquille... ce que je fais. Quelles nouvelles ?

— M. le Régent me suit bien dans le projet d'entente avec l'Espagne, contre l'Angleterre...

— Ne correspond-il pas à ses vœux les plus chers et à son indignation pour l'affaire de Gibraltar ?

— Sans doute ! Mais aucune partie n'est aisée pour moi. Au moment même où je presse le duc Régent d'entrer dans cette alliance, on va exécuter à Nantes les chefs du complot de Bretagne : Pontcallec, Montlouis,

1. Dutot.

Talhouët et Couëdic, et la perspective de ce sang français répandu pour la cause de l'Espagne rend malade le prince déjà si diminué. Ajoutez à cela qu'il vient de trouver dans le lit de la marquise de Parabère [1] son jeune cousin, le comte de Horn, arrivé en France depuis peu après que divers scandales l'eurent chassé de l'armée autrichienne.

— Ce genre d'infortune est quotidienne pour M. d'Orléans et ne l'a jamais troublé, que je sache !

— Vous ne mesurez pas à quel point il est changé. Un autre homme, en vérité. Il s'est mis à tenir si... désespérément à son « petit corbeau noir », que Mme sa mère l'a surnommé la Sultane Reine. De surcroît, le comte de Horn est fou ! Surpris par le Régent qui lui criait : « Sortez ! », il eut l'audace de répondre : « Naguère, on eût dit : sortons ! » Une telle blessure infligée par un adolescent à un homme vieilli, dont le courage fut légendaire, est cruelle, odieuse. Du reste, le comte de Horn, de la famille d'Aremberg, apparenté à celle d'Egmont, se croit tout permis.

— N'a-t-il pas eu une histoire, en septembre dernier ?

— Certes ! Aux obsèques d'un certain Nigon, dans le cloître Saint-Germain ! Les actions montaient à ce moment et Horn passant peu avant la cérémonie, ivre sans doute, vit le corps exposé, le cercueil n'étant point encore fermé. Un seul prêtre se tenait là. Aussitôt Horn s'écria : « Quel est l'imbécile qui se laisse mourir à la hausse ? Laisse là ton corbeau et ta prison et viens boire avec nous ! » Sur quoi lui et ses compagnons jettent sur le pavé chandeliers et ornements et s'emparent du cadavre. Le clergé, alerté par les appels du religieux bousculé, survient à temps pour reprendre le mort et le porter dans l'église. Un peu plus tard, comme l'assistance entonnait le *De Profundis*, Horn et ses compères, demeurés au seuil du sanctuaire, psalmodièrent, sur le même air, un arrêt du conseil de Régence ! On alla chercher le guet, qui n'osa s'en prendre à un parent du Régent sans un ordre du lieutenant de police, lequel s'adressa à Son Altesse royale !

— Que dit M. d'Orléans ?

— Il fit enfermer ces jeunes gens huit jours à la Bastille et rit beaucoup... Aujourd'hui, il ne rit plus.

— Et notre abbé Dubois, que fait-il à cette heure ?

— J'ai l'avantage de le voir absorbé ces jours-ci par une audacieuse stratégie, qui doit le mener au but vers lequel tendent tous ses rêves et toutes ses intrigues, c'est-à-dire à la succession de Fénelon et du cardinal de la Trémoille, prince du Saint-Empire, qui vient de mourir à Rome.

— L'archevêché de Cambrai ! Vous plaisantez ? Dubois n'est même pas prêtre, il n'a que la tonsure !

— Il y a beaucoup mieux. M. de Saint-Simon m'affirme que M. de Breteuil, intendant du Limousin, est chargé en grand secret de subtiliser et de détruire, par tous les moyens appropriés, les traces et preuves d'un mariage que Dubois aurait contracté avant de venir à la Cour ! Breteuil, qui a de l'esprit et de l'ambition, voit tout ce que pourra lui valoir cette

1. La maîtresse favorite du Régent.

confidence et cette mission. En enivrant le curé de l'église où fut consacrée cette union, il aurait déjà fait main basse sur le registre de la paroisse et enlevé la page compromettante ! Il s'apprêterait maintenant à faire un aussi beau coup chez le notaire de Brive qui détiendrait le contrat. La femme est, paraît-il, convenablement menacée des pires sévices si elle se manifeste[1] ! Cambrai ! Un des plus grands postes de l'Eglise, cent cinquante mille livres de rente, le plus haut degré pour parvenir au cardinalat, lequel peut permettre de devenir Premier Ministre !... Comme il n'est pas si aisé à un petit roturier de monter si haut, il faut encore qu'il force les barrières par une action d'éclat.

— N'est-ce pas une action que d'obtenir du roi d'Angleterre, qui est protestant, et de l'Empereur, qu'ils interviennent efficacement auprès du pape et auprès du Régent pour ce fameux chapeau rouge ? Cela ne nous a-t-il pas valu cette politique, où par les soins de l'abbé, la France abandonne tous ses intérêts au profit de l'Angleterre et cette guerre mortelle qu'il vous fait ?

— Mais le pape n'a pas voulu pour autant de ce coquin. Il fallait trouver autre chose et il a trouvé !

— Quoi donc ?

— Le règlement du problème janséniste qui a gardé, vous le savez bien, toute son acuité. Dans trois jours, l'épiscopat français — cinq cardinaux, six archevêques, trente évêques — va se réunir au Palais-Royal et on verra le faible cardinal de Noailles, suborné, vaincu, signer sa soumission et la leur, accepter la bulle *Unigenitus*[2] et un « Corps de Doctrine », un soi-disant compromis ! Sa Sainteté verra ainsi s'accomplir ce que ni l'autorité de Louis XIV, ni la souplesse des jésuites n'étaient arrivées à obtenir ! Marché trop considérable pour être repoussé !

Nathalie se taisait ; elle ferma les yeux.

— L'acceptation de la bulle *Unigenitus*, dit-elle enfin, va mettre à leur comble le trouble, la confusion et la division dans le royaume, alors que, pour recevoir vos décrets, le plus grand calme serait indispensable.

— Vous oubliez le renversement de l'alliance anglaise et les remous qui vont en naître ! dit-il âprement.

— Je n'oublie rien...

Le temps de Pâques vint, frileux, langoureux, engourdissant. Et ce fut le Vendredi saint[3]. La journée était claire, avec des pépiements d'oiseaux dans un ciel léger, mais « Paris était en Histoire ». Un voyageur anonyme pénétrait dans ses murs. Visage dur, yeux d'aigle, c'était Stanhope.

1. Saint-Simon. Information controversée, mais les controverses n'émanent pas avec certitude de sources autorisées.

2. On sait que le pape Clément XI avait, en 1713, condamné le jansénisme par la bulle *Unigenitus*. Plusieurs prélats français avaient refusé de recevoir la bulle, qui devint le sujet d'une lutte acharnée entre les jansénistes, très nombreux encore en France, même dans le clergé et au Parlement, et les jésuites. « Le Corps de Doctrine » fut en effet un compromis.

3. 22 mars 1720.

Le Premier Ministre d'Angleterre revenait en personne mener ses troupes à l'assaut, cependant que Blunt, à la chambre des Communes, remportait un vote massif. Dubois attendait celui qui était son véritable maître en relisant la lettre de Destouches qui l'annonçait. « Lord Stanhope, écrivait celui-ci, vient à Paris pour pousser le surintendant des Finances à toutes extrémités, ou pour le ramener à l'Angleterre tandis qu'il sera mortifié. »

— Il n'est pas question de cela, dit à voix basse Dubois en froissant ce message.

Il ne tenait pas à retrouver son rival sur un terrain qui lui était une chasse gardée.

Cet après-midi-là, au cabaret de l'Epée-de-Bois sis au coin de la rue Quincampoix et de la rue de Venise, le jeune comte de Horn, escorté du marquis de Lestang et du comte de Mille, s'en venait rejoindre un courtier nommé Lacroix à qui il avait proposé, en dépit de l'interdiction royale, de vendre en ces lieux une grosse quantité d'actions à un prix avantageux. Nombreux étaient ceux qui, de la sorte, faisaient encore là le « commerce du papier ».

Le soir descendait sur la ville inquiète. Des groupes se formaient, des manifestations sporadiques éclataient çà et là, on entendait des cris, des torches passaient, disparaissaient, reparaissaient. Le petit bourgeois flairait un péril nouveau. « Qu'y a-t-il encore ? » disait-il, en demeurant peureusement sur le seuil de sa maison ou en s'enfermant chez lui.

Law venait d'arriver à l'hôtel de Mercœur où il pensait se reposer deux jours ; un secrétaire du Régent y arriva presque en même temps que lui et peu après, ils repartirent ensemble au Palais-Royal. Il rentra tard dans la nuit. Nathalie s'effraya de son visage tendu à l'extrême.

— J'ai été retenu par une affaire ignominieuse dont les retentissements vont être grands...

En parlant il caressait le front de Nathalie et s'aperçut qu'une légère moiteur le couvrait peu à peu.

— Vous n'allez pas bien ce soir, n'est-ce pas ?

Il approcha un fauteuil pour s'asseoir près de son lit de repos et elle vit combien il était bouleversé lorsqu'il dit enfin :

— Le comte de Horn a assassiné un certain Lacroix, aujourd'hui, au cabaret de l'Epée-de-Bois, rue Quincampoix. Je passe sur les détails du crime qui sont horribles, mais il a tué pour voler cent cinquante mille livres ! Ayant fait, le comte de Mille, son complice, et lui, sautèrent par une fenêtre ; Mille se blessa à la jambe et fut pris par tous ceux qui étaient accourus aux cris du pauvre Lacroix. On le conduisit chez un magistrat qui trouva sur lui des billets tachés de sang. Il a nié, puis avoué.

— Et Horn ?

— Il se rendit le plus tranquillement du monde chez un autre magistrat auquel il déclara qu'il était la victime du vol ! Celui-ci le conduisit immédiatement sur le lieu du crime où arrivait Mille, ramené là aussi par la police. Les deux assassins furent confondus et Horn, soumis à la question, vient de tout avouer à son tour.

Il baissa la tête, puis se leva et se mit à arpenter le salon blanc qui semblait trop petit pour sa ronde de fauve en cage.

— Vous saisissez, dit-il enfin, qu'en un moment où le nombre des crimes, l'horreur des dénonciations, le péril qui nous vient de l'association de bandits de Cartouche et le vol des princes créent une situation explosive, cette affaire, éclatée rue Quincampoix et dont un parent du Régent est l'abominable héros, risque de déclencher l'anarchie ! Le Système a-t-il donc vraiment engendré cela : les assassinats, les suicides, les vols, le sang versé, les larmes ?

Son regard se posa sur Nathalie ; elle y lut la détermination et le désespoir.

— Voici l'épreuve la plus redoutable du pouvoir, Nathalie : la rue Quincampoix, les actions, la compagnie, le Système étant impliqués dans ce crime, j'ai dû demander un exemple, une exécution publique... et M. le comte de Horn n'a que vingt-deux ans ! (L'émotion, la pitié, l'horreur détimbraient sa voix.) ... J'ai laissé le Régent se débattre dans ce cauchemar, ajouta-t-il. Les condamnés de Nantes et ces deux misérables : que de lames acérées dans sa blessure ! L'incident qui l'opposa dernièrement à ce Horn ajoute encore bien des complexités à sa décision... Son Altesse royale voudrait, à cause de cet affront, céder à tous ceux qui déjà l'assiègent pour lui demander soit un internement, soit une exécution à huis clos...

Law se prit la tête dans les mains et l'on eût dit qu'il s'assenait à lui-même un martèlement violent alors qu'il répétait :

— Il faut un exemple ! Il faut un exemple ! Sans cela, demain cette ville sera livrée aux égorgeurs, aux voleurs, à la guerre civile !

Il revint vers Nathalie et lui dit lentement :

— Stanhope est arrivé à Paris aujourd'hui. Et, ajouta-t-il, j'ai donné l'ordre de fermer ce soir et à tout jamais les établissements et les boutiques de la rue Quincampoix.

L'ÉPREUVE

L'épreuve la plus redoutable du pouvoir est là : huit mille lettres s'abattent sur la table du Régent ; toute la noblesse d'Europe supplie pour le comte de Horn et, parmi elle, le seul ami de Son Altesse royale, le duc de Saint-Simon, et Mme la duchesse douairière d'Orléans, mère du prince et cousine du condamné.

D'autres supplications douloureuses, en faveur de Pontcallec, Montlouis, Talhouët, et Couëdic, sont venues de tous les vieux donjons armoricains. Les fées ne les habitent-elles pas et ne sont-ce point elles qui firent entendre, sous leurs voûtes de pierre, un conte qui ressuscitait les temps de la duchesse Anne et de l'indépendance tant aimée, sous la protection du roi d'Espagne ? Et le sang celte qui s'enflamme aux légendes s'était embrasé. Là, point d'atteinte à l'honneur, mais le texte d'une nouvelle chanson de geste, saisi et compulsé, a révélé « la sédition, la révolte, voire l'esprit républicain ! »

« Qu'importe, pense le Régent déchiré. Ces hommes sont fiers, hardis, désintéressés, purs ! Vont-ils payer pour M. du Maine, comme autrefois les complices de mon aïeul Gaston d'Orléans payèrent pour lui ? » Cependant, une voix qu'il ne peut étouffer lui dit : « Un acte de faiblesse entraînerait des conséquences que le tuteur d'un roi mineur n'a pas le droit de risquer... Mais infliger un supplice infamant au comte de Horn, mon cousin, mon rival heureux, n'est-ce pas rompre la solidarité féodale, accomplir une révolution[1] ? »

Un vers de Corneille passe dans sa mémoire ; il le jette à ceux qui le pressent : « Le crime fait la honte et non pas l'échafaud ! » ... Et il part s'enfermer à Saint-Cloud, après avoir signé la grâce des complices des quatre gentilshommes bretons qu'il abandonne à la justice.

Il est vingt-deux heures. A Nantes, Pontcallec, Talhouët, Couëdic et Montlouis, à la lueur des torches, montent à l'échafaud.

Au même instant, à Paris, en place de Grève, devant une foule que tout esprit, toute âme ont désertée, Antoine-Joseph, comte de Horn, qui n'a pas vingt-deux ans, achève sa terrible agonie devant le cadavre de Mille, comme lui roué vif.

Dans un cabinet du palais de Saint-Cloud, un visage ravagé aux yeux clos, où l'angoisse met sa fièvre et sa moiteur, se penche dans la lueur d'un flambeau. M. le Régent ne dort pas. Ses deux mains étreignent un livre aux fers précieux qu'il ne parvient pas à lire. La couronne princière d'or qui frappe le cuir cramoisi chatoie dans l'îlot de lumière cerné d'ombre ; elle surmonte *Le Banquet* de Platon. Si ce festin de philosophe a pu nourrir son adolescence, il ne parvient pas, cette nuit-là, à rassasier sa maturité désespérée.

A l'hôtel de Mercoeur, Law tisonne un feu récalcitrant qui ne peut combattre le froid qui a saisi son âme. L'aube le trouve penché vers les cendres où se consument, avec une étape de sa vie, quelques frémissements de sa jeunesse à jamais éteinte.

Ainsi, M. le duc d'Orléans et M. Law de Lauriston étaient-ils en quelque point semblables et secrètement liés par ce qui, en ce début du XVIIIe siècle, les rendait si profondément différents de la plupart des hommes.

1. Philippe Erlanger.

LE WESTERN FRANÇAIS

« Le Français naît Paul ou René. Plusieurs élargissent les " isles ", préfèrent
l'horizon infini des grandes forêts américai-
nes, la vie du promeneur, hôte errant des
tribus, favorisé la nuit du caprice des belles
Indiennes, libre au matin, joyeux, sans
soins, sans souvenir. C'est le rêve du
coureur de Bois. »

MICHELET.

Sur le bayou où glissent des pirogues, le mouvement régulier des rames
dans l'eau chasse les canards sauvages et les écureuils. Des ratons laveurs
grimpent précipitamment sur les grosses racines noueuses des boscoyaux, ces
cyprès des marécages, et des serpents, hôtes privilégiés de la forêt aquatique,
se déroulent pour fuir avec un bruit de soie. Dans ce décor d'ombre, où les
verts profonds se mêlent aux feuillages noirs qui évoquent des fonds marins,
étincelle soudain un feu d'artifice silencieux : un filet a volé au ras de l'eau,
puis s'élève, lourd d'une pêche miraculeuse et multicolore. De grands rires
éclatent, des rires d'hommes jeunes et insouciants. Ils tiennent là l'essentiel
du festin qu'ils vont préparer de bel appétit en faisant griller, au-dessus d'un
feu de branches, les poissons enfilés sur des flèches indiennes ; puis, laissant
les embarcations aller au fil de l'eau pour d'autres pêcheurs, ils repartiront
sur leurs chevaux rapides.

C'était le plein essor du « Western français », épopée oubliée qui précéda
les histoires brutales et sommaires de bornages et d'éleveurs de bestiaux du
XIXe siècle, dont se repaissent les hommes du XXe.

Au XVIIe et au XVIIIe siècle, de jeunes Français partaient, sans grands
chapeaux ni vestes à franges, vers l'Ouest américain qui les fascinait. Un
petit tricorne sur un catogan hirsute, une mince et redoutable épée au côté,
munis déjà d'armes à feu, ils étaient, eux aussi, de prestigieux cavaliers et
des navigateurs hardis. Ils allaient vers la « Mer vermeille », à la poursuite
de leurs songes, à la découverte de terres inconnues, des tribus indiennes et
des amours qui les guettaient au détour d'un fleuve ou d'un campement de
hasard. La belle aventure, ô gué ! quand on est né à Saint-Malo, à Honfleur,
à Dieppe ou sur les bords de la Seine ! Ils en feraient une geste dont la
tendresse et la fantaisie défient allégrement le folklore anglo-saxon qui l'a
pourtant rejetée dans l'oubli.

Les chevaux repartent au galop, soulevant en gerbes l'eau des marécages :
c'est M. Bénard de la Harpe, suivi de l'enseigne Simard de Belle-Isle, du
lieutenant du Rivage, et de deux Noirs ; ils vont, en grande hâte, vers les
Nassonites sur la rivière Rouge, car ils ont été prévenus par Juchereau de
Saint-Denis qu'un gouverneur espagnol, don Martin de Alacorne, veut
s'emparer de la région et y créer un poste.

— Il n'en est pas question ! crie Bénard de la Harpe en galopant. M. Cavelier de la Salle a pris possession de cette contrée pour le roi de France, en 1684 !

— Mais sommes-nous encore en guerre avec l'Espagne ? hurle du Rivage dans le vent de la course.

— Je l'ignore ! Raison de plus pour écarter les Espagnols de notre route, crie à son tour Belle-Isle.

— Il pousse dans ces plaines du maïs, des fèves, du blé, du tabac, du coton et des vignes ! Hourra ! En avant ! (La Harpe éperonne son cheval.) Amis ! Nous remonterons la rivière Rouge jusqu'au pays des Padoucas, des Apaches et des Quichastchas courtes jambes ! En avant !

Au soir de ce beau jour de 1720, dans le jardin du *Presidio del Norte* qui borde le rio Bravo, à l'heure où l'ombre discrète dissimule les audacieux, doña Maria, fille du gouverneur don Pedro de Velesca, se promène, tendrement enlacée par son galant, qui n'est autre que Juchereau de Saint-Denis qu'elle a épousé secrètement, avec l'assentiment de son père.

La France et l'Espagne peuvent bien se déclarer la guerre ; l'amour, pour tout Espagnol, est un passe-muraille et un contrebandier. S'il le faut, il en court tous les risques, ce qui ne fait que le grandir. On peut gager que ces jeunes gens échangèrent alors à peu près ces propos :

— Ah ! Maria, je viens de passer des mois merveilleux, caché dans votre chambre ! Et voici notre dernier soir dans ce jardin, ma mie.

— Est-il vraiment impossible que vous restiez encore ou que vous m'emmeniez à Biloxi ?

— Songez, mon cher cœur, que des cavaliers rôdent autour de la maison, questionnent les domestiques de votre père et me guettent dehors. Seul, je leur échapperai facilement ; mais avec vous, il n'en serait pas de même et vous êtes enceinte !

— J'ai grand-peur pour vous.

— N'ayez crainte... Mgr le duc de Linarès, vice-roi du Mexique, n'aura pas la joie de me remettre dans ses prisons de Mexico et comme il l'a fait ensuite, de me traiter princièrement dans son palais, à seule fin de le distraire et de m'éblouir.

— Ou plus exactement de vous mettre en état d'éblouir, par vos récits, M. de Lamothe-Cadillac !

— Et de le faire crever de jalousie. Mais M. de Lamothe-Cadillac n'est plus gouverneur de la Louisiane, qui n'est même plus gouvernée par le roi de France, ni par M. Crozat ! Ces temps sont révolus, mon amour.

— Qu'est-il devenu, ce bougon de gouverneur ?

— Il grogne à Paris contre notre nouveau maître, M. Law, mais en vérité tant de gens grognent contre lui qu'on n'entend plus qu'une seule voix !

— M. de Bienville s'est-il consolé du départ de Mlle de Lamothe-Cadillac ? N'est-ce pas pour ses beaux yeux, plutôt qu'en l'honneur du comte de Toulouse, qu'il a baptisé un fort « Toulouse » au pays des Alibamous ?

— Les Lamothe-Cadillac sont en effet originaires de cette ville et Mlle de Lamothe-Cadillac a de beaux yeux, comme on en voit dans ce pays proche du vôtre, mais Bienville, qui l'a aimée, n'a jamais pu se résoudre à devenir le gendre de son pire ennemi.

— Quand pourrai-je aller vivre avec vous à La Nouvelle-Orléans, dont j'entends dire tant de merveilles par les voyageurs ?

— Dès mon retour, j'y ferai construire une maison, dans le style nouveau qu'a inventé M. de Pauger pour celles de la Compagnie des Indes.

— Comment sont-elles donc ?

— En bois, sur pilotis, entourées d'un balcon à colonnade. C'est audacieux, mais pratique et agréable. La ville deviendra, je crois, assez belle : les rues seront bien alignées et de largeur commode. Au fond de la place qui fait face au fleuve, se trouvent déjà l'église, la demeure des directeurs et les magasins de la Compagnie des Indes. Tous les bâtiments sont harmonieux et semblables, ce qui est du plus heureux effet : ils n'ont qu'un rez-de-chaussée, élevé d'un pied et les façades sont couvertes de belles écorces. Des groupes de cinq maisons forment un carré, sorte de petite île entourée de fossés de drainage et d'assainissement et chacun de ces carrés aura une petite place et un jardin.

— Ce sera superbe ! Connaissez-vous beaucoup de monde, là-bas ?

— Certainement. Et vous y verrez des choses étonnantes, telles que la découverte de M. Alexandre, chirurgien et botaniste de la Compagnie des Indes. Figurez-vous qu'il fabrique des chandelles qui éclairent deux fois plus que les autres, avec le produit d'un arbrisseau qui porte une petite graine remplie, au printemps, d'une matière gluante et verte, laquelle, jetée dans l'eau bouillante, y surnage et devient pareille à la cire des abeilles ! En attendant, votre père me fait évader cette nuit et il nous faudra subir à nouveau un destin contraire et pour combien de mois encore ?

Les deux jeunes gens durent s'étreindre, en proie à beaucoup de détresse. Leur jeunesse et leur tendresse répugnaient à la séparation ; ce beau jardin exotique, que par précaution ils ne visitaient que la nuit, plein de fleurs tropicales et d'oiseaux endormis, formait l'inoubliable décor de leurs singulières amours.

Avant l'aube Juchereau de Saint-Denis enfourcha son cheval et, semant ses poursuivants, trompés par une manœuvre de diversion organisée par son beau-père, s'élançait à travers le Texas, en direction du Mississippi[1].

Français d'alors, que la course était belle à travers ces espaces immenses qui se donnaient à vous ! Une des plus extraordinaires contrées du monde vous ouvrait ses vallées aux terres rouges, ses cañons aussi vertigineux que vos mirages secrets, ses déserts tourmentés, ses forêts peuplées d'arbres géants, ses vastes plaines qui vous apparaissaient dans un éclairage de terre promise. Tout était ici démesuré et splendide comme vos songes !

Au Nord, entre les grands lacs, dans le pays des Iroquois, se déroulait

1. Bibliographie.

l'aventure de la guerre reprise contre l'Anglais. Si les Espagnols se trouvaient solidement implantés à l'Ouest, dans les nouveaux royaumes de León et de Biscaye, et au Nouveau-Mexique, les Anglais, eux, encadraient la Louisiane et la Nouvelle-France, entre la longue côte de l'Est et les monts Appalaches. Ils voulaient l'Amérique du Nord tout entière. Les gazettes de Londres n'étaient-elles pas entrées en lice ? N'avaient-elles pas écrit et répété que la Louisiane représentait un danger mortel pour les établissements britanniques ? N'avaient-elles pas entraîné la nomination de Nicholson au poste de chef suprême, pour une expédition militaire contre les Français, en dépit des alliances conclues en Europe ? Et on s'était battu entre les lacs Erié et Ontario ; un poste avancé, pris aux Français, fut repris sans tarder par M. de Vaudreuil et ses hommes. Le capitaine Joncaire et quelques soldats tenaient le fort et défiaient les troupes envoyées par le gouverneur de New York. Les adversaires se préparaient à un nouvel affrontement : les Anglais ralliaient-ils les Indiens Chicachas qui se battaient aux côtés des troupes de Vaudreuil, que Bienville les remplaçait aussitôt par les Chactas. L'offensive semblait arrêtée en raison de cet équilibre des forces vite rétabli.

Et voici qu'apparaissent d'autres Français, jeunes, ardents, aventureux, et de moins jeunes. Leurs armes et leurs habits étonnent, mais leur audace, reflet des traits typiques de la race, est également faite d'un pragmatisme qu'inventent au jour le jour la ruse, le savoir-faire, une imagination inépuisable et une vivacité d'esprit qui surprennent et déroutent l'adversaire. Ces Français-là portent la soutane noire des jésuites et savent se faire entendre, même fort loin de là. C'est ainsi qu'à New York, le père Le Maire [1], qui sut en Europe gagner la confiance du nouveau gouverneur de la ville, jette le trouble dans son esprit :

— N'allez pas dans la vallée de l'Ouabache, monsieur le gouverneur. Vos troupes n'en sortiraient pas, car la Compagnie des Indes en a envoyé là d'infiniment plus importantes !

Quelles sont donc ces troupes redoutables que ces diables de Français ont regroupées là ? Elles se composent exactement de douze jésuites et du lieutenant de Vincennes, qui compte il est vrai à son actif tant de faits d'armes extraordinaires qu'il a été surnommé dans toute la Louisiane « Fort Ambulant » !

Dans le petit poste fortifié où il vient d'arriver en compagnie de ces douze jésuites, il commente, sans illusions mais avec humour, la situation pour les quelques militaires qui, face aux soldats anglais, attendaient les renforts importants promis par la Compagnie des Indes.

— Les renforts importants, c'est nous, dit-il sans sourciller. Il faut y ajouter — ce qui n'est pas négligeable — un messager envoyé au père Le Maire, afin qu'il explique au gouverneur de New York que nous représentons une force très supérieure aux siennes, ce qui, à certains égards, est vrai, douze jésuites valant mieux que quelques centaines d'étourneaux !

---

1. Ancien vicaire à Saint-Jacques-du-Boucher, à Paris, église dont il ne reste que la tour Saint-Jacques.

Donc, j'ai tout lieu de croire que l'offensive que nous redoutons n'aura pas lieu !

Ce n'est pas gai, un petit fort construit à la hâte, même sur les rives merveilleuses du lac Erié. Les jésuites s'en soucient peu. Les autres hommes rapprochent leurs escabeaux de bois de la longue table qui les rassemble dans la salle de garde, semblable à toutes les salles de garde du monde.

— Mais enfin, monsieur, questionne un jeune militaire, pourquoi la Compagnie des Indes nous traite-t-elle ainsi ? Elle promet tout et ne tient rien...

— C'est que les discordes et la confusion règnent de plus en plus au sein du conseil de Louisiane ! répond Vincennes. L'arrivée du personnel des grandes sociétés de colonisation ne fait qu'aggraver un état préexistant. En dépit des difficultés immenses et de nombreux échecs, des groupes parviennent à s'implanter solidement et de vastes domaines se constituent. Mais les désillusions et l'amertume s'installent aussi de plus en plus. Les colons courageux, intelligents et qui avaient bien préparé leur entreprise s'opposent très vivement aux principes de gouvernement qui diluent les responsabilités et l'autorité, et paralysent les dirigeants ; ils protestent aussi vigoureusement contre les entraves qui interdisent la liberté du commerce et se rebellent contre les riches agioteurs de Paris, leurs associés sur le plan financier ; on dit, à La Nouvelle-Orléans, que ceux-ci n'engagent au Mississippi qu'une faible partie de leurs gains fabuleux et qu'ils ne jouent pas le jeu auquel on les a conviés : celui du développement de la Louisiane et de la création d'une grande nation. Ils ne voient rien, ne comprennent rien et n'ont d'autre ambition que de gagner beaucoup en donnant peu !

Les jeunes soldats qui avaient, eux, déjà beaucoup donné et renoncé pour la Louisiane, écoutaient, ébahis :

— Vont-ils nous lâcher ? demanda l'un d'eux.

— Il y a pire, mes amis ! dit un des membres de « la force redoutable » qui suivait la conversation. Il y a les complots qui ont pour objet d'abattre le Système, en France et ici ! Dites-vous bien que si jamais M. le contrôleur général [1] n'était plus en état de se défendre et de nous défendre, nous verrions bien des choses !... Et d'abord les frères Lemoyne ne tarderaient pas à être chassés de Louisiane.

— Est-ce pensable ? demanda Vincennes, incrédule.

— Si nos renseignements sont exacts, dit un autre jésuite, et ils le sont toujours, les Anglais dressent les tribus Natchez contre nous, à seule fin de les préparer à un massacre généralisé de tous les Français de Louisiane, ce qui serait une solution radicale du problème que leur pose notre présence en Amérique [2].

Les militaires protestèrent :

— MM. de Bienville, de Chateaugay, de Sérigny, de Boisbriand, leurs autres frères et amis sauront empêcher une offensive indienne de cette envergure !

1. A cette date, on ignorait encore en Louisiane que Law était devenu surintendant des Finances.
2. Le massacre sera perpétré en 1729 et détruira une partie de la population française de Louisiane.

— Croyez-nous, leur situation en Louisiane est précaire ! répondit le père jésuite qui avait parlé le premier. Presque aussi précaire que celle de M. le contrôleur général à Paris. Ici comme là-bas, les Anglais sont à l'œuvre !

Le missionnaire pensa au sourire ambigu de la Tencin, aux intrigues qu'elle menait avec Dubois, aux servilités de ses supérieurs dont il avait été le témoin au cours d'un bref passage dans la capitale et son visage se contracta douloureusement. Sa soif d'évasion, à lui, était faite du besoin de fuir ces abominations.

A des propos semblables, tenus dans un décor identique mais au bord du fleuve Missouri, le capitaine du Tisné, Parisien très averti, ajoute pour de jeunes militaires qui, là aussi, interrogent et s'interrogent :

— Ne soyez pas étonnés ; certains des directeurs de La Nouvelle-Orléans, hormis Bienville, ont partie liée avec les frères Dubuisson, intendants et agents de Pâris-Duverney associé à l'anti-Système, au Parlement de Paris et aux financiers de Londres. Les Dubuisson ne s'occupent pas que de la culture du ver à soie, croyez-le ! On a bien vu que les forçats, tueurs et pillards, que le Parlement nous a envoyés, n'ont pas touché aux concessions de tous ces gens-là ! Ce ne sont que des marionnettes dont les ficelles sont agitées à Londres et M. de Bienville se prend les pieds dedans, à ce que l'on dit.

Le capitaine du Tisné ne continua pas son propos ! Le bruit d'une cavalcade, accompagné de ces cris aigus que poussent les sauvages, lui coupa la parole. Tous les hommes se précipitèrent dehors, armes à la main, mais à la tête de ce détachement de cavalerie indigène surgi de la forêt, le jeune chef couronné de plumes qui les saluait d'un rire éclatant avait la blondeur normande et le regard clair des Vikings, ses lointains ancêtres : c'était l'enseigne Etienne Veniard de Bourgmont, heureux époux d'une princesse indienne, chef reconnu par dix tribus, héros des héros de cette terrible génération de jeunes hommes venus de France, nés et bercés dans les nids des corsaires, beaux oiseaux de mer qui ameutaient le monde contre leurs grandes migrations.

— Etienne ! s'écria Tisné fort joyeux. Vous, enfin !

Après qu'Indiens et Français se furent livrés à un cérémonial de salutations compliqué, tandis que les hommes s'égaillaient autour du fort Orléans, Bourgmont et Tisné rentrèrent dans le poste de garde. Bourgmont déposa sur la table sa coiffure de plumes, jeta un regard circulaire sur les murs nus et le décor austère et banal du lieu, puis avoua :

— Je ne revois pas sans émotion ce fort Orléans que j'ai construit avec mes Indiens, envers et contre les directeurs de la Compagnie des Indes — ceux de La Nouvelle-Orléans, tout au moins. Depuis mon dernier passage ici, que d'événements, en vérité !

— Vous êtes allé en France ?

— A Paris, et j'ai vu M. Law.

— Vous l'avez vu ! Vos impressions ?

— Ses aspirations et ses projets pour la Louisiane sont à l'opposé des buts et des façons des directeurs d'ici. Je ne le lui ai pas caché, et ai découvert que je ne lui apprenais rien ! Il est sans illusions, sans espoir peut-être, mais il se bat comme un soldat. Toutes les nations sont contre lui, la Cour aussi et ses puissantes factions, le Parlement tout entier.

— Qui le soutient à cette heure ?

— M. le Régent et le peuple de France.

— Ce n'est pas mal.

— C'est peu, en vérité. Il est comme un assiégé dans une forteresse dont la garnison serait trop faible et autour de laquelle des sauvages dix fois plus dangereux, stupides et nombreux que les Alibamous ou les Chicachas, exécutent une danse de mort. Nous connaissons cela...

— Quel tableau peignez-vous là !

— Celui-là même que j'ai vu. Alors je lui ai dit comme on dit en pareil cas : Risquons une sortie, monsieur, je suis à vos côtés ; j'ai des alliés, ils seront les vôtres... Il m'a répondu : repartez en Louisiane, réconciliez entre elles et ralliez-nous les nations sauvages qui se situent entre le Mississippi, le Missouri et le Nouveau-Mexique. Allez vers les hautes vallées qui sont, paraît-il, si belles, approchez-vous le plus possible des territoires tenus par l'Espagne pour affirmer jusque-là notre souveraineté. Quand vous aurez rempli cette mission, exécutez le dessein que vous avez formé de nous amener des chefs de tribus indiennes, pour leur donner une idée de la puissance et de la magnanimité de la France et pour témoigner de notre position et de nos projets d'Amérique. Nous les recevrons comme des princes et conclurons avec eux des pactes d'amitié et d'alliance. En arrivant à Biloxi, j'ai rendu compte de ces ordres à Le Gac, Lacerbault et Delorme ; ils m'ont refusé tous les moyens de les exécuter : ni hommes, ni bateaux, ni vivres, ni chevaux. Bienville ne fut guère plus conciliant, bien qu'il soit au plus mal avec eux et prenne généralement le contre-pied de tout ce qu'ils disent et font. Je lui ai parlé de M. le contrôleur général, de sa bienveillance à son égard, je lui ai assuré qu'il est le seul à voir comme lui les besoins et l'avenir de la Louisiane ; cela ne l'a pas gagné à notre cause, au contraire. J'ai compris que M. Law n'est pour lui qu'un rival : il y a deux maîtres pour cet empire. Qui l'emportera ?

— Dès lors, qu'avez-vous fait ?

— J'ai retrouvé mes Indiens.

— Et votre princesse ?

— Euh... à vrai dire, je m'en suis un peu lassé. C'est pourquoi j'ai offert mes services à la compagnie et suis parti en France. En revenant, j'ai failli en trouver une autre !

— Comment cela ?

— Point à la façon d'un roman, comme pour la première, car le cœur n'y était point mêlé.

— Contez-nous cette histoire !

— C'est une ballade américaine que j'ai vécue depuis mon retour pour le service de M. Law !

— Vous m'intriguez. Je sais ce que l'on peut attendre de vous, qu'il s'agisse d'amours, de conquêtes, ou de découvertes. N'allez-vous pas toujours à l'extraordinaire ?

Bourgmont sourit, mit un pied sur un escabeau, s'accouda sur son genou et rejeta en arrière les cheveux blonds qui balayaient ses yeux bleus rieurs et son visage hâlé :

— Vous connaissez le pays des Kansas ? (Tisné fit signe que oui, sans vouloir l'interrompre.) Ces hauts plateaux arides bordés de montagnes, ces défilés, ces falaises abruptes, ces pierrailles dans lesquelles pousse une végétation étrange, ces paysages grandioses qui n'ont pas bougé depuis la création du monde ? J'y entrais, drapeau royal déployé derrière lequel quelques Français battaient nos tambours et suivis de mes Indiens Missouris ; je redoutais tout, mais aussi j'espérais tout. Or, voici que le grand chef des Kansas surgit avec ses cavaliers, courut à moi et ce fut pour m'accueillir avec enthousiasme ! Il savait que je venais de vivre dix ans dans la tribu de mon beau-père, que certains de mes Français avaient, eux aussi, une épouse indienne. Il organisa un festin, des danses, accepta de m'accompagner chez les Padoucas et de faire la paix avec eux, selon les instructions de M. le contrôleur général. Il me présenta sa fille. Je compris vite qu'il voulait me détacher tout à fait de ma princesse Missourite et m'avoir pour gendre ! La belle déploya toutes ses séductions, mais hélas je n'ai plus vingt ans, et le goût m'est revenu des femmes d'Europe. Cet attrait de la sauvagerie, qui pousse ici tant de jeunes gens vers ce genre d'aventure, m'a quitté... Mais il ne fallait décourager ni la belle, ni surtout son auguste père. Je fis mine d'être tenté ; dès lors, le peuple entier des Kansas se mit en marche derrière mon drapeau et mes tambours, et nous entrâmes ainsi chez les Padoucas. Là, l'accueil fut en effet extraordinaire. Ce fut, parmi des danses et des cérémonies, la réconciliation générale des tribus. On se saisit de moi et on me porta en triomphe [1] ! Spontanément, des messagers sont alors partis pour convoquer ici, à Fort-Orléans, un grand conseil qui comprendra aussi des représentants des Osages et des Octatas. Ils désigneront les délégués indiens qui iront en France pour être présentés à Louis XV [2].

— Sa Majesté sera émerveillée par leurs belles plumes, leurs armes et leurs visages peints !

— J'envoie aussi une femme, figurez-vous, une princesse Missourite, « promise » d'un de mes sergents, le brave Dubois, auquel je ferai donner du galon pour être à la hauteur de sa royale épouse ! M. le contrôleur général consent à ce qu'elle soit baptisée et mariée à Notre-Dame de Paris. Il trouve même l'idée magnifique !

— Cela ne m'étonne ni de lui ni de vous !

Les directeurs de la compagnie et Bienville m'ont prévenu qu'ils n'accepteraient pas de prendre en charge mes indigènes et qu'ils ne paieraient pas leur voyage. J'assumerai donc ces dépenses moi-même [3], mais

1. Bibliographie.
2. *Idem.*
3. Ce qu'il fit ; mais les difficultés qui lui furent suscitées retardèrent considérablement le voyage des Indiens, qui n'arrivèrent en France qu'après le départ de Law. Le mariage du sergent Dubois à Notre-Dame et la présentation à Versailles n'eurent plus alors que le caractère d'un amusement folklorique.

ils ne me voleront pas la pleine réussite de la mission que m'a confiée M. Law ! Je veux, à mon tour, traiter royalement les membres du grand conseil ; je vais donner l'ordre de préparer un grand festin, des danses et, en bon chrétien, je veux, en plus, qu'un *Te Deum* soit ici chanté par mes Français. Vous avez bien par là quelque jésuite pour donner le ton et entraîner le chœur ?

— Certes, certes, mon ami ! J'en ai amené avec moi pour explorer le Missouri. Je dois accomplir, sur vos traces, ma prochaine mission.

— Moi, j'irai rejoindre Bénard de La Harpe dans les hautes vallées du pays des Arkansas.

— Et maintenant préparons la fête. Que tout soit mis en œuvre pour recevoir dignement les chefs indiens au nom de Sa Majesté le roi de France !

A peu de temps de là, après que le grand conseil eut solennellement désigné les délégués qui seraient envoyés à Versailles et que le *Te Deum* eut été chanté, la fête emplit de ses cris et de ses danses la nuit américaine. Bourgmont, coiffé de sa couronne de plumes, siégeait singulièrement à côté du drapeau blanc à fleurs de lis planté en terre ; les tambours français mêlaient leurs roulements à ceux des tambours indiens et nos fifres accompagnaient le chant plaintif des flûtes de roseaux.

C'était, dans l'Ouest américain, pour un soir, l'accomplissement du grand rêve de John Law.

LA STUPEUR ET L'ANGOISSE

La stupeur était sur Paris.

Les mesures énergiques prises par le gouvernement avaient ramené un calme relatif. L'élévation du contrôleur général au rang de surintendant des Finances impressionnait. On disait que l'abbé Dubois allait recevoir lui aussi des honneurs extraordinaires. Le Régent voulait sans doute régénérer le fameux triumvirat. Son âme blessée souhaitait la paix et la concorde. Il comptait sans l'Angleterre. Fait unique dans l'Histoire du Royaume-Uni, son Premier Ministre, ayant destitué l'ambassadeur Stairs, siégeait en plein Paris ; tout était à sa solde.

Une étrange campagne se déchaîna aussitôt contre Law, inquiétant prélude composé de sifflements de reptiles. Des libelles perfides, des caricatures haineuses inondèrent Paris, la France, l'Europe. Ils venaient de Hollande, d'Angleterre et de la demeure de Mme de Tencin, qui avait installé chez elle une imprimerie clandestine [1]. Après cette préparation d'artillerie, le surintendant vit venir à lui des maîtres chanteurs ; ils ne disposaient que de la calomnie et furent écartés avec hauteur. Le bruit fut

1. Documents conservés au Cabinet des Estampes de la Bibliothèque nationale.

alors répandu que le ministre des Finances faisait des crises de démence ; pour accréditer cette inquiétante nouvelle, de nature à saper la confiance et l'espoir des actionnaires de la Compagnie des Indes, on fabriqua des anecdotes qui frappaient l'opinion, trouvaient du crédit [1] et tournaient John Law en ridicule. On les répétait en riant, en les embellissant.

Law s'était attendu à bien des épreuves, pas à celle-là. Il voyait d'importants personnages de l'Etat l'aborder l'air inquiet, compatissant, ou railleur. Il sentait un cercle infernal se refermer sur lui. Il ne s'y fit pas. Ses nerfs le trahirent ; il perdit le sommeil.

Nathalie comprit alors qu'il fallait réagir.

Une nuit qu'il arpentait sa chambre, elle se leva, vint à lui, se fit énergique :

— Toute cette affaire n'est rien, John, absolument rien, portez-la en compte et mettez zéro !

Il la regarda étonné ; elle poursuivit :

— Ce qui doit être présent à votre esprit et dans l'opinion de ce pays, c'est que la Compagnie des Indes vient d'occuper cette île de l'océan Indien que vous avez nommée l'île de France [2] et où vous bâtissez un autre Port-Louis ; c'est qu'elle vient d'acheter Belle-Isle-en-Mer, parce qu'il lui faut construire de nouveaux et nombreux entrepôts pour contenir l'énorme quantité de ses marchandises et de ses biens ; c'est que l'île Bourbon [3] est encombrée de vos comptoirs et peuplée de vos commis ; c'est que cent cinq vaisseaux, sans compter les frégates et les brigantins, constituent maintenant la flotte dont vos actionnaires sont, grâce à vous, propriétaires ; c'est que dix mille personnes se sont déjà embarquées à ce jour pour la Louisiane et que vous pouvez maintenant leur accorder deux cent quatre-vingts arpents de bonnes terres, les exempter d'impôts pendant trois ans et les munir enfin d'outils, de vivres et d'argent !

— C'est pourquoi M. d'Argenson a repris les ignobles enlèvements pour le Mississippi ! Il faut toujours que tout soit masqué, gâté, détruit ! c'est la lutte, la vieille lutte implacable, éternelle, du bien et du mal, toujours présente, partout...

Ils discutèrent longtemps, pied à pied, elle le contraignant à retrouver peu à peu le terrain des certitudes où il pouvait reprendre appui. Ces combats sans haine, où l'amour et la lucidité s'efforçaient de désarmer l'angoisse, leur devenaient familiers. A l'aube, ils s'endormirent enfin.

Ainsi passa le mois d'avril, dans la préparation fiévreuse du second décret, le plus important, celui que Law appelait la dernière pierre de son édifice et dont on craignait tant qu'il ne le mît à terre. Le surintendant soutenait désormais, sans faiblir, l'assaut quotidien de ses opposants parmi lesquels se trouvaient ses amis, ses collaborateurs les plus fidèles ; il soutenait même

1. Elles en ont encore trouvé auprès de quelques « historiens » contemporains !
2. L'île Maurice, chef-lieu Port-Louis. Prise par les Anglais en 1810. Le français y est encore parlé par cent mille créoles.
3. L'île de la Réunion.

l'insolite approbation de M. d'Argenson, hautement proclamée et qui faisait frémir jusqu'au Régent lui-même. Dutot n'hésitait pas à dire :

— Votre Grandeur ne voit pas où l'on veut en venir ! Ce sont vos ennemis qui vous encouragent à persévérer et qui, sans doute, vous ont conseillé cette mesure funeste !

M. de Saint-Simon et bien d'autres ne raisonnaient pas autrement. Seule, la claire intelligence de Philippe d'Orléans, capable de jeter encore de brèves et vives lueurs, saisissait une part de la pensée audacieuse et géniale qui, par moments, le fascinait à nouveau.

Puis ce fut mai avec son éclatement de bourgeons, de fleurs et de lumière. Le 3, entra en application la gratuité de l'enseignement dans l'Université de Paris, décidée par Law quelques mois plus tôt. Dans le jardin des Tuileries, un cortège solennel défilait dans le soleil : bacheliers et docteurs aux robes de couleurs vives bordées d'hermine, carmes, jacobins, cordeliers et augustins dans les nuances d'automne. Sur une tribune dressée devant le palais, à côté de l'enfant roi qui applaudissait sans le savoir tant de poignantes, tant de hautes espérances, Law, en qui tressaillait l'âme de cette fête, la regardait se dérouler sans parvenir à y croire.

De légères voitures découvertes, entrées dans le parc, s'étaient immobilisées aux abords du parcours où devait passer le défilé ; de jolies femmes y étalaient leurs robes claires et tout le luxe éclatant de ce printemps-là. Les bijoux proscrits étaient remplacés, avec magnificence, par des parures de fleurs et de rubans. Des marchandes de coco, d'oublies et de boissons fraîches couraient entre les équipages ; des enfants criaient, riaient, agitaient des crécelles, lançaient des ballons bleus et roses.

Dans une de ces voitures, revêtue d'une robe blanche et si peu parée qu'elle se remarquait, Nathalie essayait de tout voir, de tout saisir, de tout sentir. Elle était venue là, seule et sans apparat, pour tenter de deviner les réactions et les pensées du public. Tout d'abord elle ne vit que Law, Law et Louis XV, l'un près de l'autre, l'un par l'autre mêlés à l'événement, si étroitement liés en cet instant. L'enfant partageait-il l'émotion de l'homme penché vers lui, qui tentait de lui faire saisir le sens de ce qui se déroulait sous ses yeux ? Rare instant, en vérité, que celui-là, où le roi dut entendre un langage que nul ne lui tenait jamais [1] et ne lui tiendrait plus.

La foule le dévorait des yeux ; dans les regards du peuple comme dans ceux des bourgeois, des intellectuels nombreux en cette cérémonie, ou des gentilshommes, se lisait la même adoration pour cet enfant d'une irréelle beauté, qui était à la fois fils et père de la nation et parfait puisque innocent encore, doté de toutes les qualités, chargé de toutes les espérances, accablé sans le savoir de tous les rêves : Louis le Bien-Aimé, à qui on ne pourra pardonner un jour de n'être que lui-même. Louis le Bien-Aimé portait ainsi en lui le germe de la violente déception qui engendrerait une autre révolution, celle du sang et de la Terreur.

Law avait redressé sa haute taille. Il contemplait maintenant le cortège.

1. 1720.

C'est alors que son regard croisa celui de Nathalie, étincelle par eux seuls perçue et qui les brûla par-dessus tout ce qui les séparait. Mais l'attention de Nathalie dériva brusquement vers la tribune où avaient pris place les princesses du sang et les femmes de la Cour réduite du Régent. Caterina y trônait.

Soudain, une silhouette se glissa jusqu'à Nathalie, une main se posa sur le bord de sa voiture. Elle sursauta :

— Monsieur de Marivaux ! Il y a longtemps que...

— Très longtemps...

Il remarqua la simplicité de sa mise, sa pâleur, sa minceur...

— Vous avez l'air d'une jeune fille !

Elle rit. C'était un rire bien nerveux.

— C'est une grande œuvre que nous fêtons aujourd'hui ! M. le surintendant doit en être loué et heureux... Comment va-t-il ? J'ai entendu dire qu'il n'était pas fort bien, très surmené dit-on. Cela se conçoit...

Elle vit luire dans son œil une curiosité qui lui parut intolérable.

— Je vous en prie, n'accordez aucun crédit aux bruits qui circulent à ce sujet...

— Oui-da ! criait près d'eux un cocher. C'est bien dommage que Law ait perdu la boule, car c'est beau, ma foi, ce qu'il fait aujourd'hui !

— Regarde-le, lui répondit un compère. Il a l'air de n'y plus rien comprendre : on dirait qu'il porte un mort en terre !

Nathalie et Marivaux se tournèrent vivement du côté de la tribune. Law, impassible, semblait ailleurs.

— Ne croyez pas ces bruits absurdes, mon ami...

— Si vous me l'ordonnez, je ne les croirai pas. (Il souriait, comme autrefois quand il s'inclinait devant ses caprices de jeune femme.)

— Monsieur de Marivaux... que pensez-vous de la situation ?

— Qui dirait jamais, ici, à cette heure, madame, dans ce sillage de beauté, de soie et de joie, que l'on tue et pille par toute la ville ? Ce soir, il y a bal à l'Opéra ; j'aimerais vous y retrouver... Il paraît que l'on y verra des robes de gaze d'or et d'argent telles qu'on n'en a jamais imaginé, des plumes venues du bout du monde et des manteaux de dentelles sans prix. Figurez-vous que l'on a trouvé tout à l'heure, près du Temple, dans un carrosse renversé, une femme coupée en morceaux ! Cette danse sur les morts est bien extraordinaire !

Nathalie se sentit encerclée, isolée ; elle eût voulu trouver ce cercle invisible, le briser, mais on ne défait pas ainsi les tours d'enchantement d'un mauvais charme.

— Ne viendrez-vous pas ce soir au bal ?

Etrange chose, en un tel moment, que d'être conviée à un bal ! Dans l'ombre de son petit chapeau de paille que retenait une écharpe de mousseline nouée sous le menton, ses yeux exprimèrent un étonnement immense.

— Je crois que vous ne viendrez pas, dit Marivaux qui prit sa main, la baisa. Bonsoir, mon cœur…, dit-il encore ; et sur ce mot d'autrefois, il s'éloigna parmi la foule.

Le mois de mai 1720 s'avançait dans toute sa gloire. Exceptionnel mois de mai, rayonnant de beauté et de lumière comme s'il dut être le dernier. Rien n'y manquait, ni l'odeur de l'herbe chauffée par le soleil, ni le tournoiement des fleurs d'arbres emportées avant l'heure, ni les promesses d'un traité de paix. Le 20, était ratifié à La Haye l'adhésion de Philippe V à la Quadruple Alliance, qui consacrait le triomphe de la politique de Dubois.

Des souverains d'Europe disposaient des îles enchantées : la Sicile à l'Empereur germanique, la Sardaigne au duc de Savoie et, pour le fils de la reine d'Espagne, les duchés italiens. Cependant, le problème de Gibraltar n'était pas résolu et, ce 20 mai, Philippe d'Orléans croyait entendre dans les consonances de ce nom le ressac profond des deux mers qui se rejoignent aux colonnes d'Hercule et battent le rocher qui les domine. Cette vision l'obsédait lorsqu'il vit surgir dans son cabinet son ministre des Affaires étrangères. Le moment de la signature de la Quintuplice paraissait favorable pour tenter une démarche depuis longtemps projetée. Le Régent observait la lueur qui allumait les yeux vifs de l'abbé, les tics multipliés sur son visage où chaque forfaiture avait marqué un sceau infâme.

— Monseigneur, j'ai fait un songe plaisant ! J'ai rêvé que j'étais archevêque de Cambrai !

— Qui ? toi, archevêque de Cambrai !

Quel mépris en si peu de mots ! Il fallut citer des exemples. « Malheureusement, il n'y en avait que trop, et en bassesse et en étranges mœurs… M. le duc d'Orléans, moins touché de raisons si mauvaises qu'embarrassé de résister à l'ardeur de la poursuite d'un homme qu'il n'avait plus accoutumé d'oser contredire sur rien, chercha à se tirer d'affaire et lui dit :

« — Mais tu es un sacre [1], et qui est l'autre sacre qui voudra te sacrer ?

« — Il n'est pas loin d'ici !

« — Et qui diable est celui-là ?

« — Votre premier aumônier, qui est là dehors, je vais le lui dire !

« Il embrasse les jambes de M. le duc d'Orléans qui demeure court et pris sans avoir la force du refus, sort, tire l'évêque de Nantes à part, lui dit qu'il a Cambrai, rentre, caracole, loue, admire, scelle de plus en plus son affaire en la comptant faite et en persuadant le Régent qui n'osa jamais dire non [2]. »

Dans la journée on remit au Régent une lettre du roi d'Angleterre qui le pressait en faveur de Dubois : « Il s'agit de notre intérêt commun et de votre gloire », affirmait George Ier !

On apprit sans plus tarder que l'archevêque de Rouen allait, en huit jours,

1. Un fripon.
2. Saint-Simon.

492

faire franchir à Dubois tous les échelons de la hiérarchie sacerdotale et l'ordonner prêtre !

Ce nouveau scandale agitait déjà dans la soirée la Cour et la ville. Aux premiers cris d'horreur que ce cynisme soulevait, Dubois répondit superbement :

— « Je suis un vieux cheval de trompette, le bruit ne m'épouvante pas. »

A vrai dire, beaucoup d'esprits étaient ailleurs, y compris celui du Régent. Le décret de Law — tant redouté — passait le lendemain, mais le tollé soulevé par Dubois faisait déjà gronder la foule qui perdait le peu de confiance que lui inspiraient encore le Régent et son gouvernement.

LA PRÉTENDUE BANQUEROUTE

L'aube du 22 mai 1720 se leva sur un jour qui paraissait semblable aux autres. Avant que le soleil, qui promettait d'être chaud, eût atteint son plein éclat, le jardinier de l'hôtel de Mercœur entreprit d'arroser ses plantes les plus fragiles. Nathalie, qui somnolait après une nuit sans repos, entendit par sa fenêtre ouverte l'averse délicate et perçut les senteurs évaporées de la terre et de l'herbe mouillées. Elle courut à son balcon : quelle ivresse dans cette matinée, quels élans, quel goût de vivre s'éveillaient en même temps que sa lumière de paradis ! Le jardinier, surpris à sa besogne, agita vers Mme de. son chapeau ; elle lui fit un bonjour amical de la main puis rentra dans la demi-obscurité de sa chambre où tant d'ombres la ressaisirent. Depuis quarante-huit heures, Law ne quittait pas l'hôtel de Nevers.

Le Parlement et le conseil de Régence étaient en vacances pour les fêtes de Pentecôte. Les princes de Bourbon et de Conti, Saint-Simon et Villars se trouvaient dans leurs terres. Circonstances favorables pour promulguer un décret contesté, lu et approuvé la veille par un conseil secret, tenu au Palais-Royal et composé du Régent, de Law, de Dubois, de d'Argenson, de Pelletier des Forts et de Le Blanc. Dubois ne pensait qu'à son prochain sacre. Quant à d'Argenson, il appuyait depuis toujours le projet avec une chaleur et une énergie qui inquiétaient vivement le Régent et son surintendant des Finances, lequel avait à nouveau précisé l'essentiel :

— Il s'agit d'une revalorisation par déflation.

Tous avaient donné leur accord.

Nathalie avait passé une partie de la soirée auprès de Law. L'opposition manifestée par leurs proches, hormis William, rendait John taciturne. La jeune femme se sentait de plus en plus isolée et tourmentée. Elle regarda la pendule. Le numéro du *Mercure,* qui publiait le texte du décret et une nouvelle tentative d'explication des mécanismes compliqués et des raisons essentielles qui l'avaient inspiré, allait paraître dans la ville. C'était là un effort d'information sans précédent. Pour la énième fois, Nathalie prit sur son petit secrétaire une copie de ce texte capital et tenta de le relire avec un regard neuf. La démonstration éclatante de l'état de la France avant le Système et de son développement inouï en si peu de temps, une fois de plus, la réconforta. Se pouvait-il que le public restât insensible devant un tel bilan ? L'évocation d'un temps si proche et dont chacun se souvenait en frissonnant ne pouvait laisser insensible :

« ... *Sa Majesté était hors d'état de payer les appointements des officiers et les pensions... Les manufactures, la navigation, le commerce avaient presque cessé, le négociant était réduit à faire banqueroute et l'ouvrier contraint d'abandonner sa patrie pour chercher à travailler à l'étranger*[1]*... »*

Mais le peuple ne savait pas lire et les lecteurs du *Mercure,* peu nombreux, se croiraient-ils à l'abri de la ruine dont le spectre affolait tant de gens ?

Elle sonna Millet, lui demanda un café et un bain. Elle n'avait qu'une idée : gagner le plus vite possible la Banque et attendre discrètement dans quelque coin l'instant où elle pourrait approcher Law et s'informer de l'évolution de la situation.

Une heure plus tard, elle fit arrêter sa chaise à l'entrée de la rue Vivienne. Une foule en délire s'y engouffrait, qui rendait la circulation des équipages impossible. Pénétrer dans l'hôtel de Nevers, même à pied et par telle issue secondaire qu'elle connaissait, paraissait un exploit difficile à réaliser. Elle y parvint cependant. Il était temps. Comme elle entrait, une vitre se brisa avec un bruit sec et cristallin, aussitôt suivie de bien d'autres. Un déluge de pierres lapidait tous les carreaux qui volaient en éclats. On percevait, du côté de la salle des guichets de la Banque, les cris et les rumeurs de ceux qui entendaient se faire rembourser sur-le-champ billets et actions en espèces métalliques.

A cette heure, à l'ambassade d'Angleterre, se réunissait en hâte un conseil de guerre présidé par Stanhope, nouveau cheval de Troie. Lorsque l'un de ses agents, placé rue Vivienne, vint l'informer des événements, il déclencha instantanément la stratégie prévue : des cavaliers porteurs de libelles s'élancèrent en direction de la Banque royale. Peu après, les manifestants, à qui l'on distribuait ces papiers, lisaient avec stupeur et affolement :

« *Monsieur et Madame, on vous donne avis qu'on doit faire une Saint-Barthélemy samedi ou dimanche si les affaires ne changent point de face. Ne sortez ni vous ni vos domestiques. Dieu vous préserve du feu. Faites avertir vos voisins le samedi 25 mai 1720*[2]*. »*

Cependant Nathalie était montée en courant au premier étage où se trouvait le bureau de Law. Toutes les portes étaient ouvertes, les antichambres désertes. Soudain, elle sentit un choc... une pierre l'avait blessée au front. Machinalement, elle s'élança vers le cabinet du surintendant, s'arrêta sur le seuil, recula, se dissimula derrière une colonne de marbre : les directeurs de la Banque et de la Compagnie des Indes étaient là, groupés autour de Law et elle entendait sa belle voix chaude, légèrement

1. Extrait de la lettre de John Law au *Mercure.*
2. Archives du ministère des Affaires étrangères.

altérée, qui s'efforçait de couvrir les cris de haine et de mort qui montaient de la rue :

— Les commerçants ont-ils refusé ce matin d'accepter les billets et de tenir compte de leur changement de valeur ?

— Non, répondit Du Revest.

— C'est l'essentiel, messieurs. Tout est là ! Paris a pu se ravitailler au taux de la nouvelle monnaie. Il faut tenir bon et, dans quelques jours, le peuple comprendra qu'il faut garder son sang-froid, ses actions et ses billets. Que l'on ferme les guichets de la Banque jusqu'à nouvel ordre !

— Il semble, Votre Grandeur, que le public ait déjà envahi les salles, dit Bourgeois.

— Faites évacuer s'il le faut par les Suisses de Beuzewald !

Bourgeois sortit précipitamment et, sans voir Nathalie, s'élança dans l'escalier.

— Il faut croire, reprit Law, que les marchands qui ont le sens de l'argent et des affaires ont mieux compris que les ducs et pairs, que les membres du conseil et du Parlement et que les petits rentiers, les explications publiées par le *Mercure* !

Comme en réponse à ses propos, une nouvelle avalanche de pierres atteignit cette fois les fenêtres de son bureau, brisa les vitres et vint mourir sur le plancher, au bord du tapis, jetant la confusion parmi ces hommes atterrés qui se levèrent précipitamment et reculèrent au fond de la pièce.

— Nous avions pourtant préparé l'opinion, nous l'avions informée... répétait le surintendant sourdement. (Lui aussi s'était levé, cependant que les pierres tombaient toujours...) Ils n'ont donc lu ni nos affiches, ni *Le Mercure* ? Ceci est intolérable !

Les pierres tombaient encore.

— Votre Grandeur a-t-elle réfléchi à ce que fort peu de monde sait lire, en ce pays ? dit enfin Robert Neilson.

— Et parmi ceux qui savent lire, ajouta William, bien peu se plaisent à le faire, surtout lorsqu'il s'agit de finances ou de commerce !

— Oui-da, disons que nos Français n'en savent pas plus que les Indiens de Louisiane ou du Coromandel ou que les Nègres du Sénégal ! précisa Dutot.

— C'est ainsi que, pour l'heure, ils se croient ruinés et pensent tout bonnement que Votre Grandeur vient de prendre la moitié de ce qu'ils possèdent !

Law posa sur Melon, qui venait de dire ce que chacun pensait, un regard lourd et douloureux.

— C'est impossible ! dit-il après un silence.

A ce moment, un commis essoufflé d'avoir monté quatre à quatre l'escalier remit à Robert Neilson qui se trouvait près de la porte quelques papiers chiffonnés et expliqua :

— Les manifestants jettent ces billets dans le jardin de la Banque ; j'ai cru devoir les porter aussitôt !

Neilson s'avança vers le surintendant.

— Voici la réponse qui vous est faite, monseigneur, dit-il simplement en lui tendant ces billets.

Law les saisit avec une sorte de rage et les parcourut du regard :

— Mais cela, ils savent bien le lire ! s'écria-t-il.

— Voyez donc comment ces textes sont rédigés ! s'exclamait William qui s'était approché de lui. Trois lignes seulement et d'une grosse écriture que l'on peut se faire déchiffrer par l'apothicaire ou le clerc de notaire du quartier, ou mieux, par ceux qui les distribuent ! Quant au sens, point d'efforts pour le comprendre. (Il lut à voix haute :) « Vos billets ne valent plus que la moitié de leur valeur, la Banque vous a volé votre argent ! »

Il prit un autre papier, le mit sous les yeux de son frère qui, à son tour, en donna lecture ; c'était le chef-d'œuvre de Stanhope. Law, stupéfait, demanda :

— Qu'est-ce que la Saint-Barthélemy vient faire ici ?

François Castagnier hocha la tête, pensif, et répliqua :

— Que Votre Grandeur considère que pour le peuple de Paris, ce nom est encore synonyme de massacre ! En clair, cela signifie : Vous êtes volés et si vous continuez à protester, vous serez massacrés !

— Aussi prennent-ils les devants, murmura Law qui venait d'apercevoir Nathalie blessée au visage. Saisi d'effroi, il courut vers elle, laissant là ses collaborateurs qui se retiraient, effrayés eux aussi par la tournure des événements.

Nathalie s'était vivement reculée dans l'embrasure d'une des fenêtres du salon voisin et entendit les pas de Law qui faisaient craquer les débris de verre dont le sol était jonché. En un instant, il fut près d'elle :

— Qu'est-il arrivé ?

Très pâle, il appuyait doucement son mouchoir sur la plaie de Nathalie où se collaient ses légers cheveux bruns.

— Une pierre... Vous voyez, ce n'est rien.

— Une pierre ! répéta-t-il, foudroyé. On vous a lancé une pierre, à vous, et elle m'était destinée !

Autour d'eux, une ville entière se soulevait. Chacun se croyait perdu. Non, personne ne lisait la troisième lettre parue dans *Le Mercure*, dans laquelle M. le surintendant des Finances de la France rappelait que l'on avait opposé naguère aux vues d'un grand esprit, Descartes, les avis de tout un chacun, pour le malheur de ce temps-là [1].

La panique s'étendait comme un incendie. Les provinciaux, les étrangers couraient à l'hôtel des Postes, prenaient d'assaut les équipages en partance, se pressaient aux barrières de la ville. Ce fut alors que Lord Stanhope monta dans sa voiture et quitta Paris. Il venait de placer des hommes sûrs aux postes de combat et jugeait inopportun que le Premier Ministre d'Angle-

---

1. On peut penser que si le public avait su lire et comprendre l'effort d'information entrepris à ce moment, il n'eût pas suivi les agitateurs qui cherchaient à l'égarer et Law serait parvenu à triompher des complots de l'Angleterre, du Parlement et de l'entourage du Régent et à donner au peuple ce qu'il réclamera à la fin du siècle, au pied des guillotines.

terre risquât de se trouver mêlé aux remous fantastiques d'une situation qui ne pouvait que s'aggraver. Dans les soubresauts de l'attelage qui cahotait sur les chemins des petits villages de Passy et d'Auteuil, il s'efforçait d'évaluer les bénéfices qu'allait lui valoir la montée vertigineuse des actions émises par la *South Sea Company* de Blunt.

Trois jours plus tard, en ce fameux samedi 25 mai 1720 qui devait voir se dérouler un nouveau massacre de la Saint-Barthélemy, le soir venu, comme le rideau était sur le point de se lever sur la scène de l'Opéra devant une salle à moitié vide, on vit deux silhouettes pénétrer dans la loge royale, deux habits magnifiques scintiller dans la pénombre. Les deux grands seigneurs s'avancèrent et l'assistance se leva dans un lourd silence ; elle venait de reconnaître le Régent et le surintendant des Finances. Après un moment d'hésitation qui en disait long sur l'état des esprits, des spectateurs s'inclinèrent. Les nouveaux venus répondirent d'un geste courtois à ces marques de respect, puis se retirèrent dans le fond de la loge qui formait une sorte de salon où M. d'Orléans aimait poursuivre des conversations, souvent fort graves. L'orchestre terminait l'ouverture. Avec un bruit d'ailes, le rideau s'envola ; Philippe d'Orléans se pencha vers Law :

— Je suis heureux de me montrer ici avec vous.

Comme il ressemblait en cet instant au jeune prince chaleureux qui l'accueillait autrefois dans son laboratoire de chimie ! Pourtant Law, troublé, ne put s'empêcher de penser que si l'abbé Dubois n'était pas à moitié englouti par le scandale de son ordination, il eût aisément réprimé ce geste chevaleresque. Il répondit néanmoins :

— Je vous reconnais bien là, monseigneur !

— Il ne sera pas dit que je ne vous soutiens pas en tout. Où en sont nos affaires ?

— Que Votre Altesse royale daigne regarder cette salle. Cette brillante assistance n'est ni affamée, ni ruinée, que je sache ? Laissons passer l'orage. Il y a des problèmes plus pressants à cette heure.

Son regard aigu pénétra comme une lumière trop crue dans les ombres et les incertitudes de Philippe d'Orléans. Ce prince avait voulu élever ses deux favoris et les voyait à terre. Le tumulte créé par l'annonce de l'ordination de Dubois le confondait. Le cardinal de Noailles refusait à tout évêque de son diocèse de lui conférer les ordres. L'archevêque de Rouen, frère du maréchal de Bezons, créature du ministre des Affaires étrangères, venait seulement d'autoriser l'évêque de Nantes à remplir cet office. Le sacre devait avoir lieu le 9 juin 1720, au Val-de-Grâce. La vieille Cour et la ville entière s'indignaient. Saint-Simon conjurait le Régent du Royaume de n'y point paraître. Il rappelait qu'il ne s'était jamais vu qu'un fils de France ou qu'un prince du sang assistât au sacre d'un évêque. Law hué, Dubois vilipendé, Philippe sentait sa solitude et sa faiblesse le submerger.

— Je sais, poursuivait Law, que Votre Altesse royale voit son honneur engagé pour Gibraltar et veut enlever cette position, mais votre honneur, monseigneur, et la sécurité de l'Etat, n'ont-ils pas été plus compromis par la présence de Lord Stanhope à Paris, par l'activité qu'il vient d'y déployer, nous défiant jusque dans nos murs pour ruiner notre Compagnie des Indes au profit de la *South Sea Company* ? Cela est-il tolérable ? Quelle alliance peut résister à cette forfaiture, fruit de la politique de M. l'abbé Dubois ? Demain, contre celle-ci peut se réaliser l'union que Votre Altesse royale souhaite depuis le début de sa Régence, avec la monarchie sœur, l'Espagne qui vous est chère. Un tel projet rallie les princes du sang, la vieille Cour, le duc et la duchesse du Maine, le comte de Toulouse, le duc de Parme, Sa Majesté le roi d'Espagne, le roi de Suède et le tsar.

— Mais il porte la menace d'une nouvelle guerre, cette fois déclarée non seulement à l'Angleterre, mais à l'Empereur germanique.

— Seule une action immédiate contre la puissance anglaise peut nous sauver, à cette heure...

La cantatrice achevait son grand air sur un trémolo à l'italienne. Les applaudissements leur coupèrent la parole.

— Jolie, n'est-ce pas ? dit Philippe d'Orléans en se penchant vers la scène. Et quelle gorge !

Law regarda aussi, avec un sourire bizarre :

— C'est Anastasia Robinson, dit-il, la maîtresse de Lord Peterborough, agent des Farnèse et de Sa Majesté le roi d'Espagne, avec qui j'ai eu l'avantage de dîner hier au soir. C'est un homme singulier que Votre Altesse royale aura, je l'espère, l'occasion de connaître prochainement : il est poète, soldat, diplomate et ami intime de Mrs Howard, la très influente maîtresse du prince de Galles.

— Cela fait beaucoup, ne trouvez-vous pas ?

Philippe d'Orléans était vite méfiant. Law voulut le ramener sur le terrain où il sentait qu'allait se déployer sa virtuosité à se dérober :

— Le temps nous presse si vivement, monseigneur, qu'il n'est plus temps de nous attarder à ces détails. Le Blanc [1] est des nôtres, M. de Schleinitz répond du tsar menacé dans la Baltique et le baron de Spaar du roi de Suède. Le nouvel ambassadeur de Sa Majesté le roi d'Espagne, Patricio Laulès, souhaiterait entretenir, fort discrètement, Votre Altesse royale.

— Puis-je le rencontrer sans Dubois qui a en charge les Affaires étrangères !

— Vous le devez, monseigneur, à moins de livrer tous nos plans au plus zélé des agents de l'Angleterre. M. l'abbé doit être écarté et le conflit déclaré, dit fermement Law. Il sera de ceux qui seuls se justifient : une guerre défensive dont dépend la survie ou la mort d'une nation. Aujourd'hui, en dépit de notre alliance avec le Royaume uni, les Anglais ne nous attaquent-ils pas en Louisiane et au Coromandel ? Et sans l'aveu de Votre Altesse royale, le maréchal de Berwick, toujours à eux de sentiments, n'a-t-il pas incendié les chantiers navals de La Corogne, détruit la flotte espagnole, ébranlé le royaume du petit-fils de Louis XIV pour lequel ce grand roi a souffert et s'est battu jusqu'à l'épuisement ?

De tels coups portaient ; le visage de Philippe s'affaissait. Le chant des

1. Secrétaire d'Etat à la Guerre.

violons passa, lointain, s'arrondit comme une révérence de cour. La voix d'un ténor s'élança, précise et pure, dialogua avec un cri, des appels de femme, suave combat à fleur de peau, à fleur de musique.

— ... Mes navires vont rentrer des mers du Sud et ils regorgent de richesses...

Que la voix de M. le surintendant était belle ! plus belle que celle du ténor, et beau son courage, et Philippe d'Orléans aimait le courage. Il ferma les yeux un instant, puis se leva :

— Bonsoir, monsieur, j'ai à penser... Je vous ferai connaître ma décision.

Quelques instants plus tard, Law, impassible et seul dans son carrosse, traversait la foule qui, ayant reconnu sa livrée, le huait et le menaçait de mort. Dans ces conditions, il ne pouvait à cette heure tardive se faire conduire à l'hôtel de Mercœur sans livrer à la curiosité publique le secret si bien gardé de sa vie privée ; il fallait à tout prix écarter de Nathalie cette populace et ces cris. Il ordonna à son cocher de se rendre place Vendôme. La foule enroulait des anneaux ondulants autour de son équipage et rendait sa progression difficile. Il savait qui l'animait et la menait au combat et il ressentait avec plus d'acuité encore combien l'alliance avec l'Espagne était la seule planche de salut du Système. Le Régent le suivrait-il ? Rien n'était moins sûr. Et résisterait-il longtemps à l'émeute ? Law s'étonna d'être parvenu chez lui sans encombre. Il envoya aussitôt un message à l'hôtel de Mercœur pour informer Nathalie qu'il se glisserait à l'aube, incognito dans un fiacre, pour se rendre chez elle.

Les choses en étaient arrivées là. C'est ce à quoi pensait la jeune femme en le voyant surgir dans les lueurs incertaines du petit matin, revêtu d'un habit emprunté. C'était donc lui qui se déguisait, à présent, comme les conjurés de l'Arsenal — lui, le surintendant des Finances de la France ! Silencieux et pâles après un trop bref sommeil, ils frissonnaient devant un café brûlant, comme des voyageurs qui vont entreprendre une longue route hasardeuse. Et tel était bien leur sentiment dans l'attente qui commençait, aux premières heures de ce matin de mai.

Le calme de ce dimanche les déconcertait ; mais rien, hormis leur instinct, ne parlait de départ et de fin. Tout semblait en place, immuable, éternel. Pourquoi ne point changer les fleurs qui se fanaient dans les vases et couper celles qui se mouraient sur leur tige dans le jardin ? Pourquoi ne pas entreprendre ou ne pas poursuivre les activités quotidiennes qui forment la trame des jours ? Ils n'auraient su le dire. Ils se sentaient suspendus à la ronde des heures, alors qu'ils n'attendaient rien de précis, secrètement bercés, balancés entre l'espérance et le désespoir. Law avait voulu se réserver un jour de répit, de détente et de réflexion.

— Le Parlement rentre demain ! dit-il seulement.

Cela, en apparence, ne voulait rien dire. De toute façon, ils savaient, tout le monde savait que le Parlement rentrait le lendemain, après ces vacances de Pentecôte. Cette petite phrase n'avait qu'un sens : leur faire sentir un peu plus au fond d'eux-mêmes le noyau dur de leur angoisse.

Les livres délaissés, la musique oubliée retrouvaient pour quelques heures leur attrait.

— Vous souvient-il encore de ce que vous chantiez lorsque je vous vis pour la première fois ?

Elle prit sa guitare et fredonna à mi-voix :

> *Et là nous dormirons...*
> *Et là nous dormirons...*
> *Jusqu'à la fin du monde, lon, la*
> *Jusqu'à la fin du monde...*

Les heures se traînaient. Le soir vint.

— Je partirai comme je suis venu, à l'aube, dit Law en se dévêtant.

— Ne pourrez-vous plus venir ici qu'en vous cachant ?

— Je le crains.

— Que s'est-il passé qui ait ainsi changé soudainement notre vie ?

— Je ne sais... La haine, l'incompréhension des hommes.

— Des états si violents ne durent pas.

— Non...

Ils n'osèrent pousser plus avant ce dialogue.

Après une demi-nuit d'amour, ils se séparèrent avec l'impression physique de faire un saut dans le vide et dans l'inconnu. Law avait déjà connu pareille sensation en plongeant dans la nuit, du haut du mur d'enceinte de la forteresse de King's Bench.

Ce lundi 27 mai 1720, alors que la matinée était à peine avancée, Melon se présenta, défait, place Vendôme. Introduit aussitôt dans la chambre que le surintendant s'apprêtait à quitter pour aller à la Banque, il chercha à dominer son trouble devant le regard pensif qui l'observait.

— Qu'y a-t-il, mon ami ?

— Le Parlement, assemblé en toute hâte aux premières heures, sous la présidence de M. le président de Blamont, non content de refuser d'enregistrer l'édit du 22, condamne à mort Votre Grandeur et ses collaborateurs, conjointement *inculpés de banqueroute frauduleuse*[1] !

Law le regarda, presque distrait :

— Vous êtes fou, Melon !

— Ce n'est point moi qui le suis, Votre Grandeur ! On vient de nous porter, à la Banque, cette nouvelle qui doit se propager comme le feu dans Paris ! Je suis venu vous demander des instructions.

La modération, le tranquille courage de cet homme retinrent l'attention du ministre. Il se mit à réfléchir en arpentant la pièce aux boiseries couleur d'ivoire rechampies d'or. Les hautes fenêtres s'ouvraient sur le soleil et sur des parterres éclatants. Il contempla un instant cette harmonie et murmura :

— Après tout, ce n'est pas la première fois que cette noble assemblée décide de ma perte !

L'ombre des gibets d'Edimbourg passa dans les lointains de sa mémoire,

---

1. De là, évidemment, la légende de la « banqueroute » de Law.

en même temps que les voiles des navires de ses évasions et de ses songes. Mais il n'avait plus vingt ans. Les années alourdissaient sa marche et des racines l'attachaient désormais profondément à ces lieux, à la subtile beauté qui l'entourait et qu'il avait créée.

— ... L'important, reprit-il, est ce qui se passe à cette heure dans l'esprit de M. le Régent.

— C'est un esprit bien malade, monsieur.

— Sans doute...

Law interrompit sa marche et posa un regard méditatif sur son collaborateur.

— Voyons, voyons, le premier président et les présidents d'Aligre et Portail, ainsi que les abbés Pucelles et Menguy ont été désignés pour aller présenter des Remontrances à M. le duc d'Orléans dès demain...

La porte s'ouvrit violemment et lui coupa la parole : c'était William, bouleversé. Il prit son frère par les épaules avec force, tendresse et désespoir.

— Que va faire le duc Régent, John ?

— Dieu seul le sait !

Un laquais apporta un pli ; Law le décacheta lentement, avec le sentiment qu'il contenait quelque arrêt du destin.

— Je suis prié de me rendre sur-le-champ au Palais-Royal, dit-il simplement.

— Ne faudrait-il pas veiller à la sécurité de Votre Grandeur ? demanda Melon.

— Je vous rappelle que M. de Beuzewald et ses gardes suisses en sont chargés depuis longtemps. Cet officier m'attend en bas ; je vais le prier de vous faire escorter par un détachement important à la Banque où, sous sa protection, tous mes directeurs devront se réunir et m'attendre. A tout à l'heure... j'espère.

Quelques instants plus tard, Law pénétrait dans le petit cabinet du Régent situé derrière la galerie et qui donnait sur les jardins. Là encore, bruit de porte. La tempête qui emportait le Régent poussa celle-ci. Il entra précipitamment, oppressé, haletant, hors de lui-même, ce qui lui était complètement inhabituel.

— Ah ! monsieur ! s'écria-t-il en voyant Law dont l'impassibilité apparente parut l'exciter davantage. A cette heure, j'ai déjà dans mon grand cabinet une délégation de gens du roi [1] ! Ils me pressent de prendre contre vous des mesures violentes : on veut que je vous envoie à la Bastille où l'on pourrait aisément vous dépêcher [2] dans mon dos ! On veut que je remette l'argent au denier vingt et que je détruise la compagnie !

— C'est là un programme de quelque cohérence, répondit Law d'un ton glacé.

— J'ai repoussé ces propositions avec indignation et vous ai prié de venir travailler avec moi comme à l'accoutumée. Le duc de la Vrillère et le duc

1. Délégués du Parlement.
2. Assassiner.

501

d'Antin, rentrés à Paris hier, viennent aussi d'arriver ; ils attendent dans la galerie. Avant de conférer avec eux et d'en terminer avec ces robins, il faut que nous parlions sans témoin ; mais le temps nous presse, nous ne disposons que de quelques instants. J'ai vu, à l'aube, Torcy, Dubois et le surintendant de Police : les rapports de la nuit sont effrayants, le vacarme général, épouvantable : la guerre civile menace ! Ah, monsieur ! après vous être attaqué au Parlement, au clergé, à la Ferme générale, au monopole des négriers et aux rentiers qui vivent du prêt, vous m'avez fait prendre une mesure qui achève de soulever les peuples qui crient à la banqueroute ! Personne de riche qui ne se croie ruiné, personne de pauvre qui ne se croie réduit à la mendicité [1]. Le Parlement entend venir au grand complet, après-demain, pour présenter des Remontrances à Sa Majesté au sujet de cette soi-disant banqueroute frauduleuse dont il ne veut pas démordre ! J'ai démontré, en vain, que ce déploiement ameuterait les Parisiens et qu'il ne les fallait point émouvoir davantage ! Dans cette extrémité, j'ai dû me réduire à écouter les avis des parlementaires, hormis en ce qui concerne votre personne.

Law le regardait, étrangement calme. Il cherchait à déceler quel élément nouveau avait sorti brusquement le prince de l'apathie, des brumes, et de l'inconscience dramatique dans lesquelles l'alcoolisme et les atteintes physiques l'enfonçaient chaque jour un peu plus. Il s'inclina légèrement.

— J'exprime à Votre Altesse royale mon extrême gratitude... Ce n'est pas la première fois qu'Elle écarte de moi les assassins.

— Pressons, monsieur, dit brutalement le Régent. J'ai conféré avec M. l'abbé Dubois et le garde des Sceaux : la décision est prise, nous annulons les décrets du 5 mars et du 21 mai.

Cette fois Law broncha : un tressaillement remonta visiblement des profondeurs de son être et s'étendit, tels les cercles concentriques à la surface des eaux lorsqu'on les a troublées.

— *27 mai 1720,* monseigneur ! dit-il lentement. Ce sera donc la date de la destruction du Système que vous m'aviez contraint d'édifier à la veille de déclarer la guerre à l'Espagne et pour financer celle-ci. Le conflit vient de prendre fin par la signature de la Quintuplice. Nous venons tout juste d'apprendre que ce traité a été ratifié à La Haye, voilà sept jours... Sans doute les vertus du Système paraissent-elles donc aujourd'hui moins éclatantes ou tout au moins ne plus mériter d'être imposées contre les vents et les marées d'équinoxe. Ainsi, en un jour, voici défaite cette œuvre au moment même où, après tant d'obstacles et de luttes, elle atteignait ses buts et son achèvement et alors que, en si peu de temps, envers et contre mes ennemis, j'avais fait sortir ce pays de l'obscurité des siècles passés et le découvrais à l'avenir.

Sa belle voix venait de défaillir.

— Cela est vrai, monsieur, mais vous avez voulu aller trop vite en toutes choses et ainsi, vous vous êtes rendu odieux au public et vous avez jeté le

1. Saint-Simon.

discrédit sur mon gouvernement, au moment même où Sa Majesté atteint l'âge d'assister à son conseil de Régence et vient le présider pour la première fois !

C'était donc là l'élément nouveau qui bouleversait le prince, car il touchait au seul point encore sensible et vivant en cette âme perdue : le roi, l'affection, l'estime du roi.

— ... Savez-vous, continuait le prince, qu'une intrigue se développe au sein du Parlement pour décréter la majorité de Sa Majesté et que les menées criminelles de M. le maréchal de Villeroi commencent à accréditer dans l'esprit de mon neveu que sont justifiées les précautions injurieuses dont le maréchal feint d'entourer sa personne pour la préserver du poison que je pourrais lui donner ? Savez-vous que je ne sais même plus si je vais parvenir à écarter ce gouverneur indigne, qui profite de la faiblesse d'un enfant qu'il a su circonvenir et effrayer au point que, aujourd'hui, Sa Majesté s'accroche à lui comme à un sauveur ?

Cette information extraordinaire et inattendue mettait un comble aux bouleversements de cette matinée ; mais Law se ressaisit :

— Je vous rappelle, monseigneur, que je traite secrètement avec les Villeroi, père et fils, au Luxembourg, pour une politique qui leur est chère en faveur de l'Espagne ! Votre Altesse royale pourrait trouver là, sans doute, quelque moyen de ramener le maréchal à ses devoirs.

Philippe d'Orléans lui jeta un bref regard ; radouci, il murmura :

— Selon vos conseils, je reçois Peterborough vendredi.

— J'en félicite Votre Altesse royale. Quant à ce que j'ai été trop vite et aurais de la sorte jeté le discrédit sur le gouvernement et sur ma personne, m'a-t-on laissé le temps et le choix de faire autrement ? N'avais-je pas demandé vingt ans pour rembourser les dettes du feu roi ? Mes ennemis et... vos amis, les uns et les autres si acharnés à tirer de l'argent de la Banque et des actions, m'ont-ils accordé un répit ? Ne devais-je point prendre sans plus tarder des mesures fortes pour sauver le Système et achever de le mettre en place afin de défendre la Banque royale, l'argent du roi et du peuple, d'assurer les besoins de la Lousiane et ceux de l'armée en guerre ? N'était-ce point là ma lourde charge et mes impérieux devoirs ?

A l'évocation de ces singulières prodigalités, le Régent parut plus agité encore [1].

1. Saint-Simon, ami et confident intime des deux hommes, a formellement témoigné à ce sujet et avec une grande précision : « On a peine à croire ce qu'on a vu et la postérité considérera comme une fable ce que nous-mêmes nous ne nous remettons que comme un songe. Enfin, tant fut donné à une nation avide et prodigue, toujours désireuse et nécessiteuse par son luxe, son désordre, la confusion des états, que le papier manqua... On peut juger par là de l'inimaginable abus de ce qui était établi comme une ressource toujours prête (les billets)... Law, tous les mardis matin venait toujours chez moi... il m'avoua son embarras et se plaignit modestement et timidement que le Régent jetait tout par les fenêtres. J'en savais par le dehors plus qu'il ne pensait.

« Monsieur le duc d'Orléans aimait les voies obliques et il était dans son caractère d'éviter les grands engagements...

« Monsieur le duc d'Orléans, pour suffire à sa propre facilité et prodigalité et satisfaire à

Law enchaîna aussitôt :

— Je vais demander une vérification des comptes de la Banque et de la compagnie afin que chacun soit éclairé...

— Pour informer le public des fabrications de billets que nous décidâmes « sous la cheminée » !

— Point du tout « sous la cheminée », monseigneur.

— je veux dire, en dehors de la compagnie !

— Dont je suis aussi le directeur. Je rappelle à Votre Altesse royale que, contrairement aux décisions consignées dans l'article 2 de la délibération de l'assemblée générale du 22 février et de l'arrêt du conseil de Régence du 24 du même mois, un nouvel arrêt du conseil de Régence du 26 mars nous a bel et bien ordonné de faire pour trois cents millions de billets de banque nouveaux.

— Mais vous en fîtes encore depuis, et de votre propre chef, pour sept cents millions !

— Parfaitement, le 5 avril, et Votre Altesse royale voulut bien faire reconnaître l'impérieuse nécessité de cette mesure par un arrêt antidaté du conseil qui l'a légalisée. Faut-il rappeler comment le temps manqua pour attendre des délibérations et des décisions incertaines, parce que, du jour au lendemain, le public qui se pressait au bureau d'achat des actions se porta en masse au bureau où on les vendait [1] ? La Banque n'était-elle pas, dès lors, dans l'obligation de les racheter pour maîtriser une situation qui pouvait rapidement nous déborder et qui devenait intolérable rue Quincampoix ? Pour ces rachats quotidiens et ceux qui, bien évidemment, allaient suivre, ne fallait-il pas s'assurer immédiatement assez de numéraire ? Votre Altesse royale a-t-elle oublié que le plan Stairs-Stanhope-Blunt, arrêté en décembre à Paris, prévoyait de faire sauter le Système en mars, au moment du paiement des dividendes aux actionnaires de la Compagnie des Indes ? A-t-elle oublié que, à la date prévue, Blunt fit acclamer cette décision par le Parlement anglais et approuver le *Bill* qui instituait une servile imitation du Système, capable de rembourser la dette anglaise par la vente des actions de la *South Sea Company,* laquelle ne parvenait pas jusque-là à se développer en raison de la prospérité de la Compagnie des Indes ? Avez-vous perdu de vue, monseigneur, que ce *Bill* fut voté le 3 avril ? Et que, ce même jour, le meilleur Anglais d'Angleterre [2], que Votre Altesse royale a chargé des Affaires étrangères de la France, donnait un banquet immense au cours duquel il célébra le triomphe de Blunt et la hausse immédiate des actions anglaises qui précipitait la baisse des nôtres ? ... Sans doute fêtait-il aussi son archevêché de Cambrai et l'acceptation de la bulle *Unigenitus* qui favorise ses desseins, mais ne fallait-il pas aviser dès le 5 avril, en vérité ? Votre

l'avidité prodigieuse de chacun, avait forcé la main de Law et l'avait débanqué de tant de millions *au-delà de tous moyens de faire face* et l'avait précipité dans cet abîme. »

Rappelons que le Régent, à cette époque, sombrait si complètement dans l'alcoolisme. qu'on pouvait en faire ce qu'on voulait et qu'il était aux mains d'un véritable « gang ».

1. Dutot.
2. Dubois.

Altesse royale verra sous peu tous les spéculateurs passer le Channel et se ruer à Londres. On les attend, là-bas ; on transforme même, pour les recevoir, Change Alley ! Pour l'instant, ils vendent ici, ils vendent encore et toujours, et nous achetons, achetons... A partir de ce matin, finies, monseigneur, les dotations royales et les superbes dons à celle-ci ou celle-là, les pensions et les compensations extraordinaires à celui-ci et à celui-là !

— Vous vous oubliez, monsieur ! s'écria Philippe d'Orléans.

— Je ne crois pas, monseigneur. (Le ton devenait en effet cinglant.) De toute façon, ma vie est entre les mains de Votre Altesse royale. Qui ignore que les billets de banque ne se trouvent point dans des mines, comme l'or et l'argent ? Or s'il faut ici racheter les actions que nous jettent à la face les agents anglais et ceux qu'ils manipulent, il faut aussi secourir là-bas la Louisiane qui sera, dans l'avenir, notre soutien et qu'un grave manque de numéraire met en péril. Elle appelle au secours, monseigneur, et les pays d'Etat [1] tout autant, alors que la Cour me dévore et me débanque, comme dit M. le duc de Saint-Simon !

— Vous n'avez même pas encore utilisé les billets nouveaux !

— Ils le seront, hélas ! Mais si je ne peux me permettre d'être pris de court par de tels événements, je retarde néanmoins le plus possible le recours à un si dangereux expédient. Il faut, en dépit de cette affaire, que ma gestion et les comptes de la compagnie et de la Banque soient vérifiés et portés au grand jour, car *par toute la ville on m'accuse de faire banqueroute !* On peut demander à M. des Forts, bien qu'il soit dur, et à M. de la Houssaye d'assurer ce contrôle. Ils sont déjà informés de nos émissions de billets qu'ils ont eu à approuver, étant du conseil de Régence, et ils sont respectivement maître des requêtes et conseiller d'Etat ! On peut leur adjoindre Fagon, pour ce qu'il est commissaire général au conseil de Régence.

— Eh, quoi ! Des gens qui avec tant de constance vous sont si opposés ?

— Raison de plus ! On les croira lorsqu'ils diront ce qu'ils verront. Car s'ils ont démontré qu'ils ne pouvaient comprendre des principes nouveaux en matière de finances, ils n'en sont pas moins honnêtes et connus comme tels. C'est par leur jugement, même si déplaisir et dépit nuancent les avis favorables qu'ils ne peuvent manquer de porter, que renaîtra l'indispensable confiance du public et... la leur.

Le Régent, ébranlé par le rappel de ce qui se passait à Londres et de ce qui en résultait à Paris, et une fois de plus sensible au courage, au sang-froid et à la logique de son ministre, opina de la tête en silence.

— Vous voyez juste, sans doute, dit-il enfin. Mais mettons-nous bien d'accord : notre entretien doit rester secret. Je vais aller rejoindre La Vrillère et d'Antin et les ramener ici ; puis j'irai congédier les gens du roi en essayant d'éviter le pire ou de limiter, à tout le moins, le déploiement qu'ils projettent. Cependant n'espérez pas obtenir le maintien des décrets. Nous les annulerons aujourd'hui et le taux de l'argent sera augmenté. J'ai dû céder sur ces points-là : votre tête et mon crédit en dépendaient. Vous allez être le

---

1. Certaines provinces, comme la Bretagne, avaient des Etats, assemblées des trois ordres.

témoin de ces décisions. Quoi qu'on vous dise, ayez l'air de tout accepter. Nous nous reverrons en particulier, sous peu, pour réparer ces brèches...

— Ce ne sont pas des brèches, monseigneur, c'est une destruction à la poudre noire, comme celle de Port-Royal, et le triomphe final de Blunt !

— Je sais que votre grand esprit trouvera les moyens de remédier à tout cela, des moyens qui seront mieux compris et mieux acceptés. D'ici là... (il eut enfin un sourire en lequel se jouèrent tour à tour son scepticisme, son angoisse, son cynisme et son charme redoutable) d'ici là, qu'il soit bien convenu *que nous donnons la comédie*[1] !

Laissant Law perplexe, il sortit aussi tumultueusement qu'il était entré, pour revenir l'instant d'après avec le duc de la Vrillère. Law, sans saluer, les figea d'un regard et donna libre cours à la grande émotion qui s'était emparée de lui :

— « Ce Système, dit-il, embrassait tout le corps de l'Etat, la terre et ses productions, les bâtiments, les chemins, les rivières, les deux mers, la navigation, en un mot les fonds et la superficie. Il remuait le travail, l'industrie et l'imagination des hommes. Il donnait le mouvement à toutes choses. Il s'étendait sur toutes les nations étrangères, même les plus reculées et intéressait les quatre parties du monde. On conviendra du moins que voilà une grande et noble idée et qu'il y avait plus à espérer de la tête qui l'avait conçue que de celles qui n'avaient enfanté qu'une banqueroute[2]. »

Philippe d'Orléans parut s'émouvoir à son tour :

— « Hélas, monsieur, un pilier ne peut arrêter le courant d'une rivière[3] ! »

Et il envoya La Vrillère chercher le duc d'Antin qui attendait encore dans la galerie. L'énorme sottise et la ridicule prétention de celui-ci, pour une fois, ne les dérideraient pas[4].

L'état-major de Law au grand complet, directeurs de la Banque et de la compagnie mêlés, l'attendait. Nathalie elle-même, alertée par William, s'était rendue rue Vivienne.

A l'instant où le duc de la Vrillère pénétrait chez le président de Blamont

1. Saint-Simon : « Le Régent donna la comédie. »
2. John Law.
3. Philippe d'Orléans, dans la matinée du 27 mai 1720.
4. *Mémoires* du duc d'Antin. « Les gens du roi l'attendaient (le Régent). Il revint de son cabinet de derrière avec M. Law et M. de la Vrillère où il me fit appeler. »

Après avoir très longuement et minutieusement étudié tous les documents et tous les événements concernant de près ou de loin cette matinée du 27 mai 1720, qui fut une des journées où « s'est faite » ou, pour mieux dire, « défaite » la France, il ressort, pour moi, à l'évidence qu'au cours de l'entretien particulier qui eut lieu entre Philippe d'Orléans et Law, il fut établi que tout ce qui allait suivre serait bien une comédie, comme l'affirma Saint-Simon. On peut même avancer que les sujets abordés dans ce dialogue ne pouvaient manquer de l'être et que ce temps fort de l'Histoire du Système et de la vie de ces deux hommes s'écoula entre neuf heures trente et dix heures quinze environ, puisque l'on envoya chercher ensuite le duc de Bourbon aux Tuileries, que Law fit un bref exposé sur les édits que l'on allait casser et que La Vrillère fut porter la décision de les supprimer au Parlement qui siégeait. Il y parvint à douze heures trente, « trouva les Chambres levées et fut chez M. le premier président s'acquitter de la commission. » (Saint-Simon).

pour lui porter l'assurance que le Régent allait annuler les décrets du 5 mars et du 21 mai, le surintendant des Finances se retrouvait dans sa citadelle, parmi les siens. Ceux-ci prirent aussitôt la mesure de l'événement au changement qui s'était opéré chez un homme qu'ils n'avaient point coutume de voir détaché et comme étranger à des faits qui ne pouvaient que le toucher vivement. Cette indifférence, point dans sa manière, laissait deviner un désastre. D'une voix neutre, il les informa de ce qui venait de se produire, hormis de l'intention secrète du Régent de donner la comédie ; il n'était pas si sûr de la sincérité de cette intention ! Il répéta ce qu'il avait dit [1] au prince :

— « C'est de ce jour que l'on pourra dater la destruction du Système et le triomphe de mes ennemis, car les opérations qui vont suivre ne pourront plus porter sur les vrais principes [2]. »

— Mais n'avez-vous point tenté de lutter contre la faiblesse du Régent ? s'étonna William.

— Fort peu... « J'ai bien senti les suites de ce qu'on faisait, mais mon crédit est perdu, je ne suis plus le maître. Le conseil, le Parlement et les peuples sont contre moi [3]. La nation se porte dans un moment d'une extrême confiance à une extrême méfiance... Son Altesse royale craignait une désobéissance publique et une défection générale des grands et des peuples envers son administration. Tout est opposé... J'ai dit, cependant, qu'à la manière dont on attaquait la Banque, elle serait culbutée incessamment [4]... » M. le duc, accouru de Sceaux, croyait me trouver aux Tuileries ; il parvint enfin au Palais-Royal pour faire à M. d'Orléans une scène terrible à propos du décret du 21 et menaça de ne pas quitter son cabinet avant que l'on ait réparé le tort qu'il jugeait lui être causé ! Finalement, il obtint quatre millions ; s'il en avait demandé huit, le Régent les lui eût accordés.

— Il a dû regretter de ne pas l'avoir fait ! s'écria Bourgeois, hors de lui.

— Certainement, répliqua Law d'un ton glacé. Mais il faut bien voir que M. d'Orléans, peu à peu détruit par ses beuveries, achète ceux qu'il ne peut plus tenir par autorité et force.

Les hommes laborieux, consciencieux, intelligents, capables que Law avait rassemblés autour de lui n'ignoraient rien d'une telle situation et comprenaient que l'hallali tant redouté sonnait enfin. Ils baissaient la tête, accablés.

— Tout cela est pourtant incroyable, répétait sourdement le surintendant. Les créanciers de l'Etat n'ont pas compris qu'ils ne perdaient rien de leur capital et auraient doublé leur revenu passé de deux à quatre pour cent ! Les porteurs n'ont pas compris que l'action primait sur les espèces et sur les billets ! Les possesseurs de billets n'ont pas compris que ceux-ci primaient sur les espèces ! Les possesseurs d'espèces n'ont pas compris que rien ne

1. Law répéta inlassablement cette évidence, point encore perçue jusqu'à aujourd'hui.
2. John Law.
3. Pour « les peuples », il se trompait.
4. John Law.

changeait pour eux ! *Ils ont tous cru à la banqueroute !* Quant à la dette de l'Etat, certes plus forte que nous l'avions souhaitée, elle ne dépasse pas son taux habituel de deux milliards, malgré tout ce qui fut mis en œuvre contre nous !

Il se tut et après un lourd silence, reprit :

— J'ai néanmoins offert ma démission. Je ne sais pas encore si elle sera acceptée ou refusée. *Comme toute la ville, à la suite du Parlement, m'accuse de faire banqueroute et que le Régent et son conseil me reprochent une fabrication de billets qu'ils m'ont obligé à faire, j'ai exigé une vérification des comptes, de la gestion et de la trésorerie de la Banque.* Nous fermerons donc nos bureaux au public pendant quelques jours pour que ces travaux puissent s'effectuer dès demain.

— Voilà qui fera encore plus crier à la banqueroute ! s'écria Bourgeois.

— Prévenez donc vos services de prendre toutes mesures pour que les Parisiens soient informés et ne viennent pas inutilement casser à nouveau nos carreaux. Il va sans dire, chacun en est conscient, que cette fermeture devra être la plus brève possible. Faites-le savoir.

— Je fais remarquer à Votre Grandeur, dit Melon d'une voix ferme, que le public murmura beaucoup dans la matinée du 22, parce que les bureaux de la Banque avaient été fermés quelques heures, mais qu'il s'apaisa complètement lorsqu'il vit que, dans l'après-midi, on honorait les billets, bien qu'on les payât au taux réduit fixé par le décret de la veille.

— Ce qui prouve que tous ceux qui échappent aux meneurs acceptent la réduction des billets, à condition que la Banque soit ouverte ! répliqua Law, très frappé par cette constatation alors qu'il se croyait honni par tous.

— Le même phénomène se reproduisit exactement le samedi (25 mai), dit Dutot.

— Il faut donc admettre, dit Law lentement, *que nous étions sur le point de gagner la partie ; c'est pourquoi nous fûmes arrêtés là...*

— Et maintenant ? demanda William angoissé.

— Maintenant ? ... (Law regarda au loin comme il aimait à le faire ; que voyait-il au-delà de ces têtes courbées, de ces visages anxieux ? Des soleils inconnus, des rivages balayés par les océans du bout du monde, huit cents navires sur les mers, des gibets, des matins blêmes ?)... Et maintenant ? Je ne sais pas, dit-il simplement. Demain matin se tient un conseil restreint ; j'y dois aller et proposer quelques solutions pour sortir de l'impasse... (Il haussa les épaules et on l'entendit murmurer :) Faire semblant !

Lui aussi se résignait à la comédie.

Lentement, silencieusement, ses collaborateurs se retirèrent après l'avoir salué. Il resta seul.

Nathalie entra comme il jetait autour de lui un regard étonné et méditatif qui s'arrêta sur elle, le magique secret de sa vie profonde.

Le lendemain matin, mardi 28 mai 1720, un conseil restreint se tint comme prévu au Palais-Royal. Il y fut décidé la publication immédiate du décret annulant les arrêts du 5 mars et du 21 mai, la vérification de la Banque et la désignation de ceux qui devaient l'effectuer ; quelques mesures

508

et expédients financiers y furent envisagés. Le Régent donna sa comédie, Law la sienne. En sortant, celui-ci annonça qu'il se rendait place Vendôme et y demeurerait jusqu'à nouvel ordre. Afin de se mettre au-dessus de toute suspicion, il ne voulait pas revenir rue Vivienne avant le terme du contrôle.

Cependant qu'il s'éloignait, d'Argenson fit prévenir des Forts, La Houssaye et Fagon qu'il voulait les entretenir secrètement avant qu'ils ne se rendissent à la Banque. L'entretien eut sans doute lieu dans quelque recoin de la demeure princière. On sait que d'Argenson, pour stimuler leur zèle contre le surintendant des Finances, promit « de sa dépouille » si celui-ci venait à être destitué, comme ils pouvaient y contribuer et comme le Parlement allait l'exiger dans l'après-midi : la Ferme générale à La Houssaye, la Compagnie des Indes à des Forts et peut-être le Contrôle général des Finances et la Banque royale à Fagon ! Ayant fait, M. le garde des Sceaux donna à ces hommes étonnés et perplexes sa bénédiction et ses encouragements.

Tout demeura à peu près calme jusqu'à quatorze heures, environ [1], moment où un singulier cortège rassembla autour de son déroulement solennel le peuple de Paris. Ce n'était rien moins que les membres du Parlement dans leurs robes rouges qui défilaient pour rappeler leur précédente manifestation publique, à l'issue du lit de justice qui leur fit violence. Comme alors, ils allaient à pied, lentement, majestueusement ; mais cette fois, c'était au Palais-Royal qu'ils se rendaient, pour en appeler contre la « banqueroute » de Law. Frénétiquement acclamés cette fois, ils étaient escortés par les brigades, toujours mobilisées, de Stanhope, qui attiraient et entraînaient dans leur mouvement les badauds accourus en masse.

— C'est la Fronde qui recommence ! s'écriait quelques moments plus tard Marivaux en entrant dans le salon blanc de l'hôtel de Mercœur, où il retrouva, comme autrefois, Lesage, également ramené en ces lieux par cette qualité d'amitié que l'adversité révèle.

— J'arrive du *Mercure*, disait-il. On y assure que la foule cerne le palais où le Régent se trouverait pratiquement assiégé !

Nathalie, qui doutait fort que le Régent jouât la comédie ou, s'il la jouait, que ce fût pour longtemps, murmura :

— Il leur accordera tout.

— Tout ? Que voulez-vous dire ? demanda Lesage.

— Je ne sais pas. Ce qu'ils voudront... sa vie !

Un silence plus éloquent que des paroles lui répondit. Lesage le rompit enfin :

— On dit que les troupes ne sont point à la convenance de ces messieurs. La plupart des officiers sont favorables à M. le surintendant et ne croient point à la banqueroute.

— Oui-da ! reprit Marivaux. L'armée sait bien qui lui a procuré les moyens de ses victoires et la paix, et elle se souvient d'un temps, qui n'est

---

1. Le Régent devait donner audience à quinze heures.

pas si lointain, où les soldes n'étaient jamais payées. Non seulement les militaires le sont aujourd'hui, mais ils agiotent comme les autres et font fortune ! Et chacun sait que le secrétaire d'Etat à la Guerre est tout acquis à Sa Grandeur.

— Cela va faire réfléchir, ne pensez-vous pas ? dit Lesage.

— Le Blanc est aussi son associé dans une des plus importantes sociétés de colonisation de Louisiane, comme le sont d'autres piliers du conseil de Régence : le duc de la Force, la maréchale duchesse d'Estrées, le maréchal duc de Villars et bien d'autres ! ajouta Nathalie.

— Voilà qui forme un parti ! répliqua Marivaux.

Un peu plus tard, Melon, accouru place Vendôme et introduit dans la chambre en laquelle Law s'efforçait de méditer, de se retrouver, de s'orienter, s'écriait :

— La foule vient battre nos murs, Votre Grandeur, et l'on met les scellés à la Banque ! Les actions viennent de chuter de deux mille livres !

— Les actions de la *South Sea Company* vont monter d'autant, dit Law froidement.

Ils savaient l'un et l'autre qu'il ne se trompaient pas [1]. Cependant, le calme de Law pétrifia son collaborateur.

— Continuez à vous informer, particulièrement sur les cotations des actions et tenez-moi au courant, heure par heure si cela est nécessaire.

Melon s'inclina et sortit.

Tard dans la soirée, on annonça chez le ministre des Finances celui de la Guerre, Louis-Claude Le Blanc, conseiller d'Etat mais aussi associé dans la société de colonisation du marquis d'Ansfeld en Louisiane ; Le Blanc qui appuyait le projet d'attaque de l'Angleterre !

Law, impassible, le regarda franchir à pas comptés la distance qui le séparait du bureau derrière lequel il se levait lentement. Un homme sympathique, ce Le Blanc, bien que l'on ne sût pas trop s'il était capable ou non de quelque sincérité. Law n'ignorait pas que le Régent l'utilisait, à l'occasion, « en espionnage et choses secrètes ». Pour l'heure, la tension et la gravité qui se lisaient sur son visage contrastaient singulièrement avec ses lèvres gourmandes et son teint fleuri, qui révélaient tant d'aimables aptitudes à jouir de la vie. Sa perruque avait pris quelque ressemblance avec les oreilles des cockers, peut-être parce que son regard, soudain noyé, faisait penser à celui de ces chiens.

— J'ai à vous informer, dit-il d'une voix mal assurée après l'échange des saluts. De la part de M. le Régent, ajouta-t-il en prenant le siège que lui désignait Law sans mot dire. J'imagine, monsieur, que vous avez été tenu au courant de ce qui s'est passé dans Paris aujourd'hui ?

— Heure par heure, répondit Law.

— Fort bien. De mon côté, j'ai été honoré de la confidence de Son

---

1. Dès que ces nouvelles furent connues à Londres, les actions anglaises prirent presque le double de leur valeur.

Altesse royale concernant la comédie qu'elle entend poursuivre pour vous tirer de ce mauvais pas...

Law se taisait toujours.

— ... Cette comédie est de plus en plus nécessaire, car à l'intérieur du Palais-Royal, il s'est passé aussi quelques violences...

Law haussa les sourcils et son regard se fit interrogateur.

— ... Verbales, verbales ! s'empressa d'ajouter Le Blanc. Les gens du roi ont exigé votre renvoi des affaires et votre arrestation, et, ajouta-t-il à voix basse, M. d'Argenson acquiesçait fortement. Cependant que, dehors, une foule immense faisait un vacarme affreux et menaçait de franchir les grilles du palais et moi de mettre en mouvement les mousquetaires de Sa Majesté ! Le duc Régent s'y opposa, se fit conciliant en tout, en donna par où ils en voulaient à ces MM. de la Robe, les cajola jusqu'à ce qu'ils se retirassent fort satisfaits de lui, ce qui apaisa et dispersa le peuple qui les interrogeait à la sortie. On vit ensuite M. d'Argenson quitter la salle d'audience et déclarer qu'il avait reçu l'ordre de vous conduire à la Bastille ! Mais lorsque M. le duc et le duc d'Antin arrivèrent au palais, ils trouvèrent le calme revenu, sauf en la personne de Son Altesse royale encore tout échauffée des fortes contraintes qu'elle venait de subir. En quelques mots, le Régent leur peignit la situation, et assura en propres termes « qu'il était persuadé que l'on trouverait bons les comptes de la Banque et en bon ordre et qu'il verrait, après cela, étant plus persuadé que jamais que le Système était bon [1] ».

Law se pencha vivement en avant, regarda Le Blanc dans les yeux et demanda :

— Ces propos ont-ils été vraiment tenus ?

— Ils le furent. Le duc d'Antin lui-même me l'a assuré lorsque je m'entretins avec lui quelques instants plus tard, avant d'être appelé dans le petit cabinet de M. d'Orléans. Là, le prince me donna ses instructions secrètes pour vous ; les voici : pressé comme il le fut par les gens du roi et le public, monseigneur « n'a pu refuser de vous ôter la surintendance des Finances ». Mais, sitôt après le contrôle de la Banque, vous recevrez des titres équivalents qui recouvriront les mêmes fonctions : vous serez nommé secrétaire d'Etat d'épée [2], membre du conseil de Régence, surintendant de tout le commerce de la France, directeur général de la Banque et de la Compagnie des Indes. Vous avez déjà ces deux titres, mais on va faire mine de vous les retirer pour vous les rendre aussitôt. Et nos affaires, ainsi, ne pâtiront point. Il soupira et ajouta : J'ai eu grand-peur !

A ce moment de l'entretien qui laissait Law stupéfait, on annonça Melon.

— Introduisez ! dit-il d'une voix forte.

Melon s'inclina devant les deux ministres et s'écria :

1. *Mémoires* du duc d'Antin.
2. Pour comprendre la signification de ce titre, il faut se représenter, dans le contexte du temps, la préséance de la noblesse d'épée (issue de la chevalerie) sur la noblesse de robe (issue des Parlements).

— Les actions perdent six mille livres ce soir, sur l'annonce du départ des affaires de Votre Grandeur !

A ces mots, Le Blanc reçut une commotion, comme si une pièce d'artillerie lui eût sauté sous le nez. Il était aussi gros actionnaire du Mississippi.

— Allez sur-le-champ au Palais-Royal porter cette nouvelle au secrétaire des Commandements de M. le Régent ! ordonna Law.

Melon s'inclina à nouveau et partit comme il était venu.

— Vous disiez donc ?... demanda Law benoîtement.

Le ministre de la Guerre bredouillait, ne revenait pas du choc qu'il venait de recevoir. Le surintendant des Finances vint à son aide :

— C'est, en somme, monsieur, une nouvelle journée des dupes que nous venons de vivre ? Hélas, contrairement à ce que vous semblez croire, elle ne sauvera pas le Système. En renonçant aux décrets du 5 mars et du 21 mai, on a confié son sort à ses ennemis, ou plutôt « à ceux qui ne l'entendent pas et il ne sera pas extraordinaire s'il vient à manquer [1] ».

— Croyez-vous, monsieur, que les actions ne remonteront pas ? demanda Le Blanc d'une voix mal assurée.

— Pas tant que nous donnerons la comédie au lieu de mériter, par l'autorité et le sérieux de nos actes, la confiance qui fait le crédit ! Et la comédie finie, pourrons-nous jamais rétablir la confiance ? Aviez-vous encore autre chose à me dire ?

— Oui, ... que Beuzewald et ses gardes suisses vont reprendre ce soir leur faction chez vous.

— Mais ils ne la quittent guère !... Est-ce toujours pour veiller sur ma sécurité ou bien, ce soir, pour me garder prisonnier en ces murs ? Tout est affaire de nuances, n'est-il pas vrai ?

— Le bruit va courir que c'est pour assurer votre détention et nous devons le laisser courir pour éviter la Bastille et que la police s'en mêle. Mais ce n'est pas vrai !

— Je n'en suis pas si certain. En tout cas, *voilà qui va accréditer l'accusation de banqueroute* et entacher mon honneur !

— Vous vous trompez ! Vous êtes absolument libre et la preuve en est que M. le duc de la Force viendra vous chercher demain matin pour aller travailler au Palais-Royal, comme à l'accoutumée, avec M. le Régent.

Law se taisait. Il n'était pas l'homme de ces manœuvres. Il se souvint alors que M. de Saint-Simon lui disait récemment : « La fausseté exquise du Régent, jointe à une faiblesse parfaite dans un prince si délié, si fin, si soupçonneux et d'autant d'esprit, donnent un champ vaste à comprendre. » Il avait ajouté : « Tout lui coûte comme perdu quand il s'agit de ses amis et de ses serviteurs les plus assurés et tout est pour ses ennemis dans l'espoir de les regagner... divise et règne est devenu sa maxime favorite [2]. » Mais lui,

1. John Law.
2. Saint-Simon, 1720.

Law, ne lui procurait-il pas les moyens de gagner ses ennemis ou de croire qu'il les gagnait ?

Or, voici que Le Blanc se penchait pour dire avec persuasion :

— Vous savez bien que l'armée est pour vous : le Régent le sait et ne tient pas cela pour rien. Je vous rappelle que vous pouvez compter sur moi pour entrer dans les projets que vous reprendrez demain avec plus d'ardeur que jamais, j'en suis persuadé... Pour l'heure, avec mes Suisses, j'écarte de votre personne les d'Argenson et leurs exempts !

Law le regarda. Il n'y aurait plus pour lui, en effet, d'autre alternative que de déclarer la guerre à Dubois et à l'Angleterre et de les vaincre... ou d'être vaincu.

« IL N'EST PAS NÉCESSAIRE D'ESPÉRER POUR ENTREPRENDRE... »

(Guillaume d'Orange)

Le lendemain matin, le duc de la Force vint place Vendôme. Il se donnait pour un grand ami et associé en Louisiane du surintendant des Finances, lequel en avait beaucoup de cette sorte ! Toutefois, Law tenait celui-là pour un des naufrageurs du Système, car il était de ceux qui spéculaient d'une manière éhontée sur les denrées de première nécessité, affamant ainsi les plus pauvres et provoquant un renchérissement de la vie qui soulevait les populations.

Law, froid et perplexe, se laissa conduire dans « la petite galerie du Régent » où patientaient quelques visiteurs qui ne purent cacher leur stupeur en le voyant entrer ; aussitôt, un garçon rouge [1] du palais parut et vint dire que « Monseigneur estimait qu'il ne convenait pas qu'il vît M. Law aujourd'hui ».

Le Blanc et La Force, très engagés dans le Système et très inquiets, avaient-ils espéré forcer la porte du Régent ? Law domina avec dignité cette situation ; impassible, il planta là son compagnon maladroit et déconcerté, et s'en fut, laissant derrière lui des chuchotements et des rumeurs qui allaient courir la ville pour la plus grande satisfaction de ses ennemis que le Régent voulait apaiser.

Rentré chez lui, Law monta directement dans son bureau, tailla ses plumes et fit prier Lord Peterborough, qui devait voir Philippe d'Orléans le surlendemain, de bien vouloir se charger pour lui d'une lettre et de lui envoyer, vers le soir, son secrétaire afin de venir la prendre. D'une main ferme, il plaça devant lui une feuille de papier et commença d'écrire :

1. Revêtu de la livrée du Palais-Royal.

513

Monseigneur,

Lorsque, la veille de déclarer la guerre d'Espagne, Votre Altesse royale me contraignit à mettre en application le Système de gouvernement et de gestion des Finances auquel mes intérêts les plus évidents m'avaient fait renoncer, j'ai alors sacrifié ma fortune, la Banque générale et la Compagnie d'Occident, l'une et l'autre prospères et que j'avais créées. Je rappelle à Votre Altesse royale que je ne croyais plus alors possible d'appliquer dans ce pays les vrais principes qui pouvaient amener l'abondance dans la sécurité, car il eût fallu d'abord changer la société qui me poursuit à cette heure de ses calomnies, de sa haine et de ses complots.

J'étais son ennemi, elle le savait.

Je rappelle à Votre Altesse royale que je n'ai nourri aucune ambition personnelle, fût-ce celle, fort légitime, qu'aurait dû m'inspirer l'avenir de mes enfants. J'ai en effet acheté tous les immeubles et les biens divers de la Compagnie des Indes avec ma fortune, au nom du roi. J'ai versé des sommes considérables dans ladite compagnie, j'ai refusé tout appointement et accepté, au contraire, d'être taxé de mille écus par an ! De même, ai-je libéré tous les prisonniers pour dettes et réglé des créances de l'Etat à l'étranger avec mes deniers.

Quand ai-je calculé, thésaurisé en bon père de famille ? Ma patrie d'adoption, le roi, le Système ont sans cesse passé pour moi avant les miens et moi-même. Quels sont les serviteurs de Sa Majesté qui en ont fait autant ? Mais qui s'en souvient à cette heure ? Je viens d'avoir le témoignage qu'il n'est jusqu'à Votre Altesse royale qui ne l'ait oublié. Mes enfants pourraient peut-être se contenter un jour d'un honneur intact, mais voici que le Parlement m'accuse de banqueroute et que Votre Altesse royale semble cautionner cette infamie, me faisant ainsi un affront public ! Cela au moment même où des personnes considérables par leurs charges dans l'Etat viennent, à ma demande, ouvrir les registres et les coffres de la Banque royale.

Que Votre Altesse royale, au-delà de ces cris qui l'effraient, entende la voix de tout un peuple, exténué et dépouillé par la misère, à qui le Système vient de rendre la nourriture, le vêtement et de donner des terres nouvelles à labourer ; qu'elle entende celle des ouvriers qui, faute d'ouvrage, étaient allés offrir leur travail à l'étranger et qui rentrent en foule pour s'employer dans les manufactures rétablies et dans celles nouvellement créées en si grand nombre. Ecoutez, monseigneur, les acclamations de ce peuple libéré des impositions onéreuses, nuisibles, cruelles, parfois atroces ! Et souvenez-vous que les revenus de Sa Majesté ont pourtant augmenté, depuis 1717, de plus de quatre-vingts millions par an !

Mais non, monseigneur, vous n'entendez pas ce peuple ressuscité et libéré de malheurs que Votre Altesse royale ne peut même pas se représenter ! Vous n'entendez que les cris sauvages, les cris de mort de ceux que ruine ce fameux Système et quels sont ces gens ? Les agioteurs devenus prêteurs, qui ont vu l'intérêt énorme de l'argent tomber de cinq à deux pour cent, et les rentiers. S'il n'y a en France que ces deux ordres de personnes, s'il n'y a point d'autres natures de biens dans ce pays que l'argent et les rentes constituées, on peut dire que ce Système fait beaucoup de mal. Mais ces gens ne sont pas un pour mille dans le royaume ! Les laboureurs, les ouvriers, le peuple, les marchands composent la partie la plus nombreuse et la plus considérable : ce sont eux qui soutiennent l'Etat, la noblesse et les autres citoyens. C'est de leur travail que sortent toutes les richesses et c'est pourquoi j'ai voulu alléger le fardeau épuisant des charges qui les écrasaient. On a vu alors augmenter considérablement la culture des terres, les ouvrages des manufactures, le commerce, la consommation et l'abondance. L'argent qui était captif et qui tenait tout en captivité est venu se joindre au crédit, animateur du Système, et le fortifier.

La fortune publique a totalement changé de face parce que personne n'a plus besoin d'emprunter. *Les possesseurs de l'argent qui minaient les autres à vil prix sont les seuls qui perdent. Le Système a arrêté le cours de leurs abus criminels qui ruinaient le royaume, mais ce sont eux qui crient ce soir dans la ville, les agents de l'Angleterre se joignent à eux et ils assourdissent Votre Altesse royale et l'aveuglent. Ce vacarme ne me rend pas sensible la nécessité d'une pantomime en laquelle se défait mon honneur.*

J'en appelle à celui d'un Grand Prince.

Je suis, monseigneur, de Votre Altesse royale, le très humble et très dévoué serviteur.

JOHN LAW. [1]

Ce texte, écrit d'un seul jet et signé d'un trait si énergique qu'il fit cracher la plume, Law le poudra vivement pour sécher l'encre et le ferma ; il apposa aussitôt son cachet personnel qui gravait dans la cire chaude, fondue en un tournemain au-dessus d'une chandelle, les armes et la fière devise des Law de Laubrige : « Ni obscur, ni humble », puis il sonna un laquais et lui tendit ce pli avec mission de le remettre au secrétaire de Peterborough lorsqu'il se présenterait.

Ayant fait, il se leva, s'approcha d'une des fenêtres qui s'ouvraient sur la place et vit les Suisses de Beuzewald qui montaient la garde devant sa porte. Il reconnut l'un d'eux, grand et maigre, aux cheveux couleur de paille, aux yeux d'enfant, qu'il voyait souvent en faction ; ce devait être un paysan des montagnes et sa vue évoquait irrésistiblement les beautés de son pays natal, que Law avait bien souvent traversé et dont la nostalgie le prenait soudain à la gorge... La route de Venise ! Peut-être, bientôt... Mais il s'était pris d'amour pour la France qui lui avait donné tout ce qui lui avait été refusé ailleurs, et sans doute plus qu'elle ne donna jamais à personne, y compris un empire dont il était seul ici à connaître l'étendue, à pressentir la future puissance. Pour cela, il voulut qu'entre la France et lui s'établît un échange, incompris de tous ; pour cela il voulut cette folie : que l'argent et les biens gagnés par lui au service de la France revinssent à la France. L'échange n'est-il pas le principe vivant et créateur de toute alliance, de tout sentiment authentique ? Ainsi avait-il tout donné, et s'était-il engagé tout entier au lieu de mettre à l'abri, à l'étranger, comme tant d'autres le faisaient, une partie de son immense fortune. Nul ne pourrait y croire, nul n'y croirait.

Non, il n'avait rien retranché au pauvre peuple français, pour qui il se

1. On peut supposer que ces textes de Law, rassemblés dans cette lettre, présentent les points essentiels qu'il éprouva le besoin d'exposer au Régent, dans la lettre qu'il confia, après l'affront, à Lord Peterborough et qui fut remise le 31 mai 1720.

battrait jusqu'au bout de ses forces et de son pouvoir. Lorsque ses pensées l'entraînaient à de telles réflexions, il entendait gronder les tonnes d'eau des océans qui portaient pour lui huit cents navires, lourds des richesses des autres continents ; il entendait aussi les rumeurs de milliers d'hommes et voyait des forêts, des terres immenses, des villes qui s'édifiaient, un autre monde en train de naître. La France lui avait apporté tout cela et plus encore : la présence de la seule femme qui connût le nombre de ces navires, de ces villes, de ces hommes, de ces espérances. Il eût fallu qu'elle fût là en cet instant. Mais elle était si loin et si près, inaccessible pourtant, puisqu'en tout état de cause, il se trouvait, il se sentait prisonnier de l'événement.

Caterina allait probablement faire grand bruit ; elle ressurgirait d'un passé et des brumes d'un présent dans lesquelles Law ne la voyait plus depuis longtemps.

Et les enfants ? Comment réagirait Jean, gâté par les prétentions délirantes de sa mère et l'élévation de son père ? Jean, le petit Jean, mal élevé somme toute, quel échec là aussi ! Et Marie-Catherine ? Elle était encore timide et effacée, mais peut-être cette douceur cachait-elle un esprit et un cœur qui allaient s'éveiller au désenchantement de ce monde ? Cette pensée lui fit mal. Il se reprocha encore de n'avoir nourri nulle ambition pour ses enfants, que celle de les rendre heureux.

A ce moment, la porte s'entrebâilla doucement. Law se retourna ; c'était William qui entrait. Les deux frères échangèrent un regard lourd d'incertitudes. Ils se ressemblaient par un de ces airs de famille qui frappent davantage que la similitude des traits. William, plus massif, n'avait ni la finesse, ni la beauté de John, ni son élégance impertinente ; il n'en avait pas non plus le génie créateur, capable de ces envols qui faisaient penser aux divinités ailées de la Grèce, habiles à décocher des flèches. John montra les pointes de celles qu'il venait d'envoyer au Régent dans la lettre à peine achevée. Instinctivement, quand ils étaient seuls, la langue maternelle leur revenait, mais pour quelques mots seulement. Ministre du roi de France, Law tenait à s'exprimer dans la langue de sa patrie d'adoption et non point dans celle de ses ennemis, bien qu'il l'aimât infiniment.

William se tut, étonné, choqué par les comportements de ce prince étrange dont il se méfiait. N'ayant que peu de contacts avec lui — seulement durant les assemblées générales de la Banque — il ne pouvait comprendre que son frère subît le charme contagieux du duc d'Orléans, tout autant que ce dernier subissait celui, tout aussi contagieux, de son frère et il se demandait de quoi pouvait bien être faite la confiance que, envers et contre les événements et les hommes, ces deux êtres se gardaient réciproquement. Il crut cependant discerner que celle de John était sérieusement ébranlée, surtout lorsque ce dernier lui dit à brûle-pourpoint :

— Il faut que vous alliez sans tarder à l'hôtel de Mercœur. Je ne pourrai sortir d'ici ce soir, ni peut-être demain...

— Quoi ! dit William avec un sursaut, voulez-vous dire que le bruit affirmant que vous êtes gardé à vue a quelque apparence de réalité ?

— Je n'en sais rien. Le Blanc m'a juré qu'il n'en était rien et que

Beuzewald et ses Suisses montaient leur garde ordinaire, mais j'ai un doute sérieux... En tout cas, cette rumeur à propos de ma liberté porte un coup fatal à mon crédit et à celui du Système.

— Vous êtes bien allé aux Tuileries ce matin !

— Avec le duc de la Force. Cela ne prouve rien. Imaginez que je franchisse ma porte, seul et sans escorte et que les gardes aient reçu l'ordre de ne point me laisser sortir à mon gré et m'en empêchent : j'aurais l'air de quoi ? de fuir ? Dieu m'en garde ! Le scandale serait énorme, les conséquences incalculables à Paris et dans le monde, sur les plans politique et financier.

— Certes, dit William soudain beaucoup plus soucieux.

— Allez trouver Mme de. et dites-lui tout ce que vous venez d'apprendre ; faites-la tenir au courant à mesure que des informations vous parviendront.

— Ce sera fait, John.

Ils se turent un instant. Le ministre fit quelques pas et livra à son frère cette singulière réflexion :

— Je voudrais bien savoir si Lady Caterina Seignieur a eu ce matin, comme à l'ordinaire, M. l'abbé de Tencin à sa toilette, s'il lui a fait passer le peigne et la brosse et son eau de senteur, comme il aime paraît-il à s'en acquitter et s'il lui a baisé les mains avec cette ardeur qui divertit toute la ville ? Le renseignement serait intéressant ; il faudra que j'interroge une de ses chambrières.

— Dubois a grand intérêt, ce me semble, à maintenir présentement cet agent de renseignements dans votre maison, répondit William.

A cet instant, un laquais entra et tendit un pli au ministre, en disant :

— Remis à l'instant par messager spécial du Palais-Royal, Votre Grandeur.

Law fit vivement sauter le cachet et parcourut la lettre.

— Il n'y a pas de réponse, merci, dit-il.

Le laquais sortit ; une lueur brillait dans les yeux de John Law.

— C'est un mot du marquis de Sassenage, premier gentilhomme de la chambre du Régent ; il m'informe qu'il vient d'être chargé de me conduire demain chez le prince, par la petite porte secrète que je connais bien.

— Pourtant, Son Altesse royale n'a pas encore reçu votre lettre.

— Elle ne doit lui être remise qu'après-demain.

— Vous l'aurez donc vu avant.

— Peut-on être certain de quoi que ce soit en de telles conjonctures ? De toute façon, je la laisserai aller jusqu'à lui. Il convient qu'il la reçoive et qu'il la lise.

— Vous avez raison.

William étreignit rapidement son frère et le quitta.

Une heure plus tard, Nathalie, défaite, écoutait William et prenait la mesure des barrières qui soudain s'étaient dressées entre elle et John Law. Assurée qu'elle serait mise au courant du déroulement de la situation, elle se sentit néanmoins entrer dans une solitude dont elle ne pouvait apercevoir l'issue ni la durée. C'est à ce moment, peu après le départ de William, qu'Aïssé entra dans le petit salon blanc, comme la tempête.

— Qu'avez-vous ? s'écria Mme de. qui ne l'avait jamais vue si agitée.

— Notre aga [1] vient d'être foudroyé par une crise d'apoplexie !

— Est-il mort ?

— Non pas ! Chirac, aussitôt appelé, l'a saigné plusieurs fois, mais il n'a pas recouvré l'usage de ses mouvements !

Nathalie observa curieusement Aïssé : une sorte de joie sauvage animait son regard ; elle ne s'y trompa point.

— Vous voilà délivrée, Aïssé et... fort opportunément, je crois ?

La jeune femme se troubla :

— Je le soignerai ! affirma-t-elle comme un défi.

— Je n'en doute pas. Mais vous aurez toute liberté de vous consacrer mieux à ce lieutenant des armées du roi que vous avez rencontré chez Mme du Deffand et qui, paraît-il, vous tient fort à cœur.

— Qui vous a dit ?... commença Aïssé.

— Pont de Veyle et d'Argental parce qu'ils s'en inquiètent un peu, et moi aussi...

— Et pourquoi, je vous prie ?

— Parce que veuf de la sœur de Riom, il fut un des « roués » des soupers du Luxembourg chez Mme la duchesse de Berry... Voilà qui ne le recommande point à notre confiance, ne pensez-vous pas ?

— Mais il a bien changé, je vous l'assure, depuis qu'il m'aime et... que je l'aime !

— Je voudrais tant en être certaine, Aïssé.

Et Nathalie courut à elle et la serra dans ses bras. Aïssé, bouleversée, sentit l'émotion de celle qu'elle considérait comme une sœur et vit soudain son désarroi.

— Je sais quelles sont vos inquiétudes pour M. le surintendant, dit-elle vivement, et je les partage. Qu'advient-il de lui ? Tant de bruits courent que l'on ne peut croire !

— Il serait en effet indigne de votre générosité de vous laisser convaincre, chère Aïssé. Mais que pourra-t-il contre le déchaînement de tant d'ennemis redoutables ?

— Il a pour lui le peuple et l'armée !

— Il luttera, soyez-en assurée, tant qu'il sentira derrière lui cette partie essentielle de la France, mais si elle venait à lui manquer, il aurait si vite fait de s'éloigner !

Aïssé comprit que Nathalie pensait se trouver un jour prochain devant cette éventualité ; étonnée, elle observa son silence rêveur puis l'embrassa vivement.

— Vous me reverrez souvent...

— J'en serai heureuse, Aïssé, mais vous aurez tant à faire, entre votre malade tyrannique et le chevalier d'Aydie !

1. Il s'agit du marquis de Ferriol.

— Je crois que nous aurons de nouveau besoin l'une de l'autre, c'est le privilège de l'affection fraternelle que de survivre dans l'absence et de se manifester aux heures difficiles.

— De celles-là, vous en avez connu beaucoup, Aïssé ; n'allez-vous point vers des jours meilleurs ?

— Meilleurs, certes, mais... plus faciles ?

— Cette maison est la vôtre ; d'Argental, Pont de Veyle et moi sommes votre famille.

— Je le sais bien...

Et sur ces mots dits dans un sourire, Aïssé s'en fut avec des grâces d'oiseau.

Le lendemain soir, Robert Neilson soulevait le heurtoir de la lourde porte de l'hôtel de Mercœur. Il trouva Nathalie à son clavecin, qui cherchait à s'absorber dans une de ces études très difficiles qu'imposent certaines partitions. A sa vue, elle se leva vivement.

— Où en sommes-nous, monsieur ?

— Ce matin à cinq heures, M. le Régent a fait prévenir M. le marquis de Sassenage qu'il valait mieux remettre encore l'entretien prévu avec M. le surintendant.

— M. Law n'est plus surintendant ! dit-elle douloureusement.

— ... des Finances, non, mais il est devenu surintendant du Commerce de la France et conseiller d'épée des finances du roi. Ce qui fait qu'il est toujours surintendant et ministre des Finances ! Ce sont là des finesses françaises qui m'échappent, madame.

— Vous voulez dire des finesses du duc d'Orléans ! Elles échapperont à tout le monde, c'est-à-dire que personne n'en sera dupe ! Enfin, peu importe. Savez-vous quelque chose de précis sur le motif de ce contrordre ?

— Pas exactement. Apparemment, le duc Régent craint la cabale et attend les résultats du contrôle de la Banque.

— Mais c'est injurieux cela, Monsieur !

— Ou maladroitement adroit. Je vous rappelle que ce contrôle est effectué à la demande de M. le surintendant.

— Quand donc tout cela finira-t-il, à votre avis ?

— Sous peu. M. de la Houssaye s'est découragé. M. Fagon s'est disputé avec tout le monde, mais M. des Forts est très au fait de ces questions et des activités de la Banque ; lui et ses gens travaillent sérieusement et nous pensons, rue Vivienne, que le Régent attend son rapport afin d'en tirer les arguments dont il a besoin pour confondre les détracteurs du Système.

Elle retint encore Neilson, longtemps, et non point pour l'entretenir de l'inquiétant présent mais du passé insaisissable vers lequel il lui semblait bon de s'évader :

— Oh, Neilson, parlez-moi de Lauriston...

Le lendemain soir, 1er juin, ce furent William et Rebecca qui arrivèrent chez elle.

Nathalie, qui en vingt-quatre heures avait fait des progrès extraordinaires au clavecin et dominé toute la mise en place d'un doigté délicat, courut vers eux dès qu'elle entendit leurs voix dans le vestibule.

— Il a vu M. le Régent ! s'écria tout de suite Rebecca en l'embrassant.

Ils entrèrent dans le petit salon en rotonde dont la porte fut prestement fermée.

— Oui, continuait William. Hier matin, milord Peterborough a fait tenir au duc la lettre de mon frère dont je vous ai résumé la teneur et, dans l'après-midi, des Forts a remis son rapport. Je sais par le duc d'Antin que M. des Forts, jusque-là si dur, si opposé au Système, assura « qu'il n'y avait rien de pareil et qu'il était incompréhensible qu'un compte de tant de milliards fut dans un si bel ordre et le tout rendu par bordereaux [1] ». Quant à Fagon, dont on connaît l'humeur critique, il voulut trouver à redire à tout [2] ! La Houssaye, lui, se retira en déclarant qu'il aurait eu besoin de plus de temps qu'on n'en pouvait donner puisqu'il fallait rouvrir très vite la Banque. Chacun en a ri, car on vient d'apprendre que les rapports si brillants qu'il envoyait de son gouvernement d'Alsace et qui lui valurent d'être appelé dans les grandes commissions de finances étaient le fait de son secrétaire ! Celui-ci vient de parler et il s'avère que son maître n'a jamais eu les connaissances qu'on lui supposait en lui donnant de hautes fonctions et cette mission [3] ! En tout état de cause, on sait ce soir dans Paris, poursuivait fièrement William, qu'il a été trouvé dans nos caisses vingt et un millions en espèces, vingt-huit en lingots, deux cent quarante en lettres de change, soit deux cent quatre-vingt-neuf millions, ainsi que nous l'avions déclaré. Le Régent a donc reçu M. le baron de Lauriston — William affectait de redonner à son frère son titre écossais — et à bras ouverts ! Il lui a même dit, mot pour mot : « Que l'événement n'avait pu modifier l'idée qu'il avait de son mérite ! » Et il a approuvé avec chaleur les nouveaux plans concernant la Banque et la compagnie que M. de Lauriston venait d'établir, par un travail qui l'a tenu à son bureau de nuit et de jour depuis quarante-huit heures. Ces plans doivent être soumis demain matin, dimanche, au conseil de Régence, séance au cours de laquelle seront confirmés les nouveaux titres du surintendant qui reprend la charge de toutes les finances du Royaume ! Le Régent voulait même lui rendre le titre de contrôleur général, qu'il a naturellement refusé, tout ceci n'étant que palinodie ! Enfin il fut décidé de rendre hommage à la probité de M. des Forts qui sut résister aux offres de M. d'Argenson, lequel lui avait offert ce poste de contrôleur général contre une félonie. On dit qu'il trouva cette fonction trop dangereuse ! En tout cas, il vient d'accepter la présidence d'un conseil de commissaires des finances,

1. *Mémoires* du duc d'Antin.
2. On se rappelle que d'Argenson l'avait circonvenu.
3. Saint-Simon, *Mémoires*. Cette supercherie de La Houssaye ne permet pas d'attacher le moindre crédit à une soi-disant interruption de la vérification de la Banque, qui fut récemment présentée comme une révélation importante. D'autre part, *les intérêts de La Houssaye en Louisiane lui interdisaient de nuire au Système* et il n'était que temps de rouvrir la Banque, chacun le savait, *bien que les autres bureaux fussent demeurés ouverts à Paris et en province.*

créé selon les directives de M. de Lauriston, et qui comprendra MM. de Caumont et d'Ormesson, maîtres des requêtes.

— M. de Lauriston… (Nathalie appréciait que William ait repris ce nom en un tel moment), M. de Lauriston a donc proposé un autre plan de finances ?

— Il ne s'agit plus du Système, dit vivement William. Le Système est décapité et il faut pallier les maux qui vont en résulter et qui risquent d'être grands.

— Est-ce à dire qu'il aurait quelque espoir de trouver le moyen de gouverner autrement les finances de ce pays ?

— L'imaginez-vous sans espoir ?

— Oui et non…

— Comme c'est juste ! approuva William en hochant la tête. Voici peut-être la seule dualité de son caractère.

Ils se turent.

— Que se passe-t-il rue Vivienne ? demanda enfin Nathalie.

— Les guichets sont rouverts, les paiements ont repris, l'agiotage aussi ! Les actions sont remontées dans la journée de six mille livres ! Une des mesures arrêtées aujourd'hui par M. de Lauriston supprime les dispositions répressives en vigueur depuis le 27 février : désormais, chacun pourra avoir chez soi, à volonté, de l'argent. Vous le voyez, nous changeons de cap. Enfin, je suis chargé de vous dire que M. le surintendant soupera demain soir ici, en votre compagnie. (Il lui redonnait son titre officiel.)

— Le cauchemar serait-il fini, William ?

— Je ne sais pas… répondit-il, soucieux.

— Il se pourrait, dit Rebecca. On a vu hier après-midi l'abbé de Tencin servir son thé à lady Caterina Seignieur et cacheter son courrier en parfait secrétaire de la dame !

Des sourires vinrent éclairer ces visages tendus et fatigués.

Juin était venu, tel le printemps de Botticelli, effleurant de son pas léger les prairies émaillées de fleurs ; les pivoines exhalaient leur suavité mêlée à celle des pois de senteur et aux parfums des lis et des œillets mignardise… les fleurs de juin, chères à Breughel ! Un bouquet digne du vieux maître chatoyait de ses flèches végétales sur l'un des meubles légers du petit salon en rotonde de l'hôtel de Mercœur ; la lumière douce des flambeaux posés sur la table où l'on venait de dresser deux couverts, animait les tons vifs, les corolles nacrées, les blancs purs et les nuages tremblants des graminées qui le composaient.

John Law arriva tard, en grand équipage. Nathalie l'attendait en habit de cour de taffetas bleu turquin, comme il convenait à cette heure et au repas d'un ministre. Les trois portes-fenêtres étaient grandes ouvertes sur le délicieux perron de pierre qui descendait vers la nuit de printemps et l'odeur de l'herbe fraîchement coupée et des roses épanouies.

John Law entraîna Nathalie dans cette ombre tiède pour la serrer silencieusement contre lui, puis ils se retournèrent et virent le couvert qu'éclairaient les chandeliers d'argent, les laquais immobiles et patients, les meubles aux soies brillantes, l'or des boiseries, la beauté des décors de leur vie... Une angoisse leur en venait soudain. Ils remontèrent lentement le perron, soupèrent avec le cérémonial discret et rapide qui apportait à leur tête-à-tête le repos, le silence et l'harmonie dont ils avaient besoin. Lorsqu'ils se retrouvèrent seuls, Nathalie demanda aussitôt :

— Où en êtes-vous ? Qu'allez-vous faire ?

Il s'était approché d'elle et s'assit à son tour sur le canapé où elle venait de s'installer ; il lui prit la main, regarda ses doigts et les baisa avec émotion.

— Essayer de sauver le Système, dit-il enfin ; il ajouta aussitôt : sans être certain que cela soit possible ! Je suis toujours attaché à la devise de Guillaume d'Orange...

— Il n'est pas nécessaire d'espérer pour entreprendre...

— ... Ni de réussir pour persévérer, acheva-t-il.

— Mais encore ?

— Il faut se battre sur deux fronts. Sur le plan financier : poursuivre la déflation dont le public n'a pas voulu et qui est indispensable, car elle substituera la réalité à la chimère. Il faut coûte que coûte équilibrer le circuit actions-billets-espèces et ramener les titres à un cours qui offre une rémunération raisonnable du capital engagé ! J'ai essayé de diminuer la valeur du billet de banque en le réduisant à la parité avec l'espèce, je n'ai pas été suivi ; je prends donc une mesure inverse : j'augmente la valeur des espèces jusqu'à égalité du billet ! « Il faut que le public apprenne à devenir le maître des bornes du crédit selon le besoin qu'il en a et qu'il ait le pouvoir de changer, à son gré, ses actions contre des billets ou ses billets contre des actions pour en avoir le produit... Bien sûr, il faudrait déclarer que les billets ne sont plus convertibles en espèces, c'est là le but essentiel à atteindre car il ne peut y avoir assez d'espèces à la Banque pour faire face à ces paniques de remboursement que suscitent les ennemis du Système. Il faudrait aussi laisser le prix des billets au cours de la place... il ne risquerait pas de tomber beaucoup, car les fonds sont très chers et l'intérêt de l'argent fort bas ; reçus dans tous les bureaux du roi, sans réduction jusqu'au 1er janvier 1721, les billets conserveront leur crédit. Quant aux actions, il paraît impossible qu'un titre qui aura un revenu certain ne soit pas une valeur considérée comme les autres biens ! Certes, des ventes massives pourraient les faire baisser, mais ce serait une baisse superficielle et momentanée car il ne se trouvera pas assez d'acheteurs [1]... » Il eût fallu que le public sache garder ses actions et son sang-froid, mais il n'a gardé que les espèces en métal !

— De là qu'il vous a fallu fabriquer tant de billets qui firent l'inflation.

— Il y eut cela et vous savez combien j'ai lutté contre le resserrement [2], obligé malgré moi à violenter ceux qui possédaient et cachaient de l'argent et de l'or. Mais « je ne pouvais pas faire travailler un plus grand nombre d'individus et remettre la France au travail sans une plus grande quantité de

1. John Law.
2. Conservation du métal.

numéraire mise en circulation pour payer les salaires ! Les ouvriers consomment davantage lorsqu'ils sont employés et ainsi l'augmentation du numéraire, avant de faire de l'inflation, ajouta à la richesse nationale, soulagea un grand nombre de pauvres et d'oisifs et donna les moyens aux uns de mieux vivre et aux autres de supporter une partie des charges publiques. N'oubliez pas que l'importation et l'exportation dépendent aussi du numéraire, puisque plus de gens au travail et mieux payés donnent plus à exporter. La création et l'augmentation des billets ont représenté la première étape indispensable du Système. La seconde était évidemment de maîtriser l'excès de papier-monnaie superflu et nuisible, qui a entraîné le renchérissement de la vie. Le royaume étant en valeur, il ne s'agissait plus que de l'entretenir, de supprimer le nombre des billets qui n'étaient plus nécessaires et de se réduire dans un crédit solide et mesuré qui conservât l'abondance dont nous jouissons. C'était le but de l'arrêt du 21, qui réduisait les billets de moitié, les actions de quatre neuvièmes et les espèces de deux tiers. Je répète et je répèterai que c'était à proprement parler ne rien diminuer sur les espèces, puisque mille livres de monnaie réduite perdaient autant que trois mille de monnaie forte, que c'était faire gagner les billets sur les espèces et que les actions gagnaient un neuvième sur les billets et deux cinquièmes sur les espèces [1] ! »

— Vous affirmiez que la suppression de cet arrêt entraînait la destruction du Système. Allez-vous essayer de le reconstruire sous une autre forme ?

— Je crois que je vais essayer, en effet, sans y croire beaucoup... Mais ce n'est plus cela qui compte pour moi. Le Système, *j'y avais renoncé au moment où l'on m'a contraint de l'appliquer...* Non, ce qui compte, vous le savez bien, et ce que je veux sauver, avec ou sans le Système, ce sont la Compagnie des Indes et la Louisiane. Les grandes sociétés de colonisation prennent enfin là-bas leur essor. Une immigration efficace et organisée se met actuellement en place et affronte l'expérience politique et philosophique que j'ai entreprise, dans la forme audacieuse de gouvernement dont j'ai doté cette nation nouvelle. Voilà qui dépasse en intérêt et en portée toutes les misères dont nous souffrons ici. Pour cela, je m'accrocherai au pouvoir, passionnément et désespérément peut-être...

Elle n'en doutait pas.

— Et quel est cet autre front de combat que vous voulez ouvrir ?

— Il est ouvert : me voici acculé à un complot, sans la réussite duquel je ne pourrai rien...

— Et si...

— Si j'échouais ? Le sort des vaincus serait le mien.

— Quelles sont vos chances ? demanda Nathalie, frissonnante.

— Difficiles à mesurer.

— Ils se taisaient. Envers et contre les événements, elle avait espéré mieux. Il reprit :

— Il faut que, en quelques jours, je me débarrasse de mes ennemis :

1. John Law.

nous allons tenter d'abattre Dubois, d'Argenson, Pâris-Duverney et ses frères.

Elle sursauta, mais ne dit rien ; il était évident qu'il fallait maintenant que ce fût eux ou lui qui demeurassent. Il continua :

— M. le Régent a fait appeler Pâris-Duverney voici quelques jours, et lui a demandé un projet financier qu'il m'a soumis, sans me dire de qui il était, comme si ce n'était pas la chose la plus aisée du monde que d'en reconnaître l'auteur ! Ce mémoire proposait évidemment l'abandon du Système et remettait en selle les vieux errements. Je rencontre demain soir, fort secrètement chez le duc de Chaulnes, M. le duc et le duc de Saint-Simon qui reviendra tout exprès de Meudon où il se repose dans le château construit par le Grand Dauphin et que lui prête M. d'Orléans. Nous déciderons de la stratégie. Il faudra qu'elle soit expéditive et forte.

— Qui vous soutiendra ?

— Un parti se forme en ma faveur : il comprend la cour de Sceaux, mais oui ! Ce sont des têtes à vent, vous savez bien, et au moindre souffle contraire, elles tourneront de nouveau dans l'autre sens ! Mais pour l'heure, elles sont entraînées par le nouvel ambassadeur d'Espagne, don Patricio Laules, qui participe à mes tractations avec la Suède et la Russie. N'oubliez pas que toute la vieille Cour déteste Dubois et soupire avec toute la France pour une alliance espagnole, le soi-disant allié anglais étant considéré comme le pire ennemi de la nation !

— Vous avez aussi pour vous Le Blanc, Belle-Isle, l'armée...

— Et tous ceux qui se sont enrichis grâce au Système, Mme de Prie, Mme la duchesse, Torcy et bien du monde encore. Les uns me soutiendront par intérêt, les autres, par regret et dépit. Qu'en pensez-vous ?

Elle se leva brusquement, le visage durci, et s'avança vers le jardin :

— Que la conduite des affaires de l'Etat est une rude tâche qui ne laisse pas reprendre souffle. Vous y avez voulu apporter le rêve et l'espoir ; je me demande aujourd'hui s'ils ont là leur place ?

Elle se retourna et vit qu'il la regardait avec un étonnement profond parce que, tout à coup, elle avait pris le ton de Caterina. Alors, elle courut à lui, posa la tête sur sa poitrine et dit très bas :

— Pardonnez-moi ; le rêve et l'espoir sont les ailes de votre génie et elles vous entraînent au-delà des hommes.

— Trop loin, peut-être...

— Qu'importe !

Qu'importait en effet pour l'instant qui passait, pour le beau soir qu'ils avaient à vivre ensemble et qui les rendait l'un à l'autre ! Cependant les périls les cernaient chaque jour davantage et ils ne s'y habituaient pas. Les aubes qui les séparaient les laissaient incertains, bouleversés par cette incertitude ; tant d'événements pouvaient désormais les séparer brutalement...

Law, réinstallé en hâte rue Vivienne depuis la veille, y passa quelques moments en ce matin du lundi 3 juin, puis se rendit au Palais-Royal où l'attendait le Régent. Il fut agréablement surpris de trouver le prince très assoupli par la crise grave qu'ils venaient, l'un et l'autre, de traverser et la

France avec eux. Philippe d'Orléans lui parut plus faible et plus mal assuré que jamais ; il en profita pour représenter à Son Altesse royale que sa rentrée politique ne pouvait être que subordonnée au départ du marquis d'Argenson qui n'avait cessé de le combattre. Le Régent, qui ce matin-là voulait la paix, acquiesça et proposa de donner les Sceaux à Saint-Simon. Law s'empressa d'accepter l'offre inespérée ; il connaissait cependant assez le personnage pour douter de son acceptation. Le Régent devait rencontrer le duc dans l'après-midi et affirma qu'il le persuaderait. En tout cas, un des ennemis du surintendant, et non des moindres, se trouvait en un tournemain éliminé. L'effet produit sur les autres ne pouvait manquer d'être grand. A l'instant où le Régent pressentait le duc de Saint-Simon, Law, devant ses principaux collaborateurs assemblés, faisait un bilan ; pour relancer ces hommes vers l'effort et ranimer leur confiance, ne fallait-il pas leur remémorer ce que nul n'aurait dû oublier : le développement remarquable de la Compagnie des Indes, ses activités, ses richesses ?

Avec une passion contenue sous une uniformité de ton qui ajoutait à l'intensité du propos, il énumérait :

— En 1716, nous importions six millions de marchandises et, aujourd'hui, nous en importons douze millions, tandis que nous en exportons neuf millions. Notre flotte est passée de seize à huit cents vaisseaux. La compagnie achète au Sénégal et en Guinée des cuirs, de la gomme, de la cire, de la poudre d'or, des plumes d'autruche, de l'ivoire, de l'ambre gris et de l'indigo. Dans les mers orientales, à Mahé, nous achetons le poivre que nous vendons en Europe, au Bengale et en Chine...

Pendant ce temps, au Palais-Royal, Philippe d'Orléans et le duc de Saint-Simon, qui s'étaient réfugiés dans la grande salle du dais afin de poursuivre à l'abri des importuns la controverse qui les agitait, allaient et venaient à grands pas.

— « Mais enfin, monseigneur, s'écriait Saint-Simon, les Sceaux ne décoreraient point ma Maison ! Ils n'apporteraient aucun changement à mon rang, à mon habit, à mes manières, mais ils m'exposeraient à la risée de ceux qui me verraient les tenir et à me casser la tête à apprendre un métier que je cesserais de faire avant que d'en savoir à peine l'écorce ! »

Rue Vivienne, Law poursuivait :

— A Pondichéry, nous achetons des toiles de coton et nous avons créé de vastes entrepôts. Toutes nos marchandises des Indes y sont rassemblées et nous avons fait de Chandernagor l'un des principaux marchés de l'Orient pour les soieries et les produits de Birmanie... Qu'est-ce que ce bruit, messieurs ?

— Quelques mouvements de foule dans la rue Vivienne ; nous y sommes habitués ! répondit Bourgeois.

Au Palais-Royal, Saint-Simon persistait, obstiné et caustique :

— « Je ne voudrais hasarder ni ma conscience, ni mon honneur, ni le bien précieux de l'amitié de Votre Altesse royale, en scellant ou refusant, bien ou mal, des édits et des déclarations qu'elle m'enverrait ou des signatures à faire d'arrêts du conseil rendus sous la cheminée ! »

Par toutes les rues adjacentes de la rue Vivienne arrivait peu à peu, de plus en plus dense, une foule qui murmurait et avançait, marée montante roulant vers une digue qui était la Banque.

— Acceptez, monsieur ! disait le duc Régent sans relever l'allusion faite aux édits qui ameutaient les ennemis de Law ; il ajoutait, s'immobilisant un instant sous les lambris dorés, comme pour communiquer la solennité du noble décor à ses propos : « Souvenez-vous des exemples illustres du maréchal de Biron et du connétable de Luynes ! »

Law, ayant écouté grandir la rumeur inquiétante, reprenait, impassible :

— En Chine, mes navires chargent du thé, des porcelaines délicates ornées de fleurs et d'oiseaux, des bois de sampan, la féerie des papiers peints et des éventails, du nankin, de la rhubarbe. Enfin, nous vendons en Orient les vins de France avec un gain de cent deux pour cent et nous achetons en Inde et en Chine, pour les revendre avec un gain de deux cents pour cent, des coraux, du poivre, des laques, de la mousseline, des toiles et du coton ; tant de marchandises ont à ce point débordé les entrepôts de Lorient que l'achat de Belle-Isle-en-Mer fut indispensable. Vers la Louisiane, la Nouvelle-France, Cayenne et les Antilles, nous expédions les produits de nos manufactures et de notre agriculture, et nous en ramenons le sucre, le café, le cacao, l'indigo, le camphre, le tabac, le cuir et les bois précieux. Ce commerce fait la fortune de Calais, du Havre, de Rouen, de Honfleur, Saint-Malo, Morlaix, Brest, Nantes, La Rochelle, Bordeaux, Bayonne et Sète. Quant à Marseille... Quels sont ces cris ?

— Je vais m'informer, Votre Grandeur, dit Melon en se levant ; et il sortit.

Au Palais-Royal, Saint-Simon affirmait :

— « Il y a loin, monseigneur, d'ici à Meudon et il serait bon que Votre Altesse royale consentît à me laisser aller ! »

En fait, il voulait rentrer dans son hôtel de Paris pour préparer, avec ses amis, la réunion du soir chez le duc de Chaulnes.

— « Fort bien, monsieur le duc. Mais je vous enverrai demain à Meudon deux hommes qui sauront vous convaincre ! »

Lorsque Melon rentra dans le bureau du directeur de la Compagnie des Indes, celui-ci ne le laissa pas rendre compte de ce qu'il avait vu. Il enchaîna tout de suite :

— Et maintenant, monsieur, il vous revient de nous communiquer les informations de Louisiane.

Cependant Melon, inquiet, s'écria :

— Il y a un grand concours de peuple devant la Banque pour changer des billets de cent livres contre des billets de dix livres, car le bruit se répand déjà qu'on va autoriser le remboursement de ceux-ci en espèces !

Law eut un geste d'impatience et répliqua sèchement :

— Voilà qui fera apercevoir aux membres du conseil qui veulent nous imposer cette mesure que rien ne justifie les ennuis qu'elle peut susciter ! Parlez-nous de la Louisiane, monsieur Melon, puisque c'est vous qui êtes chargé de peupler ma dernière société de colonisation.

— Suivant vos ordres, monseigneur, j'ai fait cesser tout recrutement en France afin de ne pas priver nos campagnes du travail de nos laboureurs. (Law acquiesça d'un signe de tête satisfait ; ce jeune homme avait acquis l'esprit du Système.) Vont arriver à Port-Louis trois compagnies suisses de soldats-ouvriers qualifiés, sous les ordres des capitaines Goezman et Ruesh ; un gentilhomme de Neufchâtel, François-Louis Le Merveilleux, est le chef de l'expédition. Leurs familles les accompagnent.

Les collaborateurs immédiats de Law, groupés autour de lui, tous directeurs de différents départements de la Compagnie des Indes et qui avaient fondé, quatre mois plus tôt, une importante société de colonisation, François Mouchard, député de La Rochelle, François Castagnier, Vincent-Pierre Fromaget et son beau-frère Jean Gastebois, portaient en cet instant plus d'attention aux rumeurs grandissantes de la foule qu'aux propos de Melon. Celui-ci poursuivit cependant :

— La Compagnie des Indes a engagé des étrangers pour l'ensemble de ses possessions coloniales et pas seulement pour la Louisiane. Nous avons recruté, spécialement pour la concession que Votre Grandeur vient de fonder avec M. le duc de Guiche, quatre mille Allemands, gens de métier et agriculteurs qualifiés, auxquels nous avons accordé, *suivant vos instructions, des contrats prévoyant un salaire accepté de part et d'autre, un défraiement complet et une participation aux bénéfices.*

— Fort bien ; sont-ils en route ?

— Ils sont déjà en Bretagne, femmes et enfants compris. Dès leur arrivée en France ils ont été convoyés par MM. Giberty de la Bouverie et Michel Vaudron. Une fois parvenus à Lorient, le directeur local de la compagnie, M. Edouard de Rigby, les a pris en charge en attendant leur embarquement. Un camp de tentes a été aménagé pour eux autour d'une fontaine, sur la paroisse de Ploëmeur, mais ils ont à se plaindre des manières rudes d'un commis de la compagnie, le sieur Lessard, dont je voulais entretenir ces messieurs afin que des ordres soient donnés pour mettre fin à ses procédés...

Mais ces messieurs écoutaient de moins en moins. Des cris s'élevaient au-dehors ; Fromaget se leva, hors de lui :

— Et dire que la Louisiane, elle, manque de numéraire ! Que la compagnie en est réduite là-bas à payer en marchandises son personnel et à vider ainsi les réserves de ses entrepôts, et...

Des hurlements cette fois lui coupèrent la parole et mirent tout le monde debout. Chacun se précipita vers les fenêtres ; soudain, certains reculèrent devant le spectacle qui s'offrait à eux : pour parvenir à la caisse de la Banque, le public devait traverser un petit jardin qui ouvrait sur la rue Vivienne. Là se déroulaient des scènes étranges : deux soldats du guet avaient posé des palissades de bois parallèlement au mur, de manière à former un couloir de sept à huit toises, à l'intérieur duquel se resserrait une longue file de gens que gagnait une sorte de panique. Des ouvriers robustes, pour atteindre un meilleur rang, montaient sur ces barrières et se lançaient sur les malheureux, serrés les uns contre les autres, et qui ne pouvaient ni se dégager ni les éviter. Les plus faibles tombaient, piétinés, écrasés. Des exempts dégageaient deux hommes et deux femmes sans connaissance et les transportaient dans le vestibule de la Banque, cependant que des gentils-hommes tiraient l'épée et suscitaient une mêlée générale. Par les barrières enfin ouvertes, les femmes s'enfuyaient en criant [1].

— Comment a-t-on placé ces palissades sans nous consulter ? s'écria François Mouchard.

— C'était vouloir faire croire qu'il n'y avait pas assez de billets dans nos caisses pour satisfaire tout le monde, donner à penser encore à la banqueroute et créer la révolte ! s'indignait Castagnier.

— N'oublions pas que c'est le fils de M. d'Argenson qui est lieutenant de police ! lança Melon.

— « La malice de cette opération est manifeste, dit Law. Et cette panique, messieurs, qu'en dites-vous ? Alors que l'on trouve si aisément à changer ces billets de dix livres dans un pays où l'or et l'argent sont présentement abondants ! Nous savons bien pourtant que le public a découvert le crédit et que la disposition à la confiance subsiste... Le débit et le prix des marchandises n'assurent-ils pas une grande prospérité ? Alors, que signifie l'empressement de cette foule à recevoir aujourd'hui en espèces le total de billets qui perdent plus de la moitié de leur valeur dans cet échange ? Que signifient ces blessés et cette émeute, si ce n'est que mes ennemis veillent à maintenir le désordre [2]... »

Tous se taisaient, anxieux. D'autres exempts qui, de toute évidence, étaient postés non loin de là, accouraient maintenant, faisaient évacuer la foule et fermaient les grilles du petit jardin.

— Eh bien ! s'écria Gastebois. On fait la loi dans nos murs ! Tout à l'heure il fallait payer, maintenant on ferme la porte et tout cela sans nous demander notre avis !

Quelques heures plus tard, à l'hôtel de Luynes, dans l'admirable salon tendu de damas cerise du duc de Chaulnes, lieutenant général, Law retrouvait Saint-Simon et le duc de Bourbon-Condé.

— Il convient, disait celui-ci, que chacun d'entre nous sache ce qu'il doit faire. Il revient à M. de Saint-Simon de « tirer » le premier en raison de son amitié pour M. le Régent.

— Je vais demander un entretien tête à tête, un de plus, répondit Saint-Simon sceptique, et je répéterai fermement qu'il faut éloigner Dubois... Je le veux bien, mais serai-je mieux entendu que naguère ? Considérez que je ne peux faire cette démarche avant le sacre de M. de Cambrai [3], qui a lieu le 9, et nous sommes le 3 juin.

— Sans doute, sans doute, répliquait M. le duc, nerveux. Mais vous avez pourtant sur M. d'Orléans des pouvoirs particuliers... on l'a bien vu jadis pour Mme d'Argenton !

— Ne vous a-t-il pas offert les Sceaux aujourd'hui ? Et si vous les acceptiez à la seule condition que Dubois soit écarté ? suggéra le duc de Chaulnes.

1 et 2. John Law.
3. Dubois.

La chaleureuse approbation de M. le duc et de Law accueillit aussitôt ces propos ; mais M. de Saint-Simon secoua sa perruque :

— Vous ne me vaincrez pas sur ce point ; je vous ai exposé tout à l'heure les motifs de mon refus, je n'y reviendrai pas.

Le duc de Chaulnes le connaissait intimement ; il savait donc qu'il ne fallait pas insister et il n'aurait su lui déplaire, car il lui gardait une immense gratitude pour ce qu'il l'avait fait accéder à la pairie. Chaulnes représentait le parti militaire dévoué à Law et souhaitait qu'une stratégie plus offensive fût envisagée. C'était au demeurant un homme aimable et vif, dont le visage énergique retenait l'attention. Le duc de Bourbon, soucieux, reprit :

— Je parlerai à mon tour et saurai faire sentir que mon amitié est solide, mais ne le restera qu'au prix de l'éloignement de l'abbé ! Je crois qu'il y aura là de quoi faire réfléchir mon cousin : il sait ce que représente la faction de Bourbon-Condé ! Quant à vous, monsieur, dit-il en se tournant vers Law, il vous appartiendra de parler avec énergie au Régent, comme l'on dit que vous savez le faire, « témoignant d'être à bout par le discrédit et les obstacles que M. de Cambrai vous cause au-dedans et au-dehors ».

— Je vous assure, monseigneur, que ce ne sera point la première fois que, moi aussi, je parlerai de la sorte à Son Altesse royale ; mais il faut que les uns et les autres, nous trouvions un accent nouveau, une force jamais encore exprimée, que nous représentions la gravité de la situation, la guerre civile prête à éclater, le Système menacé en plein essor et tout ce que sa brutale suppression entraînerait : la banqueroute et la ruine sous les yeux de Sa Majesté !

Le duc de Bourbon en frémit :

— Il n'en est pas question ! s'écria-t-il.

— Mais si, justement, monseigneur, il en est fort question.

— Je demanderai à voir M. d'Orléans dès que ce sera décemment possible, après le sacre... mettons le 16, réfléchissait Saint-Simon.

— N'est-ce point possible plus tôt, monsieur ? s'étonnait le duc de Bourbon.

Saint-Simon répondit :

— Je pense qu'il faut d'abord que j'attaque M. d'Orléans par lettre, répondit Saint-Simon. Ensuite, que Mme de Saint-Simon ait le temps de quitter Meudon, de rentrer à Paris et de se dire souffrante : excellent prétexte pour quitter à mon tour Meudon afin de me rendre à son chevet. De là, j'écrirai au Régent que « le point des points est d'ôter l'abbé Dubois, qu'il ne faut compter sur rien s'il demeure et qu'il faut le renvoyer à Cambrai ». Sur quoi, je demanderai une audience immédiate et serai à même de me rendre au Palais-Royal en un instant, car avec M. le Régent, il ne faut pas laisser passer le temps.

— Etes-vous bien certain, monsieur le duc, qu'il soit bon de révéler ainsi par avance l'objet de votre visite ? demanda Law inquiet. Et si Son Altesse royale vous éconduisait ?

— C'est inconcevable ! s'écria le petit duc. (S'enflammant aussitôt, rouge comme un coq, il dévisagea Law avec colère :) Cela ne s'est jamais produit, monsieur, et croyez-moi, il me faut bombarder la forteresse avant de me présenter sous ses murs.

Le duc de Chaulnes approuva avec modération d'un hochement de tête pensif. Le duc de Bourbon s'était levé, arpentait la pièce et répétait, menaçant :

— La faction de Bourbon-Condé... la faction de Bourbon-Condé !

En vérité, cela était court comme son esprit.

Law ressemblait à tous les guetteurs qui pressentent un danger.

Vers la mi-nuit, alors que tous les visiteurs de l'hôtel de Luynes avaient regagné leur demeure, quelqu'un se présenta chez l'abbé Dubois et fut introduit sur-le-champ : c'était Canillac. Quel sbire à sa solde avait suivi, derrière une porte, ce qui s'était dit chez le duc de Chaulnes et l'avait informé[1] ? Le sûr est qu'il savait tout et qu'il s'en venait prévenir le redoutable Dubois, sorti de son lit avec prestesse.

— Je suis perdu ! murmura celui-ci, après avoir écouté Canillac.

— Allons donc ! Son Altesse royale tient trop à vous !

— Il est vrai, autant qu'elle tient à Law ! Et celui-ci a obtenu le renvoi de d'Argenson dans l'après-midi. Je suivrai donc, c'est sa revanche !

— Vous aurez la vôtre...

Dubois sursauta, s'en vint regarder Canillac sous le nez et gronda :
— J'espère bien !

JEUX DE MIROIRS

Philippe d'Orléans, la perruque de travers, congestionné, le geste incertain et le regard oblique, observait en silence Canillac, le beau roué de jadis, le compagnon de ses aventures de jeunesse et des ardentes débauches de son âge mûr. Sur lui aussi, la vie avait passé... Ses traits alourdis, dépouillés des charmes qui formèrent un masque trompeur, le révélaient dur, sournois, intrigant, dévoré d'appétits divers. Philippe se demanda soudain quelle image inavouable il livrait de lui-même à cette heure. Il se leva. De son pas hésitant, il s'approcha du trumeau de glace encadré d'or qui surmontait la cheminée de son cabinet. Canillac, courtisan parfait, crut bon d'apporter vivement un flambeau ; le prince se vit et recula : le désordre de la coiffure, le visage rubicond, déformé, le double menton révélaient le naufrage. Il se souvint de ses aspirations de naguère, de ses conquêtes, des nobles desseins qui l'avaient animé... Même son regard était changé... La lâcheté, la veulerie, l'insondable faiblesse en laquelle trop d'excès l'avaient peu à peu réduit, l'amenaient à trahir si souvent et si bien ! Et voici que ses yeux, à leur tour, le trahissaient et il ne pouvait rien contre eux, ni les contraindre, ni les châtier ! Il contemplait maintenant, fasciné, le visage

1. On l'ignore. 3 juin 1720.

défait apparu derrière lui, caricature de celui qu'avait eu Canillac, qui, aux aguets, inquiet, s'approchait. Philippe alors se mit à ricaner et l'autre, par courtisanerie, ricana aussi. Le Régent lui prit le flambeau des mains, souffla les bougies et le lança violemment dans le miroir qui se brisa.

— Ne faites pas attention ! dit-il à son visiteur interdit. C'est que nous sommes trop laids de visage et d'âme, maintenant !

Il revint s'asseoir devant une fenêtre qui s'ouvrait sur les jardins. La nuit achevait de tomber sur un jour qui avait été radieux. D'un geste, le prince invita Canillac à prendre le fauteuil placé à côté du sien.

— Alors, demanda-t-il, comment les choses ont-elles marché à Meudon cet après-midi ? J'espère que vous avez eu plus d'adresse que moi ; j'espère que le duc de la Force et vous, surtout vous, avez réussi à persuader notre fidèle Saint-Simon d'accepter les Sceaux ?

— Nous l'avons investi inlassablement toute la journée ! Selon vos instructions, monseigneur, nous avons répété « qu'il y avait une nécessité absolue de se défaire de M. d'Argenson, dont l'infidélité, causée par sa jalousie pour Law, avait produit ce fatal arrêt du 21 mai, uniquement pour perdre Law, sans se soucier du péril où il jetait Votre Altesse royale ! J'assurai donc M. de Saint-Simon qu'il fallait, dans les conjonctures présentes, un garde des Sceaux dont l'attachement à votre personne fût tel que Votre Altesse royale n'en pût jamais douter, que rien ne pût ébranler, qui fût connu pour tel, et qui imposât par là une crainte qui troublât la cabale [1] ». Il fut aisé de le persuader que M. d'Argenson était le responsable de l'arrêt du 21 mai. Mais nous l'avons laissé aussi ferme dans son refus des Sceaux.

— Canillac, vous avez échoué ! s'écria Philippe déçu ; avec un singulier sourire, il ajouta : Il est vrai que je cherche là, somme toute, à duper un peu cet entêté irréductible... Justement parce qu'il n'entend pas les finances, il nous laisserait en paix !

M. d'Orléans traversait décidément une heure de lucidité et il avait parfois le vin triste.

— Il en a quelque idée, monseigneur !

— Je ne l'aurais pas voulu, monsieur ! repartit M. d'Orléans avec un mouvement de contrariété. Le duc de Saint-Simon est mon ami, peut-être mon seul ami...

— Etes-vous le sien, monseigneur ?

— Là est la question, Canillac ! Puis-je encore aimer ou même faire à quelqu'un de cher le don pur de l'amitié ? Mais de quoi vais-je vous parler, à vous qui n'entendez pas plus ces choses que Saint-Simon les finances ? Et pourtant, vous avez posé cette question... pourquoi ?

— Pour savoir si Votre Altesse royale éprouve d'autres amitiés... pour M. Law, par exemple ?

— Quel rapport ?

— Celui-ci : hier au soir, en sortant de l'entretien qu'il eut avec Votre

1. Saint-Simon, qui n'a rien compris à l'arrêt du 21 mai.

Altesse royale, M. le duc de Saint-Simon n'est pas rentré à Meudon, mais il est allé rejoindre M. Law et M. le duc chez le duc de Chaulnes...

Philippe émergeait cette fois des vapeurs de l'alcool. Impavide, il écoutait le récit qu'avait fait la veille Canillac à Dubois. Pour lui, Canillac concluait :

— Comme vous l'aviez craint, monseigneur, l'ambition qui dévore Law le conduit aux extrémités, à s'attaquer aujourd'hui à la personne même de celui qui sera demain M. de Cambrai [1] et qui est, lui, véritablement l'ami le plus constant, le plus sûr, le plus efficace, le plus dévoué et le plus ancien de Votre Altesse royale.

Pensif, le duc Régent se leva. La précédente question de Canillac le poursuivait. Etrangement, il comprit soudain que le seul être pour lequel il aurait pu éprouver encore de l'amitié était peut-être John Law. Il fit quelques pas dans le silence, sous le regard attentif du courtisan. Il connaissait parfaitement les mobiles du complot de Law et de Saint-Simon, les approuvait en quelque sorte. Dubois était une canaille et cet espion — valet, caméléon en perpétuelle mutation — en était une autre. Quant à Law, il lui apparaissait comme un fascinant miroir, dans lequel il aimait à regarder le grand prince qu'il pouvait être et que par cet homme, parfois, il parvenait à être — le meilleur chef d'Etat, en somme, qu'ait connu la France depuis Louis XI, celui d'une résurrection et d'un devenir. Mais John Law était aussi la dure voix de sa conscience... Et cette voix, il supportait de moins en moins de l'entendre ; bientôt, il le savait, elle lui serait intolérable. Law incarnait ses rêves sublimes et ses regrets déchirants qui le rendaient fou. Rien de semblable avec Dubois, par qui il avait fait un pacte avec le diable, Dubois, son rude compagnon de guerre, de bordels, de beuveries et de combinaisons obliques.

Canillac, inquiet, ajouta :

— Law a rallié la vieille Cour et toute la cabale d'Espagne ; mais je me fais fort de la ramener à Votre Altesse royale et à M. de Cambrai qui m'a paru, hier au soir, prêt à envisager de revenir à l'alliance espagnole... si Votre Altesse royale en manifestait le désir.

— Lui ? L'homme de l'Angleterre ? Et vous, qui avez été si fort l'ennemi de Mme du Maine au temps de Cellamare !

— Je sers Votre Altesse royale et M. de Cambrai quelles que soient les nécessités politiques du moment. Quant à mes possibilités de rallier Mme la duchesse du Maine, vous savez bien, monseigneur, que je ne parle jamais à la légère. Que Votre Altesse royale daigne se souvenir de la nuit du 26 août 1715 !

— Cinq ans déjà ! murmura Philippe, étreint par le sentiment de la fluidité du temps, insaisissable, toujours perdu en dépit des illusions, des œuvres accomplies et des victoires éphémères ou de quelque durée.

Voici qu'était proche le terme de ce règne si court, qui figurerait au tribunal de l'Histoire entre celui de Louis XIV et celui de Louis XV : la

1. Dubois.

Régence ! Il eut un petit rire désenchanté. Le visage de Law s'imposa à lui : celui-là ne s'était pas défait comme le sien. Toujours spirituel, insolemment ironique, il avait certes perdu de sa jeunesse, de sa finesse et subi les atteintes des attaques renouvelées et des perpétuelles angoisses ; durci, élargi, il accusait davantage un courage indomptable, viril, mais c'était encore un beau visage, douloureux, marqué par les blessures nobles des combats soutenus et gagnés un à un. Oui, un beau visage en vérité... Philippe d'Orléans se tourna vers Canillac :

— Allez, monsieur, dit-il froidement ; puis il lui tourna le dos.

M. le marquis de Canillac, maréchal de camp, conseiller d'Etat, salua et sortit.

Law revenait, pensif, du Palais-Royal. En ce matin du 5 juin 1720, il avait obtenu avec facilité qu'un titre de rente, exactement proportionné au capital qu'il avait apporté en France, « *rente qui ne pourrait être saisie pour aucune cause* », fût établi pour Caterina Seignieur, la mère de ses enfants [1]. A cette demande, faite avec dignité, le Régent avait acquiescé sur-le-champ, sans discussion sur les pièces comptables produites à cet effet. Le document allait être établi en quelques jours. Le Régent avait toutefois relevé que l'inquiétude de Law quant à la suite des événements devait être bien vive pour qu'il en vînt à régler soudain un problème qui eût dû l'être depuis longtemps, mais dont il n'avait pas semblé se soucier jusqu'à ce jour. Law n'avait pas cherché à minimiser ses craintes qui se renouvelaient et s'aggravaient chaque matin lorsqu'il lui fallait, comme en cet instant, subir l'épreuve de traverser une foule de plus en plus compacte, de plus en plus hostile, pour rentrer à la Banque ; l'épreuve devenait obsédante.

Comme les jours précédents et ceux qui viendraient, son carrosse gagna l'entrée principale du noble établissement de la rue Vivienne sous les quolibets, les menaces et les injures. Impavide, il descendit de voiture, salué par une recrudescence de vociférations et se dirigea vers son bureau où l'attendaient Melon, Dutot, Robert Neilson et William qui, sans autre préambule, s'écria dès qu'il le vit :

— La défaveur du billet de banque s'étend comme un incendie ! Bientôt, nous ne pourrons ni continuer à les rembourser en argent, ni pénétrer dans cet hôtel...

— Le public se comporte comme les princes, ajouta Dutot exaspéré.

— C'est que certains d'entre eux mènent ces foules ! dit Melon.

Un silence se fit. Ces hommes regardaient Law, scrutaient son visage pour voir naître la décision qu'ils attendaient tous.

— Le billet est une monnaie, dit celui-ci en martelant son bureau du poing. Il n'a ni à être vendu comme on commence à le faire place Vendôme et ailleurs, ni à être remboursé. Nous allons mettre un terme à ces manœuvres incohérentes !

— Tout de suite ? demanda William.

— Rapidement, mais progressivement, répondit John Law. (Il ne

1. Lettre de Caterina Seignieur, datée du 5 avril 1727.

voulait plus courir les dangers d'une hâte excessive. Se tournant vers ses secrétaires il ajouta :) Transmettez : fermeture immédiate du bureau de change de la Banque, mais avertissez que le public pourra néanmoins se procurer des espèces métalliques deux fois par semaine, les jours de marché, le mercredi et le samedi, au Châtelet... (Il réfléchit, puis reprit :) A cet effet, nous verserons ces jours-là vingt-cinq mille livres à chacun des huit commissaires du Châtelet et nous échangerons des billets pour cinquante mille livres aux rôtisseurs, et pour quarante mille livres aux deux marchés de Poissy. Nous continuerons aussi à échanger ici des billets, mais dans des cas particuliers que nous allons déterminer, et nous pourvoirons normalement les troupes.

— N'est-ce pas là reconnaître l'infériorité du billet par rapport à l'argent ? s'inquiéta William.

— Sans doute, mais présentement nous sommes dans l'obligation de suivre, au moins dans certaines limites, l'incohérence des hommes. Peu à peu, nous réduirons ces limites.

William hocha la tête ; rien ne lui paraissait moins aisé. Robert Neilson, qui n'avait rien dit jusque-là, demanda :

— Et le change qui se fait à la place Vendôme avec des gains importants et que le peuple suppose organisé par nous, qu'en dites-vous, monseigneur ?

Et il déroula devant son ami un rouleau de papier qu'il tenait à la main. C'était une affiche dont le surintendant lisait à présent le libellé :

— « Ordre du jour du camp de Condé... » Que signifie ?

— Votre Grandeur, qui demeure en cette place, n'a pas été sans remarquer que les tentes rayées qui abritent le change, les jeux, les marchands de toute sorte installés là en quelques jours, offrent l'aspect d'un campement de régiment en campagne ? Le duc de Bourbon-Condé est, on le sait, un des piliers de la Banque royale !

— Quand il ne la débanque pas ! dit Law d'un ton glacial.

— Certes, mais c'est bien de cela qu'il s'agit ! De ces misérables victoires que les Parisiens comparent, pour la circonstance, à celles de son illustre aïeul, le vainqueur de Rocroy, le tapissier de Notre-Dame ! Lisez la suite, monseigneur...

Law reprit sa lecture à haute voix :

— « Etat-major du duc de Bourbon : maréchal d'Estrées, duc de Guiche, commandant des troupes auxiliaires, Law, médecin empirique, les directeurs de la Banque, maraudeurs et piqueurs... » (Enervé, Law sauta bien d'autres noms et reprit plus loin :) « Vivandières du régiment de Condé : de Parabère (Orléans), de Sabran (Livry). Filles de joie : de Monasterol, de Gié, de Nesle... »

Edifié, Law arrêta là sa lecture.

— Dès hier au soir, reprenait Neilson, on vit sous ces tentes le trafic des pierreries et des perles s'installer et se substituer au papier-monnaie en perdition...

— J'ai voulu supprimer l'agiotage, disait Law, et j'ai fermé la rue Quincampoix. On le vit alors s'installer dans la cour de la Banque et place

534

des Victoires ; je l'ai fait poursuivre et chasser par le guet... sans grand succès. J'ai alors consenti à ce qu'on lui désigne un lieu où il pourrait s'établir sans les excès que nous connûmes et sous une autre surveillance. Le fils d'Argenson, lieutenant de police, m'a fait alors le tour de l'établir sous mes fenêtres, place Vendôme. A défaut d'esprit, ce jeune homme a, comme vous le voyez, de la malice ! Lui et ses baraques vont déménager sous peu ! Le commerce des joyaux qui s'installe témoigne qu'il faut mettre en place sans tarder d'autres structures financières : le Système était un monument, on l'a détruit, alors ses pierres tombent et blessent. Quoi d'étonnant à cela ? Il faut les ramasser et relever les blessés. Quant aux morts, il y en aura, il y en a eu... Hélas, le Système a déjà tué trop de gens ! (Il pensait avec douleur à tous les suicides, à tous les assassinats qu'avait suscités la folie de l'agiotage.) Qu'y puis-je ? reprit-il. Une à une, mes entreprises ont été pourchassées, tirées en plein vol comme des palombes, dénaturées, détournées... l'Histoire, un jour, le dira ! (Tous se taisaient. Il poursuivit :) ... Mais il faut essayer de sauver la Louisiane !

Des regards furtifs furent échangés. Les informations de Louisiane n'étaient pas satisfaisantes. En dépit de leur importance et de leur organisation, les nouvelles sociétés de colonisation se heurtaient à tous les écueils d'un dirigisme excessif et mal conduit. Le Système, allié en Europe à un libéralisme contrôlé, avait donné des résultats spectaculaires, mais en Amérique, il s'enlisait dans l'expérience politique tentée par son créateur, qui appliquait, hors de portée de son observation et de sa réflexion, des théories qui le passionnaient mais dont il ne vivait pas au jour le jour l'application et les conséquences. Nul doute que se jouait de la sorte là-bas, *tout autant* que dans les complots fomentés à Paris et à Londres, ce qui restait du Système. Nul doute que si le temps lui en était laissé, Law apporterait en Amérique les réformes nécessaires. Mais n'avait-on pas décidé de le harceler sans répit ?

— ... Des difficultés monétaires accablent la Louisiane, reprit-il ; pour les résoudre, j'ai fondu la Banque royale et la Compagnie des Indes en un seul établissement, ce qui permettra de faire bénéficier aisément le gouvernement du Mississippi des nouvelles structures financières que je vais établir ici... (Il se tut soudain, eut un sourire énigmatique et ajouta :) *Et puis, on peut vider les caisses de la Banque, mais celles de la compagnie et ses immenses richesses sont hors de portée* [1]...

— C'était une sage, une urgente mesure, la seule à prendre, en vérité ! approuva William.

— Vous ne serez donc pas étonnés, poursuivit Law, d'apprendre que je déclenche une attaque contre la *South Sea Company* en retournant contre elle les armes avec lesquelles elle nous tire dessus !

— Enfin ! enfin ! crièrent tous ces hommes, un instant plus tôt accablés ; soudain leurs regards brillaient.

1. La réunion de la Banque et de la Compagnie des Indes fut officielle dans le courant de juin 1720.

— Un joli coup, mon frère ! dit le surintendant en se tournant vers William ; puis s'adressant aux autres : Lord Londonderry, le fils de ce vieux fou de Pitt, n'a pas oublié qu'en faisant acheter leur fameux diamant par le Régent, j'ai fait leur fortune ! Curieux, n'est-ce pas, un homme reconnaissant ! Il est vrai qu'il est Irlandais, donc fantasque ! Il faut dire qu'il est également le beau-frère de Stanhope et qu'il ne l'aime guère, pas plus sans doute qu'il n'aime les Anglais... Enfin, tout cela fait qu'il a accepté de jouer pour nous à Change Alley et d'y faire vaciller les cours en menant une manœuvre à la baisse de grand style contre les actions de la *South Sea Company* ! Pour que l'opération se fasse sans transfert de fonds apparent, il va, avec quelques amis, réunir cent mille livres sterling. William, faites bloquer immédiatement à leurs noms que je vais vous donner, trois mille actions de la Compagnie des Indes et faites garantir leurs créances par notre correspondant à Londres, Midleton.

— J'ai un agent qui part ce soir pour l'Angleterre, il verra ce banquier dès son arrivée. Enfin ! enfin ! répétait William.

— En même temps, reprit Law, je crée ici de nouvelles structures indispensables. En voici les grandes lignes : nous allons fabriquer de nouvelles pièces d'or et de nouveaux billets qui auront un cours différent des pièces et des billets actuels.

— On repart à zéro ! remarqua Dutot.

— Vous l'avez dit. Et nous allons même retirer de la circulation et brûler toute la masse de papier-monnaie qui crée l'inflation, de manière à ne laisser à la disposition du public que le nombre de billets absolument nécessaire pour attendre l'apparition des nouvelles espèces métalliques et des nouveaux billets !

Il avait dit cela d'un ton farouche qui semblait donner à cet insolite autodafé une secrète intention purificatrice.

— ... Le feu, oui le feu ! et en place de Grève ou ailleurs, dans la ville, devant le peuple ! ajouta-t-il sourdement.

— Vous avez décidément le goût des mesures révolutionnaires ! dit William en hochant la tête. On dira que nous les avons importées des Iles Britanniques !

— Et que fera Votre Grandeur des billets conservés lorsqu'ils n'auront plus cours ? demanda Dutot.

— Nous les modifierons pour les convertir en monnaie nouvelle d'une valeur invariable, vous m'entendez : invariable ! « Le tableau en sera affiché en l'hôtel de Ville de Paris et le détail sous la juridiction du prévôt des marchands. » Il faut museler la Cour, les agioteurs, mettre ces valeurs hors de portée de leurs griffes ! Bien entendu, nous allons ces jours-ci promulguer une ordonnance faisant obligation à tous ceux qui ont envoyé des fonds à l'étranger de les rapatrier. M. le Régent vient de me donner son plein accord sur ce point. Quant à la déflation des titres de la compagnie, nous devons la poursuivre parallèlement à celle des billets, puisqu'il nous faut également diminuer le nombre des actions en circulation pour réduire la masse monétaire.

— Trois cent mille actions ont déjà été rachetées par la Banque, ajouta Dutot. Il suffit de les brûler aussi.

— Et puis il y a les cent mille titres de Sa Majesté qui ont été annulés, le Régent, au nom du roi, ayant accepté d'y renoncer ! dit William.

— Il ne reste donc en circulation que cent quatre-vingt-quatorze mille actions, remarqua Dutot après avoir consulté ses notes et fait un rapide calcul. Il ne semble pas nécessaire de prolonger bien longtemps la reprise des titres à nos guichets. Il faudra, je crois, y mettre sous peu un terme.

— Certainement, approuva Law ; puis il conclut : dans l'immédiat, plus de change de billets contre de l'argent à la Banque, mais change à volonté et transformation des billets de cent livres en billets de dix livres qui manquent actuellement pour répondre aux besoins du commerce.

— Ces manipulations et tractations demandent la mise en place d'un dispositif important, car le public va se ruer de plus en plus rue Vivienne ! répondit Melon.

— Ouvrez quinze bureaux supplémentaires et mobilisez cent commis qui, par roulement, travailleront de jour et de nuit à couper les billets de cent livres.

Dutot se leva et demanda :

— Quand faut-il au plus tard entamer l'opération ?

— La découpe des billets doit commencer dès que possible pour que l'on puisse en tenir à la disposition du public dans huit jours au plus tard, répondit Law sur le visage de qui se lisait son extraordinaire détermination [1].

LES FLAMMES

Dans le carrosse qui roulait sur une route ombragée en direction de Fresnes, le spirituel chevalier de Conflans, premier gentilhomme de la chambre du Régent, se tourna vers Law et dit :

— Vous venez, monsieur, d'emporter une place forte ! Je la croyais imprenable parce que bien défendue par M. de Cambrai !

L'équipage venait tout juste de quitter les faubourgs et Philippe de Conflans, qui était bavard, curieux et chargé conjointement avec son compagnon d'une mission importante, brûlait de s'informer.

Law sourit pensivement. Il avait en effet obtenu le renvoi de d'Argenson, mais le plus dur restait à faire : dans les jours suivants, avec Saint-Simon et le duc de Bourbon, il tenterait d'éliminer son vieil ennemi qui allait devenir archevêque de Cambrai le surlendemain.

Pour l'heure, Dubois, étonnamment souple, avait acquiescé au choix du remplaçant du garde des Sceaux fait par le Régent sur la proposition du surintendant du Commerce de la France, conseiller d'État d'épée, auditeur

1. Les quinze bureaux furent ouverts le 12 juin 1720.

au conseil de Régence et, depuis peu, secrétaire du roi... Law devait, à ce titre, prêter serment sur les Sceaux dans la chancellerie du Palais, six jours plus tard, le 13 juin 1720 et remplacer, ironie du sort, Dubois lui-même dans cet emploi ! Il pouvait aussi se déclarer duc de la Valette ! Poussé par le Régent, qui décidément veillait à son élévation, il venait de consentir à l'achat de cette terre de la Valette afin de donner, une fois de plus, l'exemple de la nécessaire reconversion des gains de l'agiotage dans des placements solides. Tout cela valait l'archevêché de Cambrai ! Law souriait toujours et voici même qu'il riait...

— Excusez-moi, dit-il à Conflans. Je pensais à autre chose... à des sottises !

— Vous, monseigneur !

— Cela m'arrive très souvent, car les sottises et les sots nous environnent.

— Il est vrai... Enfin ce n'est point dans cette catégorie que vous avez situé mon cousin le chancelier d'Aguesseau, puisque nous allons de ce pas lui proposer de reprendre les Sceaux de la dépouille de M. d'Argenson. Il ne s'y attend point, je vous l'assure, ni d'en être pressé par vous !

— C'est vrai qu'il est en bien bons termes avec le Parlement qui me veut pendre ! soupira Law.

— Mais il meurt d'ennui dans son exil de Fresnes et voici déjà deux ans et demi qu'il y est relégué ! Sa femme en devient folle et toute sa famille en gémit ! On peut compter sur son empressement à soutenir notre proposition et sur son influence. S'il le fallait, je représenterais, de la part de M. le Régent, qu'un refus rendrait l'exil éternel, alors qu'une acceptation vaudrait un retour en grâce éclatant !

— Ce sont évidemment des arguments, dit Law en hochant la tête.

Il n'appréciait aucune forme de chantage, mais savait d'expérience que Philippe d'Orléans n'avait pas de ces délicatesses.

— Le Régent a insisté, reprit Conflans, pour que nous ramenions M. le chancelier sur-le-champ, fût-ce dans la nuit ! Il faut qu'un garde des Sceaux figure après-demain au Val-de-Grâce, au sacre de M. de Cambrai. On ne peut décemment y prier M. d'Argenson qui s'est d'ailleurs déjà retiré auprès de Mme de Veni ! Ce terrible homme s'installe donc avec son mobilier et toutes ses affaires dans un couvent de demoiselles, ce qui stupéfie l'opinion. Le bruit court, monsieur, que vous ne serez pas à cette grandiose cérémonie où doit se montrer tout ce qui compte à Paris... mais je suis peut-être indiscret ?

— Nullement ; puisque ce bruit court déjà, ce n'est plus un secret.

— M. le duc de Saint-Simon resterait également chez lui ?

— Il en fait si peu mystère qu'il n'a pas été invité ! Il a pressé M. le duc d'Orléans de ne s'y point rendre, tant parce qu'un fils de France ne doit pas assister à un sacre, qu'en raison du scandale retentissant provoqué par la messe basse de Pontoise au cours de laquelle Dubois reçut tout à la fois le sous-diaconat, le diaconat et la prêtrise ! Après quoi, sans s'attarder, il s'en retourna à ses affaires et vint parader au conseil de Régence !

— Je ne sais pas si M. de Saint-Simon croit être écouté, mais on prépare au Palais-Royal un banquet sans pareil qui suivra immédiatement la cérémonie. Qui disait l'abbé au seuil de la défaveur ? M. le marquis de Canillac, il est vrai, prétend le contraire et je l'ai entendu ce matin même assurer que « tout au Val-de-Grâce serait superbe, pour faire éclater la faveur démesurée du ministre et pour manifester aux yeux de toute l'Europe qu'il est entièrement le maître de la France » !

— Vraiment ! dit Law songeur.

Un grand flamboiement semblait embraser la succession des jours et des événements : rouge lueur de la pourpre cardinalice que l'on voyait déjà — Dubois le premier — s'approcher de l'aube violette dont on venait de vêtir M. de Cambrai ; singuliers feux de la Saint-Jean d'été que Trudaine, prévôt des marchands de Paris, farouche ennemi de Law, s'empressait d'allumer tous les jours devant l'Hôtel de Ville pour brûler les actions et les billets que la Banque et la Compagnie des Indes lui faisaient porter. Persuadé qu'un tel spectacle ne pouvait que frapper les Parisiens et nuire au Système, il les invitait à danser la farandole autour de ces bûchers et faisait courir les bruits les plus équivoques et les plus extravagants, allant jusqu'à prétendre qu'il reconnaissait, parmi les dizaines de milliers de billets, quelques numéros déjà vus sur de précédentes coupures [1] ! Etincelles des pièces d'or qui réapparaissaient et circulaient dans la ville... Flammes de l'aurore du 14 juin 1720, dans un glorieux matin de Provence. Salué par les grands pavois du soleil levant, un navire glissait majestueusement entre les îles Pomègue et Ratoneau, longeait le château d'If et s'apprêtait à passer entre les forts Saint-Jean et Saint-Nicolas pour entrer dans le port de Marseille. Il s'appelait *Le Grand-Saint-Antoine* et venait de Seyde, en Syrie.

La ville s'éveillait à peine et semblait s'étirer dans la lumière déjà intense entre ses falaises blanches que caressait mollement la mer latine d'un bleu profond. Une image de sérénité, de bonheur d'être, de paradis terrestre... La réalité altérait tant soit peu ces apparences. Marseille n'avait pas, comme toutes les villes françaises, bénéficié des effets rapides et spectaculaires du Système dont cependant elle aurait eu, plus que toute autre, un pressant besoin ; elle se trouvait depuis longtemps considérablement affaiblie par des épidémies endémiques qu'elle ne parvenait pas à maîtriser et était ainsi entrée dans un processus de paralysie progressive dont il eût fallu l'aider à sortir par des moyens appropriés. Hélas ! elle paraissait à peine moins loin de Paris que Pondichéry ou La Nouvelle-Orléans, et Law était en proie à la meute de ses ennemis et à ses difficultés politiques et financières. Trois vaisseaux de Barbarie, chargés de blé, s'étaient récemment présentés pour vendre leur cargaison dont l'urgente nécessité se faisait sentir parmi la population marseillaise. Mais le paiement en billets ayant été refusé, ils repartirent sans décharger. Cet événement avait eu pour effet de faire

1. 1er juin 1720.

monter brutalement les prix ; vivres et numéraire se raréfiaient de telle sorte que le peuple avait faim et se trouvait plus faible encore et plus vulnérable.

Mais voici que cet autre navire s'avançait vers Marseille, port franc, sans avoir à craindre les tracasseries des intendants de santé, ni celles des commis chargés d'appliquer les taxes innombrables de jadis. Allait-il apporter du blé et son capitaine accepterait-il les coupures de la Banque royale ? La gorge serrée, les officiers du port, leurs lunettes marines portant plus loin leurs regards angoissés, suivaient ses évolutions auxquelles semblait s'opposer soudain le mistral qui se levait. Comme si le vent de Provence savait... savait que c'était là un bâtiment surgi de quelque maléfique légende et qui eût dû hisser à son mât de misaine un pavillon noir, car il n'était monté que par des moribonds et des morts. Les pâles survivants tombaient un à un parmi les cordages...

Le destin de John Law ne s'était-il pas toujours joué sur la mer et dans les voiles des navires ?

Dans les jardins de l'hôtel de Mercœur, flambaient aussi les fleurs de juin. Leur beauté consolait Nathalie. Quelle œuvre d'art en vérité pouvait se mesurer à ces poèmes vivants ? Quel chypre ou quel encens pouvait égaler le pénétrant parfum des pivoines épanouies ou celui des légers pois de senteur ? Elle en était là de ses méditations lorsqu'elle vit venir à elle Aïssé, que suivaient d'Argental et Pont de Veyle.

Il fallait désormais des circonstances exceptionnelles pour que se trouvent à nouveau réunis les « enfants » d'autrefois, les enfants de l'hôtel de Ferriol. En les voyant, Nathalie eut pourtant un mouvement de joie. Elle courut à leur rencontre, si émue malgré elle qu'elle se crut victime de ses nerfs surmenés. Mais ils étaient soucieux.

— Nous sommes venus, dit aussitôt Aïssé, pour vous entretenir de bruits qui nous inquiètent.

— Tous les trois ? s'étonna Nathalie.

— Tous les trois, dit Pont de Veyle.

Nathalie le regarda : il savait ce qui se disait chez Mme du Deffand, où trônait le président Hénault, également familier de la duchesse du Maine ; Aïssé était informée par le chevalier d'Aydie, très introduit partout et jusqu'au Palais-Royal ; quant à d'Argental, il pénétrait au cœur des intrigues chez Mme de Tencin et chez sa mère, celles du parti de Dubois bien entendu, mais aussi celles du parti espagnol et de la cour de Sceaux, par le maréchal d'Huxelles.

— Rentrons, voulez-vous ? dit Nathalie.

Sa voix tremblait légèrement. Elle se dirigea d'un pas vif vers son petit salon en rotonde. Ils la suivirent. La porte-fenêtre refermée, elle donna libre cours à son inquiétude :

— Que se passe-t-il ? Quel événement a guidé votre affection jusqu'ici ?

— Nous avions perçu le mouvement très considérable qui se faisait ces temps-ci autour de M. le surintendant, ma chère Nathalie, dit Pont de Veyle, toujours ironique mais fidèle aux émotions de l'enfance. Et nous avions su qu'il s'apprêtait à renverser les alliances et rencontrait les Farnèse pour approcher la reine d'Espagne, ainsi que les ambassadeurs d'Espagne, de Suède et M. de Schleinitz... C'est exact, n'est-ce pas ?

Elle approuva d'un signe de tête.

— Nous nous réjouissions vraiment du changement qui s'annonçait ! dit d'Argental, grinçant. Dubois, obsédé par son chapeau de cardinal pour lequel il nous vend au plus offrant, Mme de Tencin, par la soif du pouvoir et l'Angleterre, par ses visées impériales et financières, deviennent intolérables ! L'envie mène le monde, ma douce amie, dit-il en baisant la main de Nathalie. Nous voici surpris et inquiets du revirement qui se fait soudain...

— Que voulez-vous dire ?

— Le chevalier d'Aydie a rencontré le comte de Toulouse, répondit Aïssé. Et ce prince qui, quelques jours plus tôt, confiait à des familiers les espoirs que lui donnait M. Law par son dessein de renverser la politique de M. de Cambrai, est aujourd'hui tout reconquis par celui-ci ! La semaine dernière, il affirmait que l'Angleterre avait voulu la guerre pour détruire la flotte espagnole renaissante et avait conclu la paix sitôt après la destruction de son arsenal et de ses vaisseaux par le maréchal de Berwick ; hier, il déclarait qu'il ne fallait pas se fier à M. le surintendant, qu'une ambition sans frein le poussait à mettre la main sur la marine royale, puisque, aussi bien, il s'était emparé de tous les vaisseaux marchands de France !

— Mais c'est absurde ! s'écria Nathalie. La marine royale est une force militaire !

— Naturellement, et c'est ce qu'a répondu le chevalier. « Hé, monsieur, lui répliqua le comte de Toulouse, M. Law possède non seulement sa flotte mais il a aussi une armée au Mississippi ! » Vous savez bien que la marine royale est le point sensible du prince qui préside son grand conseil ! Il était donc facile de le toucher là. M. le marquis de Canillac s'y sera employé...

— Il a pareillement ébranlé Le Blanc, franchement rallié Torcy et le maréchal d'Huxelles, dit d'Argental d'un air sombre.

— Le Blanc, l'Armée, Torcy, la Poste, c'étaient des alliés assurés, murmura Nathalie atterrée. Et Mme du Maine ? Je pense que les girouettes de Sceaux tournent à ce vent-là ?

— Plus qu'elles ne le firent jamais ! assura Pont de Veyle. On commence à voir les irréductibles de la vieille cour se déclarer pour M. de Cambrai, qui serait prêt à lâcher l'alliance anglaise pour se tourner vers Philippe V !

— Lui ? Qui peut croire cela ? dit Nathalie, stupéfaite.

— Les imbéciles, ma chère, c'est-à-dire une écrasante majorité de personnages importants qui mènent l'opinion et les affaires. (d'Argental hocha la tête pensivement et continua :) Maintenant que Mme de Tencin a fermé cette banque singulière qu'elle créa pour le temps d'une rafle financière, il lui fallait bien trouver une autre activité hors du commun ! C'est fait : elle installe chez elle une imprimerie clandestine afin de fabriquer des pamphlets et des caricatures anonymes, qu'elle fera distribuer pour déconsidérer M. Law et soutenir la nouvelle offensive de M. de Cambrai [1] ! Il est certain qu'un grand coup se prépare.

— Elle est fort aigrie contre M. Law ; qu'un tel homme lui ait échappé, voilà ce qu'elle ne peut supporter, dit Aïssé qui la détestait.

— Pourtant M. le surintendant a tenté de se concilier l'abbé de Tencin en lui confiant des missions qui relèvent de son état...

Un éclat de rire coupa Nathalie :

— Quel état ? demanda Pont de Veyle. Celui d'abbé dans l'ordre de Dubois ? Mais lui aussi rêve au cardinalat.

Nathalie n'avait pas envie de rire ; elle reprit :

— Il est chargé de distribuer les dons que le surintendant fait sur sa fortune personnelle.

— Et il les distribue... tous ?

— Ces jours-ci, il a encore versé de la sorte un million à l'Hôtel-Dieu, un million à l'hôpital général, un million et demi aux Enfants trouvés et un million et demi pour la libération des prisonniers pour dettes. (Nathalie ajouta, infiniment troublée :) Pourquoi donc M. le marquis de Canillac part-il ainsi en campagne et rallie-t-il des troupes ?

— C'est ce que nous voudrions bien que vous sachiez, dit Pont de Veyle. Il s'agite aussi auprès du Parlement où il n'a point à convertir contre M. Law, mais en faveur de M. de Cambrai ! Oui, tout lui est bon et jusqu'à rameuter des gens qui n'aiment pas les juifs, en leur révélant les dispositions que M. Law a prises récemment pour que la liberté de conscience et de culte leur soit accordée comme aux protestants et qu'on ne les tourmente en rien !

— John Law estime que tous les hommes ont droit au respect dès lors qu'ils se respectent eux-mêmes ! répondit fièrement Nathalie.

— Fort bien, fort bien ! s'écria d'Argental. Voyons comment il sera respecté, lui, dans les jours qui viennent !

— Il y a un an, on voulait lui élever une statue... Depuis, on a voulu plusieurs fois l'assassiner.

La voix de Nathalie venait de défaillir. Aïssé lui prit la main et la serra. Pont de Veyle l'entoura de son bras :

— Ma chère sœur, ne vous troublez pas, prévenez Law. C'est pour que vous le puissiez faire que nous sommes venus ; il saura bien déjouer ces intrigues. N'en a-t-il pas vu de plus redoutables et n'en a-t-il pas triomphé ?

— Qui sait ? murmura Nathalie.

Aïssé l'embrassa. L'éclat de la jeune femme retint l'attention de Nathalie : elle portait l'amour sur le visage.

— Je ne vous retiens pas, Aïssé ; il n'est que de vous regarder pour savoir que vous ne vous appartenez plus...

Pont de Veyle prenait congé et d'Argental s'apprêtait à le suivre.

— Me laisserez-vous seule dans l'épreuve qui vient et que vous avez voulu m'annoncer ? demanda Nathalie angoissée.

— Serions-nous venus ce soir s'il en était ainsi ?

1. Cabinet des Estampes. Bibliothèque nationale.

D'Argental eut un sourire — lui qui souriait peu — pour la petite fille d'autrefois dont il lui était arrivé de plaindre la destinée hasardeuse.

Peu de temps après, bruyamment, en grand équipage et en grande escorte, Law arriva à l'hôtel de Mercœur. Il rayonnait, impétueux comme à vingt ans. Nathalie, médusée, le vit monter quatre à quatre l'escalier et parvenir en trombe sur le palier de sa chambre où elle rentra avec lui précipitamment.

— J'ai gagné ! cria-t-il en la prenant par la taille. M. de Saint-Simon a vu hier le Régent. Longuement, très longuement, son Altesse royale lui ayant dit son amitié pour le duc de Bourbon, il a lancé l'attaque ferme contre M. de Cambrai. Il paraît que M. d'Orléans « riait en baissant les yeux » et approuvait. M. le duc a été reçu à son tour, ce matin, et a recueilli les mêmes assurances. Quant à moi, j'arrive du Palais-Royal et savez-vous ce que j'ai obtenu ?

Le souffle court, elle attendit.

— Le renvoi du fils d'Argenson, le lieutenant de police et de Trudaine, prévôt des marchands de Paris, qui me narguent et m'attaquent dans le dos, et l'exil des frères Pâris ! Les frères Pâris, vous entendez ! Contraints de s'éloigner sur-le-champ ! La cabale de mes ennemis cette fois est décapitée ! Vous ne sautez pas de joie, Nathalie ?

Non, elle ne sautait pas de joie. Incertaine et désemparée, elle se contenta de sourire à ce visage aimé que des tensions, des efforts démesurés et des luttes implacables avaient marqué de nouvelles atteintes.

Ce même soir, le crépuscule envahissait le petit bureau de Philippe d'Orléans. Le prince était seul, en proie à un malaise profond. Il revoyait Saint-Simon, toujours naïf, abusé par ses sourires amicaux et ses propos, partant en guerre contre Dubois. Il revoyait le duc de Bourbon, abusé à son tour... Il revoyait Law, à qui il venait d'accorder tout ce qu'il lui avait demandé... abusé lui aussi. Dubois le quittait à l'instant. Il lui avait tout livré, tout révélé : le détail des entretiens qu'il venait d'avoir avec ceux qui complotaient contre lui, les négociations secrètes avec l'Espagne, la Suède et la Russie pour le renversement des alliances et il s'était laissé arracher la décision de sacrifier Law et de liquider le Système [1]. Il était convenu qu'ils surveilleraient l'un et l'autre les manœuvres de la cabale et s'informeraient mutuellement.

1. Juin 1720. Saint-Simon n'a pas voulu évoquer clairement la déchéance physique et morale du Régent et il n'a fait état qu'indirectement de cette trahison qui dut mettre son amour-propre et son amitié à rude épreuve. C'est sans doute elle qui lui inspira les pages très dures consacrées à la fausseté et à la faiblesse de ce prince. *Telle fut l'origine de la liquidation définitive du Système* qui eût pu, en dépit de l'édit du 21 mai, repartir sur d'autres bases, ainsi que l'avait espéré un moment Law, et donner aux établissements français de Louisiane un essor irréversible. *Le départ de Law fut décidé secrètement entre le Régent et Dubois à ce moment.* Il semble évident, dès lors, qu'il faille juger les soubresauts financiers qui se suivent à partir de cette date et jusqu'au départ du surintendant en fonction de cette irrévocable décision.

Dubois semblait d'ailleurs avoir déjà en main la majeure partie des troupes de Law et de Saint-Simon, et leurs alliés les plus puissants. Il ne restait plus qu'à contrecarrer plus encore que par le passé chaque initiative du surintendant et à porter des coups de plus en plus meurtriers à la Banque et à la Compagnie des Indes pour acculer leur directeur à se retirer d'ici la fin de l'année. Dubois assurait qu'il y avait en France assez de grands financiers pour rouvrir le robinet des finances que Law voulait toujours fermer et qu'il était presque parvenu à bloquer, à cette heure. On rappellerait alors les Pâris qui partaient le lendemain en exil !

A cette idée, le Régent se mit à rire... mais ce rire ne le délivra pas de cette angoisse qu'il connaissait bien et qui le saisissait à la gorge après chaque reniement, lorsqu'il avait fini de s'en amuser. Pourquoi, cette fois, demeurait-elle ? « Il se piquait alors, il est vrai, de savoir tromper et duper les gens avec un naturel et un art que nul autre n'avait possédé comme lui [1]. » Oui, il aimait cela, c'était sa vengeance contre une humanité composée de fripons et de catins qui, dès son adolescence, l'avait désenchanté, désespéré et avili ; oui, il avait intensément joui de duper le duc de Bourbon, cet ennemi redouté, méprisé, inlassablement acheté ; mais, cette fois, ne venait-il pas de trahir cette part préservée de son âme perdue qui abritait ses amitiés secrètes : Saint-Simon et Law ? Ne venait-il pas de détruire ses rêves, de briser cette image royale que le génie de Law avait créée et proposée à l'admiration du monde ? Mais il ne pouvait plus jouer un tel rôle ; il n'avait plus la force de s'exhausser aux dimensions de la statue. Alors quoi ? Law continuerait à le tourmenter, à l'accabler de ses plans et de ses idées, à soulever contre lui les grands, le clergé, le Parlement, les financiers, les usuriers et l'Angleterre ? Et les grands, le clergé, le Parlement, les financiers, les usuriers et l'Angleterre continueraient à soulever le peuple ! Law avait, lui, assez de puissance pour les dominer tous ; il poursuivrait seul la route et c'est lui qui deviendrait statue, chef d'Etat, empereur en Louisiane, en un moment où le roi n'était encore qu'un enfant et son Régent un homme à bout de souffle, à l'avenir incertain... En vérité, cela ne pouvait durer. Dubois avait toujours raison, mais Saint-Simon et Law appartenaient aux contrées émouvantes de sa vie intérieure où s'étaient formés les espoirs qu'il avait le plus aimés.

Il sonna pour demander du vin.

1. Saint-Simon.

TROISIÈME PARTIE

« TEL QU'EN LUI-MÊME, ENFIN... »

Un équipage franchissait à vive allure la barrière de Valenciennes et cahotait durement sur les derniers pavés de la ville. Il prenait maintenant la route de Bruxelles. C'était la route de tous les exils de Law. Il en connaissait chaque relais et les paysages monotones qu'avait sublimés Watteau dans ses images de guerre. Cette guerre, John Law l'avait vécue lorsque, au péril de sa vie, il avait traversé les armées en présence pour pénétrer dans le Paris exsangue de 1708, par une nuit d'hiver semblable à celle qui tombait sur les Flandres en ce soir du 19 décembre 1720. Une nuit d'hiver parée de tous les prestiges : givre aux glaces de la voiture et danse des flocons de neige qui s'accentuait de minute en minute... Watteau, son ami, génie vaincu lui aussi, miné par la maladie, vivait ses derniers jours... et c'est à lui que Law pensait intensément en cet instant. Quel regret de n'avoir pu le revoir avant de s'éloigner !

Le fanal de la voiture éclairait de reflets mouvants les pavés humides, déjà blanchis par endroits. Ils étaient semblables à ceux de Londres, d'Amsterdam, de Dresde, de Budapest, ou des places de Venise, sur lesquels il avait jeté le même regard...

Il arrivait de Paris, ayant déjoué des périls mortels, dormant et mangeant dans cette voiture glacée. Il venait de jouer et de perdre sa dernière carte, mais il avait délivré le royaume de France de la misère et du désespoir. En cet instant, il croyait entendre les pulsations du temps et les rythmes secrets de ce pays qui lui paraissait unique au monde et qu'il avait réveillé un instant, une minute de l'Histoire, d'un mortel sommeil.

Sur la neige qui maintenant recouvrait tout, le voyageur crut voir, comme autrefois, des traces de pas... ceux des foules qui l'avaient follement acclamé, recherché, aimé.

Plus d'armées ennemies face à face dans cette province, plus de cadavres jonchant les champs incultes, plus d'appels déchirants de blessés s'élevant dans la campagne désolée, plus de paysans mourant de faim qui apparaissaient, le visage décharné, la main tendue, à chaque arrêt de la voiture... Son ouvrage apparaissait là ; sous ses yeux, dans le crépuscule, il voyait son œuvre, tangible, éclatante... La neige avait beau blanchir les labours innombrables et les toits de chaume des villages reconstruits et des fermes prospères, le bien-être et la douce quiétude illuminaient la nuit, de vitre en vitre, de foyer en foyer. Vers eux rentraient paisiblement des villageois décemment vêtus, des enfants dansaient des rondes dans le soir et se lançaient en riant des boules scintillantes de givre. Alors, John Law pensa à ces autres cultivateurs, à ces autres domaines qui s'établissaient au-delà de son regard, aux rives de l'immense, capricieux et mystérieux Mississippi et qui étaient aussi sa création vivante.

Les dernières nouvelles de Louisiane, reçues avant son départ de Paris, étaient plus rassurantes : en dépit de difficultés politiques et administratives immenses auxquelles il eût voulu passionnément remédier, les concessions, les villages, les mines se trouvaient en plein essor ; on lui parlait de grands troupeaux, de champs de tabac superbes, d'une production de vers à soie et d'indigo, de récoltes de maïs et de blé jamais vues ; les moulins tournaient, les métiers à tisser la soie battaient, les artisans bâtissaient, les chasseurs entassaient les peaux et les fourrures dans les entrepôts de la Compagnie des Indes ; aussi, en dépit des revers tragiques subis par tant d'émigrants et que nul n'ignorait plus en Europe, affluaient maintenant des travailleurs qualifiés.

C'étaient d'autres réalités que celles des mises en scène savamment orchestrées dans certaines rues de Paris.

Pour moins sentir les lancinements de la douleur, John Law s'essayait à ne penser qu'à ces spectacles qui lui remettaient soudain en mémoire une phrase du message des notables d'Edimbourg que Robert Neilson lui avait apporté avec leur cadeau princier : « Ce sont là des actes infiniment plus dignes d'être célébrés que les conquêtes des hommes de guerre. » Son ennemi, Lord Stanhope, n'avait-il pas aussi déclaré qu' « il fut un plus grand ministre que Richelieu et que Mazarin » ? Et ces propos dataient à peine de quelques mois ! Ainsi tourne la roue de nos destinées, songea-t-il.

Et voici que la frontière était proche. Il lui semblait qu'il avait à peine eu le temps, depuis Paris, d'apercevoir la grande métamorphose de la campagne française dont il avait été, envers et contre tous, l'artisan acharné. Jusque-là, il n'avait pas eu le loisir de la découvrir autrement que dans les rapports des intendants de province. Grâce à l'abondance des monnaies, grâce à la baisse des taux d'intérêt, le Système avait bien été le libérateur des endettés, donc des pauvres et, parmi eux, des paysans. « On avait vu enfin périr sans douleur les anciennes créances du temps de Colbert ; elles traînaient lamentablement depuis quarante ans, remboursées presque deux fois par les intérêts, sans l'être jamais en capital [1]... » Maintenant, les salaires des gens de journée dans les campagnes se trouvaient presque triplés !

Law regardait toujours les sillons bien droits dont la neige comblait vite la profondeur ; il sourit malgré lui, malgré l'émotion et la détresse de cet instant : il se souvenait qu'on était venu lui reprocher que des valets de charrue, qui gagnaient par an de quarante à cinquante livres, en exigeassent désormais jusqu'à cent cinquante au moins et que les batteurs de grange, qui

1. E. Le Roy Ladurie.

548

gagnaient de sept, huit, neuf à dix sols, se contentassent maintenant difficilement d'un salaire de trente sols, sans compter la nourriture qu'ils prétendaient avoir à leur gré ! Ils exigeaient, ils avaient aujourd'hui la force d'exiger, parce qu'ils mangeaient à leur faim ! Il en allait de même pour les ouvriers. D'aigres propos bourdonnaient dans sa mémoire :

« Ces gens-là, Excellence, se sont accoutumés à une subsistance au-dessus de leur état ! »

« Ce surcroît d'aisance leur a donné lieu à sortir de leur état, Votre Grandeur ! et cela au grand préjudice des autres sujets du roi. Ils mènent une vie qu'à peine les bons bourgeois pourraient soutenir et fomentent, par leur arrogance et leur indépendance, des cabales nuisibles au gouvernement qui demande que les conditions ne soient pas confondues et que chacun suive l'état où Dieu l'a fait naître... »

« Des ouvriers se mutinent, Excellence ! Quatre mille ouvriers en bas ont voulu gagner cinq sous de plus par paire de bas !... Ils ont menacé de coups de bâton ceux qui prendraient l'ouvrage à moindre prix et ils ont promis un écu par jour à ceux qui n'auraient pas d'ouvrage et ne pourraient vivre sans cela ! »

« Tous les garçons serruriers de Paris se sont accordés pour convenir de leurs salaires ! »

« Des manœuvres de campagne se liguent pour faire monter le prix de leur journée ! »

Et le ton de ses interlocuteurs avait encore monté :

« Par le haut prix que reçoivent actuellement les ouvriers des toiliers et passementiers, ils ne travaillent que la moitié de la semaine et emploient l'autre à dépenser avec la crapule ce qu'ils ont gagné ! »

— Ils disent que, de toute façon, rien ne sera jamais plus comme avant [1] !

— Ce sont là des choses jamais vues au royaume de France, Excellence ! Voilà votre ouvrage !

Oui, c'était son ouvrage... et ceci encore : depuis 1719, le prix des grains avait enfin augmenté et s'était stabilisé à un taux convenable ; ainsi n'y avait-il plus de famine, les ouvriers et laboureurs, bien payés et bien nourris, travaillaient mieux et moins longtemps et les naissances redevenaient nombreuses...

Law eut un éclair de lucidité : « Il fallait bien m'abattre, en vérité ! » Et tout à coup, le monde lui apparut étrangement semblable à l'Enfer de Dante avec ses cercles différents et un mélange subtil et atroce d'horreurs et de délices : les galères, les prisons, les tortures, les maladies, les libertés et la justice bafouées, les trahisons, les abandons, les reniements, les séparations, les solitudes et la mort... et puis les plaisirs vénéneux, aussi variés que les bas-fonds de la plupart des âmes, et les visions de paradis : le jardin d'Eden étendu à perte de vue sur la terre, avec l'indicible beauté des paysages et le calme défilé des saisons, la fleur, le fruit et l'oiseau, et l'art dans sa divine essence... démoniaque face à face !

1. Ils disaient vrai.

Et si cet univers n'était que le royaume du prince de ce monde ? Ainsi le nommait le Christ lui-même. Pourquoi n'y prêtait-on point attention ? Et si la voie royale que lui, John Law, avait voulu prendre et faire prendre aux hommes pour les mener vers le bonheur, n'était qu'un chemin interdit ? L'Histoire de l'Humanité et la sienne lui donnaient une réponse qui le fit frémir et qui allait changer sa vie intérieure.

Il se redressa, en proie à cette idée nouvelle qui plaçait toute chose dans un éclairage jusque-là inconnu. Ainsi voyait-il maintenant les villages en capuchons blancs se succéder dans la splendeur de ce crépuscule d'hiver... Quelle distance, songea-t-il encore, entre les froids documents administratifs, les propos réprobateurs des commis de l'Etat et cette réalité vivante ! Ainsi avait dû lui échapper celle de la Louisiane. Une douleur aiguë le traversa comme une flèche : connaîtrait-il jamais la Louisiane ? N'aurait-il pas dû rechercher parmi les paysans, les ouvriers, les artisans, ce peuple tout entier qui sortait de sa passivité et de sa soumission quelque large plébiscite, des forces capables de faire reculer les misérables intrigues qui le balayaient ? La violence ? Il ne la comprenait pas et croyait maintenant qu'elle eût été inutile... Il ne concevait que des projets de paix, d'harmonie et de prospérité. Il se demanda s'il n'avait pas *surestimé les résultats obtenus en Louisiane et sous-estimé ceux obtenus en France*. C'est qu'il avait construit la Louisiane à partir de rien et qu'elle était totalement sa création bien-aimée...

Il se prit à regarder plus attentivement ces hommes, ces femmes, ces enfants dont on disait qu'ils bénissaient son nom, et qui ne se doutaient pas que c'était lui qui passait et s'en allait... Ils ne savaient pas que, demain, la maudite Ferme générale renaîtrait de ses cendres et reviendrait cogner à leur porte et les prendre de nouveau à la gorge. Ils ne savaient pas que, dans un temps peut-être très proche, il leur faudrait recommencer à vider leurs greniers et à rendre les terres récupérées et défrichées de si fraîche date, les terres enrichies de leur peine et de leurs récoltes ! Non, ils n'engrangeraient pas le printemps et le bel été qui viendraient... et ils dansaient, pleins de joie dans l'hiver ! Qu'était-ce donc ? Quelque kermesse pour annoncer Noël, une foire à la bière et au jambon ? Une brève farandole encercla, arrêta l'équipage. Des torches trouaient la nuit ; dans leur éclat jaune apparaissaient des visages colorés, suants et rieurs. L'énorme gaieté des Flandres montait vers John Law comme un hommage. L'équipage reprit sa course... Maintenant la frontière était toute proche, si proche... Reviendrait-il jamais en France ?

Jadis, lorsqu'il parvenait à ce tournant, à ce bosquet, à ce village, il se posait toujours cette question... Mais cette fois, tout avait été accompli, l'œuvre conduite presque jusqu'à son achèvement, presque... et arrêtée à ce point vertigineux où allaient s'harmoniser enfin, après les soubresauts inévitables et ceux qui avaient été suscités et amplifiés, les mécanismes du Système.

Le dernier tournant apparut et découvrit un petit mur de pierres sèches et une barrière comme on en met au bout d'un pré. Un groupe de soldats grelottant sous leur houppelande, battait la semelle autour d'un feu de bivouac, devant une maisonnette en laquelle se balançait au vent-coulis un triste quinquet. Le cocher tira sur ses chevaux dont le train ralentit.

Voilà le bout de la course, pensa Law.

Maintenant des images défilaient très vite en lui : des larmes roulant sur le visage de Marie-Catherine [1], le regard étonné de l'enfant roi, une lueur d'autrefois, retrouvée au dernier adieu, sur le visage tourmenté de Philippe d'Orléans. Et Nathalie... Jusqu'à cet instant il était parvenu à écarter de ses pensées son nom et son image qui maintenant balayaient tout le reste, parce qu'elle était sa vie et qu'il savait être la sienne... Elle était là, devant lui, vêtue de blanc, droite et immobile comme il l'avait laissée en haut de l'escalier de pierre de sa demeure... Le souffle lui manqua.

— Vous ne vous sentez pas bien, Excellence ?

— Si, très bien, Sarrobert.

La voiture s'était arrêtée et on s'agitait autour d'eux. M. de Sarrobert ouvrit la portière et présenta à un militaire mal réveillé qui s'avançait avec une torchère les passeports des voyageurs. Celui-ci les examina, puis fit un signe et la barrière se leva lentement.

Sarrobert revint vers l'équipage.

— Tout est en ordre, dit-il. Ma mission s'achève ici. Je viens donc prendre congé...

Il s'inclinait avec l'élégante raideur qui convenait au capitaine des chasses de M. le duc de Bourbon-Condé.

— Adieu, monsieur, je vous remercie...

Law n'eut pas la force d'en dire davantage. Le jeune Jean Law, à son tour, inclina son pâle visage puis se rencoigna au fond de la voiture, silencieux, les yeux grands ouverts. L'attelage s'ébranla. Derrière son passage, la barrière retomba. John Law et son fils avaient quitté la France.

La nuit leur sembla plus noire sur les terres de l'Empereur et devint plus intolérable encore le sentiment qu'ils laissaient derrière eux, en otage peut-être, en tout cas face à des périls certains, une femme et une petite fille : Caterina et Marie-Catherine.

Pour la centième fois, Law s'interrogea : N'ai-je pas supporté avec une patience dont je ne me croyais plus capable depuis longtemps les éclats épouvantables de Caterina, son incompréhension obstinée, ses propos révoltants et humiliants, afin de ne pas compromettre les faibles chances que j'avais de la persuader de me suivre, ou à tout le moins de me laisser emmener Marie-Catherine, si atteinte à la suite de cette attaque à la barrière de l'Etoile, en juillet, où elle fut blessée parce qu'elle était ma fille ? Hier, les plus grandes familles d'Europe la faisaient demander en mariage. Aujourd'hui, nul ne songe plus à elle ; sa fragilité est cernée de menaces et elle perd la protection de son père... Sa mère consentira-t-elle jamais à me rejoindre ? Me l'enverra-t-elle un jour ? Là encore, « il ne sera pas nécessaire d'espérer pour entreprendre ni de réussir pour persévérer... » Tout dépendra sans doute de l'évolution d'une situation dont nul ne peut encore se faire une

1. Il ne la reverra jamais.

idée précise. Nathalie et moi, nous avons sacrifié par avance à cette éventualité le bonheur de vivre ensemble, le seul que j'aurais pu désormais souhaiter ici-bas. Caterina espère, il est vrai, en restant à Paris, défendre la fortune de ses enfants... et les agréments de sa vie! Les directeurs de la Banque et de la Compagnie des Indes, qui m'ont fidèlement servi et soutenu, M. le duc lui-même, ont assuré qu'ils l'aideraient. Le pourront-ils ? Nathalie tentera d'obtenir du Régent qu'il rapporte la mesure d'exil qui me contraint à quitter la France et me met hors d'état de protéger ma famille et mes biens. Le pourra-t-elle ? Si elle n'y parvient pas, elle partira à son tour, sans tarder. Et je la retrouverai au bout de cette route sombre, au terme du voyage, dans la lumière irisée de Venise qui semble créée pour éclairer son visage d'ailleurs...

Il se peut cependant qu'elle persuade le Régent ; ce ne serait pas la première fois... Un espoir! Elle m'a envoyé, dans mon exil de Guermantes, un espoir, comme on envoie un diamant, étincelle entrée en moi et qui m'a jeté sur mon écritoire pour rédiger un ultime message à M. d'Orléans... Ai-je eu raison ? Le prince est angoissé de se retrouver seul, entouré d'hommes confrontés à des opérations financières qui se déroulent conformément au plan que j'ai proposé, qui fut accepté et dont *l'issue échappe à tous*. Il ne le cache pas... Il a fait part de cette inquiétude au conseil de Régence. Le duc de la Force et le duc d'Antin [1] me l'ont dit. Pouvais-je alors ne pas tenter une démarche ? Pouvais-je laisser deux femmes se battre pour moi et ne rien faire ? Fut-ce une dernière tentative, la seule encore possible à cette heure : peser tout au long d'une nuit des phrases... Celles-ci étaient, il me semble, éloquentes : « Il est difficile de décider entre l'envie que j'ai de me retirer de toute affaire publique, pour ôter à ceux que Votre Altesse royale a chargé des finances tout sujet de jalousie, et le désir que j'aurai toujours de contribuer à votre gloire, par les éclaircissements que je puis donner sur les moyens pour rétablir le crédit et affermir un Système que Votre Altesse royale avait adopté, malgré les traverses qu'il a essuyées de la part de nos ennemis... [2] » Oui, que pouvais-je faire d'autre, dans cette retraite forcée de Guermantes ? En achetant ce château, il y a quelques mois, pour inciter une fois de plus le public à renoncer à l'agiotage et à se tourner vers les placements fonciers, je ne me doutais pas que ce serait là ma première étape sur le chemin de l'exil ! Comme il était lugubre, le cabinet en lequel je travaillais cette nuit-là ! Les sévères portraits des précédents propriétaires, demeurés en place, dardaient sur moi des regards réprobateurs. Une déprimante odeur d'humidité troublait l'air malgré les parfums forestiers qu'exhalait le feu de bois. Les odeurs, comme la musique, réveillent nos souvenirs. Celle qui ce soir-là se forma de ces subtils mélanges me rappellera toujours cette nuit et la lettre dont je méditais douloureusement chaque terme... A la réflexion, je ne suis pas mécontent de ceux-ci : « Je me suis défait de toute vanité avant de me déterminer à demander à Votre Altesse royale la permission de me retirer,

1. Bibliographie.
2. John Law. Guermantes, 16 décembre 1720.

mais je conserve toujours mon affection pour l'Etat et mon attachement pour Votre Altesse royale. Ainsi, quand elle croira que mes avis pourraient lui être utiles, je les donnerai avec désintéressement [1]... »

Pouvais-je croire, le 16 décembre, qu'il me serait possible de demeurer en France !

La nuit s'épaissit d'un brouillard intense. Comment les chevaux parviennent-ils à avancer ? même au pas ? Jean s'est endormi... Petit garçon du grand jardin secret de Lauriston, mon petit garçon d'autrefois, où va, à mes côtés, l'homme que tu deviens ? La couverture qui te protégeait a glissé, tu as froid ; je peux la remonter sur tes épaules, je peux encore faire cela pour toi et pas grand-chose de plus, à cette heure. Le froid est intense, en vérité... Pourvu que le cocher ne s'égare pas. Quand arriverons-nous à Bruxelles ? Et quel accueil y recevrons-nous ? Tout est à craindre. Mes ennemis ont fait imprimer dans cette ville tant de libelles contre moi... Garder l'incognito ? Il n'y faut pas penser ! Le comte d'Argenson [2] était furieux d'être contraint de nous libérer. C'est pour cela que, au lieu de me rendre les huit cents louis qu'il m'a confisqués au nom de l'interdiction d'exporter les espèces métalliques, il a préféré envoyer un courrier à l'ambassadeur de France aux Pays-Bas, afin que celui-ci me restitue la contre-valeur de cette somme, ce qui lui sera bien difficile, sinon impossible ! Quelle haine dans la voix et dans le ricanement de ce d'Argenson, lorsqu'il m'a dit : « C'est une interdiction dont vous êtes l'auteur, si je ne m'abuse ! » Oui, j'en suis l'auteur, mais ce n'est point de mon fait si je me trouve dans cette extrémité de devoir transgresser mes propres édits. Sarrobert a bien parlementé pendant deux jours pour tenter de convaincre cet imbécile de regarder nos passeports et de lire les instructions de M. le duc... Evidemment, le comte pensait qu'il tenait l'occasion tant désirée de venger son père et son frère [3] et d'en finir avec moi. Sans l'intervention du Régent prévenu à temps, sans le dévouement et la diligence de Lord La Marr dont l'amitié se révéla en ces circonstances, que serait-il arrivé ? Le messager envoyé à Bruxelles parviendra avant nous. Quelle sera l'attitude de l'ambassadeur ? Bruxelles !... les exils de ma jeunesse — un destin d'exilé — et mes débats avec Caterina et nos séparations...

Lorsque nous parviendrons à l'hôtel du Grand-Miroir — j'y avais mes habitudes jadis — je n'aurai pour toute ressource que deux diamants médiocres. J'en remettrai pourtant un à notre cocher, à l'intention de Mme de Prie. A tant d'adversités ne s'ajoutera point celle d'être redevable envers une femme, et une femme que je méprise, d'un service tel que l'utilisation d'un équipage, même si, là encore, j'ai été contraint. Il est vrai qu'elle et M. le duc ont tant tiré du Système et de la Banque ! Que n'ai-je enduré de ces deux êtres !

Heureusement que, « avant de me retirer à Guermantes, j'ai envoyé

1. Guermantes, 16 décembre 1720.
2. Fils aîné de l'ex-garde des Sceaux, intendant du Hainaut, qui venait de l'arrêter à Valenciennes.
3. Le lieutenant de police.

Pommier de Saint-Léger qui a ma confiance et que je lui ai remis les ordonnances, les billets et *quatorze millions de livres pour effectuer des règlements en cours et les échéances*, et qu'il revint sur le soir me rapporter environ cinq millions de mes billets [1] qu'il avait trouvés dans les caisses de Bourgeois et les huit cents louis reçus de la Monnaie. Je n'avais pas remarqué que, parmi les papiers que je lui avais remis, se trouvait un billet de cette somme sur la Monnaie de Paris payable en espèces. Il m'a surpris agréablement en m'apportant ces huit cents louis [2], car je n'avais pas la valeur de dix pistoles en espèces dans la maison », ils m'ont permis de refuser l'or que M. le duc me fit offrir par le marquis de la Faye, au moment même où, venu à Guermantes avec le marquis de Lassay, tous deux me signifiaient que je devais quitter la France. Ces gens me confondent avec eux ! Il ne leur vient point à l'esprit qu'un surintendant des Finances de la France ne doit pas être chassé et payé comme un laquais, ni contraint à emporter secrètement, de manière illicite, de l'or à l'étranger. Cependant, aucun geste de M. le duc, ni de Mme de Prie, ni du marquis de Lassay ne peut être gratuit... Tant d'égards et de dévouement pour Caterina et pour moi manifestent clairement que la Maison de Bourbon-Condé fonde encore de grandes espérances sur mon retour en faveur. Ai-je le droit d'espérer moins qu'eux ? Ne sont-ils pas mieux placés que je ne le suis à cette heure et depuis des jours, pour en juger ? Il faut que cette évidence guide mes pensées et mes comportements, qu'elle soit sans cesse présente à mon esprit...

Deux diamants et ne pas avoir de quoi payer l'hôtel où je vais loger, alors que je possède des fonds considérables à la Banque, des actions de la Compagnie des Indes, une partie du quartier Saint-Roch, six hôtels place Vendôme, l'hôtel de Langlée rue des Petits-Champs, deux hôtels rue Vivienne, les terres d'Effiat, de Domfront, de La Rivière, de Toucy, d'Orches, d'Yerville, de Gerponville, de Guermantes, de Tancarville, de Roissy-en-France, les duchés de Mercœur et de La Valette et, en Louisiane, où les premiers financiers et les plus grands seigneurs du royaume ont voulu m'avoir pour associé, la majorité des parts dans les sept plus importantes sociétés de colonisation et une concession personnelle de deux cent cinquante-six lieues ! Tout cela représente des fonds investis et des centaines d'hommes qui travaillent, produisent, espèrent. Je n'ai rien voulu posséder qui ne soit mis au service de la prospérité de la France et du peuple français. Hors de ses frontières je n'ai plus rien, hormis ces huit cents louis qui me seront peut-être pris...

Cette longue nuit opaque et glacée entraîne mon esprit à la dérive. Dans cette obscurité et ce silence que ne troublent que le roulement de la voiture et les pas lents des chevaux, prend fin la comédie dont je suis le héros

1. Il ne s'agit pas de billets de banque ni de monnaie de compte, mais de billets signés par lui qu'il récupérait lorsqu'ils étaient acquittés.

2. Plusieurs dizaines de millions de centimes. Cette inattention prouve le trouble de Law et l'honnêteté de son commis, Pommier de Saint-Léger, employé de la Banque.

3. John Law.

haletant, épuisé comme le cerf aux abois forcé dans les taillis... après cinq mois de chasse féroce ! Le spectacle est terminé. Rideau ! Des applaudissements ? N'en ai-je pas perçu, diffus, lointains, secrets et pourtant évidents dans les Flandres françaises ? Les sifflets ? Eux, ils furent directs, violents. J'ai connu les pires agressions au long des rues qui mènent de nos bureaux au Palais-Royal. Itinéraire précis, lieu géographique restreint, étroitement délimité par mes adversaires et d'où l'on a pu faire chanceler le gouvernement de ce vaste royaume. C'était une autre foule qui, la veille de mon départ, me salua avec déférence [1] à l'Opéra. Je ne regrette pas d'avoir voulu paraître ce soir-là dans ma loge, avec Caterina et les enfants... Oui, c'était là un public bienveillant, ému peut-être même. On savait que La Houssaye me remplaçait depuis la veille.

La machine à remonter le temps, qui se met si aisément en marche lorsqu'un répit offre les loisirs d'une méditation, tourne en moi... les semaines, les mois passés s'y enroulent, et je retrouve le sentiment de triomphe qui fut le mien lorsque je parvins à écarter d'Argenson, son fils cadet le lieutenant de police, puis Trudaine, et à envoyer en exil les frères Pâris ! Saint-Simon et M. le duc affirmaient qu'ils avaient obtenu que Dubois fût à son tour relégué à Cambrai... Comment ai-je pu les croire ? Mais quoi ! M. de Saint-Simon n'est ni un menteur ni un imbécile et s'il est un incorrigible naïf, on n'en peut dire autant de M. le duc ! L'énigme se situe dans l'esprit tortueux et dans la duplicité de M. d'Orléans, en qui le meilleur et le pire font si bon ménage. Pourquoi avoir eu foi en ce prince inconstant ? Parce qu'il a cru en moi, qu'il m'a donné les moyens d'un accomplissement que tant d'autres m'avaient refusé, qu'il m'a permis de créer un empire et parce qu'on s'attache aux choses et aux êtres pour lesquels on a tout risqué et tout sacrifié. Ainsi se sont formés les liens et les sentiments qui m'attachent à Son Altesse royale, à l'enfant Louis XV et à la France. Telles sont les raisons qui me rendent les reniements, les lâchetés, les ingratitudes et les trahisons insupportables ! Voici que le désespoir, comme un bandit de grand chemin, me prend à la gorge. La trahison... elle s'incarnait pour moi dans le visage de Judas Iscariote, tel que je me le représentais lorsque j'avais dix ans en lisant la Bible. Le Christ a voulu connaître jusqu'à cette insondable détresse qui fait chanceler les certitudes et le monde tout entier sous les pas. Nathalie, elle, ne m'a pas trahi et elle seule pourrait me faire une inguérissable blessure...

Les roues de la voiture roulent un peu plus vite et celles du temps, en moi, de même... Les tempêtes s'éloignent et il ne reste plus dans mon âme que les sédiments laissés par la fureur des vagues ; le moment est venu d'inventorier et de classer.

Lorsque je pensais m'être débarrassé de mes plus dangereux adversaires, j'ai estimé que je pouvais non seulement sauver le Système, mais le conduire à son achèvement et assurer définitivement le fonctionnement de ses mécanismes. C'était ne pas mesurer que mes ennemis avaient partout des

1. M. Marais.

hommes à leur service et que le principal, Dubois, se trouvait toujours en place, plus puissant et redoutable que jamais. Blunt et mes bons amis anglais qui, eux, entendent les finances, ne s'y trompèrent point ! Ils comprirent que la structure que je proposais au Régent n'était nouvelle qu'en apparence et il fallut que M. d'Orléans en parlât en dehors de moi à de mauvais conseillers ! Il ne l'eût pas fait en 1719. Dès lors, comme tout a été vite... Paris finissait par prendre la fièvre des émeutes quotidiennes autour de la Banque et le soir du 4 juillet, le bruit que la peste et la famine étaient dans Marseille courut la ville. Des détails horribles affolaient. On assurait que l'épidémie remontait à la vitesse d'un coursier au galop vers la capitale ! On sut vite qu'un messager de Mgr de Belzunce venait de s'écrouler dans mon bureau, au terme d'une chevauchée de huit jours. Toutes les portes se fermaient devant lui par peur de la contagion ! Il fallut le ranimer, le restaurer, lui assurer place Vendôme le gîte et le couvert et... l'écouter. Avec un accent que je n'avais jamais entendu, il racontait que le Parlement de Provence venait de placer autour de Marseille un cordon de soldats, avec mission de tirer sur toute personne qui chercherait à sortir de la ville. Lui-même était passé de justesse. A l'intérieur de la cité, un enfer fait de vent brûlant, de famine, de fumées épaisses... Un certain docteur Sicard, disait-il, avait donné l'ordre d'allumer et d'entretenir des brasiers afin de purifier l'air.

On assure que les gens de ce pays ont ce don de peindre et de conter qui me frappait lorsque le Marseillais faisait surgir de ces brumes les figures d'apocalypse des médecins, le visage couvert d'un masque de cuir rouge à bec d'oiseau et qui circulaient emmaillotés de toile et montés sur des patins de bois, ce qui ne les empêchait pas de mourir par dizaines ! Traversaient aussi ces tourbillons de fumée les processions menées par Mgr de Belzunce, qui brandissait l'anathème contre la corruption du temps et les jansénistes, selon lui responsables de cette divine malédiction ! Cette conception de la divinité confond.

Je ne pense pas oublier jamais cet homme défait, sans âge, et sa voix grave et veloutée comme les notes du violoncelle, plaidant pour les pestiférés qui se battaient aux portes de l'Hôtel-Dieu dont ils ne ressortaient plus, même morts, car on n'avait pas le temps d'enlever les cadavres qui se décomposaient parmi les vivants !... Il plaidait pour les malades qui fuyaient les maisons devenues des charniers et qui traînaient leurs draps dans la rue où ils semaient la terreur. Il me les représenta pitoyables, échoués au milieu des ruisseaux, recroquevillés à côté de ceux qui râlaient déjà. Il plaidait pour les siens restés là-bas, dans l'horreur, et que peut-être il ne reverrait pas. Il parla encore de trois mille enfants qui mouraient de faim à l'hospice : « Alors, disait cet homme de Marseille, alors comme toujours, il y a les vautours et les saints ! Les vautours qui spéculent sur les denrées trop rares, détournent les fonds de l'hospice et détroussent les mourants à l'hôpital ! Et puis les saints : Mgr de Belzunce, lorsqu'il ne maudit plus, le chevalier Roze, le viguier Pilles, les échevins Dieudé, Estelle et Moustier et combien d'autres, et tous les moines de Saint-Victor qui soignent les malades, enterrent les morts et de leurs propres mains luttent contre la pourriture ! Mais il leur faut des vivres, de l'argent, de nouveaux hôpitaux ! »

Le Régent fit remettre dans la journée au messager une somme importante prélevée sur la caisse du roi.

Moi, comme d'habitude, c'est sur mes fonds personnels que je pris une somme beaucoup plus élevée pour la mise en chantier immédiate d'hôpitaux, avec ordre d'affecter à ces travaux forçats et soldats. A cette heure, ces bâtiments accueillent déjà les malades et la furieuse épidémie décroît.

A l'aube du 5 juillet, l'émissaire de Mgr de Belzunce repartit pour Marseille tandis qu'un courrier de la Banque royale se lançait, ventre à terre, vers Gênes afin de porter aux armateurs de cette ville des espèces métalliques, avec mission de ravitailler Marseille par mer dans les plus brefs délais [1]. Un peu plus tard dans cette matinée du 5 juillet, la première tentative d'action révolutionnaire éclatait dans Paris ! Les commis de la Banque et de la compagnie comprirent rapidement que la foule qui se portait vers la rue Vivienne et qui grossissait de minute en minute, était plus dense que celle des autres jours...

« Ce fut vraiment très mal à propos qu'on crut nécessaire de distribuer au peuple de l'argent contre des billets de dix livres, *il n'en avait aucun besoin* [2] ! » Mais n'était-ce pas là un excellent moyen d'ébranler la confiance dans la monnaie de papier, condition indispensable à la réussite d'un Système de finances basé sur le crédit ? Ne fallait-il pas saisir la belle occasion qui s'offrait d'utiliser l'émotion soulevée dans le peuple par les nouvelles de la peste ?

Nous sûmes vite que des meneurs allaient répétant : « Changez vos billets, dépêchez-vous, la famine et la peste sont dans Marseille parce que les capitaines des navires chargés de blé ont refusé la monnaie de papier et ont repris la mer avec leur cargaison ! L'épidémie monte sur Paris ! Elle sera bientôt là ! Seuls ceux qui auront de l'or et de l'argent pourront manger et fuir ! C'est Law qui a fait entrer la peste en France parce qu'il a déclaré Marseille port franc [3] ! C'est Law qui nous porte la ruine, la famine et la mort [4] ! »

Nous apprîmes plus tard que de tels propos étaient tenus dans toutes les provinces autour des bureaux de la Banque royale...

5 juillet 1720, rue Vivienne, la panique règne.

Je travaillais alors sans relâche au *Mémoire sur le Discrédit* que je devais remettre avant la fin du mois au Régent qui connaissait par avance les différentes mesures qu'il contenait. Puisque l'on n'avait point voulu le 21 mai diminuer la valeur des billets, y avait-il d'autres moyens de les rétablir au pair avec la monnaie de métal que d'augmenter la valeur de celle-

1. Cette somme sera réclamée à John Law comme dette personnelle, parmi d'innombrables créances aussi valables !
2. John Law.
3. Presque tous les « biographes » de Law ont repris cette accusation, mais Marseille fut déclarée port franc en 1669 !
4. Commentaires d'époque repris dans les *Mémoires* du temps.

ci ? Il plaît davantage que l'on augmente ; les diminutions effraient les ignorants ! Je me suis résigné aux constitutions de rentes sur l'Hôtel de Ville si chères au public, réclamées par tous et par M. d'Orléans lui-même, et propres, il est vrai, à diminuer l'inflation. Je préconisais ensuite la création des comptes en banque qui, à l'étranger, donnent de bons résultats et qui m'offraient des moyens nouveaux dont je pressentais que j'aurais besoin.

Enfin, l'émission d'actions nouvelles, mécanisme essentiel du Système, devait être approuvée, mais n'était possible que si le roi rendait solennellement l'ensemble de ses privilèges et monopoles à la Compagnie des Indes et que si le Régent déclarait publiquement qu'il soutenait toujours le Système. Le moment me semblait venu de proposer à nouveau l'abolition de la monnaie d'or que j'avais rendue quelque temps au public et d'interdire de resserrer les espèces métalliques ; je voulais assurer le billet, monnaie de confiance valablement gagée sur des espèces métalliques revalorisées et sur la Compagnie des Indes, capable de soutenir le développement fortement engagé au Mississippi. Je pense encore que ce plan était bien le seul qui eût permis d'absorber les deux milliards deux cents millions qui correspondaient au montant de l'inflation. Comment, avant même que je ne l'aie officiellement remis au Régent, le 9 juillet, d'Aguesseau reçut-il une délégation du Parlement, conduite par le conseiller Lambert, qui venait se déclarer contre la création des comptes en banque et contre l'émission d'actions nouvelles ? Et cette audace d'annoncer que, le lendemain, le premier président ferait aux chambres le récit de leur entretien ! Ce fut en effet le lendemain matin, 10 juillet, pendant que le président de Mesmes pérorait de la sorte et que le président Gilbert demandait qu'un commissaire fût installé à la Banque pour nous surveiller, que quatre mille personnes s'assemblèrent rue Vivienne. « C'était témérairement exposer la ville à la sédition et au pillage [1] » que d'avoir entraîné là cette foule avide, composée de mercenaires dont la plupart ne venaient pas seulement pour crier comme on le leur avait appris, mais aussi pour obtenir des billets afin de les changer avec profit ! Je n'avais pas prévu de tels mouvements lorsque je confiai la garde de la Banque et de la compagnie à des invalides de guerre qui trouvaient là l'intérêt d'un emploi à la mesure de leur force ! Fut-ce un tort de donner l'ordre à Duclost [2] de fermer la porte du jardin de la Banque dès que celui-ci serait plein de monde et de ne la rouvrir pour accueillir les suivants que lorsque les premiers arrivants auraient pénétré dans la grande galerie ? Tout annonçait pourtant l'assaut qui suivit. Des pierres, enlevées au chantier voisin, volaient déjà par-dessus nos murs. Cette fois, c'était bien l'assaut en règle que j'avais imaginé depuis longtemps, une attaque comme en perpètre Cartouche sur les routes, contre les voitures des marchands ou de la poste... Les projectiles tombèrent vite en si grand nombre que les mutilés en faction se collèrent contre les murs, cependant que l'on poussait précipitamment dans la Banque les gens qui hurlaient.

1. John Law.
2. Qui commandait les Invalides.

Fort heureusement, la police n'était plus à M. d'Argenson ; appelée, elle fut rapidement sur les lieux et son rapport fut correct [1]. Duclost et ses hommes avaient en vain tenté de persuader la foule de renoncer à une attaque qui allait les contraindre à faire usage de leurs armes. Ces propos ne firent que l'exciter davantage. Le caporal Dutailly vit que la porte du jardin allait être forcée et qu'ils seraient tous massacrés, et il tira en l'air ce malheureux coup de fusil qui tua un cocher... Ces gens voulaient bien crier, jeter des pierres, au besoin assassiner quelques invalides et piller la Banque, mais point risquer leur peau ! Ce fut merveille comme ils se calmèrent à l'instant où Dutailly tira. Quelle comédie !

Étrange et soudaine rapidité des événements à partir de ce moment, singulier enchevêtrement des faits... Trois jours plus tard, le 13 juillet, en dépit de l'opposition du Parlement, le Régent — Dieu sait pourquoi ! — sans doute parce qu'il croyait la mesure salutaire, fit décréter, par un simple arrêt du conseil de Régence, la création des comptes en banque, ce que les chambres apprirent le 15. Ce même jour, leur parvint la lettre de d'Aguesseau qui leur proposait de recevoir le lendemain une délégation, pour discuter de l'édit concernant la Compagnie des Indes avant leur assemblée du 17. Il n'y avait rien à espérer de cette réunion. Le 17 juillet à l'aube, avant même que le Parlement examine cet édit qui, nul ne s'y trompait, rétablissait le Système, quinze mille personnes marchaient sur la Banque ! Au moment de l'ouverture des portes, il y eut dix ou quinze blessés et, a-t-on dit, un mort. Les victimes furent portées en cortège au Palais-Royal, cependant que le Parlement, ainsi conforté par la rue, se déclarait contre la création des comptes en banque, réclamait une vérification des billets et le contrôle de la Banque royale.

Il me sembla à l'évidence que mon devoir, ce matin-là, était de rejoindre le Régent pour conférer sur de tels événements et prendre des dispositions. Que M. d'Orléans en ait pensé autrement en dit assez... La rumeur de la foule grandissait à mesure que j'approchais du Palais-Royal. Les informateurs, accourus place Vendôme aux premières heures, n'avaient exagéré en rien : quatre à cinq mille personnes arrivaient en sens inverse du côté de la rue Vivienne ; nous faillîmes nous trouver face à face ! Il devait être environ neuf heures de relevée lorsque mon carrosse traversa péniblement les attroupements déjà formés depuis six heures.

Me suis-je jamais fait aux injures et aux grossièretés qui depuis des semaines saluaient ma livrée du plus loin qu'apparaissaient mes équipages ? Violences qui sont allées jusqu'à blesser ma fille et mes gens ! Derrière mon impassibilité apparente se déchirait chaque jour davantage cette part sensible de mon être que je ne livre point.

1. « ... un entre autres de cette populace excitait et soulevait tous les autres, leur disant : " Enfoncez la porte pour tuer ces b... là ! Aidez-moi et nous en viendrons à bout. Lorsque nous serons entrés, nous les assommerons tous et nous pillerons la Banque. »
Signé : Jean-François Letorcy Deslandes, avocat au Parlement, commissaire au Chastelet, requis pour constat à l'hôtel de la Banque royale, le 10 juillet 1720. (*Archives Nationales.*)

Lorsque nous pénétrâmes dans la cour du palais et que les grilles se furent refermées précipitamment derrière nous, j'eus l'impression de sortir d'une fournaise. Dans le palais, tout était calme, étrangement. Était-ce parce que, M. le Régent se levant ordinairement à cinq heures, chacun prend ses quartiers fort tôt ? A peine m'étais-je fait annoncer que Sassenage parut, chargé par M. d'Orléans de me prier d'attendre et de demeurer jusqu'à nouvel ordre dans cette demeure, comme en 1718, au temps du lit de justice : « Si vous sortiez à cette heure, vous seriez mis en pièces par ces furieux ! » affirmait mon ami. Le marquis de Nancré était mort et son appartement de célibataire demeurait inoccupé ; j'allai y retrouver les souvenirs d'un récent et brûlant passé. Sassenage m'avait entraîné vers l'une des fenêtres du cabinet où nous nous trouvions et qui donne sur la place... la foule maintenant s'accrochait aux grilles. J'acquiesçai au vœu du Régent et m'assis à une table sur laquelle se trouvait une écritoire, pour rédiger la liste des objets et documents que je désirais que l'on m'apportât sans tarder. Sassenage sortit pour la faire remettre à mon cocher. Quelques instants plus tard, je vis les grilles s'ouvrir pour laisser repartir mon carrosse et la foule se jeter au col des chevaux, briser les vitres et les portières, arracher de son siège mon cocher qui appelait à l'aide tandis qu'on le frappait et lui cassait les membres...

Foule de mes jours mauvais, combien de fois me suis-je mesuré à tes regards de haine et à tes cris de mort ? Mais pourquoi t'en prendre à cet homme sans défense et à Marie-Catherine, une enfant... Marie-Catherine, le visage en sang, terrorisée, une image qui me poursuivra à jamais [1] !

Quel dérisoire service d'ordre intervint à mon appel pour délivrer mon cocher ! A peine vingt mousquetaires et cinquante hommes du guet en habits bourgeois, pour ne pas énerver davantage la populace ! De quoi rire, en vérité, s'il n'en fallait pleurer. Tout de même ils parvinrent à faire lâcher prise aux bourreaux de mon serviteur et à l'emporter pour être soigné. Et la mascarade du gouverneur de Paris ! Ce pauvre duc de Tresme, épouvanté, qui jetait par les portières de sa voiture des pièces d'or et d'argent tandis qu'on lui arrachait ses manchettes ! Spectacle extravagant ! Et Le Blanc, arrivé à son tour, qui descendit de sa chaise pour haranguer la foule, lorsqu'une créature bizarre le prit à la cravate et le secoua comme un prunier en criant que son mari venait d'être tué à la Banque et qu'elle n'avait plus rien à perdre ! On ne sut jamais si elle disait vrai, mais Le Blanc prit peur, une grande peur qui le fit changer de camp...

N'était-il pas bien étrange que M. le Régent ne me reçût pas sur-le-champ en un tel moment ? M. de Saint-Simon était fort perplexe lorsqu'il entra dans le cabinet où j'étais revenu attendre l'audience du prince. Lui aussi était accouru, mais lui, on l'avait reçu... « Quelques instants, quelques instants seulement ! » précisa-t-il et il ajouta : « J'ai trouvé M. le Régent en très courte compagnie, fort tranquille et il montrait que ce

1. Comme elle circulait, quelques jours plus tard, dans un carrosse de son père, on tenta de la lapider.

n'était pas lui plaire que de ne l'être pas. Je doute fort qu'il vous reçoive maintenant, car il s'apprête à sortir par la porte dérobée que vous connaissez bien... »

Je m'entends encore lui répondre :

— Est-ce pour aller voir si les troupes de Dubois exécutent bien les ordres reçus et attaquent comme il faut les soldats du roi ?

M. de Saint-Simon ne répondit pas et ne s'attarda point.

Depuis l'échec de notre complot, dont la présence et le pouvoir grandissant de Dubois donnaient la mesure, le duc prenait ses distances... Au vrai, il souffrait de se sentir ridicule et berné. Il appartient à cette race d'hommes qui veulent toujours avoir raison. Il lui prit de l'aigreur de ce qu'il n'avait pu évincer M. de Cambrai alors que j'avais pu évincer d'Argenson, son fils, les frères Pâris et Trudaine ! On le vit se répandre en éloges sur mes victimes, particulièrement sur l'ancien garde des Sceaux. Le duc de Saint-Simon, dans cette conjoncture, parut petit et me déçut. Il est vrai qu'il est difficile de savoir être vaincu comme il doit être difficile de savoir vieillir ! Je vais devoir apprendre l'un et l'autre...

De cet échec partiel, M. le duc de Saint-Simon ressentit une grande fureur. C'est, lui aussi, s'était chargé d'éliminer Dubois ! Il prétend que Le Blanc nous fit épier et nous a trahis. Il se peut qu'il ait raison. Le marquis de Silly [1] ne le fit-il pas sentir publiquement à Le Blanc, au cours du conseil resté fameux en raison de cet éclat ! Le Blanc est un espion de M. le Régent en de si nombreuses affaires, pourquoi ne l'eût-il pas été en celle-là ? Ne savait-il pas déjà que le vent avait tourné en faveur de M. de Cambrai ?

Le vide de ce cabinet où je tournais en rond et le grondement assourdi de la foule au-delà des vitres... Inoubliables ! M. d'Orléans était donc sorti ! Par souci de dignité, je quittai ce lieu et gagnai l'appartement de ce pauvre Nancré. Je poussai la porte, croyant retrouver les traces de mon passé, et je vis mon lumineux présent : Nathalie...

Le silence, soudain, se fit en John Law. Les pensées, les souvenirs, le torrent de son discours intérieur, le froid, les fantasmes de la nuit et le roulement de l'équipage ne l'obsédaient plus : il contemplait une image d'amour. Elle était là, comme elle l'avait toujours été, durant ces chaudes journées de juillet, présente quand elle le pouvait, omniprésente dans les absences plus ou moins longues que leur imposait l'évolution d'une situation sans cesse changeante et insaisissable.

« ...Nathalie a dû se résigner bien avant moi à l'inéluctable... sans doute dès qu'elle cessa de me mettre en garde, d'exprimer des craintes. Ainsi, dans les pires angoisses, nous sommes-nous peu à peu joué la comédie de l'espoir et de la sérénité... Ainsi avons-nous été à la hauteur l'un de l'autre... »

Une onde de fierté, une satisfaction profonde l'envahirent, car ce n'avait pas été facile. Il se remémorait la douceur des mensonges et le poids du silence... Et Nathalie était à nouveau là, devant lui par la pensée, dans sa

---

1. Cousin du marquis de Lassay, lequel était, rappelons-le, l'amant de la duchesse de Bourbon-Condé, mère de M. le duc.

robe d'été, au cœur de cette nuit d'hiver... Des voix, des paroles, des bribes de dialogue, des visions, des rumeurs renaissaient en lui... Nathalie disait cette chose singulière : « Je viens d'apercevoir M. le Régent, il affecte de se promener sans escorte et sans garde ; on ne l'a jamais vu aussi tranquille [1] ! »

Certes, la ville était calme. Ce jour-là, comme les autres, il n'y avait eu de désordre qu'entre la rue Vivienne et le Palais-Royal, mais dans l'après-midi tout avait changé. Le président du Parlement annonçait aux magistrats réunis en séance : « Messieurs, messieurs, bonne nouvelle ! Le carrosse de Law est réduit en cannelle ! » et l'Assemblée applaudit fort.

Le président de Mesmes, qui tout comme Monsieur Jourdain faisait de la prose sans le savoir, fit ce jour-là des vers à mes dépens ! Une douzaine de magistrats des plus décidés quittèrent aussitôt le Parlement pour aller tenir une réunion chez le président de Novion, afin de prendre des dispositions pour déclarer la majorité du roi. Il s'agissait rien moins que de tenir un nouveau lit de justice, convoqué cette fois par le Parlement, pour s'emparer de la personne de Sa Majesté ! Le prince de Conti se déclarait prêt à prendre la tête des troupes, c'est-à-dire que Le Blanc mettait l'armée à sa disposition. Aurait-elle marché pour autant ? Cette fois, M. le Régent ne fut plus tranquille. Il s'en alla loger aux Tuileries, dans l'appartement voisin de celui du roi pour veiller sur lui, et envoya une estafette aux troupes que j'avais mises à travailler au canal de Montargis, avec l'ordre de faire mouvement sur Charenton. Il disposa quelques régiments de cavalerie et de dragons à Saint-Denis, dont le régiment de Champagne et le Royal Comtois, cependant que le régiment de Sa Majesté prenait position sur les hauteurs de Chaillot. Le chef militaire se réveillait en lui, à l'heure où chacun se souvenait que la Fronde était née d'une alliance du peuple et du Parlement. Ayant fait, M. d'Orléans prit une ordonnance qui *suspendait* le paiement des billets *rue Vivienne jusqu'à nouvel ordre* [2].

N'avais-je pas assez dit que ces opérations de convertibilité, en tout point contraires au Système, se révéleraient dangereuses alors que celui-ci était en vigueur ? Il est vrai qu'elles se poursuivaient plus calmement dans les bureaux de province ! Le maréchal de Berwick écrivait même à Le Blanc « qu'il avait trouvé à Bordeaux les esprits moins inquiets sur les billets qu'il ne les avait laissés à Paris... »

Dès le lendemain, à quatre heures de l'après-midi, se tint le fameux

1. *Chronique de la Galerie de l'Ancienne Cour.*
2. Il ne s'agissait en effet que d'une mesure provisoire et de circonstance. Les paiements de la Banque allaient continuer à s'effectuer dans ses succursales de province et dans de nouveaux bureaux construits à cet effet sur les terrains du prince de Carignan à Paris. Voici le texte de l'ordonnance du Régent : « Sa Majesté étant informée du désordre qui est arrivé à la Banque à l'occasion du paiement des billets et voulant prendre mesure convenable pour y remédier, a jugé à propos de suspendre *à la Banque* jusqu'à *nouvel ordre* le paiement des billets et fait toute expresse défense à toutes personnes, de quelque état, qualité et condition qu'elles soient de s'attrouper ni s'y assembler, sous quelque prétexte que ce puisse être sous peine de désobéissance et d'être punies comme perturbateurs du repos public suivant le régime des ordonnances. 17 juillet 1720. » (*Archives Nationales.*)

conseil secret où Silly fit cet éclat de n'y pas vouloir siéger avec Le Blanc, témoignant ainsi qu'il le tenait pour un traître ! Bien que je demeurasse au palais, je n'y fus point convié. Là fut entérinée la décision du Régent d'exiler une fois encore le Parlement. Son Altesse royale voulait l'envoyer à Blois ; d'Aguesseau obtint qu'il n'aille qu'à Pontoise. Le secret fut si bien gardé que les lettres de cachet tombèrent comme la foudre aux domiciles de ces messieurs de la Robe, deux jours plus tard, le samedi 20 juillet 1720 au soir, après que les troupes eurent gagné les positions qui leur étaient assignées. Le Parlement dut se mettre en route le lendemain, dimanche 21, alors que le guet et les officiers à cheval de la police sillonnaient la ville pour maintenir un ordre que nul ne troublait... M. le Régent et Dubois donnèrent encore la comédie. Je sus vite qu'ils faisaient porter secrètement des dons incroyables à leurs victimes d'un instant : « Cent mille francs en argent, autant de billets de la Banque, de cent livres et de dix livres, au procureur général pour en distribuer à tous les magistrats [1]. Cent mille écus au premier président qui, de surcroît, bénéficia de quelque accord entre le prince, Dubois et le duc de Bouillon. Celui-ci prêta sa belle demeure de Pontoise et y tint chaque jour table ouverte pour tous les membres du Parlement, leur famille et leurs amis. Je fus informé de tout : « Que M. d'Orléans envoyait à ceux qui voulaient tout ce qu'ils pouvaient désirer de vins, de liqueurs et de toutes choses. Les rafraîchissements et les fruits étaient servis abondamment tant que les après-dîners duraient et il y avait force petits chariots à un ou à deux chevaux toujours prêts pour les dames et les vieillards qui voulaient se promener et force tables de jeux dans les appartements jusqu'au souper [2]... » Il se fit aussi, à nouveau, de grandes distributions de pensions à ceux qui n'en avaient pas besoin, avec les fonds de la Banque royale que l'on s'efforçait d'épuiser en un temps où je m'efforçais, moi, de sauver le Système, la Louisiane, d'assurer les échéances de l'Etat, et pour commencer, celle du 1er août. Les seules émeutes du 17 juillet avaient fait chuter dangereusement la cote des billets et le cours des changes. Je fis rouvrir nos bureaux de la rue Vivienne, pour reprendre les opérations de convertibilité sous forme de rachat des billets. Le duc d'Orléans hésitait à me suivre en ce qui concernait l'augmentation des espèces... les souvenirs du 21 mai le brûlaient encore et l'agitation soigneusement entretenue aux abords de la Banque portait ses fruits.

Les dix jours que je passai au Palais-Royal furent bien différents de ceux que j'y avais vécus deux ans plus tôt ! Deux ans, ou deux siècles ? Je ne vis pas une seule fois M. d'Orléans tête à tête. Il est vrai qu'il me témoigna tous les égards de l'amitié... Mais qu'était-ce donc pourtant qui avait de la sorte changé ?

Chaque soir, Nathalie venait... Beaux soirs d'été, lourds et tendres, où l'on guettait les premiers souffles frais de la nuit. Nous échangions peu de paroles... L'avenir n'était plus devant nous et le présent nous fuyait.

---

1. Autre preuve que la Banque royale n'était pas en cessation de paiements.
2. Saint-Simon.

Le 25 juillet et le 1er août 1720, M. le Régent réunit, coup sur coup, deux conseils et des hommes qui passaient pour compétents furent invités à donner leur avis. C'est ainsi que je me trouvai face à face avec certains de mes pires ennemis, les têtes pensantes de l'anti-Système : Samuel Bernard et les frères Crozat. Si je n'avais pas exilé les frères Pâris, ils eussent été là ! Le financier Thelusson, sur lequel je n'avais guère d'illusions, était également convié. M. d'Orléans l'écoutait, depuis peu... Curieusement, le prince avait voulu consulter aussi un représentant des banques suisses ! J'eus donc la surprise de retrouver là mon ami Jean Deuscher, heureuse surprise car il me soutint fermement : deux voix contre celles de mes adversaires et un d'Aguesseau incertain, deux députés du commerce de Lyon hésitants, Jean-Claude Tourton indécis, Le Pelletier des Forts agressif, Villeroi et le jeune duc de Chartres bien entendu muets et le duc de Bourbon donnant des coups de boutoir en tout sens et à contresens, comme à son habitude... La nécessité de faire l'échéance du 1er août, malgré les avis de Thelusson et ses offres de service humiliantes de faire venir des fonds de l'étranger, et malgré les sarcasmes des frères Crozat et de Samuel Bernard, mobilisait les esprits. Je démontrai que la trésorerie de la Banque faiblissait enfin, ainsi qu'on l'avait si bien voulu.

Le conseil du 25 juillet fut donc contraint de conclure à la nécessité d'augmenter les espèces pour redresser le billet et le rétablir au pair avec la monnaie. Même les gros sols de cuivre que l'on appelait des « Law » furent portés à trente-deux deniers.

J'avais élaboré diverses mesures financières que je fis ratifier par ce conseil, et je remis au prince mon *Mémoire sur le Discrédit*. Les discussions que suscitèrent chaque point abordé, chaque solution proposée, dévorèrent mes nerfs et mon temps. J'obtins que fussent pris des moyens importants pour défendre la monnaie : tous ceux qui avaient placé des fonds à l'étranger allaient se trouver dans l'obligation de les rapatrier et les pierres précieuses, placement trop facile et discret, seraient à nouveau traquées : interdiction de les introduire dans le royaume, interdiction de les porter. Oui, j'obtins cela... mais l'essentiel me fut refusé : l'abolition de la monnaie d'or et l'obligation d'effectuer tout paiement avec les billets institués monnaie de confiance, *non convertible en or,* solidement gagée sur l'encaisse métallique revalorisée de la Banque, sur le Mississippi en plein essor et sur la Compagnie des Indes dont on ne pouvait nier la richesse et la prospérité ! Cela ne méritait-il pas que le Régent fît publiquement, comme je le lui demandais, la déclaration solennelle qu'il soutenait le Système, pour relancer la confiance et le crédit ? Il ne la fit pas...

Ce fut le 26 juillet 1720, à l'aube, que je quittai cet asile.

Le 1er août, les courtiers qui s'étaient installés place Vendôme, sous mes fenêtres, furent priés manu militari de déguerpir et de s'installer dans les jardins de l'hôtel de Soissons, que j'avais loué à cet effet au prince de Carignan ; depuis un mois, des ouvriers montaient là des constructions en bois pour abriter tous ces coquins et dix bureaux de la Banque royale où l'on pourrait changer des billets à leur valeur réelle. C'était mon tour de narguer ceux qui manœuvraient contre moi ! L'inauguration de ces lieux par les tambours, les trompettes et le beau discours du lieutenant général de police, mais aussi par l'annonce de la revalorisation des espèces, firent si bien remonter le cours des billets que ceux qui ne voulaient plus les accepter en paiement refusèrent soudain la monnaie de métal ! On vit bien alors que ce qui avait échoué le 21 mai, allait cette fois réussir et que le Système, ce matin-là, pouvait être sauvé !

Mes ennemis ne s'y trompèrent point. Les mesures que j'avais obtenues de haute lutte étant bien insuffisantes pour les empêcher de nuire, ils présentèrent une fois de plus des masses de billets au remboursement. Comment aurais-je pu soutenir ce train, alors que l'on affaiblissait la Banque depuis si longtemps ? Dès le lendemain, 2 août, j'utilisai le seul moyen dont je disposais pour ralentir cette hémorragie : l'escompte, arme dangereuse, à double tranchant, je le savais. On changea les billets de mille livres avec dix pour cent d'escompte, les billets de cent livres avec cinq pour cent d'escompte... les billets de dix livres, eux, étaient acceptés au pair. Alors, ce que j'avais redouté arriva : l'escompte affola les petits porteurs, qui se joignirent aux gros pour nous saigner. Ce fut la ruée, la chute. Vingt-quatre heures plus tard, les billets commencèrent à perdre cinq pour cent et ils en perdirent soixante-dix pour cent en quatre semaines... Le public n'en voulait plus, les prix flambèrent. Les messagers des intendants de province affluaient rue Vivienne. Leurs chevaux encombraient les entours de la Banque, on les entendait arriver, piétiner, hennir ; dans le grand escalier résonnaient un va-et-vient inaccoutumé, des rumeurs, des éclats de voix même... Des militaires se joignaient à ces gens, échangeaient avec eux des informations redoutables. Les officiers du régiment stationné à Charenton venaient bruyamment réclamer des espèces métalliques qui se raréfiaient. Des commis arrivés de Lille, de Strasbourg, de Metz, de Niort racontaient les émeutes éclatées dans leur ville parce que les commerçants refusaient les billets et que l'enchérissement de la vie soulevait les populations. Les troupes, rationnées, menaçaient de se joindre aux manifestants.

Pour la première fois de ma vie, peut-être, je me sentis à ce moment devenir joueur... Dans l'extrémité où je me trouvais, la devise du Taciturne, que j'avais faite mienne, se dépouillait de son désespoir... Oui, persévérer devint, je crois, une activité de jeu et une recherche intellectuelle : je fis distribuer gratuitement du pain aux soldats et je pris des mesures immédiates pour tirer d'embarras les ouvriers des manufactures [1]. Ayant fait, je me tournai vers mes adversaires et acceptai cette dernière partie engagée pour me perdre. J'entraînai dans une volte-face brutale le Régent, stupéfait et affolé. Ce fut le 15 août 1720 que je lui fis prendre, dans la journée, un arrêt sur la démonétisation des billets de banque. Nul ne comprit que l'institution des comptes en banque allait permettre la création d'une monnaie nouvelle et... je n'en dis rien [2]. M. d'Orléans, saisi par les

1. 16 août 1720.
2. Ce qui lui fut reproché.

angoisses et les surprises qui l'assaillaient en tourbillon, signa dix jours plus tard, le 25, ce décret qui renforça ma position dans la compagnie et celle de la compagnie dans l'Etat : « *Imperium in imperio.* » Ah ! si j'avais pu faire cela plus tôt et ne faire que cela : gouverner la compagnie et la Louisiane ! Le Régent se vit nommer protecteur et gouverneur général de la compagnie dont j'étais directeur général. Le prince et moi nous trouvions ainsi liés comme nous ne l'avions jamais été et *nos décisions n'auraient à être entérinées que par un Conseil particulier et restreint composé de mes directeurs.* M. d'Orléans, toujours effaré, se retrouva quelques jours plus tard, le 15 septembre, en situation de devoir approuver les mesures sensationnelles qui tombèrent comme la foudre... Je jouais, détaché, sans intérêt et sans espérance ; c'est comme cela que l'on joue bien.

Ces mesures ne pouvaient être comprises du public et je n'ai pas voulu l'éclairer. Il fallait encore masquer la création, à partir du compte courant, d'une nouvelle monnaie, invulnérable celle-là, pour remplacer le billet de banque perdu à jamais et en revenir au plan du 21 mai, en l'adaptant aux circonstances : je réduisis des trois quarts le plafond autorisé des comptes en banque pour valoriser le quart restant — une monnaie réduite, devenant une monnaie forte. A quoi bon expliquer encore à ceux qui ne pouvaient comprendre et à ceux qui voulaient ma perte ? Les titulaires de comptes dont les versements dépassaient la somme plafond durent retirer ces fonds et il y en avait un grand nombre, surtout des étrangers et beaucoup d'Anglais !

L'équivalence compte-actions remplaça dès lors l'équivalence billets-actions. La monnaie de compte valorisée devint solide et je l'assurai d'un débouché précis : l'obligation de l'utiliser pour le règlement des droits de douane. Les commerçants qui n'avaient pas de compte en banque s'en firent donc ouvrir, ce qui devait entretenir le marché, soutenir et assurer la hausse de cette monnaie. J'avais trouvé là le moyen de peser sur les échanges et de renchérir les produits étrangers, ce qui favorisa les produits français. Quant aux porteurs d'actions, ils pouvaient échanger celles-ci contre un compte de deux mille livres au maximum, mais d'une valeur incompressible et qui pouvait s'élever. De même, les titulaires d'un compte en banque de deux mille livres pouvaient-ils acheter une action qui en valait douze mille et qui produisait un revenu de trois cent soixante livres !...

Un sourire errait sur les lèvres de Law, car il entendait encore la voix de fausset de ce renard de duc de la Force — un des rares à avoir saisi l'intérêt de l'opération — qui allait répétant : « Chacun devrait étudier l'arrêt pendant deux jours pour le comprendre parfaitement ! » Mais lui avait compris tout de suite l'essentiel : le profit.

Ce fut justement ce qui échappa complètement à ces imbéciles de banquiers et aux stupides marchands qui entrèrent dans une violente colère ! M. d'Orléans reçut fort mal la délégation de furieux qu'ils lui envoyèrent. Il les tenait pour responsables de la hausse des prix et le leur dit. Son état nerveux était d'ailleurs très affecté par le régime auquel le soumettaient les soubresauts du Système, dont il ne comprenait plus du tout les stratégies contradictoires, subtiles et violentes. Il buvait de plus en plus, ce qui le rendait de plus en plus faible et facile en tout... pour tous. J'allais mon train, dans ce détachement que nul ne saisissait et courais mon chemin, toujours le même, au galop.

Je fus pourtant sorti de cette indifférence par Monicault de Villardeau, qui arrivait de Louisiane pour m'informer de ce qui se passait aux rives du Mississippi. La Louisiane ! Ma concession de deux cent cinquante-six lieues et les sept sociétés de colonisation dans lesquelles j'avais des parts et les autres, toutes les autres en plein essor, des milliers d'hommes qui travaillaient et produisaient ! « Sans doute, disait Villardeau, mais la population, mécontente, m'envoie vous demander de mettre un terme au monopole de commerce de la Compagnie des Indes et du gouvernement de Louisiane. » Il peignait une situation décevante et périlleuse, due à l'incapacité de Bienville de gouverner un Etat républicain et au dirigisme total dont j'avais voulu tenter l'expérience. La mésentente des hommes responsables engendrait l'inaction, l'indiscipline et le désordre. De ce fait, le gouvernement ne pouvait faire face à deux graves problèmes : le conflit franco-espagnol, rallumé en raison de l'agressivité conquérante des jeunes Français qui, au mépris des frontières, s'élançaient vers l'Ouest, et l'émigration de plus en plus importante.

Villardeau proposait d'organiser les habitants en milices et de les pourvoir en conséquence d'armes et de vêtements, car mes ennemis avaient su recruter pour l'armée des gens à eux qui désertaient et rejoignaient les Espagnols. Plus graves encore me parurent les informations concernant la pénurie grandissante de numéraire, car elle entraînait la compagnie à payer son personnel en marchandises et elle en arrivait à vider ses réserves et ses entrepôts. La nourriture, plus rare et plus chère, se vendait en secret à des prix prohibitifs. Les traitements des fonctionnaires devenaient insuffisants par rapport à l'augmentation rapide du coût de la vie. Des commis avaient été renvoyés pour vol, des directeurs se trouvaient eux-mêmes compromis dans de vilaines affaires. La compagnie et le gouvernement, dépassés, voyaient des tribus indiennes, grassement payées par les Anglais, commencer une guerre de harcèlement contre nos colons.

Je répétai à Villardeau ce que j'avais si souvent dit : la Louisiane souffrait de ce que des moyens suffisants n'étaient pas mis en œuvre pour répondre à l'élan formidable qui poussait vers elle tant d'Européens. Les bénéficiaires du Système, les agioteurs de la rue Quincampoix, là encore, ne jouaient pas le jeu ; ils n'investissaient outre-mer qu'une faible partie de leurs gains fabuleux. Je décidai que Bienville ne serait plus que le chef militaire du gouvernement et je nommai un nouveau président du conseil de Louisiane ; Michel-Léon du Vergier, qui fut prié de s'embarquer au plus tôt. Les instructions que je lui donnai apportaient des solutions aux graves problèmes exposés par Villardeau et tenaient compte de ses avis.

A Paris, la situation me pressait trop pour que je puisse méditer plus longtemps sur ce qui se passait à La Nouvelle-Orléans. Il fallait bien prendre diverses mesures pour résorber le total des billets qui restaient en circulation — un milliard 169 millions 72 500 livres — et faire rentrer des fonds. Mes ennemis s'efforçaient toujours de me faire faire banqueroute ; leur ignorance les empêchait de savoir que « la monnaie est la souveraineté [1] » et je tenais la monnaie ! Mais une lassitude pernicieuse attaquait mon âme. Malgré cela, le 30 septembre et le 1er octobre 1720, je fis encore deux édits ; l'un prescrivait la frappe de nouvelles monnaies et la refrappe des anciennes, qui devaient être abolies le 1er décembre. La Banque reprendrait ces anciennes monnaies. Cette manipulation monétaire [2] et celles qui pourraient suivre n'étaient sans doute que des expédients, propres à déconcerter et à lasser le public, mais on m'y contraignait et leur résultat était mathématiquement certain : des centaines de millions rentreraient. Je ferais boucler les frontières pour empêcher l'exportation de l'or, de l'argent et des pierres précieuses que les étrangers, en particulier, pratiquaient d'une manière scandaleuse. Ne pourraient désormais sortir du royaume que ceux qui obtiendraient un passeport ; ceux qui tenteraient de s'en passer seraient punis de mort. Ainsi, en refusant de prendre connaissance de nos passeports, le fils de M. d'Argenson pensa-t-il me tenir à merci et me frapper de cette arme que j'avais forgée. J'ai si souvent échappé à la mort, à l'instant même où elle semblait me saisir ! Par quel moyen me prendra-t-elle ?

Par l'autre édit, j'annexais à la Compagnie des Indes la Compagnie de Guinée, ce qui nous donnait le monopole de tout le commerce d'outre-mer et nous apportait de nouvelles richesses [3].

Dès la fin du mois, je pris une mesure complémentaire *pour assurer la trésorerie de la Banque royale : l'augmentation très forte des redevances que la Compagnie des Indes paierait pour le bail des fermes et pour celui des monnaies.*

J'aurais pu aisément de la sorte faire face aux échéances à venir et aux nouvelles attaques de mes adversaires... Mais il advint que, eux et moi, nous en eûmes assez. Nous voulûmes mutuellement nous saisir corps à corps et en finir. En finir... Oui, mais pour moi, j'y voulus mettre la grande manière, le style, comme disent les Français, mon style, afin qu'on le reconnût, que nul ne puisse s'y tromper — même si ce sont les vainqueurs qui écrivent l'Histoire. Afin que, un jour, on puisse trouver là l'irréfutable témoignage « que j'ai été Français et que si les établissements que j'ai formés ont été attaqués, ils pouvaient subsister... mais ils subsisteront et la postérité me rendra justice [4] ».

C'est ainsi que je décidai de faire défiler devant le tribunal de l'Histoire ceux qui avaient fait de la rue Quincampoix l'enfer de l'agiotage et un coupe-gorge au lieu de placer leurs gains dans les biens fonciers et les manufactures de France ! N'avaient-ils pas, de la sorte, privé d'un travail rémunérateur les pauvres qui soutenaient d'un labeur épuisant leur train scandaleux ? Par l'acquisition de terres achetées à bas prix et revendues pour

1. Ch. Boromé.
2. Source de bénéfice pour la compagnie, grâce au privilège de fabrication des monnaies qu'elle détenait.
3. 1er octobre 1720.
4. John Law.

des sommes fabuleuses, ne frappaient-ils pas de nombreux paysans qui en tiraient durement un peu de nourriture et beaucoup d'impôts ? N'avaient-ils pas trompé l'espérance de tant de malheureux qui luttaient et souffraient, souvent jusqu'à la mort, en n'investissant pas ou trop peu en Louisiane ?

Je pris alors un édit qui amena, à l'aube du 24 octobre, Nathalie dans mon bureau où j'avais passé la nuit. William, Dutot, Melon l'avaient appelée au secours. Je la revois dans sa mante au capuchon bordé de fourrure, si calme en dépit de tout ce qui bourdonnait autour de nous. On nous laissa seuls. Je la regardais. Nous nous taisions. Elle parla enfin, je l'entends encore :

— C'est la fin, John.

— Oui, c'est la fin.

— Vous serez renversé... ou pire !

— Je prendrai les devants, quand le moment sera venu. Je veux assurer les échéances.

— Ils sauront vous en empêcher.

— Il se peut. De toute façon, je prendrai les devants.

Elle soupira, comme délivrée, et se tut à nouveau. Son visage, légèrement renversé, les yeux clos, avait la pâleur et la sérénité du marbre.

Ce soir-là, l'édit se répandit dans Paris comme un incendie. Oui, des flammes, un feu purificateur, ou de ceux que l'on allume pour les apothéoses. D'aucuns affirmèrent que je défiais le sens commun. Mes raisons pour agir de la sorte se situaient, d'évidence, au-delà de la sagesse des hommes. Je venais d'arrêter que tous les actionnaires, nouveaux et anciens, de la Compagnie des Indes devaient se présenter dans nos bureaux, où étaient consignés les noms et adresses de tous ceux qui avaient acquis nos titres depuis leur création. Les méthodes rigoureuses imposées aux archivistes de nos établissements, comme à nos comptables dont les livres avaient obligé mes adversaires à rendre les armes lors de la vérification de la Banque, permettaient de suivre les mouvements des transactions et l'établissement de listes auxquelles travaillaient jour et nuit les commis de la compagnie. Ainsi furent convoqués nos anciens actionnaires, à qui fut faite l'obligation de racheter un nombre d'actions égal à celui qu'ils avaient antérieurement possédé. « Ils se trouvèrent ainsi contraints de faire rentrer les fonds envoyés à l'étranger et de remettre dans le commerce une partie des richesses qu'ils avaient détournées, afin que leur fortune devienne utile au Royaume [1]. » Ils acquéraient ces actions nouvelles au prix de treize mille cinq cents livres et celles-ci devaient être conservées pendant trois ans par la compagnie qui allait ainsi disposer de très importantes réserves nouvelles. Durant cette période, ces titres ne pourraient être revendus, mais des dividendes convenables seraient versés. Quant aux actionnaires qui avaient compris et soutenu le Système et pour qui je luttais et prenais tant de risques parce qu'ils croyaient en moi et admettaient qu'une action, comme un champ, est

1. John Law.

une valeur qui doit se garder, rapporter et se valoriser, ceux-là ne furent tenus qu'à un simple visa et on leur rendit leurs titres.

Parmi les profiteurs, le bruit fut terrible, d'autant que les honnêtes gens ne s'y trompèrent point et virent bien sur qui le châtiment tombait. Ce furent eux, cette fois, qui envahirent avec empressement la rue Vivienne et les divers bureaux de la compagnie.

Alors mes ennemis sortirent de l'ombre pour le dernier combat.

J'ai la faiblesse de croire « qu'il ne faut pas mettre sur le compte du Régent aucune des opérations qui ont été faites depuis le mois d'octobre 1720, j'ai la faiblesse de croire qu'il souffrait qu'on les fît et qu'il s'est bien repenti par la suite de l'avoir souffert [1] ». Oui, j'ai la faiblesse de croire cela... la faiblesse ? peut-être la certitude ? Non... Quoi qu'il en soit, le triumvirat qui me remplaçait au Contrôle général des Finances et qui, jusque-là, n'avait rien fait, se réveilla immédiatement et prit des mesures insensées dirigées contre les miennes : « *Au lieu de faire remettre les actions en dépôt, on fit des taxes* et on réussit au dessein caché que l'on avait d'aliéner les actionnaires, de détruire leurs projets sans réparer les pertes et de faire triompher les ennemis du crédit... On demanda, en plus, quinze millions aux directeurs de la compagnie et, en même temps, on les décriait publiquement, puis on assura qu'on allait les dépouiller afin de leur ôter la confiance du public. *Une manœuvre fit enlever des hôtels des Monnaies une grande quantité d'espèces...* mais il y avait cependant plus de soixante millions en matière (métal) que l'on travaillait à convertir en espèces [2]. » Ainsi que mes ennemis l'avaient prévu, ces événements retardèrent les opérations fructueuses en cours sur les fabrications de monnaies nouvelles. On me fit alors presser de toutes parts : on réclamait tant de millions pour le Régent, tant de millions pour le roi, et il me fallait vingt-cinq millions pour l'échéance de décembre ! Je savais que je ferais cette échéance, à quelques jours près peut-être, mais n'étais-je pas déjà en retard pour la précédente ? Ne me contraignait-on pas *depuis longtemps à prendre des délais ?* « Le Crédit étant une chose très inconnue en France, *chacun se représentait la Banque comme une tirelire vide, la compagnie comme une boutique vide également* [3]. » Les calomnies et les moqueries, comme en d'autres temps, allaient bon train.

Le Régent alla jusqu'à convoquer, en dehors de ma présence, mes directeurs, pour leur demander si je serais en mesure d'effectuer les paiements mensuels auxquels j'avais engagé la compagnie envers le roi et dont je venais d'augmenter les montants ! Ils ne purent que rappeler ce que représentaient les opérations en cours et l'actif considérable de la Compagnie des Indes. Ils tentèrent aussi de faire percevoir le grand essor de la Louisiane, le nombre des sociétés de colonisation, leurs productions, ce que représentaient les cargaisons des navires qui rentraient...

Faire l'échéance de décembre et partir. Faire la démonstration éclatante que j'avais d'innombrables Français derrière moi, en vérité le plus grand nombre, et leur donner l'occasion d'en témoigner publiquement. Toutes les

1, 2 et 3. John Law.

mesures que j'avais prises pour faire rentrer les fonds nécessaires à l'Etat ayant été contrecarrées et leurs effets retardés, je décidai de brusquer les choses : le 27 novembre, je lançai un emprunt remboursable en un an. On offrait aux actionnaires de la compagnie la possibilité de souscrire un prêt de cent cinquante livres par action, payables pour cent livres en argent et cinquante livres en papier. Ces sommes leur seraient remboursées totalement, en espèces métalliques, les billets n'ayant plus cours. Ils bénéficiaient donc ainsi d'une plus-value substantielle et d'un intérêt également avantageux de quatre pour cent. Bien entendu les actions qui ne porteraient pas le second sceau du visa imposé par l'édit du 24 octobre seraient refusées et nous décidâmes de les frapper de nullité par un édit du 2 décembre[1].

Pour la seconde fois en un mois, il y avait foule à la Banque, la foule de mes amis inconnus... Ils venaient, empressés, nombreux, défendre le Système. Inoubliable souvenir à jamais gravé en moi ! Nathalie, William et Rebecca, Melon, Dutot, Robert Neilson, Bourgeois et mes directeurs, jusque-là prostrés, se réveillaient, étourdis, et leur découragement semblait céder à de frêles espérances. L'enthousiasme de la foule les gagna peu à peu. J'étais acclamé dans la rue, assailli dans mon bureau :

— Excellence, la partie est gagnée ! Enferrés, vos ennemis !

— Qu'allez-vous faire ?

Nathalie, elle-même, semblait incertaine...

— Monseigneur le Régent viendra à la Banque demain, Excellence[2] !

Quelle effervescence ! Moi seul savais. Ces apparences trompeuses ne pouvaient m'abuser... Il n'y avait en tout cela rien de mieux qu'un expédient qui me permettait, envers et contre mes ennemis, de faire face avec dignité à mes engagements avant de me retirer et de prouver que le peuple français m'honorait de sa confiance. C'était, en vérité, une sorte de plébiscite. Mais tout était détruit, aucun des vrais principes de finances ne pouvait plus être appliqué ni porter des fruits. Chaque fois que j'avais tenté, de diverses

1. Texte de l'édit du 2 décembre : « Par cet arrêt on annule toutes les actions qui n'auront pas été timbrées du second sceau et on défend de les négocier. » Ce qui entraîna, on ne sait comment, certains auteurs à conclure, vraiment très hâtivement, que l'emprunt du 27 novembre 1720 fut un emprunt forcé ! Même s'il avait été forcé, cet emprunt permettait à Law de faire face à ses échéances et ainsi se trouvent encore une fois infirmées les versions données jusqu'à ce jour de la fin du Système. Cependant, le fait que cet emprunt fut librement souscrit par le public et qu'il rencontra un succès remarquable, attesté par des témoins — nous citons l'un d'eux ci-après — apporte une dimension psychologique nouvelle et capitale qui permet de saisir dans leur vérité ces épisodes singuliers. Un témoin, Mathieu Marais, écrivit : « Il y a une foule extraordinaire à la Banque pour payer le prêt de 150 livres par action... On donne des actions nouvelles scellées de trois sceaux et des petits billets (des reçus) de 32 louis d'argent... payables au porteur dans un an... on va en voir tout Paris rempli comme de billets de banque. » (Comme s'ils étaient des billets de banque.) La même opération se déroulait en province, dans les succursales de la Banque. Cette mesure qui éclaire parfaitement la pensée et les intentions de Law, d'ailleurs par lui-même exprimées, n'a jamais, à notre connaissance, été prise en compte et présentée dans sa vérité historique et psychologique.

2. Le 3 décembre 1720, le lendemain de l'édit du 2 décembre.

manières, de les appliquer, j'avais été contrecarré. Je refusais de continuer. Les expédients ne m'intéressent pas. La charge des finances de la France ne m'intéressait plus. Depuis le mois d'octobre, M. le Régent avait cessé d'être en état d'exercer le pouvoir. Les brèves lueurs qui éclairaient encore par instants son grand esprit pouvaient faire illusion en dehors du cercle étroit de ses familiers et de ses collaborateurs [1]. La réalité n'en existait pas moins. Le roi n'était qu'un enfant. Dubois, qui attendait ce moment depuis tant d'années, saisit d'une main ferme le gouvernail que j'avais tenu et qu'il me forçait à lâcher. Il gagnait. Les troupes de l'anti-Système formaient dès lors autour de lui une cohorte invincible et déterminée. Il n'y avait plus rien à espérer.

La Louisiane paraît plus lointaine que jamais. Le fanatisme de mes ennemis peut m'en séparer à jamais. Ils détruiront avec rage toute mon œuvre. Ce fut avec de telles pensées que, entouré de tous mes collaborateurs angoissés, je reçus, le 3 décembre, M. d'Orléans. Depuis des jours et des jours, au milieu des rumeurs chaleureuses qui me donnaient le courage nécessaire pour atteindre les profondeurs du plus grand renoncement qui fut jamais, j'achevais de contrôler les comptabilités de la Banque et de la compagnie [2] et de prendre les mesures qui s'imposaient.

M. d'Orléans demeura près de deux heures parmi nous. Tout diminué qu'il fût, il avait beaucoup à m'apprendre ! Je le vis embarrassé, ébranlé par l'accueil du public auquel il n'était pas accoutumé ; quelque chose du vieil espoir sembla flamber en lui, mais il n'était plus en état de porter ce feu. Il venait jeter son regard incertain sur la foule des souscripteurs, sur le travail des commis penchés sur leurs livres et sur les livres eux-mêmes dont la tenue, une fois de plus, l'impressionna. Il voulut passer aussi dans les bureaux de la compagnie et rêva devant les registres où étaient consignées les routes marines de nos grands voiliers.

— Cent cinq vaisseaux sur les océans ! Quelle flotte, monsieur, en vérité !

— Ne dit-on pas, monseigneur, que le luxe de l'année 1720 restera dans les mémoires [3] ? Or, tout ce qui chatoie et attire tant d'étrangers et de

1. Saint-Simon, dès 1718, signale en termes voilés la déchéance du Régent.
2. Les versions fantaisistes qui assurent que l'on trouva les dossiers, la comptabilité et la trésorerie de Law dans un désordre digne d'un fou, ou d'un analphabète, nous obligent à rappeler ici qu'il fut admiré des financiers étrangers les plus éminents et que, quelques mois plus tôt, les vérificateurs de la Banque, convoqués *à sa demande*, et qui lui étaient farouchement hostiles, furent stupéfaits par la tenue des livres, l'ordre et l'exactitude qu'ils trouvèrent et par une science bancaire à laquelle John Law avait consacré les années studieuses de sa jeunesse. Celle-ci permit au Pr Harsin d'écrire : « Law inspira une école néo-mercantiliste plus moderne que les physiocrates... il eut une influence profonde qui engendra la Caisse d'Escompte et la Banque de France. » Certains auteurs assurent également qu'au cours de cette visite du 3 décembre 1720, le Régent embrassa Law. Faut-il en conclure que Son Altesse royale, rompant avec les mœurs de Cour de son époque, se livra aux transports accoutumés aux poivrots qui ont le vin tendre ? Il ne semble pas qu'il ait été dans cet état à ce moment précis, bien au contraire. Nous ne pouvons donc prendre en compte ce fait qui pourrait — s'il était exact ou même vraisemblable — avoir quelque importance.
3. Sur ce luxe exceptionnel, les attestations des contemporains, fort nombreuses, infirment également tout ce qui fut dit sur le désastre financier généralisé qu'aurait engendré le Système.

provinciaux dans les boutiques de la rue Saint-Honoré : les bijoux, l'orfèvrerie, les porcelaines, les laques et les soies de la Chine, les plumes, les bois précieux des meubles que créent les artistes de Paris, sont rapportés dans les cales des bâtiments de la Compagnie des Indes. Daignez considérer que ceux-ci repartent en emportant, pour les vendre aux quatre coins du monde, les richesses de la France...

Je déployai devant lui les listes des mouvements de ces navires :

— Voyez, monseigneur, il en est qui appareillent pour le Coromandel et d'autres pour la Chine... Et voici ceux qui reviennent d'Afrique et de Louisiane.

J'avais glissé sous son regard une de nos grandes cartes... Que de fois ne lui avais-je pas ainsi fait entendre les lointains ressacs du golfe du Bengale et du golfe du Mexique ! Cette fois, j'avais le sentiment qu'il écoutait mes propos comme un air de musique qui fait renaître une émotion ancienne. Ce n'était plus là pour lui une réalité vivante et forte.

— Mais le luxe, disait-il d'une curieuse voix un peu brisée que je ne lui connaissais pas, le luxe, lorsqu'il atteint ce qu'il est aujourd'hui, n'est-il point blâmable ?

— « Il brille et on le blâme, en effet, répondis-je, mais il est fils de l'abondance et fait subsister bien du monde. Le salaire des artisans est meilleur qu'il ne fut jamais parce que la demande de l'ouvrage excède ce que les artisans peuvent faire... Les manufactures, de même, ne suffisent pas à fournir les marchands détailleurs. Ce qu'ils reçoivent est enlevé par les acheteurs avec tant de vivacité qu'il n'a pas été possible de remplir un seul magasin ! Pourtant les étoffes et tous les objets de luxe ont doublé de prix et sont payés comptant, même par les femmes de la Cour ! Il n'est pas jusqu'au salaire des gens de journée, à la campagne, qui n'ait doublé ! Vos nouveaux conseillers disent que c'est parce qu'ils travaillent moins, par fainéantise, mais ce n'est pas la vraie raison : c'est qu'ils gagnent moins chez les autres qu'à défricher ou cultiver leurs terres, c'est qu'ils s'attachent à leurs terres parce qu'ils n'ont plus d'inquiétude pour payer la taille, ils sont en état de le faire et ce qu'ils récoltent maintenant leur demeure en pur profit [1]. » Je m'efforçai de rire et j'ajoutai : Voyez, monseigneur, où nous ont entraînés cette carte du monde, nos lointains navires qui sillonnent les mers et quelques considérations sur les vitrines de la rue Saint-Honoré ! Il y a là, en vérité, autant de preuves que j'ai tenu, en ces domaines si divers, les promesses que j'avais faites à Votre Altesse royale et au peuple français.

— Mais les banqueroutes, monsieur ! Les gens ruinés par votre Système ?

— Je ne vois ainsi frappé que les agioteurs et les usuriers. Que Votre Altesse royale daigne prendre connaissance des rapports des intendants de province pour ces deux dernières années : il n'y a aucune trace de banqueroute dans ce pays [2] !

1. John Law.
2. Le Pr Harsin, après avoir dépouillé les archives de province de ces années-là, conclut qu'il n'y eut aucune faillite ou liquidation au moment et après la destruction du Système.

Nous échangeâmes un long regard. Il soupira, hésita peut-être et finit par se délivrer de la commission dont l'avaient chargé M. de Cambrai et le chancelier d'Aguesseau, lequel me devait d'être là où il se trouvait :

— Vous savez que le pape n'a pas voulu se contenter de l'enregistrement par le conseil de Régence de notre Déclaration sur la bulle... (Il sembla étouffer dans mon silence)... Vous savez que la paix religieuse, à laquelle nous sommes si attachés, dépend de cet accord. Sa Sainteté veut que le Parlement s'engage. Comme il refusait toujours...

— M. de Cambrai a senti le cardinalat lui échapper !

— J'ai menacé de reléguer ces robins à Blois ! M. d'Aguesseau déclara que s'il en était ainsi, il démissionnait. Enfin, il y eut un arrangement... Le Blanc et le président Hénault [1] le conclurent. Le Parlement rentre demain à Paris et à son tour consentira à enregistrer la Déclaration [2].

Le coup était insidieux et mortel. Nous le savions l'un et l'autre. M. le Régent se retira aussitôt.

Il ne me restait que très peu de jours pour achever de mettre mes affaires en ordre. Dès cet instant, quel violent désir, quel songe obsédant en moi : partir pour l'Italie... Mais une nouvelle inquiétude s'empara de mon esprit : me laisserait-on quitter la France ? Sinon, exilé à Effiat ou à Guermantes, ou dans n'importe quelle autre de mes terres, pourrais-je, comme un simple sujet du roi, gérer ma fortune et mes biens de France et de Louisiane, et aller là-bas, un jour ? Quel grand rêve ! Folie, que tout cela ! En aucun de ces lieux je n'aurais été à l'abri des tueurs à gages du Parlement... Pour retarder l'éclat des fureurs de Caterina, je ne l'avais pas préparée à un départ. Brusquement confrontée à cette situation, elle tint des propos déjà entendus jadis, odieux, insoutenables, stupides. Elle déclara enfin qu'elle et ses enfants ne quitteraient pas la place Vendôme. Jean l'approuvait [3]. N'avait-elle pas exigé qu'il partageât la vie des jeunes gentilshommes de la Cour, alors que je voulais qu'il vînt à la Banque apprendre les finances et le commerce ?

J'ai manqué gravement à mon fils en n'imposant pas cette volonté. Les circonstances exceptionnelles qui ont bouleversé ma vie au cours de cette année en sont la cause, et non l'excuse. Ainsi a-t-il passé son temps en des amusements qui l'ont fort attaché à Paris.

Marie-Catherine, elle, depuis qu'elle fut attaquée par la populace à la barrière de l'Etoile, se replie sur elle-même... Il eût fallu que je m'occupe de cette enfant, plus profondément blessée en son âme qu'en son corps... mais le temps manqua soudain, tragiquement. J'avais à prendre tant de dispositions pour abandonner du jour au lendemain la grande œuvre que j'avais édifiée : la Banque royale, la Compagnie des Indes, la gestion des

---

1. Le président Hénault donna ce témoignage : « Il fallait le perdre (Law) sans paraître l'attaquer et le seul moyen était le retour du Parlement. »
2. Elle fut enregistrée le 4 décembre 1720.
3. Le fils de Law avait alors dix-sept ans.

finances de l'Etat, les opérations financières en cours, le gouvernement et l'organisation si difficile de la Louisiane. Des jours, des nuits, des semaines, des mois eussent été nécessaires, et le Parlement, qui avait négocié l'enregistrement de la bulle *Unigenitus* contre mon départ et peut-être contre ma liberté et ma vie, rentrait le lendemain...

Je voulus aller au plus pressé et fus pris de vertige devant tout ce qui l'était et qu'il me serait impossible de régler. J'ai consacré des moments précieux à convaincre Caterina de me suivre avec les enfants, car leur sécurité ne me semblait pas assurée. Je ne regrette que ses haussements d'épaules. Rares furent les instants furtifs que je pus donner à Nathalie et ce fut mieux ainsi... Aucune explication n'était nécessaire entre nous. Nous partageons nos destinées et nos douleurs. La fièvre de ces jours nous avait aidés, et peut-être aussi l'éloignement apparent et momentané qu'elle nous imposait. Nathalie portait sur les événements un autre regard ; elle éprouvait le sentiment qu'ils nous délivraient d'un insoutenable combat et j'en étais arrivé à penser de même à travers ces épreuves traversées comme les cercles de l'Enfer. Une idée, le rêve qui nous avait investis plus d'une fois, nous reprit assez fort... Cinq jours plus tard, le 9 décembre, au Palais-Royal, *je donnai à M. le Régent ma démission.* Je l'informai de mon désir de me retirer en Italie. Il ne chercha pas cette fois à me retenir. Je ne m'en étonnai pas. Ne m'avait-il pas échangé contre le chapeau de cardinal de Dubois ? Son Altesse royale crut bon de protester qu'elle n'avait jamais eu de serviteur aussi honnête que moi, mais je n'étais point de ses laquais, ni de ses commis, ni même de ses courtisans... Il fallut que le prince en vînt à accepter une autre manière qui n'était point la sienne. Il dut entendre de dures paroles... Quelle âpre joie de me les rappeler ! En serai-je jamais rassasié ?

— « Le Système, source de richesse pour tous, avait naturellement permis à son créateur d'acquérir de grands biens, monseigneur, mais venus de ma fonction, *je les regardais comme à l'Etat et j'en disposais pour le service public, sans tenir des notes des sommes que j'employais ni faire signer des ordres.* Les ayant regardés comme à l'Etat, je les laisse à l'Etat et ne veux conserver que la fortune que j'avais lorsque j'ai créé de mes fonds la Banque royale, fortune dont j'ai fait établir alors le montant exact pour les actes constitutifs de l'Etablissement que j'ai eu l'honneur de fonder et de gouverner. En raison des sommes importantes que j'ai amenées par ordre du roi de France, je suis aujourd'hui créditeur de l'Etat [1]... » Quel sursaut à ces mots chez le Régent ! et quel plaisir secret j'eus, en dépit des circonstances, à le rassurer en lui faisant valoir que « *le remboursement de ce que j'avais avancé pour les Affaires étrangères suffirait à payer ce qui m'était dû* [2] ».

Après un silence, il me répondit qu'il appréciait mon désintéressement et qu'il ne voulait pas consentir à ce que j'assigne à la compagnie toute la fortune que j'avais acquise en France, que cela ne serait pas convenable parce

1 et 2. Déclarations de Law.

que j'avais des enfants. J'entends encore ses affirmations auxquelles je fus sensible : « Je veux que vous soyez toujours attaché aux intérêts de la France et que vous gardiez vos terres et vos actions ; quant à la somme que vous désirez retirer hors du royaume, j'y consens [1]. » M. d'Orléans, qui fait tant de promesses et si facilement, se souviendra-t-il de ses derniers engagements vis-à-vis de moi ? Nous nous tûmes encore. Dans un regard, nous échangeâmes les fantasmes de notre silence. N'avions-nous pas étroitement mêlé les espoirs, les rêves, les combats, les accomplissements qui font une vie d'homme ? Les nôtres, hors du commun, avaient bousculé le vieux monde et l'ont transformé, peut-être à jamais. L'échange d'une confiance sans limite et d'une profonde compréhension construisit notre amitié ; la malignité des hommes et le destin nous ont séparés...

— Demeurez en France encore quelques jours... Sa voix était sourde, méconnaissable.

Je fus étonné. Je ne tenais pas à finir mes jours à la Bastille ou à être « dépêché » du haut d'un gibet semblable à ceux qui se dressaient dans l'enclos du Parlement d'Edimbourg, et cela, par les soins du Parlement de Paris.

— Je vous reverrai sous peu... le 14 dans la matinée.

Je m'inclinai sans répondre et je sortis.

Partir avant ce rendez-vous eût ressemblé à une fuite. Il n'en était donc pas question. Tout au contraire, je décidai de ne rien changer à mes habitudes. Cinq jours ! Il me restait cinq jours !

Le lendemain de mon entrevue avec le Régent, j'achevai les séances de pose pour la petite portraitiste vénitienne, Rosalba Carriera, que j'avais lancée à Paris. Je parlai calmement avec elle, rue Vivienne [2]. Son beau-frère, peintre lui aussi, avait exécuté le décor qui nous entourait. J'avais aimé y apporter mes soins. La peinture m'a toujours fasciné. Au long des fresques et des plafonds de Pelligrini, les rouges veloutés et les verts Véronèse chatoyaient dans la lumière dansante des flambeaux... Je me demandai lequel de mes adversaires siégerait là cinq jours plus tard, s'assiérait dans ce fauteuil que Cressent fit pour moi, ouvrirait les tiroirs de ce bureau, un chef-d'œuvre exécuté à ma convenance par André-Charles Boulle.

Incertain sur ce qu'allait être mon avenir immédiat, j'eus le tort de ne pas entreprendre sur-le-champ mes préparatifs personnels. Il est vrai qu'ils devaient être différents suivant que j'irais ici ou là... Est-ce vraiment cette incertitude qui m'enleva le désir de refaire mes ballots d'émigrant ? Ne fut-elle pas le prétexte que je me donnais à moi-même ?

En fait, quitter le gouvernement de la France, ma Banque, ma Compagnie des Indes, mes affaires de Louisiane, m'avait cassé. Il ne me restait ni force, ni détermination pour abandonner froidement des lieux où

1. Cela signifie : « Je consens à ce que vous emportiez votre fortune initiale. » Il existe au ministère des Affaires étrangères des archives qui ne reflètent rien des versions fantaisistes et larmoyantes qui ont été jusqu'ici données des derniers entretiens de Law et du Régent.
2. *Journal* de Rosalba Carriera.

je m'étais enraciné profondément, des objets familiers choisis avec passion, des œuvres d'art que j'en étais arrivé à aimer comme des amies, une bibliothèque, objet de tant de recherches et d'attention... L'effroi de laisser tout cela derrière moi pour toujours m'aura paralysé, et la crainte de redevenir un exilé, peut-être un vagabond, contraint à une errance éternelle, me hantait, me hante encore à cette heure...

Dans la soirée, M. le duc arriva pour me raconter la discussion tumultueuse — une de plus — qu'il venait d'avoir avec M. d'Orléans. Il ne voyait pas sans fureur lui échapper une proie dont il avait tiré tant de profits. Il me défendit donc sans que je l'en priasse. En vain. Le Régent était, cette fois, bien en main. M. le duc obtint seulement que le nouveau contrôleur des Finances fût à sa convenance. Il fit écarter Le Pelletier des Forts et Fagon, et approuva la nomination de Le Pelletier de la Houssaye. Caumont et d'Ormesson seraient ses intendants.

Il m'apprit que le maréchal de Villars, porte-parole de mes ennemis, avait, dans la journée, pressé le Régent de me faire arrêter, ce que le prince refusa fermement. Je compris dès lors que la situation évoluait très vite et pouvait m'entraîner Dieu sait où. Mon visiteur me recommanda de me tenir sur mes gardes et prêt à toute éventualité... Mais l'inertie qui s'était emparée de moi s'appesantissait de plus en plus. N'était-ce pas une sorte de refus des violences qui m'étaient faites ? Je ne me sentais plus maître de moi-même. Ce fut dans cet état d'esprit que, le lendemain, mercredi 11 décembre, j'appris la nomination officielle de Le Pelletier de la Houssaye. J'imaginai une passation de pouvoir correcte. De délicates opérations monétaires étaient en cours ; il importait au plus haut point, pour l'Etat, qu'elles se déroulassent dans de bonnes conditions et fussent menées à leur terme par un esprit averti. J'attendis. Je pensais que, lors de ma prochaine entrevue avec le Régent, ces questions primordiales se régleraient. Le lendemain soir, on jouait *Thésée* à l'Opéra. Je décidai d'occuper ma loge avec ma famille. Le duc de la Force accepta de se joindre à nous. Je souhaitais que Nathalie fût aussi dans la salle. Je voulais aller la rejoindre ensuite. Elle préféra m'attendre chez elle. Lorsque nous parûmes avant le lever de rideau, alors que tous les fauteuils étaient déjà occupés, les conversations s'interrompirent... Quel lourd silence [1] ! Je regardai cette assistance et ne l'oublierai pas ; je pense que beaucoup d'autres ne l'oublieront pas non plus. Le spectacle qui allait se dérouler sur la scène aurait du mal à égaler l'éclat de celui qu'offrait cette salle. Avait-on jamais vu pareille magnificence dans les habits et les parures ? La verra-t-on longtemps, la reverra-t-on jamais ? L'année 1720 ne sera-t-elle qu'un feu d'artifice fulgurant dans le ciel de Paris pour s'éteindre aussitôt ? Je percevais tant d'interrogations, d'étonnement et d'angoisse dans les visages levés vers moi... Pour la dernière fois, je revêtais les apparences éclatantes d'une position que j'abandonnais. A mes côtés, Caterina étalait des étoffes rares, des bijoux royaux, des plumes... L'inquiétude l'habitait aussi, mais

1. Mathieu Marais note que « Paris fut étonné ».

surtout la fureur. Pourtant, une sorte d'incrédulité quant aux réalités de la situation combattait en elle tout autre sentiment et devait finir par lui dicter le comportement qu'elle crut bon d'adopter... à tort ou à raison. Marie-Catherine et Jean, parés comme des infants, promenaient des regards effarés autour d'eux. La musique vint enfin nous délivrer de ces confrontations silencieuses ; je m'efforçai de fuir en elle... Le rideau se leva. Mon esprit épuisé trouva un apaisement.

Je m'esquivai avant la fin du spectacle, laissant au duc de la Force le soin de raccompagner Caterina et les enfants place Vendôme. En passant sous les arbres dénudés par l'hiver des jardins de l'hôtel de Mercœur, une douleur aiguë me traversa... L'amour crée un instinct. Une pluie fine et glacée balayait la nuit. J'avais laissé mon équipage devant la grille et je m'approchais ainsi que j'avais tant aimé à le faire, discrètement, comme un voleur. Les trois portes-fenêtres de la rotonde du petit salon blanc étaient éclairées, on percevait les lueurs dansantes du feu et celles, plus hautes et plus légères, des flambeaux. C'étaient l'éclairage et le décor de ce qui fut la grande rencontre de ma vie. Je m'arrêtai. La pluie ruisselait sur mon visage comme des larmes. Depuis cette rencontre, rien n'avait plus été semblable pour moi : je croyais aimer le monde et les femmes, et je découvris que l'Amour détourne des femmes, parce qu'il ne peut atteindre sa plénitude et sa vérité qu'à travers l'être unique qui le crée et avec qui, au jour le jour, on l'approfondit plus encore, œuvre d'art superbe dont l'inépuisable attrait détourne de la société. Nathalie me guettait, certaine que j'arriverais par là, et vint en courant m'ouvrir. Un laquais me débarrassa de ma cape dont les plis de soie apportaient la froide pluie d'hiver. Un souper, comme d'habitude, nous attendait devant le feu. C'était là ma vie profonde, secrète, qui ne voulait pas non plus se détacher de moi : ces jours ressemblaient à une mort... Nathalie était silence et vibrations... Je percevais les mouvements de son âme comme un doux chant, lointain et douloureux.

— Vous êtes un être de poésie...

Elle eut la force de me répondre par un sourire et pourtant, elle n'ignorait pas que les périls grandissaient autour de moi.

Ce fut notre dernière nuit avant mon départ. Peut-être n'en avions-nous jamais connu de semblable... La perception d'une redoutable fatalité paraissait exalter et affiner nos sens.

Nous nous quittâmes à l'aube. Il était depuis longtemps entendu que rien ne nous séparerait, hormis la prison ou la mort. Là où je me rendrais, Nathalie me retrouverait. Elle envisageait déjà qu'elle pourrait auparavant tenter, si besoin en était, d'intervenir auprès de M. d'Orléans. Je n'approuvais ni ne désapprouvais ce dessein. Qu'avait donc d'insupportable notre séparation, ce matin-là ? Nos regards seuls dirent cette angoisse qui s'attardait et traîna derrière moi comme les pans d'un manteau de deuil. Tout devint ensuite dérisoire : ma dernière et brève entrevue avec M. d'Orléans, qui se borna seulement à me refaire ses compliments. Point ne fut question des affaires de l'Etat, si pressantes. Il me dit, en quelques mots, que ma vie une fois de plus menacée et plus gravement qu'elle ne le fut jamais, il convenait que je partisse sur-le-champ pour ma terre de Guermantes, avant même que la nouvelle de ma démission ne fût connue dans Paris[1]. Là, sous peu, il me ferait connaître ses décisions[2]. Le prince, dans une de ses phrases sibyllines dont il a le secret, me donna à comprendre qu'il souhaitait me garder quelque temps sous la main pour me consulter si besoin en était, à propos du déroulement des opérations financières en cours, auxquelles personne n'entendait rien et qui, visiblement, le préoccupaient[3]. *L'échéance de décembre en dépendait.* Que dans cette conjoncture, Son Altesse royale n'ait pas tenté de me retenir, ne serait-ce que pour quelques semaines, en dit assez sur la force de la cabale et sur les moyens mis en œuvre par le Parlement pour m'abattre. Se révélait aussi l'effondrement total de son autorité ; en d'autres temps, le Régent m'avait abrité au Palais-Royal, où je pus poursuivre ma tâche et prendre avec lui les mesures nécessaires pour dominer les événements. Ainsi ai-je donné ma démission au bon moment. Il n'y avait rien à regretter ni à espérer. Je regardai une dernière fois en silence l'homme qui avait joué avec moi l'extraordinaire partie qui venait de secouer le monde... En vérité, de lui ou de moi, qui était le plus faible, le vaincu ? Je vis dans ses yeux briller une larme qui ne coulerait pas... Je m'inclinai très vite et sortis. Dans les couloirs du palais, il n'était bruit que de la lettre que Son Altesse royale devait faire porter chez moi dans l'instant et dont la teneur, connue depuis la veille, faisait scandale. Sassenage disait que le Régent l'avait fait lire au maréchal de Villeroi, dont l'indignation depuis lors se répandait aux quatre vents[4]. Je n'allais pas tarder à comprendre. Rentré aussitôt, je bouclai en hâte quelques bagages, en discutant âprement avec Caterina du sort de notre fils. J'avais de bonnes raisons de craindre que, après mon départ, celui-ci ne fût plus en sécurité dans Paris. On s'attaquerait moins facilement à une petite fille, mais elle pouvait aussi servir d'otage... J'ai passionnément insisté pour emmener Marie-Catherine, passionnément... En vain. Dans ce débat, j'ai rassemblé péniblement et fort mal ce que j'avais à emporter et n'avais point préparé à l'avance. Il me fallut aussi adresser des messages à Nathalie, à William, à mes directeurs, aux

1. Le peuple aurait sans doute manifesté en sa faveur.
2. A cette époque, les ministres qui perdaient leur portefeuille étaient astreints à demeurer en résidence forcée !
3. Saint-Simon. Année 1720, sur le départ de Law : « Law était un homme de Système... fort instruit et profond... si profond qu'on n'y entendait rien, quoi que naturellement clair et d'une élocution facile... C'était un homme doux, bon, que l'excès du crédit et de la fortune n'avait point gâté... Il souffrit avec une patience et une suite singulières toutes les traverses qui furent suscitées à ses opérations jusqu'à ce que, vers la fin, se voyant court de moyens et toutefois en cherchant et voulant faire face, il devint sec, l'humeur le prît et ses réponses furent souvent mal mesurées... Sa banque était une chose excellente dans un pays comme l'Angleterre où la finance est en république. Son Mississippi, il en fut la dupe et crut de bonne foi faire de grands et riches établissements en Amérique. Il raisonnait comme un Anglais et ignorait combien est contraire au commerce et à ces sortes d'établissements la légèreté de la nation, son inexpérience, l'avidité de s'enrichir tout d'un coup, les inconvénients d'un gouvernement despotique qui met la main sur tout, qui n'a que peu ou point de suite et où ce que fait un ministre est toujours détruit par son successeur... »
4. Correspondance de l'ambassadeur d'Angleterre.

secrétaires de mes commandements, Melon et Neilson. J'envoyai chercher mon notaire, Paul Balin et Pommier de Saint-Léger qui devait me porter des fonds.

Marie-Catherine pleurait. Sa mère glapissait, soutenue par les récriminations de Jean. Dans ce bruit, je rédigeai une procuration pour Caterina, que je remis à mon notaire dès qu'il fut là. Ce fut sur ces entrefaites qu'arriva la lettre du Régent. Qu'était-ce en vérité ? Un chevaleresque adieu du héros de Lérida ? Un démenti adressé par document officiel à ceux qui abattaient notre œuvre commune et s'attaquaient à mon honneur et au sien ? L'un et l'autre sans doute, mais peu de chose en regard de ce que Son Altesse royale laissait se perpétrer. J'ai hésité à montrer ce témoignage à Caterina, ne serait-ce que pour mettre fin à ses propos humiliants. L'inutilité d'une telle tentative me saisit et j'y renonçai. Ceux que j'avais priés de me rejoindre arrivaient... L'heure du départ ne tarderait point à sonner. Il fallait donc qu'elle vînt un jour... Avec sa brusquerie habituelle, Caterina me retira sa main que j'allais baiser une dernière fois. Je pris alors dans mes bras ma petite fille... Elle pleura doucement sur mon épaule. Quel chemin parcouru, depuis sa naissance orageuse à Lauriston ! La cellule des condamnés à mort de King's Bench, mon départ d'Écosse et cet instant-là m'auront appris la détresse. Jean, qui s'était décidé à me suivre et sa mère à le laisser partir, me courut après dans le grand escalier que je descendais sans vouloir regarder autour de moi ni me retourner. Il sauta dans mon carrosse. A ce moment, Lord La Marr parut et ouvrit la porte de la voiture qui venait de se refermer. Inattendu. Nous nous étions connus dans notre jeunesse, mais à Paris je l'avais peu rencontré. Il était accoutumé de se montrer un ami dans le malheur et le prouva au Prétendant en 1715, lors du débarquement en Angleterre, en se battant héroïquement à ses côtés. Lié depuis toujours à mon parent, le duc d'Argyll, il se proposait de faciliter, par lui, mon retour aux Iles Britanniques. Il me gardait quelque reconnaissance de l'aide pécuniaire que je lui avais apportée pour adoucir sa triste condition de jacobite exilé... Il sut me dire tout cela en quelques mots.

— Voilà des sentiments bien rares, Mylord ; mais je ne veux pas m'attarder ici une minute de plus.

Il me comprit. C'était un compatriote, un ami peut-être. Je lui proposai de venir à Guermantes. Il acquiesça et je donnai des ordres pour qu'on l'y conduisît en portant nos bagages le soir même car je pensais qu'il n'avait point d'équipage. Il me dit qu'il allait prendre quelques affaires et nous suivre, ce qu'il fit.

Lorsque nous montâmes la colline de Guermantes[1], Jean, demeuré silencieux jusque-là, me demanda si nous resterions longtemps dans cet exil. Que lui répondre ? La pluie qui tombait depuis des jours se transformait en neige. On voyait danser les flocons lorsque nous passions devant une fenêtre éclairée. J'avais acquis ce château un an plus tôt et si je le découvrais, Jean, lui, y était venu parfois festoyer avec des jeunes gens de son âge. Oui, je

---

1. Le château de Guermantes est près de Lagny-en-Brie.

voyais pour la première fois cette façade de brique flanquée de deux tourelles que le financier Prondre, le précédent propriétaire, fit embellir avec quelque bonheur par Mansart, Perrault et Robert de Cotte.

Mon cocher eut du mal à sortir le gardien de sa maisonnette. Le brave homme, effaré, ne nous attendait point. Il nous ouvrit enfin la grille...

Bientôt, nous nous trouvâmes au bas d'un escalier à double révolution qui ne manquait pas d'allure. J'en montai lourdement les degrés. Il me semblait qu'un poids écrasant venait de s'abattre sur moi. La demeure était glaciale, humide, déprimante. Pendant que mes gens s'empressaient pour allumer des feux, des bougies et pour préparer un appartement et un souper, mon fils, un flambeau à la main, m'entraîna à travers le logis où je pensais que nous demeurerions quelque temps. La lueur de la bougie remontait au long des murs pour me révéler que le président Pierre de Viole, qui fit bâtir le château, avait cru bon de flanquer ses armoiries partout ! Comment se sentir chez soi en ces lieux ! Dans la chambre du bonhomme — celle que l'on m'accommodait — un solennel portrait du duc de Bourgogne surmontait une cheminée de marbre vert. Une porte s'ouvrait sur la salle où l'on sert les repas. Là, parmi les boiseries, trônait le portrait de Mme de Viole, visage propre à couper l'appétit. De l'autre côté se trouvait ce salon décoré au goût du jour, où j'ai aimé retrouver sur les trumeaux des personnages de la comédie italienne. Des enfants y figuraient également avec grâce. Nous entrâmes enfin dans cet autre salon où, paraît-il, Louis XIV fut reçu, en 1652, sous la Fronde, puis nous parcourûmes une galerie conçue par Robert de Cotte et ornée par Mansart. Jean disait que les dix-huit fenêtres s'ouvraient sur des jardins dessinés par Le Nôtre...

Lord La Marr nous rejoignit peu après. Il m'apporta des nouvelles du roi Jacques qui est à Rome. Nous parlâmes de notre patrie et de Lauriston, perdu à jamais... Je crois que j'étais heureux de sa présence, mais j'avais été imprudent de l'inviter à Guermantes, car les agents anglais m'épiaient.

Alors même que mes relations les plus suivies, les ducs de la Force et de Saint-Simon, le marquis de Bully et quelques autres, ignoraient encore que j'eusse quitté Paris, je vis arriver avec stupeur dès le lendemain, qui était pourtant un dimanche, le secrétaire du nouvel ambassadeur d'Angleterre, Sutton, un dénommé Thomas Crawford qui fut aussi celui de Stairs !

Torcy, au-delà du « Secret de la Poste » qu'assuraient [1] sous son autorité Pujot et Rouillé, parvenait régulièrement à mettre la main sur les courriers particuliers partant sur toutes les correspondances des ambassades. Il m'avait beaucoup servi, surtout en ce qui concerne les Anglais et Dubois, pour l'Espagne aussi. Nous étions très liés. Je sus par lui que Crawford et un autre agent qui s'appelait Daniel Pultney envoyaient fort régulièrement aux secrétaires d'Etat Stanhope et Craggs des informations concernant le Système et ma personne, informations naturellement plus conformes à leur désir de se faire bien voir de leurs maîtres qui entendaient me combattre et

---

1. Torcy, surintendant des Postes, organisait « le cabinet noir » dit « Secret de la Poste » où se lisaient les correspondances surveillées pour raison d'Etat.

me vaincre, qu'à la vérité. Pultney était arrivé à Paris au cours de l'été de 1719, avec le colonel Bladen, pour rencontrer Dubois et le maréchal d'Estrées. C'était au moment où leur gouvernement me déclarait la guerre sur tous les fronts. En Amérique, les Anglais harcelaient Vaudreuil au bord des Grands Lacs, afin de couper la Nouvelle-France de la Louisiane et de rompre l'encerclement de leurs possessions par les nôtres. Ils tremblaient devant le brusque développement des grandes sociétés de colonisation au long des rives du Mississippi. A Londres, sous l'impulsion de Blunt, la presse ameutait l'opinion contre moi. Officiellement, Pultney et Bladen devaient discuter du statut de la baie d'Hudson et des limites de la Nouvelle-Ecosse ; officieusement, ils devaient s'informer de l'organisation et des ressources de la Louisiane et des buts que nous poursuivions. Pultney est toujours à Paris...

Je pensais à tout cela devant l'incroyable impudence de Crawford qui se permettait de forcer ma porte en pareil moment et, ayant fait, de s'installer chez moi ! Il se trouva en face de Lord La Marr que Stairs haïssait. Les Anglais m'avaient déjà durement attaqué au sujet de mes amitiés jacobites. Au milieu de la nuit du dimanche 15 au lundi 16 décembre, je compris que j'avais le choix entre mettre Crawford à la porte ou lui faire préparer une chambre et qu'il ne s'en irait point de lui-même avant de savoir ce qu'il allait advenir de ma personne. L'inquiétant avenir ne me permettait pas de rompre des lances avec le gouvernement anglais... Accablé de questions pièges par cet étonnant personnage, je lui répondis des fadaises. Elles parurent le satisfaire et je me retirai dans mes appartements. J'avais un besoin urgent de calme et de méditer sur ma situation... Peu après, je me déterminai à écrire au Régent.

Voyant qu'il n'obtiendrait plus rien de moi, Crawford partit le 17 au matin. J'eus quelques instants la naïveté de me croire libéré... pas longtemps ! La journée ne s'écoula point que je ne visse arriver un individu qui, lui aussi, força ma porte ! Il voulut se faire passer pour Irlandais et pour fou ! Ses discours donnaient à penser que j'étais à cette heure convaincu d'avoir aidé le Prétendant à entrer en rapports avec l'Espagne ! La colère me prit, bien que Lord La Marr et moi, nous vissions bien que le bonhomme n'était qu'un agent de Sutton chargé de remplacer Crawford et de me tendre les pièges que celui-ci n'avait pu placer lui-même !

Je le plantai là et le laissai aux prises avec Lord La Marr et Jean qui tentaient en vain de lui faire reprendre la route de Paris. J'allai écrire une deuxième lettre au Régent. Je voulais me justifier sur-le-champ de ces accusations que, sans doute, on faisait remonter jusqu'à lui afin de le dresser contre moi ; la présence de La Marr à Guermantes ne pouvait qu'accréditer la calomnie. L'émotion me dicta une conclusion que j'éprouve une sorte de bonheur à me répéter : « ... le temps fera voir que j'ai été Français ; les établissements que j'ai formés sont attaqués, mais ils subsisteront et la postérité me rendra justice [1]. » J'eus le tort extrême d'écrire aussitôt après à

1. Guermantes, 17 décembre 1720.

Crawford, alors que ma colère était tombée et que je me sentais soudain défait par une adversité trop constante et par cette sorte de harcèlement auquel les Anglais m'avaient soumis.

Crawford dut rire de cette passagère faiblesse. Pensée difficile à supporter. De toute évidence, le soi-disant Irlandais fou avait reçu l'ordre d'occuper les lieux jusqu'à nouvel ordre... J'hésitais à le faire jeter dehors, pour les mêmes raisons qui m'avaient résolu à ménager Crawford, mais je ne mandai point qu'on lui préparât une chambre pour voir ce qu'il ferait. Il campa tout bonnement dans un couloir. Définitivement éclairés sur cette affaire, nous l'y laissâmes. Tard dans la nuit, le galop d'un grand équipage et des rumeurs sur le perron annoncèrent des visiteurs de marque : c'étaient Lassay et La Faye. Par prudence, ils avaient attendu cette heure pour arriver jusqu'à moi. Ils m'apportaient ce à quoi je ne m'attendais guère : l'ordre de quitter la France sur-le-champ... comme autrefois ! Je croyais pouvoir aller à Effiat, je croyais avoir quelque droit de cité dans ce pays, je croyais qu'il n'était pas possible de me « remercier » ou de me chasser comme un valet, je croyais que l'on ne pouvait enlever la jouissance de sa fortune et de ses biens à un ministre dont on reconnaissait et proclamait qu'il avait servi Sa Majesté avec honneur, je croyais... et l'on me tendait un sac de louis d'or, aumône faite à un homme déjà dépouillé, détroussé, et que je refusai avec hauteur. On me donna alors des passeports, une lettre de M. le duc et des nouvelles...

Elles étaient telles que je pouvais les attendre et pourtant, l'étrangeté de mon destin me clouait de stupeur : les frères Pâris rappelés par La Houssaye, mes adversaires s'étaient emparés de la Banque et de la Compagnie des Indes. William — qui, sur mes conseils et comme je l'avais fait moi-même, avait investi en France sa grande fortune — était violemment attaqué ainsi que mes principaux collaborateurs, et on les obligeait à une défense quasi désespérée. J'écoutais, tournant et retournant le court billet du duc de Bourbon qui me notifiait, sans l'expliquer, la décision du Régent. Son Altesse royale entendait que je sortisse du Royaume, vite et secrètement.

— Vite, parce que votre sécurité est de plus en plus menacée, disait Lassay. Secrètement, pour la même raison, mais aussi parce que le Régent ne veut pas que l'on sache qu'il vous a aidé à partir... C'est pour cela qu'il a remis les passeports à M. le duc et l'a chargé des détails de votre départ.

— Un départ dont on fait une fuite ! C'est scandaleux, monsieur, et contraire à ma dignité ! Rien dans ma détermination de me retirer des affaires ne devait entraîner quiconque à me contraindre de la sorte !

— Croyez que seule, la détérioration rapide d'une situation qui vous est si contraire a entraîné Son Altesse royale à prendre, dans votre intérêt, une décision qu'elle déplore...

J'appris alors que l'on m'interdisait de partir avec un de mes équipages, mes armoiries et ma livrée étant fort connues. On m'imposait de quitter le royaume de France dont j'avais assuré si récemment, avec probité et honneur, les destinées, dans la voiture d'une putain ! On m'informait que les gens de Mme de Prie viendraient à l'aube me chercher pour me conduire à

Bruxelles, d'où je pourrais gagner l'Italie ! Le capitaine des chasses de M. le duc, M. de Sarrobert, m'escorterait jusqu'à la frontière et je partirais au lever du jour, laissant la place au dernier en date des agents de l'Angleterre lancé à mes trousses ! Je fis alors cette réflexion :

— Il n'y a pas si longtemps que l'on m'offrait en souveraineté le duché de Massa-Carrera en Italie et une île de la Méditerranée. Je crus qu'il était de mon devoir de ne rien posséder hors de ce royaume et je refusai. Jugez, messieurs, que ce scrupule fut plus une erreur qu'il ne m'honora !

Ils me regardèrent, étonnés, et se mirent à rire, vaguement gênés... Ils ne pouvaient comprendre ce langage.

C'est alors que Lord La Marr déclara qu'il voulait absolument m'accompagner jusqu'à la frontière. J'en fus ému et j'hésitais à accepter en raison des accusations portées contre mes amitiés jacobites, mais il me représenta que M. de Sarrobert ne suffirait point à notre défense si nous étions attaqués. La présence de mon fils m'obligeait à quelque prudence et ce fut grâce à cet Ecossais entêté que nous sortîmes du piège de Valenciennes. Je n'oublierai pas qu'il fut le messager rapide lancé sur la route de Paris, pour informer le Régent du sort que nous réservait le fils de M. d'Argenson. La Marr nous fit délivrer au bout de deux jours. Puissé-je revoir un jour cet homme généreux et reconnaissant, qui fit briller dans l'abandon, la détresse et la nuit de cet exil, la chaude lumière de l'amitié.

Une pâle aurore commençait à faire scintiller les contours d'un paysage de neige. Cette apparition mit un terme aux évocations et au monologue intérieur de John Law. Le silence se fit en lui. Il eut le sentiment qu'une sorte de fièvre l'avait brûlé toute la nuit et qu'elle cédait enfin. Il en émergeait comme d'un délire. Il se tourna vers son fils qui commençait à s'éveiller, prit doucement une de ses mains encore abandonnée dans le sommeil, la retint dans la sienne... Il songeait aux épreuves de sa propre jeunesse. Comme il eût aimé partir ainsi, même vers un avenir incertain, avec son père, mais Jean ne devait comprendre ni éprouver rien de semblable... Sans doute, le terme de la première étape de leur voyage était-il proche.

— Il neige toujours ! dit le jeune garçon en ouvrant les yeux.

— Avec ce temps, la traversée des Alpes sera rude, peut-être impossible... Mais nous finirons bien par atteindre Venise et vous verrez là un lieu unique au monde, qui pourrait bien vous faire oublier tout ce que vous regrettez si fort à cette heure.

Le jeune homme, qui se réveillait tout à fait, se redressa, les yeux brillants.

— Alors, nous allons à Venise ? Le marquis de Lassay disait hier que M. le Régent souhaitait vous voir à Rome ?

— Peu m'importe. J'ai toujours eu l'intention, si je devais un jour quitter les affaires, de me fixer à Venise et j'ai toujours regretté de ne point y être demeuré. Hormis Lauriston, c'est le seul endroit au monde où je puisse désormais souhaiter vivre. Cela dit, qui n'aime Rome ! Je veux aller avec vous rêver sur les terrasses du Janicule... un jardin d'orangers. L'Italie ! Mon cœur peut encore vibrer de joie en prononçant ce nom.

— Lord La Marr disait que le roi Jacques est à Rome.

— Raison de plus pour n'y pas aller maintenant. Voyez ce que l'on dirait si je m'y rendais et ce qu'il en pourrait résulter dans l'esprit de M. d'Orléans !

— Avez-vous donc encore quelque espoir d'être rappelé ?

— En vérité, je ne sais... Malgré mon désir de demeurer en paix à Venise, je dois tout faire, vous le savez bien, pour tenter de rentrer en France afin de reprendre en main, sinon les affaires du royaume, du moins les miennes.

Ils devisèrent ainsi jusqu'à leur arrivée à Bruxelles. Parvenus, non sans peine, aux abords de l'hôtel du Grand-Miroir, ils furent surpris et un peu inquiets en voyant de nombreux carrosses dont la présence semblait bien insolite en cette fin de matinée. Le cocher ne pouvait avancer ni parvenir devant la porte. Il gesticulait, criait. Soudain dociles, les équipages s'ébranlèrent pour lui faire place et allèrent se ranger plus loin. Toutes leurs portières s'ouvrirent alors et de nombreuses personnes en descendirent et se précipitèrent vers l'entrée de l'hôtel.

— Qu'est-ce que cela ? s'étonnait Jean.

— Quelque prince en voyage, sans doute...

A peine Law sortant de voiture eut-il prononcé ces mots qu'une ovation lui coupa la parole. Devant sa pâleur et son visage défait, les acclamations se firent plus chaleureuses. A n'en pas douter, pour l'Europe, il était un prince ! Dans cette ville où se pressaient alors tant d'étrangers, sa venue était un événement considérable. Le messager de d'Argenson l'avait annoncée à l'ambassadeur de France, le marquis de Rossi, et la nouvelle de son arrivée s'était envolée aux quatre coins de la cité, mais non point celle de sa disgrâce [1] ! A l'intérieur de l'hôtel, des personnes de qualité l'attendaient comme elles eussent attendu le Régent lui-même : il y avait là le général Wrangel, commandant la place de Bruxelles, le marquis de Pancarlier, représentant le marquis de Prié, gouverneur intérimaire de la province, qui venait porter une invitation de son maître à Mgr Law, divers banquiers de la ville et un secrétaire du marquis de Rossi. L'hôtelier s'inclinait, obséquieux :

— L'appartement de Votre Excellence est prêt !

Des laquais s'empressaient pour retirer coffres et portemanteaux de la voiture. Law, impassible, glissait au cocher de Mme de Prie la dernière pièce d'or qui lui restait et le chargeait, pour remercier sa maîtresse, de l'un des deux diamants qu'il possédait encore. Ainsi dépouillé, il se tourna avec l'ironie et la nonchalance de ses jeunes années vers ses visiteurs qui ne

1. Curieux mais authentique. Il paraît évident que la notoriété de Law était telle et les effets du Système si spectaculaires — en dépit de ce que l'on écrivit ensuite — que l'idée d'un renvoi du financier mit du temps à cheminer dans les esprits.

voyaient en sa personne que l'étrange rayonnement de la fortune et de la gloire.

Le marquis de Pancarlier l'informa aussitôt que le gouverneur avait en hâte organisé le programme d'une visite officielle : comédie avec représentation exceptionnelle, réceptions, grands dîners ici et là et entretiens politiques. Le marquis de Prié souhaitait vivement entretenir Son Excellence de la Compagnie Impériale d'Orient, que l'Empereur Charles VI avait créée l'année précédente sur le modèle de la Compagnie des Indes.

Law savait que, pour le marquis de Prié, les finances et le commerce ne représentaient que le moyen de se remplir les poches le plus rapidement possible et que tout autre aspect de ces connaissances lui était aussi étranger que les scrupules. Il se sentait soudain descendu sur une scène de théâtre comme on débarquerait sur une autre planète. Une apparence funambulesque, qu'il eut souvent dans sa jeunesse, renaissait en lui et lui communiquait cette légèreté brillante qui charmait tant et déconcertait encore davantage. Un peu plus tard, comme il se détendait enfin et se restaurait devant un bon feu après avoir pris congé de ses visiteurs et s'être livré à des ablutions prolongées, Jean, qui venait d'en faire autant, le rejoignit et lui dit :

— Savez-vous ce qui se dit ici sur notre voyage ?

— Non, mais je vais l'apprendre !

— Que vous venez au nom du Régent, négocier le mariage du duc de Chartres avec une archiduchesse qui recevrait en dot les Pays-Bas !

— Ah, bon ! Jusqu'ici vous avez joué la comédie avec Sa Majesté dans un salon des Tuileries ; aujourd'hui vous tenez un rôle plus important aux côtés de votre père. Mais voici l'entracte. Prenez-vous des confitures ? Elles sont délicieuses.

Entraîné par le regain de jeunesse de l'enchanteur, Jean se mit à rire :

— Avec quoi les paierons-nous ?

— Avec la dot de l'archiduchesse, parbleu !

Le jeune homme regarda son père : il le découvrait.

Le lendemain soir, après un souper magnifique, le gouverneur les menait à la représentation exceptionnelle donnée en l'honneur de l'illustre visiteur. Une foule considérable se pressait dans le Grand Théâtre de la ville, assemblée éblouissante, digne des plus beaux soirs de Paris. Law et son fils se félicitaient d'avoir emporté les habits qu'ils avaient revêtus quelques jours plus tôt à l'Opéra. Lorsqu'ils parurent dans la loge officielle, toute l'assistance se leva et, tournée vers eux, se mit à les applaudir frénétiquement [1]. Law tressaillit ; son fils et lui s'inclinèrent et Jean entendit son père murmurer :

— Je vous l'avais bien dit : la comédie ! Saluons... saluons !

Mais la comédie allait tourner à la tragi-comédie. Le marquis de Rossi, lui non plus, ne crut pas tout d'abord à la disgrâce de celui à propos de qui le président Hénault et combien d'autres affirmaient : les sentiments du

1. Correspondances diplomatiques des agents du ministère des Affaires étrangères aux Pays-Bas.

Régent à son égard « sont un enchantement que rien ne pourra dissiper ». Il pensa donc que le financier effectuait, en accord avec le prince, un repli stratégique momentané ; mais dès le lendemain matin, un courrier venu de France et, un peu plus tard, un entretien avec le correspondant de la Banque royale, le stupéfièrent. En fin d'après-midi, il recevait Law qui sortait d'un long entretien politique avec le marquis de Prié, lequel avait sollicité humblement des conseils et l'avait accablé de compliments.

— Excellence, dit Rossi sans tergiverser, je viens de recevoir de Paris de fâcheuses nouvelles : M. de la Houssaye vient d'envoyer à la Bastille trois de vos collaborateurs : les sieurs Bourgeois, trésorier de la Banque, Du Revest, contrôleur et Fromaget, l'un de vos directeurs. Vous m'aviez prié de négocier avec le banquier Miausse la contre-valeur des huit cents livres retenues par M. d'Argenson et de vous faire délivrer d'autres fonds pour la valeur du montant de votre compte de banque, mais les gens de finances sont plus vite informés que quiconque et le discrédit que les arrestations jettent sur la Banque royale est parvenu jusqu'à lui. Je l'ai trouvé fort réticent et je n'ai rien encore obtenu.

Law demeura interdit. Il pensa immédiatement à son frère ; allait-il, lui aussi, être incarcéré ? Tous ses espoirs sombraient : il n'était plus qu'un proscrit dépouillé, volé, calomnié. Dans l'arrestation de ces trois hommes dévoués, capables et intègres, le dessein de les calomnier, avec lui et le Système, l'abominable déni de justice étaient évidents. D'une voix blanche, il demanda :

— Savez-vous qui les remplace ?

— On m'a dit simplement que les gens de MM. Crozat et Samuel Bernard épluchaient les livres de Banque et que MM. Pâris allaient prendre la direction de l'établissement.

Law n'insista pas. La situation était claire. Il prit rapidement congé de l'ambassadeur.

— Si vous obtenez d'ici ce soir l'argent dont j'ai besoin, je partirai cette nuit même.

— Mais c'est la nuit de Noël, Excellence ! Nous sommes le 24 décembre...

— Je partirai cette nuit, répéta Law sourdement.

Comme il pénétrait dans son hôtel, un inconnu superbement vêtu de fourrures précieuses se précipita vers lui et s'inclina jusqu'à terre sous le regard étonné de Jean qui venait à la rencontre de son père.

— Permettez-moi de me présenter, Excellence : Baguerel de Pressy, envoyé de Sa Majesté le tsar de toutes les Russies. Je devais me rendre à Paris pour vous rencontrer et, arrivant à Bruxelles, j'apprends que vous vous trouvez dans cette ville !

— C'est un hasard, monsieur, que je n'irai pas jusqu'à qualifier d'heureux, bien que je sois honoré de rencontrer un représentant de Sa Majesté impériale. Montez, si vous le voulez bien, dans mes appartements ; nous y serons mieux pour nous entretenir que dans ce vestibule.

587

Quelques instants plus tard, assis devant le feu, Baguerel de Pressy transmettait une invitation pressante de Pierre Ier :

— Sa Majesté a su que la cabale de vos ennemis était en passe de détruire l'œuvre extraordinaire qui fait de la France la nation la plus prospère du monde. Nul n'ignore que l'état de M. le Régent aussi bien que son caractère étrange sont les obstacles à l'exercice normal du pouvoir dans ce royaume. Le tsar pense donc que le moment est opportun pour renouveler la proposition qu'il vous fit en 1717, de réorganiser les finances de la Russie et il vous prie de vous rendre sans délai auprès de lui. Il m'a chargé d'insister autant que vous me permettrez de le faire.

Jean ouvrait de grands yeux et regarda son père, persuadé que celui-ci allait saisir cette planche de salut inespérée, mais un lourd silence planait. Law ne répondait pas. Il avait pris une paire de pincettes et tisonnait le feu pensivement. Le choc profond qu'il venait de recevoir à l'ambassade de France déployait à cet instant précis ses ondes maléfiques dans tout son être : les dénis de justice, les innocents condamnés, les vols, les calomnies, les menaces de mort, l'opposition violente à tout ce qui, ici-bas, est le fruit des œuvres de l'intelligence, de la générosité et de l'imagination créatrice, telle était son expérience, tel était son bilan. Cela rendait vaine toute tentative de recommencement [1]. Il finit par exposer au messager du tsar sa douloureuse réflexion et conclut :

— Le dérisoire, monsieur, voilà le caractère dramatique et inéluctable de nos actions et de nos destinées... le dérisoire ! Qui y échappe, en vérité ? n'est-ce pas dans nos cœurs l'écho du rire grinçant du squelette que nous serons un jour et dont le rictus commence à béer dans nos chairs sensibles ?

— Mais, Excellence, quelle revanche pour vous, quelle leçon pour vos ennemis si l'on vous voyait faire triompher en Russie le Système dont la France n'a pas su profiter !

Jean approuvait chaleureusement.

— Allons donc, monsieur, dit enfin Law. Mais il y a en Russie comme ailleurs des Pâris, des Crozat, des Samuel Bernard, des La Houssaye ; vous connaissez même, j'en suis sûr, leur visage et leur nom ; ils rendraient parfaitement vains mes efforts et me feraient assassiner à la petite aube dans la demeure que vous me proposez ! Ne protestez pas, c'est inévitable ! Je préfère vivre libre et peut-être pauvre, à Venise dont les décors surpassent ceux des plus beaux palais du monde.

Jean eut un haut-le-corps. Il n'avait jamais envisagé d'être pauvre et regardait son père avec un indicible étonnement.

Après avoir chargé l'envoyé de l'Empereur de toutes les Russies de beaucoup de civilités pour son maître, John Law leva l'audience... une habitude dont il ne s'était pas encore défait.

Peu après, le secrétaire du marquis de Rossi apportait les fonds attendus

---

1. Quel autre sentiment pourrait expliquer pareil refus en un tel moment ? A noter que toute l'Europe, comme on le verra, était informée des véritables raisons du départ de Law et de l'abolition du Système.

et un mot qui révélait dans toute son ampleur le discrédit total dans lequel était soudainement tombée ce que Law avait superbement appelé jadis « la signature de la France ». Il avait fallu recourir à plusieurs banquiers et parlementer beaucoup pour se procurer cette somme : désormais les financiers étrangers ne voulaient plus rien connaître des comptes en banque français.

Law revit ses nuits fiévreuses de 1717, passées à écrire à tous les représentants des places financières européennes pour lancer le Système en rétablissant le crédit de la France. La destruction brutale de l'édifice construit avec science et passion et défendu avec ténacité le bouleversait. En dépit de l'heure, de la nuit et de la fête, il commanda une chaise de poste et boucla précipitamment ses bagages. Il voyait douloureusement son fils entrer dans la dure réalité : ce visage encore enfantin reflétait soudain l'effroi et le désespoir, et Law en eut le cœur serré.

— Triste Noël, mon enfant, murmura-t-il.

Et ils pensèrent tous deux au bel hôtel de la place Vendôme, aux deux femmes qui devaient, elles aussi, vivre cette nuit dans l'isolement et l'angoisse.

— Votre oncle William et votre tante Rebecca passeront certainement Christmas avec votre mère et votre sœur, ajouta Law d'une voix mal assurée.

Il se demanda qui viendrait arracher Nathalie à la solitude du petit salon blanc de l'hôtel de Mercœur, hanté par les images du passé. Il voyait sa silhouette blottie au coin de la cheminée où, tant de fois, elle l'avait attendu jusqu'à l'aube de ses nuits de luttes et d'épreuves. Il la retrouverait bientôt.

Ils montèrent en chaise vers onze heures du soir et furent emportés dans une bourrasque de neige en direction de l'Allemagne. A la première étape, dans une auberge de relais battue par les vents d'hiver, John Law n'y tint plus et tenta encore, envers et contre tout, de sauver l'œuvre qui tenait à tout son être. A l'aube du 25 décembre 1720, il écrivit cette lettre pathétique au duc de Bourbon :

Monseigneur,

J'écrivis à Votre Altesse Sérénissime de Bruxelles ; j'en partis hier au soir et quoique les chemins soient très mauvais, je me propose de continuer ma route pour l'Italie. Les ennemis du Système prendraient ombrage de me voir à portée de France et chercheraient à me troubler, quoique hors du Royaume.

Il ne me coûtera rien pour les contenter. J'ai toujours haï le travail : une espérance bien fondée de faire du bien à tout un peuple et d'être utile à un Prince qui m'avait donné sa confiance, ces idées me flattaient et me soutenaient dans un métier désagréable.

Je suis revenu à moi.

Se peut-il, monseigneur, que le Régent voie diminuer les actions et les comptes en banque, le bien d'un grand nombre de sujets et de presque tous les négociants du royaume, et que Son Altesse royale ne mette pas en usage les moyens si simples et si sûrs pour les rétablir et les soutenir ?

Il est temps que le Régent prenne sur lui et qu'il fasse connaître qu'il veut soutenir

589

le Système et le crédit. Il est déjà tard et plus difficile qu'il n'était. Il le sera encore plus chaque jour.

J'étais obligé de rester deux jours à Bruxelles pour avoir deux cents pistoles, quoique j'avais laissé la valeur et au-delà en nouvelles espèces entre les mains de l'intendant à Valenciennes. Personne ne veut entrer en commerce avec les Français et on ne veut pas entendre parler du compte en banque. La dernière secousse que le commerce (l'économie française) a reçue rebute absolument les étrangers.

Il faut que le compte en banque soit remis en valeur dans le royaume, et pour longtemps, avant que l'étranger veuille s'en charger...

Sa plume grinça longtemps sur le papier cette nuit-là. Le duc de Bourbon a-t-il jamais lu jusqu'au bout cette trop longue lettre ? C'est peu probable. *Nul n'en tint compte, pas même les historiens de l'avenir.*

Quatre jours plus tard, le 29 décembre 1720, à Paris, au cours de l'assemblée générale de la Banque royale et de la Compagnie des Indes qui se tenait rue Vivienne, dans l'une des belles salles décorées par Pelligrini où « l'on voyait la rivière de Seine embrasser le fleuve Mississippi » et chatoyer les rouges veloutés et les verts Véronèse dans la lumière des flambeaux, on constata que Banque et Compagnie *étaient à jour de leurs engagements*[1]. Cependant, Law et son fils franchissaient, au péril de leur vie, le col du Brenner sous des pluies diluviennes.

Le 15 janvier suivant, l'ambassadeur d'Angleterre écrivait à Dubois : « Mylord Stanhope a été tenté plus d'une fois d'aller vous féliciter du coup de maître par lequel vous avez fini l'année en vous défaisant d'un concurrent également dangereux à vous et à nous[2]... »

1. A trois millions près, qui rentrèrent sous peu grâce aux résultats prévus des opérations financières en cours et malgré les lenteurs des transmissions et communications de l'époque. Il faut ici se demander ce qu'étaient devenus les quatorze millions remis par Law à Pommier de Saint-Léger pour faire les échéances. On verra plus loin qu'on les fit disparaître. Il convient de considérer également que l'actif considérable de la Compagnie des Indes et l'immense fortune de Law, saisie dans sa totalité hormis la somme d'argent qu'il emporta (très inférieure à ce qu'il possédait en s'installant en France), dépassaient infiniment ces trois millions ! Voilà qui, avec la lettre écrite par Law au duc de Bourbon le 25 décembre 1720, infirme complètement la légende si fortement accréditée en France de la banqueroute de Law. En fait, ce fut l'édit du 21 mai 1720 qui, totalement incompris, fut pris pour une banqueroute déguisée. Ce fut à ce moment qu'au sujet du Système, le mot de banqueroute se répandit. A noter que Saint-Simon, de sa plume pourtant acérée, ne l'a jamais tracé et n'a pas fait allusion à une telle débâcle. Le Régent non plus, qui donna par écrit un témoignage précieux à Law.

2. Extrait d'une lettre de l'ambassadeur d'Angleterre.

LE FORT DE L'ÉPREUVE

C'était un après-midi du début de mai un peu chaud qui rouvrait les trois portes-fenêtres du petit salon blanc de l'hôtel de Mercœur. L'ombre des grands stores abaissés à demi s'étendait sur le parquet... La haute silhouette qui jadis apparaissait, dans le contre-jour, n'y viendrait pas ce printemps-là... ni aucun autre.

Pourtant, tous les amis d'autrefois étaient réunis dans le décor inchangé autour de Nathalie de. Nul n'y manquait, ni Marivaux, ni Aïssé, ni ses frères d'adoption Pont de Veyle et d'Argental, déconcertants parfois, mais fidèles et loyaux, ni le cher Lesage, ni Nattier toujours subtil, dévoué et... bien informé. Robert Neilson, demeuré en France, s'était joint à eux. Il y avait cependant un autre grand absent : Antoine Watteau, dont tous portaient par avance le deuil.

— Il s'est imaginé, dit Nattier, que l'air de Nogent allait le guérir et il s'y éteint doucement en contemplant tour à tour une esquisse de Rubens qu'on lui a offerte récemment et le paysage de la boucle de la Marne qu'enchâsse l'île de Beauté dans le cercle délicat des collines de Polangis... Ce sont ses dernières joies et sa dernière œuvre sera le Christ qu'il vient de peindre pour l'église de Nogent où il reposera bientôt et qui exprime toutes ses souffrances. Il y a là une prière et un cri... un dialogue peut-être, avec cet autre Interlocuteur...

Ils se turent ; puis Lesage ajouta, pensif :

— En ces derniers jours doivent passer dans ses fantasmes les deux tableaux qui portent son mystère et sa confidence : *L'Indifférent* et le *Grand Gilles*, le Pierrot qui vient saluer lorsque la Comédie est finie ! Celui qui « au dernier triomphe écrasé de succès, de cris et de fleurs, revenu devant le public, rêve, combien de choses ? la vie dans un éclair, il rêve, il est comme abîmé... *Morituri te salutant*... Celui qui va mourir te salue [1] ! »

Ils revoyaient tous le jeune artiste long et frêle aux yeux clairs, habité de songes et d'harmonies secrètes, et ils se taisaient... Cela les ramena tout naturellement à penser à une autre silhouette élancée, aux cheveux aussi blonds, au regard aussi transparent et qu'ils étaient accoutumés, il n'y avait pas si longtemps, à voir aussi là, parmi eux. Ils levèrent les yeux vers Nathalie, si changée. Quelle lumière s'était éteinte sur son jeune visage ? Des angoisses successives bouleversaient chaque jour davantage ses traits fragiles. Ils furent plusieurs à demander :

— Quelles sont les nouvelles ? Où en sommes-nous ?

— Je désespérais de parvenir à obtenir l'audience sollicitée depuis quatre mois auprès de M. le Régent et j'allais me décider à partir pour Venise, répondit Nathalie. Et puis l'arrêt scandaleux qui vient d'être pris le 29 avril,

---

1. D'après Michelet.

m'a précipitée chez M. le duc de Saint-Simon pour le supplier de faire quelque chose contre cette infamie. Il m'a conseillé de voir M. le duc, mieux placé que lui pour prendre violemment à parti M. d'Orléans, comme il faut le faire aujourd'hui pour essayer de réveiller sa conscience. Je courus au Palais-Bourbon où je savais trouver M. le duc chez Mme sa mère. Si peu intéressé que soit ce prince à ce qui ne le touche pas directement, il m'a laissé néanmoins espérer qu'il pourrait peut-être susciter un sursaut chez Son Altesse royale en lui mettant sous le nez certaines parties de l'arrêt qui lui firent s'écrier : « Les frères Pâris dépassent toute mesure ! » A la faveur de cette indignation relative, il pourrait peut-être obtenir que je sois reçue, mais il m'a laissé peu d'espoir en me révélant ce qui s'est passé au conseil de Régence du 24 janvier... Je me demande si John Law a su [1] ? Il y a là de quoi casser un homme à jamais.

Marivaux vint à elle et lui prit doucement la main :

— Qu'est-ce à dire, madame ?

— Ceci : Law, l'ami de M. d'Orléans, venait par son ordre de quitter la France ; Son Altesse royale, pour se soustraire aux attaques de ceux qui lui reprochaient de l'avoir laissé sortir du royaume, tenta de transformer ce départ en une fuite organisée par M. le duc. Indigné, le prince se défendit et révéla que le Régent l'avait chargé de faire parvenir à Guermantes passeports et sauf-conduits pour les exilés. Poussé dans ses retranchements, Son Altesse royale déclara, en présence du roi, qu'il n'aurait point couvert le départ de Law qui avait fabriqué des billets sans son aveu et qui, pour cela, méritait d'être pendu ! En vérité, que puis-je attendre d'un homme qui peut s'abaisser à de tels reniements ! Osera-t-il maintenant me regarder en face ?

— M. d'Orléans ne vient-il pas encore de se déshonorer en laissant les frères Pâris promulguer l'arrêt du 29 avril ? s'écria Robert Neilson hors de lui.

— Enfin, de quoi s'agit-il au juste ? s'enquit d'Argental qui était précis.

— Mon Dieu, monsieur le comte, répondit Neilson, vous savez que Pâris-Duverney, chargé de liquider le Système, a installé au Louvre, dans les appartements de feu la reine Anne d'Autriche, huit cents commis qui sont soi-disant chargés de vérifier les dossiers de la Banque, de la Compagnie des Indes et du Contrôle général des Finances. Cette superbe comédie a pour objet et pour effet de faire établir des rapports qui démontrent ce que MM. Pâris, La Houssaye, Crozat, Samuel Bernard et consorts désirent accréditer dans les esprits, à savoir que M. Law est redevable à la France de sommes considérables ! Ils ont acheté ou menacé Pommier de Saint-Léger, afin qu'il fasse disparaître les fonds que Son Excellence lui remit le soir de son départ. Il s'agissait de quatorze millions pour effectuer ses derniers règlements et faire les échéances [2]. Il faut, n'est-ce pas, ruiner M. Law, le

---

1. Il ne semble pas.
2. Le 25 août 1724, Law écrivit à ce sujet au duc de Bourbon : « Considérez, monseigneur... si ce n'est pas une grande injustice de la part de la Compagnie des Indes de vouloir tirer avantage de la condition où je me suis trouvé réduit et de la conduite malhonnête de ce clerc (Pommier de Saint-Léger) en me réclamant le paiement de sommes qu'en réalité je

discréditer, tenter de prouver qu'il fut incapable et malhonnête *afin de rendre son retour tant redouté impossible*. Or, nul n'ignore qu'on s'est emparé de tous ses biens, de sa fortune, que sa fille et Lady Seignieur viennent d'être chassées de la place Vendôme où l'on a posé les scellés et qu'elles ont dû se réfugier, dans un dénuement complet, à l'hôtel de Luynes, faubourg Saint-Germain, cela encore pour flétrir la réputation de Son Excellence ! On tente de répandre le bruit qu'il a emporté une cassette de diamants et qu'il possède des biens immenses à l'étranger, car ces messieurs sont fort gênés de ce que l'ex-surintendant des Finances de la France en est réduit à s'aider du jeu afin d'économiser ce qui lui reste pour vivre à Venise. C'est que cela commence à se savoir dans toute l'Europe, comme se savent, hors des frontières de ce pays, les véritables causes de son départ !

— C'est pourquoi des princes souverains le pressent de venir établir chez eux le Système, et il refuse [1] ! ajouta Nathalie angoissée. Il est d'ailleurs malade, très malade peut-être, touché au poumon comme Watteau...

— Que dites-vous ! s'écria Aïssé. Que lui est-il donc arrivé ? Nous le vîmes si fort, résistant au travail acharné, aux nuits sans sommeil...

— On est venu à bout de tout cela, répondit sourdement Nathalie. N'a-t-il pas tout perdu ? Son œuvre, ses biens et tout ce qu'il aimait : sa petite fille, notre vie dans cette demeure et, depuis peu, sa mère [2]... On l'aura informée de ses épreuves, de sa détresse, elle en sera morte...

Un silence s'établit. Pont de Veyle le rompit :

— Son retour aux affaires est-il tellement redouté, tellement possible que les Pâris en arrivent à passer à ce point, en effet, la mesure ?

— Si la versatilité du Régent n'autorisait pas cet espoir, répliqua Nathalie, croyez-vous que je resterais un jour de plus à Paris et que j'attendrais depuis quatre mois l'occasion de le rencontrer ?

Neilson reprit :

— Les excès dont La Houssaye et les Pâris font preuve témoignent bien de l'étendue de leurs craintes au sujet du retour possible de Son Excellence. Jugez-en : l'arrêt du 29 avril présente, entre autres dettes devant être soi-disant remboursées par M. Law :

— 7 435 242 livres, qui ont servi au rachat d'actions, pour le compte d'amis du Régent et sur l'ordre de Son Altesse royale ;

---

ne dois pas et qui, même si je les devais, ont été consacrées à son service et payables en actions et billets dont les effets m'appartenant avaient à cette époque et ont encore sur ses livres (de comptes), une valeur double ou triple de la somme qu'elle réclame. » Voilà qui est clair. Cependant, Law croyait-il vraiment que Pommier de Saint-Léger était malhonnête ? C'est peu probable ; il le connaissait bien puisque c'est lui qu'il choisit pour lui confier ses fonds, ses effets et ses ordres. Celui-ci n'est-il pas revenu dans la soirée lui rapporter les 800 livres qu'il était allé toucher (plusieurs dizaines de millions de centimes), alors qu'il savait bien que, dans son désarroi, Law n'avait pas vu le « chèque » ? Cette lettre établit seulement que les liquidateurs du Système ont affirmé que Pommier de Saint-Léger n'avait effectué aucun règlement ni déposé aucun fonds.

1. S'il avait fait banqueroute, il n'en eût pas été ainsi.
2. Je n'ai pu trouver la date exacte de la mort de Janet Law, mais elle survint entre le moment où Law quitta la France et celui où il revint à Londres.

— 450 000 livres pour la nourriture d'artisans recrutés pour La Nouvelle-Orléans ;

— 32 639 livres pour la fourniture d'étain et de plomb destinée à la marine royale ;

— 275 104 livres versées en monnaie de Gênes aux affréteurs de cette ville, pour ravitailler Marseille au début de la peste [1] !

Ma mémoire des chiffres n'est pas telle qu'elle me permette de continuer à vous citer tout ce qui mériterait de l'être ; cela suffit, je pense, à vous éclairer ?

— Vous plaisantez, monsieur ! fit d'Argental.

— Je le voudrais, monsieur le comte ! rétorqua Neilson.

— Si les choses en sont là, dit Lesage, il faut s'attendre à pis encore.

— C'est bien mon avis, répondit Marivaux inquiet. Je crains même pour la sécurité de notre amie, surtout si elle parvenait à joindre le Régent et à le retourner en faveur de Law !

— C'est évident, approuva d'Argental. Il serait plus prudent, Nathalie, que vous partiez à Venise sans plus attendre.

— Partez, Nathalie, répétait Aïssé, les yeux pleins de larmes. N'attendez pas de voir le Régent... Il y a si peu de chances qu'il tienne les belles promesses qu'il vous fera !

— N'y aurait-il qu'une chance..., murmurait Nathalie.

— Mais, insistait Aïssé, vous savez que Son Altesse royale ne répond à aucune lettre de monsieur Law et votre ami, atteint dans sa santé, a besoin de vous.

— M. le duc pourra me fixer sous peu ; je ne tarderai pas à prendre la route...

— D'ici là, il faudrait vraiment veiller à votre sécurité, madame, insistait Marivaux. Car ils feront n'importe quoi, non seulement pour donner à croire que Law est un escroc et justifier leur mainmise sur ses biens, mais pour détruire en effet toutes les possibilités de son retour. Vous en êtes une...

A ce moment, une rumeur dans le vestibule lui coupa la parole ; la porte s'ouvrit brusquement et Rebecca Law, en larmes, la chevelure et les vêtements en désordre, parut et se jeta dans les bras de Nathalie qui s'élançait vers elle :

— Ils ont arrêté William ! cria-t-elle. Alors que nous venions d'apprendre la mort de notre mère !

La surprise et l'effroi avaient envahi le petit groupe.

— Calmez-vous, Rebecca et étendez-vous sur ce lit de repos. Je vais vous faire porter un peu de vin de Champagne pour vous réconforter... (Nathalie aida la jeune femme qui était enceinte à s'installer et la questionna doucement :) Que s'est-il passé ?

— On réclame à William, comme dette personnelle, 3 468 694 livres [2],

Arrêt du 29 avril 1721.
2. Ce chiffre insolite a sans doute été imaginé pour faire croire à une malversation.

sur les sommes que le Régent et Dubois faisaient adresser régulièrement à la Suède par la Banque royale pour conserver l'alliance de ce pays ! Les preuves existent dans les livres de la Banque que ces versements ont été effectués, mais que font-ils de ces livres ? Sur les conseils de notre frère, nous avions apporté en France tout notre avoir et l'on vient de tout nous prendre ! Vous avez su que nous nous cachions à Versailles pour tenter de sortir de France clandestinement et rentrer à Lauriston. Or, ce matin à l'aube, des exempts nous ont réveillés dans la petite maison que nous devions quitter demain. Sans donner aucun motif à cette arrestation, ils ont juste laissé à William le temps de s'habiller et ne lui ont permis d'emporter à la Bastille que deux robes de chambre, deux boîtes de thé, trois livres et onze louis ! Nathalie, pourvu qu'ils ne le pendent pas à la place de son frère ! s'écria la jeune femme qui, à cette pensée, se redressa, épouvantée.

— Je vais revenir tout de suite au Palais-Bourbon et j'irai aussi à l'hôtel de Lassay, dit Nathalie résolue.

— Et moi, ajouta Rebecca, je vais aller à Venise [1] ; il n'y a que John qui puisse quelque chose pour nous !

Ils se regardèrent tous, effarés :

— Lui ! s'écria Nathalie, c'est enfantin, Rebecca ! Il n'est plus qu'un pauvre proscrit sans crédit !

— Mais je n'ai plus rien, Nathalie, plus rien !

— Je peux vous aider, voyons ! Votre beau-frère est affaibli physiquement et moralement, et vous allez le désespérer complètement !

La jeune femme secouait la tête et répétait, le regard fixe :

— Il n'y a que lui qui peut, il n'y a que lui... Il a été le maître du monde, il n'y a que lui...

Elle paraissait égarée, mais ne l'était point autant qu'on aurait pu le croire :

— Ne savez-vous pas, ajouta-t-elle en regardant ces visages stupéfaits, que le roi Frédéric IV de Danemark lui a dépêché un ministre à Venise, le comte de Guldenstein, pour lui dire que toute l'Europe sait que ce sont les cabales de la Cour de France et l'incohérence de l'Etat qui ont détruit le Système et pour l'assurer que s'il veut prendre la direction des finances de son royaume, il ne rencontrera aucune entrave de ce genre [2] ? Aussitôt, le tsar assure qu'il ne se tient pas pour battu et annonce à grand éclat qu'il va renvoyer un messager à Venise ! L'Angleterre elle-même...

— L'Angleterre ! s'écria Neilson.

— Eh bien, quoi ! dit Rebecca, soudain agressive. John Law était Anglais et il aurait dû le rester ; on dit que Stanhope s'en souvenait...

— Stanhope ! répéta Nathalie stupéfaite. Il est mort le 16 février dernier, foudroyé par une apoplexie après une séance au Parlement où il dut répondre aux attaques violentes suscitées par le désastre de la *South Sea*

1. Elle s'y rendit en juillet. Law, qui relevait d'une première atteinte pulmonaire, lui donna la moitié d'une forte somme qu'il venait de gagner au jeu.
2. Première semaine d'avril 1721.

Company et par la collusion de Blunt et du gouvernement anglais. Quant à Craggs, il s'est empoisonné pour ne pas comparaître devant la commission d'enquête qui venait d'être instituée !

— Voici que se manifeste la Nemesis [1] ! eussent dit les Grecs, répliqua Marivaux.

— Juste retour des choses d'ici-bas, comme disent les Français, murmura Nathalie.

— Le général comte Stanhope, poursuivait Rebecca, mêlait aux goûts d'un esprit libéral l'audace d'un militaire. Il voulait combattre la France et lui arracher l'artisan de sa prospérité : John Law. Il ne supportait guère que ce fût un Britannique qui la mît au premier rang des nations. On dit qu'il appréciait les idées du surintendant, proches des siennes... Certains pensent qu'il aurait même songé à le récupérer et à l'utiliser ! Suprême victoire sur la France, non ?

— L'utiliser ! répéta Neilson abasourdi. Quel machiavélisme !

— Oui, *my dear* ! Cela lui serait venu à l'esprit après le départ de notre frère, lorsque se leva l'ouragan de la banqueroute de Blunt. Stanhope, vous le savez, considérait que M. de Lauriston avait été un plus grand ministre que Richelieu et que Mazarin. Il imagina tout naturellement que lui seul, pouvait remédier à un désastre financier tel que celui de la *South Sea Company*... Il n'était pas fou de supposer qu'il conviendrait à John Law de prendre une revanche sur Blunt et sur la France, et de rentrer dans son pays la tête haute avec une position si élevée ! Un des amis intimes de Stanhope, Walpole, chef de file du parti whig, sera — dit-on — premier ministre d'Angleterre... Cela explique le changement d'attitude des Anglais envers John Law.

Robert Neilson, qui savait que William et Rebecca avaient de nombreux amis et parents britanniques hautement alliés et donc bien informés, s'approcha de la jeune femme :

— Se pourrait-il que l'échec de Blunt et de sa *South Sea Company,* qui entraîne vers un gouffre les finances de l'Angleterre, donnât à son grand adversaire, John Law, cette revanche à Londres ?

— Il se pourrait ; je sais que Burgess, le résident anglais à Venise, ami de jeunesse de notre frère, lui a fait savoir que son gouvernement prendrait en mauvaise part qu'il allât porter ses talents au Danemark ou en Russie, alors qu'il serait prêt à lui rouvrir les portes de l'Angleterre.

— Alors que celle-ci cherche à détruire la puissance russe dans la Baltique ! ajouta Pont de Veyle.

Nathalie ouvrait de grands yeux. Dans aucune de ses lettres si belles, si tendres, Law ne lui avait parlé d'un retour possible dans son pays d'origine. Il la pressait, au contraire, de se rendre en Italie. Rebecca, voyant son étonnement, lui sourit :

— Peut-être est-ce à Londres que vous le rejoindrez, dit-elle ; ce sera plus facile ! Mais tout cela est très nouveau ; nous avions reçu hier une lettre de

---

1. Déesse grecque de la vengeance et de la justice immanente.

John, vous en recevrez une certainement sous peu et nous avons rencontré ces jours-ci quelques Anglais...

Nathalie était déconcertée et ses amis, qui écoutaient attentivement ces révélations, ne l'étaient pas moins.

— William croit-il que son frère accepterait de rentrer en Angleterre ? demanda-t-elle enfin.

— Oui, pour deux raisons : d'abord parce qu'il reverrait Lauriston.

— Mais il vous l'a cédé, persuadé qu'il ne pourrait jamais y revenir.

— Peu importe... Il sait bien qu'il irait comme il le voudrait et puis, ajouta-t-elle gênée, Caterina lui a signifié qu'elle ne quitterait Paris que pour Londres et il veut tout faire, vous le savez bien, pour sortir Marie-Catherine de France.

Oui, elle savait... Mais où était donc désormais sa place ? Soudain, elle ne savait plus. L'Ecosse, Marie-Catherine... L'absence creusait ses incertitudes. La brutale séparation, si attendue qu'elle eût été, n'en avait pas moins défait la jeune femme et elle ne parvenait pas à rassembler ses pensées éparpillées par des sentiments si complexes.

Il lui sembla que sa vie coulait loin d'elle, fleuve détourné, tout à la fois immobile et mouvant, pressé vers son infini.

UN RETOUR MÉMORABLE

A la tête d'une escadre qui revenait de la Baltique, un vaisseau de haut bord battant pavillon de l'amiral Norris, avançait avec majesté vers l'Ile aux Grains. Sur les quais du port de Sheerness, une foule dense qui avait vu poindre les grandes voilures aux lointains de la baie, s'assemblait pour ne pas manquer le spectacle d'un retour mémorable. Cet événement déchaînait depuis plusieurs jours les dix-huit journaux qui faisaient de la presse britannique la plus importante du monde, et plongeait dans la stupeur l'Europe entière. Comme pour une parade triomphale, les navires défilaient maintenant dans un ordre impressionnant qui souleva l'enthousiasme d'une population toujours prompte à admirer sa *Home Fleet*, gardienne des îles et noble instrument des desseins belliqueux de l'Angleterre. La foule applaudissait, criait : Hourrah ! agitait des mouchoirs comme si l'amiral Norris ramenait à son bord un roi ! Mais quoi ! Le plus extraordinaire génie de ce temps, avec Sir Isaac Newton, Anglais lui aussi, n'était-il pas des leurs ? Et voici qu'il revenait en son pays, après avoir éprouvé la malignité et l'incompréhension de ceux qui furent toujours les ennemis de la nation anglaise. N'allait-il pas, le merveilleux alchimiste, panser les plaies brûlantes suscitées par l'effondrement de la *South Sea Company* ? N'allait-il pas effacer tous les maux causés par l'affreux Blunt dont on disait qu'après avoir tenté, jadis, de supprimer son rival par l'assassinat et la pendaison, il l'avait contraint à la fuite et à l'exil ? Ce n'avait été que perfide jalousie, car le bel aventureux possédait des secrets qui faisaient naître sous ses pas la fortune ! Cela valait bien qu'on le ramenât sur un vaisseau amiral à la tête de cette escadre superbe ! Là-bas, à l'arrière du grand navire qui virait dans les manoeuvres de l'accostage, un pavillon anglais gonflé par le vent se déploya soudain et vint couvrir d'une ombre mouvante John Law de Lauriston. Il se tenait, impassible, entre son fils et l'amiral Norris, lui, « Jean l'Amiral », qui créa pour la France la plus grande flotte commerciale du monde, lui qui commença de faire renaître la marine royale française, toujours rivale de la *Home Fleet* et souvent son adversaire ! Le regard froid qu'il s'efforçait de jeter sur ce spectacle dissimulait une stupeur égale à celle qui s'était emparée de l'Europe. Bien qu'il sût qu'il fallait tout attendre du destin, le sien l'étonnait. Où le mènerait-il encore ?

On était le 20 octobre 1721 et un beau soleil brillait sur l'Angleterre. Des cordes se tendaient sur le pont du vaisseau qui venait de s'immobiliser. L'une vint en sifflant se tordre comme un reptile devant le voyageur ; dans un éclair, il en revit une autre, pareillement lancée à ses pieds, celle qui, vingt-six ans plus tôt, dans la nuit et les brumes de Newhaven, représenta pour lui le moyen de la liberté et la fatalité de l'exil. Il revivait soudain intensément ce départ périlleux, secret, précipité et voici qu'il revenait en Angleterre dans cette gloire et dans ce deuil... Jadis, en quittant ce rivage, il avait intensément pensé à sa mère et il y pensait pareillement en cet instant, sachant qu'il ne la retrouverait pas. Soudain il ne vit plus rien ; le brouhaha qui l'environnait de cris, d'appels et de vivats ne fut plus qu'un bourdonnement indistinct. Au-delà, bien au-delà, le vent, dans les grands arbres du parc de Lauriston, entonnait un chant désespéré.

Des hommes d'équipage sautaient sur le quai et maintenaient difficilement la foule. Le jeune Law regardait avec perplexité ce déploiement qui l'étonnait moins que d'autres, car son père l'avait habitué à l'exceptionnel. « Voici donc, songeait-il avec une certaine émotion, les Iles Britanniques d'où sont venus mes parents... »

— Comme c'est coloré et gai ! dit-il à voix haute.

— Pas toujours ! répondit Law en proie à ses souvenirs.

Et il prit congé de l'amiral Norris. Il le remerciait chaleureusement, car à la simple vue d'une lettre signée par le secrétaire d'Etat aux Affaires étrangères, assurant que le roi et le cabinet britannique ne verraient pas d'inconvénient à son retour, le marin s'était déclaré heureux et flatté de l'accueillir à son bord. Lord Glenorchy, ambassadeur d'Angleterre à Copenhague, avait bien fait quelques réserves en raison du caractère privé de ce document, sollicité et obtenu par le comte d'Islay, cadet de la maison d'Argyll, parent de Law. Comment, cependant, ne pas se montrer empressé auprès d'un tel personnage, qui venait d'être reçu avec tant de considération par MM. de Bernstorf et de Gohre, ministres du Hanovre, cet électorat si cher au roi George ! Les services secrets anglais avaient même informé Norris que son passager serait fort bien accueilli à Londres et que le tsar lui dépêchait Fich, son conseiller financier, pour tenter une dernière fois, par des propositions mirifiques, de l'attirer en Russie. L'amiral savait aussi que le comte d'Ahfeldt, vice-roi de Holstein, avait également cherché à retenir John Law lorsque celui-ci traversait l'Allemagne, au cours de son triomphal voyage de Venise au Danemark ! Enfin, Norris put constater à Copenhague l'empressement du roi Frédéric IV envers cet Ecossais qu'il avait depuis longtemps appelé à sa cour avec l'espoir de l'y garder. L'ambassadeur et le marin convenaient que tant de sollicitations et d'honneurs valorisaient singulièrement la personne de John Law aux yeux des membres du nouveau cabinet anglais — des whigs dressés contre Blunt — et cela jusqu'à les rendre ombrageux : parmi eux, certains pensaient toujours que les capacités d'un tel homme devaient être mises au service de l'Angleterre.

De toute évidence, Law avait su créer cette situation. En sortant d'Italie, il ne prit pas le chemin le plus court pour l'Angleterre, mais celui qui lui offrait des haltes flatteuses dans les capitales où il était espéré, fêté. Son dernier coup de maître fut, à la demande du roi du Danemark, de remonter jusqu'à Copenhague. Il savait que l'escadre venant de la Baltique devait y faire escale et rêvait de l'utiliser pour un retour en Grande-Bretagne digne du dernier surintendant des Finances du roi de France. Toutes ses espérances se trouvaient dépassées ! Entourant de son bras les épaules de son fils, il débarquait au milieu des acclamations de la foule qu'il saluait en agitant son chapeau galonné d'or fin.

Tout avait été prévu pour les acheminer prestement vers Londres, ce qui les étonna. Lorsqu'ils montèrent dans l'équipage qui les attendait, ils apprirent que c'était Lord Londonderry qui le leur envoyait et que lui-même venait à leur rencontre en compagnie de Sa Grâce le duc d'Argyll. Argyll ! A ce seul nom revivaient les jours d'autrefois à Lauriston. Law et son fils parvenaient à peine à Rochester que leur cocher ralentit ses chevaux et les immobilisa aux côtés d'un carrosse qui venait d'arriver en sens inverse. Les portières s'ouvrirent, Argyll et Law descendirent, hésitèrent un instant parce qu'il leur fallait se reconnaître à travers les métamorphoses du temps, puis s'étreignirent en murmurant les mots qui rassurent :

— Vous êtes toujours le même, mon cousin !

— Et vous, monsieur ! Je vous aurais reconnu entre mille !

Ils résolurent de continuer le voyage dans la même voiture et reprirent aussitôt la route de la capitale.

— Permettez-moi, dit à Law Lord Londonderry, de mettre à votre disposition, pour le temps qu'il vous plaira d'y rester, une maison que je possède à Conduit Street.

— Cela est bien généreux de votre part, Mylord !

Law, perplexe, l'observa, tâchant de deviner la raison d'un tel geste : était-ce seulement parce que l'achat du diamant de Pitt avait rétabli la fortune de cette famille ? Il ne croyait guère à la reconnaissance. Etait-ce parce que Londonderry était le beau-frère de Stanhope qui avait souhaité intéresser le créateur du Système aux affaires d'Angleterre ? Mais Stanhope était mort et les deux hommes avaient longtemps été brouillés ; au printemps de 1720, Londonderry avait même accepté de conduire la manœuvre à la baisse que William lui avait confiée pour rendre à la *South Sea*

Company les coups qu'elle ne cessait de porter à la Compagnie des Indes. Afin de ne pas faire apparaître de transferts de fonds, Londonderry avait réuni à Londres des sommes élevées dont le remboursement fut garanti par des actions de la Compagnie des Indes. Lorsque la valeur de ces titres s'effondra, il demanda au correspondant de la Banque royale française, le financier Midleton, d'acquitter ce règlement. Celui-ci refusa...

Alors l'Irlandais écrivit à Law qui, à peine arrivé à Venise, reçut cette réclamation pressante parmi toutes celles, mensongères et menaçantes, de créanciers inventés par Dubois, les frères Pâris et leurs alliés. La requête de Londonderry ne pouvait pas plus lui être adressée à titre personnel que la facture des fournitures de plomb et d'étain pour la marine ! Exilé, pillé, volé, ruiné, Law n'avait eu d'autre ressource que de l'informer de l'engagement pris par le Régent : « Chaque mois, un million serait consacré au paiement des dettes contractées à l'étranger pour le service du roi. » Cependant, Law craignait fort que Londonderry n'ait encore rien touché ; et voici qu'il lui envoyait un équipage, venait à sa rencontre et lui offrait un asile ! Que signifiait un tel comportement ? Fallait-il vraiment penser que certains hommes d'Etat de ce pays lui voulaient du bien ?

— C'est un modeste logis, Excellence, disait Londonderry.

— Alors je l'accepte ! Car j'ai laissé en France ma fortune et tous mes biens, et il me semble que mon arrivée ici fait trop de bruit ; un train de vie discret me paraît indispensable.

Londonderry approuva d'un signe de tête.

— Jugez vous-même ! répondit Argyll. Tous les journaux ne sont occupés que de votre personne. Pour les uns, vous êtes un sauveur qui nous arrive, pour les autres, le diable par qui la fièvre de la spéculation et de l'inflation a traversé la Manche ! Tant et si bien qu'à la prochaine assemblée de la Chambre des Lords, le 9 novembre, les tories comptent interpeller sur votre retour les whigs qui l'ont favorisé.

— Qui l'eût cru ! murmura Law en pensant que la situation s'éclairait.

— Ceux qui savent à quel point ce parti de financiers a le sens aigu de ses intérêts ! Ils ne confondent pas, croyez-le, les voleries des dirigeants de la *South Sea Company* et autres « Bulles de savon des mers du Sud [1] » avec votre Système !

— Ces événements ont mis la famille royale en bien mauvaise posture, ajoutait Lord Londonderry et elle n'était déjà pas populaire ! Le roi se proclama gouverneur de la *South Sea Company* et le prince héritier accepta la présidence des sociétés les plus louches. Quant aux deux maîtresses royales ramenées du Hanovre et faites, l'une duchesse de Kendall et l'autre comtesse Darlington, elles ont reçu de Blunt à peine moins d'or qu'il n'en a donné pour acheter le chancelier de l'Echiquier Aislaby et le secrétaire d'Etat Craggs, dont les agents furent si actifs en France contre vous !

---

1. Furent ainsi surnommées de nombreuses compagnies sans existence réelle créées à Londres à l'imitation de la *South Sea Company,* pour soutirer de l'argent aux naïfs saisis par la fièvre de la spéculation venue de France, d'où la crise financière aiguë de l'Angleterre.

— Cela méritait bien un salaire, dit Law ironique et rêveur. Il est vrai, poursuivit-il, que les banquiers et les négociants du parti whig sont des gens compétents en matière de finances, contrairement à ceux de France... et c'est aux Français que j'ai apporté le Système et aux Anglais que Blunt a apporté ses grossières duperies.

— Les whigs le savent bien !

— M. de Saint-Simon le comprit avant eux et ne cessait de me le répéter ! Mais le destin nous mène... Que devient Blunt, à cette heure ?

— Il se cache, mais serait sur le point d'être arrêté.

— A la suite de tels bouleversements, reprit Londonderry, nombreux sont ceux qui souhaitent un retour du Prétendant.

— Là encore, dit Argyll, les avis sont partagés ! Les uns assurent que vous êtes jacobite et que vous allez servir la cause de Jacques-Edouard, les autres certifient que vous êtes le seul à pouvoir rendre quelque prestige à George Ier en rétablissant la situation financière.

— J'ai donc les deux factions pour moi !

L'ironique sourire de Law revint errer sur ses lèvres. A ce moment, Argyll lui mit sous les yeux une brochure :

— Voyez, dit-il, ce que notre cousin le comte d'Islay a fait paraître aujourd'hui pour célébrer votre retour...

Law étonné se mit à lire à mi-voix :

« *Vous n'avez pas à être surpris si certains d'entre nous, dépourvus de sens critique et accablés par l'infortune, croient voir en vous la cause immédiate de leur ruine. Au sein des privilégiés et de ces passions publiques, une plume qui jamais encore ne s'est prostituée essaye de rendre justice à vos extraordinaires talents...* »

Il y en avait vingt-trois pages. Il lut encore plus loin :

« *La postérité vous rendra justice et saura faire une différence entre de mauvais imitateurs et le grand créateur qu'ils ont essayé de copier...* »

Law ferma les yeux et la revue...

— Je lirai cela, dit-il.

Soudain, une immense fatigue l'envahit : tout ce tapage, ces partisans et ces adversaires, le trop long voyage et l'atteinte pulmonaire subie à Venise se conjuguaient pour lui faire ressentir une diminution sensible de ses forces physiques et morales. Rouvrant les yeux, il regardait défiler dans une jolie lumière fine de reposants paysages, une campagne bien cultivée et riante.

— Voici le bel automne anglais, murmura-t-il, avec ses feuillages roux et ses gazons luisants. « On ne voit pas de magnificence mais une grande aisance, n'est-il pas vrai ? Il n'y a pas ici d'intendants, ni d'impositions arbitraires ou solidaires ; chacun paie pour soi et sait ce qu'il doit payer... *J'aime mieux n'avoir que cent pistoles de rente et vivre parmi un peuple heureux, bien nourri et bien vêtu, que d'avoir cent mille pistoles de rente et vivre dans un pays où le peuple est mal aisé*[1] ! »

— Ne jugez pas trop vite, mon cousin ! s'écria Argyll. Ne vous fiez pas à

1. John Law, 1721.

ce que l'on voit ici, à la campagne ; le spectacle des villes et de leurs misères va vous décevoir !

Law ne pensait pas que ces paroles pouvaient annoncer ce qui s'offrit bientôt à son regard, comme leur équipage pénétrait dans les ruelles sordides de Londres. Il se pencha vivement vers la portière de la voiture, n'en croyant pas ses yeux : l'effroyable déchéance des malheureux qui erraient sur les pavés de la cité lui rappelait celle des paysans français du début du siècle, mais ces mendiants avaient on ne sait quoi de profondément différent et, à vrai dire, d'étrange. Des hommes, des femmes, des enfants décharnés, d'une saleté repoussante, en loques, gisaient à même le sol, hébétés et comme frappés d'inconscience. De temps à autre, ils faisaient entendre des cris rauques ou des appels.

— Sont-ils malades ? demanda Jean en frissonnant, tandis que le récit du Marseillais fulgurait dans la mémoire de son père.

— Est-ce une épidémie ? la peste peut-être ? demanda celui-ci soudain très pâle.

— Il s'agit en effet d'un fléau, oui, d'une épidémie, soupira London-derry. Mais celle-ci n'est pas contagieuse et pourtant, je crois qu'elle est en train de devenir la plus grande calamité du siècle ! Imaginiez-vous, John Law, que l'effondrement de la *South Sea Company,* qui a mis en péril la sécurité de la classe moyenne, fait surgir du haut en bas de notre société une masse informe de débiteurs ? Ceux-ci, jetés en prison ou mis au ban de la nation, font subitement partie de la lie du peuple, laquelle vient de découvrir le gin !

— Le gin ?

— Il devient la manie et la ruine des pauvres, leur passion, leur soutien, leur consolation, le remède à leur désespoir ! Mais il les met hors d'état de travailler, détruit leur santé, les précipite dans la déchéance et le crime. On ne compte plus les meurtres, les incendies, les viols, les batteries et les voleries commis par ces gens qui s'entassent dans des taudis où ils meurent comme des mouches !

— Décidément, dit Law atterré, il n'existe donc pas, ce pays heureux dont je parlais tout à l'heure, et où l'on serait satisfait de vivre de peu, pour que chacun ait sa part !

Il pensait à sa Louisiane. Oui, c'est cela qu'il avait voulu créer là-bas et les Anglais qui laissaient les leurs dans ce dénuement l'avaient combattu... à mort ! Ils n'avaient pas été les seuls ! Les privilégiés de la société française furent leurs alliés en cette affaire. Une idée qui l'avait déjà visité revenait en lui, martelait sa pensée : le bonheur, chemin interdit sur la terre, royaume d'un prince d'ombre !

— Voyez, disait Argyll, nous traversons maintenant « la rue au Gin », ainsi nommée parce qu'on y vend de cet alcool partout : aussi bien chez les marchands de chandelles et chez les tisserands que dans les cabarets !

Comme le carrosse ralentissait, Law et son fils lurent cette enseigne « Ici on peut s'enivrer pour un penny et s'enivrer à mort pour deux, y compris la paille »...

— La paille ? s'étonna Jean.

— On jette les buveurs dans des caves jonchées de paille jusqu'à ce qu'ils se réveillent, répondit Argyll. Mais que se passe-t-il, notre équipage va-t-il s'arrêter ici ?

On percevait le bruit lointain d'une foule en marche ; l'ancien ministre de Louis XV connaissait toutes les modulations de cette rumeur-là. On entendit le cocher parlementer...

— Que Londres a changé ! murmurait Law. Où est le riant décor de Saint-Gille au Champ et les aimables maisons de bière et de jeu de Change Alley ?

— A sa place, reprit Argyll. Vous ne serez pas surpris, mon cousin, de savoir que c'est un autre effet de l'effondrement de la *South Sea Company* que d'avoir multiplié les maisons de jeu. Tout Londres, toute l'Angleterre jouent pour essayer de survivre !

— Blunt ne laisse pas ce pays comme j'ai laissé la France ! (Des cris lui coupèrent la parole.)... C'est une émeute ! continua-t-il, je sais ce dont je parle !

A ce moment le cocher, qui avait repris son train, tourna si brusquement pour s'engager dans une ruelle que les occupants du carrosse furent jetés de côté, les uns sur les autres. Londonderry, irrité, tapa du pommeau de sa canne sur une vitre de la voiture qui aussitôt s'arrêta. Un laquais descendit de son siège et expliqua :

— C'est un mouvement du peuple qui nous a obligés de changer brusquement de rue, Votre Grâce ! Le Parlement taxe aujourd'hui le gin pour le rendre si cher que les pauvres ne puissent plus s'empoisonner, alors ils brisent tout ce qui se trouve sur leur passage et entrent de vive force dans les cabarets où ils se servent [1] !

La portière refermée, l'équipage reprit sa course vers Conduit Street. La foule, toujours elle, se pressait dans cette rue, devant la maison où John Law était attendu ; mais celle-là était empanachée, rieuse et parfumée.

— Comme à Bruxelles, comme en Allemagne, comme à Copenhague ! murmurait Jean.

— C'était inévitable, s'émerveillait Argyll. Vous avez là, mon cousin, une brillante assistance ! Il n'est que de voir les chaises, les livrées, les habits. Vous faites l'événement de la saison londonienne.

Péniblement, le carrosse de Londonderry s'avançait vers le porche ouvert, devant lequel des domestiques montaient la garde et guettaient les arrivants. L'équipage s'arrêta enfin ; Law en descendit le premier au milieu d'applaudissements et de vivats discrets auxquels il répondit avec le charme et l'élégance qui avaient séduit tant d'hommes et de femmes. En pénétrant dans la demeure, il se trouva en face de trois personnages qui l'attendaient, mais que lui n'attendait guère : son ancien compagnon de captivité, le

---

1. « La plus pathétique et la plus tragique des révolutions prolétariennes » (Louis Kronenberger).

comte de Bamburry, frère de Caterina, qui courut à lui, l'étreignit puis lui présenta le bel adolescent qui l'accompagnait :

— Mon fils, Lord Wallingford !

Law salua chaleureusement et, à son tour, présenta Jean, puis se tourna vers le troisième visiteur, très modeste, qui se tenait en retrait. C'était un homme d'une soixantaine d'années ; un regard audacieux frappait dans un visage basané que le temps, les aventures et les mésaventures avaient cruellement marqué ; son maintien était craintif et presque fuyant... Law le saisit par les épaules et, les yeux étincelants, murmura avec émotion :

— Daniel Defoe ! Mon ami !

Lui aussi avait vieilli et souffert.

— Vous vous souvenez donc de moi, John Law de Lauriston, bien que vous soyez monté si haut et que je sois, moi, descendu si bas ? répondit Defoe en ricanant.

— Que dites-vous là ! le renom de *Robinson Crusoé* est arrivé jusqu'à moi.

— Vous m'étonnez, car ce que j'écris ne s'adresse point à des lecteurs cultivés, mais « à des marchands de légumes et à des filles d'office [1] » !

— N'en croyez rien ! s'écria derrière eux une voix railleuse que Law reconnut en tressaillant. Il se retourna : le nouveau visiteur qui venait de se détacher de la foule toujours agglutinée à l'extérieur était Mathew Prior et il avait entendu les dernières paroles de l'écrivain.

— Vous me rendez aussi ma jeunesse ! murmura Law à mi-voix en serrant la main du diplomate-poète. Il me semble, à vous voir tous là réunis, que je la retrouve au rivage où je l'ai laissée, une nuit d'hiver, à Newhaven ; oui, je la retrouve au-delà d'une singulière parenthèse traversée de rêves grandioses et de cauchemars.

— Je crois qu'il manque à ce tableau un visage de femme. Vous ne m'avez rencontré qu'après avoir quitté l'Angleterre... grâce à elle, dit-on ! et Prior sourit.

— Si peu de jours après !... et le souvenir d'Elisabeth Villiers traversa celui qui fut le jeune laird de Lauriston.

— Vous souvenez-vous de votre arrivée à la résidence anglaise de La Haye, où je mourais de faim dans un si noble décor !

Ils éclatèrent de rire ensemble.

— Il vaut mieux, grommela Defoe, mourir de faim dans une ambassade que dans une prison !

— Nous connaissons ! s'écria Bamburry.

— La prison ? s'étonnait Law.

— Et le pilori ! ajouta Defoe avec un rire grinçant.

— Que dites-vous ? (Law ne riait plus.)

— Je dis bien : le pilori et la prison, pour un pamphlet qui eut quelque succès !

— Traiter ainsi un écrivain, c'est ignoble !

— J'attaquais les tories parvenus au pouvoir avec la reine Anne...

1. Daniel Defoe.

— Mais, coupa Prior, le peuple vint à ce pilori le couvrir de fleurs et Harley, comte d'Oxford, le tira de la prison de Newgate pour ne pas y laisser croupir un talent si précieux et si utilisable !

— ... A la condition que je lui serve, pendant sept ans, d'agent politique et même d'agent provocateur. Mais quoi ! la briqueterie qui faisait vivre ma nombreuse famille avait fait faillite pendant que j'étais à Newgate ! Alors, j'ai fondé une gazette que j'ai appelée *La Revue.*

— Il en fit la première tribune d'opinion d'Angleterre, dit Prior. Figurez-vous qu'il l'écrivait en entier à lui tout seul, de la première à la dernière page ! Toutes les gazettes l'imitent aujourd'hui, car il a tout inventé : les articles de première page sur quelque grand sujet, les entretiens avec des personnages en renom, les enquêtes sur les affaires politiques ou autres, les échos, les chroniques, que sais-je ?

— J'ai fait un métier d'espion pour des gages de domestique [1] !... mais j'ai dix-sept enfants à nourrir !

Law le regarda, épouvanté ; cela lui paraissait aussi redoutable que le pilori. Il l'observa alors plus attentivement. Ce n'était pas la première fois qu'il constatait à quel point une adversité trop constante abîme un homme, le mutile en quelque région de lui-même où se forment la sensibilité et l'espoir. Fatigué, ému, nerveux, il jeta un coup d'œil autour de lui. Quelque chose lui manquait. Il n'y avait pas si longtemps, il eût demandé du champagne et des laquais se seraient empressés d'apporter les précieuses bouteilles dans des seaux d'argent...

— Peut-on boire un breuvage quelconque ? demanda-t-il timidement à Lord Londonderry qui s'était attardé dehors et qui le rejoignait avec Argyll.

L'un et l'autre, à leur descente de carrosse, avaient été happés, retenus, questionnés par de nombreuses personnes.

— Vous avez toute la bonne société à votre porte, mon cousin ! répétait Argyll, il y a là beaucoup de gens qui vous ont connu jadis, des femmes surtout, dit-il avec un clin d'œil, et qui souhaitent vous revoir prochainement.

Londonderry pria un valet d'apporter de la bière. La bière ! Law avait aimé cela, autrefois... avant la France. Il présenta ses amis les uns aux autres et les pria de s'asseoir ; ils le firent de bonne grâce, traitant Defoe avec la considération et le respect que méritait le succès de *Robinson Crusoé.* « Il n'y a point ici la morgue et les distances qui séparent, en France, les hommes de conditions différentes, songeait Law. J'ai dû, sur ce point comme sur tant d'autres, n'être pas compris des Français, les scandaliser peut-être, moi qui fis de Cressent, de Boulle et d'Oppenordt mes amis ! » Mais une question lui vint à l'esprit, il la formula :

— Etes-vous ici en tant que gazetier ? demanda-t-il soudain à Defoe.

— J'étais venu, comme bien d'autres qui vous attendent dehors, par curiosité et aussi pour faire mon métier, mais j'ai retrouvé un ami. Je ne m'y attendais guère... répondit le nouvelliste avec simplicité.

1. Daniel Defoe.

Law maintenant regardait plus attentivement les lieux qui l'accueillaient : la salle était en effet de proportions modestes, mais agréablement décorée de solides meubles anglais tendus de velours rouge sombre et brun doré. Dans la cheminée, un bon feu crépitait et une servante avait disposé des chrysanthèmes roux dans un pichet de cuivre sur la table ; une retraite idéale, en somme. Et voici qu'on apportait la bière et les gobelets d'étain.

Dehors, la foule commençait à s'écouler lentement. Quelqu'un, avant de s'éloigner, frappa à la porte et remit un pli. Il fut porté à Law sur-le-champ et aussitôt décacheté : c'était une invitation de l'auteur dramatique Ben Jonson pour une représentation spéciale de sa pièce *L'alchimiste*, donnée en l'honneur de l'inventeur du Système au théâtre de Drury Lane, en présence du prince et de la princesse de Galles. Ben Jonson ajoutait : « J'écris pour la circonstance un épilogue dédié à vos talents. » Jean s'empara vivement de la lettre et la lut à voix haute. Chacun félicita son père et les chopes de bière s'élevèrent pour un toast chaleureux. Avant de se retirer, Londonderry dit à Law :

— Lord Carteret, secrétaire d'Etat aux Affaires étrangères, souhaite vous rencontrer le plus tôt possible... Demandez audience dès demain.

— Je n'y manquerai pas, dit Law, surpris, qui s'inclina.

Lorsque ses amis furent partis, pendant que Jean s'installait dans l'une des deux chambres du logis et que la servante préparait le souper, Law sortit de son bagage une écritoire et du papier, tailla une plume, alluma un flambeau et dans l'odeur douce-amère des chrysanthèmes qui lui rappelait intensément le petit salon blanc de l'hôtel de Mercœur, il commença d'écrire : « Mon Cher Cœur, j'ai à vous conter des choses bien étranges... »

Quelques jours plus tard, devant une salle éblouissante dont l'élégance ne le cédait en rien à celle de Paris ou de Bruxelles, Law, qui venait d'être reconnu et acclamé dans Piccadilly, écoutait, impassible, l'épilogue de *L'alchimiste*. Il n'attendait pas la flèche qui lui fut décochée aux derniers vers :

> *Bien que Law venu de France ait mis le pied sur notre sol,*
> *Aspirez par des actions plus nobles à une gloire plus innocente*
> *Et prouvez que la vertu n'est pas un mot vide de sens !...*

Il se fit un grand mouvement dans la foule : des applaudissements se mêlaient aux sifflets. Law se leva et lança d'une voix forte :

— « Tous vos directeurs de compagnies ont travaillé contre l'Angleterre, moi j'ai travaillé pour la France [1] ! »

Suivi de son fils, il sortit aussitôt de sa loge devant laquelle affluaient déjà ses admirateurs et quelques amis d'autrefois. Des femmes aussi... beaux visages que le temps voilait déjà de cendre et que la magie d'un souvenir éclairait soudain, et des jeunes filles qui voulaient voir celui que leurs mères avaient appelé « Jessamy John », le plus séduisant cavalier des îles ! « Cavalcade légère du temps et des générations qui défilait en robes de

---

1. John Law, 1721.

soie... », il y avait même là un vieillard de quatre-vingts ans qui s'avançait à petits pas et devant qui la foule s'écartait avec respect. Law, dès qu'il le vit, se porta vivement vers lui. Quelqu'un dit :

— Voici face à face John Law de Lauriston et Sir Isaac Newton !

Le financier tressaillit, saisit la main tremblante qui se tendait vers lui :

— Quel honneur ! murmura-t-il.

— Je voulais vous voir, monsieur, dit simplement Newton, car vous avez une science profonde en matière de finances et de mathématiques, et il n'y a pas tant de grands esprits en ce temps-ci !

— Il y a le vôtre, sir ! Et si loin au-dessus du mien !

Le vieux savant fit un geste évasif et dit en souriant :

— « Je ne sais pas ce que le monde pensera de moi, mais pour moi, il me semble n'avoir été qu'un enfant qui jouait sur la plage et qui trouvait de temps en temps un galet mieux poli ou un coquillage plus joli que les autres alors que le grand océan s'étendait devant moi sans être découvert [1]!... »

— Moi non plus je n'ai pas découvert l'océan immense, murmura Law. Et je ne suis peut-être, en effet, qu'un enfant...

Ce soir-là, John et Jean rentrèrent fort tard dans la petite maison de Conduit Street qui leur parut bien exiguë pour contenir toutes les rumeurs qui bourdonnaient en eux.

Les jours passaient, agités par le va-et-vient des visiteurs. Parmi eux, Lord Peterborough, toujours ambigu, rappelait douloureusement à l'exilé les jours les plus sombres de sa brève et fulgurante carrière politique [2]. Distrait, lointain, Law vivait dans l'angoisse et dans l'attente : attente d'une audience qu'il avait fait demander à Lord Carteret, attente de l'évolution politique qui, en Angleterre, devenait imminente et dont il espérait qu'elle pourrait être favorable aux desseins qui l'avaient déterminé à revenir à Londres. Dans l'isolement et le calme de Venise et malgré le délabrement de sa santé dont l'adversité avait fini par avoir raison, il s'était repris à vouloir se justifier de la campagne de calomnies que le gouvernement de la France déployait contre lui, d'autant plus vigoureusement que Dubois savait à quel point son propre prestige souffrait en Europe d'une information exacte concernant l'effondrement du Système. Il ne voulait aucune ombre projetée sur sa candidature au cardinalat ! Law entendait aussi essayer de rétablir sa situation pour ses enfants et pour lui-même ; pour Nathalie aussi. Pouvait-il lui demander de quitter l'hôtel de Mercœur, de devenir la compagne d'un joueur, vivant dans les tripots et par les tripots ? Cela avait été bon dans sa jeunesse, au temps de sa fuite et de ses exils successifs et pour résoudre des problèmes insolubles autrement. Comme cela avait été bon en Italie, pour les mêmes raisons et parce que l'on pouvait considérer que le Ridotto faisait partie des amusements typiques de Venise, au même titre que les belles filles en masque de velours et que les promenades en gondole. S'il avait voulu revenir

1. Newton.
2. Il ressort de la correspondance politique conservée au ministère des Affaires étrangères, que Peterborough joua auprès de Law un double jeu dont celui-ci ne parut pas se douter.

à Londres, c'était précisément parce qu'il savait que tout ce qui s'y disait et s'y faisait était rapidement connu à Paris. Il voulait que Paris se rappelât qu'il n'était ni joueur, ni funambule, ni un valet, ni un coquin capable de cacher ses rapines à l'étranger et d'en vivre comme l'en accusaient les nombreux folliculaires payés par Dubois. Le but de Law, dès lors, était de soutenir un train convenable, digne de lui, mais sans faste et sans ostentation, et de rétablir suffisamment son crédit pour délivrer la malheureuse Caterina ; de lâches attaques la retenaient par les péripéties, multipliées à dessein, des procès engagés pour se saisir de leur immense fortune. Elle se refusait à laisser dépouiller ses enfants et luttait avec courage. Il se trouvait donc dans l'obligation singulière et douloureuse de demander une position au gouvernement anglais, qui l'avait combattu et vaincu. Il découvrait une compensation à l'humiliation qui le brûlait en laissant croître en lui le désir de plus en plus vif d'être utile à la société. Cette aspiration n'avait-elle pas dominé et guidé sa maturité ? Et il n'atteignait pas encore la vieillesse. Par un souci d'homme d'Etat digne de ce nom, il se sentait envers et contre tout concerné, interpellé par la misère des peuples, par leur ignorance, leur incapacité à se sauver d'eux-mêmes [1]. De la Louisiane, il ne savait plus rien, mais les agissements de ses ennemis le laissaient sans illusions. L'idée que l'Angleterre — de qui il se voyait contraint d'attendre un avenir — lançait peut-être encore à cette heure de mortelles attaques contre sa grande œuvre américaine le rendait fou ou le jetait dans des abattements profonds dont Jean et Daniel Defoe avaient bien du mal à le tirer. Ils devenaient ses interlocuteurs préférés. En découvrant à Venise son père et l'adversité, et aussi parce que l'adolescence est l'instant des imprégnations profondes, le petit Jean mûrissait bien. Quant à Defoe, Law ne se lassait pas de l'interroger sur sa vie difficile et ardente, sur la société anglaise, et de lui demander ses pertinentes réflexions et ses informations toujours sûres concernant la politique et les affaires. Par quelques côtés, il lui rappelait Lesage.

— Il faut bien saisir, disait l'écrivain, que la Cour ne peut rien pour les ministres s'ils n'ont pas l'appui de la majorité parlementaire, d'où vient qu'on les voit, à cette heure où de nouvelles élections sont proches, courir la province pour s'assurer des électeurs, et qu'ils n'ont point le temps de prêter grande attention à vos demandes d'audience.

— Qui sont ces électeurs ? demandait Jean étonné.

— Les membres des gouvernements locaux, les maires, les conseillers communaux, les gros propriétaires. On n'accorde le droit de participer à ces votes qu'à des gens de quelque importance, sérieux et dont l'aisance garantit, en principe, l'indépendance et l'honnêteté ! En fait, ne vous y trompez pas, chaque circonscription rurale est sous l'autorité d'un grand propriétaire terrien à qui appartiennent presque toutes les maisons, qui nomme les maires et peut faire pression sur qui il veut. Il est donc indispensable pour les candidats de gagner ces notables. Aussi y vont-ils de

1. Ses écrits en témoignent.

leurs beaux discours accompagnés, bien entendu, de gin et de porto, de tractations, de grands combats et de petits arrangements qui coûtent cher.

— Est-ce donc cela le système de gouvernement anglais qui fait rêver quelques Français et peut-être mon père ? s'étonna Jean.

— Ah bien, vous allez voir se reproduire le spectacle qui nous fut donné pour les élections de 1710 ! s'écriait Defoe. « On n'a jamais dépensé autant d'argent et aussi stupidement. Il n'y a jamais eu dans ce pays autant de beuveries, de discours incohérents, de dissensions, d'invectives ! (...) Nous n'avons pas lutté comme des hommes, mais comme des démons et des furies. Nous nous sommes battus, non seulement comme si nous voulions nous entre-tuer, mais comme si nous voulions arracher l'âme du corps de nos adversaires. Nous avons combattu avec tout le renfort de l'envie, du désir de vengeance, de la rage infernale et d'une méchanceté implacable [1]. »

— Ce n'est pas, en effet, une période bien favorable pour moi ! répliqua Law. Tous vos pronostics concluent, je suppose, à la victoire de Walpole et des whigs ?

— Comment pourrait-il en être autrement ? Et pourtant leur réputation a souffert. Blunt en avait tant acheté ! Aislaby est en prison, Stanhope et Craggs n'ont pas survécu à ces catastrophes.

— Les tories ne sont guère brillants ! Harley, comte d'Oxford, boit de plus en plus et Bolingbroke a planté sa tente en France, au pays du Tendre. Alors, parlez-moi de Walpole.

— Premier Lord du Trésor, il domine tout le parti whig, parti si puissant que l'on trouve en son sein une majorité et une opposition !

— Quel homme est-ce ?

— Bonne question, parce que son caractère va façonner l'Angleterre de demain. Il prendra le pouvoir et le gardera. C'est une tête politique ; il tient les hommes pour vains, égoïstes et sots. Il a la confiance du roi et le soutien des maîtresses royales. Il est cynique et sans moralité. Corrompu comme les autres, il saura néanmoins utiliser la corruption pour gouverner et pour une finalité bien au-dessus des petits intérêts de chacun... en quelque sorte, pour le bien public. Mais oui, John Law de Lauriston, pourquoi froncez-vous les sourcils ? Il est votre futur partenaire ! Mais il y a autre chose à dire sur lui : le bon sens le plus solide, le jugement, l'autorité, le sens de l'organisation et une volonté farouche d'établir la paix dans le monde sont les qualités et le mobile qui l'animent. Ajoutez à cela qu'il est très ouvert aux idées nouvelles et que vous l'intéresserez beaucoup. Il vous plaira, d'ailleurs, car il est gai et courageux, obligeant et dépourvu de susceptibilité.

— Je l'intéresserai sûrement, mais serai-je jamais son partenaire ? Les caractères fortement marqués comme le sien et le mien ne s'associent guère. Lui aussi, comme Dubois et bien d'autres, aura peur et prendra ombrage !

— Il se pourrait, dit Defoe en hochant la tête. Pourtant, la souplesse, le sens de l'opportunité et un certain empirisme font partie de ses ressources

1. Daniel Defoe.

mentales. Figurez-vous qu'il aime tellement la chasse au renard qu'il déclare à tout venant que lorsqu'il sera Premier Ministre, il instituera une vacance du pouvoir, des administrations et du commerce du vendredi soir au lundi matin afin de pouvoir courir tout son saoul la lande chaque semaine [1] !

John Law écoutait, rêveur, la suite des propos de son ami :

— Vous devriez fréquenter les *Coffee Houses* [2], il y en a trois mille a Londres. Certaines ont une clientèle particulière : ainsi au *Grecian* s'assemblent les érudits ; au *Smyrna*, les musiciens parmi lesquels paraît souvent Haendel, le célèbre compositeur allemand ; chez *Button* et chez *Will*, les écrivains, les philosophes, tous les beaux esprits aiment à échanger leurs idées ; les politiciens whigs vont aussi chez *Button* et au *Kit Kat* ; les tories tiennent leurs assises au *Cocoa Tree* et au *Scribellus* où jadis Bolinbroke et Harley retrouvaient Swift pour cultiver les belles-lettres et le pamphlet ; Gulliver y est né ! Les hommes d'affaires et les financiers ont adopté le *Lloyd*.

— Déjà, autrefois, les gens de finances se groupaient dans certaines maisons de bière de Change Alley ; il était fort utile de les fréquenter ; c'est là que nous nous retrouvions, ami, souvenez-vous...

— Eh bien, comme dans les tavernes de Change Alley, jadis, les nouvelles maritimes sont connues au *Lloyd* [3] avant même que les gazettes soient informées ! C'est fort intéressant pour les négociants et pour les affréteurs, car on y conclut des accords pour assurer les cargaisons des navires contre les périls de la mer. Ces informations intéressent aussi ceux qui jouent sur les monnaies, n'est-il pas vrai, John Law ?

— Je ne joue plus sur les monnaies ni à aucun jeu, dit Law sèchement. C'était là un passe-temps de jeune homme soumis à l'adversité et contraint à l'inaction et à l'exil...

— Tant mieux pour vous, ma foi ! Enfin, pour compléter ma description de *Lloyd*, je vous dirai que l'on y vend toutes sortes de marchandises et des chargements de bateaux à la chandelle éteinte, c'est-à-dire que lorsque les enchères commencent, on allume un pouce de chandelle et le dernier à lancer une enchère avant l'extinction de la mèche devient l'acheteur.

— J'irai voir cela ! dit Law amusé.

— Sachez que l'on trouve dans ces *Coffee Houses* de bons feux auprès desquels on peut demeurer aussi longtemps qu'on le désire. On peut boire une tasse de café, rejoindre des amis, traiter des affaires et tout cela pour un penny, s'il vous plaît de ne pas dépenser plus. Vous avez à votre disposition toutes les gazettes, vous entendez tous les potins qui courent la ville et vous rencontrez des hommes de toutes conditions : les aristocrates parlent volontiers en ces lieux aux écrivains et aux marchands, lesquels sont d'ailleurs souvent des cadets de grandes familles...

1. Il fut l'inventeur du week-end.
2. Ils deviendront les fameux clubs anglais.
3. Ce fut la naissance du Lloyd, la puissante compagnie d'assurances anglaise, bien connue aujourd'hui.

— Comme mon père ! le coupa Law. Impossible de faire comprendre cela aux Français !

— Vous rencontrerez là aussi des parlementaires et pourrez discuter avec eux, c'est important pour vous ! L'atmosphère est d'ailleurs agréable, car il est interdit de s'enivrer et l'enfer du jeu ne règne que dans les maisons de chocolat ! Quant à votre fils, il devrait demander à son cousin Wallingford de l'emmener aux courses de chevaux — oui, un spectacle divertissant — et sur les *courts* où se pratiquent le jeu de paume [1], l'escrime, le cricket. L'hiver est la saison du patinage qui fait fureur ici. Aux beaux jours, vous irez avec lui sur la Tamise, au Vauxhall et au Ranelagh qui offrent rafraîchissements, danses, musiques, feux d'artifice et le plaisir de paraître tout à fait à la page.

— Et les femmes ? demanda Jean en riant.

— Oui, sans doute, sans doute, dit Defoe en hochant la tête. Les femmes ! On dit que les jeunes ladies ne sont ni lettrées comme les femmes du précédent règne ni spirituelles comme les Françaises, on les accuse même d'être insipides, légères, et brouillonnes... mais on dit aussi qu'elles sont négligées par les hommes, qui préfèrent rester entre eux pour raconter des histoires salaces et se soûler la gueule !

— Les temps ont décidément bien changé, dit Law en souriant à ses souvenirs.

— Licence effrénée et brutalité règnent depuis la mort de la reine Anne, reprit Defoe. Nous avons bien des petits-maîtres qui rendent visite aux belles le matin à leur lever, mais ils sont trop efféminés pour plaire ! Voyez s'il n'y a point là de quoi favoriser un jeune homme qui vient de France !

— Mais le reste de la société, Defoe, la classe du milieu et les pauvres ? demandait Law.

Il était avide de prendre la mesure de ce qui pourrait être fait pour porter remède aux grands maux entrevus dans les rues de Londres. N'avait-il pas tiré les paysans et les ouvriers français d'une affreuse misère ? Defoe le regarda, étonné.

— Vous savez bien, répondit-il, que Londres est, avec Amsterdam, le plus grand centre commercial du monde et que notre capitale rivalise avec Paris en ce qui concerne le bel esprit, les arts et les lettres ; c'est donc une ville bourgeoise ! C'est la classe du milieu qui fait le succès des *Coffee Houses* et des théâtres dès la seconde représentation. Elle habite des logements confortables au-dessus de ses boutiques et n'est ni sotte, ni perverse, ni cynique, je dirai même qu'elle cherche à comprendre l'utilité de la vertu — il n'est pas assuré qu'elle y parvienne ! — et les avantages du conformisme... cela elle le découvrira plus aisément ! Quant aux pauvres, John Law, il n'y a que vous pour vous en soucier ! On les considère ici comme des pestiférés et ils cachent leur saleté repoussante et leur misère tenues pour crimes ! La femme la plus célèbre de Londres et qui passe pour la plus spirituelle — ce qui reste à démontrer — Lady Mary Montaigu, assure qu'il faut « fuir les malheureux, courtiser les favoris de la fortune et ne faire

---

1. Tennis.

confiance à personne » ! Elle affirme aussi que « la vertu est absurde, la noblesse du cœur et le culte de l'idéal, contre nature, la moralité une spéculation de l'esprit et que les pauvres gens sont des animaux » ! Ces propos résument assez bien la mentalité d'une caste privilégiée peu nombreuse. Mais puisque vous vous intéressez à de tels problèmes, qu'il me soit permis de vous représenter la détresse de la classe la plus déshéritée, celle à laquelle j'ai l'honneur d'appartenir.

— Vous, ami !

— Si les écrivains célèbres, comme Pope et Addison jusqu'à sa mort, sont fêtés, riches, trouvent tout le crédit qu'ils veulent et mènent grand train, les gazetiers de Grub Street, couverts de dettes, meurent de faim ! « Les gratte-papier » comme nous appelle Pope par dérision et mépris, « exploités par des gredins ou livrés à eux-mêmes, voguent à la dérive... Ils parviennent tout de même à gagner assez d'argent pour coucher trois dans un lit ou sans lit sur une planche. Beaucoup, sans vêtements pour sortir, travaillent chez eux et grelottent sous des couvertures immondes. On critique leurs mœurs, ils boivent trop sans doute, mais c'est parce qu'ils ne mangent pas assez ! Comme dans une telle situation ils ne peuvent se marier, ils cohabitent avec la seule espèce de femmes qui veut bien d'eux ! S'ils tentent quelque mouvement de révolte, ils sont aussitôt châtiés et brisés, comme je l'ai été [1] ! »

— C'est abominable ! s'écria Law stupéfait. (Il pensait aux gazetiers français qu'il traitait chez lui, gens établis, considérés, redoutés.) Et dire que les gazettes anglaises sont les plus nombreuses et les plus réputées d'Europe !

— Elles marchent, comme les galères, avec des esclaves !

Law réfléchissait à ce monde nouveau, si différent de celui dans lequel il évoluait avant son séjour vénitien qui n'avait eu que l'importance d'une parenthèse.

On arriva ainsi au 1er novembre 1720. En ce jour pluvieux et triste, une lettre de Caterina vint jeter la consternation dans la modeste demeure des deux exilés. Elle leur apprenait l'arrestation de William et une mauvaise affaire : les liquidateurs de la Banque avaient fait main basse sur tous leurs biens et déclaraient nulle la procuration rédigée pour « Madame Law », puisqu'elle n'était pas « Madame Law » mais Lady Seignieur, une étrangère, qui vivait avec des enfants illégitimes chez M. Law de Lauriston. La procuration qu'elle présentait n'était donc qu'un faux, et on lui refusait l'autorisation de quitter la France avec sa fille ! Law, tête baissée, froissait cette lettre en regardant fixement les braises du feu devant lequel son fils et lui cherchaient un peu de réconfort. Il se sentait en proie à une violence dont il ne se croyait plus capable.

— Pourquoi, murmurait Jean, pourquoi ne l'avez-vous pas épousée ?

— Parce que nos relations n'ont jamais correspondu à l'idée que je me

1. Kronenberger.

fais de celles qui doivent s'établir entre un homme et une femme décidés à s'unir pour la vie.

Il n'y avait rien à répliquer en vérité ; pourtant, Jean ajouta :

— Ainsi l'empêche-t-on de percevoir les loyers des maisons du faubourg Saint-Honoré, et l'a-t-on forcée de rendre Guermantes à Prondre, sans qu'elle puisse récupérer l'argent versé pour l'achat de cette propriété ! C'est monstrueux !

— C'est monstrueux, en effet, mais je ne peux cependant pas épouser votre mère, et depuis Londres, pour des quittances de loyer ! Ils ont osé arrêter William ! (Law se leva.) Je vais écrire au Régent !

Jean ne put réprimer un petit sourire :

— Encore ? dit-il. A-t-il jamais répondu à aucune de vos lettres ?

— Il est naturel que vous fassiez montre du scepticisme de la jeunesse à l'égard des gens de mon âge, mais la lettre que je vais lui adresser ne sera point semblable aux autres ; courte et impertinente, elle saura faire comprendre que les bornes sont dépassées ! M. d'Orléans et moi, nous avons l'habitude de nous comprendre à demi-mot...

Jamais cette jolie expression française « à demi-mot » ne lui avait parue plus subtile et plus opportune. Avec des gestes brusques, il tira la table et la plaça devant le feu, regroupa ses plumes, son encrier et le pot à cendres pour sécher les feuilles de papier qu'il glissa sous sa main gauche. D'une écriture plus lâche que d'habitude et qui trahissait son émotion, il écrivit [1] :

> *London, 1ᵉʳ novembre 1721.*
>
> Monseigneur,
> *J'ai été sensible au traitement que j'ai eu de la France, l'emprisonnement de mon frère et de ceux qui avaient marqué quelque attachement pour moi, la rétention de Mme Law et de ma fille, mais surtout l'indifférence que Votre Altesse royale a fait paraître sur mon sujet, me touchent plus que l'état où je me vois réduit. Pourtant je ne puis croire que Votre Altesse royale m'a condamné. Je connais sa justice, elle connaît mon cœur. Je n'ai jamais eu la moindre intention contraire à mon devoir ; je la supplie de me conserver dans cet état. Faites-moi connaître comment Votre Altesse royale veut que je me conduise pour lui marquer mon sincère et respectueux attachement.*
>
> JOHN LAW.

Il se relut à haute voix. Jean le regardait, surpris.

— Qu'en pensez-vous, Jean ?

— Je crois comprendre, monsieur, qu'il y a là quelque menace voilée : vous priez Son Altesse royale de vous conserver en état de ne pas avoir des intentions contraires à celles qui furent les vôtres jusqu'à présent... Et ne

---

1. Cette lettre est conservée dans les archives du ministère des Affaires étrangères, où nous avons pu la lire et la toucher, nous aussi, avec émotion.

dites-vous pas aussi que vous ne savez plus comment vous conduire et que vous pourriez bien, en conséquence, changer de conduite ?

Le visage de Law s'éclaira ; la finesse dont son fils faisait preuve le réconfortait.

— Si vous, qui êtes jeune et sans expérience, comprenez si bien le sens de ces lignes, jugez de ce qu'il en sera d'un roué comme le Régent !

— Mais pourquoi vous craindrait-il, à cette heure ?

— Parce que je peux parler et écrire. On n'a pas été à la tête des affaires d'un pays sans savoir beaucoup de choses. Son Altesse royale est déjà certainement informée de mon intention de consacrer mes loisirs à rédiger une Histoire des Finances pendant la Régence ! Et il y a, figurez-vous, diverses manières de faire cet ouvrage... On peut dire toute la vérité ou n'en dire qu'une partie !

— J'entends, monsieur, mais il n'y a que l'entière vérité qui intéressera et son aveu vous fera courir de grands dangers ! Ne dit-on pas que lorsque quelqu'un connaît trop de secrets d'Etat et en parle, on le fait dépêcher, où qu'il se trouve ?

Law, rêveur, posait au loin son regard, comme autrefois.

— Les faits n'en seront pas moins consignés, dit-il enfin. Et je saurai les mettre en lieu sûr.

L'image de la tour ronde de l'hôtel de Mercœur émergeant des ardentes frondaisons de l'automne le visita ; il la retint un instant avec une douloureuse douceur, puis ajouta :

— Oui, ils peuvent me craindre !

Jean hocha la tête, toujours sceptique. Il pensait que son père avait besoin d'avoir cette conviction et ne répondit pas.

Cependant Law, après avoir séché et plié sa lettre au Régent, prenait une autre feuille de papier.

— Par ce même courrier, expliqua-t-il, j'expédie deux nouvelles procurations afin de ne pas retarder la liquidation de mes affaires.

— Mon Dieu ! A qui donc allez-vous les donner ? Qui, aujourd'hui, en France, peut prendre à cœur votre défense et vos intérêts ?

— Je n'ai guère le choix, en vérité ! Mes amis, sans crédit et sans influence, ne peuvent rien ; je vais m'adresser au prince de Vendôme, parent du Régent, qui n'est pas plus canaille que les autres et qui est moins indifférent, et au marquis de Bully. Ne m'a-t-il pas témoigné une amitié désintéressée ? Je le crois capable de dévouement et sensible aux dénis de justice.

— Bully !... c'est vrai, dit Jean, songeur.

Ce soir-là, Law écrivit aussi à Nathalie de différer, une fois de plus, son départ, afin de joindre sans tarder Vendôme et Bully. Il l'assurait que sans des interventions répétées de sa part, ces grands seigneurs, qui n'étaient pour lui que de lointaines relations, n'entreprendraient pas le difficile combat dont il les priait de se charger. Lorsqu'il eut achevé son courrier, Jean, qui méditait en silence, soupira :

— Si vous aviez accepté les offres du tsar ou d'autres souverains, en serions-nous là ?

— L'Angleterre ne m'a-t-elle pas fait dire qu'elle prendrait ombrage que j'aille porter ailleurs mes connaissances et mon expérience ? Et Lord Carteret ne me reçoit-il pas après-demain dans la matinée ?

Dans la nuit du 3 au 4 novembre, devant cette même cheminée, Jean, en compagnie de Daniel Defoe et de son cousin Wallingford qu'il avait retenus à souper, attendait son père qui ne rentrait pas. Comme deux heures du matin sonnaient, il répéta sourdement pour la centième fois :

— Il est parti hier matin de bonne heure, Lord Carteret l'attendait à onze heures de relevée ! Il faut bien se résoudre maintenant à envisager le pire ! Je lui disais, voici trois jours à peine, que je redoutais pour lui de graves dangers car il sait trop de choses sur les affaires de la France.

Il se tut et cacha son visage dans ses longues mains fines sur lesquelles retombaient ses cheveux blonds en désordre. Sa fragilité disait sa détresse... Elle émut ses amis. Wallingford lui donna une tape amicale dans le dos :

— Quoi qu'il arrive, vous ne serez pas seul...

— A l'aube, j'irai aux nouvelles ! grogna Defoe.

Jean s'était mis à aimer son père et seuls, pouvaient l'arracher à son angoisse le pas et la voix qu'il entendit soudain et qui le firent bondir. La porte s'ouvrit bruyamment. Defoe et Wallingford se levèrent aussi. Law riait et reçut son fils dans ses bras tendus. Il le sentait vibrer contre lui et fut saisi d'une émotion profonde. C'était un instant privilégié, semblable à celui de leur rencontre dans une des allées solennelles de Lauriston. Voici que se dégageait des brumes du passé, dans sa force et dans sa douceur, le sentiment secret qui les liait depuis lors, bien que seul le subconscient du jeune homme ait pu en conserver la trace. Law prit dans ses mains la tête de son fils, dont le visage dans sa virilité nouvelle portait bien ce reflet de lui-même qu'il avait tant désiré y retrouver un jour. Il lui semblait qu'il le découvrait pour la première fois.

— Vous nous avez inquiétés, dit simplement Daniel Defoe.

— Pouvais-je prévoir que Lord Carteret me garderait à dîner et que, devant recevoir Destouches, le résident français à Londres, sur les trois heures de relevée, il me demanderait d'attendre dans un salon la fin de cet entretien ? La visite de Destouches fut brève. Si j'en crois le ministre, notre Français s'est borné à lui représenter que mon séjour à Londres n'était agréable ni à Dubois ni au Régent. Carteret lui a répondu que le roi George m'avait accordé la remise de ma peine, qu'elle me serait signifiée officiellement sous peu et que, de ce fait, je rentrais « dans les droits et privilèges des Anglais qu'aucune puissance, aucune raison politique, aucune nécessité ne peut bannir de leur pays [1] ». Sur ce, notre conversation reprit jusqu'au souper que Son Excellence me pria à nouveau de partager et nous continuâmes à parler jusqu'à cette heure tardive. Vous me croyiez mort ?

1. Archives du ministère des Affaires étrangères.

Soyez assuré, Jean, que si j'avais dû rester sans nouvelles de vous un temps aussi long, je serais dans un aussi triste état !

Jean lui adressa un long regard. Tous les amours, toutes les amitiés, toutes les relations humaines authentiques sont faites de ces réciprocités en dehors desquelles rien ne se construit dans le cœur des hommes.

— Que s'est-il passé ? demanda Wallingford, impatient d'entendre le récit du financier.

— Nous avons l'un et l'autre sondé nos intentions respectives et fait le tour d'horizon qui s'imposait. John Law enfin face à face avec le gouvernement anglais, en la personne de Carteret, cela ne pouvait se passer en une heure ! Le temps ne comptait plus... Nous avons bien sûr parlé du tumulte qui accueille ma personne, des articles des gazettes, de la prochaine séance à la chambre des Lords qui a lieu dans cinq jours. Il sait qu'il sera violemment pris à parti pour avoir favorisé mon retour. Il est informé que le comte Coningsby va l'accuser d'avoir envoyé l'escadre de Norris dans la Baltique pour me ramener à son bord. Aussi a-t-il commencé par me reprocher d'être revenu par ce moyen mais il a vite compris qu'il ne fallait point avec moi jouer dans ce ton-là ! Du reste, Carteret a sa plaidoirie toute prête dans la réponse qu'il a faite à Destouches : on ne peut interdire à un sujet britannique d'entrer en Angleterre et d'y vivre, pour avoir contrevenu, il y a un quart de siècle, à la loi contre les duels — même s'il a tué son adversaire — alors qu'il va recevoir officiellement la grâce royale !

— Mais, monsieur, s'étonnait encore Jean, vous avez reçu la naturalité française !

— Sans perdre la naturalité écossaise qui, depuis l'union de mon pays avec ce royaume, a fait de moi un sujet britannique. Du reste, la promulgation de certaines lois nouvelles va, paraît-il, étayer la thèse de Carteret. Nous sommes convenus que je serai reçu à la Banque d'Angleterre demain et que, le 9 décembre, je comparaîtrai devant un tribunal composé de dix pairs et appelé « Le Banc du Roi ». Au cours de cette cérémonie, les lettres de grâce concernant la mort de Wilson me seront solennellement remises. Un peu plus tard, je serai reçu par le roi et par le prince de Galles.

— C'est magnifique ! s'écria Defoe. Je comprends que, pour en arriver là, vous ayez dû conférer longtemps !

— J'ai surtout parlé du Système. Carteret a voulu que je lui en explique les divers aspects et que je lui décrive les moyens mis en œuvre pour le détruire... (Il se rembrunit et ajouta :) Sans doute voulait-il vérifier si les agents anglais avaient bien rempli leur mission ; j'ai pu, à ce sujet, lui donner toutes garanties ! Mais sur ce chapitre, il était naturellement bien informé et je lui ai dit que je serais heureux qu'il m'en apprenne beaucoup plus que je n'en savais, comme il pouvait assurément le faire. Il n'y avait pas là de quoi désarçonner un membre du cabinet anglais ! Etrange dialogue, en vérité... Je lui ai dit alors que « j'étais persuadé que l'Angleterre avait beaucoup souffert dans ces dernières années et que les autres Etats avaient souffert un peu, alors que la France gagnait... mais, ai-je ajouté, l'action a été si vive que les Français, peu accoutumés à ces sortes d'affaires, ont eu peur. Ils ont battu l'ennemi ; ils ont enlevé le butin et pourtant les Anglais sont restés maîtres du champ de bataille [1]. » Alors, Lord Carteret m'a tendu la main comme si nous venions de disputer une partie de jeu de paume. Il m'a affirmé que « les bourgeois de Londres sont d'opinion que leurs affaires prendront faveur puisque je serai parmi eux et qu'ils espèrent que je les aiderai... On m'a déjà donné l'honneur du petit retour de confiance pour le crédit qui a paru depuis mon arrivée, car les fonds ont un peu augmenté. La demande sur la Banque a cessé et on porte des matières à la Monnaie, ce qu'on n'avait pas fait depuis longtemps et qui marque que les espèces ne sortent plus du royaume et que les changes deviennent favorables [2]. »

— Vous aurez bientôt ici une position élevée ! s'émerveillait Wallingford.

— Assurément ! dit Defoe.

— Madame ma mère et ma sœur pourront alors nous rejoindre, murmura Jean bouleversé.

Law ne répondit pas. Il voulait à tout prix arracher Marie-Catherine à l'enfer de Paris, mais il se sentait incapable de reprendre, dans l'exiguïté d'une vie hasardeuse, la cohabitation avec Caterina. A cette idée, une sueur froide perlait à son front et se faisait plus ardent en lui le besoin de retrouver Nathalie. Quant aux ambitions et aux rêves, il n'y avait plus, dans la cendre de ses illusions mortes, la moindre braise pour rallumer le feu de l'espoir.

TEL QU'EN LUI-MÊME
(Suite)

« Mon Amour,

« Se peut-il qu'une année entière se soit écoulée sans que nous puissions nous rejoindre comme nous en avions formé le dessein ! Ainsi le destin implacable se rit-il des projets les plus chers et des efforts les plus désespérés. Ainsi allons-nous de semaine en semaine : vous, m'assurant que vous devez demeurer à Paris pour essayer de me concilier le Régent et pour que ne fléchissent pas Vendôme et Bully, exaspérés par Lady Caterina, par les liquidateurs du Système et mes soi-disant créanciers ; moi, vous représentant que vous ne pouvez venir à Londres dans ces temps-ci où, étroitement surveillé, pour ne pas dire espionné, j'ai trop souvent — en dépit de certaines apparences — le sentiment que tout se dérobe sous mes pas. Mon existence devient chaque jour plus difficile. Que ces dures réalités sont contraires à nos vœux ! Quand tout cela finira-t-il ?

« Parfois, des signes favorables apparaissent dans l'étrange déroulement des événements ; mais les signes changent aussi facilement que les reflets sur

1 et 2. John Law.

la face des nuages ou des eaux. Fluides, mouvants sont les éléments de nos vies ; ils coulent entre nos doigts crispés dans l'espoir de les retenir. Il faut avoir longtemps et rudement entrepris cette tentative pour en mesurer la vanité. Instinct mystérieux, en vérité, que celui qui nous entraîne à continuer la lutte contre des forces qui nous emportent implacablement et nous broient ! Mais nous laisser aller dans ce courant serait renoncer à notre dignité et à l'illusion de notre liberté. L'une et l'autre n'existent que par ce dérisoire et inégal combat. Parfois, sans doute, le cœur défaille ; c'est alors qu'il nous faut nous souvenir que ces mêmes forces nous conduisirent l'un vers l'autre et nous font vivre l'un par l'autre. De si loin, à cette heure, je ne vis que par vous...

« Nathalie, vous me mandez dans votre dernière lettre quelques-uns de ces signes favorables. Je n'y vois point lieu de s'étonner. Le temps est venu où les voyageurs revenant de Louisiane peuvent témoigner qu'il s'y fait maintenant de grands établissements. Michel-Léon du Vergier, que j'avais envoyé là-bas, aura répondu à la confiance que je mettais en lui et sera parvenu à rétablir la situation [1]. Quant à un retour de l'opinion en ma faveur [2], vous savez bien qu'il n'y a eu que quelques coteries, des plus puissantes, il est vrai, qui se soient déclarées contre moi. Ce qui compte, hélas, ce sont les pensées qui habitent le Régent et Dubois : la lâcheté de l'un, la bassesse de l'autre nous laissent-elles quelque espoir ? Vous le croyez, parce que M. d'Orléans a fini par vous accorder l'audience que vous lui demandiez depuis mon départ, parce qu'il vous a parlé de moi de telle manière qui vous a touchée, parce qu'il vous a assurée qu'il vous reverrait sans tarder. Qu'en sera-t-il, sous peu, de tout cela ? Les paroles et les promesses de ce prince ne sont-elles pas plumes légères que la première brise emporte ? Ne craignez pas la liberté de ces propos ; le messager qui vous remettra cette lettre — un ami de Daniel Defoe — est sûr ; elle ne risque pas de tomber entre les mains des sbires du Cabinet Noir de M. de Torcy. Pardonnez-moi de troubler de la sorte votre fermeté. Voyez ce que la constante adversité a fait de moi !

« J'ai pourtant, à mon tour, à vous faire part de quelques-uns de ces signes favorables que nous nous efforçons de déchiffrer. Que penserez-vous de ceux-ci ? J'ai été reçu, le 5 novembre, à la Banque d'Angleterre, comme j'aurais pu l'être du temps que j'étais surintendant des Finances de la France. Ce fut au cours de cette visite fort cérémonieuse que j'ai appris l'arrestation de mon rude adversaire, Blunt. N'est-ce pas singulier ? Il y eut le 9, à la chambre des Lords, une nouvelle séance orageuse à mon sujet ; mais, après d'interminables débats, tard dans la nuit, Lord Carteret a fini par confondre mes adversaires. La société s'empresse donc de plus en plus dans cette drôle de petite maison de Conduit Street, qui vous ferait sourire si vous la voyiez !

« Le jeune cousin de Jean, Wallingford, beau et galant, nous a introduits chez la duchesse de Kendall, ex-frau Schulenburg, surnommée Mât de

1 et 2. Décembre 1721.

Cocagne, qui assure la moitié des plaisirs du roi, l'autre moitié étant assurée par Frau Kielmansegge, devenue comtesse de Darlington. Elles sont redoutables comme leur maître ; malheur à qui n'obtient pas leurs faveurs, lesquelles sont toujours d'un prix élevé ! J'ai obtenu celles de Mât de Cocagne sans bourse délier et sans y avoir mis d'empressement et m'en voilà fort embarrassé. Il faut vous dire que cette mégère fit assassiner le jeune comte danois, amant très aimé de la spirituelle et malheureuse reine Sophie-Dorothée, que le roi George tient prisonnière pour le reste de ses jours. Imaginez-vous que le crédit de cette aventurière est tel qu'elle s'est fait donner le monopole de la fabrication des monnaies irlandaises ; la révolte qui, alors, éclata dans ce pays inspira à Swift un réquisitoire passionné, intitulé *Lettres d'un drapier.* N'est-il pas effrayant qu'une telle personne vous poursuive de ses avances ? Ne s'est-elle pas mis en tête de m'amener à la comédie, à l'Opéra puis souper au palais de Saint-James ! Que peut faire dans cette situation un proscrit si dépendant de la faveur royale ?

« Plaignez-moi, car je vais être fort importuné de ce côté et ne suis pas, en dépit de ma triste position, si facile. Peterborough non plus ne me lâche pas. Vous ai-je dit qu'il a fini par épouser secrètement Anastasia Robinson, ce qui fait quelque bruit à Londres ? Il est toujours aussi maigre, excentrique, intrigant et serviable. Il nous a invités, mon fils et moi, à dîner avec Destouches, sans nous prévenir l'un et l'autre de cette rencontre ! L'embarras de ce pauvre résident français, que Dubois a envoyé à Carteret pour presser le cabinet anglais de m'expulser, était plaisant à voir ! Il y avait aussi d'autres convives : le comte Gazzola, envoyé du duc de Parme qui a le « secret [1] » de la négociation entre l'Espagne et l'Angleterre, et le général Marsigli. Je rencontre souvent dans cette maison, où je suis bien accueilli, une très aimable femme : Lady Henrietta Howard, l'influente maîtresse du prince de Galles, auprès de qui elle veut m'introduire prochainement. Elle aussi me témoigne de l'amitié. Elle me paraît distinguée, spirituelle, sensible et généreuse.

« Enfin, le 9 décembre, je fus de nouveau cité devant la cour de King's Bench ! Nathalie, pouvez-vous imaginer mon sentiment en me retrouvant en ces lieux, où j'entendis, à l'âge de vingt ans, prononcer contre moi la condamnation à mort qui aura pesé si lourdement sur toute ma vie ! Le ridicule de la « cérémonie », si semblable par tant de points à celle qui se déroula dans la cathédrale de Melun [2], me délivra d'une émotion trop vive. Pour la seconde fois, l'obscure et profonde sottise des hommes et mon singulier destin m'ont contraint de subir à genoux d'incompréhensibles rituels. Celui-ci m'imposa cette position incommode devant un tribunal. Dix pairs, dont certains, comme Argyll et Campbell, sont mes parents, m'assistaient. L'on appelle cela « Le Banc du Roi » ! Je dus reconnaître le bien-fondé de l'inique sentence et déclarer que je n'attendais rien que de la clémence du souverain. On me lut alors la déclaration de ladite clémence et

---

1. Qui est le négociateur officieux.
2. Celle de l'abjuration de sa foi protestante.

l'on me tendit un document signé de George Ier. Après quoi, il y eut des congratulations et je dus remettre de « petits cadeaux », sous forme de livres anglaises, à quelques-uns de ces grands seigneurs, fort semblables, vous le voyez, à certains puissants personnages de la Cour de France que nous connaissons bien !

« Je dois maintenant être reçu par le roi George.

« Que signifie toute cette agitation ? Où me conduit-elle ? Je n'en sais rien. Si c'est vers vous, comme il m'arrive de l'imaginer parfois, alors tout est bien, mon amour. Mais, pour nous qui avons partagé de si grands rêves, qui avons senti reposer sur nos épaules l'immensité d'un monde et la vie de millions d'hommes, que sont ces pantomimes et ces caquetages ? Je n'y suis point fait ; je ne m'y fais point.

« Voici Noël, ma mie, et c'est ici une féerie qui rend plus aiguës certaines douleurs.

« Je suis pauvre de vœux, moi qui vous attends, je n'en peux offrir qu'un seul à vous qui m'attendez. Quel triste soir pour vous et pour moi !

« Terminer une lettre, c'est vous quitter encore. Ce mal me guette au bas de la page. Loin est votre corps ardent, et mon douloureux désir s'éveille en vain. Loin est votre âme tendre, et je suis seul. Loin est votre esprit pénétrant, si subtilement marié au mien, et me voici perdu...

« Dans cette épreuve retrouvez-moi pourtant semblable à moi-même.

« JOHN LAW. »

La bûche s'effondra en craquant ; les braises rougeoyèrent ; Jean saisit la pincette pour rebâtir le feu ; de nouvelles flammes jaillirent aussitôt. John Law plia sa longue lettre, puis regarda le buffet sur lequel la servante avait placé une branche de houx et un pudding ; sa gorge serrée le condamnait au silence. Il essaya de se contraindre à un sourire pour son fils ; ce fut un sourire navré. Le petit Jean, qui l'observait, détourna la tête.

— Il neige fort, ce soir, dit enfin Law.

— Presque autant qu'il y a un an, sur les routes d'Allemagne où nous roulions péniblement.

— Ce fut un Noël bien triste, mon enfant. J'aurais voulu que celui-ci fût plus gai pour vous. Pourquoi vous êtes-vous obstiné à refuser l'invitation de votre gentil cousin, quand je vous pressais de l'accepter ? J'aurais aimé que vous fissiez réveillon avec des jeunes gens de votre âge.

— Et moi, monsieur, je n'aurais pas aimé vous laisser seul au logis. Et puis, la pensée de madame ma mère et de ma sœur, tête à tête dans je ne sais quelle demeure, me trouble le cœur.

— Sans doute, sans doute... Defoe nous avait bien conviés à manger le pudding avec ses dix-sept enfants ; le courage m'a manqué. Dix-sept enfants ! C'est au-dessus de mes forces, même pour un soir. Le tragique est que c'est également au-dessus des siennes [1] ! Peut-être eussé-je dû accepter néanmoins...

---

1. Defoe finit par vivre loin des siens, en solitaire.

— Sûrement non, monsieur. N'êtes-vous pas déjà assez mal à l'aise, sans aller ajouter tout ce bruit à votre déplaisir ?

Ils se taisaient depuis un long moment, lorsque, soudain, on frappa à la porte. Jean alla ouvrir : c'était une lettre de France. Peterborough, retour de Paris où il se rendait fort souvent, la faisait porter avec une invitation pour le lendemain. Le visage du jeune homme s'éclaira :

— L'écriture de ma mère ! s'écria-t-il. Elle a fait en sorte que nous ayons des nouvelles le soir de Noël !

Il tendit le pli à son père, qui l'ouvrit sans empressement. Il en commença la lecture, mais bientôt le papier lui échappa des mains ; Jean le ramassa vivement.

— Lisez, dit simplement Law, défait.

Le jeune homme lut et pâlit à son tour. Caterina leur apprenait que les commissaires liquidateurs, qui avaient arrêté leurs opérations le 10 août 1721, annulaient purement et simplement tous les effets non présentés au visa institué à cette date. Ainsi, les actions, les billets, les comptes en Banque de l'ex-surintendant des Finances, mis sous séquestre et qui, de ce fait, n'avaient pu en temps voulu être soumis au contrôle, perdaient toute valeur. Le marquis de Bully venait de transmettre à Caterina un arrêt daté du 16 décembre, pris par le conseil de Régence et signé par le duc d'Orléans, qui autorisait la mise en vente de tous leurs biens. Bully, atterré, signalait que cette mesure provoquait, chez ceux qui croyaient Law leur débiteur, une agitation extrême : ils apprenaient en effet que le produit de la vente des terres et des immeubles serait affecté en priorité, et sans doute en totalité, au règlement de soi-disant créances du roi. Bully ne cachait pas ses craintes : tandis que l'on s'apprêtait à faire ainsi main basse sur cette fortune, on répétait à ceux qui réclamaient leur dû qu'ils devaient s'adresser à l'ex-ministre, lequel avait emporté une partie des fonds publics en Angleterre. On pouvait donc redouter que certains ne vinssent à franchir la Manche et, parvenus à Londres, dans leur fureur de ne rien obtenir, n'envoyassent l'exilé à la prison pour dettes.

Jean relut deux fois cette partie de la lettre. Son regard épouvanté fit mal à son père.

— Qu'allez-vous faire ? demanda-t-il d'une voix blanche.

— Je n'ai pas cent livres d'avance pour tenir ma maison, murmura Law.

— Mais vous voyez le roi dans quelques jours et le prince de Galles à la fin du mois ! Et Lord Carteret ne vous a pas entretenu si longuement sans quelque dessein...

— L'Angleterre est à un tournant, et ce n'est pas un homme seul qui décide ici.

Après réflexion, Law reprit :

— Je pense que la France, par de tels excès, cherche de plus en plus à me déconsidérer, tant Dubois et le Régent doivent craindre de me voir accéder à quelque poste important en ce pays, avec toutes les conséquences qui en découleraient. Hier, on me persécutait pour empêcher mon retour à Paris ; aujourd'hui, on veut empêcher que je sois investi d'un pouvoir à Londres.

C'est assez bien calculé ; car, sitôt connue la nouvelle de la vente publique de mes biens et de ma ruine complète, toutes les portes se fermeront devant nous ; l'on détournera la tête en nous apercevant. Ah ! Jean, comme vous avez eu tort de ne pas aller faire réveillon avec votre gentil cousin...

Le jeune homme ne répondit pas ; mais des larmes montèrent à ses yeux clairs et brillants comme ceux de son père.

— Vous demandez ce que je vais faire ? poursuivit celui-ci. Quitter dès que possible ce logis ; si modeste soit-il, et gratuit, il nous entraîne trop loin : un valet, une servante, une écurie, un attelage, des visites... Deux chambres nous conviendront mieux désormais, et je ne veux pas demeurer chez Lord Londonderry qui, demain, si le gouvernement anglais renonce à mes services, se joindra à mes soi-disant créanciers... Oui, partir d'ici, et au plus vite !

Jean tomba à ses genoux, le regard animé d'un espoir soudain :

— Il vous faut confondre vos ennemis, comme vous le fîtes si souvent, et rétablir votre fortune ! Les maisons de jeux se multiplient ici ; tout y est dans ce domaine encore plus aisé qu'à Venise.

A la grande surprise du jeune homme, Law ne répondit pas. Au bout d'un long silence, il se leva, fit quelques pas dans le clair-obscur de la pièce et dit enfin :

— Non, je ne jouerai pas en Angleterre.

— Mais, monsieur, y pensez-vous ? Les prisons anglaises sont telles que les malheureux qui y sont enfermés n'en sortent, dit-on, pas vivants ! Alors que votre fameux secret...

— Ecoutez-moi, Jean : mon fameux secret, s'il nous a permis de vivre, jusqu'à ce jour, de l'argent gagné au Ridotto, et s'il m'a permis en effet, dans le passé, de rétablir mes affaires, m'a aussi valu de sérieux ennuis et jusqu'à des arrêts d'expulsion dont je n'ai que trop souffert. Les Anglais sont implacables ; ils pourraient ne pas supporter longtemps une infaillibilité qu'ils supposeraient malhonnête quand bien même elle ne serait que mathématique. Dites-vous que l'ex-surintendant des Finances de la France, auquel Lord Carteret pense peut-être encore, à cette heure, confier des responsabilités, ne saurait se retrouver pris de corps dans une maison de jeux de Londres, ni expulsé de ce royaume comme un vulgaire fraudeur — et ce, pour ainsi dire, sous le regard de Paris. Représentez-vous les calomnies abominables dont je suis l'objet. Songez que je me suis rapproché de la capitale française afin de démontrer ma dignité, mon honorabilité et de confondre mes détracteurs [1].

Sa voix se brisa, laissant percer son émotion et sa sincérité autant que sa détresse.

Jean se redressa et lui saisit les mains avec élan :

1. Ce refus de jouer à Londres, en 1721, alors que le jeu l'eût sauvé, est sans doute l'un des points les plus importants et, en tout cas, le plus révélateur de cette histoire. A notre connaissance, aucun historien, aucun biographe, jusqu'à ce jour, ne s'en est soucié.

— Mais monsieur, l'idée que l'on se fait de vous sera-t-elle meilleure, si l'on vous sait en prison ?

Law retrouva à cet instant son regard de visionnaire, dominant tous les obstacles, toutes les contradictions.

— Oui, dit-il enfin, oui ! Elle sera meilleure, et même tout à fait changée. On dira : il était honnête, scrupuleux ; il n'a rien voulu emporter de France et il était si pauvre qu'il est allé pourrir et mourir dans la prison pour dettes d'où il avait tiré tant de malheureux ! On dira : tous ceux qui lui devaient tant, le Régent, le roi de France, auxquels il a donné un empire, une compagnie de commerce florissante, des manufactures prospères, un système de finances qui fait l'envie des nations et même son immense fortune personnelle, l'ont abandonné ; tous ceux auxquels il a prêté des sommes considérables qu'ils ne lui ont pas rendues, tous ceux qui l'ont pillé, volé, et jusqu'au peuple qu'il a sauvé de la misère, du désespoir et de la mort, tous, ils l'ont abandonné. Voilà ce que l'on dira...

— Et vos enfants ?

— La honte ne sera pas sur eux, mais l'honneur, et justice, alors, pourra leur être rendue.

— Pourtant, monsieur, vous avez connu les prisons anglaises, et elles sont bien pires, dit-on, qu'au temps de votre jeunesse : le froid, la faim, la saleté et les épidémies torturent et tuent les malheureux, laissés sans soins ; ils croupissent parmi leurs excréments ; ce sont des morts-vivants condamnés à une lente et abominable agonie !

Jean vint se jeter contre l'épaule de son père. Law caressa ses cheveux blonds et répondit avec douceur :

— Nous sommes tous mortels, Jean. Je crains fort que les prisons anglaises ne soient inscrites dans ma destinée. Voyez : à peine suis-je gracié, que de nouveau me voici menacé de retourner dans les geôles du roi d'Angleterre. Mais ne vous effrayez pas ainsi : je n'y suis pas encore ! Réfléchissons plus calmement : je ne puis croire que je serai entièrement volé et spolié et que mes mandataires ne parviendront pas à sauver des bribes de ma fortune et de mes biens.

Le regard perdu en lui-même, il énuméra :

— Une concession de 256 lieues en Louisiane, des parts dans sept des plus grandes sociétés de colonisation, et en France : le marquisat d'Effiat en Auvergne, les terres de Tancarville, Domfront, la Rivière, Toucy, d'Orches, d'Yveille, de Guerponville, de Guermantes, de Roissy et le duché de La Valette...

Jean prit le relais de l'énumération, qui sonnait aussi étrangement, en cet instant et en ce lieu, que la récitation des richesses de l'Inde, de l'Amérique et des îles fabuleuses, jadis, dans la misère et le froid de la nuit de Noël 1709 :

— ... Une partie du quartier Saint-Roch, six immeubles place Vendôme, deux immeubles rue des Petits-Champs, deux autres rue Vivienne...

— Si tout cela m'était volé, reprit Law, je sacrifierais les quelques beaux tableaux que nous avons rapportés de Venise.

— Ils sont toute votre joie ! Après avoir tout perdu, vous espériez ne vous en séparer jamais.

— Ma joie ? Je l'ai laissée en France.

— Disons votre consolation.

— Suis-je consolable à cette heure ? En attendant, il va falloir vivre. Je vais tenter d'utiliser la nouvelle de la vente de mes biens pour faire valoir auprès de mes amis que je vais toucher quelque argent — je ne vois pas comment il pourrait en être autrement ! — et je leur demanderai de me prêter de quoi subsister jusqu'à ce que je reçoive les fonds qui me permettront de les rembourser. Allons, Jean, ne nous laissons pas abattre ! Débouchez-moi cette bouteille de vieux vin français que l'on m'a envoyée le mois dernier ; je l'ai gardée pour la boire avec vous ce soir. Dieu sait si nous avons besoin de nous remonter ! Et attaquez-moi ce pudding qui me rappellera mon enfance ! Ah ! si vous aviez connu la maison de votre grand-père, dans l'enclos du Parlement d'Edimbourg, et les joyeux Christmas que l'on y célébrait avec ma mère, si douce... Mais tout se défait ici-bas, même nos douleurs. Que Noël fasse descendre en vous et en moi un peu de sa paix et de son espérance !

HANOVER SQUARE

Le vent coulis qui passait sous la porte et cette table boiteuse qui chavirait si l'on n'y prenait garde, tourmentaient Law, penché sur les feuillets déjà nombreux de son *Histoire des Finances pendant la Régence*. « D'un style ferme et souvent admirable, il remuait le destin des nations dans une pauvre chambre de Hanover Square. »

Lord Townsend, Premier Ministre, n'avait pas voulu associer à son gouvernement un personnage dont le prestige était tel que son retour aux Iles Britanniques avait suffi à faire rentrer dans les coffres de la Banque d'Angleterre les fonds des bourgeois de Londres !

Jean commençait à comprendre que son père n'eût pas voulu aller en Russie. Ici, au moins se contenterait-on de les laisser mourir de froid et de faim.

Finies les joyeuses plaisanteries de Mathew Prior ! Et Sa Grâce le duc d'Argyll, le comte d'Islay, Mylord Campbell et Mylord Peterborough ne pouvaient être conviés à monter l'infâme escalier d'un si pauvre logis, ni à s'aventurer dans les bas-quartiers de la ville ! Pour oublier cet environnement, Law retraçait fébrilement sur le papier certains propos pathétiques qu'il lui était arrivé de tenir au Régent :

« Ce Système embrassait tout le corps de l'Etat, la terre et ses productions, les bâtiments, les chemins, les rivières, les deux mers, la navigation, en un mot les fonds et la superficie.

« Il remuait le travail, l'industrie et l'imagination des hommes. Il donnait le mouvement à toutes choses. Il s'étendait sur toutes les nations étrangères, même les plus reculées et intéressait les quatre parties du monde.

« On conviendra du moins que voilà une noble et grande idée et qu'il y avait plus à espérer de la tête qui l'avait conçue que de celles qui n'avaient enfanté qu'une banqueroute. (...)

« Devait-on souffrir plus longtemps un brigandage meurtrier de l'Etat, que les lois punissent par des supplices sans qu'elles y apportent de remède, et ne pas secourir les fonds, l'industrie et le commerce, accablés depuis plus de trente ans sous le poids d'une usure criminelle ? Les laboureurs, les ouvriers, le peuple, les marchands composent la partie la plus nombreuse et la plus considérable ; ce sont eux qui soutiennent l'Etat, la noblesse et les autres citoyens. C'est de leur travail que sortent toutes les richesses (...). On a eu la cruauté de se plaindre qu'ils devenaient trop riches ! (...) Les rentiers se figurent peut-être former un corps nombreux dans l'Etat, je leur déclare qu'ils ne sont pas en proportion d'un contre mille. Tous les maux causés par le Système se réduisent à la diminution de la fortune des prêteurs à gros intérêts et des rentiers (...).

« *Le Système aurait péri parce que la Banque était épuisée ? C'est la raison dont on s'est servi pour le détruire et toutes les autres parties qui en étaient les branches. Il n'y avait donc point d'argent en 1721 dans les coffres du roi ? Comment est-il arrivé qu'il s'y trouve aujourd'hui quatre-vingt-onze millions sans qu'on ait fait aucune affaire nouvelle[1] ?*

« Les opérations ont été si vives (rapides) que, semblables à des éclairs, elles ont ébloui les regards sans être conçues (comprises). On a été effrayé, on a admiré, on a blâmé sans connaissance. Les esprits se sont confondus dans l'espérance et dans la crainte, agités de joie, d'alarmes, de regrets ; la raison a cessé d'agir et la passion a déterminé diversement les pensées, les sentiments et les actions...

« Pendant que les affaires s'arrangeaient, les cervelles se troublaient et, fixées par des maux particuliers, elles ne voyaient rien de tout ce qui se faisait en faveur de l'Etat. Ainsi on ne saurait trop condamner cette funeste précipitation par laquelle a péri le noble projet de procurer l'abondance à tout un grand peuple et cette douleur doit se renouveler toutes les fois qu'on voit des malheureux : " *Illic sedimus et flevimus cum recorda remur Sion[2] !* " »

Il leva la tête pour réfléchir et vit l'épais brouillard qui collait aux petits carreaux de l'unique fenêtre. Il frissonna et se leva pour mettre la bouilloire devant le feu. Il prit sur une étagère la boîte de thé, la théière et une tasse. Il était seul. Jean patinait avec son cousin sur les eaux de février, prises de givre et de frimas. Oui, cette table qui succédait aux bureaux de marqueterie ornés de bronzes admirables sur lesquels il travaillait à Paris, cette table lui était un tourment permanent.

1. Constat authentifié par arrêt en 1723.
2. « Là nous nous sommes assis et nous l'avons pleuré. Souvenons-nous de Sion ! » John Law, *Histoire des Finances pendant la Régence*, 1722.

— Il y a ainsi, murmura-t-il, dans de telles situations, d'infimes détails qui blessent l'âme.

Sous la pression de sa solitude intérieure, il avait pris l'habitude de dialoguer ainsi avec lui-même, souvent à mi-voix et toujours en français. Il s'en étonnait.

— Est-ce un effet de l'âge ?

Mais un méchant miroir lui renvoyait l'image éclatante de sa maturité qui troublait encore bien des femmes. Lady Henrietta Howard laissait s'attarder sur son visage un beau regard noyé, et la duchesse de Kendall... A cette pensée, Law, furieux, empoigna en grognant sa bouilloire et versa l'eau chaude dans la petite théière de porcelaine ornée d'oiseaux et de fleurs qu'un grand vaisseau avait rapportée de Chine jusqu'en Angleterre. Le rêve des « Indes » se déroulait en cet instant sur sa panse minuscule et là, dans cette mansarde du nord de l'Europe, au cœur de l'hiver, un printemps du bout du monde le visitait. C'était au cœur d'un autre hiver, celui de 1709-1710 que, dans une taverne des bords de Seine, ce rêve était entré en lui. Où donc se trouvait à cette heure le Chevalier de la Mer ? Ils avaient partagé ces songes qui avaient permis de délivrer le Coromandel de maux insupportables. Là encore, quelle œuvre accomplie ! Comment tout dire, tout présenter à la postérité alors qu'il en était réduit à se justifier comme un laquais congédié pour voleries ? Il se surprit à sourire ; en vérité, l'absurdité de la vie pouvait dépasser le dérisoire pour atteindre au comique ! Peut-être les historiens de l'avenir... après tout, c'est leur métier, aux historiens ! Encore ne faudrait-il pas qu'ils se fondent sur les libelles financés par Dubois et ses alliés. Est-ce que de telles sottises pourraient se produire ? Il réfléchit et se répondit à lui-même :

— Certainement !

Et il chercha aussitôt quelle idée on pourrait se faire de lui à travers l'abondante et mauvaise littérature dont il avait eu connaissance. Nerveux, il marchait maintenant de long en large et énumérait à voix basse les traits de caractère que ses ennemis lui prêtaient :

— Ambitieux, vaniteux, bateleur, hâbleur, funambule comme un drôle du Pont-Neuf, joueur, poltron, naïf tel un idiot de village, girouette tournant à tous les vents, ignorant et somme toute fort sot, pantin désarticulé et pourtant bandit de grands chemins, voleur à la tire, vide-gousset, tueur de carrefour [1] ! Et l'on trouvera tout cela sans mal, sans recherches longues et difficiles... Mais oui ! les historiens iront au plus simple, à ce qu'ils auront sous la main, tout préparé, et pourront prendre dignement, du haut de leur chaire, la succession des misérables plumitifs à trois sols soudoyés par des gens sans foi ni loi !

Soudain, la vision insoutenable de ses biens volés par ceux-là mêmes qui

1. Tel est bien le « catalogue » des jugements portés sur Law et repris par les auteurs des quelques ouvrages qui lui furent consacrés ; d'où le ton ironique et condescendant, unanimement adopté pour parler de lui et qui confond. Bien entendu, Saint-Simon, qui le connaissait, fait exception !

le diffamaient, par Dubois, cardinal depuis le 15 juillet 1721 et Premier Ministre — ses biens dispersés, perdus à jamais — arrêta son va-et-vient. Il se représentait tout ce qu'il avait aimé, vendu à la criée, et la destruction du cadre de ses jours, où il avait enfin été lui-même pour un temps court et intense. Que lui restait-il ? L'existence la plus dépouillée qui se pût imaginer, cernée par les menaces de manquer un jour proche de pain et de feu, et d'aller en prison ! Il lui restait ce rien qu'est un souffle de vie dans la solitude et la superbe certitude d'un amour pourtant devenu inaccessible. Il lui restait aussi son fils qui, selon toute apparence, se tirerait mieux d'affaire sans lui...

Il en était là de ses réflexions lorsque quelqu'un cogna à sa porte. Il s'immobilisa, interdit. Qui pouvait venir le voir ? Il y avait beau temps que nul ne lui manifestait plus le moindre intérêt, hormis Lady Howard, Defoe et le jeune Wallingford. On cogna de nouveau. Il se redressa, ajusta son pourpoint, rejeta en arrière sa chevelure négligée et alla ouvrir. Un homme s'engouffra plutôt qu'il n'entra. C'était un certain Mendès. Malgré les capacités des Juifs en matière de finances, celui-là, comme tous les petits banquiers de la Cité de Londres, se débattait péniblement dans le torrent des catastrophes suscitées par les « Bulles de Savon ». Au temps où Law était surintendant des Finances de la France, la Banque royale lui avait adressé une lettre de change de 450 000 livres françaises qui n'avait jamais été honorée par le ministère des Affaires étrangères.

— Vous comprenez le but de ma visite ? s'écria le visiteur.

— Votre position est la même que celle de Lord Londonderry, monsieur, répondit Law, et je vous ai déjà indiqué la mienne.

— Je suis fâché d'informer Votre Excellence que le banquier Midleton, correspondant de la Banque royale française, impressionné par l'accueil qui vous a été fait lors de votre arrivée en Angleterre, a fini par verser à Milord Londonderry 15 000 livres sterling, persuadé que le retour de fortune dont vous sembliez assuré lui permettrait de rentrer dans ses fonds.

Mendès jeta autour de lui un regard circulaire où passaient son effarement et son inquiétude, il ajouta :

— Milord Londonderry réclame encore beaucoup d'argent à Midleton qui se trouve, comme moi-même à cette heure, pressé par de nombreux débiteurs qui ne paient pas ! Le principal est la France, Excellence. Eh, oui ! Et pas seulement en ce qui concerne la créance Londonderry ; Midleton a payé le traitement du comte de Senectère durant son ambassade à Londres, de février 1719 à Noël 1720 ! Il a un mémoire fort bien fait, avec les ordres signés de votre frère et les reçus de l'ambassadeur [1] et il va venir vous prier d'effectuer ces règlements sans plus tarder.

— Mon frère n'était que l'exécuteur des ordres de cette canaille de Dubois, alors ministre des Affaires étrangères ! répliqua Law et vous le savez bien !

1. J'ai retrouvé cette pièce comptable, envoyée par Destouches à Dubois le 8 décembre 1722, et qui établit le sort inique réservé au frère de Law.

Mendès se taisait, son regard détaillait de nouveau le pauvre logis et observait cet homme solitaire, mal vêtu, dont le visage tendu, encadré d'une chevelure en désordre, révélait la détresse. Il murmura :

— Et votre nom, monsieur, est évocateur de fabuleuses et inépuisables richesses !

Il se laissa tomber lourdement sur la chaise qui lui était offerte.

— Je ne possède plus rien ! répondit Law. Et je ne sais pas comment mon fils et moi allons subsister dans les jours qui viennent. Faut-il enfin rappeler et répéter que « lorsque j'étais chargé des finances de la France, je prévenais à ce que M. le cardinal Dubois désirait de moi par rapport aux Affaires étrangères qui étaient alors de son département. Preuve de cela : la France payait alors régulièrement ses subsides et autres dépenses étrangères, pendant que l'Angleterre et la Hollande continuaient à avoir des arriérés sur cet article, et j'engageais mon crédit et le crédit de mes correspondants lorsque les fonds manquaient... J'ai écrit le 23 janvier dernier à Son Eminence, pour la prier de faire payer ce qui est dû par le roi de France sur la correspondance étrangère... Je lui rappelle que le Régent était convenu de donner un million par mois pour régler le courant avec l'étranger, mais cette résolution ne fut pas suivie. Cette affaire m'intéresse beaucoup puisque je suis personnellement engagé, mais elle intéresse également le Régent et le royaume de France [1]. » Mon compatriote, le chevalier Ramsay d'Edimbourg, banquier de son état, correspondant de la France depuis la fin du règne de Louis XIV, attend le règlement d'une somme de 21 000 écus ! Plus réaliste que vous, il s'apprête à écrire directement à Son Eminence le cardinal Dubois, sans me mettre en cause, « car *je n'ai pas agi dans ces affaires en personne privée* [2] ! » Faites comme lui, adressez-vous au résident français, M. Destouches, ou au chargé d'affaires, le chevalier de Chammorrel qui fait fabriquer à Londres, pour M. le cardinal, des soies de grand prix, noires, violettes et couleur de feu, et qui achemine deux cents paniers de vin de Champagne de cent bouteilles chacun des vendanges de 1721, qui furent extraordinaires, pour concilier le roi George à la France [3] ! Tout cela, monsieur, alors que nous voilà, vous et moi, dans une bien triste situation et que l'on me doit à moi aussi, figurez-vous, beaucoup d'argent : « *Cent mille livres sterling* [4] » *exactement* et à vous 450 000 livres françaises ! Jugez à qui vous devez vous adresser !

Mendès le regardait avec un étonnement qui n'était pas feint :

— Si vous ne possédez pas, monsieur, la fortune que l'on assure que vous cachez, je suis perdu ! Je n'ignore pas que votre frère, banquier de haute

---

1, 2 et 4. Archives des Affaires étrangères. Correspondances diplomatiques. Extrait d'une lettre écrite à Dubois le 22 janvier 1722, et qui, à notre connaissance, est à ce jour inédite, en dépit de l'information capitale qu'elle apporte, alors que tant de versions fantaisistes ont dénaturé complètement, là encore, la vérité historique.

3. Archives des Affaires étrangères.

réputation, a été jeté en prison parce que l'on veut lui faire endosser les engagements de la France à l'étranger.

— Un particulier peut-il payer les dettes d'un gouvernement ? s'écria Law hors de lui.

— En vérité nous voyons en ce temps des choses incroyables ! dit sourdement Mendès. J'ai commencé à être très inquiet au sujet du règlement que je viens vous demander quand j'ai appris que se joignaient à ceux qui chargent diverses banques anglaises de recouvrer auprès de vous leur dû, un certain Créan de Madrid, plus redoutable à lui seul que tous les autres !

— Savez-vous ce qu'il me réclame ?

— On dit que ce sont des sommes jadis avancées au marquis de Maulévrier, embassadeur de France en Espagne, pour l'exercice de sa fonction.

— Vous voyez, on entend me faire payer tous les traitements des diplomates français !

— Vous avez donc avancé des fonds au roi de France ?

— Vingt et un millions ! « *Je suis créditeur de l'Etat*[1] » et il n'est pas question de me rendre cet argent, mais seulement de me faire payer ce que je ne dois pas ! Cependant, tout s'éclaire si vous voulez bien considérer que si mon frère était chargé des mouvements de fonds des Affaires étrangères, mon pire ennemi, Dubois, était le ministre de ce Département et donnait les ordres. Je répète que « j'étais très attentif à fournir les sommes nécessaires aux Affaires étrangères et que, lorsque les fonds manquaient, j'engageais mon crédit pour y suppléer[2] ! »

— Quelle imprudence !

— Le prestige de la France était en cause, monsieur. Si j'avais pu faire autrement, je l'eusse fait.

— Sans doute, sans doute... (Mendès qui était honnête homme demeurait confondu. Il demanda :) Que vous a répondu le duc d'Orléans ?

— Rien. On ne m'a pas répondu et on n'a pas donné satisfaction aux correspondants étrangers de la Banque royale qui me menacent aujourd'hui.

Il prit un papier qui traînait sur la table, le tendit à Mendès :

— Tenez, Jean Horst, d'Amsterdam, me réclame le remboursement d'une avance faite sur « les fonds secrets » du roi de France pour acheter l'alliance de la Suède ! Le non-paiement de cette dette est une des causes, sinon la cause principale, de l'incarcération de mon frère ! Et l'on me poursuit aussi à ce sujet, alors qu'il existe, ou a existé, dans les dossiers de la Banque, un reçu en règle de cette somme au nom du roi de France[3] !

Mendès lut le document, préféra ne pas répondre, se leva, salua sans mot dire et sortit.

Law se rassit devant sa table boiteuse ; après avoir médité un long moment

---

1. Lettre au Régent.
2. Lettre à Dubois, Londres 9 mai 1723. Archives du ministère des Affaires étrangères.
3. Il fut récupéré, sans doute par un commis fidèle !

la tête dans les mains, il se mit à écrire à Lady Howard ; à mesure que sa plume courait une douleur sculptait sur son visage un masque nouveau. C'est qu'il formait une difficile, une pathétique requête :

« *Ne pourriez-vous insister auprès du duc*[1] *pour qu'il m'accorde un secours d'un peu plus de six mois ? Ou n'y a-t-il personne au cœur assez généreux pour m'avancer un millier de livres sterling ? Je vous supplie, si rien de cela ne peut se faire, que ce soit seulement entre nous deux, car je vous considère comme ma meilleure amie... J'ai reçu hier une lettre de France qui me redit la même chose. Excusez celle-ci, Chère Madame, et mettez-vous seulement à ma place. Sachez bien en même temps que vous êtes la seule amie qui me reste*[2]. »

Il posa la plume qui lui semblait en plomb.

— J'en suis donc arrivé là ! murmura-t-il, à la fois incrédule et effrayé. En même temps il réfléchit à ce courrier venu de France, une lettre de Nathalie qui s'inquiétait fort de ses moyens d'existence en dépit des pieux mensonges qu'il lui adressait régulièrement. Oui, elle redisait le pillage, le vol, l'indifférence dont il était victime et qui la bouleversaient. En même temps, elle s'efforçait de le réconforter en lui affirmant que Bully espérait pouvoir lui faire tenir quelques subsides sur les ventes en cours. Mais en attendant !...

Il frissonnait à l'idée que la jeune femme pourrait quelque jour débarquer, comme elle menaçait de le faire depuis que son changement d'adresse l'avait inquiétée. Sans doute, Rebecca qui connaissait bien Londres, l'avait-elle renseignée sur Hanover Square...

Pour la centième fois, il se demanda s'il ne fallait pas écrire à ses frères et sœurs d'Ecosse. Il reprit la plume. Elle lui parut plus lourde encore...

SHEPPARD STREET

— Est-ce vraiment le printemps, monsieur ?

— On l'assure. Mais c'est un printemps anglais et, croyez-moi, si notre ciel est un peu brouillé, nos parcs ont des tapis verts que Versailles peut nous envier et des massifs de tulipes et de jacinthes aussi éclatants que ceux d'Amsterdam !

Jean Law hocha la tête, sourit à Daniel Defoe et recula d'un pas pour juger de l'effet que faisait entre deux hautes fenêtres la commode en bois de violette qu'ils venaient, l'un aidant l'autre, d'y placer.

— Un beau meuble, ma foi ! constata l'écrivain.

1. Le duc d'Argyll, vraisemblablement, qui lui avait refusé son secours, en dépit de leur lien de parenté et de l'aide que le père de Law avait accordée jadis à la Maison d'Argyll.
2. Lettre de Law à Lady Howard.

On l'avait à l'instant livré, avec quelques autres de même qualité, dans cette jolie maison de Sheppard Street où John Law s'installait.

Son fils, radieux, s'étira comme un félin.

— Les choses vont vite, chez vous ! remarqua Defoe.

Jean sourit de nouveau et répliqua :

— Dès que mon père a reçu l'avis qu'une transaction secrète était en cours pour que lui soient remis les fonds provenant de la vente de La Rivière [1] et que des ordres étaient enfin donnés pour faire payer les dettes de la France à l'étranger, il a pu aussitôt trouver du crédit... Nous placerons sans doute ici le Canaletto, ajouta-t-il en désignant le coin le plus éclairé de la pièce. Quel bonheur que mon père n'ait pas eu à s'en séparer ! Figurez-vous que la bonne, la merveilleuse nouvelle lui est parvenue au moment même où, à bout de ressources, il allait demander l'aide de sa famille d'Edimbourg par une lettre écrite depuis quelque temps déjà et qu'il ne se décidait pas à expédier ! Or, dans la journée d'hier, un de ses neveux, capitaine de vaisseau marchand, a débarqué ici pour le prier de lui avancer la somme nécessaire à l'achat d'un navire et de sa cargaison.

Defoe éclata d'un rire sonore.

— Pas plus ?

— Si fait ! Il lui a encore demandé, de la part de sa mère, des subsides pour l'Eglise presbytérienne d'Edimbourg.

— Mais enfin, la famille Law ignore donc tout ce qui est advenu à votre père et à William Law ?

— Ils ont lu les gazettes qui saluaient notre arrivée en Angleterre et n'ont pu qu'être impressionnés par tout ce vacarme. Et puis, comme tout le monde, ils sont persuadés que mon père a mis sa fortune à l'abri en ce pays-ci !

— Le capitaine a dû déchanter.

— Point du tout. Mon père lui a remis une belle somme d'argent pour l'Eglise d'Edimbourg et a tiré une lettre de change de cinq cents livres sterling sur M. le marquis de Lassay pour l'achat du navire...

Defoe sursauta et dévisagea Jean avec stupeur ; celui-ci enchaîna calmement :

— ... Oh, vous savez, mon père a subi de tels tourments ces temps-ci qu'il s'est fait une philosophie nouvelle. Et puis, un navire, une cargaison, ce sont là de ces placements en lesquels il a toujours cru... Pensez aux grands vaisseaux de la Compagnie des Indes ! A cette heure où l'on disperse aux quatre vents tout ce qu'il possède, il a voulu ainsi fixer et faire fructifier, peut-être, quelque argent.

— Au péril de la mer ? J'ai connu cela dans ma jeunesse, le long des côtes d'Espagne et du Portugal.

— Aussi rudement que Robinson Crusoé ?

— Croyez-vous que l'on puisse en écrire comme je l'ai fait si on ne l'a pas vécu ?

1. Une de ses propriétés.

— Non pas ! et j'ai toujours su que vous l'aviez vécu. Voyez-vous, monsieur, mon père a montré qu'il savait risquer très gros, en des choix qui, en dépit des apparences, se révélèrent aussi fort dangereux. Il a donc écrit à M. de Lassay pour l'avertir que si le Régent voulait donner de quoi payer cet effet, ce serait bien et que, sinon, il ait à trouver cette somme sur la vente de ses biens actuellement en cours [1].

— Voilà qui est parler ! John Law a changé en effet, beaucoup changé, et, par moments, je crains même que quelque chose ne soit cassé en lui à tout jamais. Certains se plaisent à dire que l'adversité donne l'inspiration aux poètes et l'éclat au génie, alors que, en réalité, elle détruit les dons, toujours fragiles et rares, et défait les caractères... Votre père m'a parlé de ses correspondances, de ses démarches, nous en avons débattu parfois. Je sais mieux que personne que, pour tenter de sortir de situations comme la sienne, il faut aujourd'hui flatter les grands, leur en donner comme ils en veulent, jouer la comédie de la soumission. Je l'ai conseillé dans ce sens et je n'ai pas été le seul ; le marquis de Bully a, paraît-il, fait de même, mais je n'ai pas eu de mal à me faire entendre et je vous l'avoue, Jean Law, j'en ai été surpris et inquiet. Votre père tombe de trop haut ; il ne s'est point assoupli l'échine : elle s'est brisée !

L'expression de Jean changea. Sur son visage, où se lisait un instant plus tôt le bonheur d'une détente, apparut la gravité d'une douloureuse expérience :

— Cela est vrai, monsieur, dit-il. Et bien sensible depuis que Mendès et Midleton sont venus faire le siège de cette maison pendant quinze jours. La claustration qu'a dû s'imposer mon père, en un moment où il se croyait hors de page, l'a épuisé moralement et physiquement et ce fut dans cette situation que Mylord Londonderry lui fit conclure un accord que je déplore.

— Un accord ?

— Le remboursement de sa créance en trois échéances, réparties sur dix-huit mois.

— Mais pourquoi n'avoir pas agi envers Londonderry comme envers le capitaine ? Rembourser cette créance, c'est accepter d'endosser une dette de la France !

— Mon père ne savait point encore que M. d'Orléans avait enfin donné l'ordre de payer ces dettes et il ne supportait plus la présence de Mendès et de Midleton dans son antichambre ! Il pensa que, tentés par l'exemple de Mylord Londonderry, ils signeraient un accord semblable et s'en iraient. Impressionnés, en effet, par l'assurance qu'affichait ce grand seigneur de rentrer dès lors dans ses fonds, ils consentirent à retourner chez eux sans rien exiger et depuis nous laissent en paix.

— Souhaitons que cela dure quelque temps, dit Defoe en hochant la tête.

A ce moment, Law qui revenait d'une course en ville, entra en coup de vent. Il avait en effet beaucoup changé : très amaigri, marqué par les

---

1. Lettre à Lassay, mars 1722.

angoisses, son visage conservait néanmoins, plus saisissant que jamais, son regard clair et si brillant.

— Robert Walpole sauve le gouvernement, mes amis ! s'écria-t-il. Demain, il sera Premier Ministre. Il suit mes traces, il fait reprendre par la Banque d'Angleterre et l'*East India Company* les actions dépréciées de la *South Sea Company* et autres « Bulles de Savon », avec lesquelles le roi et ses ministres se sont compromis ! J'étais à l'instant chez Carteret...

— Sauvé de justesse ! ricana Defoe.

— Et les élections ? demanda Jean. On dit qu'elles vont s'achever par une condamnation des agissements de la Cour et du gouvernement.

Defoe, reprenant son sérieux, répondit :

— Connaissez-vous Old Sarum, près de Salisbury, autrefois résidence des rois normands et qui envoie deux députés à la Chambre ? Allez-y, vous n'y verrez qu'une butte herbeuse où paissent des moutons. Une famille vit là et fournit aux voyageurs du punch et du thé. Le corps électoral est composé de sept fermiers des environs qui, au moment des élections, reçoivent de la famille Pitt, c'est-à-dire de votre singulier ami Londonderry, des directives de vote.

— Il n'en va pas de même de toutes les circonscriptions, dit Law.

— Oh ! sans doute, mais il y en a une multitude de ce genre et pour les autres, le candidat doit convaincre des milliers d'électeurs à force de discours, de chopes de bière, de divertissements, de banquets et de séances bruyantes, voire violentes ! On obtient aussi beaucoup de voix par des tractations âprement discutées où l'argent joue un rôle décisif. Alors, les élections...

Defoe souligna ce dernier mot d'un haussement d'épaules.

Law réfléchissait :

— Ne pourrait-on modifier le système électoral ?

— Ne pourrait-on modifier les hommes ? Croyez-vous que notre régime soit tellement supérieur à celui de la France que vous déclarez détestable ?

Le regard clair de Law se posa au loin :

— Le Système eût changé la société, dit-il. Par conséquent, les mentalités et les hommes.

— Peut-être pourrez-vous expliquer cela à Robert Walpole...

A cet instant, la porte s'ouvrit et le valet, engagé depuis la veille, s'avança :

— Monsieur, dit-il à Law, Mister Chetwynd demande à vous voir.

— Je ne connais pas Mister Chetwynd, dit Law, étonné.

— Il prétend qu'il vous est envoyé par votre frère de Paris.

— Alors, faites-le entrer ! s'écria Law très ému ; et il se dirigea vivement vers le visiteur devant lequel le laquais s'effaçait.

— Soyez le bienvenu si vous m'apportez de bonnes nouvelles de William Law ! (Il lui tendit un siège où Chetwynd s'assit, apparemment fort gêné, ce qui n'échappa point à son hôte.) Qu'est-ce donc ? reprit celui-ci inquiet. Pas une mauvaise nouvelle, au moins ? Ma belle-sœur ? Elle était enceinte... Ses enfants ?

— Euh, monsieur, votre belle-sœur, justement, votre belle-sœur...
Vous lui avez signé à Venise un billet de cinq cents livres françaises sur un
banquier de Paris, billet que vous vous engagiez à régler dans les six mois.
Or, d'un cachot du Fort l'Evêque, où il se trouve présentement, votre frère,
conseillé par un certain Mackenzie, vous somme, par ma personne,
d'acquitter ce billet.

Law bondit :

— J'ai aussi remis à ma belle-sœur la moitié des fonds dont je disposais
alors ! Je ne pouvais prévoir que je serais dépossédé, volé, comme je le suis
aujourd'hui et dans l'incapacité de régler ce billet ! Si je comprends bien,
mon frère se joint à ceux qui veulent m'envoyer à la prison pour dettes !

Hors de lui, il saisit l'effet signé à Venise que Chetwynd lui mettait sous
le nez et avant que celui-ci ait eu le temps de s'y opposer, le déchira. Puis,
avec calme, dignité et hauteur, il dit :

— Vous conviendrez, monsieur, que votre démarche est de la dernière
inconvenance. D'autres procédés m'eussent permis de secourir aujourd'hui
William Law et les siens ; je regrette qu'ils n'aient pas été employés.

Et ayant appelé son laquais, il fit congédier le bonhomme après un « Je
vous salue bien ! » sans réplique.

Defoe et Jean, stupéfaits, le virent alors s'écrouler sur un fauteuil, les
yeux clos, la respiration courte. Un nouveau coup venait de lui être porté, et
par l'un des siens. Sa confiance en son frère préféré, faite d'amour et
d'abandon, était infinie comme celle qu'il avait en sa mère ou qu'il avait en
Nathalie. De telles trahisons font vaciller le monde autour de soi, elles
dérèglent le cœur et l'esprit et y laissent de profondes atteintes.

Il se prit le visage dans les mains et demeura prostré. Alors son fils et son
ami s'approchèrent de lui :

— Considérez, je vous en prie, que l'adversité détruit les caractères, dit
l'écrivain. Ne le disais-je pas à l'instant ? Vous verrez un jour William Law
revenir à lui, comme après un évanouissement... Ainsi sont les hommes,
ainsi est la vie !

Ce fut à ce moment qu'une lettre vint arrêter propos et gestes affectueux.
Tous regardaient le paquet de quelque importance que présentait le
domestique. Law le prit sans mot dire, le tourna et le retourna, l'ouvrit
enfin : il contenait deux plis, l'un, rédigé en français, était de Mendès. Il le
lut d'une voix altérée :

« *C'est avec beaucoup de regret que j'écris ces lignes pour vous dire que je ne puis
pas attendre plus longtemps pour le paiement des lettres de change que vous me devez.
Vous savez, monsieur, qu'elles sont dues il y a plus de seize mois, quand les dettes de
cette nature doivent être payées au jour nommé... Le respect que j'ai pour vous m'a fait
attendre si longtemps avec beaucoup de patience et le même respect me retiendrait encore
si mes affaires me le permettaient, mais elles me pressent vivement et ne voyant pas
comment remédier d'ailleurs en un temps de si peu de crédit comme vous voyez, je me
sens obligé à avoir recours à la loi, pour recouvrer, sans plus de délai, une dette si*

juste, vous assurant en même temps que je conserve pour votre personne toute l'estime que je dois [1]... »

Law n'alla pas plus loin dans cette lecture et commença celle de l'autre document, dont le texte ne rebuta point l'excellent latiniste qu'il était. Il le parcourut rapidement, puis regarda ses compagnons et dit :

— C'est la copie de la décision prise contre moi par le Grand Sheriff !... (Et sa voix sombra plus encore lorsqu'il ajouta :) Je vais être traîné devant le tribunal de la prison pour dettes !

— Ce n'est pas vrai ! Ce n'est pas possible ! cria Jean ; il prit la main de son père, tandis que des sanglots lui nouaient la gorge.

— Ce n'est pas sérieux, John Law ! grondait Defoe. Il faut agir, vous ressaisir ! De plus jeunes, de plus solides que vous n'en sortent pas vivants et vous avez, vous, divers moyens d'échapper à un tel sort ! Il faut les examiner soigneusement un à un !

La détresse de son fils, de cet adolescent blessé au profond de lui-même, donna une fois de plus à Law l'élan qui lui manquait :

— Il faut que j'écrive au Régent ce soir, dit-il et que je joigne à ma lettre celle de Mendès et cette copie de la mesure qui me frappe. Vous partirez pour Paris demain, Jean, et vous remettrez cet envoi en main propre à Son Altesse royale... (Il le regarda avec tendresse :) M. d'Orléans vous a vu souvent dans votre enfance, n'avez-vous pas l'âge de son fils ?

— Vous abandonner en un tel moment... Comment le pourrais-je ?

— Il le faudra, dit Law avec douceur. Car lorsque le duc d'Orléans verra que je vous renvoie en France, que j'y laisse mes enfants et que je suis prêt à entrer dans la prison pour dettes, il craindra que le peuple de France et l'Europe entière ne soient vite convaincus que je n'ai rien emporté de ma fortune et ne jugent durement ceux qui m'auront traité de la sorte.

— Ce n'est pas mal raisonné, approuva Defoe.

— Avec un peu de chance, reprit Law, Jean peut remettre cette lettre au Palais-Royal dans cinq ou six jours, ne serait-ce qu'au secrétaire des commandements du Régent. Mais je pense que Bully obtiendra une audience immédiate du prince. Vous joindrez M. de Bully dès votre arrivée.

— Et si vous étiez incarcéré avant que M. d'Orléans ait pu payer Mendès ? demanda Jean épouvanté.

— Je saurai vendre à temps le Canaletto et mes autres tableaux italiens ; Lady Howard m'a assuré de son dévouement. Maintenant, préparez-vous pour ce voyage. Je me procurerai dès demain matin votre passeport et une chaise pour vous conduire au premier navire en partance vers le continent. Allez... cette lettre que je dois écrire sera longue et difficile et je suis épuisé.

Jean, médusé, se retira, suivi de Daniel Defoe.

John Law arpenta longtemps le salon à demi meublé. Lorsque le soir et la fraîcheur de l'acide printemps pénétrèrent dans sa demeure et dans son

1. Lettre de Mendès à Law, 1722.

cœur, il alluma quelques bougies et un feu tout préparé dans l'âtre. Il attrapa alors son écritoire et commença d'écrire :

« Londres, 11 mai 1722... »

Il s'arrêta, contempla son écriture relâchée qui trahissait son trouble profond et les atteintes physiques dont il souffrait secrètement, puis il reprit la plume :

Monseigneur,

J'ai appris par M. de Bully l'ordre qu'il a plu à Votre Altesse royale de donner à Mgr le garde des Sceaux et Mgr le contrôleur général pour le paiement de ce qui est dû par le roi sur la correspondance étrangère.

J'attendais l'exécution de cet ordre pour me libérer des engagements que j'avais pris pendant que j'étais chargé des affaires en France...

— Voilà, pensa-t-il, ce qui est essentiel : remettre le prince en face de la vérité, lui dire entre les lignes : « Vous le savez bien... ». Il se reprit à écrire :

... mais le Sieur Mendès, à qui j'avais donné les lettres de 450 000 livres non payées, s'est impatienté. Il a obtenu un ordre pour m'arrêter et comme il m'avait promis qu'il ne poursuivrait point en justice sans m'en avertir, il vient de m'écrire et de m'envoyer la copie de l'ordre du Grand Sheriff.

J'envoie ci-inclus l'ordre et la lettre à Votre Altesse royale. Il faut, monseigneur, que je paie la somme ou que je donne caution.

Il n'est pas en mon pouvoir de faire l'un ni l'autre, n'ayant point de bien hors de France.

Votre Altesse royale s'est expliquée en plusieurs occasions qu'elle veut faire payer ce qui est dû à l'étranger et me rendre justice, non seulement par rapport à mes biens, mais aussi par ce que le roi pouvait me devoir ; je me flatte même qu'elle me donnera des marques qu'elle est contente de ma conduite...

— Ne serait-ce pas la moindre des choses, en vérité ?

Il s'entendit rire dans le silence. A cet instant, l'attachement complexe qu'il avait éprouvé pour Philippe d'Orléans faisait place au mépris et à la révolte. La plume reprit sa course, plus nerveuse :

... Ainsi je ne puis douter que Votre Altesse royale ne donne ses ordres pour me tirer de l'embarras où je suis et me sauver de l'affront qui me menace.

La plume s'arrêtait à nouveau, tournait entre ses doigts ; il hésitait encore sur les décisions à prendre et constata avec tristesse qu'il lui devenait moins aisé d'exprimer en français des problèmes si délicats ! Il fallait tout dire, mais seulement par des sous-entendus. Lentement, cette fois, il poursuivit :

... J'avais d'abord pensé d'envoyer cette lettre par mon fils, dans l'intention de détruire l'opinion qu'on pouvait encore avoir que j'avais du bien hors de France, en offrant à Votre Altesse royale de laisser et mon fils et ma fille en France.

Si j'avais du bien, je le donnerais à mes enfants et ces enfants étant établis en

636

France, le bien que je pourrais avoir hors du royaume y retournerait, mais j'assure
Votre Altesse royale que je n'ai rien et si elle ne m'envoie pour ma dépense, je
manquerai bientôt du nécessaire. Des secondes réflexions m'ont déterminé de ne point
envoyer mon fils. Je craignais que Votre Altesse royale aurait pu s'en offenser en
faisant cette démarche sans avoir demandé sa permission et sans attendre (le règlement
de la) situation (et) des affaires d'ici. J'ai pris le parti de demander à Milord
Carteret de charger un des messagers de la Cour de mon paquet (lettre)...

Quel pressentiment l'avait donc, en effet, conduit à demander dans la
soirée cette facilité à Carteret ?

Il se reprit à réfléchir : il allait répéter inlassablement la vérité ! Une
fièvre montait en lui, brouillait ses idées encore si claires un instant plus tôt,
brisait son corps. Répéter la vérité... sous le couvert du mensonge et de la
raillerie :

... Je suis persuadé que le roi et ses ministres n'auraient eu aucun objet (objection)
sur mon sujet mais le public en aurait raisonné.

Milord m'a accordé ce que je lui ai demandé et le messager attendra la décision de
Votre Altesse royale sur cette affaire qui m'est de la dernière importance.

Au cas que Votre Altesse royale approuve que mon fils aille en France, je l'enverrai
sitôt que j'aurai recu son ordre.

Et je La supplie d'agréer que je suis toujours avec le même réel attachement et
respect, monseigneur, votre très humble et dévoué serviteur.

JOHN LAW [1].

Sans avoir le courage de relire un texte dont il pressentait les
incorrections, il plia les grandes feuilles blanches qu'il venait de remplir de
son écriture et, au-dessus de la flamme d'une bougie, fit chauffer la cire
pour sceller sa lettre.

L'aube se glissait aux carreaux des hautes fenêtres et posait sur le
Canaletto, qui attendait au bas d'un mur sa place définitive, une lumière
laiteuse. Les eaux de Venise semblèrent s'animer de mouvances et de reflets.
Law les regarda, le cœur serré, puis alla se jeter sur son lit pour un bref
repos. Aux premières heures de la matinée, Jean le trouva résolu :

— Mes plans sont changés, annonça-t-il. Vous n'allez plus à Paris, mais
chez Mgr le duc d'Argyll, à qui je vais vous confier jusqu'à nouvel ordre.
(D'un geste, il arrêta les protestations de son fils.) Vous trouverez là une
existence convenable. Pour moi, je dois me tenir prêt à faire face à des
situations auxquelles je désire que vous ne soyez pas mêlé plus longtemps.

— Quelles situations, monsieur ? demanda Jean, atterré.

— Peut-être louer cette maison, peut-être revendre tout ceci... Nous

---

1. Archives du ministère des Affaires étrangères. J'ai corrigé l'orthographe mais non les
autres fautes de cette lettre inédite, qui témoigne, jusque dans ses maladresses, du drame de
Law. Sortie de ses mains, elle parvint dans celles du Régent et se retrouva dans les miennes,
bouleversant document. J'ai également eu en main la lettre de Mendès et la convocation du
Grand Sheriff.

verrons bien. Et peut-être, aussi, aurai-je besoin, un peu plus tard, de vous envoyer à Paris.

Paris, ce mot soulevait dans leur cœur inquiet une émotion qui les submergea. Cette émotion recouvrait, pour John Law, un nom et un visage de femme.

L'ÉPUISEMENT

« Londres, ce 6 août.

« Encore un été loin de vous, Nathalie... où sont les nôtres ? Celui que nous vécûmes dans les jardins du Palais-Royal au tournant de notre destin, ceux où nous vîmes les soleils d'août incendier les grandes fleurs pourpres qui montent la garde devant votre demeure... Se peut-il que je vous supplie encore de ne pas venir avant que M. le Régent ne daigne passer des promesses aux actes en ce qui concerne le règlement des gens qui me menacent ? Je n'ai que vous et Bully pour plaider ma cause. Le prince de Vendôme n'est, vous le savez bien, qu'un figurant. Je redoute que Bully ne se lasse et renonce. Tout est fait pour l'y amener : les difficultés que soulèvent à chaque pas les commis des frères Pâris, les manœuvres de Dubois, les faux-fuyants de M. d'Orléans, la meute des prétendus créanciers et les façons de Lady Caterina.

« C'est avec peine que j'apprends le mauvais état de santé de cet ami. Le dévouement désintéressé d'un tel homme et l'acharnement qu'une femme telle que vous met à me défendre sont la caution de ma sincérité.

« Je voudrais vous rassurer : je me porte bien, je n'ai besoin de rien... si ce n'est de vous et d'être débarrassé de Mendès, de Midleton et de Londonderry ! Ainsi que je ne cesse de le leur répéter : de simples particuliers ne peuvent payer les dettes d'un Etat ! Dès le reçu de cette lettre, pressez, je vous en prie, M. le Régent de répondre favorablement et sans plus tarder surtout, à ma lettre du 5 juillet, dans laquelle je lui demandais d'assurer la prochaine échéance dont je suis convenu avec Mylord Londonderry ; je rappelais que j'avais déposé naguère 3 000 actions pour ce règlement [1]. Sur les conseils de Bully et de Daniel Defoe, j'ai réécrit le 23 juillet à Son Altesse royale, une lettre pleine de courbettes et de simagrées d'amitié pour Dubois, mais je n'ai pu m'empêcher de dire que « si j'avais été moins zélé pour le bonheur de la France, j'eusse été plus souvent de son opinion [2] » ! cela pour ne pas étouffer en faisant ces pitreries de plume !

« Figurez-vous que Peterborough a pris ces temps-ci la rage d'aller et

1. 5 juillet 1722. Archives du ministère des Affaires étrangères.
2. 23 juillet 1722. Archives du ministère des Affaires étrangères.

venir de Paris à Londres et de Londres à Paris, et je sais de bonne source que Destouches et les ministres anglais cherchent à l'en empêcher. Je sens l'intrigue et m'inquiète. N'auriez-vous point la possibilité de savoir quelque chose là-dessus ?

« On parle beaucoup ici de la demande en mariage de Mlle de Beaujolais pour don Carlos [1]. Voilà qui va accaparer M. d'Orléans et rendre son approche encore plus difficile. C'est mon souci. La santé de mon fils me tracasse fort aussi. Je l'avais envoyé chez le duc d'Argyll, ce printemps, et il m'est revenu en mauvais état, alors que j'espérais le contraire en l'éloignant de mes difficultés. Son anxiété fut pire dans l'absence. Je l'ai repris avec moi et, fin juillet, il a souffert d'une fièvre tierce qui m'a alarmé. Il se remet très mal ; la chaleur étouffante et malsaine de Londres en est la cause et nous ne pouvons présentement quitter la ville...

« Mon frère est donc libéré depuis le 19 juillet et déchargé des trois millions et demi versés sur son ordre aux correspondants étrangers de la Banque royale ! Le Régent, dites-vous, serait intervenu en sa faveur auprès du conseil d'Etat. De là, vous envisagez des suites logiques et favorables en ce qui me concerne ; je voudrais vous croire... A tout le moins, voilà une preuve que Son Altesse royale n'est pas insensible à ce que vous et Bully lui représentez... »

La plume tomba de la main moite de Law ; les relents d'odeurs putrides qui montaient de la rue lui causaient un malaise ; il chercha en vain à se redresser sur ses oreillers. Une violente quinte de toux le secoua, l'étouffa bientôt. Une voix faible et angoissée se fit entendre dans la chambre voisine :

— Je vais vous porter secours, monsieur !

Jean se leva et, titubant dans la pénombre ménagée contre la canicule, se dirigea vers le lit où son père luttait et souffrait. Il saisit une carafe d'eau, remplit un verre, y versa quelques gouttes d'une potion, se pencha vers le malade, l'aida à s'asseoir et à boire. Une sueur froide ruisselait sur le visage de Law. Il se renversa en arrière les yeux clos. La lettre avait glissé à terre. Jean la ramassa et son regard ne put éviter la première ligne : « Encore un été loin de vous, Nathalie !... où sont les nôtres ? » Pensif, il rassembla les feuillets sur lesquels courait l'écriture lâche et déformée de son père et les déposa sur un meuble. Avait-il jamais pensé vraiment à ce qu'était la vie de ses parents ? Il avait éprouvé malaise et curiosité lorsqu'il apprit qu'ils n'étaient point mariés. Leur façon de vivre différait-elle cependant de celle des membres de la société dans laquelle il évoluait depuis sa naissance ? Il ne s'était pas jusque-là posé cette question et fut profondément étonné de découvrir, à mesure qu'il réfléchissait, que leurs comportements paraissaient, en effet, totalement différents de ceux des couples qu'il avait côtoyés. Totalement différents, songeait-il, et même extraordinaires !

Certes, que de maris et de femmes habitaient sous le même toit sans vivre

1. Fils du roi d'Espagne qui prétendait à la main de cette fille du Régent.

ensemble ! A peine mariés, presque toujours par contrainte, ils convenaient de s'ignorer ; c'était la règle, à Paris ! Mais Jean se représentait que dans sa petite enfance, il demeurait avec sa mère et Marie-Catherine à Bruxelles, alors que son père habitait en d'autres pays. Lady Caterina, depuis quelque temps, se donnait bien des airs avec l'abbé de Tencin, mais n'était-ce pas plutôt lui qui s'en donnait avec elle, le matin à sa toilette, à la promenade ou à l'heure du thé ? Non, elle n'avait pas d'amant déclaré, et cela aussi était se singulariser ; mais en aurait-elle pu avoir, avec son visage taché de vin, son humeur acariâtre et impérieuse, sa dureté et sa hauteur ?

Jean se laissa tomber dans un fauteuil, en proie à des interrogations qui accablaient sa faiblesse : comment son père, plein de génie, beau, séduisant, généreux, tendre, poursuivi et adulé par des femmes dont le nombre et l'éclat formaient encore, dès qu'il paraissait, l'escorte légendaire de sa vie, comment avait-il pu se lier un jour, même d'étrange façon, à Lady Caterina ? Un brusque recul détachait soudain Jean Law des habitudes de voir et de penser de son enfance et modifiait sa vision des faits les plus quotidiens dont l'apparente banalité l'avait pourtant de bonne heure diverti. Il se revoyait dans les antichambres de la place Vendôme, partageant la curiosité et l'hilarité des chambrières et des laquais devant les belles de cour qui assiégeaient la demeure, avec encore plus d'acharnement que ne venaient d'en montrer Midleton et Mendès ! Il y avait celles qui faisaient semblant de s'évanouir devant le séducteur pour qu'il les prenne dans ses bras, celles qui baisaient ses mains, celles qui faisaient renverser leur chaise devant son carrosse ou devant sa porte. On disait alors que certaines d'entre elles voulaient obtenir des actions, mais aujourd'hui, de ville en ville, l'homme qu'était devenu Jean posait un regard nouveau sur l'éblouissante parade qui se déroulait autour du magicien. Que d'approches voluptueuses, en vérité, que d'appels... et jusqu'à la belle électrice de Bavière, une souveraine, lors de leur passage à Munich ! Ils avaient ri lorsqu'on vint leur dire que cette princesse déclarait qu'elle serait capable de tout quitter pour suivre John Law s'il le lui demandait [1]. Ils avaient ri, ils avaient toujours ri, à Bruxelles comme place Vendôme, à Munich comme à Venise, Copenhague ou Londres. Il murmura à mi-voix :

— La duchesse de Kendall, Lady Howard et toutes les autres...

Ils avaient ri ! Voilà l'inexplicable, le singulier, l'étonnant. A tant de beautés offertes, son père se dérobait, lointain, rieur. Etait-il seulement tenté ? En cet instant, calmé par la potion, il s'endormait... Jean se leva, reprit la première page de la lettre et lut plus avant : « Encore un été loin de vous, Nathalie... où sont les nôtres ?... ceux que nous vécûmes dans les jardins du Palais-Royal, au tournant de notre destin, ceux où nous vîmes les soleils d'août incendier les grandes fleurs pourpres qui montent la garde

1. Veuve en 1726, elle décida, après un nouveau voyage de Law à Munich, de le suivre à Venise dans le vain espoir de vivre avec lui ! Elle repartit comme elle était venue. Soulignons qu'elle était belle, riche et pouvait servir des ambitions politiques. Law, pauvre, célibataire et devenu étrangement indifférent au crédit qu'il avait encore en Europe, ne la retint pas.

devant votre demeure. Se peut-il que je vous supplie encore de ne pas venir... »

L'angoisse presque intolérable de pénétrer par effraction dans l'univers secret, insoupçonné d'un être aimé le prit à la gorge. C'était une découverte et une douleur. De cette intimité profonde, de cette chaleur il ignorait tout et se sentait exclu. Son père était devenu le centre de gravité de sa vie et il lui sembla que ce centre venait de se déplacer ou de disparaître. Il chancelait moralement et physiquement. Il venait de découvrir que s'aventurer au-delà de la surface des êtres fait mal.

Il eût ri encore de voir dix maîtresses autour de son père, mais il sentait qu'il se trouvait devant une tout autre réalité qui le troublait : une femme. Son père avait dans sa vie une femme, comme lui-même avait un rêve de femme, d'une seule femme ; image trouble et folle sans doute et d'une essence plus subtile que celle qui faisait sourdre et éclater tels des bourgeons de printemps, certains élans qui les poussaient, Wallingford et lui, sur les traces des jolies patineuses de la Tamise ou vers les filles des guinguettes du Ranelagh. En vérité, il se demandait souvent ce qu'était ce rêve éveillé, cette image tantôt si présente, tantôt si fuyante. Il n'en parlait jamais avec Wallingford qui avait peut-être la sienne et n'en parlait pas non plus. Oui, sans doute tous les hommes devaient-ils porter en eux ce songe inexprimable qui était leur secret et fut-il donné à John Law de voir se matérialiser le sien : il s'appelait Nathalie.

Jean replia soigneusement les feuillets épars de la lettre. Il se sentait seul au monde.

A ce moment, son père ouvrit les yeux et l'observa :

— Allez vous étendre, vous êtes fort pâle, dit-il avec une douceur qui fit sourdre une larme dans le regard de son fils.

— C'est que vous étiez si mal, tout à l'heure, monsieur...

— En vérité, nous voilà bien, tous les deux ! dit Law avec un rire amer. Mais je vais mieux et je pense pouvoir me lever demain.

— Le médecin n'en était pas si sûr, ce matin.

Le malade haussa les épaules et ne répondit pas. Il se sentait comme un navire démâté dans la mousson d'été, dont le Chevalier de la Mer avait jadis nourri ses inquiétudes. Moite de fièvre, anéanti, sans cesse secoué de quintes de toux, sali de crachats qui lui échappaient, il ressentait comme une déchéance l'affection pulmonaire dont il souffrait. Les soucis matériels le torturaient au jour le jour et l'état de son fils achevait de l'accabler.

Ce soir-là, un paquet très attendu, très espéré du marquis de Bully lui fut porté. Il le décacheta fébrilement.

— Et voici le dernier coup ! dit-il simplement en tendant à son fils le mémoire venu de Paris. Lisez : en dépit des belles paroles et promesses du duc d'Orléans, Dubois achève ma ruine !

Interdit, Jean le regardait sans oser se plonger dans la lecture des documents qui tremblaient dans sa main.

— ... La Compagnie prétend recouvrer les seize millions qu'elle m'avait réclamés en mai 1721 ; le produit de la vente de tous mes biens va donc être affecté, par priorité, au règlement de cette énorme somme. Me voici livré, sans défense et sans moyens, aux Midleton et autres Mendès et je serai sans ressources lorsque nous viendrons au bout de celles que nous a procurées la vente de La Rivière.

Le silence retomba, très lourd.

Law souffrait par-dessus tout, en cet instant, de voir son fils entrer dans sa détresse, lui dont l'enfance avait été si préservée et il pensait à celle de Marie-Catherine.

— Je me battrai encore, dit-il sourdement. Faites-moi passer mon écritoire ; je vais leur adresser à mon tour un mémoire, et fort précis. J'ai laissé des comptes en banque et des billets qui doivent servir à régler le passif de la Compagnie ; je n'ai pas reçu moi-même d'autres effets ! (Soudain redressé, il tonna :) La Compagnie des Indes et l'Etat français me doivent vingt et un millions et de cela, il n'est pas question ! Et j'ai laissé également des reçus établis à mon nom pour les sommes énormes que j'ai prêtées à MM. de Silly, de Béthune, de Brancas, aux ducs de Lorges et de Gesvres, au prince de Carignan, à la marquise de Gié et à combien d'autres !

Sans mot dire, Jean lui fit passer du papier, de l'encre, une plume, instruments qui lui paraissaient dérisoires pour lutter contre une des plus puissantes nations du monde.

— Je sais ce que vous pensez, reprit Law. Mais vous avez peut-être tort. Il me souvient de ce que disait M. de Voltaire au temps où il s'appelait Arouet : « Une plume peut être une arme redoutable, si l'on sait s'en servir. »

Mais John Law n'était pas Voltaire. Son usage du français devenait, pour traiter des affaires, de plus en plus incertain. Sa plume, jadis si alerte révélait, par ses hésitations, un état physique et moral gravement perturbé. Pourtant, avant d'envoyer ses comptes à Paris, il écrivit une fois de plus au duc d'Orléans une lettre qui remettait le prince en face d'indiscutables vérités et résumait certains aspects essentiels de leur commune aventure au service de la France. Lettre pleine de grandeur, pathétique profession de foi :

Londres, 13 août 1722.

Monseigneur,
La décision qui a été donnée contre moi, qui me rend débiteur du roi pour plus de la valeur de tous mes biens, me déclare en même temps insolvable. (...)

J'étais embarrassé avant cette décision, mais à présent, on n'a plus de ménagements en me voyant abandonné de Votre Altesse royale.

En recevant la nouvelle, je me suis retiré et me tiens enfermé de la crainte d'être insulté ; étrange situation pour une personne qui n'a rien fait pour mériter ce traitement. Se peut-il, monseigneur, que je sois poussé à ces extrémités et que Votre Altesse royale ne me soulage pas ? Je m'examine et je ne trouve pas que j'ai agi contre mon devoir.

Si Votre Altesse royale m'avait connu malhonnête homme, elle aurait dû me livrer à mes ennemis ; m'ayant permis de sortir de France et avec les passeports du roi, il ne convient pas de m'abandonner.

On convient que Votre Altesse royale a des lumières supérieures aux autres hommes, on suppose qu'elle m'aurait reconnu du talent en m'employant et en me donnant sa confiance, mais en m'agréant (accordant) la liberté de sortir de France et ensuite permettant que je sois réduit aux plus grandes extrémités, Elle paraît agir contre ses intérêts...

Pardonnez, monseigneur, la liberté que je prends de répéter les discours de quelques amis qui ont connaissance de ma situation et qui m'offrent leurs services ; pour moi je pense autrement, je connais votre cœur et votre esprit, l'un et l'autre m'assurent que je ne suis pas abandonné et je ne puis douter de votre justice ni même de vos bontés à mon égard, mais Votre Altesse royale met mon attachement à de grandes épreuves.

A l'égard de mes comptes, monseigneur n'ignore pas que dans le temps que j'avais de grandes richesses, je les regardais comme à l'Etat. J'en disposais pour exécuter ses ordres et pour le service public, sans tenir des notes des sommes que j'employais ni faire signer les ordres [1] ; j'offris à M. le chancelier (d'Aguesseau), lorsqu'il me parla de ceux qui avaient perdu par la réduction des rentes, de lui remettre pour cent millions que j'avais en actions pour distribuer parmi eux. J'ai toujours été d'opinion que ceux qui laissent de trop grands biens dans leur famille sont ennemis du peuple et causent souvent le malheur de leurs propres enfants. Mon ambition était d'employer le mien (mon bien) au service de l'Etat.

Votre Altesse royale se souviendra qu'en me retirant des affaires, je lui proposai de donner tous mes biens à la compagnie, en me réservant la somme que j'avais en entrant à son service. Elle me répondit avec bonté qu'Elle ne voulait pas y consentir, qu'Elle était contente de moi (qu'Elle appréciait ce comportement) ; et comme Elle voulait que je fusse toujours attaché aux intérêts de la France, je garderais mes terres et mes actions pour moi et pour mes enfants, qu'à l'égard de la somme que je désirais retirer hors du royaume [2], Elle y consentait ; voilà ses sentiments alors et je les crois encore de même car je n'ai pas donné sujet à Votre Altesse royale de les changer...

Ce soir-là il s'arrêta d'écrire, épuisé. Le lendemain, les deux lettres achevées prirent le chemin de la France, route marine à la merci des vents...

Quinze jours plus tard, la réponse de Nathalie était entre ses mains brûlantes :

« Vous êtes devenu ma vie à l'instant où il me la fallait faire et je l'ai faite en vous. Et vous vous êtes retiré, me laissant nue comme après l'amour, comme une plage lorsque l'océan se retire... Me voici désertée, chaleur et vie m'abandonnent. Tout se défait, s'efface sur le sable du temps. La longue absence me désempare.

---

1. La stratégie constante de ses ennemis ayant été de vider les coffres de la Banque royale, il fut souvent contraint d'agir de la sorte. Il considéra que la fortune qu'il avait acquise grâce à sa position dans l'Etat appartenait à l'Etat, ainsi qu'en témoigne ce document capital *et inédit.*
2. Sa fortune initiale, lors de son installation à Paris.

« Je pourrais être à Londres en quelques jours, mais d'invisibles barrières se dressent et me retiennent. En dépit de ce que vous me mandez, je vous connais assez pour être persuadée que votre situation n'est pas telle que vous me l'assurez. Et je sais aussi que vous ne souffririez point que je fasse quoi que ce soit pour vous, hormis ces démarches auxquelles je m'efforce et qui m'obligent à demeurer ici. Difficiles missions, en vérité : il ne faut point lasser et vos urgences que je devine me pressent. M. d'Orléans et le cardinal se dérobent. M. le marquis de Bully est admirable. Sans lui, je pense que j'aurais pris depuis longtemps la route de Londres. Mais sa santé est préoccupante, et tout autre renoncerait à poursuivre d'aussi décevantes entreprises et à subir d'aussi pénibles assauts. Si j'ai besoin de lui, il est vrai qu'il a aussi besoin de moi... C'est ainsi que, nous soutenant l'un l'autre et grâce à la dernière lettre et au mémoire que vous avez adressés à Son Altesse royale, nous pûmes obtenir que le prince contraigne Son Eminence à accorder une audience à M. le prieur de Vendôme et au marquis de Bully. Je pense que Dubois n'a accepté de les recevoir que parce qu'il vient d'accéder à la toute-puissance de Richelieu et de Mazarin : cardinal Premier Ministre ; les hauteurs de son rêve enfin réalisées, il lui aura plu de savourer sa vengeance envers celui qui, si récemment encore, le menaçait et lui enlevait la première place. Que vaut donc le faible espoir qu'il nous laissa ?

« Comme à son habitude, il fut doucereux, rusé ; il promit de suggérer aux contrôleurs de la Compagnie des Indes d'accepter en paiement des seize millions demandés les effets que vous avez proposés, ce qui n'est point reconnaître vos droits ; mais en même temps, il vous fait prier de réduire l'estimation de la somme qui vous est due, ce qui est les reconnaître ! Il assure même que ce geste disposera en votre faveur et que M. le Régent, alors, ne manquera pas d'assurer votre retraite ! Ce prince, que nous vîmes distribuer tant de pensions à ceux qui n'en avaient pas besoin et vider les coffres de la Banque pour ses amis et ses maîtresses, se montre bien parcimonieux envers vous à qui il doit tant ! Je crois qu'il sait, qu'il sent le dégoût qu'il m'inspire, hélas ! Je m'en inquiète, mais je sais aussi que je n'obtiendrais pas mieux de cet homme singulier par une attitude qui sacrifierait ma dignité et la vôtre. M. de Bully le pense aussi, mais il est persuadé qu'il faut, par contre, jouer toutes les comédies avec le cardinal : cela veut dire parler son langage pour se faire entendre...

« Il me faut vous transmettre les fidèles et constantes pensées de nos amis : Lesage, Marivaux et Nattier vivent nos peines. D'autres les ont partagées aussi : Watteau, encore si présent parmi nous, et Aïssé, ma sœur, dont le malheur s'ajoute au mien ! La voilà grosse au moment où l'ambassadeur se meurt et où le chevalier d'Aydie, reprenant sa galante carrière, s'éloigne... C'est la douleur d'un cœur trop tendre qui s'était cru aimé. Mme de Tencin, avec la férocité que vous lui connaissez, a pris le parti de se moquer de notre " naïve Champenoise [1] " et Mme de Ferriol l'a menacée de tout révéler au marquis de Ferriol afin qu'il la déshérite à son

---

1. Voltaire avait ainsi surnommé Aïssé.

profit. Pont de Veyle et d'Argental sont alors intervenus. Ils ont contraint leur mère au silence et dès que l'ambassadeur aura rendu le dernier soupir, ils conduiront leur sœur chez Mylord Bolingbroke qui a épousé la marquise de Villette et vit le parfait amour dans sa propriété de La Source, près d'Orléans. Aïssé y trouvera la retraite, l'affection et le dévouement dont elle a besoin et que les incertitudes de mon devenir ne me permettent pas de lui offrir. M. de Voltaire achève, paraît-il, dans cette maison une épopée qui a pour titre *La Henriade* et dont il donne lecture.

« Je vais donc perdre aussi Aïssé... Mais n'ai-je pas déjà tout perdu, le jour où vous quittiez ces lieux pour l'exil ?

« Adieu, faut-il vous redire ma détresse et mon amour ?

« NATHALIE. »

Law replia lentement la lettre, il revoyait Aïssé, si belle et si fragile, emportée, elle aussi, à nouveau dans les remous de la vie. Aïssé et Nathalie, les jardins de l'hôtel de Mercœur... les décors délicats qui les entouraient si bien : des fleurs, des soies, des boiseries dorées, des miroirs où se reflétait la lueur des bougies dont les flammes dansaient aux vibrations du clavecin, sur un air de Vivaldi ou de Rameau... Il ferma les yeux pour mieux voir.

L'été s'en allait dans la douceur de septembre. Affaiblis, mélancoliques, incertains, Law et son fils flânaient quotidiennement sur les bords de la Tamise. Ils tentaient de recouvrer leurs forces perdues et de tuer le temps trop lourd. Le petit peuple des berges s'habituait à voir passer ces deux gentlemen dont la tenue modeste contrastait avec l'allure et la distinction et qui parlaient une langue étrangère. Ils s'entretenaient du présent accablant : de ce qui se passait à Paris, des menaces à Londres et aussi de politique, de philosophie et même de métaphysique. Ils ne parlaient jamais de l'éblouissant passé et encore moins de l'avenir. Longs entretiens qui reflétaient les méditations de plus en plus profondes de Law et qui mûrissaient son fils. A la fin de ce mois de septembre 1722, arriva une lettre de Bully annonçant que le Régent venait de l'assurer qu'il allait faire payer les correspondants étrangers et qu'il acquitterait sa dette envers son ex-surintendant des Finances. Ni Law, ni son fils ne bondirent de joie :

— De belles promesses ! C'est la spécialité de M. d'Orléans ! dit simplement Law. Mais il saisit sa plume et d'une écriture raffermie, traça ces mots incisifs :

Londres, 29 septembre 1722.

Monseigneur,
On m'avise que Votre Altesse royale a décidé de mon affaire en se chargeant de faire payer les dettes et se réservant de me donner ce qu'elle jugera convenable. Je remercie Votre Altesse royale de sa décision et pour la satisfaire entièrement de ma conduite pendant que j'étais à son service (pour être conforme à la probité qui fut la mienne), je consens que le bien que Son Altesse royale me laissera ne soit donné qu'à mes enfants et ne soit réglé qu'après ma mort, alors mon véritable état sera connu. En

attendant, Elle me fera remettre annuellement la somme qu'Elle fixera pour ma dépense...

Il y a quelque temps que j'avais proposé à Votre Altesse royale de marier mon fils ici[1], *mais je crois qu'il sera plus convenable de l'envoyer en France et que ma fille y reste pour suivre ce que Votre Altesse royale ordonnera pour leur établissement.*

Le même courrier, qui m'apporte la décision de mon affaire, m'informe qu'on doit procéder à vendre mes terres[2], *à la poursuite du contrôleur des dettes... Je me souviens que quand je n'avais pas des terres en France, Votre Altesse royale me parlait d'en acheter, étant convenable que j'eusse des biens-fonds dans le royaume et le public le désirant. Je ne mérite pas moins des Français aujourd'hui, pourtant on veut que mes biens soient vendus, j'y consens.*

Je m'entretiens dans ma solitude de mes spéculations (méditations) et je fais mes remarques sur les différentes formes de gouvernement en Europe et sur la conduite des princes et des ministres dans les moyens qu'ils emploient pour parvenir à la véritable gloire qui est le bonheur des peuples qu'ils gouvernent.

J'ai l'honneur, monseigneur, d'être de Votre Altesse royale le très humble et très obéissant serviteur.

JOHN LAW[3].

— Une lettre de plus ! murmura-t-il en regardant pensivement les fenêtres où s'éteignait le jour. Il ajouta : L'été est fini, Nathalie...

Les saisons défilaient ainsi, dans la succession éternelle de leurs beautés renouvelées, rythme et apparence sensibles du temps et des jours perdus au large de l'absence.

LE BORD DU GOUFFRE

— Monsieur Mendès et...

Jean, livide dans l'encadrement de la porte du salon, fut écarté par Mendès suivi de deux policiers. Ils s'avancèrent vers Law d'un pas ferme et se campèrent devant lui :

— Je suis au regret, monsieur, dit le banquier, de ne pouvoir suspendre plus longtemps la sentence de prise de corps obtenue contre vous au cas où vos démarches resteraient sans effet[4].

Law, bien que préparé depuis des mois à cet instant, demeura pétrifié. Il regarda ses chers tableaux italiens, mais il s'était résolu à ne s'en séparer que pour assurer sa subsistance et celle de son fils et point pour payer les dettes

1. Il veut indiquer qu'il se considère toujours au service de la Cour de France, donc dépendant de l'autorisation du prince pour l'établissement de ses enfants.
2. On vendait ses propriétés, peu à peu.
3. Archives du ministère des Affaires étrangères.
4. 5 novembre 1722.

de la France. Soudain, il aperçut une gazette qui traînait sur la table et qu'il lisait quelques instants plus tôt. Dans un éclair, il vit comment il pouvait tenter de desserrer l'étau qui se refermait sur lui :

— Attendez, cria-t-il. Voici du nouveau, et du considérable !

Il saisit le journal et mit sous les yeux de son visiteur un écho qui figurait en bonne place :

— Voyez : ces deux vaisseaux, de ceux que j'envoyais à la mer du Sud (de la Compagnie des Indes), rentrent en rapportant quatre millions de piastres ! Quatre millions de piastres ! Vous calculerez la somme fabuleuse que cela représente en livres sterling et en livres françaises ! Sans moi, ces vaisseaux n'auraient pas été envoyés et j'ai encore plus de mérite dans ces envois qu'on ne sait [1] !

Mendès ne put s'empêcher de s'écrier :

— Il serait convenable d'employer une petite part de ces fonds à nous payer, à régler les dettes du gouvernement français !

— Dettes pour lesquelles vous voulez m'envoyer en prison, moi, qui suis créancier du même gouvernement ! Mais tout est changé. Ne vous y trompez pas et ne compromettez pas les avantages du retournement de situation créé par le retour tant attendu de ces navires, qui vous offre l'unique chance de recouvrer enfin les sommes qui vous sont dues ! Si vous m'envoyez en prison, cela ne vous rapportera pas un sol ; je n'y survivrai pas longtemps, vous le savez aussi bien que moi, et vous n'aurez plus, dès lors, rien à espérer de la France. N'est-ce pas la raison pour laquelle vous ne m'y avez pas envoyé plus tôt ?

Une lueur d'espoir et d'admiration flamba dans le regard de Jean, épouvanté quelques instants plus tôt.

Mendès réfléchissait : Law ne possédait donc pas la fortune cachée qu'on lui attribuait puisque, en face de la police, au pied du mur, il ne sortait pour se défendre qu'une gazette et il était évident que si l'on ne s'en contentait pas, il se résignerait à l'incarcération. Dès lors, son raisonnement paraissait parfaitement juste.

— C'est incroyable ! murmura le banquier. Mais enfin, monsieur, comment voyez-vous les choses, que me proposez-vous ?

— D'envoyer demain à Son Altesse royale et à Son Eminence le cardinal Dubois, le cousin de mon fils, Lord Wallingford ; je lui confierai un courrier, des instructions précises. On connaît ses relations à la Cour d'Angleterre et, en particulier, avec Mme la duchesse de Kendall dont on craint le jugement. Il joindra aussi M. le prince de Vendôme, parent de Sa Majesté et du duc d'Orléans et M. le marquis de Bully qui ont accepté de défendre mes intérêts. Considérez que, dès lors, nous pouvons espérer, vous et moi, sortir du marasme qui nous accable !

— Il faut donc vous accorder un nouveau délai ?

— Je le crois.

— Il sera court.

---

1. Document d'archives, voir plus loin.

— Suffisant, certainement, pour que vous réfléchissiez à cet entretien et en fassiez part à Lord Londonderry et à Midleton.

Mendès l'observait, pensif. Law l'étonnait encore, le subjuguait. Il lui en coûtait beaucoup de le tourmenter et plus encore de le faire arrêter. Il croyait en son génie et découvrant qu'il était sans doute insolvable et sincère, il se sentait tout prêt à l'estimer, à être touché par sa détresse. Il toussota :

— Nous verrons, nous verrons, bougonna-t-il ; en attendant, prenez soin de votre santé, elle paraît, en effet, mauvaise.

— Elle l'est ! répondit Law avec ce sourire auquel nulle femme et nul homme n'avaient jamais résisté.

Mendès s'inclina silencieusement et fit signe aux deux policiers anglais qui le suivirent, non sans demander avec beaucoup d'étonnement pourquoi on les avait dérangés !

Lorsqu'ils furent sortis, Jean s'écria :

— Ah, monsieur ! Vous ne m'avez jamais paru aussi admirable !

— Bien, bien... Allez, je vous prie, sur-le-champ trouver votre cousin ; mandez-lui ce que vous avez entendu et ramenez-le dès que possible. Il faut le persuader, entendez-vous, le persuader d'accepter la mission que je veux lui confier et obtenir que M. son père trouve bon ce voyage ; je verrai bien entendu le comte de Bambury...

— Pourquoi envoyer Wallingford et pas moi ?

— Parce que, lui, n'a rien à redouter de personne. Tandis que mon fils... à l'heure où Dubois est devenu le maître de la France !

— Je vous obéis, monsieur.

— Je prépare mon courrier, soyez prompt et éloquent.

Jean l'embrassa et sortit.

Fébrilement, Law s'installa à sa table de travail et se mit, une fois encore, en devoir de tailler sa plume ; mais devant la nécessité d'adresser une supplique de plus à Dubois et sous le coup de la scène qui venait de se dérouler, une faiblesse le prit. Un brouillard noyait ses forces et son regard. Il parvint péniblement à surmonter ce malaise et un découragement profond l'envahit ; les lettres qu'il s'apprêtait à écrire allaient, hélas, le refléter.

Londres, 5 novembre 1722.

M. de Bully m'ayant mandé que Votre Eminence avait approuvé l'expédient que je proposais de faire... j'espérais être délivré des créanciers qui me pressent, mais l'ordre n'ayant pas été donné, le sieur Mendès ne veut plus attendre et si Votre Excellence ne me soulage pas en donnant cet ordre incessamment, je serai réduit à une grande extrémité. Je la supplie de faire attention à mon état. Je n'ai jamais touché aucun valeur pour les sommes qu'on me demande, ce sont les engagements que j'ai faits comme ministre des Finances, par conséquent, je ne dois pas être censé le débiteur de ces parties (considéré comme le débiteur, mes biens devraient en répondre et on me poursuit en Angleterre et mes biens sont arrêtés en France [1]...

Il s'arrêta, un écœurement montait en lui... il reprendrait cette lettre plus tard. Il saisit une nouvelle feuille pour rédiger un autre appel :

Londres, 5 novembre 1722.

Monseigneur,
Je ne doute pas des intentions de Votre Altesse royale à mon égard. Elle a eu la bonté de dire qu'Elle ne voulait pas que je fusse inquiété... Mais M. Mendès ne veut plus donner du temps.

Je crois que Votre Altesse royale est persuadée que je n'ai rien, si Elle en doute il ne me reste qu'un moyen de la satisfaire de cette vérité, c'est de retourner en France...

Si Votre Altesse royale l'ordonne, j'obéirai dans le moment. Si j'avais des vues *aussi basses* que de songer à mes intérêts particuliers et d'avoir du bien chez *l'étranger ou que (ou si) je me sentais coupable envers Votre Altesse royale ou envers la France, je ne proposerais pas d'y retourner.*

Au cas que sa décision soit que je reste ici, je la supplie de donner ses ordres pour que Mendès soit satisfait, la retraite et le repos me conviennent et Elle m'obligerait beaucoup en me donnant les moyens d'y continuer le reste de mes jours.

Si Votre Altesse royale juge bon de m'ordonner de retourner en France pour y vivre en particulier, ou pour lui rendre mes services de la manière qu'Elle réglera, il conviendra de m'envoyer les décharges nécessaires par rapport à mon administration passée ou un sauf-conduit de trois ou six mois pour vaquer à mes affaires particulières, étant assuré de la protection de Votre Altesse royale je m'y rendrai.

Je la supplie de me mander ses intentions et qu'elles puissent me parvenir à temps pour prévenir l'affront qui me menace.

J'ai l'honneur d'être, monseigneur, de Votre Altesse royale le très humble et dévoué serviteur.

JOHN LAW [2].

Et maintenant il fallait soulager ce cœur trop lourd qui pesait singulièrement dans sa poitrine ; Bully seul, pouvait recevoir la confidence de sa misère :

Londres, 5 novembre 1722.

Je ne sais plus ce que je deviendrai et je ne suis plus le maître de ma personne ni de mes décisions.

L'ordre que vous m'aviez fait espérer n'est point venu et M. Mendès ne veut plus attendre. J'envoie Mylord Wallingford avec des lettres pour Mgr le Régent et pour

1. 5 novembre 1722. Archives du ministère des Affaires étrangères.
2. 5 novembre 1722. Archives du ministère des Affaires étrangères : les mots soulignés l'ont été par Law.

Son Eminence. L'un et l'autre veulent me soulager, pourtant on souffre que je sois réduit à cette extrémité.

J'ai lieu de croire que M. le Cardinal a bonne intention pour moi, priez-le, mon cher ami, de faire écrire le sieur Pâris par le prochain courrier[1]. *Son Eminence n'aura jamais besoin de mes services, mais si j'avais les moyens, je ne suis pas ingrat. Si vous êtes refusé, mandez-le-moi d'abord que je puis prendre mon parti.*

Je ne vous écris pas mes autres embarras, cette affaire m'occupant trop, mais la vie me devient désagréable (...). Toute l'Angleterre s'imagine que j'ai des sommes immenses ; comme tout autre à ma place aurait songé à ses intérêts, ils jugent de moi de même car ils ne supposent pas qu'un autre a plus de vertu qu'eux... peu de temps les désabusera.

Nous avons lu dans les nouvelles publiques que deux vaisseaux, de ceux que j'envoyais à la mer du Sud, étaient de retour et avaient rapporté quatre millions de piastres. Sans moi, ces vaisseaux n'auraient pas été envoyés et j'ai encore plus de mérite dans ces envois qu'on ne sait.

N'est-il pas raisonnable d'employer une partie de ces retours à payer mes dettes étrangères qui sont des dettes de l'Etat ?

Et si on veut que je les paie, qu'on vende mes terres pour remplacer ces fonds, mais qu'on me délivre de l'état où je suis. Je vous avoue que je n'ai plus de patience.

Adieu, mon cher monsieur. Je n'écris pas à M. le prince de Vendôme parce que vous lui communiquez mes lettres ; assurez-le de mon respect et que je sens bien ce que je lui dois.

Adieu.

JOHN LAW[2].

Quinze jours passèrent et la première lettre envoyée de Paris par le jeune messager de Law apprit aux exilés qu'il avait trouvé M. de Bully au plus mal. Wallingford était néanmoins parvenu à rencontrer le duc d'Orléans et le cardinal ; l'un et l'autre le reçurent avec beaucoup de considération. Quelques jours plus tard, M. de Bully, hors de danger, l'accueillit à son tour avec chaleur. Wallingford venait de faire la connaissance de sa tante, Lady Caterina et de sa cousine, pour qui M. de Bully avait loué un modeste logis ; il semblait sous le charme de Marie-Catherine :

— Il la trouve aimable en tous points et belle à ravir ! s'écria Jean, en lisant une seconde lettre, elle doit vous ressembler, monsieur !

Law, très ému, ne répondit pas. C'était une autre séparation déchirante que celle qui le privait de voir sa petite fille devenir la jeune fille qui troublait Wallingford...

1. Pour le règlement des dettes.
2. 5 novembre 1722. Cette lettre se trouvant dans les Archives du ministère des Affaires étrangères, on peut en déduire que Bully l'a remise, soit au Régent, soit à Dubois, probablement avec l'assentiment de Law qui montre une courtoisie de circonstance envers le cardinal.

— Il dit encore, poursuivait Jean, que madame ma mère demeure très grande dame dans son infortune.

— Cela n'est pas fait pour nous surprendre, murmura Law, soucieux, en pensant à ce qu'il serait advenu si son ami était mort ; Nathalie avait dû passer par de nouvelles angoisses.

Désormais, le fil de son destin se déroulait à travers cet incessant et interminable courrier. Il ne vivait plus que pour le rédiger et dans l'attente des réponses. Sa table s'était transformée en bureau : les feuilles de papier blanc s'accumulaient d'un côté, les lettres venues de Paris de l'autre. Il reprit sa plume pour écrire à Bully :

Londres, 20 novembre 1722.

Je suis bien aise, monsieur, que vous soyez hors de danger, j'ai été peiné pour vous.

J'ai été pressé pour l'argent pour ma dépense et j'ai donné des lettres (de change) qui valent pour L. 25 000 à 70 jours de (illisible). M. Lays doit les envoyer à son correspondant qui attendra les 70 jours sans vous obliger à les accepter, mais j'espère que, dans ce temps, Mgr le Régent veut bien vous donner les moyens de les payer. J'en ai touché la valeur de 2 000 écus et je ne prendrai le restant que sur l'avis que vous les aurez payées (...).

Faites mes compliments à Mylord Wallingford. J'attends les lettres pour la (de) réponse de Son Altesse royale et de Mgr le cardinal. Il faut avoir du sang-froid pour me soutenir dans l'état où je suis. Midleton (re)commence à m'inquiéter sur la nouvelle que mes terres se vendent. (...) Qu'il s'adresse aux ministres pour présenter son affaire à Son Altesse royale ! (...)

Adieu mon cher monsieur, ayez soin de votre santé ; plus la maladie ou la mauvaise fortune nous attaque, plus il faut de courage pour y résister. On est perdu si on se laisse aller à la crainte et au désespoir.

Je ne me porte pas bien... mais j'espère de vivre encore longtemps.

JOHN LAW [1].

Quelques jours plus tard, le 3 décembre 1722, John Law, en compagnie de Midleton qu'il avait enfin persuadé de s'adresser au chargé d'affaires de France, pénétrait dans le cabinet de Destouches. Une scène extraordinaire s'y déroulait : Simon, l'un de ces anciens correspondants étrangers de la Banque royale qui ne choisirent pas l'absurde parti de présenter d'énormes créances à Law et qui, sans relâche, envoyaient lettres, comptes et protestations à Dubois, Simon était en larmes ! En voyant Law et Midleton, il sortit précipitamment. Les trois hommes, stupéfaits, se regardèrent en silence. Destouches, que ses charges de famille avaient amené à renoncer à la carrière aléatoire d'auteur dramatique pour devenir espion et valet servile de Dubois, n'était pas une brute et il déclara :

— Jamais je ne fus plus surpris ni plus touché que de voir un homme qui m'avait paru toujours si grave et si ferme se laisser tellement surmonter par

1. 20 novembre 1722. Archives du ministère des Affaires étrangères.

son affliction. Je vous avoue que j'y suis sensible au dernier des points [1]... Il est à bout de ressources, désespéré.

— Nous en sommes là, nous aussi, répondit Midleton sombre. Voici un mémoire que John Law et moi avons rédigé et que nous venons vous prier d'acheminer par la voie officielle.

— Celle qu'a toujours et seulement utilisée Simon, souligna Law à l'adresse de Midleton.

— Sans doute, répliqua celui-ci, mais je constate qu'elle ne lui a pas réussi non plus !

— Au moins, n'a-t-il tourmenté inutilement personne.

Destouches s'empressa d'interrompre cette controverse :

— Comptez que je transmettrai votre mémoire avec diligence et que j'insisterai pour que Son Eminence vous accorde prompte justice ; je signalerai même que « cela fera très bon effet dans ce pays-ci [2] » et il est temps de faire bon effet, car tout ce chapitre des dettes étrangères de la France commence à être fort mal vu en Europe.

Law et Midleton échangèrent dans un regard leur étonnement et leur satisfaction : ils n'espéraient pas un tel accueil.

Dehors ils se quittèrent, perplexes.

L'année finissait. Après un troisième Noël d'exilé plus douloureux encore que les précédents, dans l'après-midi du 31 décembre, Law aux abois courut chez Lady Howard pour la prier de faire proposer au roi George ses tableaux italiens. Le soir venu, dans sa jolie maison de Sheppard Street où ne se trouvaient plus ni domestiques, ni chevaux, ni voitures, devant l'unique bûche qui réchauffait mal son logis, Law écrivit à Nathalie :

« ... Je jure que l'année 1723 ne s'écoulera point sans que nous soyons réunis, quoi qu'il arrive et même si ce n'est que pour un temps.

« Voilà, en cette nuit, mon vœu et mon serment, car je n'attends plus rien hormis de votre amour et du mien.

« Je rejetterai les masques et les mauvaises raisons de l'absence et vous me reconnaîtrez, revenu à la condition où je me trouvais lorsque j'entrai chez vous pour la première fois, n'ayant dès cet instant que vous au monde... »

LE DERNIER COUP DE THÉÂTRE

La chape de glace de l'hiver s'était abattue sur l'Angleterre.

Aux vitres de la maison de Sheppard Street, des étoiles de givre se formaient et il arrivait parfois qu'un fugitif soleil allumât des étincelles dans

---

1. Destouches, rapport au cardinal Dubois. Archives du ministère des Affaires étrangères, 3 décembre 1722.

2. Rapport au cardinal Dubois, Archives du ministère des Affaires étrangères.

leur transparence. Ce n'était là que funèbres parures derrière lesquelles régnait un froid mortel que s'essayaient à supporter stoïquement John Law et son fils. Ils avaient gardé leurs dernières ressources pour se procurer le plus longtemps possible un peu de nourriture. Roulés dans des couvertures, ils demeuraient couchés, pâles, immobiles et silencieux, comme si leurs tumultueux destins allaient enfin trouver là leur terme : les deux hommes suivaient des pensées vagabondes qu'ils ne trouvaient plus le courage de se communiquer ; certaines, d'ailleurs, appartenaient à l'univers intérieur, secret, que chaque être garde en soi.

Jean, en vérité — et peut-être pour la première fois — avait cessé de croire que son père retrouverait une position à la mesure de son génie. Il songeait dès lors avec angoisse à l'avenir de ses parents, à celui de Marie-Catherine, au sien propre. Il ne voyait pour lui d'issue que dans l'armée, à laquelle rien ne l'avait préparé.

Law, comme aux jours les plus sombres de son premier séjour forcé au Palais-Royal et comme au temps de la cérémonie de Melun, se retrouvait en face de Dieu. Les propos de Nathalie lui revenaient en mémoire, saisissants, lourds d'interrogations à quoi personne ne pouvait, lui semblait-il, répondre. N'affirmait-elle pas que Dieu souffrait de la souffrance des hommes, que la Croix en portait le témoignage et proclamait la condamnation de la douleur pour l'éternité ? Ne disait-elle pas que, dès lors, la Croix ne pouvait être une incitation à des tortures appliquées aux autres ou à soi-même, pas plus qu'elle ne pouvait être le prix abominable exigé par un Père, par un Dieu d'amour dont la toute-puissance s'exercerait dans le Royaume du Prince de ce Monde ? N'était-ce pas ainsi que les Evangélistes, après leur Maître, appelaient Satan : *Prince de ce Monde ?* Et n'ont-ils pas écrit : « L'ayant conduit plus haut, il (Le Prince de ce Monde) montra à Jésus tous les royaumes de la terre en un instant et lui dit : c'est à toi que *je donnerai cette puissance, car c'est à moi qu'elle a été remise* et à qui je veux, je la donne... » (Evangile selon saint Luc.) Mais Jésus refusa le don et il devait déclarer à Pilate : « *Si ma royauté était de ce monde*, mes serviteurs auraient combattu pour que je ne fusse pas livré aux juifs... *Je suis venu dans ce monde pour rendre témoignage à la vérité.* » (Evangile selon saint Jean.)

La Vérité ? Mais n'est-elle pas difficile à percevoir alors que le Prince est sans cesse à l'œuvre pour la dérober et nous aveugler ? La Vérité ? Comment la trouver dans l'idée que Dieu serait tout-puissant et maître de la souffrance ? Jean l'Evangéliste, le préféré, le plus proche de Jésus, n'a-t-il pas transcrit ces propos qui fulgurent : « Si Dieu était votre Père — dit un jour le Seigneur à des hommes qui le suivaient — vous m'aimeriez. Pourquoi ne comprenez-vous pas mon langage ? Parce que vous ne pouvez pas l'entendre : vous avez Satan pour père et ce sont ses désirs que vous voulez réaliser. Celui qui est de Dieu entend les paroles de Dieu, si vous ne les entendez pas c'est que vous n'êtes pas de Dieu... »

Dans un tel univers, la douleur n'est-elle pas à sa place, et n'est-elle pas naturelle, la dure loi qui impose à toute vie de se nourrir de pourritures, de destructions et de morts ? D'aucuns disent que la souffrance est un mystère, mais le Christ leur répond : « Je suis venu pour *que se produise le discernement, afin que ceux qui ne voient pas voient, et ceux qui voient deviennent aveugles...* » Ainsi tragique message de l'autre Royaume, Testament nouveau, signe d'opposition radicale à ce monde sur lequel se dresse sa haute silhouette, la Croix éblouit et aveugle parfois...

Est-ce prétention, se demandait Law, que de vouloir comprendre et voir, alors que nous y sommes conviés à chaque page de l'Evangile ? Non, non cette aventure vertigineuse de l'esprit n'a pas été réservée à quelques-uns, à des initiés, à des élus...

— Que Votre règne vienne..., murmura-t-il et il fut saisi de ce qu'il avait jusque-là répété cette prière sans en retenir le sens si clair, l'évidence.

Combien d'hommes, au fond d'une détresse ou à l'instant de la mort — et quelles que soient leurs convictions antérieures — ne se trouvent pas, un instant au moins, visités par une espérance et par le souffle d'une Résurrection ? Parce que Law songeait que le Christ avait voulu connaître nos grandes, nos constantes douleurs, il ne se sentait plus seul en elles. Oui, le Christ était bien mort pour nous sauver de l'immense dérive, de l'enfer du désespoir total, de la solitude et pour nous ouvrir un chemin vers Lui [1].

On était dans la dernière quinzaine du mois de février 1723. Ce jour-là, un coup frappé à la porte de la maison de Sheppard Street retentit singulièrement dans la demeure à moitié vide et silencieuse comme dans le cœur désabusé des deux hommes qui l'habitaient encore. Jean se leva péniblement pour aller ouvrir. Law se souleva sur son lit et fut repris d'une quinte de toux violente. La voix de Daniel Defoe dans l'escalier se rapprochait et l'écrivain entra. Il avait connu toutes les détresses et aucune ne le rebutait :

— Voici du vin, du pain et des cochonnailles, dit-il simplement en déposant sur une table les paquets dont il s'était chargé.

— Nous n'avions besoin de rien, mon ami, protesta Law faiblement, en observant le curieux visage aigu et triangulaire du visiteur.

— Sérieusement, John Law, vous ne pouvez demeurer ici plus long-temps ! assura Defoe en frissonnant. Vous allez retomber tout à fait malade. Venez chez moi : je sais, il y a mes dix-sept fripons, un bruit d'enfer, mais ils tiennent chaud, que diable ! Et puis, ce n'est qu'un moment à passer.

— Nous aurions pu aller chez mon oncle, le comte de Bamburry [2],

1. Law manifesta à cette époque cette foi profonde, jusqu'à changer son cachet aux armes familiales par un autre, fort dépouillé, où n'entrait plus qu'un crucifix posé sur une ancre, avec cette devise : « Seigneur, sauvez-moi ! » Il paraît très vraisemblable qu'une méditation sur la souffrance se soit à ce moment imposée à lui et nous avons voulu essayer d'exprimer ce qu'une lecture *directe* de l'Evangile peut inspirer à certains esprits épris de logique et indépendants comme le sien.

2. A noter que Law n'alla point chez lui alors qu'il souffrait du froid et de la faim, ce qui paraît significatif de la nature de ses relations avec Caterina.

s'empressa de répondre Jean. Mon père s'y est refusé et je n'ai pas voulu le laisser seul ici en cet état.

— Cela vous honore, Jean Law !

— Je crois que nous allons sortir bientôt de ce marasme, dit Law. Nous attendons le règlement de la vente de mes six tableaux italiens. Oui, je les ai fait proposer au roi George, mais c'est Lady Howard qui a eu la bonté de se charger de cette affaire et elle ne peut agir directement... Vous savez bien que tout ce qui vient de l'entourage du prince de Galles paraît détestable à Sa Majesté.

— Ainsi attendons-nous depuis un mois et demi ! s'écria Jean, amer.

— Je ne pensais pas qu'il en serait ainsi, reprit son père avec une insolite douceur. Et puis, j'ai dépensé beaucoup pour envoyer Wallingford en France ; par la suite, j'ai dû faire face à des frais de justice causés par les procès qu'intentent ici contre moi les créanciers de la Banque royale qui, après les mesures de septembre, ont perdu l'espoir d'être remboursés à Paris... On m'a fait savoir que le roi George s'intéressait à mes tableaux ; vous voyez, tout s'arrangera.

« Voilà un homme brisé », pensa Defoe, et il insista :

— En attendant, venez chez moi.

— Vous êtes un ami et je m'en souviendrai, soyez-en assuré... (Il hésita :) Peut-être, sous peu...

— Ne serait-ce que pour votre fils.

— Oui, sans doute... Quelles nouvelles de France ?

Defoe hocha la tête :

— Rien qui puisse vous enchanter : le cardinal demeure Premier Ministre depuis la majorité de Louis XV, déclarée le 16 de ce mois. Premier Ministre d'un roi de treize ans, en monarchie absolue ! Pensez donc ! Alors, le duc d'Orléans s'efface et Dubois ne se connaît plus : la tête lui tourne, il devient fou !

— Il ne l'était point, cependant, je vous l'assure !

— Chaque jour plus jaloux de son pouvoir, il fait exiler tous ceux qu'il soupçonne d'être contre lui : le chancelier d'Aguesseau, le duc de Noailles, le maréchal de Villeroi et Nocé que l'on disait l'ami le plus cher, voire le mauvais génie du duc d'Orléans. Ne pouvant toutefois chasser le duc de Bourbon, il frappe ses créatures : le ministre de la Guerre, Le Blanc, est renvoyé.

— Le Blanc ? Il connaît donc à son tour mon sort ! s'étonna Law. Mais je ne vois pas de folie, en tout cela.

— Ce furieux prélat serait pris d'une manie sénile et frénétique des honneurs. Il entendrait être élu membre de toutes les académies.

— Lui qui ne sait rien, pas même dire la messe !

— Il entretient un bataillon de vieux érudits pour établir ses mérites et contraint les académiciens à lui présenter des compliments extraordinaires, savamment tournés, auxquels il se plaît à répondre par des bordées d'injures ! Au reste, il passe toutes ses nuits avec les putains de bas étage, les seules qu'il apprécie, paraît-il, et y laisse sa santé.

— Voilà le seul espoir que vous me donnez !

— Plus solide que vous ne le pensez : la vérole dont il est depuis longtemps pourri deviendrait, aux dernières nouvelles, fort pernicieuse ; un abcès de vessie commencerait à le faire cruellement souffrir, il aurait même des étourdissements, des évanouissements...

— ... Ce qui ne l'empêche pas de vouloir parachever l'alliance anglaise à laquelle le duc d'Orléans et lui ont, une fois de plus, sacrifié l'honneur de la France.

— Que voulez-vous dire ?

— La ruine du commerce français en Espagne n'a-t-elle pas été le prix qu'il fallut payer pour obtenir l'adhésion britannique au traité franco-espagnol de mars 1721 ? Et vous allez voir que Dubois va saisir l'occasion de la création par l'Empereur de la Compagnie d'Ostende pour créer une brouille entre les cabinets de Vienne et de Londres ! Il continue à solliciter les avis de Lord Carteret ; celui-ci m'a confié en riant que ce redoutable personnage lui avait écrit il n'y a pas si longtemps : « Je suis prêt de recevoir avec docilité, quand elle serait diamétralement opposée à la mienne, la décision d'un ministre qui ne peut avoir que de bonnes raisons ! »

— Autant dire que le cabinet anglais gouverne à Paris !

— Pour une part et ce n'est pas d'aujourd'hui ! Mais c'est là le style du renard, qui ne l'engage pas toujours. Il contraint en effet aujourd'hui ses interlocuteurs à l'employer vis-à-vis de lui ; cette servilité permanente, même par écrit, m'éprouve chaque jour davantage.

— Il est vrai, conclut Defoe, que le bonhomme connaît tous les rouages de la politique européenne et qu'il sait percer à jour les hommes et les utiliser... ou les éliminer. Il est en train d'imposer aux Français la dure réalité de sa toute-puissance ; ce peuple se voit avec horreur plié, par ce vieillard déréglé, aux rigueurs d'une discipline aveugle.

— C'est effrayant ! murmura Law. Il n'y a donc plus rien à espérer ?

— Sa mort, dit Defoe rudement.

Law promit à son ami de ne point laisser passer une semaine avant d'accepter son invitation, mais trois jours plus tard, Lady Howard porta les trois mille livres sterling que le roi George avait généreusement données pour les tableaux italiens, en apprenant la misère de celui qui représentait aux yeux de tant d'Anglais un des grands esprits de leur temps et de leur pays.

— Ecossais, puis Français, je me suis battu farouchement contre l'Angleterre qui m'a poursuivi et attaqué en tous lieux et c'est elle qui, aujourd'hui, me reconnaît pour un des siens et digne de son appui ! Voilà un grand pays ! dit Law en s'inclinant pour baiser la main de la messagère, qui avait le gracieux visage des modèles des *Windsor Beauties* de Peter Lely.

Les bons feux réconfortants se rallumèrent dans la maison de Sheppard Street, où l'on revit également des tables bien servies et même quelques fleurs, celles du premier printemps. Law, qui avait perdu ses tableaux, ne pouvait se passer d'une certaine beauté ; il la recherchait maintenant dans les perce-neige nacrés, les violettes et les tulipes qui se vendaient au coin de sa rue.

Il se demandait sans cesse combien de temps durerait ce répit, et crut qu'il se terminait ce beau matin de mars où Mendès grimpa en courant son escalier et fit irruption bruyante dans sa chambre [1] :

— Excellence ! Excellence !... criait-il en reprenant son souffle et en proie à une vive émotion.

Law sursauta et Jean, qui avait entendu, surgit à son tour en trombe.

— ... Mgr le duc d'Orléans, reprit Mendès, vient de me faire tenir quinze mille livres sterling ! Tous vos ennuis vont finir et je puis vous assurer que vous êtes à la veille d'un retour de fortune ! Un de mes correspondants de Paris m'informe que Son Altesse royale parle souvent de vous en termes élogieux, voire affectueux !

Law, qui s'était levé, se laissa retomber sur son fauteuil. Ces nouvelles inattendues lui portaient un coup. Tout se brouillait à nouveau en lui et autour de lui. Sur le visage de Jean, une larme roula tandis qu'il regardait sans le voir le visiteur étonné.

— Ne me croyez-vous pas ? reprit celui-ci. Mais ignorez-vous donc ce que vient d'annoncer la Compagnie des Indes ?

— Je ne suis pas au courant, répondit Law.

— On se propose de faire passer ces jours-ci « un décret pour décharger la compagnie de sa dette à l'égard du roi et lui permettre de vivre de ses propres ressources [2] » !

Tout à coup, un flux de sang colora le pâle visage de Law et il s'anima, comme si une sève nouvelle montait en lui :

— Enfin la Justice, monsieur ! s'écria-t-il avec force. Songez à tous les billets d'Etat que nous avons retirés de la circulation ! Et les recettes, les fermes et les privilèges dont nous nous étions rendus adjudicataires, ont été enlevés à la compagnie avant l'échéance des baux !

— Attendez ! reprit Mendès. Les choses vont plus loin, beaucoup plus loin : le roi va se reconnaître « le débiteur de la Compagnie des Indes et, pour permettre à celle-ci de donner un revenu aux actions, on vient de lui rendre la Ferme des Tabacs et le produit du domaine d'Occident ! Elle sera désormais administrée par un conseil qui va prendre le titre de conseil des Indes ».

— Qui donc a conçu et réalisé cela ? demanda Law.

— M. d'Orléans, entouré de M. le duc, de M. le marquis de Lassay, de M. le prince de Vendôme, de M. le marquis de Bully et de M. le duc de la Force.

Law demeurait confondu. On venait de citer ses amis et ceux qui, sans l'être, l'avaient soutenu jadis — sa coterie, en somme.

— Je ne comprends pas, dit-il enfin. Voici peu, on me représentait le

1. 25 mars 1723.
2. 24 mars 1723.

cardinal tout-puissant et tyrannique et Son Altesse royale retirée des affaires !

— La roue tourne vite, vous le savez mieux que personne !

— Comment Bully et d'autres correspondants que j'ai en France ne m'ont-ils rien appris de tout cela ?

— Vous avez été si souvent abusé, s'écria Jean, qu'avant de vous informer de faits de cette importance, vos amis auront voulu recevoir des certitudes qu'ils vous transmettront sans tarder.

— Sans doute, dit Law, perplexe.

— Il faut vous dire, reprit Mendès, qu'un messager de France, plus rapide que les courriers, m'est arrivé ce matin et m'a apporté des nouvelles qui répondent à votre question : des troubles ont éclaté ces jours-ci à Paris et dans les provinces ; le duc d'Orléans s'est alors redressé et a violemment reproché au Cardinal la détresse en laquelle retombe le peuple et la pénurie de numéraire qui suscite la colère et le désespoir des commerçants. Son Altesse royale a déclaré avec vigueur qu'il fallait rétablir une caisse de crédit où l'Etat puisse trouver les fonds dont il a besoin, sans être contraint de recourir aux banquiers qui le ruinent et s'enrichissent très fort depuis la chute de votre Système. Un tel éclat et de tels propos se sont vite répandus dans Paris ! Il y a quatre ou cinq jours, le bruit de votre rappel courait la ville.

Une sueur froide perlait au front de Law.

— Si le roi est débiteur de la compagnie, poursuivait Mendès, vous serez reconnu comme créditeur de Sa Majesté ! D'ailleurs, toutes les dettes étrangères vont être réglées...

Law et Jean l'entendaient à peine. Une phrase, une seule retentissait en eux : « Le bruit de votre rappel courait la ville... »

A ce moment, un nouveau coup frappé et répété à la porte leur fit l'effet des trois coups préludant aux chefs-d'œuvre à la Comédie-Française ! Ils s'attendaient au miracle. Impavides, ils reçurent le message du tout-puissant Premier Ministre d'Angleterre, Mylord Robert Walpole, qui convoquait John Law pour le lendemain.

On était parvenu aux premiers jours de mai 1723. Depuis l'émotion causée par la visite de Mendès, Law s'était ressaisi. Au désespoir de son fils, la méfiance l'emportait en lui sur tout autre sentiment. Robert Walpole, séduit et prodigieusement intéressé par lui, l'avait interrogé longuement sur l'éventualité de son retour en France et sur ses sentiments vis-à-vis d'un accord diplomatique secret qui, dans une telle conjoncture, pourrait s'établir entre eux : l'exilé répondit avec circonspection. Aucune information officielle concernant les événements survenus à Paris et les intentions du Régent ne lui était encore parvenue ; il sut trouver là prétexte à une réserve totale.

Cependant les lettres ne tardèrent pas à affluer à Sheppard Street et le gouvernement anglais en connut vite le nombre et le contenu. Bully,

Nathalie, Caterina, des amis d'autrefois, d'anciens collaborateurs et même de modestes commis confirmaient les dires de Mendès. Nathalie écrivait même : « Ce n'est donc plus moi qui vais partir, mais vous qui allez arriver ! Je commence à vous attendre... »

Le 9 mai 1723, un voyageur survint dans l'après-dîner ; Law écarquilla les yeux lorsqu'il vit entrer dans sa demeure le marquis de Bully.

— Est-ce possible ? murmura-t-il.

Les deux hommes s'étreignirent en silence.

— Je sens trop ce que je vous dois pour trouver des mots convenables, reprit Law. Comment se fait-il que vous ayez entrepris un tel voyage ?

— J'ai obéi aux ordres de Mgr le duc d'Orléans ! répondit Bully avec un sourire éclatant en prenant Law par les épaules.

— Vous dites ?

— Je dis...

Law fit asseoir son ami dans le salon où ne restaient plus que quelques fauteuils et une table. Il éprouvait le besoin de s'asseoir lui-même. Il questionna enfin d'une voix altérée :

— Est-ce que ?...

Il ne put aller plus loin. Bully, devinant le reste de la phrase, répondit :

— Pas encore, mais presque ! Le cardinal va de plus en plus mal et M. d'Orléans s'apprête à reprendre en main les affaires. L'affection que le roi lui porte s'est fortifiée de son éloignement et des excès du Premier Ministre. Son Altesse royale m'a chargé de vous remettre des fonds et de vous dire que lorsque le moment sera venu, elle souhaite recréer avec vous le Système, sans doute modifié, enrichi par l'expérience, mais le Système [1] ! Elle vous assure *qu'elle n'a jamais douté de vous* et vous prie de vous mettre dès maintenant au travail, afin de lui soumettre le plus rapidement possible une étude critique de ce qui a été fait et un plan de ce qu'il faudrait refaire et développer.

Le regard bleu de Law se posa au loin, comme chaque fois que de grands desseins animaient sa pensée. Il retrouva l'autorité de naguère pour déclarer :

— Il faudra, avant tout, empêcher la convertibilité du papier-monnaie en espèces pour que ne se renouvellent pas les manœuvres de retraits massifs qui ont épuisé la Banque royale ! Il faudra aussi reprendre le combat contre les fermiers généraux. Serai-je mieux suivi que jadis ?

— Je le crois, dit Bully. Je l'espère... et sa main vint presser amicalement celle de Law.

Lorsque Jean rentra, amenant Wallingford qui, lui aussi, arrivait de Paris, les exclamations d'étonnement et de gaieté s'entrecroisèrent en dépit d'une certaine réserve mélancolique de Law, perçue par les deux jeunes gens et par le marquis de Bully.

1. Si le Système de Law s'était terminé par un échec et par une banqueroute, il est bien évident que le duc d'Orléans n'aurait pas chargé Bully de cette mission et en une période aussi difficile pour lui.

— Messieurs, messieurs ! s'écria celui-ci. J'ai, bien entendu, placé dans mon bagage deux bouteilles de champagne pour fêter l'heureuse conjoncture. Les voici ! et il brandit un paquet auquel nul n'avait pris garde.

— Le champagne, murmura Law. C'est déjà un air de France...

Jean et Wallingford déballèrent le précieux cadeau, apportèrent des verres et se mirent en devoir de faire sauter légèrement les bouchons, avec l'adresse et l'élégance françaises.

A ce bruit, qui lui rappelait tant de souvenirs, Law se représenta tout à coup ses appartements de la place Vendôme saccagés, vidés, son logis secret contigu à l'hôtel Lambert profané, détruit, le mobilier de son bureau, sa bibliothèque de la rue Vivienne pillés, emportés... et défilaient ainsi devant lui, fantômes insupportables, les objets familiers qu'il avait aimés et qui s'éloignaient, un à un, escortés par les tableaux italiens. Venait en dernier le Canaletto, de la perte duquel il ne se consolait pas.

— Revoir Paris ! disait près de lui Jean extasié.

Law, qui s'était levé brusquement, ferma les yeux, chancela et se retint au dossier d'un fauteuil.

— Qu'avez-vous, mon ami ?

Bully, inquiet, découvrit tout à coup qu'un changement sournois avait transformé un homme qui, peu de temps auparavant, paraissait éclatant de santé, plein de force, d'audace et de vie.

— Mon père a été fort souffrant depuis que nous avons quitté Paris, expliqua Jean assombri.

Dans les visions intérieures de Law s'ouvrait, avec son léger grincement, la grille rouillée d'un jardin dont l'enchantement demeurait en lui. Là, rien n'avait changé et, au bout du chemin où s'exhalait l'odeur douce-amère des buis, un petit escalier de pierre menait à un salon en rotonde... Il poussait une porte-fenêtre... La musicienne qui l'attendait jouait pour lui la mélodie d'autrefois. « Vivre là, songeait-il. Qu'importe tout le reste, rien d'autre n'existe hormis mes enfants et je retrouverai alors Marie-Catherine comme j'ai retrouvé Jean dans l'exil. »

Il souriait maintenant en levant son lourd verre à bière où pétillait le vin subtil :

— A M. le duc d'Orléans ! A la France ! dit-il.

— A votre retour à Paris ! dit Jean.

— Ecoutez-moi bien, reprit alors Bully. Il ne faut pas que cette journée s'achève sans que vous ayez écrit et expédié une lettre pour le cardinal [1].

— Et pourquoi donc ?

— Je l'ai vu avant de partir et il approuve, figurez-vous, Son Altesse royale de vous consulter sur les finances, car la situation redevient mauvaise et il a peur.

— Il faut vraiment qu'il ait très peur !

— Il a très peur. Et vous devez sans plus tarder le flatter avec les outrances qu'il recherche. Si vous vous montrez adroit, humble, soumis, si

---

1. Ecrite et datée du 9 mai 1723 Archives du ministère des Affaires étrangères.

vous adoptez le ton que prennent maintenant tous ceux qui s'adressent à lui, en un mot si vous le rassurez sur ce point, cela pourrait décider de votre rappel immédiat. Tout au contraire, si vous lui donnez l'impression d'intriguer secrètement avec le duc d'Orléans, il faudra attendre, peut-être des mois, sa disparition avant qu'il ne soit question de votre retour !

Law réfléchissait :

— Et après sa mort il faudra aussi courir le risque de voir nommer un Premier Ministre qui n'approuverait point que l'on me consultât sur les finances ? Il faut absolument que ce soit M. d'Orléans qui lui succède à la direction du gouvernement, et nul autre ! Je vais en écrire sur-le-champ à Son Altesse royale et je vais écrire aussi au cardinal, comme vous l'entendez.

Bully ne resta que peu de temps à Londres. Avant de partir, il remit à son ami les fonds que lui envoyait Philippe d'Orléans ; l'importance de la somme donnait crédibilité et force aux propos de son messager.

Law se mit au travail. Il retrouvait singulièrement toutes ses facultés et son habileté à manier la langue française [1]. Dans un style clair et ferme, il exposait ses plans et reprenait les principes du Système [2] ; il les complétait par des mesures propres à le préserver des manœuvres qui avaient compromis son succès.

La première partie de son travail fut expédiée le 24 mai 1723.

Lorsque la réponse de Dubois arriva, elle laissa Law stupéfait : elle contenait l'assurance de sa bienveillance ; mais en échange, le cardinal exigeait la splendide bibliothèque dont l'exilé apprenait ainsi qu'elle était demeurée intacte à l'hôtel de la Banque ! Il n'avait aucun moyen de se soustraire à ce chantage... Ainsi lui arrachait-on, peu à peu, tout ce à quoi il tenait.

Il se représentait ce qu'eût été pour lui le bonheur et la consolation de retrouver ses livres, mais il n'y fallait point songer. Il ne pouvait qu'acquiescer au désir de Dubois. Il se replia, frémissant, sur cette nouvelle blessure. Dès lors, il s'absorba complètement dans un travail qui lui rendait force, confiance et espoir. Il espérait chaque jour son rappel. Nathalie aussi.

Les beaux jours firent apparaître sur les gazons anglais des fleurs innombrables et dans Sheppard Street, d'élégantes chaises et de brillants équipages. Jean, penché aux fenêtres du logis de son père, vit avec étonnement s'arrêter le premier carrosse, puis arriver et s'arrêter de même les autres, tous les autres... On avait engagé en hâte un valet et une servante pour faire face aux nombreux visiteurs qui se pressaient dans l'antichambre et dans l'escalier, où l'on entendait bourdonner des phrases étonnantes et pourtant banales :

1. Le contraste entre le style de ces textes et celui des lettres dont nous avons cité de longs extraits est saisissant et révélateur de l'état où se trouvait Law au cours de ces mois d'épreuves. Il retrouve ici l'aisance à manier notre langue dont il fit preuve en maintes circonstances avant et pendant son accession au pouvoir.

2. Qui sont pour l'essentiel ceux de l'économie moderne.

— Cher! Pourquoi avoir disparu si longtemps? Ce n'est pas bien, vraiment! Venez donc dîner avec votre fils!

— Cher! On dit que vous rentrez en France; allez-vous remplacer le cardinal?

— Cher! Venez donc chasser le renard dimanche...

— Cher! Mylord Walpole et Mylord Carteret raffolent de vous! Venez souper samedi pour nous expliquer votre Système.

Les « amis » aussi réapparaissaient : Peterborough et Mathew Prior. Quand Law vit poindre Londonderry, il résolut de s'enfermer dans sa chambre avec ses papiers et de n'en plus sortir.

— Comme au temps où Mendès et Midleton m'assiégeaient! dit-il furieux à Jean. Et que personne ne s'avise de me déranger, hormis Daniel Defoe et Lady Howard!

Mais le rythme ancien renaissait dans la maison et il en percevait les rumeurs avec une sorte d'ivresse. De nouveau, des voix hautes ou graves formaient un bruit de fond familier; l'on entendait :

— Son Excellence est-elle là?

— Priez monseigneur de m'accorder un entretien...

— J'attendrai! J'attendrai!

Les jours passaient ainsi et le message tant attendu n'arrivait pas.

Juin et juillet flambèrent dans les chatoiements d'un bel été, Law acheva son mémoire et l'adressa au Régent qui lui fit rapidement savoir combien il en était satisfait. L'exilé, qui se désespérait parfois, se reprit à espérer. Les visites, les invitations, les attentions flatteuses dont il était l'objet redoublèrent... Le 15 août 1723, éclata comme une bombe, en première page de toutes les gazettes d'Angleterre, l'annonce de la mort de Dubois, survenue cinq jours plus tôt, avec la nouvelle que le duc d'Orléans avait pris le soir même la charge de Premier Ministre de Louis XV.

— Comme jadis, Son Altesse a suivi mes conseils! dit Law très ému. Maintenant, Jean, nous pouvons préparer nos bagages.

Jean ne répondit pas, occupé qu'il était à décacheter le courrier qui s'amoncelait sur un plateau et à le commenter :

— Le prince de Galles vous invite à la Comédie; vous y serez applaudi comme hier. Et la duchesse de Kendall veut que vous l'accompagniez à l'Opéra demain soir.

— Jean! Entendez-vous? Dubois est mort; le Régent, Premier Ministre!

— J'entends, monsieur, et j'attends...

Ils attendirent, étonnés de voir les jours passer sans leur apporter la nouvelle qu'ils espéraient.

Bully et Nathalie écrivaient pourtant que la mesure était imminente et que le duc d'Orléans préparait les conditions de son retour. Il fallait, entre autres, écarter l'ancienne et puissante coterie de ses adversaires qui se réveillait. Les frères Pâris et Crozat remontaient aux créneaux et M. le duc changeait de camp pour les rejoindre. Tout allait-il recommencer? On crut que la décision interviendrait le 20 septembre, au cours du conseil spécial convoqué par Philippe d'Orléans pour proposer l'adoption du projet de Law, présenté sous un faux nom, ce qui d'un côté surprit et inquiéta, et de l'autre, n'abusa personne.

« Séance orageuse, écrivait Bully, mais M. d'Orléans est plus déterminé qu'il ne le fut jamais. Prenez patience, ce ne sera plus long. »

« Tout sera fait au cours d'un prochain conseil, affirmait Nathalie. M. d'Orléans m'en a donné l'assurance et, quelle que soit l'instabilité de son caractère, j'ai le sentiment qu'il le faut croire maintenant. »

Marie-Catherine elle-même envoyait de délicieux messages, en lesquels entraient des projets d'avenir, tant d'espoir et tant de certitude !

Ainsi, pourtant, passèrent encore octobre et novembre.

Le 1er décembre 1723, une nouvelle lettre de Bully parvint à Sheppard Street :

« *Le conseil réuni le 28 novembre vient de mettre le feu aux poudres, écrivait-il. M. le duc, soutenu par ceux de sa coterie, s'opposa avec une telle violence à Son Altesse royale que le prince interrompit la séance et déclara qu'il prendrait la décision de votre retour à huitaine. On le retrouva aussi ferme qu'au lit de justice de 1718 ! Dès que M. d'Orléans put m'entretenir en particulier, je vis combien il était hors de lui-même et il m'informa qu'il imposerait sa volonté et enverrait les Pâris dans un nouvel exil pour vous faire place nette et calmer l'outrecuidance de M. le duc. Il ajouta : " Prévenez Law que j'aurai sans doute besoin de lui sous peu. " Revenez donc sur l'heure, sans attendre un ordre exprès. J'ai lieu de croire que vous serez accueilli avec plaisir... »*

Jean poussa un hurlement de triomphe. Fébrile, Law posa la lettre sur la table et se leva.

— Nous partons après-demain, dit-il. Courez chez Defoe pour le prier de m'aider à liquider immédiatement tout ce qu'il y a dans cette maison : meubles, vaisselle, linge, tout doit être parti en quarante-huit heures. Pour moi, je vais faire établir nos passeports, puis je retiendrai nos places sur le premier bateau en partance. Commandez une voiture pour nous conduire à Douvres. *O my son !* Nous ne passerons pas le Noël qui vient en exil !

Des larmes voilaient son regard.

Le matin du 4 décembre 1723 se leva sur Londres dans la blanche luminosité des ciels de neige. Dans Sheppard Street, devant la maison de John Law, des hommes de peine enlevaient les derniers meubles et l'équipage des voyageurs se rangea devant la porte. Tandis que l'on chargeait les bagages, des carrosses affluaient de toutes parts : les amis et les relations venaient faire leurs adieux. Law, très pâle, parut, suivi de son fils et de ses familiers. Il étreignit silencieusement Daniel Defoe, Wallingford et baisa longuement les mains fines de Lady Howard, puis il fit un geste amical vers les nombreux arrivants qui l'acclamaient. Le père et le fils jetèrent enfin un long et dernier regard sur la façade et les fenêtres à petits carreaux de la jolie maison dans laquelle ils avaient tant souffert et tant lutté contre l'adversité et le désespoir, puis Jean ouvrit la porte de la voiture... Avant que Law ait eu le temps de monter sur le marchepied, un laquais qui s'était faufilé à grand-peine jusque-là lui tendit un billet :

— De la part de M. le chargé d'affaires de France. C'est urgent, très urgent, monsieur !

Law, troublé, l'ouvrit. Destouches écrivait :

« *Vous estimerez sans doute préférable, monsieur, de remettre votre départ sur la pénible annonce de la mort subite de M. le duc d'Orléans, survenue le 2 décembre à sept heures de relevée*[1]. »

Un lourd silence planait soudain dans le froid de décembre ; on entendait seulement s'ébrouer les chevaux, comme si tout le monde pressentait quelque arrêt du destin.

Law se laissa aller un court instant contre la voiture puis se ressaisit, tendit le billet à Jean et rentra dans la maison dont la porte n'était pas encore refermée. Il monta quatre à quatre l'escalier ; derrière lui, ses amis s'élançaient. Il entra dans le salon vide, referma la porte à clé. Des rumeurs s'élevaient dehors. Il s'appuya contre un mur et ferma les yeux. Et voici que les coups frappés à la porte, les appels, les voix amicales, le bourdonnement de la rue perdaient de leur consistance. Tout s'apaisait en lui et se simplifiait. Le rendez-vous intemporel fixé à Nathalie se précisait : un univers somptueux les attendait en un lieu où pouvaient s'abriter tous les rêves : Venise. Là se trouvaient des palais, retraites cachées au détour des lagunes, où ils poursuivraient de ces songes profonds qui, à la dérive du temps, s'en vont vers l'éternité.

Venise, vaporeuse lumière, reflets irisés des eaux parmi lesquels se fondent et peu à peu se dissolvent les traces de toute vie et celles des amours que la mort dérobe pour les mêler à la magique beauté des décors hantés par cet invisible.

L'essentiel invisible.

---

1. La rapidité de la transmission de cette nouvelle à peine croyable est pourtant établie par les documents d'archives.

ÉPILOGUE

Ici prend fin le récit de la plus grande partie de la vie de John Law de Lauriston, celle qui fut exceptionnelle.

Il redevint ensuite ce qu'il appela lui-même « un simple particulier ».

Puissent les pages qui précèdent démontrer qu'il laissa derrière lui une œuvre considérable et que, malgré l'acharnement mis par ses ennemis à la détruire, elle laissa des traces profondes, durables, dont certaines furent considérées comme le premier souffle de 1789, d'aucuns ont dit comme la préface du socialisme.

Destin absurde et singulier, mais chaque destin n'est-il pas ainsi ? Celui de John Law étonne et captive, parce qu'il l'entraîna aux extrêmes et nous a découvert des situations hors du commun.

A partir du 4 décembre 1723, il rentra dans une zone d'ombre en laquelle il ne serait plus possible de poursuivre des investigations sur sa vie privée sans utiliser un genre littéraire différent : celui du roman pur.

Nous laissons donc aux lecteurs le soin de se représenter ce qu'il advint de la femme qui, au cours des quelques années où il fut un homme public, semble avoir été un des pôles d'attraction de sa vie. Il leur sera aisé de deviner la suite de cette histoire secrète, comme il est aisé de se représenter ce qu'est devenu quelqu'un que l'on a bien connu et que l'on a perdu de vue, dès lors que l'on apprend tel ou tel événement survenu dans son existence. Voici ceux qui marquèrent les six années que devait encore vivre John Law.

Philippe d'Orléans mourut donc subitement alors qu'il bavardait avec une de ses maîtresses en attendant d'être appelé chez le roi. Celle qui recueillit son dernier soupir, la duchesse de Falaris [1], lui avait été présentée par Law quelques années plus tôt.

Le duc de Bourbon, M. le duc, prit aussitôt la place devenue vacante de Premier Ministre. Toutes les faveurs et tous les pouvoirs furent conservés aux adversaires de Law qui ne put ni revenir en France ni garder aucun espoir de recouvrer ce qui lui était dû.

1. Ou de Falaise. Les fantaisies de l'orthographe de cette époque sont génératrices de confusions et d'erreurs.

Dès lors, il ne représenta plus rien pour Robert Walpole qui avait espéré, s'il revenait à la cour de France, lui voir accepter la succession de Dubois au service secret de l'Angleterre.

Fort heureusement, les fonds envoyés par le duc d'Orléans permirent à l'exilé de vivre fort retiré pendant un an et demi dans une petite maison de Hyde Park Street. Fort retiré, mais non en paix, car les frères Pâris et le duc de Bourbon reprirent contre lui toutes les persécutions : menaces, réclamations indues, attaques, vols purs et simples des biens qui lui restaient.

En juin 1725, de nouveau à bout de ressources, Law eut le désir de se soustraire à tant de maux. Il demanda au cabinet de Londres de lui confier des missions à l'étranger, afin de pouvoir subsister autrement que par des expédients ou des aumônes.

Les hommes d'Etat anglais avaient su prendre la mesure de leur ennemi d'hier et pensèrent qu'il ne serait pas décent de l'abandonner, tout en estimant qu'ils ne pouvaient pour autant transformer l'ex-maître de la Louisiane et l'ex-surintendant des Finances de la France en émissaire secret de George Ier. Peut-être éprouvaient-ils quelque gratitude envers celui qui, au cours de très nombreux et longs entretiens, les avait si bien instruits qu'ils purent faire bénéficier l'Angleterre des enseignements rejetés par la France et la lancer, par l'utilisation et le développement de toutes ses ressources, vers la révolution industrielle qui allait lui permettre de dominer l'Europe pour longtemps.

Le duc de Bourbon, toujours brutal et borné, venait de renvoyer à Philippe V la petite infante arrivée en France et fiancée à Louis XV. Il provoquait ainsi le renversement spectaculaire des alliances : l'Espagne, à grand bruit, concluait un pacte avec l'Empereur germanique. Un traité allait être signé à Vienne, dont la Grande-Bretagne ferait les frais. George Ier cherchait à se défendre contre les périls qui s'annonçaient et invitait les chefs d'Etat de l'Europe du Nord à former, avec l'Angleterre et son cher Hanovre, une coalition nouvelle à laquelle il voulait associer d'autres nations germaniques. Sous prétexte de recueillir des informations dans ces pays, on envoya Law aux eaux d'Aix-la-Chapelle, puis à Munich, à la cour de l'électeur de Bavière où il avait laissé un grand souvenir [1]. Il ne devait pas tarder à découvrir avec amertume que ces missions étaient fictives et n'avaient d'autre fin que de déguiser avec tact une généreuse assistance. Il se débattit encore, protesta, fit des propositions et des suggestions et reçut enfin une lettre du ministre des Affaires étrangères, Lord Townsend, qui l'accréditait auprès de la République de Venise où l'on savait qu'il voulait se retirer.

Avec Jean et le fils d'une de ses sœurs, Agnès Hamilton, Law prit donc le chemin de la ville qu'il aimait.

Là, il ne voulut pas être plus longtemps l'obligé de l'Angleterre et retrouva au Ridotto les tables de jeux. Il savait en vivre et comme l'a dit superbement Michelet, il avait dès lors « abandonné sa mémoire ».

---

1. Particulièrement dans le cœur de la souveraine !

Michelet ajoute à tort : « Il est mort sans parler [1]... » Existence secrète en effet, plus secrète que jamais, troublée par l'aggravation de la maladie pulmonaire qui l'emporta, le 29 mars 1729.

Il sut mourir comme il avait vécu, avec lucidité et courage, et fut enterré en l'église San Gemignano, située place Saint-Marc où il habitait, au cœur de Venise. Les personnalités les plus considérables assistèrent à la cérémonie ; le nonce du pape donna l'absoute. On déposa ensuite le corps sous une dalle de la sacristie et l'ambassadeur de France, le comte de Gergy, voulut y faire graver cette épitaphe :

Johannes Law
Willelmi Filius
Edimburgi scotorum summo loco natus
Regii aerarii in Gallia Praefectus
Obiit venetiis anno salutis
MDCCXXIX Aetatis vero
LVIII[2]

Un an plus tôt, Law avait reçu la visite de Montesquieu, qui se montra à son égard moins clairvoyant et moins profond que le duc de Saint-Simon, Lord Stanhope ou Robert Walpole. Montesquieu appartenait à cette classe parlementaire que l'auteur du Système avait combattue et qui l'avait abattu, et il se montra incapable d'élever son regard au-delà de la satisfaction que lui procurait cette victoire.

Ni Caterina Knollys-Seignieur ni Marie-Catherine ne vinrent jamais à Venise. Un mois et demi après la mort de Law, en mai 1729, elles s'installèrent à Bruxelles, où Jean vint les rejoindre. Il s'engagea bientôt dans le régiment du prince d'Orange-Frise et cinq ans plus tard, à Maastricht, âgé de trente-trois ans, beau et si jeune encore, il mourut de la petite vérole, en février 1734. Au mois de juillet suivant, sa sœur épousa son gentil cousin Wallingford et s'en fut vivre avec lui en Angleterre.

La fière Lady Caterina Seignieur ne voulut point que sa famille et ses relations anglaises fussent témoins de sa déchéance et, bien que farouche protestante, elle préféra se retirer chez les bénédictines de Bruxelles.

Les enfants de John Law, déclarés illégitimes et étrangers, ne furent pas reconnus comme ses héritiers. Ceux de William, nés en France, purent seuls prétendre à l'hypothétique héritage dont on prit soin de ne leur rien laisser, que des tracasseries sans fin. Ils demeurèrent cependant en France, où leurs descendants devaient illustrer le nom des Law de Lauriston.

Un arrière-petit-fils de William et de Rebecca, Alexandre Law, marquis de Lauriston, né à Pondichéry en 1768 — où son père poursuivait au service

---

1. Depuis, on a retrouvé ses « paroles ».
2. John Law, fils de Guillaume, né à Edimbourg, capitale de l'Ecosse, ministre du Trésor royal en France, est mort à Venise en 1729, âgé seulement de cinquante-huit ans.

de la Compagnie des Indes un des rêves de John — fut officier dans les armées de Napoléon, puis dans celles de Louis XVIII, secrétaire de la Maison du roi, pair et maréchal de France. Il vint se pencher sur la tombe menacée du grand homme de sa famille. Dans le souci de trouver pour cet oncle légendaire une sépulture définitive et digne de ce qu'il fut, il le fit transporter à l'église San Moïse.

Le décevant destin de John Law le poursuit jusque-là : placée devant la porte principale du sanctuaire, sa pierre tombale est piétinée chaque jour par des foules ignorantes. Elles marchent ainsi au-dessus des restes de ce corps qui abrita un si grand esprit, un si vaste cœur et auquel fut accordée cette grâce insigne : la beauté.

Une seconde inscription funéraire est cependant là, encore lisible :

Honori et Memoriae
Joannis Law Edimburgensis
Regii Gallia aerarii
Praefecti Clarissimi
A MDCCXXIX et I VIII defuncti
Gentilis sui cineres
ex D Geminiani diruta
Huc transferri curavit
Alexander Law de Lauriston
Napoleoni Maximo
Aditor in Castris
Praefectus Legionis
Gubernator venetiarum
A MDCCCVIII

En l'honneur et à la mémoire
de John Law, né à Edimbourg
Très illustre Ministre du Trésor Royal de France
Décédé en 1729 à l'âge de cinquante-huit ans
Son parent
Alexandre Law de Lauriston
Aide de camp de Napoléon le très Grand
Général et Gouverneur de Venise
a pris soin de transférer ici
ses cendres
L'église de San Geminiano
ayant été détruite.
1808

Devant cette dalle, un jour, à Venise, je suis venue moi aussi me recueillir et méditer sur la difficulté d'être et sur le mal de vivre.

Quant à Nathalie, c'est peut-être dans ce livre et dans mon âme incertaine que cette Infante défunte a trouvé son tombeau.

BIBLIOGRAPHIE

ARCHIVES CONSULTÉES

Documents de la famille de Lauriston.
Archives nationales : Mémoires du duc d'Antin.
Archives du ministère des Affaires étrangères : Correspondances diplomatiques.

PRINCIPAUX OUVRAGES CONSULTÉS

JOHN LAW : *Œuvres complètes.*

MÉMOIRES - LETTRES - JOURNAUX

DUC DE SAINT-SIMON : *Mémoires.*
Anonyme du XVIIIᵉ siècle : *Galerie de l'Ancienne Cour.*
DANGEAU : *Mémoires.*
DUCLOS : *Mémoires secrets.*
Mˡˡᵉ DE LA CHAUSSERAY : *Mémoires.*
CHARLIAT : *Mémoires inédits de Thor Molen sur la Cour de France.*
DUCHESSE D'ORLÉANS (princesse Palatine) : *Lettres.*
Mˡˡᵉ AÏSSÉ : *Lettres.*
ROSE DELAUNAY : *Lettres.*
ROSALBA CARRIERA : *Journal.*
BUVAT : *Journal.*
BARBIER : *Journal de la Régence.*

BIOGRAPHIES DE LAW

COCHUT : *Law, son système et son époque* (1853).
THIERS : *Histoire de John Law* (1858).
GEORGES OUDARD : *La très curieuse vie de Law* (Plon, 1927).
H. MONTGOMERY HYDE : *John Law, un honnête aventurier* (Hachette).
JEAN DARIDAN : *John Law, père de l'inflation* (Denoël, 1938).
RENÉ TRINTZIUS : *John Law et la naissance du dirigisme* (SFELT, 1950).

ECONOMIE ET FINANCES

PAUL HARSIN : *La Banque et le Système de Law* (1934).
MELON : *Essai politique sur le commerce.*
DUTOT : *Réflexions politiques sur les finances et le commerce.*
H. GERMAIN-MARTIN : *Histoire financière de la France.*
EUGÈNE DAIRE : *Economistes français du XVIIIᵉ siècle.*
LOUIS-PHILIPPE MAY : *L'ancien régime devant le mur d'argent* (Alcan, 1935).
J. SAINT-GERMAIN : *Les financiers sous Louis XIV* (Plon, 1950).
C.-G. GIGNOUX et F.-F. LEGUEU : *Le bureau des rêveries.*
EDGAR FAURE : *La Banqueroute de Law* (Gallimard, 1977).

HISTOIRE DE LA LOUISIANE

PÈRE HENNEQUIN : *Description de la Louisiane nouvellement découverte.*
H. GRAVIER : *La colonisation de la Louisiane à l'époque de Law* (1904).
H. GRAVIER : *Les « cartouchiers » rue Quincampoix au temps du système de Law.*
GEORGES OUDARD : *Vieille Amérique, la Louisiane au temps des Français* (Plon, 1930).
G. HANOTEAUX et MARTINEAU : *Histoire des Colonies françaises.*
MARCEL GIRAUD : *Histoire de la Louisiane française.*

HISTOIRE GÉNÉRALE

J. MICHELET : *Histoire de France* Louis XIV et le duc de Bourgogne. — La Régence).
E. LAVISSE : *Histoire de France.*
H. TAINE : *Les origines de la France contemporaine.*
G. ZELLER : *Histoire des relations internationales* (Hachette).
STRYENSKI : *Le XVIIIᵉ siècle* (Hachette, 1941).
C. WILDING : *Les grands aventuriers du XVIIIᵉ siècle.*
V. BLED : *La société française au XVIIIᵉ siècle.*
H. LYONNET : *La vie au XVIIIᵉ siècle* (Librairie Académique Perrin).
CH. KUNSTLER : *La vie quotidienne sous la Régence* (Hachette, 1960).
EUGÈNE VAILLÉ : *Le Cabinet noir* (PUF, 1950).
HENRI BIDOU : *Paris.*
EMILE MAGNE : *Paris sous Louis XIV.*

Collection « Peuples et Civilisations » (PUF) :
PHILIPPE SAGNAC et A. DE SAINT-LÉGER : *La prépondérance française : Louis XIV.*
PIERRE MURET et PHILIPPE SAGNAC : *La prépondérance anglaise.*

Collection « La diplomatie secrète au XVIIIᵉ siècle » (A. Colin) :
EMILE BOURGEOIS : *Le secret du Régent et la politique de l'abbé Dubois.*
EMILE BOURGEOIS : *Le secret de Dubois, cardinal et Premier Ministre.*

HISTOIRE D'ANGLETERRE

J. THORN, R. LOCKYER, D. SMITH : *Histoire d'Angleterre.*
EDMUND GOSSE : *Histoire de la Littérature anglaise* (A. Colin).

Louis Kronenberger : *Rois et aventuriers : la vie à Londres au XVIIIe siècle* (Julliard, 1951).

BIOGRAPHIES DIVERSES

PH. Erlanger : *Le Régent* (Gallimard, 1949).

J. Saint-Germain : *Samuel Bernard* (Hachette, 1950).

H. Carré : *Mademoiselle, fille du Régent* (Hachette, 1936).

A. Prudhommes : *Notes pour servir à l'histoire de Mme de Tencin et de sa famille.*

P.-M. Masson : *Madame de Tencin* (Hachette, 1910).

René Vaillot : *Qui étaient... Mme de Tencin et le cardinal ?*

M. Boutry : *Intrigues et missions du cardinal de Tencin.*

Sainte-Beuve : *Etudes sur Mlle Aissé.*

Gustave Lanson : *Voltaire* (Hachette).

Saint-René Taillandier : *La princesse des Ursins.*

Louis Gillet : *Watteau* (Plon, 1921).

Achevé d'imprimer en mars 1982
sur presse CAMERON,
dans les ateliers de la S.E.P.C.
à Saint-Amand-Montrond (Cher)

— N° d'édit. 439. — N° d'imp. 2692-1759. —
Dépôt légal : mars 1982.